Introdução e artigo completo de
SERGIO MORO

OPERAÇÃO MÃOS LIMPAS

A verdade sobre a operação italiana que inspirou a Lava Jato

**GIANNI BARBACETTO · PETER GOMEZ
MARCO TRAVAGLIO**

Revisão Técnica
Patricia Garcia da Rosa
Sandra Regina Martini

SOBRE OS AUTORES

Gianni Barbacetto, jornalista, escreve para *il Fatto Quotidiano*. É diretor do Omicron (o observatório milanês sobre a criminalidade organizada no Norte da Itália). Começou a trabalhar na rádio (Radio Milano Libera, Radio Città, Radio RAI). Nos anos 80, contribuiu para fundar a revista mensal *Società Civile*, que dirigiu por dez anos. Alguns anos atrás, divertiu-se muito apresentando um programa televisivo sobre economia e finanças em uma TV privada (Rete A). Realizou, com o diretor Mosco Boucault, o documentário para a rede franco-alemã Arte sobre o confronto judiciário "Lodo Mondadori" (confronto judiciário-financeiro entre dois empresários italianos, Silvio Berlusconi e Carlo De Benedetti, pela posse da editora italiana Arnoldo Mondadori), que nunca foi transmitido na Itália. Trabalhou na televisão (*Annozero*, *Blunotte*), no cinema (*A Casa Nostra*, de Francesca Comencini), no teatro (*A cento passi dal Duomo*, de Giulio Cavalli). Os livros que escreveu foram *Milano degli scandali* (com Elio Veltri; Laterza, 1991); *Campioni d'Italia* (Tropea, 2002); *B. Tutte le carte del Presidente* (Tropea, 2004); *Compagni che sbagliano* (il Saggiatore, 2007); *Il guastafeste* (entrevista com Antonio Di Pietro; Ponte alle Grazie, 2009); *Se telefonando* (Melampo, 2009); *Il grande vecchio* (Rizzoli-Bur, 2009); *Le mani sulla città* (com Davide Milosa; Chiarelettere, 2011). Com Peter Gomez e Marco Travaglio, publicou *Mani sporche* (Chiarelettere, 2007).

Peter Gomez, jornalista do il Fatto Quotidiano e diretor do *il Fatto Quotidiano online*, trabalhou com Indro Montanelli inicialmente no *il Giornale* e depois no *La Voce*. Nos últimos anos, cobriu todos os principais escândalos italianos sobre Máfia, propinas e corrupção. Os livros que escreveu foram *O mia bedda Madonnina* (com Goffredo Buccini; Rizzoli, 1993); *L'intoccabile. Berlusconi e Cosa nostra* (com Leo Sisti; Kaos Edizioni,1997); *Piedi puliti* (com Leonardo Coen, Leo Sisti; Garzanti, 1999); *I complici* (com Lirio Abbate; Fazi Editore, 2007); *Il regalo di Berlusconi* (com Antonella Mascali; Chiarelettere, 2009). Com Marco Travaglio, publicou *La repubblica delle banane* (Editori Riuniti, 2001); *Lo chiamavano impunità* (Editori Riuniti, 2003); *Bravi ragazzi* (Editori Riuniti, 2003); *Regime* (Rizzoli-Bur, 2004); *L'amico degli amici* (Rizzoli-Bur, 2005); *Inciucio* (Rizzoli-Bur, 2005); *Le mille balle blu* (Rizzoli-Bur, 2006); *Onorevoli Wanted* (Editori Riuniti, 2006); *E continuavano a chiamarlo impunità* (Editori Riuniti, 2007); *Mani sporche* (com Gianni Barbacetto, Chiarelettere 2007); *Se li conosci li eviti* (Chiarelettere, 2008); *Bavaglio* (com Marco Lillo; Chiarelettere, 2008); *Papi* (com Marco Lillo; Chiarelettere, 2009).

Marco Travaglio trabalhou com Indro Montanelli, inicialmente no *il Giornale* e depois no *La Voce*. Contribuiu com diversas publicações, entre as quais *Sette, Cuore, Il Messaggero, Il Giorno, L'Indipendente, Il Borghese, la Repubblica e l'Unità*. Hoje, além de escrever no *l'Espresso, Micromega, A,* e de colaborar com o programa televisivo *Servizio Pubblico*, de Michele Santoro, é vice-diretor do *il Fatto Quotidiano*, para cuja fundação contribuiu em 2009. Depois do sucesso de *Promemoria*, está em cartaz nos teatros italianos com *Anestesia Totale, Primo spettacolo (poco spettacolare) del dopo B*, junto com Isabella Ferrari. É autor de muitos livros de sucesso, entre os quais *L'odore dei soldi* (com Elio Veltri; Editori Riuniti, 2001), *Regime* (com Peter Gomez; Rizzoli-Bur, 2004), *Per chi suona la banana* (Garzanti, 2008), *Colti sul fatto* (Garzanti, 2010). Pela Chiarelettere, publicou: *Mani sporche* (com Peter Gomez e Gianni Barbacetto, 2007), *Se li conosci li eviti* (com Peter Gomez, 2008), *Il bavaglio* (com Peter Gomez e Marco Lillo, 2008), *Italia Annozero* (com Vauro e Beatrice Borromeo, 2009), *Papi. Uno scandalo politico* (com Peter Gomez e Marco Lillo, 2009), *Ad Personam* (2010), *Silenzio, si ruba* (DVD + livro, 2011).

Introdução e artigo completo de
SERGIO MORO

OPERAÇÃO MÃOS LIMPAS

A verdade sobre a operação italiana que inspirou a Lava Jato

**GIANNI BARBACETTO · PETER GOMEZ
MARCO TRAVAGLIO**

Revisão Técnica
Patricia Garcia da Rosa
Sandra Regina Martini

Portuguese *copyright* © 2016 by CDG Edições e Publicações
Do original em italiano: *Mani Pulite - La vera storia*
© 2012, Chiarelettere editore srl

All Rights Reserved.

Autores:
Gianni Barbacetto
Peter Gomez
Marco Travaglio

Tradutores:
Alexis Caprara
Aline Pereira de Barros
Cristhian Herrera
Fernanda Junges
Marivone Cechett Sirtoli
Paola Aroldi Santagada

Revisão técnica:
Patricia Garcia da Rosa
Sandra Regina Martini

Revisão textual:
Lúcia Brito
Samanta Sá Canfield

Capa:
Pâmela Siqueira

Assistente de criação:
Dharana Rivas

Diagramação:
Dharana Rivas

DADOS INTERNACIONAIS DE CATALOGAÇÃO NA PUBLICAÇÃO (CIP)

G633o   Barbacetto, Gianni
        Operação mãos limpas : a verdade sobre a operação italiana que inspirou a Lava Jato / Gianni Barbacetto, Peter Gomez, Marco Travaglio. – Porto Alegre: CDG, 2016.
        896 p.

        Intrudução à edição brasileira de Sergio Moro.
        ISBN: 978-85-68014-29-5

        1. Corrupção política. 2. Ética política. 3. Corrupção – aspectos econômicos. 4. Itália – Política e governo. I. Travaglio, Marco. II. Título.

CDD - 320

Bibliotecária Responsável:
Andreli Dalbosco – CRB 10-2272

Produção editorial e distribuição:

contato@citadeleditora.com.br
www.citadeleditora.com.br

Agente Logístico
www.brixcargo.com.br
Tel: (11) 5031-4565 / (51) 3470-7800 / (41) 3323-1499

SUMÁRIO

Introdução por Sergio Moro. 4

Nota da revisão técnica. 10

Prefácio à edição italiana. 14

Prólogo. 24

1992. Mãos Sujas. 28

1993. Mãos Levantadas. 110

1994. Mãos Atadas. 264

1995. Mãos Baixas. 396

1996. Mãos Grandes. 506

1997-2000. Mãos Livres. 636

Post Scriptum. Os últimos dez anos. 796

Apêndice. Como terminaram. 836

Ensaio crítico. 870

Artigo por Sergio Moro: considerações sobre a Mani Pulite. . 874

INTRODUÇÃO
OPERAÇÃO MÃOS LIMPAS:
A VERDADEIRA HISTÓRIA
por Sergio Fernando Moro

"É evidente que todas as constituições que miram o interesse comum são constituições retas, enquanto conformes à justiça absoluta; as que visam ao interesse dos governantes são errôneas, constituindo degenerações com respeito às primeiras." (Aristóteles, Política, 1279 a.C)

O século 20 assistiu ao triunfo da democracia frente às demais formas de governo.

Enquanto antes da Segunda Guerra Mundial e da derrocada dos regimes comunistas no Leste Europeu cogitavam-se outras formas de governo em concorrência com a democracia, depois desses episódios históricos a democracia afirmou-se, relegando as demais a formas anacrônicas ou produto de momentos históricos distorcidos, destinados, com o tempo, a serem superados.

O triunfo não significa, porém, que a democracia não tem os seus próprios problemas.

As frustrações com a sua morosidade decisória, a falta de interesse dos cidadãos na participação na política e o distanciamento entre governantes e governados são alguns deles.

Outro, não propriamente peculiar à democracia, consiste na erupção e disseminação de esquemas de corrupção sistêmica.

A corrupção ou a prática de suborno, com pagamento de vantagens indevidas por agentes privados a agentes públicos, sempre existirá. Homens não são anjos. Constituem amálgama de vícios e virtudes e mesmo em regimes utópicos pode-se cogitar que sempre haverá aqueles dispostos a decaírem.

Outro juízo é cabível em relação à mencionada corrupção sistêmica, na qual a prática do suborno, de tão aprofundada e disseminada, passa a ser vista como "regra do jogo", a dominar as transações entre o público e o privado.

A corrupção sistêmica, ao contrário da corrupção isolada e individualizada, não é algo comum. Não existe em todo e qualquer lugar. Constitui uma degeneração da democracia. Talvez o termo cleptocracia seja mais adequado. Em regimes dominados por esquemas de corrupção sistêmica, os governantes passam a visualizar o exercício do poder não como uma forma de realizar o interesse comum ou o interesse público, mas como um meio para apropriação de riquezas privadas e também para, com elas, perpetuarem-se no poder.

Trata-se de um mal que deve ser combatido e vencido. É certo que em uma democracia pluralista, no âmbito de uma sociedade de massa, cidadãos podem divergir razoavelmente acerca da caracterização do interesse público ou na formulação das melhores políticas para atingir o bem comum. Não há, porém, margem para divergência razoável quanto à caracterização da corrupção sistêmica como uma degeneração da democracia e quanto à necessidade de remediá-la.

Os custos da corrupção sistêmica são enormes.

Custos com o pagamento de propinas são usualmente embutidos nos contratos públicos, onerando o orçamento governamental e os contribuintes.

Esquemas de corrupção sistêmica afetam, de forma ainda mais decisiva, a eficiência da Administração Pública, já que a necessidade de gerar recursos para pagamento de propinas pode afetar a formulação das políticas governamentais. Pode motivar a realização de obras desnecessárias ou de gastos governamentais ineficientes que podem afetar o orçamento público muito além do custo imediato para o pagamento da propina.

Afastam o investimento interno ou externo, já que agentes econômicos importantes podem escolher se afastar de mercados dominados pela corrupção sistêmica e nos quais, por conseguinte, estarão sujeitos a cobranças indevidas ou a concorrências arbitrárias.

Custos de propinas, decisões governamentais ineficientes na perspectiva econômica e afastamento de investimentos geram, por sua vez, incremento da dívida pública, perda de produtividade econômica e atraso no desenvolvimento. Esses impactos econômicos e no bem-estar geral não devem ser subestimados.

O principal efeito deletério consiste, contudo, na afetação da confiança no próprio regime democrático. A democracia é fundada na idéia básica de que todos os cidadãos são livres e iguais e assim devem ser tratados pela lei e pelas instituições públicas. Demanda confiança na regra da lei, o que os anglo-saxões denominam de "rule of law" ou o que na tradição latina pode ser chamado do governo de leis e não de homens.

Esquemas de corrupção sistêmica minam a confiança dos cidadãos na regra da lei ou no governo de leis. Quando parte dos governantes e dos governados agem em interesse próprio, em desrespeito à lei, quando não seguem as regras gerais e iguais, ao contrário têm as suas próprias regras do jogo especiais, obtendo, arbitrariamente, enriquecimento ilícito e perpetuação no poder, os demais, a maioria, sente-se desmotivada em agir conforme as regras gerais e iguais e, além disso, passa a ver a política como uma mera disputa de poder na qual o que conta são os interesses privados especiais e não o público.

As soluções são simples, mas de difícil implementação.

Para males democráticos, soluções democráticas são necessárias.

O primado da lei deve ser restabelecido.

As instituições judiciárias devem, respeitado o devido processo legal, punir aqueles que se valem da corrupção sistêmica. Para tanto, as disfunções do sistema de Justiça criminal, muitas vezes decorrentes de políticas motivadas por interesses especiais, devem ser superadas, a fim de garantir o seu bom funcionamento. No processo penal, o inocente deve sair livre e o culpado deve sofrer as consequências quando provada a sua responsabilidade. A incapacidade dos sistemas de Justiça criminal para levar a bom termo casos de corrupção sistêmica envolvendo importantes agentes públicos ou privados tem uma relação direta com o agravamento do problema. Impunidade e corrupção sistêmica andam de mãos juntas.

INTRODUÇÃO

Necessários, em esquemas de corrupção sistêmica, métodos especiais de investigação, pois a corrupção é praticada em segredo, não sendo facilmente descoberta ou provada. A colaboração premiada, que rompe a aliança entre corruptor e corrupto, é um desses métodos, mas não o único. Medidas judiciais fortes, como a prisão cautelar, podem mostrar-se também necessárias para romper o ciclo de reiteração delitiva e igualmente para prevenir indevidas interferências na colheita da prova e no normal andamento da processo. Em um contexto de corrupção sistêmica, penetrante, profunda e disseminada nas instituições e na sociedade civil, a adoção de remédios excepcionais não pode ser considerada uma escolha arbitrária, mas medida necessária, na forma da lei, para romper o ciclo vicioso.

Mas o sistema de Justiça criminal pode oferecer apenas uma resposta limitada à corrupção sistêmica dada a dimensão do problema e a necessária e desejável vinculação da própria Justiça criminal a regras rigorosas de procedimentos e provas.

Concomitantemente, outras instituições e mesmo a sociedade civil devem operar.

O sistema político, por meio de eleições periódicas ou de seus organismos correcionais próprios, tem grande responsabilidade. Deve expulsar e condenar ao ostracismo políticos improbos. Para tanto, tem mais facilidade do que a própria Justiça criminal, já que não limitado pelas regras mais rigorosas do processo penal.

Mecanismos que garantam transparência das ações governamentais e na formulação das políticas públicas são igualmente fundamentais.

Liberdade de expressão e de informação e a imprensa livre são igualmente pilares essenciais no combate e na prevenção de esquemas de corrupção sistêmica. É a opinião pública bem informada a condição necessária para o bom funcionamento de todas as demais instituições, judiciárias ou políticas.

A iniciativa privada, ou seja, as empresas livres, tem igualmente um papel especial. Não raramente esquemas de corrupção sistêmica envolvem não só o enriquecimento ilícito de agentes públicos, mas igualmente o favorecimento indevido de agentes privados, com afetação da livre concorrência e da liberdade de mercado. Atalhos para posições de predominância em licitações ou no mercado são, não raramente, motivadores do pagamento de vantagens indevidas. Se o mercado disser não à propina, por ação individual ou coletiva, esquemas de corrupção sistêmica não têm como prosperar. Ninguém se corrompe sozinho.

O livro *Mani Pulite: La vera storia, 20 anni dopo*, de Gianni Barbacetto, Peter Gomez e Marco Travaglio, traduzido em boa hora para o português, é o mais detalhado relato histórico sobre a Operação Mãos Limpas.

A grande investigação iniciada em 1992 revelou, sem precedentes equivalentes, que a Itália estava mergulhada em um esquema de corrupção sistêmica que envolvia os principais agentes e partidos políticos de então, além de grandes empresários.

A narrativa é surpreendente e uma obra de ficção não estaria à sua altura.

Da prisão em Milão de um agente público de médio escalão em 17 de fevereiro de 1992, seguiram-se novas prisões e processos e, especialmente, revelações cada vez mais extensas e profundas, em uma espécie de "efeito dominó", no sentido de que havia se tornado a regra, na Itália, o pagamento da propina em contratações públicas.

Os valores seriam destinados ao enriquecimento pessoal de agentes públicos e políticos, estando envolvidos inclusive primeiros ministros, e para o financiamento criminoso de eleições e de partidos políticos.

Os números são superlativos. Considerando apenas os processos instaurados em Milão, os dados oficiais apontam para um total de quatro mil, quinhentos e vinte investigados, com cerca de oitocentos mandados de prisão expedidos nos dois primeiros anos da Operação Mãos Limpas. As investigações, todavia, se espalharam como fogo para outros foros italianos, confundindo-se em alguns com processos antimáfia, atingindo números ainda mais expressivos.

O impacto político foi igualmente significativo. Dois dos principais partidos que dominaram a vida política na Itália após a Segunda Grande Guerra foram literalmente liquidados já nas eleições de 1994, abrindo espaço para novas agremiações.

O apoio da opinião pública nos primeiros anos foi avassalador, identificando como verdadeiros heróis os magistrados mais diretamente encarregados dos processos.

Diante de todo o ocorrido, seria de se esperar que esquemas de corrupção sistêmica tivessem sido obliterados da Itália.

Mas a Operação Mãos Limpas não é apenas uma história de sucesso. É também reveladora das limitações institucionais da Justiça criminal que, sozinha, não tem condições de reformar democracias contaminadas pela corrupção sistêmica.

Depois dos sucessos dos primeiros anos, o sistema corrupto contra-atacou. Diante da progressiva desmobilização da opinião pública e do comprometimento, pelo poder econômico e político, da vigilância proveniente da imprensa, o sistema corrupto passou paulatinamente a reduzir as consequências dos processos judiciais, anistiando crimes ou reduzindo penas, ou mesmo aprovando leis que simplesmente dificultavam as investigações e a persecução penal.

Algumas das iniciativas mais acintosas de obstrução da justiça foram, de início, repelidas, mas várias delas, algumas mais sutis, foram progressivamente aprovadas.

Os magistrados responsáveis foram, por sua vez, cada vez mais atacados por supostos excessos nos processos, ainda que se desconheçam casos de inocentes que tenham sido presos ou condenados indevidamente.

O emprego de instrumentos processuais mais drásticos, mas também necessários para debelar o quadro de corrupção sistêmica, como prisões cautelares, passou a ser criticado como contrário ao Estado de Direito, como se a própria contaminação do regime democrático pela corrupção sistêmica não o fosse.

A consequência mais direta foi a de que o elevado número de prisões não gerou número equivalente de condenações e mesmo para estas, devido às anistias

INTRODUÇÃO

parciais, as penas não foram tão significativas. Poder-se-ia cogitar que a falta de correlação entre as prisões cautelares e as condenações revelasse o exagero no emprego das primeiras, mas, de fato, as absolvições de mérito foram percentualmente muito pouco significativas. O que realmente provocou a discrepância foi a reação legislativa do sistema político corrompido.

Indiretamente, a reação política teve como resultado uma avaliação controversa da herança da Operação Mãos Limpas. Apesar de toda a sua intensidade, há dúvidas se, na Itália de hoje, a corrupção é ou não menor do que a que vicejava no início dos anos noventa. Os esquemas de corrupção sistêmica talvez tenham apenas mudado de forma. Esse tipo de avaliação é extremamente complexo porque, como evidente, não existem dados estatísticos confiáveis acerca da quantidade e intensidade da prática da corrupção, salvo em relação àqueles descobertos pela Justiça e que, a depender da eficiência desta, podem ser maiores ou menores independentemente de sua ocorrência de fato. Mas, pelo menos, a percepção do nível de corrupção auferido por organismos como a Transparência Internacional é ainda muito elevada para a Itália. Impossível ainda dizer que a situação estaria melhor caso não tivesse havido a Operação Mãos Limpas, provavelmente não, pois, no mínimo, no seu momento de maior intensidade, houve um arrefecimento do esquema de corrupção sistêmica, o que diminuiu a sua escalada.

A conclusão errada decorrente do resultado final consiste em culpar os magistrados ou a própria Operação Mãos Limpas.

A responsabilidade é do sistema político que contra-atacou e das demais instituições da própria democracia italiana que não foram capazes, na janela de oportunidade gerada pelos processos judiciais, de aprovar as reformas necessárias para prevenir o restabelecimento ou a perpetuação da corrupção sistêmica.

A lição a ser aprendida, aqui já exposta, é que a superação da corrupção sistêmica exige uma conjugação de esforços das instituições e da sociedade civil democrática, sendo a ação da Justiça uma condição necessária, mas não suficiente.

O futuro, porém, não está escrito e nenhuma democracia está fadada a conviver com a corrupção sistêmica.

O relato histórico do ocorrido, verdadeira novela de um estonteante sucesso judicial, seguido de frustrações decorrentes do sistema político, oferece uma aula acerca do funcionamento de uma democracia moderna, em uma sociedade de massas, e as possibilidades e as limitações dela no enfrentamento da corrupção sistêmica.

Nessa perspectiva, essa história transcende em muito a Itália, pois não se trata da única democracia a enfrentar esse mesmo desafio. Que essa história não seja esquecida. Boa leitura.

Curitiba, 1º de maio de 2016.

Sergio Fernando Moro
Juiz Federal

NOTA
DA REVISÃO TÉCNICA

A INVESTIGAÇÃO ITALIANA denominada Operação Mãos Limpas revelou ao mundo, pela primeira vez, um esquema de corrupção sistêmica nas relações do poder público com as empresas privadas envolvidas em licitações. Foi descoberto, na Itália, um sistema que, em regra, era usado para remunerar os agentes públicos, partidos e políticos, através de contratos com o Estado.

Neste sentido, a *Mani Pulite* não é só uma história italiana; é uma história que interessa a todos, porque demonstra com clareza o que é o fenômeno da corrupção sistêmica, tema que é extremamente relevante para as democracias modernas, sobretudo para países como o Brasil e o seu sistema democrático recente.

Não existem soluções mágicas. Não há como fazer mudanças reais e significativas do dia para a noite. Acabar com a corrupção não é e nem nunca será fácil. Para alguns, é considerada uma utopia, para outros, um devaneio, mas prefiro acreditar que esta é uma guerra diária, que tem de ser lutada por cada um de nós no nosso cotidiano, e na base deste combate está o conhecimento.

Ter noção crítica dos fatos e conhecer o problema são os primeiros passos para se lutar contra a corrupção, e esta não é uma batalha só do Estado, dos magistrados ou dos atores públicos. Esta é, também, uma luta do cidadão que acredita em um mundo melhor para si, mas, sobretudo, para as próximas gerações.

Por que traduzir o livro *Mani Pulite: la vera storia*, dos jornalistas Gianni Barbacetto, Peter Gomez e Marco Travaglio? As respostas são múltiplas, mas me parece que a razão principal é que este livro foi considerado um verdadeiro relato histórico de como, pela primeira vez, foi descoberta a corrupção sistêmica, como ela se constituiu e como passou a integrar o cotidiano das relações entre empresários e políticos. Neste sentido, entendo que, mais do que narração de fatos, a história é processo. Assim, para que se possa compreender realmente os acontecimentos, mostra-se necessário examinar o processo histórico, com vistas a perceber todas as suas nuances e as transformações ocorridas a partir dele, bem como destacar os pontos que nos permitam construir uma história diferente para ajudar a melhorar a sociedade em que estamos inseridos.

Este livro possibilita aos brasileiros conhecerem no detalhe o que aconteceu na Itália na década de 1990, fato que guarda inúmeras similaridades com o que acontece hoje no Brasil. Por que isto é relevante? Porque o caso italiano já foi concluído, e o leitor terá a oportunidade de ver como os políticos agiram para se proteger e quais foram os reais resultados desta operação. Aqui, há várias operações em curso, que têm revelado também o mesmo fenômeno de corrupção sistêmica e que ainda estão longe de um fim.

O leitor perceberá que, no caso italiano, a ação do judiciário foi até um determinado limite: até o ponto em que o sistema político interviu. O significado disso e suas consequências são aspectos que realmente interessam à sociedade brasileira. Afinal, cabe a todo cidadão a responsabilidade de cobrar e fiscalizar os políticos já que, pelo menos em tese, estes são eleitos para buscar o bem comum da sociedade, não para atuar em seu interesse próprio.

Quando a Citadel, por meio do seu editor, me convidou para fazer a revisão técnica deste livro, demonstrando, assim, a sua preocupação com a qualidade da obra, percebi imediatamente, por conhecer o livro, a complexidade e a grandiosidade do que tinha pela frente. Era necessário que o texto tivesse uma coerência interna e uma adequação da linguagem, e isso foi construído através de uma interferência crítica, buscando a correta adequação ao texto original, respeitando a ideia dos autores, mas adaptando-a ao significado em português. Afinal, se dissermos que "alguém está com a mão na geleia" não irá ter sentido, ao passo que se a expressão for "alguém foi pego com a boca na botija", certamente será preservada a conotação pretendida pelos autores.

Foi um trabalho desenvolvido por muitas mãos. Convidei a professora Sandra Regina Martini para dividir comigo esta empreitada voluntária, porque só pela paixão e pela crença de que podemos mudar o contexto em que vivemos poderíamos assumir uma responsabilidade como esta, e assim fizemos.

O processo de revisão técnica foi artesanal, uma vez que havia seis tradutores envolvidos no projeto. Feita a primeira revisão, surgiram dúvidas em relação a diversas expressões. Então, recorremos a dois italianos: eu, a meu caríssimo amigo Adolfo Bracci; Sandra, ao professor Francesco Bilancia, os quais nos deram sugestões sobre a melhor tradução. Entretanto, o trabalho não estava concluído; iniciava a atividade de revisão da Samanta, revisora do português que, com sua astúcia, nos indicou alguns termos que ainda não estavam bem adaptados. Assim, foi feita mais uma revisão, buscando sempre a maior qualidade possível para esta edição em português, para que os leitores brasileiros tenham à sua disposição uma obra que esteja à altura da original.

Procuramos preservar ao máximo o sentido primário da redação e encontramos inúmeras expressões idiomáticas, termos oriundos de dialetos, ditos populares cuja tradução violaria o sentido original ou era impossível de ser feita. Buscamos, através das notas de revisão técnica (*nrt*), juntamente com os tradutores e suas notas de tradução (*nt*), manter a redação fidedigna à original, mas sempre com o objetivo de conduzir o leitor de forma fluida por este vasto texto.

Espero sinceramente que o objetivo tenha sido atingido, que tenhamos conseguido contribuir para que esta história, que guarda tanta semelhança com a nossa, possa ser conhecida no Brasil e, que daqui a alguns anos, seja possível ver que o resultado final das diversas operações em curso hoje no país seja diferente do desfecho da Operação Mãos Limpas.

Por fim, gostaria de agradecer àqueles que contribuíram para que este trabalho pudesse ter sido realizado: Sandra Regina Martini, que me oportunizou a realização de um doutorado na Itália e com quem dividi esta revisão técnica; Adolfo Bracci e o professor Francesco Bilancia pela orientação; Samanta Sá Canfield e Lúcia Brito, ambas com um profundo conhecimento linguístico e vivência profissional, que aportaram ainda mais qualidade a esta edição brasileira; e, sobretudo, a toda equipe da Citadel Editora pela oportunidade e confiança.

Patrícia Garcia da Rosa
Advogada OAB/RS Nr. 81.298
Doutora em Direito Europeu pela *Università Degli Studi Roma Tre* - Itália
sócia fundadora da D'Avila e Da Rosa Advogados
e da Brasportsul Assessoria Comex Ltda.

PREFÁCIO DA EDIÇÃO ITALIANA
por Piercamillo Davigo*

*Foi um dos magistrados da operação Mãos Limpas, depois tornou-se diretor do Tribunal de Apelação de Milão e da Seção Penal da Corte de Cassação (Corte di Cassazione, órgão máximo da justiça italiana). Desde abril de 2016, é presidente da Associação Nacional dos Magistrados. (NRT)

Mãos Limpas. Vinte anos depois

Passaram-se vinte anos desde que, no dia 17 de fevereiro de 1992, Mario Chiesa foi preso em Milão, fato que marcou o início das investigações que os meios de comunicação chamaram de "Mãos Limpas". Não foi a primeira vez que um administrador público foi surpreendido em flagrante de corrupção, nem a última. Por que então esse acontecimento ainda é lembrado duas décadas depois, a ponto de levar à segunda edição um livro que reconstitui o episódio e tudo o que aconteceu depois dele?

Acredito que a explicação esteja no surpreendente (até mesmo para os investigadores) desenvolvimento das investigações que eclodiram daquele episódio que, em um período relativamente curto (em particular, referindo-se àqueles tempos da administração judiciária), levaram à descoberta de um número impressionante de delitos e do envolvimento de milhares de políticos, funcionários e empresários.

Qual foi a diferença entre aquela investigação e as outras precedentes e seguintes?

Durante esses vinte anos, foram ouvidas muitas bobagens, como "todos sabiam", "onde estava a justiça até agora?", "foi um golpe" (orquestrado, segundo quem apoiava essa tese, pelos comunistas, pela CIA, pelos poderes fortes, etc.) e outras excentricidades. Antes de mais nada, não é verdade que "todos sabiam". Mesmo tendo a percepção de que os crimes de extorsão, corrupção, financiamento ilícito dos partidos e falsificação contábil eram muito mais numerosos do que indicavam as estatísticas judiciárias, nem eu nem meus colegas imaginávamos a dimensão da ilegalidade descoberta por meio das investigações.

Nem os cidadãos imaginavam que a corrupção tivesse alcançado tal dimensão e, sobretudo, que participantes de partidos com ideologias opostas estivessem dividindo as propinas. Eles ficaram surpresos quando Bettino Craxi falou, na Câmara dos Deputados, em 29 de abril de 1993, de um sistema ilícito de financiamento político no qual todos estavam envolvidos, sem que nenhum dos deputados presentes (entre os quais, certamente, havia alguns honestos, mas que desconheciam o que acontecia dentro de seus partidos) se levantasse para expressar surpresa ou desdém ao ser associado ao roubo generalizado.

Além disso, segundo as estatísticas judiciárias, os crimes de corrupção pareciam (e ainda parecem) pouco numerosos, mas isso não causa surpresa. Na verdade, a corrupção tem algumas características inerentes à Máfia, entre elas a imersão e o contexto sigiloso, e tem um altíssimo saldo obscuro (a diferença entre os delitos cometidos e os denunciados). A corrupção não é cometida diante de testemunhas; é um crime com vítimas difusas, que não atinge uma pessoa específica que tenha interesse em denunciá-lo, e as ações compradas são quase sempre as mais "limpas", as mais bem-cuidadas. Se somarmos isso ao fato de que as leis vigentes dificultam a descoberta e a repressão da corrupção, existem razões suficientes para explicar por que as estatísticas judiciárias anteriores (assim como as posteriores) revelaram muito pouco sobre o sistema de ilegalidade difusa que as investigações de 1992 a 1995 evidenciaram.

Essas considerações também respondem à pergunta "onde estava a justiça até agora?". Sempre me questionei por que essa pergunta nunca foi feita (pelo menos até onde sei, mas não me surpreenderia do contrário) também em relação aos procedimentos mafiosos. As investigações sobre a Máfia evidenciaram a existência da Cosa Nostra como estrutura unitária, com regras enraizadas, somente a partir da colaboração de Tommaso Buscetta. Antes disso, os magistrados e as forças policiais não tinham a mínima ideia de como funcionava a estrutura interna da organização.

Contudo, é bem possível que alguns dos que fazem essas perguntas retóricas soubessem tanto da corrupção quanto da Máfia; portanto, a questão a ser direcionada a eles deveria ser: "Se você sabia, por que não informou a Procuradoria da República?".

Quanto à tese de golpe, um resquício de bom senso seria suficiente para lembrar que quem faz afirmações tão devastadoras deveria sustentá-las com fatos. Permanece a questão de que o resultado daquelas investigações foi diferente do obtido em investigações anteriores e posteriores, ainda que tenham sido conduzidas pelas mesmas pessoas e com a mesma determinação.

1992 - O sistema entra em crise

Precisamos identificar, portanto, as razões pelas quais isso aconteceu naquele momento. Antes de tudo, porque, como ensinou o professor Franco Cordero, a caça e a presa são duas coisas distintas. Pode-se sair à caça seguindo as regras venatórias e voltar sem nada, assim como é possível ser um péssimo caçador com sorte, voltando da empreitada com um belo prêmio. No entanto, acredito que podemos individualizar alguns fatores específicos que podem contribuir para explicar o resultado particularmente favorável das investigações realizadas entre 1992 e 1995.

A enorme dívida pública e a crise econômica de 1992 determinaram a redução da aquisição de bens e serviços, e isso, por sua vez, diminuiu as possibilidades que os corruptores tinham de transferir as propinas para a administração pública e esperar por futuros contratos lucrativos. Muitos empresários que até então haviam participado de esquemas de corrupção descobriram-se vítimas de extorsão e, em vez de unir forças com os corruptos, começaram a se livrar deles, fornecendo aos investigadores as informações sobre as propinas pagas. No início, os chefes dos partidos desdenharam os indivíduos que foram presos, descrevendo-os como casos isolados, "as poucas maçãs podres do partido". Esses, sentindo-se abandonados pelos seus cúmplices, entregavam então o resto da cesta de maçãs. Isso gerou uma reação em cadeia de delações cruzadas e aquilo que neste volume chamamos de "efeito dominó".

As investigações revelaram que a corrupção é um fenômeno serial e difuso: quando alguém é pego com a boca na botija, normalmente não é sua primeira vez. Além disso, os corruptos tendem a criar um ambiente favorável à corrupção envolvendo outros indivíduos no crime, de modo a conquistar sua cumplicidade até que as pessoas honestas estejam isoladas. Isso induziu a encarar esses crimes com a certeza de que não se tratavam de comportamentos casuais e isolados, mas de delitos seriais que envolviam um número relevante de pessoas, a ponto de criar amplos mercados ilícitos.

Em 1992, com o colapso das ideologias, também entrou em crise a tradição de os partidos serem instrumentos de agregação do consenso e objeto de total confiança de seus filiados. Lembro-me de uma transmissão televisiva em que, pouco depois da prisão do secretário municipal do PDS (Partido Democrático da Esquerda, que era, até 1991, o Partido Comunista Italiano–PCI), um filiado comentava que há trinta anos trabalhava como voluntário fazendo salsichão nas festas do *L'Unità* (jornal oficial do PDS) e agora vinha a saber que, enquanto ele preparava o salsichão, seus superiores roubavam. Ele concluía dizendo que todos deveriam ser presos.

O conjunto dessas causas proporcionou a descoberta da vasta trama de corrupção. A reação da opinião pública, cuja sensibilidade estava aguçada pela crise econômica, teve efeitos (aparentemente) perturbadores no panorama político: cinco partidos desapareceram da cena política. O de maioria relativa, Democracia Cristã (DC), e outros quatro: Partido Socialista Italiano (PSI), Partido Social Democrático Italiano (PSDI), Partido Republicano Italiano (PRI) e Partido Liberal Italiano (PLI), três dos quais tinham mais de cem anos.

A restauração

Na verdade, o sistema político se recompôs em novos formatos rapidamente, mas continuou menosprezando tanto o desejo da opinião pública (por exemplo, contornando o resultado do referendo sobre a abolição do financiamento público aos partidos políticos, que hoje obtêm mais dinheiro do Estado do que antes do referendo, justificado como reembolso pelos gastos eleitorais) quanto às exigências, impostas também pelos órgãos internacionais (ONU, Conselho da Europa, União Europeia, Fundo Monetário Internacional e Organização para a Cooperação e o Desenvolvimento Econômico), de restituir a legalidade e a

OPERAÇÃO MÃOS LIMPAS

transparência às instituições e ao mercado. Desde então (e há até pouco tempo), foi iniciada, ao invés disso, uma tentativa de restauração que obteve o duplo resultado de minimizar o número de condenações por corrupção e de fazer a Itália despencar para o penúltimo lugar nos índices de percepção da corrupção no mundo ocidental, atrás de muitos países africanos e asiáticos.

O número de condenações por corrupção, reduzido a um décimo daquele de quinze anos atrás, não parece, portanto, ser fruto da diminuição da corrupção, mas de uma dificuldade em enfrentá-la. O clima no qual os magistrados trabalham há anos (atacados de todos os lados e continuamente "ameaçados" de reformas com o objetivo de reduzir sua independência e sua capacidade de ação) e a decadência da justiça, que, ao invés de ser impedida, foi acentuada pelas maiorias parlamentares que se alternaram transversalmente nesses vinte anos, explicam tanto as maiores dificuldades das investigações quanto o resultado negativo dos processos, sempre mais frequentemente concluídos com anúncios de prescrição. Portanto, não devemos ficar surpresos se a corrupção provavelmente aumentou e, se for o caso, devemos nos questionar por que esses crimes deveriam aparecer em procedimentos judiciários.

A legislação sobre corrupção, pelo número e pela fragmentação das situações, permite que as provas sejam facilmente corrompidas: basta um olhar de entendimento entre dois indivíduos para passar, com leves alterações nas declarações, de extorsão à corrupção, de corrupção própria à imprópria, com consequências relevantes tanto na pena quanto na prescrição. Portanto, não se pode investigar um caso de corrupção se os protagonistas podem comunicar-se entre si. Além disso, os aspectos seriais e de facilidade de difusão desses delitos resultam quase sempre na reincidência. A experiência também ensina que esse perigo não diminui nem mesmo com o afastamento dos corruptos dos cargos públicos, porque dali a pouco eles se encontram exercendo o papel de intermediários entre os velhos cúmplices não descobertos.

Em um interrogatório realizado em 1992, uma pessoa submetida à investigação, referindo-se a contratos relativos a um importante ente público nacional, declarou que existia um cartel de cerca de duzentas empresas que dividiam tais contratos e pagavam praticamente todo mundo, desde a estrutura do ente até os secretários administrativos dos partidos majoritários e dos principais partidos de oposição e que isso era "padronizado há pelo menos vinte anos".[*] Sendo assim, de acordo com as regras do Código de Processo Penal, nenhum dos sujeitos que comete esse crime há anos, inserido em um contexto criminal e criminológico, deveria estar em liberdade.

Contudo, as campanhas da mídia contra as supostas "algemas fáceis" (sabe-se lá por que relacionadas apenas aos crimes de colarinho-branco e não, por exemplo, aos batedores de carteira) fizeram efeito: hoje em dia, os magistrados prendem

---

[*] Ver P. Davigo, G. Mannozzi, *La corruzione in Italia. Percezione sociale controllo penale.* Roma-Bali: Laterza, 2007.

muito menos por esses crimes e, mesmo assim, recorrem às prisões domiciliares ao invés de aos presídios, resultando em muitas investigações irremediavelmente contaminadas.

Os investigados, mesmo quando fingem colaborar, confessam somente aquilo que não podem mais negar ou o que acreditam que será provado de qualquer maneira e contam ao seu modo, muitas vezes depois de acertar versões cômodas com os cúmplices, e omitem parte da história para assegurar seu futuro político e econômico baseado na capacidade de extorsão por seu silêncio. No sistema, existem menos falhas nas quais os investigadores podem inserir-se para descobrir a verdade. Segundo a lei eleitoral vigente, as eleições são definidas pela classificação na lista, de maneira que os vínculos com aqueles que formam as listas eleitorais se consolidaram, e a tendência a proteger-se prevalece sobre qualquer outra consideração.

Em contrapartida, as relações diretas de corrupção parecem ser acompanhadas por uma rede de acordos, o que torna ainda mais difícil conduzi-las a tipificações penais, uma vez que o crime de tráfico de influência não foi inserido no Código Penal, inserção essa que as convenções internacionais obrigam a Itália a fazer. O único estímulo contrário à proteção da corrupção vem, de fato, de entidades internacionais. As poucas leis que pretendem tornar mais fáceis a descoberta e a repressão desses crimes derivam justamente de convenções internacionais. Contudo, a Convenção Penal sobre a Corrupção do Conselho da Europa, assinada em 1999, ainda não foi ratificada pela Itália.

Outras convenções não foram cumpridas ou foram enfraquecidas durante o processo de ratificação. Por exemplo, o confisco por equivalência de preço (isto é, de bens de valor equivalente) foi introduzido no Código Penal, mas o confisco do lucro do crime, não. A lei, como confirmou um recente pronunciamento da Corte de Cassação em seções unidas em matéria de peculato, realmente não permite o confisco de bens equivalentes ao lucro subtraído. Pode-se confiscar somente o equivalente ao valor do crime. É como se, em um caso de assalto à mão armada, confiscássemos do assaltante apenas o equivalente ao valor recebido para realizar o crime, e não o equivalente ao valor da mercadoria roubada.

Lei salva-corruptos

Em vez disso, a sequência de leis de origem exclusivamente nacional é de sentido oposto. Muitas sentenças de absolvição derivaram da incapacidade de utilizar provas que antes eram utilizáveis (graças a leis aprovadas nesse meio tempo) e, diante do silêncio dos meios de comunicação, apresentadas como atestados de inocência. Foi muito alto o número de sentenças não executadas devido à prescrição, jamais renunciada pelos acusados, nem mesmo por aqueles que ocuparam cargos públicos, esquecidos de que o artigo 54 da Constituição exige-lhes "disciplina e honra", sem que ninguém os recordasse sobre o dever da honra.

A lei "ex-Cirielli", além de diminuir o tempo de prescrição e pulverizar dezenas de milhares de processos extras, surtiu um efeito frequentemente ignorado: antes, se um corrupto, por exemplo, recebesse propinas durante dez anos, todas elas caracterizavam-se como um único ato criminoso, e a prática continuada reduzia a sua pena, mas a prescrição decorria a partir do último episódio de corrupção. Em vez disso, com a lei "ex-Cirielli", cada episódio em continuação prescreve autonomamente. A consequência é que não é mais possível voltar no tempo para investigar episódios precedentes, identificar cúmplices e analisar os fatos mais recentes sobre eles. Quem quiser subornar um funcionário público precisará de fundos irregulares, ou seja, deverá falsificar o balanço contábil. Por trás de um balanço falso, muito frequentemente, também se escondem propinas.

As leis mais danosas foram, portanto, a aprovada pela maioria de centro-esquerda sobre os crimes financeiros e a aprovada pela maioria de centro-direita sobre o crime de falsificação contábil. A primeira reduziu a punibilidade para a emissão de faturas para operações inexistentes (o sistema mais utilizado para criar fundos irregulares) somente aos casos em que ultrapassam um certo limite da declaração de renda; ou seja, basta indicar despesas aumentadas ou inventadas entre os custos não dedutíveis em vez dos dedutíveis para obter recursos fora do balanço sem mais cometer um crime. Com a segunda (reforma da falsificação contábil, de 2001), as penas foram reduzidas e, portanto, a prescrição também, de maneira que é quase impossível concluir o processo em tempo hábil.

Sobretudo, para as sociedades que não possuem ações cotadas na Bolsa de Valores, o delito tornou-se persecutório somente diante da denúncia da parte prejudicada, seja ela credor ou acionista. O credor não é prejudicado pela falsa comunicação, mas pela insolvência, ou seja, se for pago, não apresentará denúncia. Os sócios minoritários normalmente ignoram as falsidades contábeis, mas, se soubessem, também seriam subornados. O sócio majoritário normalmente é o mandante e o beneficiário do crime (senão, em vez de denunciar o administrador, o substituiria), de maneira que perscrutar a falsificação contábil a partir da denúncia do acionista seria como estabelecer a investigação de um roubo a partir da denúncia do ladrão. Com ambas as reformas, estabeleceram-se limites muito altos de impunidade: previu-se, assim, a legalidade penal de uma "quantidade moderada" de fundos irregulares, como acontece com as drogas!

Os resultados dessas modificações normativas não tardaram: somente no processo por agiotagem da Parmalat, apresentaram-se cerca de quarenta mil partes civis, ou seja, quarenta mil vítimas que desejavam ser ressarcidas. Quanto é preciso para um ladrão fazer quarenta mil vítimas?

Quanto ao abuso de poder (crime muito útil para iniciar a investigação), foi descriminalizado aquele não patrimonial, e foram reduzidas as penas para o patrimonial, proibindo, assim, a prisão cautelar.

Atualmente, parece (parece?) que os partidos continuam, quase sempre, a defender os membros que acabam em maus lençóis. A chamada casta protege-se;

(quase) ninguém é descartado. A opinião pública ficou indiferente, resignada ou simplesmente desinformada por muito tempo. Em 1992, os jornais e os canais de televisão contavam os fatos, e esses eram mais importantes do que os comentários, pois falavam por si só. Além disso, os comentários eram frequentemente favoráveis à operação de limpeza, como o editorial de Giulio Anselmi, *La torta è finita*, no *Corriere della Sera* de 2 de maio de 1992. Às vezes, eram até mesmo embaraçosos para os investigadores, como os artigos de Vittorio Feltri (mais tarde convertido), que chegava a escrever: "Que Deus salve Di Pietro" (*L'Indipendente* de 15 de junho de 1992) e a falar de "sistema podre" (*L'Indipendente* de 16 de dezembro de 1992) e muitos outros mencionados no livro.

Sucessivamente, os fatos foram muitas vezes escondidos, filtrados e manipulados por uma mídia controlada por déspotas políticos e empresariais, frequentemente envolvidos em processos judiciais. Os comentários enganosos acabaram predominando nos noticiários, rebaixados a posições marginais para permitir que os meios de comunicação falassem de outras coisas. Foram muito frequentes os ataques individuais a magistrados, instituições judiciárias inteiras e à magistratura como um todo, mas, apesar disso, a justiça parece ter resistido. Nos anos 1980, quando passou pelo referendo sobre a responsabilidade civil, após as primeiras investigações sobre a corrupção e o crime organizado, a magistratura saiu mais enfraquecida do que parece agora (e ainda faltavam cinco anos para a operação Mãos Limpas).

Hoje, como em 1992

Pela ignorância de quem os lançava, os ataques atingiram não somente os magistrados do Ministério Público, mas também os juízes de todos os escalões, até as Seções Unidas da Corte Suprema de Cassação, obtendo, como resultado, a união dos magistrados.

O fato de ainda existirem investigações e processos sobre crimes da classe dirigente em toda a Itália, nascidos quase sempre de iniciativas judiciárias e quase nunca de forças policiais (que não têm a garantia de independência do poder político que protege os juízes, de modo que não se pode exigir tal iniciativa delas), é sinal de que o judiciário conseguiu manter a sua independência.

A crise econômica que hoje (2012) pesa sobre o país, assim como em 1992, provavelmente impulsionará tanto iniciativas sérias para reduzir a corrupção quanto, consequentemente, uma repressão mais incisiva. No entanto, muitos anos se passaram em vão, e é necessário recomeçar do início a enfrentar esses fenômenos que contribuem para tornar a Itália pouco eficiente e pouco crível internacionalmente devido ao enorme esbanjamento de recursos públicos ("como nos tempos bíblicos") para a realização de obras públicas e à escassa qualidade dos bens e serviços adquiridos pelas administrações públicas, pelo menos em termos de qualidade/preço. Então, é necessário relembrar os fatos acontecidos vinte anos atrás, porque aquele foi o momento em que as reais dimensões da corrupção na Itália começaram a aparecer e, dos fatos comprovados, podemos retirar elementos úteis para enfrentar seriamente essas atividades criminosas.

Este livro de Gianni Barbacetto, Peter Gomez e Marco Travaglio é uma ótima compilação dos fatos. A primeira edição foi lançada em 2002, dez anos após o início das investigações, no momento em que começávamos a esquecer tudo o que havia acontecido, e os meios de comunicação tentavam vender a ideia de que os magistrados haviam exagerado e sido parciais no passado, salvando algumas forças políticas, mas que agora tinham finalmente voltado à normalidade, em vez de olhar horrorizados para toda a sujeira que tinha aparecido, a hipocrisia de uma classe dirigente inteira e o evidente desprezo do juramento prestado por muitos funcionários públicos.

A exposição dos fatos, reconstituídos com a paciência e a habilidade que distinguem os autores, varre para longe as bobagens e mentiras divulgadas durante anos pela mídia. Juntamente com os crimes cometidos, emerge claramente a incapacidade (senão algo pior) da classe dirigente deste país de criar as condições para que seja possível viver de acordo com as regras geralmente aceitas pelo mundo ocidental, ao qual declaramos o desejo de fazer parte.

Esta obra é um *vade mecum* que ajudará a relembrar o que aconteceu, porque é o esquecimento dos crimes que consome lentamente a liberdade das instituições.

AGRADECIMENTOS

Os autores agradecem, além das pessoas entrevistadas, todos aqueles que ajudaram no trabalho de coleta de dados, controle e releitura de documentos. Agradecimentos especiais a Paolo Biondani, Piero Colaprico, Luca Fazzo, Pier Francesco Fedrizzi, Luigi Ferrarella, Giuseppe Guastella, Paolo Flores d'Arcais, Daria Lucca, Caterina Malavenda, Marco Mensurati, Renato Pezzini, Mario Portanova, Emilio Randacio, Franca Selvatici, Leo Sisti, Carmine Spadafora e Corrado Stajano.

"A execução das leis era venal e arbitrária. Um criminoso rico não apenas poderia obter a anulação de uma sentença de condenação justa, mas também infligir a punição que desejasse ao acusador, às testemunhas e ao juiz."
— Edward Gibbon, *Declínio e queda do Império Romano*, 1º volume, 1776–1788

"O crime, uma vez descoberto, não tem outro refúgio senão o descaramento."
- Tacito

"O nosso trabalho estava remexendo as consciências, quebrando o sentimento de aceitação da convivência com a máfia, que constitui a verdadeira força dela [...]. A luta contra a máfia não deveria ser apenas um trabalho individual de repressão, mas um movimento cultural e moral que envolvesse todos, especialmente as gerações mais jovens, as mais capazes de sentir imediatamente a beleza do fresco perfume de liberdade que faz rejeitar o mau cheiro do comprometimento moral [...]. O período de "torcida" a nosso favor pareceu durar pouco, pois ele logo deu lugar à irritação, à impaciência com relação ao preço que os cidadãos precisavam pagar pela luta contra a máfia: a intolerância às escoltas, às sirenes e às investigações, a intolerância que acabou por legitimar um garantismo de retorno que, por sua vez, acabou legitimando procedimentos legislativos que obstruíram muito a luta contra a máfia ou, pior, forneceram um álibi para aqueles que não queriam – muitas vezes, intencionalmente; mais vezes ainda, culposamente – mais lutar contra a máfia..."
- Paolo Borsellino, relembrando Giovanni Falcone, em 25 de maio de 1992, na igreja de San Domenico em Palermo, dois meses antes de morrer assassinado na rua d'Amelio

"Legalidade". "Moderamos os tons!"
- ElleKappa

"Uma vez, um juiz julgou quem havia ditado as leis. Primeiro mudaram o juiz. E logo depois, as leis."
- Fabrizio De André

PRÓLOGO

Segunda-feira, 17 de fevereiro de 1992, 17h30min. Luca Magni, um empresário de 32 anos, comparece na Via Marostica 8, em Milão, no escritório de Mario Chiesa, presidente do Pio Albergo Trivulzio, histórica casa de repouso para idosos fundada no século 18. Magni é dono de uma pequena empresa de limpezas, a ILPI, de Monza, que trabalha também para o Trivulzio. Chiesa é um representante do Partido Socialista Italiano e não esconde suas ambições políticas: sonha em se tornar prefeito de Milão em um futuro próximo.

Magni é recebido após meia hora de espera. Ele deve entregar quatorze milhões de liras a Chiesa, valor da propina negociada por um contrato de 140 milhões de liras.[*] Carrega uma caneta transmissora no bolso do casaco e segura uma maleta com uma câmera escondida. "Para dizer a verdade", recorda Magni, "eu tinha muito medo, estava muito nervoso. O engenheiro Chiesa estava ao telefone, e tive de esperar dez minutos em pé até que ele concluísse a ligação. Então, dei-lhe um envelope que continha sete milhões de liras. Disse a ele que ainda não tinha os outros sete". Chiesa não reage. Apenas pergunta: "Quando você trará o resto?". "Na próxima semana", responde o agitado Magni. Depois, despede-se e, ao sair, quase esbarra com um policial à paisana.

Enquanto o empresário telefona para casa ("Para tranquilizar minha mãe e minha irmã, que sabiam da operação e estavam preocupadas comigo"), um pequeno grupo de investigadores cerca o presidente do Trivulzio, que entende ter sido vítima de uma armadilha. "Esse dinheiro é meu", arrisca. "Não, engenheiro, esse dinheiro é nosso", respondem os homens fardados. Em seguida, Chiesa pede para ir ao banheiro e livra-se de uma propina de 37 milhões recebida um pouco antes, jogando as notas no vaso sanitário. Depois, é preso e levado para o presídio de San Vittore.

A operação foi cuidadosamente preparada. As provas são incontestáveis: uma em cada dez notas foi assinada pelo capitão dos Carabinieri,[**] Roberto Zuliani, e pelo procurador substituto Antonio Di Pietro. A empresa de Magni, que se ocupa de tratamentos hospitalares especiais, trabalha para o Trivulzio há alguns anos. Em 1990, com os primeiros contratos consistentes, vieram também as primeiras

---

[*]   A lira foi a moeda oficial italiana até janeiro de 1999 e deixou de ser uma moeda de curso legal em fevereiro de 2002, quando sua taxa de conversão era de 1.936,27 liras para cada euro. (NRT)

[**]   Os Carabinieri são uma das forças públicas de segurança da república italiana. (NRT)

solicitações de dinheiro. Magni relata: "Chiesa pediu-me o dinheiro com poucas palavras secas, como de costume: 'Você deve pagar-me 10%.'" O empreendedor levou cerca de quarenta milhões a Chiesa em menos de dois anos, em seis ou sete remessas de dinheiro dentro de um envelope branco. "Eu não imaginava o que aconteceria depois de ir aos Carabinieri. Para mim, era um problema econômico. Dez por cento é muito, até porque, no nosso setor, não podemos recuperar a perda aumentando os preços. Além disso, Chiesa queria o dinheiro imediatamente, enquanto nós receberíamos o pagamento muitos meses depois. Era uma situação insustentável."

Então Magni pede ajuda aos Carabinieri. No dia 13 de fevereiro, telefona para o quartel milanês da Via Moscova. O capitão Zuliani marca um encontro para as 10h do dia seguinte, sexta-feira, 14. Ele escuta, registra a denúncia e a apresenta ao magistrado com quem trabalha: Di Pietro. O promotor e o oficial preparam a ação para segunda-feira: naquele dia, Di Pietro estará de plantão; então, a investigação será atribuída a ele. O encontro fica marcado para as 13h de 17 de fevereiro, no quartel da Via Moscova. Luca Magni chega no seu Mitsubishi com os sete milhões. O capitão acompanha-o imediatamente até o Palácio da Justiça: "Eu estava um pouco tenso" recorda o empresário", pois não esperava encontrar um magistrado, mas me tranquilizei imediatamente porque Di Pietro foi muito gentil. Ele solicitou que todos saíssem da sala, deixou-me à vontade e pediu que eu lhe contasse os fatos, sem qualquer atitude inquisitória".

No quartel, as notas são rubricadas e fotocopiadas. A caneta transmissora e a câmera da maleta (que no final das contas não será muito útil) são testadas. Então, uma procissão de quatro carros, o Mitsubishi de Magni e três viaturas dos Carabinieri, parte em direção ao Pio Albergo Trivulzio (o PAT, que os milaneses chamam carinhosamente de "Baggina", pois localiza-se na estrada que leva a Baggio). Está nascendo a operação Mãos Limpas, o começo do fim de um sistema político, mas ninguém, naquele dia, ainda poderia imaginar.

1992.
MÃOS SUJAS

"O engenheiro Mario Chiesa, presidente do Pio Albergo Trivulzio de Milão, uma casa de repouso para idosos, foi detido nesta noite pelos Carabinieri, acusado de extorsão, informaram os investigadores em um relatório emitido à noite." É o que diz o comunicado da ANSA das 22h16min de 17 de fevereiro de 1992.* Os jornais dão a notícia no dia seguinte sem muita ênfase: um administrador socialista foi preso por causa de propina. Passarão algumas semanas antes que o "caso Chiesa" chame a atenção da imprensa e se torne o "caso tangenti", que vai decolar somente entre abril e maio. O sistema de corrupção que virá à tona será chamado de "Tangentopoli" ("Propinopólis"), e a investigação será conhecida por todos como Mani Pulite (Mãos Limpas).

"Pegamos Chiesa com a boca na botija", é o único comentário, de caráter rigorosamente não oficial, de Antonio Di Pietro, o magistrado da Procuradoria de Milão que conduz a investigação. Quase desconhecido, o procurador substituto é um ex-policial muito habilidoso no trabalho investigativo. Ele tem dois pontos fortes. O primeiro é o fato de já ter se ocupado de outros casos de corrupção: conduziu a investigação "prisões de ouro" em 1988, juntamente com o seu colega Piercamillo Davigo, sobre as propinas pagas pelo construtor Bruno De Mico. Também investigou a Lombardia Informatica, uma empresa da região, e seus fornecimentos à ATM, a empresa de transportes públicos de Milão. Assim, ele ficou convencido de que a corrupção não é uma exceção na relação patológica entre políticos e empresários, mas um método, um sistema. E o descreveu em alguns artigos, como aquele publicado em maio de 1991, em uma pequena publicação mensal milanesa chamada *Società Civile*: "Mais do que de corrupção ou de extorsão, devemos falar de 'dazione ambientale', ou seja, de uma situação objetiva na qual quem dá o dinheiro sequer espera que ele seja solicitado; afinal, já sabe que, naquele determinado ambiente, o pagamento de propinas é usual e, portanto, adapta-se".

O segundo ponto forte é que, quando prende Chiesa, Di Pietro já tem muitas informações sobre ele. Na verdade, está conduzindo há meses uma investigação por difamação, nascida a partir de uma queixa apresentada por um amigo de Chiesa em junho de 1990, Mario Sciannameo, proprietário de algumas agências funerárias. Sciannameo denunciou Nino Leoni, colunista do jornal *Il Giorno*, por um artigo sobre a suposta "extorsão do querido falecido" no Pio Albergo Trivulzio.

---

* ANSA: Agenzia Nazionale *Stampa* Associata, principal agência de notícias italiana. (NRT)

De acordo com Leoni, Sciannameo tinha a exclusividade para os funerais dos idosos falecidos na casa de repouso, mesmo "cedendo" uma pequena parte dos trabalhos para os concorrentes em troca de dinheiro: cem mil liras por corpo.

Di Pietro pediu o arquivamento para a difamação, mas, suspeitando de crime contra a administração pública, continuou a investigar o PAT, abrindo o arquivo de número 6380/91, que, em fevereiro de 1992, receberá os primeiros documentos do "caso Chiesa". Enquanto isso, interroga um concorrente de Sciannameo, Franco Restelli, que era o "garganta profunda" de Leoni, e grampeia os telefones de todos os protagonistas. Por meio das interceptações, obtém um bom conhecimento dos métodos de trabalho e da situação patrimonial e financeira do administrador socialista, que tem muitos negócios com Sciannameo.

Há tempos procurando a chave para o problema do sistema de propinas, Di Pietro cozinha Chiesa em fogo brando: seria um problema se, mais uma vez, a investigação se limitasse a um único episódio. Ele bloqueia suas contas bancárias, inclusive aquelas que estão no nome dos pais e da secretária Stella Monfredi. Apreende cofres, cadernetas de poupança, ações e títulos do governo. "Advogado, diga a seu cliente que a água mineral acabou", diz um dia a Nerio Diodà, o defensor do administrador socialista. Chiesa compreende imediatamente: o promotor havia descoberto suas contas suíças, chamadas de "Fiuggi" e "Levissima", conhecidas fontes de água mineral. No total, apreende uma dúzia de bilhões.

O caso poderia ter sido concluído em poucas semanas, com o habitual pedido de julgamento da pequena propina recebida naquele fatídico 17 de fevereiro. Borrelli, cético sobre a possibilidade de "desmantelar" o sistema de corrupção, é a favor dessa solução. No entanto, se isso tivesse acontecido, a operação Mãos Limpas nunca teria existido. Em vez disso, Di Pietro finge esquecer os prazos processuais e não deposita os autos dentro dos limites previstos para a realização do processo sumário. Depois, deixa escapar uma notícia para a imprensa: um certo Vito Occhipinti, detido em Busto Arsizio pelo envolvimento em um episódio que os jornais associam a negócios fraudulentos e a ambientes de odor mafioso, está falando de Chiesa. Na realidade, Occhipinti tem pouco de verdadeiramente relevante a dizer, mas assim a atenção da opinião pública sobre o caso Chiesa permanece viva.

1. LADRÕES EM MILÃO

O PSI prepara-se para as eleições de 5 de abril. A prisão de um corrupto em flagrante durante a campanha eleitoral não é uma propaganda agradável, especialmente para um partido que já está na mira da imprensa e da sátira devido a suas relações conturbadas com o Código Penal. Chiesa é imediatamente abandonado à própria sorte. Já no dia seguinte à prisão, a Federação Provincial do PSI emite comunicado no qual afirma "o absoluto desconhecimento de todos os aspectos em relação às acusações levantadas pelo magistrado contra o engenheiro Chiesa" e anuncia ter "tomado a decisão de suspender temporariamente o mesmo do partido". No dia

1992. MÃOS SUJAS   31

22 de fevereiro, Craxi intervém pessoalmente: "Nos encontramos", diz a Lodi, sem citar Chiesa, "em uma situação muito desagradável, mas gostaria de dizer que a desonestidade não é nossa, senão de quem a cometeu. Imediatamente, separamos as responsabilidades e assumimos nossa obrigação de tomar as medidas necessárias, mas uma coisa é demonstrar indignação pelo ocorrido, outra coisa é tentar pintar o PSI de algo diferente do que ele é".

Craxi volta ao argumento mais vezes nos dias seguintes. Em 3 de março, no TG3 (um canal italiano de televisão), define Chiesa, sempre sem citá-lo, como um "ladrão" que prejudica o partido:

> Preocupo-me em criar as condições para que o país tenha um governo que enfrente os tempos difíceis que teremos pela frente e dou de cara com um ladrão que faz uma sombra sobre toda a imagem de um partido que, em Milão, em cinquenta anos — e não em cinco, mas em cinquenta anos — nunca teve um administrador condenado por crimes graves contra a administração pública.

Na verdade, já tinha havido um administrador investigado e preso por crimes graves contra a administração pública: Antonio Natali, o pai político de Craxi, presidente da Metropolitana de Milão durante muitos anos, considerado o inventor do sistema científico da divisão de propinas em Milão. Acusado por um empresário em 1987 de ter exigido o pagamento de 488 milhões de liras pela construção de um trecho de metrô, Natali foi salvo pelo partido por uma formidável barreira protetiva. Craxi, então presidente do Conselho, pediu imediatamente para visitá-lo na prisão; depois, o fez ser eleito para o Senado e, em maio de 1990, a assembleia do Palazzo Madama rejeitou o pedido, encaminhado pelo magistrado Marco Maria Maiga, para prosseguir com a investigação por extorsão. O êxito do resultado da votação foi comemorado com vivos "aplausos da direita, do centro e da esquerda".

Em vez disso, Chiesa deixou-se pegar em flagrante e ainda por cima durante a campanha eleitoral: um verdadeiro "ladrão". Em 5 de março, Carlo Tognoli, ex-prefeito socialista de Milão e pai político de Chiesa, declara:

> O caso Chiesa é o caso Chiesa, nós somos todo o resto. Parece suspeito que as "ovelhas negras" sejam identificadas apenas no PSI e precisamente nesse período. Na minha opinião, tem alguma coisa estranha. Acredito que, se fosse em outro partido, teria se falado menos. De qualquer forma, o PSI pode gabar-se de centenas de bons administradores dos quais, no entanto, nunca se fala.

Claudio Martelli, o número dois do partido e ministro da Justiça, acrescenta, em 26 de março: "Um ladrão não pode sujar a imagem de um partido inteiro". Vittorio Craxi, conhecido como Bobo, filho do secretário socialista, já em 17 de fevereiro afirmou: "Mario Chiesa é um malfeitor. E também idiota, por ter sido pego em flagrante". Alguém (diz o próprio Di Pietro) faz questão de dar a conhecer a definição "craxiana" ao interessado. Que não a recebe bem.

Enquanto isso, Di Pietro trabalha. Em 29 de fevereiro, interroga a ex-mulher de Chiesa, Laura Sala, envolvida no processo de divórcio do marido (que lhe restringe a pensão alimentícia, pretendendo calculá-la com base em seu parco salário "oficial"). A mulher informa que também existem bilhões na Suíça. O promotor a deixa esperando um longo período fora do escritório, sentada em um banco, para que repórteres e advogados a vejam. Obtém o efeito desejado: fazer com que acreditem que ele tem em mãos muitos elementos sobre o acusado e difundir a sensação de que o mundo está ruindo ao redor do administrador socialista. Ao mesmo tempo, começa a investigar todos os contratos assinados pelo Trivulzio nos últimos cinco anos. Depois, em 12 e 13 de março, convoca à Procuradoria todos os empresários, cerca de quarenta, que receberam do PAT contratos superiores a cem milhões.

Recorre mais uma vez ao método do blefe, sugerindo saber mais do que realmente sabe. Faz o mesmo com Chiesa; assim, a situação se desanuvia. Alguns dos fornecedores do PAT admitem que foram forçados a pagar propinas, e isso custa a Chiesa novas acusações e o risco de uma nova ordem de prisão cautelar.

O presidente do Trivulzio está na corda bamba. Está na cadeia há mais de um mês, em um momento particularmente difícil de sua vida pessoal, com o filho adolescente que não fala mais com ele e uma nova companheira que espera outro filho. Seus bens estão apreendidos, ele é acusado pelos empresários que o financiaram, e seu partido o abandonou. Inicialmente, Craxi tentou passar-lhe outra ideia: resistir, pois o magistrado é "um dos nossos" e logo tudo acabará positivamente. Mas Di Pietro, mesmo tendo conhecidos nos círculos socialistas, não mostra nenhuma clemência pelo acusado. Pelo contrário, usa todos os meios processuais e uma boa dose de astúcia para levar a investigação para além do suborno de 17 de fevereiro. Então, na segunda-feira, 23 de março, depois de cinco semanas de silêncio na prisão, Mario Chiesa começa a falar.

As confissões de Chiesa

Quem toma seu depoimento são Di Pietro e o juiz das investigações preliminares Italo Ghitti. Chiesa relata sua ascensão política, primeiro na corrente de Carlo Tognoli, depois na de Paolo Pillitteri, cunhado de Craxi e sucessor de Tognoli como prefeito de Milão. Formado em engenharia, iniciou em uma remota seção socialista da periferia de Milão, no distrito de Musocco-Vialba, na qual seu amigo Sciannameo, empresário de agências fúnebres, inscreveu os funcionários da sua empresa e os enfermeiros que estavam em folha de pagamento para que lhe conseguissem constantemente novos funerais. Secretário de seção, funcionário no hospital Sacco, depois conselheiro e assessor provincial e, finalmente, a partir de 1986, presidente do Trivulzio. Na última campanha eleitoral administrativa de

1990, Chiesa já controlava uma corrente praticamente autônoma — forte, dizia ele — de pelo menos sete mil votos. E havia colocado seu dinheiro e sua rede à disposição do jovem Bobo Craxi, ajudando-o a entrar pela primeira vez no Conselho Municipal de Milão.

A ascensão política anda de mãos dadas com o crescimento dos negócios. No Trivulzio, Chiesa desenvolve e aperfeiçoa um sistema de contratos e propinas que, de forma mais artesanal, é precedente à sua chegada. Até 1989, é obrigado a repassar uma parte do dinheiro para líderes socialistas mais importantes do que ele. A partir deste ano, retém tudo para si. "Nos últimos dois anos", diz ele, "apesar de receber dinheiro, deixei de repassar parte dele para outros políticos, pois agora eu havia adquirido uma posição de autonomia e independência dentro do PSI milanês, que me permitia não responder a outros politicamente, senão diretamente ao secretário nacional do partido, Bettino Craxi".

Chiesa também relata as propinas coletadas antes do Trivulzio, quando trabalhava no hospital Sacco como chefe da repartição técnica. A primeira delas foi em 1974: "Dante Carobbi", diz ele, "pagou-me pessoalmente 10% do valor do montante que lhe era devido pela manutenção anual do hospital Sacco". Por ironia do destino, o último envelope também é da empresa de Carobbi: aqueles 37 milhões que Chiesa havia recebido duas ou três horas antes da chegada de Magni e dos Carabinieri, dos quais tentou se livrar acionando a descarga do vaso sanitário.

Chiesa diz ter recebido dinheiro de dezenas de empresas: Carobbi pela pintura, Proverbio pela manutenção da edificação, Diana pelo aquecimento e Zanussi pelo fornecimento de máquinas. E mais: Ote Biomedica, Grandimpianti, Tre Emme, Ceditalia, Cooperativa Service, Edilmonetti e Tedil. E das empresas de construção IFG-Tettamanti, de Fabrizio Garampelli; e SIC, de Ugo Fossati. Estas duas últimas haviam conquistado um contrato de sessenta bilhões de liras, ampliável para até 120 bilhões, para a construção de quatro novos blocos do Trivulzio. Em troca, Garampelli e Fossati haviam pago cem milhões por mês a Chiesa, uma propina parcelada, até chegar aos seis bilhões pactuados. As licitações eram manipuladas, e as empresas eram organizadas como um "cartel" para dividir o mercado sem riscos de livre concorrência, isto é, elas sabiam que quem ganhava deveria pagar os partidos. A porcentagem era de 5% sobre o valor dos serviços em alguns casos e de 10% em outros.

Chiesa também lembra de propinas que não recebeu diretamente, como aquela pelo "bloco cirúrgico" do hospital Sacco, realizado pela empresa Mazzalveri e Comelli, seguindo o projeto de um conhecido membro do PCI-PDS, o arquiteto Epifanio Li Calzi: "Uma vez que se tratava de uma obra financiada com fundos da Região da Lombardia, divididos na sede regional entre os partidos, a Mazzalveri e Comelli teve de proteger-se de todos os lados: do PCI por Li Calzi; da DC, por Mongini; e do PSI, por Manzi e Moroni".

Di Pietro anota os nomes e os fatos. Li Calzi, além de arquiteto, é o ex-prefeito comunista de Cesano Boscone e foi assessor de Obras Públicas de Milão.

Roberto Mongini é vice-presidente da SEA (empresa que gerencia os aeroportos de Linate e Malpensa) e membro da direção nacional da DC. Giovanni Manzi é presidente da SEA, mas também um membro importante do PSI da Lombardia. Sergio Moroni é um dirigente socialista; na época dos fatos, assessor regional da Saúde.

A distribuição dos contratos e das propinas também funciona, conta Chiesa, em outros hospitais de Milão: no Gaetano Pini, onde atuam Li Calzi e Mongini; no Fatebenefratelli, presidido pelo socialista Alfredo Mosini, onde é quase sempre a IFG-Tettamanti que constrói com empresas associadas; e no San Paolo, presidido por outro líder da corrente socialista, Michele Colucci. Na saúde, as licitações também são frequentemente fraudulentas. Para pré-determinar os membros das comissões e poder influenciar a licitação, às vezes, usa-se o método da bolinha gelada:

> Trata-se de pegar a bolinha com o número que corresponde ao candidato desejado e colocá-la no congelador, tirando-a de lá um pouco antes de colocá-la na urna, de maneira que quem faz o sorteio possa reconhecê-la através do tato e assim enganar os presentes, extraindo o número certo sem deixar transparecer o truque.

Quando na sexta-feira 27 de março, quinto dia de interrogatório com Di Pietro e Ghitti, o capitão Zuliani mostra a Chiesa um pedaço de papel com nomes e números apreendido em seu escritório, o presidente do Trivulzio admite: aquele é um controle informal das propinas. Os nomes são de Carlo Tognoli, Paolo Pillitteri, Michele Colucci, Ugo Finetti e Giovanni Manzi. Os números são os valores de dinheiro que Chiesa afirma ter repassado a esses líderes socialistas entre 1984 e 1985: 370 milhões para Finetti, trinta milhões para Manzi, cem milhões para Tognoli e assim por diante. Propinas, garante ele,

> entregues a mim enquanto eu gerenciava uma série de operações dentro do hospital Sacco. Lembro-me de ter levado cem milhões para Pillitteri em duas vezes, dentro de um envelope escondido em um jornal que larguei sobre a mesa do prefeito. Pillitteri tirou o envelope de dentro do jornal, colocou-o no bolso, agradeceu e disse que levaria ao partido.

A partir de 1986, depois de tornar-se presidente do Trivulzio, Chiesa pôde ampliar sua disponibilidade financeira e também a autonomia para a gerenciar como quisesse. Assim, revela, entrega setenta milhões a Tognoli, quinze milhões ao secretário administrativo socialista Panico e, sob indicação do próprio Tognoli, dez milhões a um certo D'Onofrio e um milhão para um empregado da secretaria de Tognoli. E ainda doze milhões para Colucci, que tem sua própria corrente, mas aliada à de Tognoli. Mais tarde, Chiesa "trai" Tognoli e passa para o grupo Pillitteri, no qual vê maior possibilidade de carreira: leva cem milhões para o cunhado de

Craxi em duas parcelas, tomando o cuidado de colocar as notas em um envelope escondido dentro de um jornal.

A partir de 1989, Chiesa começa a trabalhar por conta própria. Seu objetivo é tornar-se prefeito de Milão. Para isso, depois de abandonar os antigos protetores, une-se à família Craxi e coloca seu dinheiro e seu pacote de votos à disposição de Bobo nas eleições administrativas de 1990. "Bobo", revela Chiesa a Di Pietro e Ghitti, "deve a mim sua eleição para o Conselho Municipal, pelo menos cinquenta por cento". Bobo se altera: "Um monte de mentiras. O que me ajudou foi meu sobrenome, não Mario Chiesa". No entanto, um cartão de felicitações o desmente. É um convite impresso em centenas de cópias e datado de 20 de dezembro de 1991: "Todos juntos sob a árvore. E desejos de um feliz Natal com os companheiros Paolo Pillitteri, Bobo Craxi e Mario Chiesa". Para o último Natal antes da Mãos Limpas, o de 1991, Chiesa organizou uma manifestação junto com o filho e o cunhado de Craxi: a festa foi aberta com um "debate sobre as perspectivas das autoridades locais" e continuou com "espetáculos, sorteio de prêmios, brindes e panetone". Além disso, nos dois últimos anos, Chiesa e Bobo formam uma dupla constante nos debates, inaugurações, reuniões e iniciativas políticas. A comemoração pelo dia da mulher, organizada em Milão, em 8 de março de 1991, na sede de um conselho de zona foi memorável: entre os oradores não havia nenhuma mulher, mas em compensação Mario Chiesa e Bobo Craxi estavam lá.

Já haviam emergido rastros da parceria política entre os dois também na investigação Duomo Connection, sobre os negócios milaneses de uma família siciliana mafiosa. Entre o material apreendido com um suspeito, havia fitas de vídeo com a propaganda política da campanha de Bobo Craxi, acompanhadas por uma carta de 13 de abril de 1990, em papel timbrado de um círculo socialista, o Clube Turati: "Envio-lhe, conforme acordado com o engenheiro Mario Chiesa, as fitas com o material para a transmissão no Telestar e no Canal 6, com base no que foi acordado com o próprio engenheiro Chiesa". Assinado: Bobo Craxi. O grupo investigado pela Duomo Connection gerenciava grandes espaços televisivos em algumas emissoras para anunciar e vender apartamentos e casas geminadas. Nesses espaços, "com base no que foi acordado com o próprio engenheiro Chiesa", a propaganda política de Bobo deveria ter sido transmitida (no entanto, nunca se comprovou que tenha ido ao ar).

Dois anos mais tarde, pouco antes das eleições, a corrida de Chiesa em direção à poltrona do prefeito é abruptamente interrompida: a prisão, a confissão. Então, na sexta-feira, 27 de março, Di Pietro interroga sete empresários dos quais o engenheiro afirmou ter recebido propinas. Falta apenas uma semana para as eleições. E, por alguns dias, a Procuradoria silencia a investigação, evitando cumprir outros atos públicos para não perturbar a votação.

Eleição terremoto

Os resultados das eleições de 5 e 6 de abril são clamorosos. A DC faz a menor votação da história: cai de 34,3% para 29,7%, com perdas consideráveis no Nordeste (12% a menos nas províncias de Verona e Pádua, 18% a menos em Vicenza). O PSI não mantém o resultado que seus líderes esperavam: cai de 14,3% para 13,6%. O quadripartido (a aliança entre DC, PSI, PSDI e PLI), que apoiou o último governo presidido por Giulio Andreotti, mantém uma estreitíssima maioria (apenas um único assento no Senado). O CAF, a aliança Craxi-Andreotti-Forlani, que rege o país há dez anos, sai muitíssimo enfraquecido. Do outro lado, o novo PDS, herdeiro do PCI, fica com modestos 16,6%, e a Refundação Comunista, o partido de esquerda do PCI que não aceitou as alterações de 1989, não supera os 5,6%.

Sai triunfante das urnas o partido ·de Umberto Bossi, a Liga Norte: de irrelevante 0,5%, salta para 8,7% em nível nacional (55 deputados e 25 senadores). O que significa a conquista da Liga Norte: 25,1% na Lombardia, 19,4% no Piemonte, 18,9% no Vêneto, 15,5 % na Liguria e 10,6% na Emilia Romagna. Na Lombardia, a DC perde um terço dos votos, o PSI, um quarto, e a Liga torna-se o principal partido. Craxi contabiliza 94 mil preferências; Bossi, 240 mil. Em Milão, o partido "nortista" passa de 0,7% em 1987 para 18,1%. A Rede, o inédito movimento político de esquerda focado em temas da legalidade, também encontra algum sucesso, inserindo doze deputados e três senadores no Parlamento, entre eles Leoluca Orlando, Nando dalla Chiesa, Claudio Fava, Alfredo Galasso e Diego Novelli.

As abstenções atingiram recorde de 17,4%. Mais uma confirmação de que o pleito dos dias 5 e 6 de abril é mesmo uma "eleição terremoto" (como intitula o *Corriere della Sera*), com o resultado mais clamoroso após o de 1948 — os partidos tradicionais são fortemente punidos pelo voto de protesto. Uma tendência que dura há muito tempo: já nas eleições europeias de junho de 1989, 25% dos eleitores — um em cada quatro — expressaram rejeição pelos partidos optando por abster-se, votar em branco ou anular o voto. Depois, o sim triunfou no referendo de Mario Segni sobre a preferência única (9 de junho de 1991). Em 12 de novembro, os bispos italianos chamaram a atenção para as atividades criminosas por meio de uma nota pastoral da CEI (Conferência Episcopal Italiana) intitulada "Educar para a legalidade", denunciando "a nova criminalidade de colarinho-branco que exige propinas daqueles que cobram o que lhes é devido". Nos primeiros meses de 1992, uma série de eventos sobrecarregou o clima de desconfiança da antiga política: além da prisão de Chiesa e das contínuas "bastonadas" do presidente da República Francesco Cossiga contra os partidos (sobretudo o seu, a DC e o PDS), o assassinato mafioso de Salvo Lima, homem de confiança de Andreotti, em 12 de março de 1992, na Sicília, pouco mais de um mês após a sentença da Corte de Cassação de 30 de janeiro que confirmou as condenações dos chefões da Cosa Nostra no "maxiprocesso" que o próprio Lima se esforçou para absolver, e a deterioração da situação financeira do país. Tudo isso no novo contexto internacional após a queda do muro de Berlim, isto é, depois do confronto entre os blocos Leste e Oeste, que, por décadas, forneceu legitimação aos partidos italianos posicionados em duas frentes.

Efeito dominó

Segunda-feira, 6 de abril, após a pausa eleitoral, a Procuradoria de Milão retoma o inquérito do "caso Chiesa" e envia duas intimações: uma ao socialista Michele Colucci, líder do PSI na Região da Lombardia, e outra ao democrata-cristão Roberto Mongini, vice-presidente da SEA. Eles são acusados de ter movimentado dinheiro proveniente de propinas. O mundo político milanês está em colapso: rumores incontroláveis asseguram que Chiesa e os empresários chamados à Procuradoria citaram muitos nomes e relataram muitos fatos.

No dia seguinte, 7 de abril, apresenta-se espontaneamente na Procuradoria, acompanhado pelos advogados Gianfranco e Floriana Maris, o socialista Alfredo Mosini, ex-secretário de Tognoli e ex-presidente do hospital Fatebenefratelli, na época, assessor municipal de Obras Públicas. É o primeiro político a colaborar com Di Pietro, mas, antes de confessar, escreve uma carta para o prefeito de Milão, Piero Borghini:

> Caro prefeito, antes de concluir o que os acontecimentos dos últimos dias obrigam a minha consciência a fazer — e refiro-me às investigações sobre os hospitais de Milão —, sinto a obrigação de afastar-me primeiramente da Junta e do Conselho Municipal de Milão. Decidi apresentar-me ao magistrado para dizer honestamente quais são os meus envolvimentos nos episódios do Fatebenefratelli e não quero, enquanto coloco em prática essa escolha de lealdade a mim mesmo e à comunidade, que a instituição municipal sofra consequências negativas. Peço-lhe, portanto, que registre, na ordem do dia do Conselho, a minha renúncia irrevogável.

No dia 22 de abril, começam as primeiras prisões: oito empresários que obtiveram contratos graças a Chiesa acabam no presídio San Vittore sob a acusação de corrupção continuada agravada. São os construtores Gabriele Mazzalveri (da Mazzalveri e Comelli), Clemente Rovati (Edil Mediolanum), Claudio Maldifassi (Lossa Construções), Fabio Lasagni (Cosgemi Costruções) e, em seguida, Franco Uboldi (Cooperativa Milanesa de Limpeza, Transportes e Serviços), Giovanni Zaro (Zaro Carni), Giovanni Pozzi (Suime Pinturas Industriais) e Bruno Greco (Facchini Nigra).

Os oito trabalharam não apenas para o Trivulzio, mas também para vários hospitais em Milão. Alguns ganharam contratos para outras obras públicas, entre elas os valiosos lotes da Metropolitana de Milão (MM) e o terceiro anel do estádio de San Siro (que custou 180 bilhões de liras, diante dos 64 bilhões orçados em 1987). Em 24 de abril, quando saem em massa do presídio San Vittore, Di Pietro já tinha assegurado muitas informações inéditas sobre o sistema de propinas. O advogado de Mazzalveri, Antonio Pinto, declara: "Chegamos a níveis muito altos. Mazzalveri admite ter feito pagamentos à MM, ao hospital Sacco e ao Fatebenefratelli. Parece que ele não pagava diretamente aos políticos, mas ao representante de um consórcio de empresas que, em seguida, fazia a repartição". Vittorio D'Aiello, advogado de Rovati, acrescenta: "É uma longa história, teremos o que falar por um ano". A previsão se mostrará aproximada para baixo.

Na tarde de 27 de abril, Di Pietro tem um confronto muito tenso com Mario Chiesa. Agora em prisão domiciliar, o ex-presidente do Trivulzio apresenta-se no Palácio da Justiça acompanhado de seus advogados, Nerio Diodà e Roberto Fanari, com um terno azul e um sorriso nos lábios. O interrogatório dura mais de quatro horas e, por razões de confidencialidade, não ocorre no escritório de Di Pietro, mas em uma espécie de escritório construído em um pequeno pátio interno do Palácio. Quando os jornalistas, que há dias circulam pelos corredores da Procuradoria à caça de notícias, descobrem, ouvem Chiesa berrar: "Vocês me desmoralizaram como um verme". E ainda: "Não, não pronunciarei este nome!". O nome que Chiesa não quer pronunciar, contrariado porque muitas de suas declarações já estão nos jornais, é o de Bettino Craxi. Ou pelo menos assim interpretam os repórteres.

O desenrolar do inquérito produz um curto-circuito: Chiesa fala, sabendo que alguns empresários que pagaram propinas começaram a colaborar. E outros empresários, sabendo que Chiesa está confessando, apresentam-se na Procuradoria para contar novos casos, o que obriga Chiesa a retornar aos magistrados para aprofundar suas declarações. Começa assim o "efeito dominó" que alimentará a investigação por muitos meses. Confissão chama confissão, corruptos e corruptores estão quase competindo para ver quem chega antes diante de Di Pietro na esperança de limitar os danos e evitar o risco de prisão. Uma reação em cadeia que multiplica os crimes descobertos e as pessoas envolvidas em progressão geométrica. "Tivemos muita sorte", diz Ghitti aos repórteres: "Se os oito primeiros empresários presos tivessem se valido do direito de não responder, a Mãos Limpas jamais teria acontecido".

Naquele momento ninguém tenta impedir Di Pietro. Nas primeiras semanas, o chefe da Procuradoria, Francesco Saverio Borrelli, que sempre defenderá o trabalho de seus substitutos, está convencido de que se trata de uma pequena e limitada investigação de corrupção destinada a concluir-se em breve com o julgamento do único acusado. Sua longa experiência tornou-o cético em relação à possibilidade de alcançar resultados significativos numa investigação sobre administração pública. Ele ainda lembra da última investigação conduzida por Di Pietro nessa área: aquela sobre a empresa regional Lombardia Informática. O procurador tinha julgado-a muito frágil, com evidências não suficientemente convincentes, tanto que não assinou as demandas finais, assim como o procurador adjunto Gerardo D'Ambrosio, coordenador dos promotores especializados em crimes contra a administração pública. Desta vez, no caso Chiesa, Di Pietro trabalha desde o começo para dar início à reação em cadeia e desvendar o sistema de corrupção. Por isso, como vimos, "esquece" de depositar os autos e fechar o caso para ganhar tempo. Os resultados irão bem além de suas próprias expectativas.

Mike e Papa, mani pulite

Os palácios importantes de Milão estão alarmados. Políticos, administradores e empresários temem que Chiesa e os outros suspeitos tenham citado os seus nomes. E tremem diante da ideia de que a qualquer momento um carabinieri se apresente diante das suas portas para levá-los para o San Vittore. Discutem agitadamente, sobretudo os construtores, reunidos na Assimpredil. A comissão presidencial da associação, diz um comunicado do dia 27 de abril, "tendo em conta os processos judiciais em curso, decidiu incumbir o presidente a contatar a autoridade responsável pela investigação. O presidente, Claudio De Albertis, colocou-se à disposição do Dr. Di Pietro". Uma declaração de rendição.

Entretanto, autos após autos, desenha-se o mapa do sistema de propinas. Os jornais o chamam de "Tangentopoli" ("Propinópolis"), neologismo cunhado pelo repórter do *La Repubblica* Piero Colaprico inspirado em "Paperopoli" ("Patópolis"). A expressão "mãos limpas" (*mani pulite*), por sua vez, nasce no escritório de Di Pietro a partir das iniciais M e P (Mike e Papa), do alfabeto internacional (também usado pelos militares), com as quais o promotor (Papa) e o capitão Zuliani (Mike) comunicam-se em código via rádio durante as primeiras operações, da prisão de Chiesa em diante.

A Procuradoria não está satisfeita com as declarações dos investigados. Procura verificá-las apreendendo documentos, anotações, cartões e material contábil nos bancos e em seus escritórios. Assim, acumulam-se novos documentos e pastas da investigação de número 6380/91, aquela aberta em 1991 após o artigo do *Il Giorno* sobre a "extorsão do querido falecido" do Trivulzio. Somente em junho de 1992 será formalmente aberto um novo arquivo, o de número 8655/92: o "arquivo virtual", isto é, o lugar onde serão depositados todos os documentos da investigação sobre corrupção, depois gradualmente encaminhados para os diferentes processos resultantes das investigações.

O trabalho aumenta dia a dia. Em 27 de abril, Borrelli e D'Ambrosio decidem colocar o colega Gherardo Colombo a ajudar Di Pietro. No final de maio, Piercamillo Davigo também se une a eles. Assim nasce o *pool* Mãos Limpas, coordenado por D'Ambrosio. Para as investigações, Di Pietro iniciou colaborando com os policiais do capitão Zuliani, mas, quando a visibilidade da investigação aumenta, a Polícia do Estado também quer ser envolvida, assim como a Guarda de Finanças.[*] Além disso, em seu escritório, no quarto andar do Palácio da Justiça, Di Pietro tem uma equipe "mista", composta por indivíduos das três diferentes forças e da guarda municipal. Entre eles, destaca-se o policial que o segue como

---

[*] Corpo della Guardia di Finanza é uma das cinco forças da polícia italiana, de ordenamento militar, subordinado diretamente ao Ministério da Economia e Finanças.

uma sombra: o inseparável Rocco Stragapede. E também Giancarlo e Adriana, a secretária, à qual unem-se Rossana e Luciana, os policiais Giorgio, Mauro e Stefano, os policiais da Guarda de Finanças Emilio e Salvatore e o fiscal de trânsito Maurizio, que Di Pietro quis consigo porque ele o havia multado por uma infração de trânsito em meados de 1992, embora ele já fosse uma celebridade. "O comissariado da Procuradoria", assim um advogado define o "timeco" de Di Pietro, com uma mistura de ironia, desprezo e admiração. Um grupo que, em poucas semanas, torna-se uma linha de montagem: intimações, interrogatórios, autos, pedidos de prisão cautelar e assim por diante, em um ciclo contínuo. Em 1994, o "timeco" chegará a ter 36 componentes.

O escritório de Di Pietro assemelha-se cada vez mais a um porto marítimo. O magistrado inventa uma nova forma de interrogar: várias pessoas envolvidas no mesmo episódio são ouvidas simultaneamente por diferentes agentes da Polícia Judiciária. Enquanto isso, ele vai e volta de um ao outro, sem perder os computadores de vista. Dessa forma, lê em tempo real as declarações dos interrogados e pode pedir esclarecimentos imediatamente a um sobre as declarações do outro. Um método que lhe rende admiração unânime em 1992–93, mas que depois lhe custará ataques agressivos e uma investigação criminal em 1995–96.

Di Pietro é um dos primeiros no Palácio da Justiça em Milão a intuir as potencialidades da informática: enquanto no tribunal as sentenças ainda são escritas à mão, ele começa a trabalhar com um computador pessoal no qual armazena dados e cruza informações. O sistema foi testado em campo alguns anos antes, na investigação do escândalo das "carteiras fáceis", sobre carteiras de habilitação obtidas de forma ilegal mediante o pagamento de propinas a funcionários da Motorização Civil de Milão. Di Pietro havia interrogado 1,5 mil suspeitos e quinhentas testemunhas, grampeado trinta telefones e avaliado os bens de mais de cem pessoas. Sem computadores, aquela investigação jamais teria decolado, pois só foi possível identificar os responsáveis cruzando milhares de informações sobre as carteiras de habilitação emitidas, os testes realizados e as agências envolvidas. O uso prático do computador permite que Di Pietro multiplique a velocidade de trabalho e a capacidade de "produzir documentos", isto é, de fornecer o material necessário para a rápida elaboração dos autos processuais.

Nas primeiras semanas da Mãos Limpas, o promotor chega a cogitar um modo de projetar na parede do escritório algumas declarações recém-feitas por suspeitos e testemunhas. Um sistema sem grande valor prático, mas, certamente, de impacto psicológico.

Uma prisão por dia

A investigação sobre a Baggina aumenta pelo "contágio" dos episódios de corrupção em outros lares para idosos, hospitais, na ATM (a empresa de transportes públicos), na AEM (a empresa municipal concessionária de energia), na MM (a empresa que gerencia os contratos do metrô), na SEA (a empresa que gere os aeroportos de Malpensa e Linate), na Ferrovie Nord e nos trabalhos para a nova sede do Piccolo Teatro.* A investigação descobre e documenta um autêntico sistema de corrupção com seus homens, suas regras e seus ritos: os partidos dividem os conselhos de administração das empresas públicas, nas quais seus emissários conduzem as licitações para o benefício de um pequeno círculo de empresas "protegidas" que em troca financiam os políticos secretamente.

A partir do final de abril, não se passa um único dia sem pelo menos uma prisão ou intimação. No dia 27, acaba preso o socialista Matteo Carriera, ex-maqueiro, ex-motorista do prefeito Tognoli e agora comissário do IPAB (Instituto Público de Assistência e Beneficência), órgão público que controla o Instituto Geriátrico Redaelli, o orfanato dos "Martinitt e um vasto patrimônio imobiliário. Apelidado de "Matteo duas pistolas" pelo hábito de colocar o revólver sobre a mesa quando chega ao escritório, Carriera chega ao San Vittore acompanhado por dois funcionários do IPAB, Francesco Scuderi e Ivando Tamagni, denunciados por alguns construtores (entre eles Fabrizio Garampelli e Fabio Lasagni) beneficiários de contratos de noventa bilhões com propinas incorporadas justamente pela edificação do Redaelli.

A figura de Carriera torna-se familiar para o grande público televisivo graças a Gabibbo, personagem de um programa satírico do Canal 5, o *Striscia la notizia*, que, naqueles dias, o aguarda diante da sua casa para uma entrevista debochada sobre os "ladrões do regime". Sem querer, Gabibbo atrasa a prisão de Carriera em algumas horas: a trupe televisiva chega ao local simultaneamente à equipe do capitão Zuliani. O oficial, após a habitual comunicação de rádio entre Mike e Papa (ele e Di Pietro), decide adiar a operação para evitar que seja registrada.

Preso, Carriera conta sua história das propinas impostas a todos os contratos e fornecimentos, divididas entre vários membros do conselho administrativo do IPAB, sobretudo o ativíssimo Bruno Cremascoli, membro indicado pelo PCI–PDS (que será preso em 21 de maio), mas também democratas-cristãos, socialistas e social-democratas. "Somente com o processo judicial compreendi que era uma coisa ilícita", justifica-se Carriera. "Antes eu nem me dava conta. Eu não entendia. Tudo funcionava assim, esse sistema parecia normal. E eu participava dele. Era como receber um panetone no Natal. Recebíamos o dinheiro e dizíamos entre nós: recebemos um presente. Em seguida, cada um pensava no seu partido."

O advogado de Carriera é um ex-magistrado, Guido Viola, que já foi promotor em investigações delicadas, como aquela sobre a Sindona e a P2, acompanhada pelos juízes instrutores Giuliano Turone e Gherardo Colombo. Depois de deixar a magistratura para seguir a profissão de advogado, Viola chegou a ser cogitado, após a prisão de Chiesa, para o cargo de comissário especial do Trivulzio, mas teve de renunciar depois dos protestos de alguns conselheiros municipais (Basilio Rizzo, do Verde, e Giovanni Colombo, da Rede). Enquanto era magistrado, de

---

* Ferrovie Nord (Ferrovias Norte): empresa do grupo FNM S.p.A. que opera na gestão da infraestrutura da rede ferroviária.

OPERAÇÃO MÃOS LIMPAS

fato negou o pedido de recurso de alguns inquilinos de imóveis pertencentes ao Trivulzio, vendidos, segundo eles, por meio de práticas ilegais. Mais tarde, seus antigos colegas da Procuradoria o reencontrarão também como suspeito sob a acusação (posteriormente transformada em acordo) de ter lavado alguns bilhões em propinas que Carriera, seu cliente, havia "esquecido" de confessar ao pool. Em seguida, Viola entrará na equipe de defesa do grupo Fininvest.

Em 28 de abril, acabam na prisão outros três empresários que forneciam o combustível para o aquecimento do Trivulzio. No dia seguinte, acompanhado pelo advogado Raffaele Della Valle, apresenta-se a Di Pietro, Epifanio Li Calzi, sucessor de Chiesa como diretor técnico do hospital Sacco, onde havia projetado o novo pronto-socorro e o pavilhão para tratamento da AIDS. Ele está pálido, perturbado. "Ouvi dizer que meu nome foi citado e decidi apresentar-me ao magistrado", disse Li Calzi aos repórteres. No final do interrogatório, Della Valle disse: "Não foram feitas contestações de incidentes específicos ao meu cliente". Em vez disso, descobre-se, no dia seguinte, que Li Calzi (já investigado em 1988 pelo escândalo De Mico), foi levado ao San Vittore após o interrogatório. Chiesa e Carriera, embora sejam membros de partidos, são apenas administradores públicos. Li Calzi, ex-prefeito de Cesano Boscone, ex-vereador e ex-secretário de Milão, portanto, é o primeiro político de fato a acabar atrás das grades, e é do PDS. Poucas horas depois, junta-se a ele um sindicalista: Sergio Eolo Soave, também do PDS, antigo vice-presidente da Liga Regional das Cooperativas. Resumindo, os dois primeiros políticos presos pela Mãos Limpas são antigos comunistas.

Às três da madrugada de 30 de abril, os Carabinieri prendem Angelo Simontacchi, conselheiro delegado e diretor geral da Torno. É um salto de categoria. A Torno está entre as dez maiores empresas de construção italianas. No passado, trabalhou no túnel de Monte Bianco. Depois, participou dos contratos da Metropolitana de Milão, da ampliação do estádio de San Siro e dos novos pavilhões do hospital Sacco.

"As investigações prosseguem em ritmo acelerado", explica o procurador Borrelli: "Não pararemos nem mesmo amanhã, por ocasião do 1º de maio". Di Pietro passa a maior parte daquele dia em San Vittore e interroga Simontacchi, que depois é libertado. Em 1º de maio, partem as intimações para os primeiros dois parlamentares: os ex-prefeitos Tognoli e Pillitteri, os quais convocam com urgência uma coletiva de imprensa para o dia seguinte. A atmosfera está tensa, elétrica. Os dois socialistas explicam estar sendo investigados por receptação (mas o cunhado de Craxi é acusado também de corrupção). Garantem ser inocentes: nunca viram uma lira ilícita. Tognoli, Ministro do Turismo e Entretenimento que está deixando o cargo, declara:

Uma intimação sugere que Chiesa tenha me dado dinheiro em 1984–85. Específico que não se trata, como alguns rumores afirmavam, de um pedido de autorização para proceder, mas de uma intimação. Não sei por que e em qual ocasião eu teria recebido o suposto dinheiro, mas quero afirmar, com absoluta certeza, que nunca recebi nada antes ou depois disso. Considero-me totalmente alheio a esses fatos.

Tognoli e Pillitteri serão ambos condenados em sentença definitiva.

Justamente naquele 2 de maio, o *Corriere della Sera* publica em primeira página um editorial de seu codiretor Giulio Anselmi. Intitulado *La torta è finita*, cita "a desconsiderada questão moral" e convida explicitamente os empresários e a burguesia a cooperarem com o trabalho de "limpeza e renovação" dos juízes. Um sinal importante para Milão naquele momento crucial.

Em 5 de maio, são presos os construtores Mario Lodigiani, vice-presidente da gigante que leva seu sobrenome, e Roberto Schellino, ex-diretor técnico da Cogefar Impresit (do grupo Fiat, a número um entre as empresas de construção). Neste ponto, a investigação do "caso Chiesa" envolve todo o sistema de contratos públicos de Milão. Em 6 de maio, acabam presos os supostos tesoureiros secretos dos partidos: o socialista Sergio Redaelli, o democrata-cristão Maurizio Prada e o democrata de esquerda Massimo Ferlini. É procurado também outro homem do PDS, Luigi Mijno Carnevale, vice-presidente da MM, que se entregará aos magistrados dez dias depois. Naquele dia, morre Marlene Dietrich, mas, no dia seguinte, as capas dos jornais são todas para a Tangentopoli. "A reunião dos políticos" é o título do *La Repubblica*. E o *Corriere della Sera*: "DC e PDS no turbilhão de propinas". As prisões continuam. Em 7 de maio, é a vez do secretário regional da DC Gianstefano Frigerio, do ex-senador democrata-cristão e ex-presidente da Ferrovie Nord Augusto Rezzonico e de Enso Papi, administrador da Cogefar, homem da Fiat entre os mais proeminentes.

Os dirigentes do PSI milanês são substituídos por suplentes. Para tomar as rédeas do partido dominado pelos escândalos, Craxi envia de Roma o vice-secretário Giuliano Amato, que faz uma declaração polêmica:

> A respeito de Craxi, os membros do PDS falam de maneira debochada, utilizam uma linguagem de tirinhas. Cultivam esse sentimento anticraxiano ao invés de fazer política realmente. Por isso o diálogo não evolui. A conduta de Occhetto diante do escândalo de Milão é intolerável. Por quê? Impôs um pressuposto moral [...]. Toda vez que se descobre um ladrão entre os nossos, dizem que é um sistema de poder. Quando o ladrão é deles, é uma ovelhinha negra. (8 de maio).

> Se olharmos para os partidos aos quais se referem os indivíduos envolvidos com propinas, o Palazzo Chigi deveria ser entregue a um estrangeiro.* Se olharmos para a tentativa de envolver Craxi na história de Mario Chiesa, me parece o clássico escândalo armado para impedir que Craxi assuma o cargo. (7 de junho)

---

*   Palazzo Chigi: sede do governo italiano em Roma.

2. O "SISTEMA" MILÃO

Radaelli, Prada e Carnevale: são eles, segundo os empresários, os tesoureiros das propinas para PSI, DC e PDS. São eles que, na penumbra, lubrificam as dispendiosas máquinas da política. "Não fui eu quem inventou as propinas", protesta Prada após a prisão "Simplesmente tomei conhecimento de um sistema." Um sistema complexo. Junto com as propinas confessadas de Chiesa e Carriera, que dizem respeito à gestão dos hospitais e das casas de repouso de Milão, revelam-se vários outros subsistemas nos diversos âmbitos da administração pública. Cada um com suas regras específicas, seus tesoureiros e seus empresários de referência. O mais importante deles é o dos transportes, que gira em torno dos grandes contratos do metrô. "O que é mais impressionante", escreverão os juízes do tribunal na sentença sobre a MM, "é o caráter sistemático: não estamos diante de incidentes isolados, mas de uma prática de corrupção difundida e bem consolidada, a ponto de tornar-se um verdadeiro 'sistema', com regras próprias e subdivisões precisas de funções e incumbências".

Quem concebeu o sistema nos anos 1970 foi Antonio Natali, presidente histórico da MM e depois senador do PSI, muito ligado a Craxi. O chamado "prêmio Natali" é a regra não escrita segundo a qual todos os contratos da MM devem gerar um considerável financiamento aos partidos: de 3% a 4% sobre as construções, até 13,5% sobre as implantações. Uma bela pilha de bilhões que depois era dividida da seguinte forma: cerca de dois quintos para o PSI, um quinto para o PCI, um quinto para a DC e o resto para os partidos menores (PSDI, PRI). A sentença em primeira instância sobre as propinas da MM será ainda mais precisa: 37,5% para o PSI, 18,75% para o PCI–PDS, 18,75% para a DC, 17% para o PSDI e 8% para o PRI.

As empresas, como de costume, faziam um acordo para pré-determinar o resultado das licitações, evitando os tediosos obstáculos do mercado livre. Um representante da empresa principal de cada contrato encarregava-se de recolher as somas "devidas" por cada uma das empresas do consórcio vencedor. Depois liquidava as pendências com os diversos partidos ou entregava a propina ao "caixa único" das forças políticas, que se encarregava de dividir o espólio com os "colegas". Na política oficial (aquela visível), existiam maioria e oposição, aliados e adversários, mas, nos bastidores, eram todos sócios de negócios, indissoluvelmente ligados por um pacto de silêncio. O sistema de caixa único, que recolhe o dinheiro e depois distribui entre os partidos — DC, PCI, PSI e outros partidos menores — é a contradição mais gritante do álibi muitas vezes apresentado pela DC e pelo PSI, de que as propinas eram necessárias para "financiar a democracia" contra "o avanço dos comunistas". Às vezes, era o democrata-cristão ou o socialista a levar dinheiro para o comunista. Outras vezes, o contrário.

As propinas do sistema MM eram pagas para as várias partes da terceira linha da metropolitana, para o eixo ferroviário, para todos os fornecimentos de meios de tração, para as instalações e para a construção de estacionamentos adjacentes às estações. No entanto, as investigações ligam-se com aquelas sobre os trabalhos da nova sede do Piccolo Teatro. O comunista Li Calzi, sob investigação por causa do Piccolo além dos novos pavilhões do hospital Sacco, admite e revela: depois de 1988, quando o escândalo De Mico obrigou-o a deixar a Secretaria Municipal de Obras Públicas, passou ao seu sucessor — o jovem companheiro Massimo Ferlini — trezentos milhões pagos pelo construtor Garampelli. Ferlini, entretanto, nega e será absolvido no tribunal.

Sergio Radaelli, socialista, foi conselheiro administrativo da ATM e depois da Cariplo, a maior poupança da Europa. Imediatamente após a prisão, admite ter recebido dinheiro dos construtores Garampelli, Mazzalveri, Rovati e muitos outros. E afirma tê-lo depois distribuído a Natali, Tognoli e Pillitteri:

> Muitas vezes, não é sequer necessário que haja um acordo prévio entre os representantes dos partidos políticos e os empresários. Se observarmos os empresários que operam no setor público, pode-se perceber um fracionamento entre eles, que visa à divisão do mercado dos contratos públicos. Forma-se uma espécie de pacto de paz entre eles, de modo que, quando convidados para as licitações, mesmo apresentando-se uma pluralidade de indivíduos aparentemente em concorrência uns com os outros, na realidade já chegaram a um acordo sobre a empresa que de tanto em tanto deve obter o contrato.

Radaelli reconstitui vários episódios com muitos nomes e cifras, mas naturalmente tenta minimizar seu papel. Lembra-se, por exemplo, do contrato fraudado para o estacionamento da MM na estação Cascina Gobba, pactuado durante um jantar no restaurante El Toulà: "Não se falou de maneira nenhuma em porcentagens. Eu disse que poderia me ocupar ou me apresentar para receber a contribuição das empresas para os partidos". Mazzalveri, o empresário que também está sentado à mesa do Toulà, narra de outra forma: "A contribuição foi solicitada. Radaelli pediu que eu fosse até a Piazza Duomo, 19", ou seja, ao escritório de Craxi. Em seguida, Mazzalveri entregou a Radaelli, na presença de Prada, três maletas em três encontros consecutivos: três parcelas entre seiscentos e novecentos milhões em dinheiro, em notas de cinquenta mil e cem mil liras. Prada retirou a parte da DC e gentilmente comprometeu-se a entregar também as partes destinadas ao PDS e ao PRI. "O montante atribuído ao PSI", diz Radaelli, "eu dividia em duas partes exatamente iguais. Entregava uma metade a Paolo Pillitteri na federação, no Corso Magenta, e a outra para Carlo Tognoli em seu escritório pessoal, na Via Olmetto". Havia também o fornecimento de equipamentos, partes e peças para manutenção de trens, metrô e ônibus para a ATM e para a Metropolitana: "No total, o sistema dos transportes pagou aos partidos, entre os anos 1980–1991, uma soma superior a trinta bilhões de liras, dos quais cerca de oito bilhões foram recebidos pelo Partido Socialista por meu intermédio".

Radaelli, como os outros colegas "coletores", não gosta da palavra propina. Nos autos, prefere chamá-la de "doação periódica que as empresas fazem aos partidos para dar a eles a possibilidade de sobreviver política e economicamente e, assim, serem seus interlocutores institucionais". Ou ainda "contribuição das empresas para sinalizar sua presença no território". Para coletar essas "doações", os tesoureiros abriam contas bancárias no exterior, de preferência na Suíça. Radaelli abre a primeira delas no início dos anos 1980, no UBS de Chiasso.* Depois, em 1988, adota um instrumento mais sofisticado e impenetrável: uma fundação anônima, à qual pertence a conta Locris (*law kriss*, o punhal malaio da lei). Assim as empresas podem fazer transferências de conta estrangeira para conta estrangeira, sem o desconfortável ir e vir de maletas. No momento da prisão de Radaelli, a conta Locris totaliza quase nove bilhões de liras.

Alessandro Marzocco, gerente da Socimi (empresa que fabrica bondes elétricos), diz aos juízes que, em 1978, foi convocado por Radaelli à sede da ATM para um pedido de propina de 5%: "Radaelli me disse explicitamente que, se a Socimi não pagasse, não seria mais considerada entre as empresas qualificadas a participar dos fornecimentos". A partir daquele dia, até 1988, a Socimi, por meio da sociedade Calvar das Antilhas Holandesas, pagou a Radaelli um total de 750 milhões de liras. Depois as exigências aumentam e, de 1988 a 1990, a empresa deposita outros seis bilhões — dois bilhões por ano, sempre na conta Locris.

Os homens do metrô

Radaelli não é o único tesoureiro do PSI. Dois arquitetos também se ocupam das "doações": Claudio Dini, que sucedeu a Natali na presidência da Metropolitana, e Silvano Larini, grande amigo de Bettino Craxi e Silvio Berlusconi, famoso velejador, conhecido por passar pelo menos seis meses por ano entre a ilha de Cavallo e a Polinésia. "Claudio Dini estava perfeitamente ciente também da situação relativa ao pagamento de propinas", relata Luigi Carnevale aos magistrados, "e foi ele que naquela época colocou diversas regras. Primeiro, disse que não queria ter qualquer relação direta com as propinas e que o arquiteto Silvano Larini o representaria". Depois, semeando a discórdia, Carnevale acrescenta: "Me disse também que era necessário reajustar a porcentagem para 4%: de fato, durante todo o período da gestão de Natali, os partidos receberam somente 3%, enquanto nós havíamos ouvido rumores de que as empresas já estavam pagando 4% e, portanto, a diferença de 1% era retida por Natali".

Luigi Mijno Carnevale é um funcionário pouco conhecido do antigo PCI. Comunista e simultaneamente maçom, desconhecido dos próprios companheiros, em 1982 entra no conselho de administração da MM por causa do partido e, em seguida, torna-se vice-presidente. Ele pertence à corrente "reformista", que, em Milão, é encabeçada por Gianni Cervetti e, em Roma, por Giorgio Napolitano e Emanuele Macaluso. Os "melhores", como são chamados, encorajam há

---

* UBS: grupo suíço que presta serviços financeiros e está presente em mais de 50 países.

algum tempo uma forte aliança com os socialistas e, em Milão, de acordo com testemunhos recolhidos pelos magistrados, aceitaram completamente o sistema de propinas. Carnevale relata:

> A partir de 1987 e, pela parte que me toca, até pouco antes do verão de 1991, cada vez que recebi dinheiro entreguei a parte do PSI diretamente nas mãos de Larini, em minha casa, onde ele ia especialmente para isso. Se lembro bem, acho que a última vez que entreguei dinheiro a ele foi no outono de 1991. Cada vez que pegava o dinheiro, Larini dizia que entregaria uma parte àqueles no Corso Magenta, referindo-se à federação milanesa do PSI, e outra parte na Piazza Duomo, referindo-se ao parlamentar Bettino Craxi.

Depois, Larini passa adiante, já que permanece muitos meses por ano no exterior e não quer ter problemas. Um outro dirigente socialista, Oreste Lodigiani, ocupa seu lugar, mas por poucos meses. Depois, chega Di Pietro.

Para a DC da Lombardia, o homem dos financiamentos secretos é Maurizio Prada. Advogado, presidente da ATM, ex-secretário político e administrativo da Democracia Cristã em Milão, após a prisão, relata:

> Absorvi uma quantidade enorme de despesas para possibilitar que a DC explicasse a própria atividade em Milão. Para fazer a estrutura do partido funcionar, são atualmente necessários cerca de cem milhões por mês: sessenta para as despesas ordinárias, quarenta para as despesas normais da comissão regional. Para dar uma ideia de quanto são as despesas, desde o início dos anos 1980 até hoje, foram gastos cerca de vinte bilhões em assuntos de rotina e mais vinte em campanhas eleitorais.

Prada nega ter cometido "atos abusivos contra as empresas a fim de obter contribuições em dinheiro". De acordo com ele, eram "doações espontâneas". Na verdade, o administrador público "encontrou-se desapropriado das suas funções de controle, uma vez que são os cartéis dos empresários que estabelecem as regras do mercado". O fato é que ele recebe vários bilhões: 0,5% sobre os contratos da MM de 1980 a 1987; e depois 1%, ou cerca de um quarto do total das propinas.

A lista das empresas que pagam é longa. Prada cita também Fisia, Iveco, Fiat Ferroviária e Cogefar Impresit. Denominador comum: todas pertencem ao grupo Fiat. Entre 1990 e 1992, a Cogefar pagou 1,8 bilhão pelo eixo ferroviário de Milão, 1,2 bilhão pela terceira linha do metrô e uma propina um pouco menor pela construção de um estacionamento. Juntamente com as propinas, a Fiat também pagava aos partidos "contribuições periódicas não contabilizadas". "Nos últimos dois anos, 1990–1991, Papi entregou-me cerca de dois bilhões", diz Prada. Enso Papi, o diretor executivo, entrava na sede milanesa da DC na Via Nirone e pagava.

O mesmo fazia com o PSI, como confirma Radaelli, e com o PCI–PDS, como relata Carnevale.

Prada afirma ter pensado também nos partidos menores, como o PRI: "Pessoalmente, entreguei um bilhão, evidentemente em diversas ocasiões e parcelas de algumas dezenas de milhões. Algumas vezes, nas mãos do honorável Antonio Del Pennino, em seu escritório de advocacia na Via Senato, outras vezes, nas mãos de seu representante, o conselheiro provincial Giacomo Properzj". No entanto, Del Pennino reclamava "porque o Partido Republicano, embora tenha sido inserido de forma estável no sistema de repartição, não era adequadamente remunerado". Depois, Prada acrescenta ter repassado dinheiro a outros democratas-cristãos, como Antonio Simone, assessor regional ligado à Comunhão e Libertação, o movimento fundado pelo monsenhor Luigi Giussani. Explica que, além dele, também se ocupavam dos financiamentos ilícitos da DC Roberto Mongini, vice-presidente da SEA; Gianstefano Frigerio, secretário regional da Lombardia; e Augusto Rezzonico, presidente da Ferrovie Nord e depois senador. Frigerio é interrogado várias vezes por Gherardo Colombo. Queixa-se frequentemente da dor causada pela pressão em seus olhos. Uma vez, diante de Di Pietro, as queixas são mais insistentes do que o habitual. "Mas quando o senhor conferia a propina", exclama o magistrado, "seus olhos não incomodavam; pelo contrário, enxergavam muito bem".

Profissão muito lucrativa a de tesoureiro secreto. Garantia segura de fazer carreira nos partidos políticos. Mas também um papel arriscado, exposto aos escândalos que emergem periodicamente, às investigações judiciais e às denúncias de jornalistas intrometidos. Além disso, sujeito à chantagem interna e às guerras entre correntes. O PSI, antes do "caso Chiesa", sempre havia protegido seus membros. Na DC, um partido maior e mais complexo, alguns gestos de indignação em relação à "questão moral" haviam chegado até a Via Nirone. Em meados dos anos 1980, por exemplo, foi aberta uma discussão no partido sobre corrupção e propinas. Entre aqueles que acusavam os dirigentes democratas-cristãos de utilizar o método da propina estava o ultraconservador Massimo De Carolis, ex-líder da "maioria silenciosa" que tentava recuperar espaço dentro do partido depois de um longo declínio político, após a descoberta de seu nome nas listas da P2. O então secretário provincial da DC, Antonio Ballarin, tentou purificar o ambiente, mas o sistema revelou-se praticamente invencível. De Carolis contentou-se com os resultados obtidos para si, e o assunto foi encerrado. Em 1985, Prada, Frigerio e Mongini, justamente eles, foram excluídos das listas eleitorais da DC para a Câmara. No entanto, o partido não os havia abandonado; muito pelo contrário, os havia premiado com poltronas de respeito: Prada tornou-se presidente da ATM; Frigerio, vice-presidente do IBI (Instituto Bancário Italiano); e Mongini, vice-presidente da SEA. Di Pietro encontra-os ocupando essas poltronas em 1992. Quanto a De Carolis, retornará à política muitos anos depois, com o Força Itália. E, em 2005, será condenado na Corte de Cassação a um ano e oito meses por corrupção em um caso de propina por um depurador.

"Doação ambiental"

Desde o início dos interrogatórios — por sorte e talvez pela combinação ímpar de habilidades investigativas, situações psicológicas e condições políticas, econômicas e ambientais — os juízes encontram-se diante de pessoas que, mais cedo ou mais tarde, acabam confessando. Naturalmente, quase todos tentam revelar o mínimo indispensável, esconder pelo menos parte dos fatos e do dinheiro e poupar algum amigo pessoal ou político; em resumo, manter alguma carta na manga para chantagens futuras. Os promotores conseguem superar em parte esse limite cruzando as confissões e tentando desenvolver investigações documentais sobre as transferências de dinheiro. Eles sofrerão acusações opostas e contraditórias: de esperar "demais" dos interrogados por meio da prisão preventiva e de ter se contentado com "muito pouco", liberando-os logo após as primeiras confissões. "Recolhemos tudo o que podíamos", diz hoje Piercamillo Davigo. "Sabíamos que os interrogados omitiam muitas coisas, mas o que poderíamos fazer? Além dos interrogatórios e das investigações, há somente a tortura."

Além disso, qualquer suspeito tende a minimizar o seu papel e a exagerar o dos outros. Os empresários normalmente afirmam ter sofrido pressões irresistíveis e ter sido obrigados pelos políticos a pagar para não serem excluídos do círculo dos contratos. Os políticos rebatem dizendo que foram cercados pelos empresários. "Mas que extorsão, doutor" disse um dia um político a Davigo, "os extorquidos somos nós: os empresários nos perseguem para pagar-nos as propinas antes dos seus concorrentes".

Determinar as reais responsabilidades dos diversos protagonistas é importante para formular as acusações: corrupção (o empresário paga espontaneamente para obter um favor do funcionário público) ou extorsão (o funcionário público extorque dinheiro do empresário ameaçando a sua exclusão)? Di Pietro, que tem em mente a sua teoria da "doação ambiental", não se preocupa em individualizar, no primeiro momento, em qual artigo do Código enquadrar. O que importa é a passagem de dinheiro em troca de favores. "De qualquer modo, é um *crime porco*", diz em "dipietrês", sua linguagem grosseira e um pouco "desregrada", imediatamente elogiado pela mídia e por sua espontaneidade e eloquência. Faz contar os fatos e coloca-os nos autos. Faz-se de "louco para não ir para a guerra", como diz sobre si mesmo. Deixa que qualquer um reconstrua a história da maneira que quiser, desde que defina fatos, nomes, contratos e pagamentos. Somente em um segundo momento cruza as declarações e define com qual crime prosseguir.

O primeiro contato com o suspeito interrogado é geralmente a pergunta dos "vasinhos". Di Pietro diz a quem está diante dele: "Existem três vasos sobre a minha mesa. No primeiro, está escrito 'Não sei de nada, não vi nada'. No segundo, 'Fui eu quem comecei'. No terceiro, 'Sou uma vítima'. Qual você escolhe?". A "doação ambiental", já teorizada antes da prisão de Chiesa, confirma-se como algo além do suborno e da propina: é um sistema de regulação das relações entre empresas e políticos. As empresas dividem, com o conhecimento dos partidos, os contratos pagos com dinheiro público. Em troca da atribuição dos contratos, os partidos recebem uma porcentagem a destinar ao "custo da política" (e ao apetite dos políticos). O sistema é generalizado, enraizado, automático — "ambiental". Quem recebe um contrato paga os partidos. Difícil, portanto, distinguir se é o empresário a subornar o político ou o político a extorquir o empresário. As duas partes desse acordo não escrito mantêm um comportamento "natural" para o "ambiente" político italiano. E a "doação" acontece automaticamente, sem a necessidade da solicitação. Explica com linguagem colorida o advogado Giovanni Maria Flick: "A Tangentopoli tem dois protagonistas: Gustavo Dandolo e Godevo Prendendolo".

O sistema perpetua a si mesmo e suas regras. Tanto que, em alguns casos, as propinas a administradores e funcionários públicos são parceladas e continuam a ser pagas mesmo depois de o funcionário aposentar-se. Davigo descobriu isso na década de 1980, investigando o escândalo das "prisões de ouro". O construtor Bruno De Mico estipulava o valor da propina com antecedência, mas pagava somente após receber pelos trabalhos realizados, mesmo com distância de anos. "Como você pode dizer" perguntou-lhe Davigo, "que foi forçado a pagar propinas, se continuou a pagá-las mesmo a ex-funcionários públicos já aposentados, que não poderiam mais forçá-lo a fazer nada?". De Mico respondeu: "Se eu deixo de pagar os que estão aposentados, os que estão em serviço ficam sabendo; eu me torno indigno de confiança para o sistema, e ninguém mais aceitará o parcelamento". Isso demonstra uma contínua troca de informações entre os numerosos protagonistas e coadjuvantes do "sistema", que era do conhecimento de um grande número de pessoas.

Os magistrados da Mãos Limpas nunca contestam os seus investigados por associação criminosa, embora alguns, como o líder radical Marco Pannella, tenham pedido isso claramente na época. Mesmo estando diante de um fenômeno sistemático, eles preferem avançar sobre os fatos específicos, verificando as responsabilidades criminais individuais e, mesmo assim, ainda serão acusados de "processar um sistema". Nem mesmo o abuso de poder por si só é usado contra os investigados: é um crime "muito leve", segundo Di Pietro, para resistir a três julgamentos. Além disso, explicará o promotor, "o abuso de poder quase sempre esconde uma corrupção ou uma extorsão não descoberta: em Milão, tínhamos assumido o compromisso de investigar até descobrir a propina, que normalmente é a verdadeira explicação da infração. Ninguém faz nada sem motivo em certos níveis".

Dinheiro, balanços e cartas rogatórias

A "doação ambiental" alimenta, contra as leis e fora dos balanços oficiais, os dispendiosos motores dos partidos e suas correntes. Como revelará Severino Citaristi, secretário administrativo democrata-cristão, só o mecanismo nacional da DC custava de sessenta a setenta bilhões por ano. Desses, 24 bilhões eram provenientes de fundos públicos, ou seja, do Estado, e treze bilhões das filiações; dois ou três bilhões os empresários depositavam legalmente, e o partido "declarava" às Câmaras; pelo menos vinte bilhões, enfim, eram de "contribuições irregulares", ou seja, propinas. A esses valores deve-se somar a propina "queimada" pelos motores locais do partido (só o de Milão, segundo Prada, consumia em média, para as despesas e as campanhas eleitorais, quatro bilhões por ano). Ainda havia as propinas recolhidas pessoalmente pelos líderes e chefes da Máfia (em Nápoles, só a corrente política de Paolo Cirino Pomicino consumia, segundo ele próprio, pelo menos cinquenta milhões por mês). Em seu discurso à Câmara, em 4 de agosto de 1993, Craxi dirá que o PSI custava, entre 1987 e 1991, cinquenta bilhões de liras por ano. Mesmo considerando esse número correto, ainda é preciso acrescentar o custo dos sistemas periféricos e o que era recolhido pelos coronéis locais. Então, somava-se à arrecadação do partido o dinheiro subtraído pelo enriquecimento pessoal e as "raspas" que os tesoureiros frequentemente retinham.

Sergio Cusani, contador amigo de Craxi, o homem da *maxitangente* (maxipropina) Enimont, revela hoje como funcionava, de acordo com o que ele sabe, o sistema utilizado pelos partidos para reinserir o dinheiro das propinas no circuito oficial:

> Quem me contou foi Vincenzo Balzamo, o secretário administrativo do PSI. Ele disse que os partidos — pelo menos o PCI, a DC e o PSI — desenvolveram o "listão", uma lista com milhares de nomes de quem aderiu, que alguns bancos complacentes usavam para demonstrar, a cada dia, pequenas entradas regulares nas contas oficiais. Eram depósitos abaixo de cinco milhões, feitos por uma multidão de benfeitores desconhecidos e inconscientes. De acordo com Balzamo, quem inventou o "listão" foi o tesoureiro nacional do PCI, Renato Pollini. Balzamo relatou-me uma reunião que teve com Pollini justamente para discutir este sistema.

Mas Balzamo e Pollini estão mortos e não podem confirmar nem desmentir.

Para reconstruir o percurso das propinas no exterior, em 15 de maio o *pool* de Milão envia à procuradora de Canton Ticino, Carla Del Ponte, uma lista de 42 nomes para verificar se existem contas deles nos bancos suíços: dezoito são de pessoas ainda não investigadas e 24 de políticos e empresários já presos ou interrogados. É a primeira carta rogatória da Mãos Limpas ao exterior. E está incompleta: Giovanni Falcone, que se uniu ao Ministério da Justiça como diretor geral de Assuntos Criminais, ajudará os colegas de Milão a aperfeiçoar a técnica. Falcone e Di Pietro falam-se e encontram-se. Del Ponte e Colombo mantêm um sólido relacionamento profissional. E o muro de proteção que existe em torno do sistema bancário suíço começa lentamente a desmoronar.

O sistema de propinas, tão lucrativo para os membros dos partidos, pesa muito nas finanças do Estado e no bolso dos cidadãos. Isso é demonstrado pelo tempo e custo médio das obras públicas de Milão, comparadas ao padrão do resto da Europa. De acordo com um estudo do jornal semanal *Il Mondo* publicado em maio de 1992, a linha 3 do metrô de Milão custa na época 192 bilhões de liras por quilômetro, contra os 45 bilhões do metrô de Hamburgo; o eixo ferroviário tem previsão de custo de cem bilhões por quilômetro em 12 anos de trabalho, enquanto o de Zurique, construído em sete anos, custou cinquenta bilhões por quilômetro; os trabalhos para a ampliação do estádio Meazza de San Siro duram mais de dois anos e custam mais de 180 bilhões, os do Estádio Olímpico de Barcelona são concluídos em dezoito meses, com um investimento que não supera 45 bilhões.

Em 1992, o economista Mario Deaglio hipotetiza uma primeira quantificação do sistema Tangentopoli na Itália: o volume de negócios da corrupção pode ser avaliado, de acordo com seus cálculos, em cerca de dez trilhões por ano, gerando uma dívida pública entre 150 e 250 trilhões de liras, com aproximadamente quinze a 25 trilhões de juros anuais sobre a dívida. Contudo, não é só o peso das propinas que sobrecarrega as contas do Estado: a Tangentopoli é um sistema de financiamento dos partidos, mas é também um sistema de acordos de cartel entre as empresas que anula o mercado e elimina a livre concorrência, aumentando os custos das obras públicas. E, para os partidos, é um sistema de formação de consenso que usa o dinheiro público inescrupulosamente, sem preocupar-se com a utilidade das obras, a eficiência dos serviços prestados e a compatibilidade com as contas do Estado.

Os efeitos são devastadores: a relação entre a dívida pública e o produto interno bruto da Itália é de 60% em 1980 e sobe para 70% em 1983 (final do governo Spadolini); nos próximos quatro anos, até 1987 (governo Craxi), atinge 92% e toca em incríveis 118% em 1992, ano do colapso da lira e do risco de insolvência do Estado. A Itália encontra-se muito longe dos parâmetros estabelecidos pelo Tratado de Maastricht para o ingresso na União Europeia: em 1992, a taxa de inflação é de 6,9% (ao invés de 3%), o déficit de balanço é de 11% (ao invés de 3%), a dívida pública é de 118% do PIB (enquanto não poderia passar de 60%).

Em 13 de agosto, a agência Moody's baixa a pontuação da Itália em dois pontos ao avaliar o grau de segurança dos investimentos realizados no país. O dia 16 de setembro é a "quarta-feira negra" da lira, cujo valor de câmbio com outras moedas cai ao ponto de forçá-la a sair do sistema monetário europeu.

As ligações entre a corrupção e a economia serão confirmadas pelo diretor do Banco da Itália, Antonio Fazio, na assembleia da Confindustria (Confederação Geral da Indústria Italiana) em 31 de maio de 1993:

> Formas de corrupção difusas nas relações entre empresas e esfera pública aumentaram os gastos, prejudicaram o bom funcionamento do mercado, dificultaram a seleção de fornecedores e produtos melhores. A magnitude dessa cobrança inadequada, que no fim recai sobre os cidadãos, é de uma gravidade chocante.

A Mãos Limpas nasce nesse clima: com o Estado a um passo da falência, arrastado pela Tangentopoli. Em 10 de julho de 1992, no final de uma sessão interminável, o Conselho dos Ministros, presidido por Giuliano Amato, decide realizar uma manobra financeira de 93 trilhões para iniciar a restauração do déficit e impõe ainda a reforma das pensões e a contribuição forçada de 0,6% para cada conta corrente bancária. Um decreto governamental também prevê a privatização de quatro gigantes das participações do Estado: IRI (Instituto para a Reconstrução Industrial), ENI (Ente Nacional Hidrocarbonetos), ENEL (Ente Nacional para a Energia Elétrica) e INA (Instituto Nacional de Seguros) se tornarão sociedades por ações (SPA) sob o controle do Ministério da Fazenda, que emitirá obrigações que se converterão em ações das novas SPA em um prazo de cinco anos; um consórcio formado pelos principais bancos italianos terá então a tarefa de apresentar as ações ao público. Começa a grande virada da economia italiana: o sistema Tangentopoli dos partidos e das empresas manjedouras do Estado, das quais a política está se alimentando, entra em crise e tenta trocar de pele. A palavra de ordem é privatização. "Sem a Mãos Limpas", dirá o ex-presidente da CONSOB, Guido Rossi, "não teria acontecido a reviravolta das privatizações, e a Itália não teria saído do seu sistema de 'capitalismo sem mercado'".

3. VIVA DI PIETRO

A investigação do *pool* milanês recebe apoio popular em massa, que se transforma em torcida de futebol. A insatisfação com os partidos políticos traduz-se em uma adesão generalizada e profunda à ação dos magistrados, especialmente de Antonio Di Pietro. Os meios de comunicação destacam sua figura, descrevendo-o como o homem que está limpando e renovando o sistema político italiano. E a popularidade dos promotores da Mãos Limpas atinge níveis inimagináveis.

O apoio vem dos cidadãos tanto de direita quanto de esquerda e em poucas semanas contagia grande parte da opinião pública. Na noite de 4 de maio aparece em Milão, na zona de San Siro, a primeira pichação: "Obrigado, Di Pietro", escrita em uma parede com spray. É imediatamente apagada, dizem os jornais, mas em vão: a partir do dia seguinte, os escritos multiplicam-se por toda a cidade. "Viva Di Pietro", "Di Pietro, faça-nos sonhar", "Colombo, vá até o fim".

Em 10 de maio, intervém o arcebispo de Milão, cardeal Carlo Maria Martini, única autoridade a manter-se firme na antiga "capital moral" da Itália. Recomenda "não colocar todos no mesmo saco e não deslegitimar as instituições, bens valiosos de toda a comunidade", mas acrescenta que "as investigações devem ser defendidas e ampliadas". Em 12 de maio, vinte mil pessoas reúnem-se em frente do Palácio da Justiça de Milão para uma caminhada com velas até a Piazza Duomo. Na linha de frente, estão alguns vereadores, como o verde Basilio Rizzo, que há anos faz da luta contra a corrupção a sua bandeira; o deputado recém-eleito Nando dalla Chiesa, que, em 1985, antes de chegar ao Parlamento com a Rede, havia fundado a Sociedade Civil, um círculo ideologicamente transversal, mas fechado a políticos: entre os fundadores, os magistrados Gherardo Colombo, Piercamillo Davigo, Armando Spataro e Ilda Boccassini. O círculo, muito antes da Mãos Limpas, havia denunciado o sistema de propinas e seus poderosíssimos protagonistas de direita e de esquerda. A passeata de 12 de maio, sem bandeiras de partidos, encoraja os magistrados e entoa músicas irônicas. Como uma que, ao ritmo de *Guantanamera*, diz: "Eles não a roubaram/ ainda não a roubaram/ a Virgem Maria/ ainda não a roubaram". Em uma faixa, lê-se: "Di Pietro, você é melhor do que Pelé".

Durante essas semanas, difunde-se até mesmo um merchandising do tema: camisetas com a imagem de Di Pietro, sabonetes "Mãos Limpas", relógios "hora legal", faixas, colares, bótons e adesivos. Em 10 de junho, em uma danceteria de Turim, a Hennessy, centenas de jovens usando camisetas com os dizeres "Milão ladra, Di Pietro não perdoa" organizam a "Festa Di Pietro". Em Milão, esvaziam-se os restaurantes símbolos da "Milão para beber", antes frequentados por membros dos partidos e das propinas, como o Matarèl, no Corso Garibaldi, onde Craxi realizava as reuniões semanais de sua equipe às segundas-feiras. Um antigo restaurante no distrito de Navigli, a Osteria della Briosca, adapta-se aos tempos e oferece o "menu da propina": arroz frio à San Vittore, espaguete do inquisidor, penne em contrato, rosbife do carcereiro, bife na grelha e, para brindar a liberdade reencontrada, coquetel Mãos Limpas e sangria Tangentopoli; no momento de pagar a conta, em vez do serviço, paga-se uma "propina de 10%".

Di Pietro torna-se o italiano mais famoso do mundo, aclamado pela imprensa até pelas exclamações em "dipietrês", de "Che ci azzecca?" (o que importa isso?) a "Benedetto Iddio!" (bendito Deus!), que entram na linguagem coletiva. Os principais jornais do mundo dedicam grandes espaços a ele. O *Wall Street Journal* inicia, colocando na primeira página de 12 de junho: "Go for it, Di Pietro" (vá em frente, Di Pietro). A revista semanal norte-americana *Newsweek* dedica-lhe uma capa.

A imprensa italiana descreve a investigação com grandes títulos e tons entusiastas, como se fosse uma revolução. Capas de direita e de esquerda, tanto os jornais da elite quanto os semanários populares parecem igualmente fascinados pela figura de Di Pietro. Diretores que até a primavera de 1992 censuravam jornalistas que traziam à tona notícias de propina e má política de repente se transformam. Descobrem-se sedentos por escândalos, cenas de bastidores, detalhes, previsões, autos, interrogatórios e confissões, até porque, desde os primeiros meses da investigação, os jornalistas jurídicos — todos jovens com menos de trinta anos que começam a ocupar permanentemente os corredores do Palácio da Justiça — adotam um truque anticensura seguro: trabalham em grupo. Jornalistas de frentes muito diferentes — *Corriere della Sera*, *La Repubblica*, *L'Unità*, *Il Giorno*, *Il Messaggero*, *Il Giornale* e *Il manifesto* — trocam todas as notícias entre si em "legítima defesa". Dessa forma, nenhum diretor poderá anular ou ocultar eventos desconfortáveis, pois sabe que eles serão publicados de qualquer maneira pelos concorrentes.

1992. MÃOS SUJAS

Até os comentaristas inclinam-se predominantemente para o lado da Mãos Limpas. São poucas as exceções: *Il Giorno*, jornal do ENI, simpatizante socialista, dirigido primeiro por Francesco Damato e depois por Paolo Liguori; e *Il Sabato*, ligado à Comunhão e Libertação e ao seguidor de Andreotti, Vittorio Sbardella. De resto, todos a favor do pool, a começar por muitos que se transformarão, anos depois, em críticos implacáveis da magistratura. Ernesto Galli della Loggia, colunista antes do *Stampa* e depois do *Corriere*, define os partidos como "panelinhas de malandros". Acrescenta que "todos roubaram". E sentencia: "Já é demais se, após os longos e extenuantes rituais judiciais que são regra na Itália, os indultos, as anistias, os acordos e as prisões domiciliares, consegue-se no final prender alguém por um período de tempo que não seja ridículo".

Ainda mais determinado a elogiar o *pool* e atacar os corruptos é um professor de epistemologia da cidade de Lucca, Marcello Pera, que se tornará parlamentar do Força Itália e presidente do Senado. "Assim como no colapso de outros regimes" – escreve, por exemplo, no *Stampa*, em 19 de julho de 1993, "é necessária uma nova resistência, um novo resgate e depois uma verdadeira, radical e impiedosa purificação [...]. O processo já começou e para boa parte da opinião publica foi encerrado com uma condenação". Até porque "a revolução tem regras rígidas e prazos apertados".

Vittorio Feltri, diretor do *L'Indipendente*, exclama a cada prisão: "Mas isso é uma dádiva, um prazer físico, erótico. Quando estivemos tão próximos do alívio? Deus salve Di Pietro" (15 de junho de 1992). E quando Craxi, que ele chama de "javali", recebe a primeira intimação, não se aguenta:

> Nunca uma ordem judicial foi tão popular, tão esperada, quase libertadora quanto essa assinada contra Craxi [...]. Di Pietro não se deixou intimidar pelas críticas, pelas ameaças de metade do mundo político (podemos dizer também do regime podre do qual Bettino é uma amostra) e atacou de cima a baixo, onde nem as águias atrevem-se a ir. Golpeou sem pressa, nenhuma ansiedade em acabar nos jornais para obter mais glória. Craxi cometeu o erro [...] de vender os companheiros suicidas (por causa da vergonha de terem sido pegos com a boca na botija) como vítimas de complôs antissocialistas [...]. É mentira, honorável: Di Pietro não se importa com os objetivos políticos [...]. Os juízes trabalham tranquilamente, em absoluta serenidade: sabem que os cidadãos, encontradas a dignidade e a capacidade crítica, estão do seu lado. Como nós, do *L'Indipendente*, sempre. (16 de dezembro de 1992)

Depois, Feltri passará ao *Giornale* no lugar de Montanelli. E também mudará de ideia.

Os programas de televisão conduzidos por Gad Lerner (*Milano-Italia*), Michele Santoro (*Samarcanda*) e aqueles mais "populares" de Gianfranco Funari tornam-se imperdíveis para a Itália que muda e quer mudar. Até as redes Fininvest inflam as velas aos ventos da Mãos Limpas. Os novos telejornais da serpente, logotipo distintivo da Fininvest e das empresas do grupo Berlusconi (o TG4, de Emilio Fede, e o TG5, de Henrico Mentana), fazem fortuna justamente graças às atividades do *pool* e seu símbolo, Di Pietro, relatando-as com uma desenvoltura que a Rai não pode se permitir (exceto o TG3, de Sandro Curzi). No TG1, reina o símbolo midiático do antigo regime, o democrata-cristão Bruno Vespa, enquanto o TG2 é dirigido por um craxiano de rigorosa observação, Alberto La Volpe. Nos canais berlusconianos, Giuliano Ferrara domina o horário nobre e, a seu modo, em 1991, previu a era dos juízes, com *L'Isttrutoria*, um programa no qual aparecia vestindo uma toga preta. Roupas à parte, Ferrara torna-se, desde o início de 1992, o mais implacável adversário televisivo dos magistrados, igualado apenas por Vittorio Sgarbi. Memorável o episódio de *L'Isttrutoria* de Ferrara dedicado à prisão de toda a junta regional do Abruzzo: o corpulento jornalista revela-se para as câmeras acompanhado por duas dançarinas em trajes regionais e improvisa a dança do "saltarello abruzzense", acenando com um par de algemas.

Berlusconi, enquanto isso...

Os jornais do grupo Berlusconi apoiam a Mãos Limpas e, especialmente, Di Pietro. Fazem isso instrumentalmente os semanários da Mondadori: *Epoca, Panorama* e o nacional popular *TV, sorrisi e canzoni* (que publica uma capa com o título "Di Pietro, nos faça sonhar"). Por convenção faz *Il Giornale*, fundado e dirigido por Indro Montanelli, que sempre manteve absoluta autonomia do editor. No entanto, a atitude do *Cavaliere** em relação ao Mãos Limpas é mais complexa do que se lê em seus jornais. Demonstram isso alguns acontecimentos nos bastidores do *Giornale* revelados em 1995 pelo codiretor Federico Orlando no livro *Il sabato andavamo ad Arcore* (No sábado íamos para Arcore): "Quando, poucas semanas antes da explosão da Mãos Limpas, escrevi uma matéria denunciando 'os mafiosos da Prefeitura de Milão', Silvio Berlusconi telefonou-me muito irritado, explicando que eu havia chegado a Milão, não a Nápoles". Mais tarde, após a prisão de Mario Chiesa, somam-se outros dois sinais claros ao *Giornale*. Relata ainda Orlando:

> Em 21 de fevereiro, quatro dias após a detenção de Chiesa, recebo a visita de Ugo Finetti, vice-presidente da Região da Lombardia, principal socialista milanês. Está acompanhado por Paolo Berlusconi, que ainda não é o editor do *Giornale* (será em 16 de julho; por isso, Montanelli, desde 20 de janeiro, havia escrito a Silvio informando-o de que o trânsito de propriedade prenunciado não teria sido capaz de modificar os acordos sobre a independência do *Giornale* e do seu diretor, tratados na época com Silvio e "sempre respeitados"). Finetti estava pálido, Paolo parecia irritado com o fato de que os vários apelos feitos a mim por expoentes da

---

* Denominação dada a Berlusconi.

Fininvest para que o *Giornale* não atrapalhasse as relações do grupo com o PSI continuassem a entrar por um ouvido e sair pelo outro. Finetti carrega uma pasta com artigos do nosso noticiário milanês, destacados com caneta marca-texto na cor verde. Me entrega a pasta para que eu possa responder aos colegas jornalistas. "Os juízes da Procuradoria", explica Finetti, "fazem arquivos com recortes de jornais exatamente como estes: então, quando acontece alguma coisa, eles já têm uma documentação abundante e podem escavar aquilo que querem". Paolo Berlusconi interrompe: "Temos de trabalhar com as instituições, regiões, municípios e feiras; portanto, precisamos manter boas relações".

O segundo sinal – prossegue Orlando – é ainda mais explícito:

> Naqueles mesmos meses (janeiro-fevereiro de 1992), chega um telefone-
> Naqueles mesmos meses (janeiro-fevereiro de 1992), chega um telefonema de Bobo Craxi (chefe da Câmara de Vereadores) para o editor-chefe de notícias Giuliano Molossi e, na sua ausência, para o vice Ario Gervasutti. Ele está furioso com as "insinuações" sobre as ligações de Mario Chiesa com o PSI milanês relatadas por nossos repórteres. Ameaça: "Depois das eleições de 5 de abril, haverá uma limpeza, muitas cabeças vão rolar no *Giornale* [...]. Antes de falar com seu chefe, repito que vocês têm de parar de encher o saco. Vocês são o típico jornal fascista, apoiador daLiga Norte, simpatizante da democracia cristã". No dia 29, telefona Fedele Confalonieri, braço direito de Berlusconi: está furioso porque foi publicada uma foto de Bettino Craxi com Chiesa. Me pergunta, fora do seu estilo sempre equilibrado: "É uma sabotagem a Berlusconi? Se para manter o *Giornale* devemos criar inimizade com Craxi, é melhor renunciar ao *Giornale*".

Montanelli, de volta a Milão depois das férias em Cortina, é informado do incidente. Fica enfurecido e escreve aos redatores ameaçados por Bobo:

> Mesmo lembrando que temos como regra não levar em consideração os excessos de outras pessoas, principalmente de políticos, e dizer sempre a verdade, toda a verdade, sem tomar partido a favor ou demonstrar animosidade contra ninguém, autorizo todos vocês a comunicar ao senhor acima mencionado, caso tenham a oportunidade, que a única "cabeça" que periga rolar após o dia 5 de abril não é a de vocês, mas a dele. E podem acrescentar que, da minha parte, não consideraria uma grande perda.

Então, em 3 de março, enfrenta Silvio Berlusconi em Arcore. Aqui está o encontro, relatado por Orlando. Montanelli: "Você ainda tem a intenção de transferir a propriedade do *Giornale* para o seu irmão?". Berlusconi: "Sim". Montanelli: "Então, avise-o para nunca mais aparecer na redação acompanhado de um político. Da próxima vez, o colocarei para fora". Três dias depois, o *Cavaliere* telefona gentilíssimo a Orlando para informá-lo de que Craxi iria processar o *Giornale* por um artigo de Peter Gomez sobre Mario Chiesa, que tinha financiado a campanha eleitoral de Bobo e de outros líderes socialistas. Em seguida, Berlusconi expõe abertamente seu problema, aquele de obter do governo as concessões televisivas com a implementação da lei Mammì: "Espero em quinze dias já ter resolvido meu problema das concessões. Veja se é possível, enquanto isso, tratar o caso Chiesa como um fato de crônica policial, sem destacar as ligações políticas". Ele não será ouvido.

Enquanto o antigo sistema político está prestes a ruir, Berlusconi está preocupado com seus negócios. E, no início de 1993, desabafa com Orlando:

> Enfim, após passar o Natal angustiado pelas concessões que não chegavam, ainda encontro Andreotti e Vizzini paralisados e passo a Páscoa angustiado. Estou à beira de um ataque de nervos: perdi *La Cinq* e agora perdi também a possibilidade na Inglaterra porque não tinha força física e serenidade psicológica e, portanto, a necessária clareza de ideias. Eu dizia para mim mesmo: como podem me levar a sério no exterior, se me atacam tão duramente na Itália?

Na confusão geral, Montanelli e Orlando identificam no movimento referendário de Mario Segni (que faz campanha para a reforma eleitoral, primeiro para a preferência única, depois para o sistema de maioria simples) a única força "moderada" e liberal-democrática digna de ser apoiada para favorecer a mudança. Berlusconi, entretanto, tem outros projetos: já fala, nas reuniões privadas com "seus" jornalistas em Arcore, da necessidade de ampliar o Pentapartido para a Liga e o MSI (Movimento Social Italiano). Sua linha política começa a separar-se da de Montanelli, que, em vez disso, aproveita todas as oportunidades para atacar as ideias separatistas de Bossi e tratar o MSI como um ferro-velho inútil. O divórcio entre os dois é apenas uma questão de tempo.

Rindo com Tangentopoli

Desde que a Tangentopoli emergiu, a sátira comemora. Atores e autores humoristas foram os primeiros a se permitir gritar para toda Itália aquilo que, sem evidências, ninguém poderia afirmar: os políticos italianos roubam mais do que seus colegas estrangeiros. Beppe Grillo, por causa de alguma piada irreverente sobre os socialistas, foi vetado pela Rai e pela Fininvest. "Tudo bem", rende-se o comediante Paolo Hendel, "não vou mais dizer que os socialistas roubam, mas, em troca, os socialistas poderiam deixar de roubar".

Até o *Cuore*, "semanário da resistência humana" fundado em 1989 por Michele Serra, antecipou a Mãos Limpas. O famoso título "Começa o horário de verão, pânico entre os socialistas", de 30 de março de 1991, é acompanhado pelo seguinte resumo: "Debate animado no PSI: em Roma, aposta-se tudo nas eleições; em Milão, na anistia. La Ganga e Teardo preparam a primeira reforma institucional: substituir o horário de verão pelo horário ao ar livre no pátio da prisão". Falta um ano para a prisão de Mario Chiesa, que o *Cuore* tratará: "Doloroso anúncio do líder histórico do Garofano, Pietro Gambadilegno (Pietro perna de pau): 'Cortei relações com o PSI. Roubar casas de repouso para idosos perturba até mesmo um socialista de primeira ordem como eu'. O estado-maior do partido fecha a discussão: 'De qualquer forma, deixaremos nossas impressões digitais na história deste país'".

O semanário não poupa sequer o símbolo da Mãos Limpas: "Di Pietro confessa: 'Já fui socialista'. Craxi tinha razão: o juiz tem um passado inconfessável". Então, as primeiras prisões na Fiat: "Agnelli: 'As algemas vão aos pulsos'". E as primeiras tentativas de fazer tudo cair no esquecimento: "Acabar com um país não é mais crime. Uhuuu! Vamos aproveitar, pessoal! Chegou a solução política. Mostrando seu cartão partidário nos melhores tribunais, você terá uma redução substancial da pena e participará do sorteio de um simpático serviço de chá".

Os comediantes Paolo Rossi e Piero Chiambretti também descrevem a Tangentopoli a seu modo em programas como *Il portalettere* (O carteiro) e *Il laureato* (O diplomado). Mas o verdadeiro equivalente televisivo do *Cuore* é o *Avanzi*, programa escrito por Serena Dandini e Corrado Guzzanti e transmitido pela Rai Tre de Angelo Guglielmi. *Avanzi* dá o seu melhor em 1992–1993: a fraqueza da política presenteia a TV estatal com um momento de máxima liberdade de expressão, pelo menos nos espaços artísticos. Tem o protótipo de comentarista da Rai subserviente, corrupto e mentiroso, Giulio Pinocchio de Montecitorio, de cabelo liso e com um nariz comprido, interpretado por Antonello Fassari. No estúdio, Pierfrancesco Loche, no papel de jornalista oportunista, apresenta um telejornal baseado em notícias manipuladas ou falsas, veiculadas mediante pagamento, e grita "fraude-fraude-ambiguidade-falsidade". Corrado Guzzanti, no papel de diretor de horror Rokko Smitherson, faz um balanço da situação política: "Forlani disse aos eleitores: 'Ou a DC ou o caos'. E todos foram procurar o tal caos". Então, disfarça-se de Ugo Intini e entoa em lágrimas "O sistema não pode ruir" (de autoria de Craxi–Larini–De Toma–Armanini–Panseca–Tognoli–Pillitteri–Tomaselli). A irmã Sabina assume a forma de Claudio Martelli, completamente empenhado em dispensar Craxi e reciclar-se como líder do Partido dos Bonitos. E Stefano Masciarelli imita, relaxando em uma rede em algum lugar nos trópicos, o tesoureiro de Craxi, Silvano Larini, fugitivo de luxo. Imperdíveis as propagandas falsas que intercalam o programa, especialmente a da "Premiada Secretaria do Corso", baseada nas referências entre a Tangentopoli da Via do Corso (sede nacional do PSI em Roma) e a Antica Gelateria del Corso, uma famosa marca de sorvetes:

Lembra dos bons tempos? Dos sabores perdidos? Aquele inconfundível contrato de café corrupto com propina de chocolate. Tinha para todos. E aquelas tardes passadas alegremente repartindo o bolo? Os flagrantes de Ligresti, as falcatruas, os Tognoli de frutas, os picaretas, Bobo ao rum na caixa de bombons. Geração após geração, de pai para cunhado, degustavam-se aproveitadores acompanhados de tira-o-meu-da-reta. E que festa em família com a craxata! Não sobrava sequer uma migalha. Antiga Secretaria do Corso, as mesmas mãos na massa desde 1892..."*

Perfil do pool

É uma curiosa alquimia de magistrados que dispara a investigação judicial mais clamorosa da história italiana. Homens de diferentes origens geográficas, camadas sociais, atitudes, experiências profissionais, formações culturais e orientações políticas. Antonio Di Pietro, magistrado incomum, com 42 anos em 1992, aparência de investigador e espírito de policial. Gherardo Colombo, 46 anos, já lidou outras vezes com a relação perigosa entre política e negócios em investigações como o P2 e os fundos irregulares do IRI. Piercamillo Davigo, 42 anos, sarcástico, perspicaz e correto como um militar, é a alma jurídica do grupo, quem compila os documentos processuais mais delicados. O procurador Gerardo D'Ambrosio coordena o trabalho e unifica os homens. "Tanto eu quanto Colombo, Davigo e mais tarde Francesco Greco", afirma Di Pietro atualmente, "tínhamos procurado, nos anos 1980, encontrar o percurso do sistema de corrupção; porém, fomos legalmente interrompidos. Em 1992–93, começamos a trabalhar juntos e conseguimos, graças às novas condições históricas, ao novo Código e ao trabalho em equipe".

Di Pietro nasceu em 1950, em uma pequena cidade da Província de Campobasso, Montenero di Bisaccia, distrito de Capolaserra. Perdeu o pai agricultor ainda muito jovem. Completou os primeiros estudos no seminário de Termoli e depois passou por muitas profissões. Enquanto frequentava o Instituto Técnico de Peritos Industriais em Roma, trabalhou como vigia noturno, mensageiro e revisor. Após o serviço militar, em 1972, parte para a Alemanha e trabalha sete meses em Stuttgart como polidor em uma fábrica de talheres. Enquanto isso, inscreve-se insistentemente em concursos públicos. Em 1973, volta à Itália, pois foi aprovado no primeiro deles, no Ministério da Defesa, para trabalhar no escritório de controle de armamentos da Aeronáutica. É uma ocupação que lhe deixa muito tempo livre

---

* Uma série de trocadilhos com nomes de doces e referências aos políticos. No original: "Ricordate i bei tempi di una volta? I sapori perduti? Quello inconfondibile dell'Appaltato al caffè, corrotto con cioccolato tangente. Ce n'era per tutti. E i pomeriggi trascorsi allegremente a spartirsi la torta? I flagranti Ligresti, le Frottole, i Tognoli alla frutta, il Truffotto, il Bobò al rhum nell'elegante boboniera. Gene razione dopo generazione, di padre in cognato, si gustavano gli Approfitterolles accompagnati dal Tiramifuori. E che festa in famiglia con la Craxata! Non ne rimaneva mai neanche una briciola. Antica Segreteria del Corso, le stesse mani in pasta dal 1892". (NT)

em relação a seu ritmo de trabalho habitual. Então, inscreve-se na universidade, na Faculdade de Direito. Casa-se com Isabella Ferrara, com quem tem um filho, Cristiano, e se forma em 1978, na Universidade Pública de Milão, com o professor Paolo Biscaretti di Ruffia: 22 provas em três anos, nota final 108 de 110. Depois, passa em outros concursos, solidificando-se gradualmente como secretário municipal, tabelião, procurador legal, vice-comissário de polícia. Em 1980, por menos de um ano, trabalha como oficial de polícia no quarto distrito de Milão, onde lida com ladrões e traficantes. Até que supera o último concurso, aquele para entrar na magistratura. É auditor judiciário e, depois, até 1985, procurador substituto em Bérgamo. Saboreia um pouco da fama quando desmascara o "monstro de Leffe", um assassino serial que matou toda a família. A última prisão decretada é a do seu assistente, um marechal da Guarda de Finanças que aceitou propina.

Em 1986, é transferido para Milão. Enquanto isso, seu primeiro casamento entra em crise, e em sua vida entra Susanna, filha de Arbace Mazzoleni, um proeminente advogado de Bérgamo. Com ela, viverá em uma casa em Curno e terá outros dois filhos, Anna em 1987 e Antonio (Totò) em 1991. Na Procuradoria de Milão, designado para investigações de crimes contra a administração pública, Di Pietro dedica-se ao trabalho com o habitual ritmo frenético. É um solista em todos os sentidos, até mesmo nas atividades da Associação da Magistratura. Permanece fora das correntes organizadas e é o único magistrado do Palácio da Justiça de Milão a não participar da greve convocada em 1991 pela Associação Nacional de Magistrados contra o presidente da República Francesco Cossiga, acusado de atacar a independência das togas e do CSM (Conselho Superior da Magistratura). Do lado de fora da porta de seu escritório, no dia da agitação, pendura um cartaz: "Aqui não tem greve". Cossiga aprecia o gesto, chama-o e se torna seu amigo.

O Conselho Judicial de Milão reconhece em Di Pietro, em suas notas de avaliação, a "excepcional capacidade de trabalho, memória e resistência absolutamente fora do comum, intuição rápida dos estados de espírito e da relação secreta entre os indícios e os percursos mais rápidos e eficazes para fazer emergir a verdade histórica". Chega muito cedo pela manhã e é sempre um dos últimos a sair. Tem relações escassas e esporádicas com os colegas, dos quais está separado por classe social, formação cultural, currículo e estilo. Di Pietro trabalha em silêncio até 17 de fevereiro de 1992, dia que mudará a sua vida. E não apenas a sua.

Gherardo Colombo é o oposto de Di Pietro. Nascido em 1946, em Briosco, Brianza, cresceu em uma casa grande com jardim e um pequeno bosque de bambu em Renate, um centro vizinho. Colombo tinha um pai médico e um pouco poeta e um bisavô materno advogado. Tornou-se magistrado no momento em que a cultura se perguntava sobre a relação entre desvios, legislação e sociedade. Culto, esportivo, com ar de sonhador intelectual, adere à corrente da Magistratura Democrática, de esquerda. Em 1980, com o colega Giuliano Turone, inicia as investigações sobre o estranho sequestro (um "autossequestro", descobre-se depois) do banqueiro Michele Sindona e o assassinato do advogado milanês Giorgio

Ambrosoli, comissário liquidatário dos bancos Sindona. Os dois juízes investigadores recolhem as provas que condenarão Sindona por homicídio, mas durante a investigação também descobrem as listas da loja maçônica secreta P2, do venerável maestro Licio Gelli, cuja publicação, em maio de 1981, causa um terremoto político. Muitos documentos encontrados com as listas da P2 durante a busca nos escritórios de Gelli em Castiglion Fibocchi poderiam revelar o sistema de corrupção política com onze anos de antecedência, mas ainda não era o momento. A investigação é transferida para Roma e depois dispersada. Os fundos irregulares do IRI, que Colombo investiga logo depois, também são um gatilho ideal para disparar a Tangentopoli no início dos anos 1980, mas o sistema político protege-se, fechando a ferida aberta e arrancando mais uma transferência de investigação para Roma, o "porto da neblina" e da areia. "Em 1992", lembra Colombo, "eu havia dado um basta às investigações. Queria fazer outras coisas, refletir, escrever. E também não queria mais andar escoltado. Já havia feito a minha parte. Em vez disso...". Em vez disso, seus chefes, D'Ambrosio e Borrelli, insistem: querem-no trabalhando ao lado de Di Pietro quando o caso Chiesa decola. Colombo resiste, freia, bate o pé por um tempo, mas depois aceita e entra para o pool.

Depois dele, chega Piercamillo Davigo, que com Di Pietro tem em comum a idade (ambos são de 1950) e uma investigação importante, a das "prisões de ouro" do construtor De Mico. Davigo é da Lombardia, na fronteira com o Piemonte. Cresceu em Candia Lomellina, uma cidade de 1,7 mil habitantes na Província de Pavia. Filho único, pai representante comercial, avô formado em Direito e prefeito de Candia durante algum tempo. Educação católica e rigorosa, de "homem de bem", o mais distante que se possa imaginar da agitação social que nos anos 1960 e 1970 atravessa a magistratura. Uma vez vestida a toga, Davigo adere à Magistratura Independente, a corrente mais conservadora. Acompanha Francesco Di Maggio no primeiro grande inquérito sobre o submundo de Milão, narrado em primeira pessoa pelo chefão da Máfia Angelo Epaminonda, conhecido como "o tebano" (preso em 1984), sucessor de Francis Turatello no topo da marginalidade. Depois, ocupa-se da corrupção, não apenas das "prisões de ouro", mas também do "Plano Casa" do município de Milão, que vê pela primeira vez o agente imobiliário Salvatore Ligresti ser investigado (mais tarde absolvido). Logo após entrar no *pool* da Mãos Limpas, Davigo continua a investigação sobre os contratos do Malpensa 2000 (alguns anos antes, ele já havia investigado propinas nos abastecimentos aeroportuários e descoberto, depois de uma carta rogatória para a Bélgica, uma conta secreta chamada "Pascoli ombrosi"). Por alguns meses, ele é quase que totalmente absorvido pela elaboração de pedidos de autorização para investigar parlamentares, um ato que, antes da reforma da imunidade, era enviado para a Câmara ou Senado dentro do prazo de trinta dias após a descoberta de possíveis delitos realizados por um deputado ou senador. Davigo elabora 130 desses pedidos em menos de um ano. Com seu conhecimento meticuloso dos códigos e inteligência rápida e sintética, torna-se o príncipe jurista do pool, o homem das soluções difíceis, o "Doutor Sutil", "Piercavillus".

O grupo da Mãos Limpas é uma linha de montagem que trabalha incansavelmente. Di Pietro interroga, Colombo examina papéis e documentos, e Davigo redige os autos judiciais.

Gerardo D'Ambrosio, enquanto isso, vigia, apara as arestas e mantém as relações com a imprensa. Nascido em Nápoles, em 1930, está na Procuradoria praticamente desde sempre. D'Ambrosio acabara de retornar ao trabalho depois de um transplante de coração que lhe deu muita energia: "Tenho no peito um coração de vinte anos de idade", diz ele. E retoma com entusiasmo a segunda vida profissional. Na primeira, com o amigo e colega Emilio Alessandrini (mais tarde assassinado pelos terroristas do grupo Primeira Linha), reabriu em 1974 a investigação sobre o massacre da Piazza Fontana, derrubando as pistas falsas da "estrada vermelha" anárquica e tomando o rumo da "estrada negra" (sobre neofascistas e homens da máquina pública) que somente trinta anos mais tarde será encerrada com uma sentença definitiva. Por isso e pela participação na Magistratura Democrática, D'Ambrosio é rotulado de "comunista". Logo depois, no entanto, é chamado de "fascista" por absolver o líder da Nova Ordem, Pino Rauti, das acusações da matança, fechar o inquérito sobre a morte do anarquista Giuseppe Pinelli, que caiu de uma janela da Delegacia de Milão, argumentando que não havia provas nem de suicídio, nem de homicídio, e exonerar o comissário Luigi Calabresi, acusado de uma violenta campanha publicitária de esquerda.

Borrelli também nasceu em Nápoles, em 1930. Vestindo a toga desde 1955, filho e neto de juízes, passou a maior parte da carreira no Tribunal Civil de Milão, indo depois para a Corte d'Assise.* Na Procuradoria desde 1982 como adjunto, torna-se procurador chefe em 1988. Depois de uma adesão inicial à Magistratura Democrática, não vai em frente e se define como um "liberal crociano".**

Dois andares acima da Procuradoria da República fica o escritório de Italo Ghitti, o juiz de investigações preliminares que, no primeiro ano e meio da Mãos Limpas, examina os pedidos de prisão preventiva feitos pelo pool, acolhendo muitos, mas não todos ("Rejeitei nada menos que noventa deles em dois anos", irá vangloriar-se em 2002). É muito rápido: decide sempre com a maior velocidade, conseguindo evitar, ou pelo menos reduzir ao máximo as fugas, a contaminação e o desaparecimento de provas. Ghitti também não é nada revolucionário: adere à corrente de centro da Magistratura Associada, a Unidade pela Constituição (Unicost).

4. PROPINAS BRANCAS, PRETAS E VERMELHAS

Em 13 de maio, no dia seguinte à manifestação de Milão em apoio ao pool, a Mãos Limpas desembarca pela primeira vez em Roma, ou seja, na cúpula nacional

---

*   Órgão jurisdicional penal para crimes de maior gravidade. (NRT)
**   Seguidor da ideologia de Benedetto Croce. (NT)

— por enquanto, apenas administrativa — de um partido, a DC. O tesoureiro Severino Citaristi, senador, recebe uma intimação. Citaristi é um democrata-cristão de Bérgamo, onde vive com sua numerosa família. Nos anos 1950, fundou a Minerva Itálica, uma das principais editoras especializadas em exames escolares, mas sua vida é a política: presidente da Província de Bérgamo, em 1976 torna-se parlamentar e em 1986 é nomeado secretário administrativo por Ciriaco De Mita. Durante dezesseis anos, é o coletor nacional das propinas que fluem da periferia para o centro do partido. Uma função aceita sem hesitação ou escrúpulos, que lhe custará caro. Entre 1992 e 1994, Citaristi torna-se o detentor do recorde de intimações: 74 em dois anos. Antes de morrer, em 2006, acumulará condenações de mais de trinta anos de prisão. No entanto, nunca se tornará um símbolo negativo da Tangentopoli para a opinião pública. Funcionário aplicado que recolhe dinheiro para o partido, apresenta um estilo de vida mais sóbrio, muito diferente dos outros tesoureiros, especialmente os socialistas. Citaristi também fala: revela as contribuições ilegais e as propinas recolhidas antes por Ciriaco De Mita, depois por Arnaldo Forlani. E confessa haver recebido mais de "cem bilhões" por baixo dos panos para o partido. Contra De Mita, no entanto, os juízes não poderão prosseguir: a anistia de 1990 — aprovada pelo Pentapartido (coalizão que governou a Itália de 1980 a 1992, formada pelos partidos da antiga centro-esquerda — DC, PSI, PSDI e PRI — mais o PLI) e pelo PCI — cancela os financiamentos ilegais aos partidos políticos (inclusive aqueles dos países comunistas para o PCI) depositados até 1989, ano em que De Mita deixou a secretaria para Forlani.

Em 19 de maio, acaba preso em Milão Walter Armanini, ex-vereador dos cemitérios. Socialista de origem nobre, com fama de playboy, é acusado de ter embolsado propinas para a construção de um novo cemitério (não realizado) e para a reforma do necrotério municipal. Propinas menores e "periféricas" em comparação com as do Sistema de Milão, mas ainda assim afetam particularmente a opinião pública devido ao ambiente onde Armanini operava (e faturava). "Roubam até mesmo em cima dos mortos", dizem os jornais. E pensar que diante de Di Pietro o suspeito declara: "Meu partido não me queria mais como vereador porque diziam: aquele idiota do Armanini não sabe mais roubar". Armanini será um dos primeiros a ser julgado (e condenado a cinco anos e sete meses). O primeiro a terminar na prisão com transmissão ao vivo na televisão, na Rai Tre, no programa *Un giorno in pretura*. Um dos poucos a retornar à prisão para cumprir a pena.

Se os nomes de Citaristi e Armanini não surpreendem, o envolvimento de três partidos que apoiam Di Pietro desde o primeiro dia, ostentando "mãos limpas", provoca escândalo: o PRI, o MSI e, ainda mais pesadamente, o PDS. Em 13 de maio, chega uma intimação a Antonio Del Pennino, deputado milanês republicano. Em 20 de maio, é a vez de Giacomo Properzj, ex-presidente republicano da Província de Milão. Para ele, não parlamentar, há um mandado de prisão, transformado, no entanto, em prisão domiciliar por razões de saúde: um acidente de caça acontecido muitos anos antes deixou-o cego. O MSI está envolvido, pela primeira e única vez em Milão, com Giuseppe Resta, conselheiro provincial e mais tarde senador. Investigado por propinas nos contratos da AEM e processado com Tognoli e Pillitteri, Resta será condenado por corrupção a dois anos.

A surpresa torna-se choque em 15 de maio, quando Roberto Cappellini, secretário milanês do PDS, é preso. Cappellini não faz parte da corrente "melhorista", simpatizante do socialismo, como os outros antigos comunistas envolvidos até agora. É um ex-operário de quarenta anos de idade que vive no município "vermelho" de Sesto San Giovanni e pertence à maioria do partido, encabeçada pelo secretário Achille Occhetto. No dia seguinte, após quinze dias em fuga, entrega-se o companheiro que ajudou a prendê-lo, o "melhorista" Carnevale, que é precedido por um requerimento enviado aos magistrados e consegue imediatamente a prisão domiciliar.

Entre Cappellini e Carnevale surge uma polêmica não apenas jurídica, mas também política que dilacera o partido. Carnevale admite ser coletor das propinas do subsistema da Metropolitana em nome do PCI–PDS. Relata, confirmando os testemunhos de alguns empresários, que o companheiro Sergio Soave, vice-presidente regional da Liga das Cooperativas, tinha a exclusividade das propinas sobre os trabalhos eletromecânicos e as implantações do metrô. E envolve Cappellini (mais tarde também acusado por Soave). Desde 1987, explica Carnevale, após a prisão do socialista Natali, o PCI não se contentou mais em apenas obter contratos para as cooperativas vermelhas, mas quis sentar-se permanentemente à mesa das propinas da MM. E as cooperativas vermelhas, desde então, foram tratadas como todas as outras empresas, ou seja, foram inseridas na premiação predeterminada dos contratos em troca do "pagamento de uma porcentagem do valor do contrato aos partidos". Portanto, trabalham e pagam propinas, entre outras, a Unieco, a Coopsette e a CMB de Carpi, cujos representantes serão processados e condenados.

A consequência, continua Carnevale, é que o PCI, que "até então havia recebido contribuições ilícitas esporadicamente por meio de Natali", começa "a receber as contribuições dos empresários sistematicamente, como os outros partidos de Milão". Soave confirma: "Carnevale me disse que havia recebido indicações do PCI para entrarmos definitivamente na divisão das contribuições provenientes das empresas". Quem deu a "indicação do PCI" permanecerá um mistério. Diz Carnevale: "Também entramos na divisão porque o modo de administração anterior, isto é, limitar-se a favorecer as cooperativas, não tinha dado bons frutos ao partido". A data da mudança, entre 1986 e 1987, chega paradoxalmente quando Milão está comprometida com o primeiro grande debate coletivo sobre propina e moralidade na política. Na esquerda, discute-se o envolvimento do PCI no escândalo das "áreas de ouro" (protagonizado pelo construtor Salvatore Ligresti e pelo secretário de Urbanismo na época, o comunista Maurizio Mottini, que depois serão liberados sem envolvimento criminal), com discursos inflamados de Giorgio Bocca e outros intelectuais.

A sentença judicial sobre as propinas da MM, emitida em abril de 1996, é esclarecedora: "Deve-se definir imediatamente um primeiro ponto: em nível de federação milanesa, todo o partido, e não apenas alguns dos seus componentes internos, está diretamente envolvido no sistema de contratos da MM pelo menos desde 1987". Para os juízes "está claro que o PCI–PDS, de 1987 a fevereiro de 1992, recebeu uma porcentagem de 18,75% do total das propinas da MM, uma soma não inferior a três bilhões", recolhida pelos coletores de propinas vermelhos: Carnevale e Soave.

Em 1990 (depois da queda do muro de Berlim, que bloqueou os caminhos do financiamento e dos negócios com os países do bloco comunista), acontece a segunda grande mudança: Soave sai de cena e é substituído por Carnevale. Soave tornou-se incômodo, pois está sob investigação no escândalo Lombardia Informática e, além disso, afirma a sentença, "não era bem-visto dentro do partido porque duvidava-se de sua honestidade na divisão dos valores, isto é, temia-se que ele privilegiasse a corrente 'melhorista'". Carnevale afirma: "Foi Cappellini, secretário municipal na época, que confiou a mim, em nome do partido, a responsabilidade que havia sido de Soave". A regra interna era a de dois terços: das propinas que pertenciam ao PDS (2,1 bilhões só no sistema MM), dois terços eram dos "occhettiani", ou seja, Cappellini, e um terço dos "melhoristas". Carnevale afirma ter depositado 1,4 bilhão para o partido e setecentos milhões para os "melhoristas", ou seja, Gianni Cervetti. Deputado e membro do governo-sombra do PDS, acusado de ser o destinatário final das propinas dos melhoristas, Cervetti recebe uma intimação em 27 de maio.

Cappellini, enquanto isso, nega todas as acusações. Aquelas de Carnevale, afirma, são calúnias de um adversário interno. O partido, segundo ele, nunca entrou no sistema de propinas, e os "melhoristas", depois de terem sido descobertos, disseram que ele estava envolvido para arrastá-lo ao fundo do poço junto com eles. O secretário milanês admite apenas "ter recebido somas de dinheiro irregular" e ter "dirigido-se a Soave como representante da Liga das Cooperativas Regionais" com "o convite para contribuir para superar as dificuldades financeiras". Em resumo, confessa ter recebido dinheiro, mas redimensiona os dígitos: vinte ou trinta milhões de Li Calzi; cinquenta milhões em um envelope, por três vezes, de Carnevale; de Soave, não se lembra quanto. Pequenas contribuições para o partido, recebidas, jura Cappellini, sem nunca saber que eram fruto de propina.

Em 27 de maio, o PSDI também entra na investigação com uma intimação para Renato Massari, social-democrata que depois passou para o PSI. Dois dias depois, a Procuradoria de Milão pede à Câmara a autorização para proceder contra os parlamentares milaneses envolvidos até agora: Cervetti, Massari, Tognoli, Pillitteri e Del Pennino. Entre os partidos tradicionais, a investigação da Mãos Limpas não chegou ainda ao PLI. Mas não por muito tempo.

"Estou envergonhado, mas deveriam envergonhar-se também Craxi e Forlani." Com essas palavras, em 29 de maio, o secretário do PDS, Achille Occhetto, desculpa-se diante dos companheiros reunidos na seção histórica de "Bolognina", já palco do primeiro anúncio da transformação pós-comunista de 1989. "Expoentes e dirigentes do PDS", admite Occhetto com a voz trêmula de emoção, "entraram no mecanismo perverso da distribuição de receitas ilícitas". Depois denuncia a "escalada social" milanesa e fala de uma "nobre ilusão histórica particular do PCI: que o código moral do partido fosse de nível ético superior ao do cidadão comum". Palavras que não serão suficientes para deter o avanço da investigação no "front vermelho".

Palermo: morrem os heróis

No sábado 23 de maio, um devastador atentado em Palermo mata o juiz Giovanni Falcone, diretor dos Assuntos Penais do Ministério da Justiça, sua esposa Francesca Morvillo e seus guarda-costas Antonio Montinaro, Rocco Di Cillo e Vito Schifani. Uma carga de mais de quinhentos quilos de explosivos dilacera a estrada que liga o aeroporto de Punta Raisi à cidade, no quilômetro 4, próximo a Capaci, enquanto os três carros blindados transitam por ali. Abre-se uma cratera com três metros e meio de profundidade; a estrada é despedaçada e jogada a mais de cem metros.

Após a sentença do "maxiprocesso" na Corte de Cassação, vista por Totò Riina como uma traição dos velhos referentes políticos (Andreotti e os maiorais), o chefão dos chefões fez uma longa lista de alvos a eliminar. Não apenas Salvo Lima, mas também Ignazio Salvo (que será assassinado em setembro; o outro primo, Nino, já estava morto alguns meses antes), e um elenco de políticos, sicilianos ou não: Calogero Mannino (DC), Claudio Martelli e Carlo Vizzini, ministros do governo Andreotti; Sebastiano Purpura (DC corrente Lima, secretário regional do Orçamento) e Salvo Andò (dirigente socialista da Catânia e futuro ministro da Defesa no governo Amato) e até mesmo o próprio Andreotti. Os interessados sabem em tempo real, visto que, em 16 de março, quatro dias após o atentado a Lima, lê-se em uma nota confidencial do chefe da polícia, Vincenzo Parisi, citando uma fonte anônima:

> Foram feitas ameaças de morte contra o presidente do Conselho e os ministros Vizzini e Mannino... Para março-julho, foi anunciada uma campanha terrorista, com homicídios de representantes da DC, do PSI e do PDS, além do sequestro e futuro homicídio do presidente da República [Andreotti]. O quadro estratégico também inclui atentados.

Quatro dias depois, na Comissão de Assuntos Constitucionais do Senado, o ministro do Interior, Scotti, fala de um "plano desestabilizador" contra o Estado. Mais tarde, o projeto de eliminar Andreotti ou um de seus filhos é colocado de lado por causa das medidas excepcionais de segurança que cercam o primeiro-ministro e senador vitalício. Então, Riina ordena o cumprimento de uma sentença de morte decidida há tempo: aquela contra Falcone, o homem-símbolo do "máxi". Em 21 de maio, Paolo Borsellino concede uma memorável entrevista a dois jornalistas franceses do Canal Plus, na qual fala das novas e antigas investigações sobre o mafioso Vittorio Mangano, que já cuidava dos estábulos em Arcore, e suas relações com Berlusconi e Dell'Utri. A entrevista não vai ao ar (será descoberta e transmitida pela Rainews24 apenas em 2000), mas é provável que tenha chegado aos ouvidos do clã berlusconiano devido às excelentes relações da Fininvest com a televisão francesa. Faltam dois dias para o atentado de Capaci.

O eco da bomba devasta os palácios da política, envolvidos naquele momento com a eleição do novo presidente da República. O Parlamento está reunido há dias em sessão conjunta para escolher o sucessor de Francesco Cossiga, que renunciou em 25 de abril. Forlani é reprovado pelos franco-atiradores da DC; o assassinato de Falcone faz cair também a candidatura do premier de saída, Andreotti, que deveria ter sido eleito justamente no dia seguinte. Em vez disso, perseguido pelas sombras sicilianas (após o assassinato do tenente Salvo Lima, perde também o consultor de prestígio do seu governo), Andreotti decide se afastar. Também a candidatura alternativa de Giovanni Spadolini, presidente do Senado e influente representante do Partido Republicano, evapora após a prisão de Properzj e a intimação a Del Pennino. Na segunda-feira, 25 de maio, o Parlamento elege um democrata-cristão incomum: Oscar Luigi Scalfaro, 76 anos, já magistrado, já ministro do Interior, afastado de correntes, conservador, nunca envolvido ou suspeito de nenhum escândalo, com reputação de homem íntegro e inflexível.

Nesse mesmo dia, celebra-se o funeral de Falcone em Palermo diante de quarenta mil pessoas. Os magistrados da Mãos Limpas estão presentes e são aplaudidos pela multidão agitada e inquieta, que ataca violentamente os políticos e os representantes do Estado. Falcone é homenageado também no Palácio da Justiça de Milão, onde as togas reúnem-se em assembleia. Toma a palavra Ilda Boccassini, que havia colaborado com Falcone no inquérito da "Duomo Connection". Usando óculos escuros, pronuncia palavras muito duras contra os colegas, ditadas pela dor:

> Vocês mataram Giovanni Falcone, vocês o mataram com sua indiferença, com sua crítica. Uma coisa é criticar a Superprocuradoria.* Outra coisa é dizer — como o CSM e os intelectuais da chamada "frente antimáfia" fizeram — que Falcone havia se vendido, que não era mais uma pessoa livre do poder político. Falcone não podia mais trabalhar em Palermo porque estava impedido de executar os processos da Máfia. Por isso, escolheu o caminho do Ministério, para realizar o projeto de uma estrutura única contra a Máfia

---

* Superprocuradoria: termo usado para indicar a Direção Nacional Antimáfia instituída na Procuradoria Geral junto ao Tribunal de Cassação com o D.L. nº 367 de 1991, convertido em lei no ano seguinte. (NRT)

1992. MÃOS SUJAS 69

Então, lembra que falava com Falcone todos os dias ao telefone. E acrescenta:

> Os colegas que hoje estão em Palermo desconfiavam dele. Gherardo Colombo, você também desconfiava de Giovanni: por que foi ao funeral? A última injustiça que Giovanni sofreu foi justamente dos juízes milaneses, que lhe enviaram uma carta rogatória sem os anexos. Ele me telefonou naquele dia e disse: "Que tristeza, não confiam no diretor dos Assuntos Penais".

Na verdade, os magistrados da Mãos Limpas tinham boas relações com Falcone. Colombo era seu amigo de longa data. Di Pietro o havia encontrado poucas semanas antes de sua morte para trocar informações sobre o sistema de propinas da Sicília, mas realmente existia um problema em relação às cartas rogatórias. Falcone tinha se tornado praticamente um funcionário do ministro Claudio Martelli e era obrigado a reportar-se a ele. Por isso, o *pool* considerou inadequado o envio dos anexos, que continham informações confidenciais sobre as investigações contra Craxi e seus homens. Não por desconfiar de Falcone, mas de seus superiores e vizinhos de sala que, de fato, pouco depois também acabariam sob investigação. Após o desabafo, Ilda Boccassini pede para deixar Milão e ser reposicionada na Procuradoria de Caltanissetta, responsável pelas investigações sobre o atentado de Capaci.

Em 28 de maio, o novo presidente Scalfaro faz o discurso de posse na Câmara, com palavras muito duras contra a corrupção: "O abuso do dinheiro público é um fato gravíssimo, que frauda e rouba o cidadão contribuinte fiel e viola severamente a confiança dos cidadãos: nenhum mal é maior, não existe maior perigo para a democracia do que a relação turva entre a política e os negócios". O primeiro compromisso do novo chefe de Estado é a escolha do primeiro-ministro. Fracassado o plano daquilo que resta do CAF de colocar Andreotti no Palazzo Quirinale e Craxi no Palazzo Chigi, faz-se necessária uma solução equilibrada: um democrata-cristão no Colle, alguém do PSI no governo; mas quem? Em 3 de junho, o repórter judicial do TG1, Maurizio Losa, anuncia: "Agora, na investigação das propinas, também está presente o nome de Bettino Craxi". Scalfaro telefona a Borrelli, o tom é preocupado, a voz denuncia certa ansiedade. Pergunta se Craxi está sob investigação, e o procurador diz que não. Por enquanto, ninguém envolveu diretamente o líder do PSI, e o filho Bobo não é sequer investigado, apesar das insistentes vozes jornalísticas. No entanto, Scalfaro não pode ignorar o contexto da investigação. Também Martelli, que espera receber o encargo, sobe ao Quirinale com o colega Vincenzo Scotti, ministro do Interior.Anos mais tarde, Martelli contará: "Scalfaro disse-me que considerava a candidatura de Craxi legítima, mas que não poderia nomeá-lo, pois precisava levar em consideração que estava se formando contra ele 'uma campanha de opinião muito forte, embora tivesse aspectos diabólicos'". O chefe de Estado tem a impressão de que Martelli e Scotti, com aquela estranha visita "em dupla", estivessem candidatando-se para formar o novo governo em nome da "nova política" e da luta contra a criminalidade, que os viu envolvidos respectivamente como ministros da Justiça e do Interior. Craxi fica sabendo, retira o cumprimento ao "traidor" Martelli e entrega a Scalfaro uma lista de nomes alternativos ao seu: Amato, De Michelis e Martelli, mas especifica que a ordem não é apenas alfabética. Scalfaro, de fato, confia o cargo a Giuliano Amato, vice-secretário do PSI.

Em 8 de junho, os ministros Scotti e Martelli, do governo que está saindo, assinam um duríssimo decreto antimáfia que aperfeiçoa o 41-bis, artigo de ordenamento penitenciário que regula o isolamento dos chefões da Máfia, solicitado por Falcone há muito tempo. O Parlamento tem dois meses para convertê-lo em lei, mas os partidos, depois de enxugar rapidamente as lágrimas pelo assassinato, não parecem muito dispostos a fazê-lo. Nos mesmos dias — se descobrirá somente anos mais tarde — Marcello Dell'Utri inicia o "projeto Botticelli": encarrega Ezio Cartotto, consultor da Publitalia e ex-expoente da DC da Lombardia, de estudar uma iniciativa política da Fininvest para substituir as velhas referências partidárias do grupo envolvidas nos escândalos e julgadas inúteis. Em suma, ele também entra em ação para preencher o vazio político aberto pela Tangentopoli justamente como fazem as máfias siciliana e calabresa, livrando-se das velhas referências políticas e criando estranhas "ligas meridionais" com programas separatistas seguindo o movimento da Liga Norte.

Enquanto isso, o capitão do ROS (Grupo de Operações Especiais) dos Carabinieri,[*] Giuseppe De Donno, encontra-se durante um voo com Massimo Ciancimino, filho do ex-prefeito mafioso de Palermo "Don Vito" e comunica que seu superior, o coronel Mario Mori, vice-comandante do ROS, quer encontrar seu pai para ver como podem cessar os atentados. Começa assim aquilo que não somente Ciancimino Jr. e numerosos mafiosos arrependidos, mas também os magistrados da Sicília definirão como uma verdadeira "negociação" entre o Estado e a Máfia. A partir de então, Vito Ciancimino torna-se o intermediário entre o ROS e a cúpula da Cosa Nostra, representada por Riina e Bernardo Provenzano (o velho Ciancimino tem ligação principalmente com o último). De acordo com Giovanni Brusca, o braço direito de Riina, "quando Lima foi morto, Riina disse-me que Ciancimino e Dell'Utri ofereceram-se como novas referências para as relações com os políticos", ou seja, antes mesmo do atentado de Capaci. Mori, em vez disso, afirmará que só iniciou os contatos com Ciancimino depois do incidente da Via d'Amelio, mas os magistrados ficarão convencidos de que as primeiras conversas com "Don Vito" ocorreram muito antes entre Capaci e d'Amelio. Ou seja, em junho.

Riina está satisfeito: no início de julho, convencido de que "devemos fazer guerra [contra o Estado] para ter paz", relata Brusca, "ele andava orgulhoso, mostrando um papelete com uma série de exigências, desde a abolição da pena dura

---

* ROS: Raggruppamento Operativo Speciale, grupo especial dos Carabinieri com competência investigativa em crime organizado e terrorismo (NRT)

de prisão até a revisão dos processos", e repetia: "O Estado finalmente se rendeu, fizemos um belo papel". O papelete de Riina é entregue a Ciancimino pelo intermediário Antonino Cinà, médico ligado à Cosa Nostra. Don Vito, relata o filho, repassa uma cópia imediatamente a um misterioso "senhor Carlo" ou "Franco", homem do serviço secreto que segue o ex-prefeito como a própria sombra. Por sua vez, Carlo–Franco, sempre segundo Ciancimino Jr., entrega o papelete a Mori (que nega tê-lo visto alguma vez). O papelete contém as exigências da Máfia ao Estado em troca do fim dos atentados: cancelar o 41-bis, os benefícios para os arrependidos, a prisão perpétua e o confisco de bens dos mafiosos, aprovar normas que permitam aos mafiosos a "dissociação como nas Brigadas Vermelhas" (um "arrependimento" sem colaboração, a custo zero) e uma lei que reabra o "maxiprocesso", com a revisão das sentenças finais dos chefões.

Entre 17 e 19 de junho de 1992, Martelli adverte Paolo Borsellino (procurador adjunto em Palermo e herdeiro natural de Falcone, que naqueles dias investiga freneticamente a morte do amigo Giovanni) sobre duas conversas em curso entre o ROS e Ciancimino, por intermédio de uma colaboradora de confiança: Liliana Ferraro, a juíza que substituiu Falcone no Ministério. Ferraro encontra o magistrado em uma pequena sala no aeroporto de Fiumicino. Imediatamente depois, encontra também o futuro ministro da Defesa, Salvo Andò. Agnese Borsellino, esposa de Paolo, está presente naquele dia no aeroporto, ainda que não participe das reuniões do marido. Testemunhará ao Ministério Público de Caltanissetta:

> Meu marido não me deixou participar do encontro com a Dra. Ferraro e não me contou nada, exceto aquilo que foi dito pelo ministro Andò, isto é, que soube por meio de uma fonte confidencial que planejavam um atentado com explosivos para matar Paolo. Disse-me que uma nota sobre o assunto teria sido enviada para a Procuradoria de Palermo e que Andò, diante da surpresa de meu marido, perguntou: "Como é possível que você não saiba nada disso?". Na prática, a nota referente à segurança de meu marido chegou à mesa do procurador Giammanco, mas Paolo não sabia. Paolo perdeu as estribeiras, a ponto de machucar uma das mãos, contou-me, batendo violentamente na mesa do procurador.

Por volta de 25 de junho, Borsellino encontra Mori, não em seu escritório na Procuradoria, mas em local mais discreto: o quartel dos Carabinieri na Via Carini, em Palermo. Mori admitirá o encontro, mas negará ter falado com Borsellino sobre os encontros com Ciancimino.

Enquanto isso, em Roma, Giuliano Amato monta com dificuldade a equipe do novo governo, que toma posse em 28 de junho. Setores da DC e do PSI pressionam para retirar Scotti do Ministério do Interior e Martelli do da Justiça, ou seja, os dois ministros de Andreotti que, nos últimos dois anos, estimulados por Falcone, promulgaram duas leis antimáfia. Martelli (naqueles dias na mira da

Cosa Nostra, que começou a armar uma emboscada para eliminá-lo, mas depois adiou) bate o pé e consegue confirmar-se como ministro da Justiça. Em vez disso, a DC descarta Scotti, deslocando-o para o Ministério dos Negócios Estrangeiros e substituindo-o no Ministério do Interior por Nicola Mancino, considerado mais "maleável", talvez por ser da esquerda da DC, corrente de Mannino. O mesmo Mannino que Riina queria eliminar ("Havia uma lista", relatará Brusca, "de políticos que deveriam ser mortos. Eu já havia começado a planejar a emboscada para Mannino, mas em meados de julho cancelaram tudo".) Martelli afirma que, recém-confirmado como ministro, queixou-se ao novo ministro do Interior, Mancino, sobre o comportamento do ROS: "O que eles estão fazendo? Por que tomam iniciativas independentes?". Mancino, por sua vez, negará tal encontro.

Em 1º de julho, Borsellino está em Roma para ouvir um novo arrependido, Gaspare Mutolo, que há muito tempo pede para falar com ele, mas que só agora o procurador Pietro Giammanco autorizou interrogar. Mutolo lhe antecipa que pretende falar sobre as supostas relações entre a Cosa Nostra e alguns membros das instituições: o número três da SISDE*, Bruno Contrada, e o juiz Domenico Signorino. Durante o interrogatório, Borsellino é convocado com urgência ao Ministério do Interior, onde o ministro Mancino está se instalando. Lá, o juiz encontra em segurança o chefe da polícia Vincenzo Parisi e o tal Contrada de quem Mutolo acaba de falar e de quem o juiz estava desconfiado há anos, assim como Falcone. Também é certo, confirmará o colega Vittorio Aliquò, que o acompanhou até o Ministério do Interior, que Borsellino é conduzido até o escritório de Mancino, que, no entanto, nega veementemente tê-lo encontrado, exceto talvez para um aperto de mãos formal e superficial. O fato é que, quando volta a Mutolo, Borsellino está nervoso, fuma dois cigarros de uma só vez e confidencia ao arrependido que acabou de ver Contrada. Naquela noite, escreve em sua agenda (aquela cinza com o registro das reuniões, encontrada mais tarde pelos investigadores, ao contrário da vermelha que desapareceu misteriosamente da cena da Via d'Amelio): "18h30mim, Parisi, 19h30min, Mancino". Mancino refutará até a agenda.

À frente da Máfia, enquanto isso, Riina demonstra todo o seu desapontamento com a dificuldade de negociação, talvez por causa do impasse devido à mudança de governo, ou talvez pelo movimento de bloqueio feito por Borsellino, que não quer nada daquilo. O fato é que Riina confidencia a Brusca, que relatará: "Eles estão apavorados. Precisamos dar outro toque para que entendam quem está no controle", isto é, elevar o alvo e assim o preço da negociação, já que o papelete foi considerado "muito ganancioso", e induzir o Estado a recuperar a razão com uma nova, terrível, espetacular prova de força. Como? Matando Borsellino, que está atrapalhando a negociação. "As negociações existentes foram", acrescenta Brusca, "a causa determinante da aceleração do plano de eliminação do Dr. Borsellino. No

---

* Serviço para as Informações e a Segurança Democráticas, serviço secreto civil italiano. (NRT)

fundo, fomos induzidos pelos Carabinieri". Borsellino diz à esposa que "resta pouco tempo" e intensifica furiosamente o ritmo de trabalho para revelar os bastidores de Capaci. Agnese Borsellino relata que, no sábado 18 de julho,

> saí para um passeio com o meu marido pela beira-mar de Carini sem escolta. Paolo disse que não seria a Máfia, da qual ele não tinha medo, que o mataria, mas seus colegas que permitiriam que isso acontecesse. Poucos dias antes de ser morto, ele se confessou e comungou... Meu marido me disse textualmente que "havia um encontro entre a Máfia e partes infiéis do Estado". Contou-me mais ou menos na metade de junho de 1992. Naquele mesmo período, disse que tinha visto "a Máfia ao vivo", contando também sobre o caso de proximidade entre a Máfia e peças do Estado italiano.

No domingo 19 de julho, 57 dias após Falcone, seu herdeiro natural Paolo Borsellino também voa pelos ares na Via d'Amelio, em frente à casa de sua mãe. Junto com ele, também morrem, devido à explosão de um carro recheado de explosivos, os cinco agentes da escolta: Agostino Catalano, Walter Cusina, Emanuela Loi, Vincenzo Li Muli e Claudio Traina. Há tempo, os envolvidos na proteção do magistrado pediam ao procurador Giammanco, à prefeitura e à delegacia que proibissem o tráfego ou pelo menos o estacionamento de carros no local onde Borsellino costumava ir todos os domingos para visitar a mãe e a irmã. As forças policiais realizaram imediatamente uma operação espetacular de desorientação sobre o atentado da Via d'Amelio para colocar a culpa em alguns moleques criminosos, como os falsamente arrependidos Vincenzo Scarantino e Salvatore Candura, desviando a atenção dos investigadores para longe dos poderosíssimos irmãos Gravano, chefões do bairro Brancaccio e verdadeiros responsáveis pela carnificina, fisicamente executada por seu assassino Gaspare Spatuzza (que mais tarde colaborará com a justiça e revelará a armação).

Para a Itália, já abalada pela Tangentopoli, o dueto Capaci–d'Amelio é um dos momentos mais dramáticos da história republicana. O semanário britânico *The Observer* publica em 26 de julho:

> O país está em um estado de caos, um estado de guerra. Está se tornando rapidamente a República das Bananas da Europa. Tem a maior taxa de homicídios da Comunidade Europeia, uma corrupção tão óbvia quanto galopante, uma economia doente, um governo impotente e uma população confusa e angustiada.

A morte violenta dos dois grandes magistrados sicilianos tem, no entanto, o efeito de fazer renascer no país um movimento generalizado contra a Máfia e forçar as instituições a finalmente aprovar as leis antimáfia que Falcone e Borsellino não conseguiram aprovar enquanto vivos. Em 1º de julho, o Parlamento finalmente converte em lei o decreto Martelli-Scotti, lançado após Capaci, mas imediatamente arquivado pelos partidos. O 41-bis é intensificado e imediatamente experimentado por centenas de mafiosos, capturados no meio da noite após o massacre da Via d'Amelio e levados para as superpenitenciárias de Pianosa e Asinara. Na Cosa Nostra, abre-se o debate sobre a eficácia da estratégia de Riina, que "obrigou" o Estado a agir contra a Máfia. Os encontros e negociações entre o ROS e Ciancimino continuam durante todo o verão (e não apenas esses: existem também negociações iniciadas entre os Carabinieri e um confidente desconhecido, Paolo Bellini, para atenuar as condições penitenciárias dos chefões da Máfia em troca da descoberta de algumas obras de arte roubadas por mafiosos ou por outros criminosos em contato com eles). Enquanto isso, em Roma, já se trabalha em segredo para suavizar o 41-bis recém-intensificado pelo Parlamento. Edoardo Fazioli, número dois do DAP (Departamento de Administração Penitenciária do Ministério da Justiça), contará aos promotores que, naqueles dias de verão, inicia-se a discussão de uma normativa que permite aos mafiosos saírem do isolamento sem a obrigação de colaborar com a justiça, mas, simplesmente, "desassociando-se", exatamente como Riina pede em seu papelete. A política pacificadora do Estado exige uma resposta semelhante da Cosa Nostra. De fato, nos mesmos dias, Bernardo Provenzano (verdadeira referência de Ciancimino, que vê com desconfiança a loucura sangrenta de Riina) é identificado como o interlocutor mais confiável para gerenciar o cessar-fogo mafioso que acontecerá após os atentados. Riina já está queimado.

Em 25 de setembro, cria-se a nova comissão parlamentar antimáfia, presidida por Luciano Violante, do PDS. Vito Ciancimino pede imediatamente para ser ouvido, tanto pública quanto confidencialmente por intermédio de Mori, mas em vão. O general encontra Violante em setembro e propõe um *tetê-à-tête* secreto com o ex-prefeito mafioso. Violante recusa e pergunta se Mori informou à Procuradoria de Palermo. Diante da negativa do coronel ("isso é coisa política"), resguarda-se pedindo explicações ao alto oficial sobre essa "coisa política" (Existe uma negociação com a Máfia? Quem decidiu isso? Quais políticos a avaliaram? Com qual objetivo?). Acima de tudo, resguarda-se ao informar ele próprio aos magistrados, que, sabendo ou intuindo sobre negociações entre o Estado e a Máfia, poderiam eliminá-las pela raiz, como Borsellino gostaria de ter feito se não tivesse sido impedido pelos explosivos. As circunstâncias parecem confirmar a história de Massimo Ciancimino: seu pai queria testar a cobertura política do ROS para evitar queimar-se com os líderes da Cosa Nostra e, portanto, pediu ao Sr. Franco–Carlo que a negociação fosse garantida politicamente pelo governo (o Sr. Franco teria assegurado o aval de Mancino, que, porém, nega) e pela oposição, por meio de Violante (mas, nessa frente, o resultado foi negativo).

Ciancimino Jr. dirá também que, no final de 1992, Provenzano entrega a seu pai, a ele e ao ROS os mapas da cidade de Palermo com os possíveis esconderijos de Riina, mas o ROS nega. De qualquer maneira, as negociações entre ROS e Ciancimino interrompem-se abruptamente porque Don Vito (até então em prisão domiciliar) é preso em 19 de dezembro por um estranho passo em falso. Alguns Carabinieri, de acordo com Massimo Ciancimino, teriam induzido Don Vito a pedir a restituição de seu passaporte. Assim, os Carabinieri alertam o ministro da Justiça Martelli sobre um aparente (mas improvável) plano de fuga, e ele comunica à Procuradoria de Palermo o parecer negativo sobre a restituição do passaporte e, ao soar o alarme, provoca a prisão. É o fim da primeira negociação ROS-Ciancimino. O que, segundo alguns, terá como consequência natural a captura de Riina em janeiro de 1993, justamente pelos homens do ROS.

A Cosa Nostra atacou no sul, matando Falcone e Borsellino, mas está pronta para agir também no norte. Vários anos mais tarde, alguns colaboradores da justiça, incluindo Giovanni Brusca e Maurizio Avola, relatarão que, no projeto mafioso de assassinatos em massa, também se encontrava (como resume a sentença de apelação sobre o atentado de Capaci) "o plano, ao qual Riina havia aderido, para a eliminação de Antonio Di Pietro, para deslocar do sul para o norte a ação repressiva do Estado". Imediatamente após a morte de Borsellino, um mafioso da Catânia, Eugenio Galea, sugere a Brusca a possibilidade de matar o promotor da Mãos Limpas e indica também a pessoa que poderia realizar a operação: Santo Mazzei, "competente em Milão" e capaz de mover-se facilmente pela cidade. Galea pede a Brusca a ajuda dos palermitanos para convencer Mazzei e recebe o sinal verde diretamente de Riina. Porém, o projeto é interrompido repentinamente porque, em novembro de 1992, por razões completamente diferentes, Santo Mazzei é preso.

A sombra dos serviços secretos

Nas semanas entre maio e junho, antes que a candidatura de Craxi à presidência do Conselho se apague definitivamente, a atenção do mundo político e da opinião pública é dirigida principalmente à investigação do PSI. Será que os magistrados do *pool* conseguirão chegar até o poderoso líder socialista, favorito número um para o Palazzo Chigi? Ele é um dos objetivos da investigação, asseguram os jornais. Está aberta, escreve Vittorio Feltri, satisfeito, "a caça ao javali".

Di Pietro naquelas semanas recebe um telefonema em tom gentil. Do outro lado da linha está Achille Serra, delegado de Milão. Diz que seu superior em Roma, o chefe de polícia Vincenzo Parisi, gostaria de saber o que está acontecendo em Milão, isto é, o quão longe irá a investigação. O magistrado imagina que Serra queira saber se o inquérito envolverá Craxi. Responde vagamente e, no dia seguinte, dita um comunicado à ANSA: "No momento, Craxi não está envolvido nas investigações". É uma negação, parcial, redimensionada pelo trecho inicial: "No momento". Craxi e os seus eventuais emissários estão tudo, menos protegidos.

A intervenção de Parisi é o primeiro sinal do intenso trabalho de inteligência que está se formando em torno de Di Pietro e da Mãos Limpas, com as primeiras atividades secretas para a elaboração de dossiês sobre os protagonistas da investigação. "A coleta de material informativo começa entre a primavera e o verão de 1992, quando fica claro que as investigações não param após as primeiras prisões", escreverá a Comissão Parlamentar de Controle dos Serviços de Segurança (Copaco) no relatório de 6 de março de 1996. E acrescentará:

> Serra mantinha contato regular com Di Pietro por ordens de Parisi, a fim de informar o chefe de polícia sobre as implicações que os processos judiciais de Milão poderiam ter na ordem pública, nas instituições e na estabilidade das grandes empresas envolvidas nas investigações. A obrigação imposta a Serra demonstra que havia uma preocupação política quanto ao risco de desestabilização. Essa preocupação política foi encorajada pela autoridade do governo e resulta, como veremos, fortemente advertida pelo primeiro-ministro Giuliano Amato.

O fomentador e o alvo da atividade informativa, nessa primeira fase, é Bettin

O fomentador e alvo da atividade informativa nessa primeira fase é Bettino Craxi. Movem-se sobretudo os homens do SISDE (serviço secreto civil) e do segundo departamento da Guarda de Finanças (serviço secreto interno). No entanto, não são conhecidas atividades semelhantes desenvolvidas pelo SISMI (serviço secreto militar). De qualquer maneira, afirmará o relatório da Copaco, a coleta de dados confidenciais era absolutamente "ilegítima" e insólita às tarefas institucionais dos órgãos policiais e de inteligência.

Quem recolhe as informações sobre Di Pietro e os outros juízes do *pool* em nome do SISDE é a chamada "fonte de Achille" (que permanecerá anônima). Elas referem-se ao período que vai da primavera de 1992 até 1993. Os diretores do serviço nessa época são o prefeito Alessandro Voci (até julho de 1992) e, em seguida, o prefeito Angelo Finocchiaro. O vice-diretor é o prefeito Fausto Gianni. O coordenador dos centros da SISDE de Lácio é Bruno Contrada, que recebe em mãos alguns dos relatórios escritos. O chefe do centro SISDE Roma 1 (que tem a conexão com a "fonte de Achille") é Francesco Falchi. Os ministros do Interior, dos quais o SISDE depende, são Vincenzo Scotti e depois Nicola Mancino.

Um dos informativos, datado de 29 de abril de 1992 e entregue em mãos a Contrada, comunica que "Di Pietro estaria prestes a tomar medidas contra o filho do honorável Craxi: uma intimação" para Bobo. Uma nota de 4 de maio afirma que, na verdade, um mandado de prisão está prestes a ser emitido contra Bobo. Uma nota datada de 6 de maio menciona "um caminho recém-aberto na investigação, relativo a pessoas próximas ao honorável Forlani". Uma outra, de 10 de junho de 1992, entregue nas mãos do perfeito Gianni, "cita encontros privados entre os juízes" e "relata a intenção de Di Pietro de não desistir do inquérito, mesmo diante das preocupações que foram expressas também por alguns colegas e amigos sobre os riscos de desestabilização decorrentes dos processos penais em curso".

De acordo com o relatório da Comissão Parlamentar de Serviços, "houve manobras de várias frentes para intrometer-se na investigação, para conhecer seu andamento, para obter em tempo real informações confidenciais sobre os atos judiciais que ainda deveriam ser cumpridos, para exercer um controle ilegítimo sobre a individualidade dos juízes e sua vida privada a fim de elaborar dossiês para deslegitimá-los". As informações recolhidas, em alguns casos, são utilizadas para favorecer alguns investigados. Di Pietro "declarou-se convicto", afirma o relatório da Comissão sobre a nota do dia 6 de maio a respeito dos políticos forlanianos, "de que a informação chegou a um daqueles expoentes políticos, que pôde preparar-se rapidamente para evitar as medidas dos magistrados e conquistar uma posição vantajosa".

Em paralelo ao SISDE, existe a atividade de "aquisição ilegal de informações relativas aos juízes", ou seja, a elaboração de dossiês por homens da Guarda de Finanças. De acordo com a Copaco, alguns oficiais da Guarda de Finanças desenvolvem "um complexo e intenso trabalho voltado para levantar dados sobre os juízes (entre os quais o Dr. Di Pietro, o Dr. Colombo e outros), sua vida, as investigações e o relacionamento deles com os colegas e com certos elementos da Polícia Judiciária" e "relatam supostas irregularidades que depois serão contestadas nas inspeções ministeriais do outono de 1994 em diante". É também nesses dossiês que Craxi, como veremos, baseia-se para construir o "pôquer" de agosto de 1992 contra Di Pietro e para depois tentar, em 1994, o golpe final contra o *pool* e seu símbolo. É dessas atividades ilícitas que se origina a maior parte do material que será encontrado em uma busca aos seus escritórios romanos em 1995, na Via Boezio. Certificará novamente a Copaco: "Existe uma sinergia de informações entre os documentos em posse do ex-presidente do Conselho e esses documentos. Em algumas situações, por exemplo, na investigação relativa às atividades econômicas ligadas ao PCI, ele utilizou nos próprios registros material proveniente daqueles dossiês". Sobre Di Pietro, então, Craxi acumula "uma notável quantidade de informações, capaz de lançar suspeitas difamatórias e destruir a imagem do magistrado. Elas dizem respeito a toda a carreira de Di Pietro, desde quando estava na polícia, até suas amizades e uma série de fatos pessoais nos quais baseava as acusações contra ele".

Time Mãos Limpas

Em Milão, as investigações sobre propinas não são realizadas apenas pelo *pool* da Mãos Limpas. Desde 1990, o procurador substituto Fabio Napoleone trabalha com os colegas Giovanni Rollero e Claudio Gittardi sobre corrupção dos municípios do interior. Sem nenhum clamor da mídia, dentro de alguns anos ele levará a julgamento cerca de mil pessoas, entre políticos, administradores (muitos do PCI–PDS) e empresários, condenará ou fará acordo com quinhentas delas e recuperará propinas no valor de pelo menos trinta bilhões de liras.

Um outro promotor milanês, Fabio De Pasquale, conduz uma investigação sobre os cursos de formação profissional organizados pela Região da Lombardia e financiados pela Comunidade Europeia. Em 28 de maio de 1992, ordena a prisão de Michele Colucci, ex-assessor, na época líder socialista da região. Colucci é levado para a prisão junto com cinco colaboradores, todos acusados de utilizar indevidamente os fundos europeus. A Guarda de Finanças, sem o conhecimento do magistrado, avisa os jornalistas pouco antes da ação. Assim, a televisão imortaliza a cena definitivamente desagradável de Colucci que, tarde da noite, sai em uma maca da caserna da Guarda de Finanças da Via Fabio Filzi, passando mal após o dramático interrogatório. Um repórter da Fininvest inacreditavelmente tenta levantar o lençol que cobre seu rosto para facilitar o registro e coloca o microfone na frente da máscara de oxigênio. Imagens cruéis que, transmitidas no dia seguinte, obrigam Borrelli a proibir que as forças policiais — assim como já fizeram os três promotores do *pool* — preanunciem qualquer prisão. No dia seguinte, na primeira página do *L'Indipendente* de Feltri, vê-se uma foto gigantesca de Colucci desmaiado sob o título: "A verdadeira face dos partidos". Colucci será absolvido graças à prescrição e retornará à política com o Força Itália.

Em junho, a Mãos Limpas dá um novo salto de qualidade. No dia 4, acaba algemado Roberto Mongini, vice-presidente da SEA, membro da direção nacional da DC e, segundo a revelação de outros investigados, um dos tesoureiros das propinas do Sistema de Milão. Mongini recusa-se a cooperar. Davigo interroga-o durante dias sem resultado. Uma noite, os promotores Davigo, Colombo e Di Pietro são convidados para um jantar com amigos. Colombo e Davigo chegam pontualmente; Di Pietro aparece quase à meia-noite com um sorriso malicioso: "Piercamillo, você me deve uma bebida. Passei por acaso em San Vittore. Mongini falou". Em seguida, explica o truque: "Peguei quatro pastas ao acaso, cheias de documentos que não tinham nada a ver com ele. Entrei na cela e disse: comece a fazer as contas. Ele, acreditando que eu tivesse achado sabe-se lá o que, começou a falar". Esse é um dos muitos exemplos do "método Di Pietro".

Blefes à parte, confessar diante dele torna-se um título de mérito, quase um "símbolo de status". Por causa de sua astúcia, o promotor é apelidado pelos repórteres de "o Zanzone" ("zanza" em Milão é um pequeno malandro inteligente). Pela capacidade de entrar na psique dos suspeitos e induzi-los a cooperar, alguém ironicamente o apelida de "a Madonna". Dezenas de advogados, rebatizados de "acompanhantes", fazem fila desde as primeiras horas da manhã fora de seu escritório para acompanhar clientes que querem confessar sem passar pela prisão. Alguns, já sabendo o que o cliente dirá, preanunciam à imprensa a "apresentação espontânea" de pessoas que estão prestes a ser envolvidas.

Mongini, portanto, vê "a Madonna" e fala. Descreve as propinas, mas também as tentativas de corromper evidências e interromper as investigações colocadas em prática antes de sua prisão. Uma reunião foi convocada com os empresários para recomendar a todos que ficassem calados. Houve também um jantar, em uma noite de primavera, para decidir qual estratégia seguir. Estavam presentes ele, o presidente da SEA, Giovanni Manzi, e os respectivos defensores, os advogados

1992. MÃOS SUJAS   79

Antonio Favarato e Michele Saponara. O acordo era o seguinte: Mongini, que já havia recebido uma intimação, não poderia envolver Manzi, mas, uma vez preso e diante da "Madonna", não mantém a promessa. E, assim que Manzi percebe, foge para Santo Domingo.

Para Mongini, falar é como uma libertação. Acontece a muitos naqueles meses de 1992. Davigo explica:

> Eles confessavam porque tinham certeza de que o sistema do qual faziam parte havia falido e porque sentiam-se abandonados por seus partidos. Uma vez, um suspeito detido perguntou-me: "O que os jornais disseram sobre minha prisão?". Dei-lhe os jornais que tinha em mãos. Ele leu o artigo sobre si mesmo: tinha sido qualificado por seus líderes como "uma maçã podre isolada". Imediatamente ele disse: "Ah, é? Agora, doutor, descreverei ao senhor o resto do cesto".

Uma vez libertado, Mongini apresenta-se ao Palácio da Justiça para um novo interrogatório vestindo uma camisa polo cor-de-rosa que, em vez do crocodilo da Lacoste, exibe as palavras "Time Mãos Limpas" bordadas. Mais tarde dirá:

> Nós perdemos porque eles, os juízes, foram melhores. A prisão de Chiesa não nos havia abalado muito, não imaginávamos esse terremoto. O clima mudou depois da Páscoa, quando os primeiros empresários presos deram com a língua nos dentes. Aí o pânico espalhou-se: começaram as reuniões em um clima de grande resignação. Eu contei aos juízes: a partir daquele dia, muitas pessoas em Milão começaram a dormir no banheiro, para preparar-se para os rigores da prisão. Não havia mais nada a ser feito, a investigação era irrefreável. Devido à inquestionável capacidade dos juízes, que não teriam parado nem mesmo diante de tanques de guerra, e devido a uma particular situação política, que compreendia as eleições, o aparecimento das ligas e uma desconfiança generalizada dos partidos políticos. Colocá-los todos na cadeia, era o que a multidão gritava. A prisão preventiva foi fundamental: estávamos todos acostumados com Santa Margherita, não com San Vittore, mas éramos pressionados especialmente pela expectativa, porque sabíamos que os juízes estavam chegando até nós. Quando finalmente chegavam, era quase um alívio. Conheço pessoas que começaram a confessar pelo interfone..."

Mongini é imediatamente expulso de seu partido, a DC, por uma razão surpreendente: "Com as declarações feitas, criou desconcerto na opinião pública". Ele, espirituoso, comentará: "Me caçaram não pelo que eu fiz, mas pelo que eu disse. Apresentei recurso, mas não foi sequer examinado: a DC não existia mais".

O Sistemão

Com Alberto Mario Zamorani, preso no dia 8 de junho, a Mãos Limpas ultrapassa as fronteiras milanesas e investe definitivamente em Roma, também na frente empresarial, com a descoberta do sistema nacional de propinas, o "Sistemão", como denomina Giuseppe Sarcina no semanário *Il Mondo*. No momento da prisão, Zamorani é há seis meses diretor executivo da Metropolis, empresa criada pelo administrador das Ferrovias do Estado, Lorenzo Necci, para a utilização e valorização do riquíssimo patrimônio imobiliário da entidade (oito milhões de metros quadrados de terreno para construção, vinte trilhões de liras de investimentos previstos). Ele cresceu na escola de Ettore Bernabei, boiardo do Estado por excelência, o rás fanfaniano da Italstat, investigado nos anos 1980 por Gherardo Colombo pelos fundos irregulares do IRI. Já naquele escândalo havia emergido o nome do jovem Zamorani, então chefe de imprensa da Italstat, protagonista de uma ação de lobby sobre os parlamentares para convencê-los a não instituir uma comissão de inquérito. Depois Zamorani tornou-se vice-diretor geral da Italstat, a holding do Estado que controla, entre outras coisas, a Sociedade Autostrade. Em resumo, é alguém que sabe muito sobre a relação perversa entre partidos e empresas públicas.

Após a prisão, Zamorani resiste em uma cela durante cinquenta dias. E então rompe o silêncio e preenche centenas de páginas de autos. Quando deixa o San Vittore na sexta-feira, 7 de agosto, quinze quilos mais magro após 61 dias de prisão, Zamorani enfrenta sorridente os jornalistas. E profetiza: "Esses juízes sabem cem vezes mais do que vocês imaginam. Se continuarem assim, nome após nome, fato após fato, prisão após prisão, até o outono os presos poderão chegar a mil".

A declaração tem forte impacto midiático e um efeito perturbador no mundo político e empresarial. Zamorani a fez também pensando em diminuir o peso de sua contribuição para a investigação e, portanto, o peso de sua "traição". No fundo, suas confissões confirmam muitas intuições já amadurecidas pelo pool, mas também fornecem muitos novos elementos, abrindo uma fissura nos grandes contratos nacionais. O administrador fala dos trabalhos da ANAS (Agência Nacional Autônoma das Estradas) e da Sociedade Autostrade e traz à tona outros boiardos do Estado, ministros, altos funcionários e secretários administrativos nacionais da DC, do PSI, PDS, PRI e PSDI. Ele conta que naturalmente também fazem parte do "Sistemão" os grandes construtores particulares, que formam, em conjunto com as empresas públicas, organizações de "cartel" que participam de licitações manipuladas e pagam o sistema dos partidos. Entre os excelentíssimos que entram nos seus autos estão o ministro dos Transportes Giorgio Santuz, o de Obras Públicas Gianni Prandini e o presidente do IRI e ex-presidente da Cogefar Franco Nobili (mais tarde absolvido).

O *pool* chegou a Zamorani através de Mongini, que delatou as propinas pagas para o Malpensa 2000. Alguns envelopes estufados com milhões, confirma o boiardo, haviam partido de Milão para Roma: "Representavam a gratidão do sistema industrial de Milão pelo interesse do ministro". Quem entregou os envelopes foi um advogado romano, Marco Annoni. Depois, Zamorani encontrou-se com o ministro Santuz. O encontro aconteceu em Roma, no Harry's Bar da Via Veneto. Lá, entre a conversa e o café, ele repassou o envelope para Santuz, que agradeceu e foi embora. Isso deveria ser um tipo de hábito, uma vez que incidente semelhante emergirá das investigações da Procuradoria de Turim: o parlamentar andreottiano Vito Bonsignore será acusado por Zamorani de ter recebido na Piazza Montecitorio uma centena de milhões escondidos em uma caixa de chocolates.

Confindustria e indulto

A Mãos Limpas já é uma investigação turbulenta da qual não se consegue avistar o fim. E os magistrados, envoltos nesse espírito, começam a refletir sobre o alcance e as consequências de seu trabalho na sociedade. Di Pietro, enviado em 5 de junho ao congresso anual dos jovens da Confindustria em Santa Margherita Ligure, é acolhido pelos empresários como uma estrela. Sua palestra é a mais assistida. Ele pede aos empresários que realizem um "exame de consciência responsável e uma escolha precisa de time, isolando e denunciando os fenômenos de imoralidade. É necessário que a empresa vencedora das licitações seja a melhor". E, repetidamente interrompido por aplausos, ele continua:

> Aceitei o convite porque acredito na iniciativa empresarial saudável e para testemunhar, dentro das minhas possibilidades, que ela ainda é saudável e é bom que assim permaneça. Sou apenas um peão da justiça elevado repentina e injustamente às honras das manchetes não por méritos meus, mas porque estou fazendo meu dever. Os princípios da eficiência e da transparência são a chave de uma iniciativa empresarial saudável. A empresa moderna deve ser eficiente, mas também deve ser transparente e aceitar as regras do livre mercado, deve participar das licitações com base somente no próprio empreendedorismo e produtividade. Em vez disso, estamos vendo cartéis preestabelecidos, grupos que controlam a distribuição dos contratos e impedem o acesso das empresas que dependem exclusivamente de sua eficiência. Certo, a forma é respeitada, mas o conteúdo é esvaziado. Que sentido há em publicar um convite complexo para uma licitação, dando quinze dias de prazo, durante o verão, para a apresentação do orçamento? Que sentido há em certas barreiras? Que sentido faz recorrer ao método de votação secreta, se o conteúdo é entregue antecipadamente ao amigo empresário? [...] Citei alguns exemplos apenas para contar como as coisas estão nesse mundo, também no mundo empresarial. O risco que corremos é o de aumentar o fosso entre o país real e o formal. Os cidadãos estão cansados de ver as coisas passarem por cima das suas cabeças. Estou certo de que a democracia se baseia também no sistema das empresas e que, portanto, é necessária uma

injeção de confiança e não a criminalização generalizada. Antes que seja tarde demais, escolham seu time, isolem e denunciem os casos imorais.

O presidente dos jovens empreendedores, Aldo Fumagalli, comenta entusiasmado:

O discurso de Di Pietro foi duro porque expressou claramente o que está acontecendo e o que precisa ser mudado, mas sua intervenção nos passa confiança: ele convidou-nos a fazer um exame de consciência, e isso também consideramos útil. Precisamos ter a coragem de nos posicionar no sentido da mudança. Penso que o empreendedorismo saudável e os jovens que se reconhecem nele aplaudiram-no pelo que ele disse e pelo fato de que ele faz seu trabalho sem heroísmo, com a convicção de que as regras devem ser respeitadas.

Naqueles mesmos dias, entrevistado pelo semanário *Il Mondo*, Gianni Agnelli diz:

Minha avaliação sobre a operação da magistratura não mudou e não mudará. Eles estão trabalhando. É bom que o façam serena e tranquilamente. Os escândalos, quando existem, é bom que venham à tona. Considero importante trazer os fatos à luz e apurá-los. Não acredito em meias medidas. Acredito que, em certas situações, a clareza total seja determinante.

Os magistrados do pool, aplaudidos pela direita, pela esquerda, pelos empresários e pelas pessoas comuns, começam a pensar, no entanto, que o milagre não vai durar muito tempo. "Vamos apressar, antes que nos impeçam", dizem. Em julho, Gherardo Colombo, que tem certa experiência em manobras para bloquear investigações desconfortáveis, propõe uma espécie de "indulto" condicionado: nada de prisão para aqueles que confessam tudo,, nenhuma pena em troca da verdade e do fim do sistema. "Foi Roberto Mongini, dirigente político democrata-cristão investigado no processo, que lançou a ideia do indulto durante um programa de televisão", diz Colombo ao escritor Corrado Stajano em um diálogo publicado na *Micromega*, revista dirigida por Paolo Flores d'Arcais que, nos anos da Mãos Limpas, torna-se um laboratório de cultura da legalidade. "Pareceu-me uma proposta a ser estudada, porque, na minha opinião, este é um processo destinado a durar muitos anos. Estamos apenas começando, talvez precisemos de mais dez anos. O fenômeno tem uma disseminação assustadora, a corrupção é uma pirâmide sem fim." O magistrado teme que a sociedade não suporte por muito tempo "uma situação de incerteza, de dificuldade nas relações entre a administração pública e a privada. Precisamos encontrar uma solução, não tanto no que se refere à matéria processual, mas no que diz respeito aos reflexos indiretos, mas muito importantes, externos ao processo". Esta, portanto, é a sua proposta: "Quem se apresenta ao magistrado, declara tudo aquilo que sabe sobre si mesmo e sobre as pessoas com quem teve contato, devolve as quantias das quais apropriou-se indevidamente e dá indicações precisas e detalhadas para recuperar o dinheiro, será interditado em cargos públicos por um tempo razoável, nem muito curto, nem muito longo", mas, em troca da confissão completa, obtém "a isenção da aplicação da pena principal: a detenção".

A ideia gera discussão, concentra tanto aprovação quanto reprovação (o coordenador do pool, Gerardo D'Ambrosio, acredita que continuariam confessando apenas aqueles que não pudessem mais evitar por já terem sido pelo menos parcialmente descobertos) e muito em breve será instrumentalizada pelo governo Amato, que fará "vistas grossas" pela primeira vez para uma proposta do pool.

Intimação e algemas

Lendo as notícias sobre a Mãos Limpas, os italianos familiarizam-se com um objeto até então misterioso: a intimação. Tecnicamente, trata-se da comunicação que a Procuradoria da República envia àqueles que são investigados para que possam preparar a defesa. De acordo com o novo Código de Processo Penal, promulgado em 1989, após uma fase inicial de investigação secreta, o juiz é obrigado a informar à pessoa interessada a hipótese de crime na qual está trabalhando assim que desejar cumprir um mandado, sendo que o investigado tem o direito de ser assistido por seu defensor. Durante um longo período, entre 1992 e 1994, os jornais e noticiários comunicaram o "boletim de guerra" com as detenções e as intimações do dia. Receber uma intimação naqueles meses significa estar automaticamente envolvido nos episódios de pagamento de propina e ter a carreira política prejudicada ou interrompida. O clamor em torno do trabalho dos magistrados e as confissões imediatas de muitos investigados geram na opinião pública a sensação de que as hipóteses de acusação coincidem regularmente com a verdade: uma sensação amplamente confirmada pelos fatos, provas e confissões em massa daquele período. Assim, uma medida nascida para proteger o investigado transforma-se em um elemento de descrédito geral e antecipado.

Nos dois primeiros anos da Mãos Limpas, bastava uma intimação para garantir ao destinatário a demissão imediata (exceto no caso de mandato parlamentar, que tem relativa imunidade), até porque nem toda a imprensa fez grandes esforços para explicar a verdadeira extensão da intimação. "Não se pode esperar", escreve, por exemplo, Vittorio Feltri no *L'Indipendente* em 20 de julho de 1992, "comandar um partido tendo uma intimação no bolso. A intimação é uma maneira educada de dizer: 'Meu caro, você está envolvido até o último fio de cabelo na investigação das propinas'". E Marcello Pera, no *Stampa* em 3 de julho de 1992: "Um ministro que, mesmo sendo capaz de provar a inocência, demite-se por ter sido acusado, daria aos italianos a mais eficaz dose de confiança". Tanto Feltri quanto Pera se tornarão defensores do hipergarantismo.

O mandado de prisão preventiva também é empregado com bastante frequência na investigação Mãos Limpas: cerca de oitocentos dos mais de cinco mil investigados serão presos, a maioria concentrada nos primeiros três anos. Demais? A julgar pela recorrência de incidentes de adulteração de provas, pelas propinas que continuam sendo pagas após a investigação e os vários casos de fuga para o exterior, se diria que não. Na verdade, os homens do *pool* estão convencidos do contrário. "Não eram 'algemas fáceis'. Nos anos quentes da investigação Mãos Limpas, as medidas de prisão cautelar eram menos de uma a cada três dias. E, a cada três dias, em Milão, são presas 150 pessoas por diversos crimes. Portanto, de cada 150 detenções, apenas uma envolvia investigados da Tangentopoli", dirá Gherardo Colombo. Além disso, a duração das detenções durante a investigação Mãos Limpas é geralmente muito curta em comparação com outras investigações: uma semana, no máximo duas em média, com muitos casos de liberações-relâmpago, poucas horas após a detenção.

O que impressiona é a "qualidade" dos presos. Os personagens que acabaram na prisão são todos colegas de colarinho-branco, políticos, administradores, empresários e gestores, até então considerados "intocáveis". Nunca na história da república italiana viu-se nada parecido, e isso produziu duas reações conflitantes na opinião pública. De um lado, o apoio maciço à ação dos magistrados. Do outro, a crítica (embora de uma exígua minoria nos primeiros meses do inquérito) a uma magistratura considerada muito invasiva e repressiva. A crítica mais comum é o fato de utilizar algemas para pressionar os acusados a confessar e a cooperar. O advogado Vittorio Chiusano, defensor de Enso Papi e outros homens da Fiat, é um dos primeiros a criticar o pool: "Os juízes não fizeram nenhum mistério sobre o fato de premiar a colaboração do investigado. Quando o investigado faz declarações em sintonia com a acusação, a medida cautelar é revogada ou atenuada. Pode-se ter a sensação de que o recurso seja utilizado como meio extremo para adquirir informações dos acusados". O advogado Ennio Amodio define a prisão de um dos muitos clientes, Salvatore Ligresti, como "internação a fim de adquirir informações investigativas". Outros mais grosseiramente dizem aos jornais que a prisão preventiva é uma "forma de tortura", um meio para "extorquir confissões" sob a pressão psicológica do "chacoalhar das algemas".

A essas críticas, os juízes do *pool* respondem explicando que a Procuradoria pode apenas solicitar as prisões, cabendo a um terceiro juiz, o juiz das investigações preliminares, ordená-las ou negá-las. Depois disso, os detidos recorrem, como é seu direito, ao Tribunal de Revisão e, após, à Cassação — três juízes e depois outros cinco, que quase sempre, no caso da Mãos Limpas, confirmarão a validade das medidas. "As decisões dos juízes que ordenaram ou validaram as prisões por nós requeridas", enfatiza Davigo, "demonstram que utilizamos corretamente as leis vigentes, que permitem a prisão por supostos crimes imputados aos acusados da nossa investigação no caso de haver uma ou mais das três condições seguintes: possibilidade de adulteração de provas, risco de reincidência ou perigo de fuga".

Quanto às solturas, dizem os juízes, não devem ser consideradas um prêmio a quem confessa ou envolve outros cúmplices, mas uma consequência natural de seu comportamento: a cooperação de fato cessa a necessidade de precaução. "A confissão", afirma ainda Davigo, "tem o efeito de desfazer a parceria criminosa que necessariamente é cimentada em casos de corrupção entre corrupto e corruptor e de tornar aquele que confessa não mais confiável aos olhos dos cúmplices, diminuindo assim a possibilidade de contaminação de provas ou recidiva, enquanto a fuga se torna inútil. É por isso que, após as confissões, diminuem os motivos para manter o suspeito sob custódia". "Não os prendemos para que confessem", resume Borrelli, "os soltamos depois de terem confessado".

5. MILÃO, ITÁLIA

O *pool* de Milão não está sozinho na investigação da corrupção. Algumas procuradorias italianas têm investigações em curso sobre a relação entre os negócios e a política mesmo antes da Mãos Limpas. Outras dão início, como por contágio, após a investigação de Di Pietro transformar a corrupção em emergência nacional.

Já no início do verão de 1992 são abertas investigações em Turim, Aosta, Pavia, Belluno, Varese, Bérgamo, Verona, Veneza, Gênova, Florença, Roma, Perúgia, Nápoles, Reggio Calabria, Palmi, Bari, Foggia, Palermo, Catânia e Trapani. Em Turim, os primeiros contratos a serem examinados são os da saúde, da viabilidade provincial e dos "econegócios". Em Bérgamo, investigam-se os trabalhos para o incinerador. Em Verona, a investigação da autoestrada Sereníssima e da Central do Leite devastam a cúpula local da DC. Em Veneza, as obras da terceira faixa da autoestrada Veneza–Bréscia e as relativas propinas deixam em apuros o ministro democrata-cristão Carlo Bernini e o socialista Gianni De Michelis, além de seus paus-mandados Franco Ferlin e Giorgio Casadei, e o de sempre Citaristi. Em Gênova, investigam-se as licitações da Fincantieri. Em Florença, o Plano da Habitação Popular, a represa Bilancino e a reestruturação do estádio. Em Bari, as concessões dos estacionamentos e os contratos do Hospital San Paolo. Em Catânia, a especulação nas áreas industriais e as concessões para a eliminação de resíduos. Em Reggio Calabria, não apenas se descobre um vasto sistema de propinas nos contratos públicos, mas a magistratura acusa também um grupo de ex-deputados e políticos, chamados de "cúpula", de ter negociado o homicídio do ex-presidente das Ferrovias, Lodovico Ligato, com o crime organizado (os políticos serão absolvidos mais tarde, com uma sentença que, no entanto, reconhecerá "a vastidão da infiltração da Máfia na política saudável de Reggio Calabria"). Na noite de 29 para 30 de setembro, toda a Junta Regional de Abruzzo é presa, composta por democratas-cristãos, socialistas e liberais, todos acusados de abuso de poder pela atribuição de centenas de bilhões de fundos europeus. Em 1º de outubro, em Vercelli, o contrato para um incinerador leva à prisão de quase todo o Conselho Municipal do Pentapartido: prefeito, vice-prefeito e cinco vereadores.

Que ambiente pesado

No limiar do primeiro verão da Mãos Limpas, abre-se também o filão "ecológico". Quem o inaugura é Luigi Martinelli, democrata-cristão, presidente da Comissão Ambiental da Região da Lombardia e braço direito do líder também democrata-cristão Gianstefano Frigerio. Desde o momento em que o empresário Angelo Simontacchi começou a colaborar, Martinelli teme ser preso. Então apresenta-se na Procuradoria e relata as propinas pagas pela gestão dos resíduos lombardos. Marcella Andreoli, do *Panorama*, pergunta-lhe se, como católico, não sentia que estava pecando quando embolsava as propinas. E ele: "Claro, eu confessava ao meu pai espiritual. Mas havia um dualismo em mim: a vocação para a honestidade e o desejo de construir uma carreira. Recolher dinheiro para o partido é uma maneira de fazer saltos de qualidade, ganhar a confiança dos líderes".

Com base em suas confissões, em 26 de junho entram na investigação alguns políticos democratas-cristãos e socialistas (entre eles Oreste Lodigiani, Sergio Moroni e Andrea Parini) e vários empresários, incluindo Gianluigi Milanese e Emilio Doneda. Ottavio Pisante, do grupo Acqua, procurado, entrega-se em 30 de junho. Martinelli conta que havia recebido dele uma propina de duzentos milhões para a gestão do aterro sanitário de Corte Madama (Cremona).

O escândalo do aterro também coloca em situação embaraçosa o conde Carlo Radice Fossati Confalonieri, descendente de uma antiga e rica família milanesa. O conde entrou na política via DC e permaneceu "irregular", nascido e criado fora do circuito do partido. Em 1985, elegeu-se vereador e se tornou secretário de Planejamento Urbano. Poucos meses mais tarde, no outono de 1986, protagonizou o escândalo das "áreas de ouro": bloqueou a compra de três extensos terrenos que o município estava prestes a adquirir a preço de mercado, enquanto em seu armário encontravam-se algumas cartas nas quais o proprietário de tais áreas, Salvatore Ligresti, comprometia-se em cedê-las a ele a preços baixíssimos em troca de outras concessões já emitidas pela administração. O escândalo envolveu o antigo secretário de Planejamento Urbano, o comunista Maurizio Mottini, e atingiu o prefeito Carlo Tognoni, que foi forçado a deixar o Palazzo Marino nas mãos do cunhado de Craxi, Paolo Pillitteri. Com esses precedentes e com um charuto apagado no canto da boca, Radice Fossati repetia: "Sou de família rica, não preciso roubar". E assim construiu uma reputação moralista. Então, em 16 de junho de 1992, o choque: o "conde das mãos limpas" se autodenuncia e junta-se à multidão de investigados da Tangentopoli. Não por ter recebido propina como político, mas por ter pago como empreendedor: um bilhão para seu próprio partido, a DC, para poder transformar uma pedreira da família em Uboldo, perto de Varese, em aterro sanitário. Condenado a um ano por corrupção imprópria (isto é, por obter uma ação a que tinha direito), será absolvido no recurso e na Cassação: foi vítima de extorsão.

Outro choque foi a prisão de Andrea Parrini, secretário regional do PSI lombardo, um jovem dirigente muito distante do estilo agressivo dos "coronéis"

1992. MÃOS SUJAS   87

craxianos. Exatamente por isso, vai à televisão para mostrar a "cara limpa" do PSI. "Somos quarenta mil inscritos e três maçãs podres em meio a uma multidão de pessoas honestas", diz ele em um episódio histórico de *Milano Italia*, ao microfone de Gad Lerner. É 16 de junho. Dez dias depois, em 26 de junho, ele termina em San Vittore sob a acusação de haver recebido propina. Proclama-se inocente, o partido defende-o, denunciando um novo caso Tortora, mas não por muito tempo: o próprio Parini confessará ter recebido trezentos milhões, entregues à direção nacional do PSI. Em 2001, depois de beneficiado pela prescrição por financiamento ilegal, voltará à política pelo DS e será nomeado secretário provincial de Como.

Nas investigações entra também, pela primeira vez, um Berlusconi: Paolo, irmão mais novo de Silvio e gerente dos negócios imobiliários da família. Paolo é proprietário do maior aterro da Lombardia, o de Cerro Maggiore, próximo a Varese, uma superlata de lixo que desmancha todos os resíduos da província de Milão e que, nos anos seguintes, será objeto de outras inquietantes investigações. Frigerio conta a Di Pietro que também recebeu propinas dele. Berlusconi Jr. confirma ter pago 150 milhões à DC lombarda: "Mas tratava-se" afirma, "de uma contribuição pessoal", ou seja, legal. Em um relatório entregue à Procuradoria, acrescenta: "Nos anos 1980, a Fininvest garantiu descontos a todos os partidos durante o horário eleitoral, totalizando cem bilhões, devidamente declarados ao Parlamento". Em resumo, tudo regular. Em 25 de abril de 1992, entrevistado por Raffaella Polato no *Corriere della Sera*, diz: "Temos sorte: não estamos envolvidos em contratos públicos, nossas ações são todas privadas. Portanto, estamos muito menos expostos e bem protegidos, até mesmo por nossas atividades editoriais. Mas — digo isso como homem comum — sinto que muitas vezes as propinas são uma imposição em um sistema que obriga a pessoa a suportá-las". Assim, os negócios da família, "bem protegidos" pelo escudo das "nossas atividades editoriais", seriam todos privados, não alimentados pelo dinheiro público.

No entanto, já em 1992 começa-se a descobrir que não é verdade. Os aterros sanitários, por exemplo, precisam de licenças regionais. Desde a primavera daquele ano, ainda sob a investigação de número 6380/91 (aquela aberta para Chiesa e Sciannameo, anterior à de número 8655/92, chamada Mãos Limpas), Di Pietro, investigando a Ferrovie Nord, depara-se com uma empresa de construção controlada pela família Berlusconi: a Coge, de Parma. E, em 4 de maio de 1992, assina uma ordem de "apreensão de documentos" dos contratos atribuídos a ela.

No mesmo período, a Fininvest também entra na investigação. O nome da holding da família Berlusconi surge pela primeira vez em 15 de setembro de 1992. Pronuncia-o Augusto Rezzonico, ex-presidente da Ferrovie Nord e depois senador democrata-cristão, em um interrogatório diante de Di Pietro. Em fevereiro de 1992, explica Rezzonico, a DC e o PSI inserem uma emenda na lei que institui o novo código de estradas a fim de favorecer a "Fininvest, grupo de Berlusconi, único detentor credenciado do conhecimento técnico necessário para a execução" de um sistema de sinalização eletrônica para rodovias, chamado Auxilium, "um negócio estimado em mais de um trilhão". "Nós da DC", continua Rezzonico, "esperamos que alguém da Fininvest aparecesse [...] para quantificar em dinheiro o seu agradecimento, mas ninguém apareceu". Pelo menos no início. Então, em março de 1992, Rezzonico é finalmente contatado por um homem da Fininvest, Sergio Roncucci (envolvido também no escândalo dos aterros sanitários): "Fui até o Dr. Roncucci, nos escritórios da Fininvest na Via Paleocapa. Lá, antes de tudo, Roncucci agradeceu-me pela consideração dada à Fininvest com a inserção da emenda e confirmou o empenho da empresa em disponibilizar contribuições aos democratas-cristãos pela gentileza recebida". O episódio Auxilium, contudo, não será aprofundado pelo pool: Rezzonico, na verdade, não sabe ou não quer fornecer mais detalhes, e seu depoimento permanecerá suspenso no ar.

Ainda durante esses meses, os democratas-cristãos milaneses revelam ao *pool* uma outra característica que torna o grupo Berlusconi menos vulnerável: os financiamentos da Fininvest aos partidos não são, ao contrário dos outros, frutos de acordos locais, mas de "acordos nacionais feitos fora de nosso alcance".

Ligresti, depois, a Fiat

O primeiro verão da Mãos Limpas é caracterizado por trabalho intenso, poucas férias para os magistrados e algumas reviravoltas. As detenções continuam; até o final de agosto, totalizarão oitenta. Em 9 de junho, é a vez do presidente socialista da Metropolitana de Milão, Claudio Dini. Em 14 de julho, chega a vez de Paolo Mario Scaroni, diretor executivo da Techint (negociará uma pena de um ano e quatro meses por pagar propina em troca de contratos da ENEL; em 2002 o governo Berlusconi irá nomeá-lo diretor da ENEL). Em 16 de julho, acaba na cadeia Salvatore Ligresti, contador e promotor imobiliário siciliano, amigo de Bettino Craxi, que controla a companhia de seguros SAI e um vasto império da construção. Escapou ileso em 1986 do escândalo das "áreas de ouro". Agora o *pool* acusa-o de corrupção nos trabalhos do metrô e na aquisição de um terreno do IPAB, a instituição de caridade dirigida por Matteo Carriera.

Ligresti resiste bastante tempo na prisão sem dizer uma palavra. O "rei de Milão", também proprietário de uma cadeia de hotéis, compartilhou uma pequena cela com um jovem dependente químico. Somente após várias semanas de silêncio admite ter pago a políticos 1,04 bilhão em três parcelas, mas somente porque foi extorquido, isto é, forçado. Quando seus advogados, Amodio e Della Valle, apelam ao Tribunal de Revisão para tirá-lo da prisão, sofrem uma derrota retumbante: os juízes rejeitam o recurso, argumentando que Ligresti é "socialmente perigoso". Obterá a prisão domiciliar apenas em 25 de novembro, depois de admitir alguma responsabilidade e passar 126 dias na prisão, uma das detenções mais longas da Mãos Limpas.

Outro excelentíssimo detido, Enso Papi, diretor executivo da Cogefar Impresit (Grupo Fiat), sai de San Vittore em 30 de junho. Ficou preso 55 dias, depois que Prada, Radaelli e Carnevale acusaram-no de pagar propinas em troca de contratos para o metrô.

Papi não admite nenhuma irregularidade. Até que, na noite de 29 de junho, por volta das 20h, o vice-capelão do presídio, Don Luigi Melesi, corre até Di Pietro exaltado: "Preciso falar sobre um assunto muito sério e delicado". Di Pietro escuta-o e registra as revelações imediatamente nos autos:

> Na quinta-feira passada, Papi começou a chorar incontrolavelmente e me abraçou, agarrando-se a mim como se eu fosse a última pessoa a quem pudesse se agarrar para evitar cair na tentação mais obscura de cometer suicídio. [...] Papi disse que tinha intenção de falar e explicar seu papel no caso, relatar os fatos que são de seu conhecimento sobre as acusações feitas a ele, mas que os apelos de seu defensor, o advogado Chiusano, que continua insistindo que ele deve esperar, o estão impedindo [...]. Ele continua a repetir que, não fosse a Bíblia que lhe dei e que ele lê, não fosse a minha presença e o pensamento na esposa e nos filhos, ele já teria tirado a própria vida. Ele sente-se como uma pessoa que não tem representante legal, pois, como ele próprio afirmou, Chiusano obriga-o a não falar, e ele não sabe mais como sair dessa situação. Está encurralado porque é um empregado da Cogefar Impresit, que paga seu salário, e, portanto, não pode contrariar os pedidos do advogado Chiusano porque deve pensar nas necessidades econômicas de sua família.

Di Pietro fica furioso com o duplo papel do advogado que, de acordo com o que disse o capelão, preocupava-se mais com o destino da empresa do que com o do cliente. Mas acima de tudo fica preocupado com o estado psicológico de Papi. Então, naquela mesma noite, dá parecer favorável à sua libertação. Ghitti recebe imediatamente a ordem para a prisão domiciliar, e, na manhã de 30 de junho, abre-se a cela do gestor, mas, enquanto Papi, junto com seu advogado milanês Alberto Moro Visconti, espera pelo carro que o reconduzirá a Turim, chegam Davigo e Colombo ofegantes. Querem interrogá-lo uma última vez antes que ele se afaste. Acabaram de começar quando chega Di Pietro. "O quê? Vocês ainda não o liberaram?", grita ao oficial da guarda penitenciária. "Vocês sabem que isso é sequestro, não sabem?"

A cena torna-se um habilidoso jogo entre as partes para avançar no caso Fiat. Papi sente-se como em um filme americano, entre o "bom policial", interpretado por Di Pietro, e os "maus", interpretados por Colombo e Davigo. Estes leem o registro de Don Melesi. Papi tenta atenuar: "Eu nunca disse ao capelão que qualquer um dos meus defensores tivesse me coagido a nada. Evidentemente o capelão está equivocado. Talvez eu tenha me expressado mal. Eu disse a ele que Chiusano havia avisado sobre meu direito de permanecer em silêncio". Os magistrados, no entanto, provocam-no com sarcasmo: "Mas o direito em questão já não havia sido avisado pelo juiz das investigações preliminares?". "Sim", responde Papi, "autorizei o capelão a informar meu estado de exaustão e minha dificuldade em encontrar um equilíbrio psíquico, um compromisso entre meus interesses e os da sociedade". "Desculpe", insistem os promotores, "mas nenhum de seus defensores lhe disse para não responder a fim de proteger interesses diferentes de seus interesses processuais?". Então Papi admite: "Conversei com meus defensores sobre meus problemas pessoais e também sobre meus problemas pessoais em relação à empresa, a fim de evitar prejudicá-la".

Nesse momento, os três juízes apostam tudo: "O senhor pagou dois bilhões a Maurizio Prada? E, em caso afirmativo, por que deu e onde conseguiu o dinheiro?". Papi, surpreso, responde: "Posso dizer que paguei a Prada cerca de 1,8 bilhão por questões relacionadas ao eixo ferroviário, pago no exterior, retirado de uma empresa na República dos Camarões e depositado na Suíça, passando pelo Panamá". É o ponto de virada. Colombo e Davigo afastam-se e deixam o campo livre para o "bom policial". Papi promete a Di Pietro — preto no branco — "esclarecer completamente seu papel dentro da Cogefar Impresit" e que "no próximo interrogatório, no qual estará mais sereno, explicará tudo". Agora ele pode voltar para Turim.

Em 17 de julho, o alto executivo, que desde então demitiu-se da Cogefar, mantém pelo menos em parte a promessa. Conta sobre as propinas e revela os segredos dos fundos irregulares da empresa, sistemas em voga desde quando a sociedade pertencia ao Acqua Marcia (grupo Romagnoli), sob a presidência de Franco Nobili. O que acontece depois de 1989, quando a Cogefar passou à Fiat? Papi faz de tudo para não envolver o sucessor de Nobili, Francesco Paolo Mattioli, diretor financeiro do grupo Fiat e maior responsável pela empresa de construção civil: "Ele não ficou sabendo de tais fundos irregulares", mesmo tendo a "certeza de que, se eu tivesse sido chamado a prestar contas das minhas ações e, portanto, da utilização desse dinheiro, o presidente Mattioli teria aprovado". Esse discurso durará poucas semanas.

Enquanto isso, outros homens da Fiat caem na rede da Mãos Limpas. Após Luigi Grando, assistente de Papi, e Roberto Schellino, ex-chefe da divisão hospitalar da Cogefar, é a vez de Vittorio Del Monte, diretor geral da Cogefar, preso sob a acusação de ter pago propina de 560 milhões por contratos para a policlínica San Matteo de Pavia. Em 23 de julho são presos Giancarlo Cozza, diretor da Fiat Ferroviária Savigliano (2,7 bilhões para o PSI pelo metrô de Milão) e Luigi Caprotti, concessionário da Iveco em Milão (propinas pelo fornecimento de ônibus ao município). Ambos confessam. Assim, o discurso pronunciado por Mattioli apenas um mês antes, em 17 de junho, na reunião de acionistas da Cogefar, soa realmente estranho: "Digo francamente, olhando todos vocês nos olhos: logo após o episódio [a prisão de Papi] instalei uma série de dispositivos de controle na empresa que não revelaram nenhum pagamento a funcionários públicos ou a partidos". No dia seguinte, o *La Stampa*, jornal do grupo Agnelli, publicou: "Cogefar não pagou um centavo sequer". Menos de um mês depois, vem o desmentido dos próprios administradores.

Até mesmo o diretor executivo da Fiat, Cesare Romiti, falando aos sócios do grupo líder no dia 30 de junho, perdeu o equilíbrio: "A Fiat nunca distribuiu dinheiro a partidos ou a movimentos políticos, nem mesmo sob a forma de propina". Em 29 de setembro, ele subirá ao púlpito do Seminário de San Carlo Borromeo, em Milão, ao lado do cardeal Martini, para anunciar: "Como cidadãos e como empresários, não podemos deixar de sentir-nos envergonhados pelo que aconteceu. Sou o primeiro a fazê-lo". Logo depois, no entanto, se absolverá: é tudo culpa da política, que exige "recompensas por atos muito frequentemente devidos". O antigo conto da extorsão, também destinado a desandar em breve.

6. A PRIMEIRA GUERRA CONTRA O POOL

Em 18 de julho, o vice-secretário da DC, Silvio Lega, um dos mais prováveis candidatos à sucessão de Forlani, recebe uma intimação. Em agosto, novas intimações para quatro parlamentares: os democratas-cristãos Cesare Golfari e Severino Citaristi e os socialistas Pierluigi Polverari e Sergio Moroni. Em 30 de julho é preso Loris Zaffra, líder do PSI na cidade de Milão. Ex-sindicalista, socialista emergente, recém-admitido no clube exclusivo dos fiéis apoiadores de Craxi depois da queda de Mario Chiesa, é um dos favoritos para a poltrona do prefeito. O *pool* acusa-o de ter recebido propina de cinquenta milhões de um grupo de empresários em troca dos contratos do hospital Gaetano Pini. Zaffra admite, especificando que teria entregue o dinheiro imediatamente a Antonio Natali, o "grande velho" do PSI, morto em 1989. No entanto, não é libertado: na cela, é notificado de outros dois mandados de prisão por supostas propinas relacionadas à Ferrovie Nord e SEA. Como é agosto e o juiz de investigações preliminares Italo Ghitti está de férias, quem assina os dois novos decretos são os juízes Giovanna Ichino e Antonio Pisapia. Zaffra permanecerá na prisão por 150 dias, outra detenção recorde, superada apenas pelas do presidente do Coreco Lazio, Saverio Damiani (195 dias), do presidente da ATAC de Roma, Mario Bosca (194), e do diretor financeiro da ENI, Enrico Ferranti (167), igualada depois pela de Sergio Cusani (150) e ligeiramente maior que as de Giovanni Manzi (120) e do comunista Primo Greganti (115).

Os socialistas defendem firmemente o companheiro Loris e fazem declarações calorosas à imprensa contra os magistrados na primeira reação organizada em grande estilo contra a Mãos Limpas. O defensor de Zaffra, Michele Saponara, afirma que seu cliente é vítima de perseguição e apresenta dois recursos. O primeiro é rejeitado pelo magistrado Vito Piglionica; o segundo é acolhido por Ghitti, que voltou de férias no início de setembro: "Os indícios de culpa, pela sua generalidade", escreve na medida que ordena a libertação, "podem ser considerados apenas suficientes, mas não podem ser considerados graves a ponto de legitimar o estado de detenção".

"Acaba o idílio entre Di Pietro e o juiz", escreve o *Corriere della Sera* em 11 de setembro, observando que Ghitti revogou naqueles dias outros dois mandados de prisão preventiva assinados por outros juízes de investigações preiliminares enquanto ele estava de férias, contra o construtor fugitivo Marcellino Gavio e o seu braço direito Bruno Binasco (ambos acusados de propinas para a autoestrada Milão–Serravalle). Na verdade, não existe ruptura alguma, assim como não existia nenhum idílio nos meses anteriores, pois o juiz de investigações preliminares já havia negado pedidos da Procuradoria diversas vezes (contra, entre outros, Jürgen Ferling, diretor geral da Siemens Itália, quatro conselheiros da administração do IPAB e o gerente da Torno, Angelo Simontacchi). Diferenças de avaliação nada radicais, de qualquer forma, especialmente depois que tanto Zaffra quanto Binasco admitiram pelo menos parcialmente as acusações; o primeiro admitiu ter recebido dinheiro, e o segundo, ter pago cem milhões a Frigerio. Contudo, até mesmo as diferenças fisiológicas entre a acusação e o juiz de investigações preliminares são suficientes para provocar as primeiras, embora tímidas, campanhas contra a investigação. Alimentadas, no verão de 1992, pelos primeiros suicídios e pelos primeiros ataques pessoais de Craxi a Di Pietro.

Suicídios de excelentíssimos

O clima dos primeiros meses da Mãos Limpas, marcado pela extraordinária atenção da mídia e da opinião pública, cada vez mais inclinada a favor do *pool* e contra o "partido dos investigados", transtorna também a vida pessoal dos protagonistas e coadjuvantes da Tangentopoli. Eles são desprezados e contestados, seu mundo desmorona, amigos e "clientes" começam a evitá-los. Vencedores, homens bem--sucedidos, mestres da política e dos negócios encontram-se, de uma hora para outra, apontados como "propinomaníacos" e "subornocratas" não tanto pelos juízes, mas por toda a sociedade, por seus conhecidos e talvez até mesmo por suas consciências. As reações são diferentes. Existem aqueles que se entregam, resignados; os que passam para o lado da Mãos Limpas; aqueles que procuram tirar o melhor de uma situação ruim; os que procuram limitar os danos, esperando por tempos melhores; aqueles que começam a conspirar contra o pool. Também existem aqueles que caem em estado de depressão e desespero, que vivem o terror conscientes de suas responsabilidades e do risco de terem de responder perante a justiça em breve. Aqueles que temem ver a reprovação nos olhos dos amigos e familiares, que não podem suportar a ideia de acabar na cadeia. Alguns chegam ao suicídio.

Ex-secretário do PSI de Lodi, Renato Amorese mata-se em 16 de junho com um tiro na cabeça. Alguns dias antes, foi ouvido por Di Pietro como testemunha na investigação sobre o metrô. Não é investigado, mas sabe que será em breve por um suposto financiamento de quatrocentos milhões. Deixa quatro cartas nas quais explica que não consegue suportar a vergonha de ler o seu nome nas notícias da Tangentopoli. Três são dirigidas a familiares (à mulher e aos dois filhos), e a quarta é para Di Pietro: "Agradeço por sua sensibilidade, mesmo no correto rigor de suas funções". Três meses depois, Eleonora, a filha de quatorze anos de Amorese, assina um apelo do Movimento Social de Lodi em apoio a Di Pietro.

Em 27 de julho, comete suicídio o empresário Mario Majocchi, vice-presidente da ANCE, a associação dos construtores, sob investigação por corrupção no caso da autoestrada Milão–Serravalle. Ele também estava livre, não na prisão.

Em 2 de setembro, mata-se com um tiro de fuzil no porão da sua casa, em Bréscia, Sergio Moroni, deputado socialista que havia recebido três intimações pelo papel de "coletor" das propinas reservadas ao PSI sobre os resíduos. Ele também nunca foi preso; na verdade, sabia que, sendo parlamentar, não poderia ser preso. O *pool* estava prestes a pedir à Câmara autorização para poder agir contra ele. Antes de sua morte, Moroni envia uma carta ao presidente da Câmara, Giorgio Napolitano, na qual admite seu papel no sistema dos financiamentos ilícitos e protesta contra aquilo que chama de "clima de massacre" e "dizimação" aleatória da classe política: "Não é justo que isso aconteça por meio de um processo breve e violento, pelo qual a roda da fortuna atribui a simples indivíduos o papel de vítimas de um sacrifício. [...] Não aceito, com a consciência tranquila o fato de nunca ter feito uso pessoal de uma lira, mas, quando a palavra é flexível, resta somente o gesto". A sentença de primeiro grau emitida pelo Tribunal de Milão em 1994 a seus cúmplices (e confirmada no recurso e na Cassação) declara "apurada e totalmente comprovada a materialidade dos fatos": Moroni recebeu "cerca de duzentos milhões no total, em mãos, em uma pasta daquelas de escritório envolta em um jornal". Com a notícia da sua morte, Craxi comenta: "Eles criaram um clima infame". Gerardo D'Ambrosio, triste, mas determinado, responde: "O clima infame foi criado por eles. Nós nos limitamos a descobrir e a investigar atos previstos como crime. Depois tem alguns que se envergonham e cometem suicídio". E Davigo: "As consequências dos crimes devem recair sobre aqueles que os cometeram, não sobre quem os descobriu".

Chegam os americanos

Um dia, entre a primavera e o verão de 1992, um advogado apresenta-se no escritório de Piercamillo Davigo. Seu nome é Franco Sotgiu, e ele afirma falar em nome de um cliente ilustre, o arquiteto Bruno De Mico (aquele do escândalo das "prisões de ouro", tratado justamente por Davigo). De Mico, anuncia Sotgiu, tem importantes declarações a fazer, mas não quer ser visto pelos jornalistas. O magistrado esperava declarações registradas nos autos sobre os incidentes de propina. Ele marca o encontro para uma tarde de sábado, mas, no dia da reunião, somente o advogado se apresenta; De Mico, diz Sotgiu, notou a presença de alguns repórteres no Palácio da Justiça e foi embora por medo de ser reconhecido. O advogado propõe um local alternativo para o encontro: um apartamento, mas o promotor exclui a possibilidade. Por hábito natural de precaução, Davigo não aceita reuniões fora dos locais designados: o Palácio da Justiça e os quartéis de polícia. Então sugere um novo encontro nos Carabinieri da Via Moscova. De Mico concorda, mas recusa-se a registrar suas declarações nos autos, explicando que não se referem à investigação, mas à segurança dos juízes. Então, finalmente, conta. Inicia pela prisão de Salvatore Ligresti, que acabou de acontecer. Ligresti, diz ele, é uma pessoa de grande influência e altíssima periculosidade; teria, inclusive, relações misteriosas com grupos de criminosos ítalo-americanos. No entanto, continua ele, existem outros "grupos americanos" que, exatamente por isso, estão dispostos a dar uma mão ao *pool* para garantir a segurança dos juízes e ajudá-los a trazer os fugitivos de volta à Itália. Esses "grupos americanos", continua De Mico, estão prontos para entrar em ação, desde que o *pool* esteja de acordo. Esperam um sinal: a participação de um magistrado, de preferência Di Pietro, no *60 Minutes*, programa bem conhecido da rede de televisão norte-americana CBS.

Davigo fica perplexo: sente cheiro de queimado nessa história de Máfia e CIA. Ele entende que, quando De Mico fala de "grupos americanos", refere-se a serviços de segurança e sabe que a magistratura italiana não pode ter relações com agências secretas de inteligência. Suspeita de uma armadilha. O que aconteceria se alguém pudesse demonstrar que a Mãos Limpas concorda em fazer uso de colaboradores ilegítimos, sejam reais ou imaginários, quem sabe com "barbas falsas" *made in USA*? Portanto, redige um relatório ao procurador Borrelli. Abre um processo penal contra De Mico e desconhecidos pelo crime descrito no artigo 246 do Código Penal — espionagem por estados estrangeiros — e toma providências para verificar se De Mico está em contato com outras pessoas para realizar operações de espionagem.

As perplexidades aumentam quando o advogado Sotgiu liga para Davigo pedindo nova reunião particular muito em breve: "Preciso falar com você, vou até sua casa". O magistrado recusa: "Na minha casa nem se cogita. Se quiser, posso encontrá-lo em seu escritório". Então convoca dois agentes dos Carabinieri: um deve acompanhá-lo ao encontro com o advogado; o outro, à frente de uma pequena equipe, deve vigiar o exterior do escritório e verificar qualquer presença suspeita na área. Sotgiu também se recusa a registrar o depoimento. Davigo vai embora, deixando para trás o carabiniere, que, como oficial da polícia judiciária, pode valer-se de "fontes confidenciais". Neste e em outro encontro com o oficial, Sotgiu reitera a disponibilidade do "contato norte-americano" não especificado entregar à justiça alguns fugitivos (substancialmente Silvano Larini, um dos tesoureiros secretos de Craxi), desde que ninguém faça perguntas sobre os sistemas utilizados para encontrá-los e deportá-los. A proposta, ao que parece, é de um sequestro no estilo 007. O oficial, oportunamente instruído, não apenas não dá nenhuma garantia de impunidade para os misteriosos protagonistas da ação, como desaconselha abertamente o advogado a cometer crimes. E com isso a relação se interrompe.

Borrelli, constantemente informado pelos relatórios escritos por Davigo e pelos Carabinieri, teme o risco, ainda que remoto, de interferências estrangeiras na investigação e informa o procurador geral Giulio Catelani. Este, alarmado, decide falar com o chefe de Estado. E pede uma audiência no Palazzo Quirinale. Lá, Catelani e Borrelli são recebidos com grande cortesia e gentileza. É o primeiro encontro direto entre Borrelli e Scalfaro. Os dois altos magistrados de Milão, depois das formalidades habituais, começam a explicar o motivo da visita, mas notam que o presidente desfaz gradualmente o sorriso, tornando-se cada vez mais frio e distante. Quase de repente, sem aviso, dá a entender que a questão não é de sua competência, irritado, diz que não quer ouvir sobre esses assuntos. Como antigo magistrado, ele acredita que Davigo tenha errado não exigindo o registro das declarações de De Mico. Borrelli e Catelani despedem-se, pedem desculpas pelo incômodo e dirigem-se desapontados em direção à saída. Enquanto isso, Gaetano Gifuni, o secretário-geral da Presidência, pergunta ao chefe de Estado se deve prover, como de praxe, a liquidação das despesas de viagem deles. Scalfaro balança a cabeça. Nenhum reembolso.

O episódio nebuloso ainda é um mistério para todos, mesmo para os magistrados do *pool* na época. Houve realmente uma intromissão de "agências" estrangeiras? Foi uma iniciativa pessoal de De Mico? Ou, para citar Davigo, foi uma armadilha, ou seja, uma tentativa de induzir os promotores a dar um passo em falso? A única certeza é que cerca de um ano depois, no outono de 1993, o evento De Mico–CIA tem um segundo episódio inesperado. O protagonista é o juiz Guido Salvini, envolvido na época em uma investigação complexa sobre a eversão da direita em Milão, o que levará a identificar e processar os supostos responsáveis pelo atentado da Piazza Fontana. O braço direito de Salvini naquela investigação é Massimo Giraudo, capitão do ROS. Um dos indivíduos do círculo criminoso e subversivo que colabora com Salvini e Giraudo é Biagio Pitarresi, que diz ter contato com um homem da CIA na Itália, um tal Carlo Rocchi. Este pediu informações sobre as investigações de Salvini e Giraudo. Os dois investigadores verificam as afirmações de Pitarresi e apuram que Rocchi realmente trabalha há décadas para os americanos e tem contato direto com o espião americano John Costanzo, agente da CIA protegido pela DEA (a agência antidrogas). Interceptam inclusive um fax enviado por Rocchi para a embaixada dos EUA em Roma: um relatório de duas páginas no qual descreve as informações recolhidas sobre as investigações de Salvini e Giraudo. Rocchi também tem ligação direta com o chefe do SISDE (o serviço secreto civil italiano) em Milão, um certo "Dr. Rinaldi". Isso é provado pelos muitos telefonemas (interceptados pelos Carabinieri) entre Rocchi e "Rinaldi", que responde no número de telefone do SISDE em Milão. Rocchi também desempenhou missões para os americanos no exterior, na América Latina e na Coreia e, além disso, foi o último a ver o banqueiro Michele Sindona vivo na prisão antes da misteriosa morte por envenenamento em 22 de março de 1986.

Pitarresi, no entanto, relata que Rocchi não está interessado apenas na investigação de Salvini. Pelo contrário, pediu para ser informado também sobre outra investigação em curso em Milão: a Mãos Limpas. "O último favor que me solicitou", lê-se em um relatório do ROS de 17 de dezembro de 1993, "foi o de encontrar Larini antes que as forças policiais italianas o fizessem [...]. Em relação a tal solicitação feita a Pitarresi, pode-se acrescentar que o mesmo, no decorrer do último encontro, informou que, dentro de alguns meses, seria realizada uma operação para desacreditar Di Pietro, baseada em um serviço prestado por ele na Polícia do Estado". Um pouco mais tarde, como veremos, o GICO (Grupo de Investigações sobre a Criminalidade Organizada) da Guarda de Finanças de Florença tentará envolver o promotor em um inquérito sobre as supostas coberturas realizadas a um grupo de mafiosos que age no estacionamento da Via Solomon por alguns agentes do comissariado da Via Poma, em Milão, o mesmo onde Di Pietro trabalhou em 1980.

A partir de telefonemas interceptados, resulta que Rocchi está em contato com o arquiteto De Mico, e uma fotocópia do passaporte de De Mico é encontrada durante uma busca dos homens de Giraudo nos escritórios de Rocchi. Pitarresi diz que Rocchi pediu-lhe também para organizar um atentado a Gerardo D'Ambrosio, mas ele recusou. Rocchi morrerá em 1996 sem nunca ter sido interrogado sobre esses eventos. Como veremos, D'Ambrosio realmente se verá no centro de um incidente perturbador: em 14 de abril de 1995, seus agentes de escolta dirão que puseram para correr um indivíduo misterioso, talvez com um fuzil em mãos, posicionado no jardim de uma escola em frente à sua casa. E sobre esse emaranhado de advogados, investigados, espiões e assassinos não será possível descobrir mais nada.

O pôquer de Craxi

Em 3 de julho de 1992, Bettino Craxi pronuncia um discurso na Câmara que transforma repentinamente sua estratégia defensiva. Até então, ele havia negado completamente a existência de propinas. Chiesa não era um financiador do partido, mas um "malfeitor", uma maçã podre em uma cesta de maçãs saudáveis. Agora, o secretário do PSI, após a confissão de muitos de seus homens, não pode mais negar. Então inverte o discurso: "O financiamento ilícito dos partidos na Itália", proclama, "é um fato real e amplamente conhecido". Logo depois, no entanto, manda mensagens aos outros para não ficar sozinho: o PSI certamente não é a única força política envolvida no sistema, como as investigações estão mostrando. Em resumo, todos fazem a mesma coisa. "À sombra do financiamento irregular dos partidos e do sistema político", diz Craxi na sala lotada e emudecida, "florescem e se entrelaçam casos de corrupção e de extorsão que devem ser definidos, provados e julgados como tais. No entanto, precisamos dizer aquilo que todos sabemos: boa parte do financiamento público é irregular ou ilegal". Nesse campo, "nenhum partido é capaz de atirar a primeira pedra"; portanto, o problema deve ser encarado "com seriedade e rigor, sem fingimento, hipocrisia, processos sumários ou gritos de alarde". É necessário em vez disso, "mais de um remédio", a ser procurado utilizando-se uma linguagem "baseada na máxima franqueza". Craxi continua:

1992. MÃOS SUJAS

Difundiu-se pelo país, pelas instituições e pela administração pública, uma rede de corrupção de todas as dimensões que sinaliza um estado de crescente degradação da vida pública [...]. Os casos são das mais diversas naturezas, frequentemente beiram à extorsão mafiosa e às vezes apresentam-se com características particularmente odiosas de imoralidade e falta de sociabilidade [...]. À sombra do financiamento irregular dos partidos, florescem casos de corrupção e extorsão que devem ser definidos, provados e julgados como tais [...]. Se grande parte dessa questão deve ser considerada puramente criminosa, então grande parte do sistema seria um sistema criminoso [...]. O financiamento irregular e ilegal do sistema político, independentemente de quantas reações e julgamentos negativos possa implicar e de quanta degeneração possa ter gerado, não é e não pode ser considerado e utilizado por ninguém como um explosivo para destruir um sistema, para deslegitimar a classe política e criar um clima no qual certamente não podem nascer as correções necessárias ou uma obra de reabilitação eficiente, mas apenas a desintegração e a aventura.

Nem uma única menção ao fato de que o financiamento ilegal também é crime punível pela lei italiana e muito mais grave por envolver todos os principais partidos políticos. Pelo contrário, depois de admitida a "degeneração", a mensagem para o sistema partidário é completamente oposta: ninguém deve pagar. Se todos fazem a mesma coisa, todos se salvam.

"Avisada" a classe política, Craxi passa para a segunda fase e, algumas semanas mais tarde, lança a primeira ofensiva contra os magistrados de Milão. Começando pelo mais conhecido, Antonio Di Pietro. No domingo 23 de agosto, publica no jornal socialista *Avanti!* a primeira de três notas não assinadas contra o promotor. Um ataque pessoal:

Na investigação conduzida pelo Dr. Di Pietro, há vários aspectos conectados ou conectáveis à investigação que estão bem longe de ser claros ou convincentes; o curso da justiça acabou avançando em zigue-zague. Com o tempo e o melhor conhecimento dos fatos, dos quais alguém deveria finalmente ocupar-se, poderia até se descobrir que o Dr. Di Pietro não é exatamente o herói do qual ouvimos falar e que, neste caso, como em tantos outros, nem tudo o que reluz é ouro.

Uma mensagem oblíqua e alusiva, um sinal que parece convidar "alguém" a intervir. O magistrado não responde. O procurador Borrelli responde por ele:

Os magistrados milaneses da investigação Mãos Limpas, levemente surpresos pelas palavras de sentido obscuro que chegam de várias direções e com diferentes intenções a respeito de sua atividade e vida pessoal, não sentem, apesar disso, qualquer perturbação e continuam o trabalho em

OPERAÇÃO MÃOS LIMPAS

busca da verdade com a serenidade e o compromisso de sempre, para que o primado do direito seja reafirmado em todos os níveis.

Três dias depois, em 26 de agosto, o ataque a Di Pietro é discutido em uma reunião da direção nacional do PSI. Martelli, ministro da Justiça, prefere não participar por razões de sensibilidade institucional. Participa o presidente do Conselho Giuliano Amato, que mais tarde afirmará ter-se ausentado para ir ao banheiro justamente no momento em que se falava da Mãos Limpas. Naquele dia, Craxi expõe aos fiéis o conteúdo do material informativo que veio dos ambientes da polícia e dos serviços secretos. Após a reunião, o ex-ministro socialista Rino Formica declara: "Craxi tem um pôquer em mãos, aliás, uma sequência real para jogar contra Di Pietro". E explica: "São informações provenientes de fontes qualificadas, coisas graves e precisas, que me levam a afirmar que Craxi tem um ponto". Quanto a Amato, o vice-secretário Giulio Di Donato revelará: "Amato, assim como todos, ficou de boca aberta com as revelações de Bettino e, assim como todos, sentiu-se tranquilizado quanto ao futuro".

Nos dias seguintes, no entanto, as reações não são as que Craxi esperava, nem mesmo dentro do PSI: duras críticas atingem imediatamente Carlo Ripa di Meana, Giacomo Mancini, Ottaviano Del Turco e até mesmo Formica, que havia anunciado o pôquer. Aos críticos internos, o líder socialista responde indiretamente na terceira nota, publicada no *Avanti!* de 25 de agosto, carregada de insinuações cada vez mais graves:

De imediato, foram expressos sentimentos de indignação, desdém e até mesmo dor com uma mistura venenosa de má-fé, falsidade e, em alguns casos, imperdoável leviandade e estupidez. No entanto, ninguém escreveu que São Francisco era um mentiroso, que Cesare Battisti não era o herói da pátria, mas um traficante amigo íntimo dos corruptos da época, e que Santa Catarina convivia com especuladores imobiliários, aproveitadores e criminosos

No final de agosto, depois de alguns dias de rumores e especulações, começamos a entender o significado daqueles avisos: Di Pietro não seria um santo porque conheceu e conviveu, desde os anos 1980, com dois de seus futuros interrogados, o socialista Sergio Radaelli e o democrata-cristão Maurizio Prada, que, segundo alguns críticos, teriam explicado alguns dos mecanismos da Tangentopoli e sugerido que caminho seguir para fazer a investigação decolar em troca de um tratamento judiciário favorável. "Em quatro meses de investigações sobre nós", comenta Davigo, "só descobriram isso? Bem, no mesmo tempo, nós descobrimos muito mais sobre eles".

Di Pietro de fato conhece os dois políticos milaneses e participou anteriormente de algum jantar ou reunião onde eles também estavam presentes, mas nega haver-lhes favorecido. Prada passou apenas uma noite na prisão; Radaelli, meia tarde. No entanto, essa, como já vimos, é a prática seguida pelo *pool* (e pelos magistrados em geral) para quem colabora e, ao sentir a proximidade das algemas, envia o advogado para negociar a rendição e depois se apresenta espontaneamente, relata suas propinas e evita a prisão. "Mas que favoritismo!", reage o defensor de Radaelli, Giuseppe Pezzotta. "Meu cliente foi arruinado pela investigação, bloquearam-lhe dez bilhões, ele esteve na prisão e seguramente será condenado. Realmente, é um belo favorecimento! Essa acusação é uma tentativa desesperada de quem não sabe mais como defender-se. Se isso é um pôquer, é melhor que joguem cacheta, na qual não se pode blefar." Giuseppe Lucibello, amigo de Di Pietro e advogado de Prada, acrescenta: "Di Pietro pediu e obteve a prisão de Prada, ordenou buscas contra ele duas vezes, bloqueou suas contas bancárias e enviou uma carta rogatória internacional para identificar quaisquer bens no exterior. Prada está quebrado".

Barbas falsas no trabalho

O "pôquer" de Craxi é o primeiro resultado público da pesquisa frenética que os homens do Estado (Polícia, Guarda de Finanças, SISDE e outros não identificados) lançaram contra Di Pietro e demais magistrados do pool. Vários outros se seguirão. Após o verão, o vereador dos verdes Basilio Rizzo denuncia publicamente que um ex-oficial dos Carabinieri está percorrendo a Itália para reunir dados sobre a vida privada de Di Pietro. Dois amigos do magistrado contam que receberam ofertas de dinheiro para dizer que o promotor faz uso de drogas e denunciam um tal Pagnoni, amigo íntimo de Pillitteri e da esposa, Rosilde Craxi, mas a Procuradoria de Bréscia, após abrir uma investigação, arquivará tudo. Em setembro, um detetive misterioso coloca em circulação um relatório de cinco páginas sobre a vida privada de Di Pietro escrito em inglês. "Coisa de FBI", comentará o almirante Fulvio Martini, ex-diretor do SISMI. Esse estranho dossiê será aprofundado e publicado anonimamente em maio de 1993 por uma misteriosa editora irlandesa sob o título *Gli omissis di Mani pulite* (A omissão da Mãos Limpas), editado por um jovem jornalista do *Avanti!*, Filippo Facci. O material será amplamente distribuído a jornalistas, juízes, advogados e homens da polícia. Em 1995, Facci entregará uma cópia ao promotor de Bréscia, Fabio Salamone, responsável por uma série de investigações sobre Di Pietro.

No verão de 1992, conforme Craxi dirá anos mais tarde, o chefe da Polícia, Parisi, entrega-lhe o relatório dos telefonemas de fevereiro a maio entre Di Pietro e dois amigos, o advogado Lucibello e o agente imobiliário Antonio D'Adamo, e também entre estes últimos e alguns investigados. Em 1994, Craxi tentará (sem sucesso) demonstrar, a partir dessas comunicações, o tratamento favorável reservado pelo promotor em relação àqueles suspeitos.

Após o "pôquer", os ataques do líder socialista a Di Pietro param por um tempo. Craxi afirmará tê-los suspenso após uma negociação informal e indireta com o magistrado, iniciada no final de 1992 por intermédio de Amato e Parisi. Os dois, lê-se no relatório de 6 de março de 1996 da Comissão Parlamentar de Serviços Secretos (presidida por Massimo Brutti, do PDS), "teriam promovido uma espécie de acordo secreto e ilícito com o Dr. Di Pietro para que tomasse medidas de favorecimento em relação a alguns investigados próximos do secretário do PSI. Em troca, Craxi se comprometeria a não dar continuidade às polêmicas" contra Di Pietro. Craxi, no livro *Il duello* (O duelo), de Bruno Vespa, dirá o seguinte:

> No início de setembro de 1992, o chefe da Polícia Vincenzo Parisi veio ao meu encontro [...]. Ele veio até a secretaria do PSI, na Via del Corso, para falar sobre Antonio Di Pietro. Disse que eu teria de cessar uma polêmica que só causaria danos, entendeu meu estado de ânimo e meus protestos e disse que se esforçaria para obter algum resultado. Alguns dias depois, o presidente do Conselho, Giuliano Amato, encontrou-me no hotel Raphael. Falou em nome de Parisi, que dizia falar em nome de Di Pietro. Essencialmente, Amato disse que eu não deveria mais atacar o magistrado. Di Pietro, segundo Parisi, reconhecia excessos judiciais na investigação e se empenharia para soltar os dois únicos líderes socialistas que estavam presos naquele momento — Claudio Dini, presidente da Metropolitana de Milão, e Loris Zaffra, que havia sido secretário regional do PSI. Eu cessei a polêmica. Os dois foram libertados imediatamente.

Portanto, se a história de Craxi é verdadeira, duas altas figuras institucionais — o presidente do Conselho e o chefe da Polícia — teriam se prestado a agir como intermediários em uma negociação secreta e privada entre um líder de partido e um magistrado. Na verdade, o relatório da Comissão conclui:

> Não parece que o suposto acordo tenha dado frutos, considerando os processos judiciais em que o próprio Craxi foi envolvido logo depois [...]. Também parece contraditório que Parisi tenha entregue a Craxi o registro dos telefonemas, uma arma que poderia ser usada para endurecer o ataque contra Di Pietro, justamente no mesmo momento em que solicitava dele o cessar das polêmicas. Aliás, é pouco provável que Craxi, em posse dos registros, não os tenha usado durante um ano e meio, mesmo diante das investigações que prosseguiam e do agravamento de sua situação judicial. Em vez disso, é possível que ele os tenha adquirido não em setembro de 1992, mas mais tarde.

No entanto, é evidente que a circulação daqueles registros é resultado não apenas de uma ação ilegal, mas também de um trabalho de inteligência mais refinado. "Uma extração direcionada de comunicações feitas a partir dos aparelhos de Di Pietro, de Lucibello, de D'Adamo e do próprio Radaelli", pressupõe, de fato, o perfeito conhecimento das investigações, das etapas processuais e, especialmente, das amizades de Di Pietro.

A suposta negociação Craxi–Parisi–Amato–Di Pietro é desmentida também pelos fatos: Dini sai de San Vittore em 7 de setembro, mas de maneira absolutamente semelhante a muitos outros investigados. Quanto a Zaffra, considerado um "irredutível", ele mesmo desmente seu líder, confessando, após um longo silêncio na cela, a participação no sistema de propinas e ajudando a determinar a segunda intimação de Craxi. Por isso, não por negociações estranhas, é libertado. Depois, entrevistado por Marcella Andreoli no *Panorama* de 24 de janeiro de 1993, recapitula a experiência. Quando foi preso pela primeira vez, Zaffra é libertado sem ter dito nada: "Me olhavam como um ser estranho, miraculoso, justamente porque eu também havia estado em San Vittore". Depois, a reviravolta:

> Eu tinha a impressão de estar fora do mundo, de ser o único que sobrou para guardar um edifício deserto, me sentia em uma trincheira vazia. E, depois de tantos dias de prisão, percebi que eu estava lutando uma batalha perdida. A reação do sistema era absolutamente hipócrita. O pobre Sergio Moroni tinha razão quando falou, na carta escrita antes do suicídio, sobre a "roda da fortuna": se você foi preso, azar o seu. Havíamos discutido sobre isso com Moroni no verão passado. Ele tinha sofrido muito com o cordão sanitário que se formou em torno dele. A Tangentopoli também expôs, além do funcionamento das propinas, a deslealdade das relações políticas. Você foi preso? Azar o seu, entre no cesto das maçãs podres. Os outros, que não dividem os erros e as responsabilidades com você, afastam-se. Inaceitável.

Zaffra rejeita a teoria de conspiração de Craxi:

> Eu estava na prisão quando Craxi escreveu as três famosas notas contra a investigação Mãos Limpas e contra o juiz Di Pietro em agosto. Ele está errado. Não deveria tomar atalhos e enxergar conspirações e juízes motivados por objetivos políticos. É verdade que os juízes podem abusar do instrumento da prisão preventiva, mas não extorquem confissões falsas: no final das contas, o réu diz a verdade. Pode ser difícil admitir, mas é assim.

Até mesmo as curtas férias que Di Pietro passa na Costa Rica no verão de 1992 acabam na mira de Craxi e dos serviços secretos. Por razões de segurança, o vice- -delegado vicário de Bérgamo (o magistrado vive em Curno, naquela província) decide atribuir ao promotor um passaporte de cobertura sob outro nome. A operação é altamente confidencial, conhecida por pouquíssimas pessoas, entre elas naturalmente o chefe da Polícia Parisi. Anos mais tarde, se descobrirá um bilhete anônimo (encontrado entre os documentos de Craxi apreendidos em Roma, em 1995) que relata a história do passaporte, da viagem para a Costa Rica e também de uma visita que Di Pietro teria feito naquele país à esposa de Lamberto Dini, que tem fortes interesses econômicos na Costa Rica. Di Pietro garante que encontrar a família Dini era o último de seus pensamentos naqueles poucos dias de folga, mas esse particular será usado para insinuar relações secretas com Dini — ex-diretor do Banco da Itália — e, portanto, com o alto sistema financeiro internacional.

O interesse persecutório dos serviços secretos em relação a Di Pietro é confirmado por Carlo Ripa di Meana, então ministro do Meio Ambiente do governo Amato, o socialista mais crítico com Craxi: "Giuliano Amato", escreve Ripa di Meana no seu livro de memórias *Sorci verdi* (Camundongos verdes), "repreendeu-me. Disse que a ação judicial da Mãos Limpas, como indicavam os serviços secretos e o chefe da Polícia Vincenzo Parisi, era um perigo para as instituições". Amato negará ter falado dos serviços secretos a Ripa di Meana e até mesmo ter tido qualquer relação com os ambientes da inteligência naquele momento, mas será desmentido pelo relatório da Copaco:

> É conhecido seu interesse, no verão de 1992, que Michele Finocchi (benquisto pela secretaria socialista) fosse nomeado diretor ou vice-diretor da SISDE. Por outro lado, é do mesmo período a nomeação, por parte do presidente do Conselho, do almirante Fulvio Martini como seu consultor para problemas dos serviços de informação e segurança.

Martini foi agente e depois diretor do SISMI por muito tempo. Não apenas isso. Em 5 de agosto, dezoito dias antes do "pôquer", Amato demite o diretor do SISMI, o general Luigi Ramponi, no cargo há apenas onze meses. "Eles queriam o caminho livre", explica Ramponi em 1995, eleito senador da Aliança Nacional. Caminho livre contra a Mãos Limpas.

7. OUTONO DE 1992, FUGA DE BETTINO

Depois do verão das intrigas, a Mãos Limpas recomeça com o interrogatório de um gerenciador de primeira grandeza: Giuseppe Garofano, ex-presidente da Montedison, citado por Frigerio. Di Pietro e Colombo ouvem-no em segredo no dia 1º de setembro, em um quartel dos Carabinieri. Garofano admite ter financiado a DC lombarda com 250 milhões, mas afirma ter pago do próprio bolso (e, portanto, não ter cometido crime). Os magistrados não acreditam e continuam investigando. Até janeiro de 1993, quando Garofano, perseguido por uma ordem de prisão preventiva, fugirá para o exterior.

Em Roma, enquanto isso, a Comissão Bicameral está trabalhando para a reforma constitucional, presidida por Ciriaco De Mita (a segunda na história da república, depois daquela presidida em 1984, pelo liberal Aldo Bozzi e encerrada sem resultados). Em novembro, enfrenta os temas da justiça, começando pela proposta de separar as carreiras de juiz e promotor público, já desejada por Licio Gelli e Bettino Craxi. É a primeira tentativa "revanchista" da classe política contra as procuradorias mais ativas nas investigações das atividades político-administrativas criminosas (durante as mesmas semanas, também circula um projeto de lei para limitar drasticamente a prisão preventiva e reformar a intimação, que tem entre seus fomentadores o democrata-cristão Giuseppe Gargani e o pedeessista Giovanni Correnti, mas continuará letra morta). Um grande grupo de magistrados de Milão, incluindo Borrelli, Di Pietro e Colombo, assina um documento dirigido à Bicameral:

> Sentimos a obrigação de expressar nossa opinião claramente aos cidadãos, maturada com base em nossa experiência profissional [...]. A independência do Ministério Público em relação ao Executivo e o caráter único do sistema judiciário na história da república italiana representam a garantia da afirmação da legalidade.

O promotor veneziano Carlo Nordio (que mais tarde se tornará um defensor da separação das carreiras) também é contrário; de fato, adere a um manifesto promovido pela Associação Nacional dos Magistrados (ANM) que critica fortemente a separação de juízes e promotores, inspirado por Edmondo Bruti Liberati, Mario Cicala, Marcello Maddalena e assinado também pelo pool. A Bicameral se renderá em breve, logo após a renúncia do presidente De Mita em decorrência da prisão de seu irmão Michele, mas as reformas legislativas e constitucionais para reduzir a autonomia dos magistrados voltarão à tona periodicamente ao longo das próximas duas décadas.

Em 27 de novembro, a Mãos Limpas consegue sua primeira sentença: Mario Chiesa, o acusado número um, é considerado culpado por corrupção e extorsão e condenado em primeira instância a seis anos de prisão. Di Pietro, depois de apertar a mão do "malandro", havia pedido dez anos. O tribunal julga insuficiente a restituição já feita e considera os 6,5 bilhões apenas um adiantamento da restituição total a ser definida em sede civil. Em 8 de outubro, inicia-se o processo de Matteo Carriera e corréus pelas propinas do IPAB. No tribunal, a acusação é representada por Gherardo Colombo. A sentença chegará em 9 de fevereiro de 1993: seis anos e seis meses para Carriera, oito anos para o diretor geral da instituição, Francesco Scuderi, e dois anos para o construtor Tino Rovati.

As propinas não são discutidas somente no tribunal ou nos jornais. Em outubro, a revista socialista *Mondoperaio* organiza em Roma uma conferência sobre a relação entre corrupção e política. Craxi decide intervir "como testemunha e como protagonista", mas antes tem de ouvir a apresentação de um estudo do economista Giovanni Somogyi segundo o qual a cada ano são pagos na Itália de três a quatro trilhões de propina para cerca de cem mil pessoas, entre políticos e funcionários. Número modesto se comparado ao estimado por outros economistas (dez trilhões, de acordo com Mario Deaglio). Falar desses temas em uma convenção do PSI é de qualquer modo uma mudança importante, mesmo que forçada pelos fatos. No discurso, Craxi admite a existência das propinas e explica que os fundos dos partidos políticos são divididos "em três esferas diferentes": financiamentos regulares e atividades institucionais; contribuições "formalmente irregulares, mas legais", ou seja, o dinheiro que serve para fazer política, "conquistar o consenso dos eleitores" e financiar as iniciativas dos "clãs políticos" em competição uns com os outros. Por fim, o dinheiro de "proveniência ilegal", recolhido por "aproveitadores e corruptos que falam em nome do partido e obtêm meios financeiros ilegalmente, dos quais se apropriam completamente ou em parte", fundos "que estão além do conhecimento e do controle do grupo dirigente do partido". Craxi se diz "testemunha e protagonista" apenas da primeira esfera, mas justifica a segunda e condena apenas a terceira, embora admita que "as três esferas não são separadas em compartimentos estanques, mas por zonas cinzentas". Depois, minimiza a responsabilidade dos socialistas, pois, no contexto global da política italiana, o PSI seria comparável a uma "empresa de pequeno a médio porte de alcance nacional", com uma situação "bastante respeitável". Em vez disso, tem muito mais, diz ele, com linguagem alusiva, sem especificar: "Os fatos de corrupção que emergiram até agora são apenas a ponta do iceberg, a dimensão real do fenômeno é muito maior do que parece". Erros? Apenas um: "Em todos os casos, foram colocados em posições de responsabilidade e influência homens que se aproveitaram disso; o PSI cometeu o erro de confiar neles". De resto, a Mãos Limpas é retratada como "uma forte campanha que visa a reduzir a pó os partidos, pilares da democracia, e abrir o caminho para sabe-se lá o quê".

Em 14 de outubro, Vincenzo Balzamo, parlamentar socialista e secretário administrativo do PSI desde 1984, recebe a primeira intimação. Assim, as investigações atracam oficialmente na cúpula administrativa nacional do partido, como já aconteceu à DC com Citaristi. Balzamo vai até o Palácio da Justiça de Milão, fala com Di Pietro e, na saída, é interceptado por repórteres que o detêm diante de um elevador. "Estou aqui somente como testemunha", diz, oprimido pelas perguntas, sem dar-se conta de que o elevador, bloqueado pelos jornalistas, não chegará nunca. Menos de um mês depois, em 2 de novembro, Balzamo morre devido a um infarto. Craxi, no funeral, culpa imediatamente os magistrados do pool: "Vincenzo morreu sob o peso de uma criminalização injusta". Ao mesmo tempo, porém, sobre o tesoureiro aparentemente inatingível pela justiça humana são descarregadas muitas acusações de financiamento ilícito do PSI. O primeiro a tirar proveito delas é justamente Craxi, que se apressa em dizer que era o secretário administrativo que cuidava de toda a gestão financeira do partido.

O Fanfarrão

Poucos estão dispostos a acreditar que Balzamo soubesse mais do que Craxi. Nerio Nesi, socialista da esquerda da Lombardia e ex-presidente do BNL (Banca Nazionale del Lavoro S.p.A.) nas cotas do PSI, convocado pelo *pool* em 31 de julho, disse: "Em 1987, Craxi pediu-me para financiar seu amigo Salvatore Ligresti com duzentos e trezentos bilhões. Eu recusei, e ele jurou aos gritos: 'Ensinarei a você eu mesmo como ser banqueiro!'. Nunca mais trocamos uma palavra sequer". Em 18 de novembro, Di Pietro e Colombo chamam um outro antigo opositor interno do líder socialista, Giacomo Mancini, ex-secretário de Garofano e pai histórico da esquerda do partido. Mancini atesta que muitos dos fundos do PSI nem passavam por Balzamo: chegavam diretamente a Craxi, que sozinho, com seus homens de confiança, conhecia os percursos. Justamente naqueles dias, corre a notícia sobre a fuga o exterior de um dos tesoureiros secretos de Bettino, Gianfranco Troielli, agente geral do INA em Milão, detentor de contas secretas em bancos distantes e impenetráveis de Hong Kong. Perseguido sem sucesso por uma ordem de prisão preventiva pelas propinas da Ferrovie Nord, Troielli será protagonista da fuga mais longa da Mãos Limpas — cinco anos. Antes dele, fugiram os socialistas Silvano Larini e Giovanni Manzi, conselheiro da Metropolitana de Milão, Aldo Moro (PSDI) e o construtor Marcellino Gavio.

Em 26 de novembro, a Assembleia Socialista reúne-se pela última vez na era Craxi. Aquilo que antes parecia um festival de "anões e bailarinas" (definição de Rino Formica) transforma-se em uma tourada misteriosa: gritos, vaias e traições. Claudio Martelli, o "golfinho" que Craxi havia elevado até o segundo escalão do partido, termina o discurso gritando: "Renovar ou perecer!". Craxi faz o gesto dos chifres e repete-o no palco, em frente às câmeras. A defensora de Craxi, Sandra Milo, levou um apito para perturbar Martelli. No final, Martelli diz: "Não reconheço mais Bettino, me lembra Salò". Giusy La Ganga, procônsul de Craxi em Turim, lembra bem daquele clima:

> Quando o *pool* chamou Nesi e Mancini, percebi exatamente o que estava acontecendo, tendo adquirido experiência na Tangentopoli de Turim em 1983 [escândalo desencadeado pelas confissões do comerciante Adriano Zampini], e adverti Bettino: "Eles querem chegar a você". No entanto, ele parecia atordoado, fora da realidade: "Imagina", ele respondeu, "aqueles dois [Mancini e Nesi] não sabem nada sobre mim". Insisti dizendo que após a morte de Balzamo todos descarregariam tudo sobre ele, mas Bettino não entendia, repetia que jamais receberia uma intimação. Em vez disso, duas semanas depois, chegou a primeira. Tentei convencê-lo de que todos nós deveríamos encontrar os magistrados imediatamente para nos livrarmos da acusação de ser o chiqueiro da Primeira República. Ele reconheceu que a ideia estava correta: "Caso contrário, culparão somente a gente", repetia, mas depois não se decidia. No final das contas, decidiu ocupar-se do próprio drama e deixou o PSI abandonado à sua sorte.

La Ganga é um bom profeta. Os piores acusadores de Craxi, pelo menos nos mLa Ganga é um bom profeta. Os piores acusadores de Craxi, pelo menos nos meses da virada de 1992 para 1993, são os companheiros socialistas. Estão mais do que prontos a abandonar o barco e passar a bola. Gennaro Acquaviva, líder do grupo no Senado e chefe da secretaria de Craxi, declara: "Claro, grande parte da classe política revelou-se um desastre. E não falo apenas de Craxi" (16 de dezembro de 1992). Don Gianni Baget Bozzo, cientista político e europarlamentar socialista, diz: "Craxi deveria ir a Milão e pedir perdão. Existe uma questão moral antes da política. No centenário do PSI, teria sido compreensível pedir desculpas pelas propinas embolsadas. Os políticos devem aprender a dizer: assumo minhas responsabilidades e peço desculpas. Até mesmo o PCI, que era o partido da verdade, teve que dizer: 'Eu errei'" (11 de setembro de 1992). Nino Buttitta, deputado: "Vamos falar claramente, Craxi era um bandido, mas pelo menos era um bandido de alta classe" (6 de junho de 1993). Ottaviano Del Turco, secretário adjunto da CGIL (Confederação Geral Italiana do Trabalho) na cota do PSI: "Não me surpreende nem um pouco a existência do partido dos negócios no PSI. Sempre denunciei aqueles que ficam cegos com o brilho do dinheiro, como o Tio Patinhas" (15 de maio de 1992). E ainda: "No Congresso de Rímini, em 1987, falei contra a escalada social, os enriquecimentos fáceis dos companheiros do partido. Fui ovacionado. No dia seguinte, falou Dell'Unto: 'Mas que questão moral é essa? É uma piada? Certamente não é sobre o PSI'. E mais aplausos" (11 de fevereiro de 1993). Rino Formica: "Os apoiadores de Craxi são criaturas que não conseguiam construir o socialismo, então resolveram procurar pelo menos um pouco de bem-estar" (1º de novembro de 1992). "Craxi comporta-se como Stalin, utiliza métodos autoritários e ditatoriais" (13 de novembro de 1992). Formica, pelo menos, já havia dito há muito tempo: "O convento é pobre, mas os padres são ricos".

Até mesmo o filho de Craxi, Bobo, distanciou-se do pai: "Não renego tudo que meu pai fez, mas nunca me considerei craxiano. Ninguém é indispensável" (10 de setembro de 1992). Tanto é que a irmã Stefania é obrigada a responder-lhe: "Meu irmão Bobo viveu à sombra de meu pai, ele acreditava que bastava chamar-se Craxi para fazer política e fazê-la bem" (30 de outubro de 1992). Paolo Pillitteri, cunhado de Craxi, ex-prefeito e agora deputado, fala com desdém: "Eu chamaria de cúpula. Este termo passa a ideia do que aconteceu entre políticos e empresários em Milão" (3 de maio de 1992). O ex-ministro das Finanças e agora senador Francesco Forte queria até renunciar ao socialismo: "Estou cansado de sair para comprar o jornal e ouvir alguém dizer: 'Mas este ainda não foi preso?'. Tenho vergonha de ser político e, além disso, socialista". (9 de julho de 1992). Em breve, eles esquecerão tudo.

No entanto, o caso mais estrondoso é o de Martelli. Depois das negociações ambíguas no Palazzo Quirinale para a formação do novo governo, o "golfinho" de Craxi leva pouquíssimo tempo para descartar seu pai político e prepara-se para substituí-lo na secretaria, com o slogan "Restituir a honra aos socialistas". "O principal ponto de distinção entre mim e Craxi", esclarece ele precisa imediatamente, "é a questão moral: existe uma sensibilidade diferente na relação entre ética e política" (4 de setembro de 1992). Martelli repreende Craxi por não ter "usado uma vassoura para varrer os corruptos" (12 de setembro) e diz que "o PSI dos escândalos, epicentro e reduto do velho sistema, acabou, é um livro fechado" (29 de setembro). E, "se o PSI corre risco de liquidação, é também porque Craxi convidou os cidadãos a irem para a praia em vez votar no referendo. Alguns deixaram que a imoralidade se difundisse e responderam de forma negligente às investigações judiciais sobre a corrupção" (28 de novembro). Mais tarde, após a primeira intimação de Craxi, a explosão final: "Eu", diz Martelli, "era uma espécie de ideólogo do partido e tive a sorte de não ter de me envolver com propinas. Minhas campanhas eleitorais sempre foram pagas pelo partido, justamente por meu papel e relacionamento com Craxi. Quem as pagou? Felizmente não sei, mas eu via o que acontecia em Milão e denunciava. Desde 1982" (23 de dezembro). Anna Craxi, esposa de Bettino, fulmina-o: "A traição de Martelli eu realmente não esperava: Claudio era uma das poucas pessoas que podiam abrir o refrigerador de nossa casa" (21 de setembro de 1992). "Eu também", acrescentará Silvano Larini, retornando da fuga em 8 de fevereiro de 1993, "assim como Martelli, tinha livre acesso à geladeira da casa de Craxi, mas com uma diferença: eu colocava a champanhe na geladeira, ele retirava".

Vinte propinas por um líder

Terça-feira, 15 de dezembro, às 11h30min, acontece o ato mais esperado do ano. O capitão dos Carabinieri Paolo La Forgia chega ao hotel Raphael de Roma e, em uma sala privada no pavimento térreo, entrega a Bettino Craxi as dezoito páginas de uma intimação assinada por Di Pietro, Colombo, Davigo, D'Ambrosio e Borrelli. É a ação final de uma das frentes da investigação iniciada em 17 de fevereiro com a prisão de Mario Chiesa. A data não foi escolhida ao acaso: o *pool* deixou passar as eleições de 13 de dezembro (a votação ocorreu em 55 municípios e em uma província). E essa, para o líder do MSI Gianfranco Fini, "é a prova de que a magistratura de Milão não faz política, independentemente do que diga Craxi".

As principais acusações feitas ao secretário socialista são quarenta: dezessete de participação em corrupção, três de receptação e vinte de financiamento ilícito dos partidos. É Craxi, segundo os magistrados de Milão, o destinatário final da maioria das propinas confessadas por empresários e políticos nos primeiros dez meses de investigação. Precisamente, vinte "doações", de acordo com a reconstituição da Procuradoria, somando um total de mais de 37 bilhões, divididos em duas vertentes: uma em Milão, que compreendia o financiamento do sistema de transporte metropolitano e tinha como tesoureiro ("coletor material") Silvano Larini, que separava para Craxi uma parcela (geralmente 50%, às vezes 25%) da propina, que depois era dividida com os tesoureiros da DC, Maurizio Prada, e do PCI–PDS, Luigi Carnevale; e a vertente de Roma, que derivava dos outros contratos e era encabeçada pelo secretário administrativo Vincenzo Balzamo.

Na vertente milanesa, Craxi é acusado de ser o destinatário final das seguintes propinas:

- 25% de uma propina de 7,4 bilhões, pagos por um consórcio de empresários (Torno, Lodigiani, CMB, Collini, Progetti&Construzioni, IFG–Tettamanti e Cogefar Impresit) em troca de contratos para a construção do eixo ferroviário;
- 25% de uma propina de dez bilhões, recebidos de várias empresas (Castagnetti, Orion, Lossa, Aerotecnica Star e Policarb) em troca de contratos para as instalações da linha 3 do metrô;
- 50% de uma propina de onze bilhões, pagos por algumas empresas (ABB, Fatme, Sasib, Siette e Wabco Westinghouse) em troca do contrato número 1222 do metrô;
- 50% de uma propina de 1,2 bilhão, pagos por algumas empresas (Tibb, Ansaldo e AEG) em troca de contrato para instalações superiores na linha 3 do metrô;
- 50% de uma propina de 1,18 bilhão, recolhidos por algumas empresas (Sae Sadelmi, Cariboni, Cemes e Siette) também por contratos para instalações superiores na linha 3 do metrô;
- 50% de uma propina de 2,4 bilhões, pagos por algumas empresas (Siemens, Parisini e SEL), mais uma vez pelas obras de instalações superiores na linha 3 do metrô;
- 50% de uma propina de seiscentos milhões, pagos por um consórcio de empresas (Lodigiani, Grassetto, IFG–Tettamanti e Romagnoli) em troca do contrato para o lote 2/a do metrô;
- 50% de uma propina de 1,2 bilhão, pagos por um consórcio de empresas (Torno, Guffanti e Collini) em troca do contrato para o acabamento do lote 2/a da linha 3 do metrô;
- 50% de uma propina de 4,4 bilhões, pagos por um consórcio de empresas (Lodigiani, Grassetto, Castelli, Marcora, Meregaglia, Mandelli, Pessina e IFG–Tettamanti) em troca do contrato pela estação e pelo depósito de Rogoredo da linha 3 do metrô;
- 50% de uma propina de seiscentos milhões, pagos por um consórcio de empresas (Torno, Guffanti, Collini e CMC) em troca do contrato para o acabamento do lote 6 do metrô.

Na vertente romana, Craxi é acusado de ser o destinatário final das seguintes propinas:

- Um bilhão por ano, de 1985 a 1992, dos primos construtores Mario e Vincenzo Lodigiani, em troca de contratos para a Lodigiani SPA;
- Sete bilhões, pagos entre 1985 e 1992 por Ugo Betti, diretor da Premafin (grupo Ligresti), em troca de contratos, além de favores na venda de alguns prédios a instituições públicas;

1992. MÃOS SUJAS   109

- Entre trezentos e quatrocentos milhões por ano, pagos de 1987 a 1991 pelo construtor Angelo Simontacchi (grupo Torno);
- Duzentos milhões por ano, de 1987 a 1990, e 550 milhões em 1991, pagos por Bruno Binasco (grupo Itinera di Marcellino Gavio) em troca de contratos para a construção de estradas, entre elas a autoestrada Milão–Serravalle;
- Quinhentos milhões, pagos entre 1988 e 1992 pelo construtor Vincenzo Romagnoli em troca de contratos para a sociedade do grupo Acqua Marcia;
- Quinhentos milhões, pagos até 1992, em três parcelas, pelo construtor Paolo Pizzarotti em troca de vários contratos, entre eles o da construção do aeroporto de Malpensa, de Milão;
- Duzentos milhões em fevereiro de 1991 e outros duzentos milhões em abril, pagos por Giampaolo Petazzi, conselheiro da administração socialista da Ferrovie Nord, por contratos cedidos por aquela sociedade pública;
- 150 milhões recolhidos pelo secretário regional socialista da Lombardia, Andrea Parini, entre os empresários do setor de aterros sanitários.

"A iniciativa da Procuradoria de Milão", comenta Craxi imediatamente, "é completamente infundada e transforma-se em uma verdadeira agressão contra a minha pessoa, com objetivos que podem ser políticos, certamente não de justiça". Na noite de 17 de dezembro, enquanto ele reúne-se com sua equipe na sede da Via del Corso, em Roma, uma pequena multidão barulhenta o assedia, gritando "ladrão", "farsante", "cadeia", "Di Pietro, Di Pietro". O líder acusado, escoltado pela polícia, desliza rapidamente pela porta. Um manifestante grita: "Acabou a fartura, né?". Na reunião, o secretário decide resistir: não apresenta a demissão. Giuliano Amato, presidente do Conselho, o apoia e, no discurso, dirige-se diretamente a ele, ao chefe: "Essa responsabilidade, e qualquer outra responsabilidade que venha a ser imputada a esse papel, não é e não pode ser somente sua, porque você assumiu-a em nome de todos nós para permitir que o partido exercesse o papel crucial que desempenhou ao longo desses anos. Todas as responsabilidades são de todos nós".

No dia seguinte, Craxi está furioso. "Na noite passada", acusa, "antes, durante e após a reunião da direção do partido, encenaram aqui na frente uma algazarra digna de jogo de futebol. Não eram socialistas provavelmente, com a exceção de algum facínora. Eram grupos extremistas, especialmente de direita, mas também de esquerda, vindos de Roma e das cidades vizinhas. É um mau sinal, sinal dos efeitos que as campanhas de ódio e agressão provocam". Assim termina o primeiro ano da Mãos Limpas, com os italianos perguntando-se como será o período pós-Craxi.

1993.
MÃOS LEVANTADAS

"Nobres e honoráveis colegas, colaborei durante anos com a magistratura como médico legista, confio nela e estou convencido de que terei a oportunidade de esclarecer de forma inequívoca a minha posição. Por isso, peço que a assembleia vote favoravelmente à concessão da autorização para proceder." Giancarlo Borra é um deputado da DC de Bérgamo. Di Pietro acusa-o de receptação agravada e financiamento ilícito por duas supostas pequenas propinas embolsadas entre 1990 e 1992, de 75 milhões e de vinte milhões de liras pelos contratos do Hospital Maggiore de Bérgamo. Borra diz-se inocente e pede aos colegas que permitam a investigação do *pool*. A comissão de autorização já deu luz verde, com a motivação de que "nenhuma intenção persecutória é colocada na base do pedido da Procuradoria de Milão, nem mesmo sob o perfil de improcedência da acusação". Em 13 de janeiro de 1993, é a vez da Câmara dos Deputados. O presidente Giorgio Napolitano inicia a votação secreta. Em seguida, lê o resultado: "Presentes e votantes: 349, maioria: 175 votos, votos favoráveis: 169, votos contrários: 180; logo, a Câmara rejeita". Apesar da autorização do interessado, é proibido investigar Borra. É o primeiro não que o Parlamento diz a Di Pietro desde o início da Mãos Limpas. Aplausos da DC e do PSI. Vaias e insultos por parte da oposição. Napolitano convida os colegas a "refletirem com cuidado antes de votar contra uma proposta da comissão pelas autorizações". Massimo D'Alema pede a Mino Martinazzoli que repreenda os seus para que tenham "uma atitude mais responsável". Leoluca Orlando denuncia: "Começou a ofensiva do regime contra o trabalho dos magistrados".

A revolta dos investigados começa, assim, na retomada dos trabalhos parlamentares depois dos feriados de fim de ano, marcados pelos violentos contratempos da primeira intimação de Craxi. E exatamente ao secretário socialista, o anônimo deputado de Bérgamo deve a salvação não solicitada. Naquele mesmo 13 de janeiro, na verdade, o ministro da Justiça Claudio Martelli transmitiu o pedido de autorização para proceder a respeito de Craxi, enviado pelo pool, como de praxe, um mês após a intimação. Nas 122 páginas de acusações, os magistrados milaneses inseriram também as admissões feitas pelo próprio Craxi no discurso para a Câmara no verão de 1992. Em resumo: vota-se por Borra, mas pensa-se em Craxi. No dia seguinte, a cena arrisca repetir-se no Senado, chamado para examinar onze pedidos de autorização oriundos de várias procuradorias para outros tantos parlamentares. No final, todos passam, mas por um punhado de votos, em um clima cada vez mais agitado.

Em 15 de janeiro, a classe política e o governo Amato em particular, cada vez mais desacreditado pelo avanço das investigações da Tangentopoli, respiram um pouco de ar fresco graças à captura de Totò Riina, o chefe dos chefões da Cosa Nostra, o criminoso mais procurado da Europa e organizador dos atentados de 1992. Os homens do ROS, os mesmos que acabaram de "tratar" com Vito Cian-cimino, capturam Riina não muito longe da casa da Via Bernini em Palermo onde ele passou os últimos meses de fuga. O novo procurador-chefe de Palermo, Gian Carlo Caselli (que assumiu o cargo justamente naquela manhã) e seus homens ordenam a busca imediata no esconderijo da Via Bernini, mas os homens do ROS solicitam que a busca seja adiada por alguns dias para que possam vigiar o lugar em segredo e possivelmente capturar outros mafiosos. Caselli e seus homens con-cordam diante da promessa dos militares de monitorar a casa dia e noite. Porém, é um engano: naquela mesma tarde, os Carabinieri abandonam o esconderijo, deixando-o negligenciado e permitindo que os homens da Cosa Nostra transfiram os familiares do chefe capturado e depois revistem o apartamento, esvaziem-no (de acordo com Brusca, inclusive do papelete original e de outros documentos relacionados com as negociações) e até mesmo repintem o local sem serem pertur-bados. Segundo as confidências de Ciancimino ao filho, aquele era o preço a pagar a Provenzano em troca da cabeça de Riina. De acordo com o ROS, tratou-se de um simples mal-entendido com a Procuradoria. Brusca conta que, no dia seguinte à prisão de Riina, o cunhado deste último, Leoluca Bagarella, "queria realizar um atentado em Mancino, terminal final da negociação" ROS–Ciancimino, que só havia trazido problemas à Cosa Nostra: "Nos sentimos usados, traídos". Até então, de fato, a negociação suspendeu a estratégia violenta da Cosa Nostra, deixando o Estado respirar e permitindo a relegitimação da classe política apesar dos escânda-los, exibindo o escalpe de Riina, mas não trouxe nenhuma vantagem para a Máfia. Don Vito, depois de sua prisão, se convence de que foi destituído da negociação para abrir o caminho a uma nova pessoa de contato que tomou seu lugar: Marcello Dell'Utri, segundo ele. De fato, após a fase embrionária do "Projeto Botticelli", nos primeiros meses de 1993, Dell'Utri aperfeiçoa o projeto do partido Fininvest com Berlusconi, que se chamará Força Itália. Assim, Vito Ciancimino, nos mes-mos meses, desabafa em uma nota escrita nervosamente na prisão:

> Hoje, posso afirmar que tanto eu quanto Marcello Dell'Utri e até Silvio Berlusconi, ainda que indiretamente, somos filhos do mesmo sistema, mas fomos submetidos a tratamentos diversos apenas e unicamente por motivos "geográficos". Tanto Ciancimino quanto Dell'Utri cresceram fortemente ligados a autoridades do conhecido mundo político mafioso que já foi descrito em muitos relatórios judiciais. A Interpol de Milão, já no início dos anos 1980, havia amplamente apurado a proximidade e

as relações diretas de Dell'Utri com nobres expoentes da Máfia... Somos filhos da mesma loba..."

Contudo, em janeiro de 1993, ninguém sabe de tudo isso (exceto alguns protagonistas, é claro), e, por alguns dias, os italianos comemoram a admirável operação do ROS, que parece iniciar o resgate do Estado das bombas e atentados da Máfia.

Em 24 de janeiro, Craxi volta a falar em Montecitorio para denunciar "esse jogo massacrante em plena vigência" e lançar pela primeira vez a ideia de uma Comissão Parlamentar de Inquérito sobre a Tangentopoli que, "com seriedade e objetividade, empenhe-se em revelar os financiamentos políticos dos últimos dez anos; se possível, dos últimos vinte". Não se fará nada a respeito, mas a proposta voltará ao auge no final dos anos 1990, apoiada também por partidos como a Liga Norte e o antigo MSI, que, em 1993, reprovaram-na como "a vingança dos ladrões". Relata Giusy La Ganga:

> No início de 1993, a classe política ainda iludia-se quanto a poder deter a investigação. Quando eu disse a Bettino e aos outros companheiros que deveríamos abrir mão da imunidade e irmos todos perante os magistrados contar a verdade — isto é, admitir os financiamentos ilícitos, mas rejeitar a teoria dos empresários "de bem" extorquidos por políticos "do mal" —, percebi que nem todo mundo poderia fazê-lo. Alguns haviam colocado o dinheiro no próprio bolso, mas a maioria ainda esperava usar a investigação para tirar vantagens pessoais. Até o início de 1993, os líderes democratas-cristãos, convencidos de que o objetivo final do *pool* era Craxi, deixaram a investigação prosseguir, esperando a desintegração do Partido Socialista ou, pelo menos, de seu líder. Iludiram-se pensando que a Procuradoria de Milão ficaria satisfeita com a cabeça de Bettino. O mesmo vale para os amigos de Martelli e para os republicanos do La Malfa. Eles não haviam entendido que Di Pietro estava utilizando a estratégia dos Orazi com os Curiazi:* primeiro, atingia a peça principal do sistema, ou seja, Craxi; depois, afundava todos à sua volta. Logo chegaria a vez dos outros.

Em breve, grande parte da classe dirigente do país será forçada a levantar os braços em sinal de rendição.

1. O ENTARDECER DO IMPÉRIO

Que ninguém se salvará, começa-se a intuir no dia 29 de janeiro. "Terremoto de propinas nos partidos", escreve o *Corriere della Sera* no dia seguinte: "O dia mais tenso da república: protagonistas e coadjuvantes atingidos, empresários na prisão". Sete prisões, seis novas intimações, buscas na secretaria administrativa nacional do

---

* Referência a figuras legendárias da Roma Antiga de um mito do acerto de contas entre dois clãs. (NRT)

PSI na Via Tomacelli em Roma: "É o dia mais importante da investigação Mãos Limpas desde a prisão de Mario Chiesa", comentam os magistrados de Milão. Ao mesmo tempo, a Procuradoria de Roma envia quatro intimações aos dirigentes do ANAS pelos contratos da rodovia leste de Bréscia.

Os presos são os líderes socialistas de Milão Ugo Finetti e Claudio Bonfanti, envolvidos nas supostas propinas "ambientais" com Vincenzo D'Urso, assistente do falecido Balzamo; o democrata-cristão Graziano Moro, ex-diretor da sociedade Ambiente do grupo ENI; e o socialista Enrico Fiorentino, ex-dirigente da AEM (Agência de Energia de Milão). Em outra linha de investigação, na das propinas da construção do metrô de Roma, os Carabinieri prendem o presidente do consórcio de empresas Intermetro, Luciano Scipione, e um dos seus colaboradores. Todas as intimações expedidas de Milão para parlamentares são relativas ao filão da energia e dirigidas a Craxi (é a terceira que ele recebe), ao deputado socialista Paris Dell'Unto, ao senador democrata-cristão Giorgio Moschetti, ao ex-presidente democrata-cristão da Região da Lombardia Bruno Tabacci (mais tarde absolvido) e a Severino Citaristi (sexta intimação). De Michelis, já investigado em Veneza, é acusado de corrupção também em Milão pelo projeto de uma reforma em Laguna confiada ao grupo dos irmãos Pisante, que também acusam Moschetti e Dell'Unto.

Craxi reage com raiva. Fala até mesmo de golpe: "Encontrarão muitas contas a pagar, contas e faturas dos fornecedores [...]. Em tempos como esses, é o que se encontra nos partidos. As acusações que estão fazendo contra mim são totalmente infundadas, movidas pela perseguição cada vez mais evidente; servem apenas para alimentar campanhas contra mim e linchamentos infames". O presidente Scalfaro coloca as coisas no seu lugar imediatamente: "A ação do Judiciário não deve ser confundida com debate político".

Na terça-feira 9 de fevereiro, a reviravolta no topo do PSI: Craxi deixa a secretaria do partido ao ex-secretário da UIL (União Italiana do Trabalho), Giorgio Benvenuto, que durará apenas cem dias. Em 28 de maio, ele será substituído por outro sindicalista, o secretário adjunto da CGIL (Confederação Geral Italiana do Trabalho), Ottaviano Del Turco.

Os grandes retornos

Giovanni Manzi, presidente socialista da SEA, havia fugido para o Caribe em 10 de junho de 1992, logo após perceber que seu vice, o democrata-cristão Roberto Mongini, não estava mantendo a promessa de mantê-lo fora da investigação. Na noite de 22 de janeiro de 1993, após sete meses de fuga, ele é preso pela polícia de Santo Domingo em um casarão em Casa de Campo. Na manhã daquele mesmo dia, o *Corriere della Sera* publicou uma longa entrevista sua, cheia de "mensagens" para a Itália, na perspectiva de um retorno que o gerente claramente prevê estar próximo. O sistema de propinas, declara Manzi, já terminou, mas Craxi não foi diretamente responsável: seu único erro foi "colocar o filho Bobo em campo, um

1993. MÃOS LEVANTADAS   115

rapaz inteligente, mas que recebeu muito em pouco tempo e sem méritos pessoais". Diante de uma lagosta grelhada, o presidente da SEA explica aos jornalistas
Goffredo Buccini e Alessandro Sallusti (futuro diretor do *Il Giornale*), que foi vítima do referendo de Mario Segni (em junho de 1991) e da crise de Paolo Pillitteri,
que se tornou deputado depois de obrigado e abandonar o cargo de prefeito de
Milão (em dezembro de 1991): "Se aquele maldito referendo sobre a preferência
única não tivesse passado e Pillitteri tivesse permanecido como prefeito, a essa
hora eu seria deputado e não poderia ser preso. E vocês não teriam me encontrado
aqui, eu estaria tranquilo em casa". Poucas horas depois, Manzi está algemado para
ser trazido de volta à Itália. É o preso de número cem da Mãos Limpas. Permanecerá na prisão até 4 de maio de 1993 e depois ficará em prisão domiciliar.

Duas semanas depois, outro retorno ainda mais impressionante: o do arquiteto Silvano Larini, também socialista e craxiano, também fugitivo há meses. Amigo
pessoal de Craxi, além de seu tesoureiro secreto, ele sempre preferiu as férias pro-
longadas nas águas do Mediterrâneo ou nas ilhas da Polinésia às atividades do partido. Mais *bon vivant* do que político ou administrador, Larini tem entre seus méritos ter apresentado o líder socialista a um construtor milanês promissor nos anos
1970, Silvio Berlusconi. Já na primavera de 1992, quando entende que o *pool* está
identificando seu papel de entregador das propinas do metrô, Larini muda de ares
e desaparece. Desde 9 de junho, quando os Carabinieri o procuram sem sucesso
em sua bela casa em Milão, na Via Morigi, ele é considerado fugitivo. No exterior,
Larini espera o desenrolar dos fatos: por um lado, espera que a Mãos Limpas seja
uma tempestade passageira, como outras investigações do passado; por outro, não
quer ficar na história como traidor do amigo Bettino. Com o passar dos meses,
percebe que o terremoto judicial iniciado pela prisão de Chiesa está destinado a
revolucionar o sistema dos partidos. Além disso, os magistrados chegaram a Craxi
sem seu apoio, tanto que ele recebeu a primeira intimação em dezembro de 1992.
Então Larini decide que é hora de voltar e confia a seu advogado, Corso Bovio, a
tarefa de preparar o regresso à Itália, tentando minimizar as consequências penais.

Outro fato influencia Larini a apressar seu retorno: os magistrados de Genebra estão investigando o financista Florio Fiorini, preso na Suíça pela falência de
dois trilhões de sua sociedade, a SASEA, e estão descobrindo os segredos da conta
Protezione, por meio da qual, doze anos atrás, transitaram sete milhões de dólares
do Banco Ambrosiano para o Partido Socialista graças aos bons serviços de Licio
Gelli. No final de janeiro de 1993, chega da Suíça a notícia de que o titular da
conta Protezione seria justamente Larini: as novas investigações da Mãos Limpas
unem-se, portanto, às antigas investigações sobre a P2 e a falência ambrosiana.
Também por isto convém que Larini retorne: assim, pode falar sobre aquela conta
enquanto os investigadores ainda sabem pouco. E esperar a prisão domiciliar.

Em 7 de fevereiro, acompanhado do advogado Bovio, Larini entrega-se a
Di Pietro, que, junto ao capitão Zuliani, espera-o na fronteira da autoestrada de
Ventimiglia. Depois de fazer um lanche na beira da estrada, ele é acompanhado

até Milão, ao presídio de Opera. Passará quatro dias lá, preenchendo dezenas de páginas de autos. O arquiteto admite suas responsabilidades e descreve seu papel como "carregador das propinas" que jorravam do sistema do metrô de Milão:

> Eu tinha que receber o dinheiro que Carnevale ou Prada me traziam e levá-lo ao honorável Craxi. Na verdade, desde 1987 até a primavera de 1991, recebi deles o total de sete ou oito bilhões, e todas as vezes (exceto por um par de ocasiões nas quais entreguei o dinheiro diretamente a Natali) levei o dinheiro aos escritórios do honorável Craxi na Piazza Duomo, 19, em Milão, depositando-o na sala ao lado da sua [...]. Eu colocava a bolsa ou o envelope em cima da mesa, e Enza [Tomaselli, a secretária de Craxi] o recolhia. Eu nunca disse nada a ela durante a entrega porque era absolutamente óbvio do que se tratava [...]. Recolhi sete ou oito bilhões em propinas da Metropolitana, que, em grande parte, acabaram indo pessoalmente para Craxi. Eu levava o dinheiro até o quarto andar da Piazza Duomo, 19. Eu mesmo fazia os pacotes, utilizando envelopes pardos. Às vezes, deixava sobre a mesa da secretária, às vezes, sobre a mesa da sala de descanso de Bettino.

Até 1987, lembra-se Larini, era o presidente da Metropolitana de Milão, Antonio Natali, que pensava diretamente no financiamento secreto. Depois, Natali acabou preso e apareceu o problema de dever substituí-lo. "Motivos de oportunidade", explica Larini aos magistrados, "desaconselhavam o PSI a propô-lo novamente, já que ele estava sob investigação das autoridades judiciais de Milão por casos de extorsão. Natali foi eleito senador e assim, 'salvo' de um procedimento penal". Craxi e Natali ofereceram o cargo de presidente da MM a Larini, mas ele recusou. "A escolha cai então sobre Claudio Dini", o arquiteto que havia trabalhado no escritório de Ignazio Gardella, mas ele, pelo que diz Larini, não era considerado confiável para a gestão das propinas:

> Natali não tinha muita confiança nele, considerava-o um pouco bizarro e perigoso para o sistema do ponto de vista da arrecadação do dinheiro. Quero dizer, Natali me disse que há algum tempo as empresas operantes no metrô costumavam depositar dinheiro no sistema dos partidos, principalmente para a DC, PSI, PRI, PCI e PSDI. Naqueles anos, esse dinheiro era usado pelo PSI para o sustento da federação milanesa, mas também para o caixa nacional do partido quando necessário. Lembro-me que, em uma ocasião, Balzamo contou que havia recebido uma parcela do dinheiro proveniente das contribuições dos empresários de Milão dizendo: "Ainda bem que chegou o dinheiro de Milão, ou não poderíamos pagar os salários".

Então, Natali pediu que Larini se ocupasse das propinas, ao invés do "bizarro"

Dini: "Ele implorou para que eu recebesse, em nome do PSI, o dinheiro proveniente das empresas operantes nos contratos da MM. Natali explicou-me que os responsáveis pela coleta do dinheiro diretamente com os empresários eram Maurizio Prada [DC] e Carnevale Mijno Luigi [PCI]". Depois de receber o encargo de Natali, Larini dirigiu-se diretamente ao amigo secretário do PSI:

> Pedi informações a Bettino Craxi sobre como deveria me comportar, e ele disse: "Tudo bem, faça o que ele diz". Em outras palavras, foi o próprio Craxi que me confiou o dever de recolher o dinheiro proveniente da MM. [...] Tudo que eu recebia, levava sempre até o escritório do honorável Craxi e não retinha nada para mim. Era um serviço que eu prestava a Craxi por amizade e pela militância política.

Nem todos, sugere Larini, eram tão desinteressados e corretos. De qualquer maneira, sempre pairava a suspeita de que alguém tirasse proveito:

> Um dia fui chamado por Craxi, que disse que Balzamo lhe havia comunicado que o honorável Citaristi, secretário administrativo da DC, ordenara uma investigação interna contra Prada, pois suspeitava que nem todo o dinheiro estivesse chegando aos cofres da DC. Craxi também, entre o final de 1989 e o início de 1990, me disse que tinha ficado sabendo que as empresas pagavam 20% do valor do contrato e que, portanto, eu estava sendo "enganado" por Prada e Carnevale. Expliquei que era impossível que as empresas pagassem uma porcentagem do gênero, pois isso a deixaria completamente fora do mercado [...]. Naquela ocasião, eu implorei ao honorável Craxi que me liberasse dessa tarefa tão desconfortável. Ele me disse: "Tudo bem" e, ainda que tenha sido com um ano de atraso, me substituiu pelo nobre Oreste Lodigiani [secretário administrativo do PSI de Milão].

Larini, portanto, revela uma parte dos venenos que contaminam os circuitos subterrâneos da Tangentopoli: uma vez que a coleta era ilícita, não era possível realizar nenhum tipo de controle legal sobre os "caixas". Entre os protagonistas do sistema, reinavam a desconfiança e a suspeita de que alguém tirava proveito da situação, fazendo uma "reserva" para si, o que em muitos casos será juridicamente confirmado.

Uma conta chamada Protezione

Depois Larini fala da conta Protezione. O episódio foi revelado pela primeira vez na primavera de 1981, quando os juízes milaneses Giuliano Turone e Gherardo Colombo ordenaram uma busca nos escritórios de Licio Gelli em Castiglion Fibocchi e, além das listas da loja maçônica P2, encontraram uma anotação estranha. Tratava-se de um depósito bancário suíço em uma conta denominada Protezione, na qual teria sido acumulado dinheiro destinado "a Claudio Martelli em nome de Bettino Craxi". Martelli sempre negou, Craxi também. E, durante doze anos, apesar das inúmeras solicitações dos magistrados italianos às autoridades suíças, o mistério não foi resolvido. Agora Larini conta a velha história iniciada em 1980.

Naquela época, o PSI estava cheio de dívidas com os bancos, especialmente com o Ambrosiano de Roberto Calvi, grande administrador de todos os principais partidos e de Garofano em particular. Craxi, secretário há quatro anos, está preocupado com o que está acontecendo no partido. Teme as emboscadas da corrente de esquerda, liderada por Claudio Signorile, que apoia a política de "unidade nacional" (isto é, o eixo DC–PCI do "comprometimento histórico"). Suspeita até mesmo que, pelas suas costas, Signorile tenha formado uma aliança com a corrente andreottiana da DC em troca de dinheiro proveniente da megapropina da ENI–Petromin, a "comissão" bilionária paga secretamente pela Arábia Saudita com o dinheiro obtido pela ENI em troca de um contrato de fornecimento de petróleo que chegou aos caixas dos partidos do governo no início dos anos 1980.

Para saldar as dívidas com os bancos e derrotar os rivais internos, Craxi e Martelli procuram um canal de financiamento para sua corrente, denominada "autonomista", e o encontram em uma transação financeira tão imprudente quanto ilícita. Florio Fiorini, socialista, então diretor financeiro da ENI, concede (contra todos os hábitos de uma instituição do Estado) um empréstimo de cinquenta milhões de dólares, a juros abaixo do mercado, para um banco privado, o Ambrosiano, que Roberto Calvi está levando à falência. Em troca, o Ambrosiano repassa a Craxi uma porcentagem do empréstimo obtido: uma propina de sete milhões de dólares. A operação é patrocinada por Licio Gelli, venerável mestre da loja P2, na qual estão inscritos tanto Calvi quanto Fiorini e o então vice-presidente da ENI Leonardo Di Donna, também socialista. Agora, doze anos mais tarde, Larini relata:

> Entre junho e setembro de 1980, certamente no verão, durante uma caminhada pelo centro de Milão, precisamente perto da Piazza Missori, fizeram-me um pedido específico em relação a alguns créditos que deveriam chegar a uma conta suíça. Estávamos passeando o honorável Craxi, o honorável Martelli e eu, e os dois pararam para discutir entre eles. Imediatamente o honorável Craxi me perguntou se eu poderia fornecer uma conta bancária suíça na qual seria depositado um empréstimo a favor do Partido Socialista Italiano. O honorável Craxi acrescentou que tal financiamento estava sendo negociado direta e pessoalmente pelo honorável Martelli, ali presente. Respondi afirmativamente, dizendo que eu tinha uma conta disponível e fornecendo imediatamente o número e o nome dela, Protezione. O honorável Martelli anotou imediatamente as minhas indicações.

Ao lado de Di Pietro, ouvindo as revelações de Larini em 9 de fevereiro de 1993, no presídio de Opera, está Gherardo Colombo, um dos primeiros a esbarrar com a conta Protezione. O mistério da conta de número 633369 do UBS de Lugano é finalmente desvendado. Larini revela as manobras que os verdadeiros protagonistas da operação colocaram em prática para impedir as investigações em abril de 1981, assim que os jornais escreveram sobre a descoberta no escritório do venerável. Craxi e Natali convocaram Larini imediatamente e desabafaram sobre o bilhete escrito por Martelli ter acabado nos arquivos de Gelli. "Tire tudo de lá", ordenou Craxi ao amigo arquiteto. Então, diz Larini, "para evitar problemas legais para Natali, corri até a filial do UBS em Lugano, onde fechei a conta Protezione, retirei o valor em dinheiro e entreguei diretamente a Natali em duas bolsas de lona".

Em 12 de fevereiro de 1993, Larini deixa a prisão. Bem a tempo de comemorar o 58o aniversário, em 17 de fevereiro, mesma data em que a Mãos Limpas comemora o primeiro aniversário.

Um atum para o golfinho

Larini não quer ficar na história como o homem que afundou o amigo Bettino e coloca isso nos autos. Contudo, suas histórias certamente agravam a situação judicial do ex-secretário socialista. O arquiteto confirma aos magistrados que levou ao escritório na Piazza Duomo, 19, pelo menos nove bilhões em propinas provenientes do sistema do metrô. Nos primeiros dois meses de 1993, as intimações a Craxi passam de uma para sete, depois perde-se a conta. No entanto, as declarações de Larini também colocam sob fortes acusações o ministro da Justiça Martelli, que, justamente nessas semanas, está movimentando-se para substituir Craxi no topo do partido para "restaurar a honra dos socialistas".

Em 10 de fevereiro, também Martelli recebe uma intimação por falência fraudulenta. Teria contribuído, com a conta Protezione, para o colapso do Banco Ambrosiano. Ele renuncia imediatamente ao cargo de ministro e desiste de concorrer à secretaria de Garofano, enquanto o PSI sofre violentas convulsões. Em Milão, em meados de janeiro, uma centena de militantes socialistas ocupam a sede do PSI, no Corso Magenta, carregando uma faixa que diz: "Chega de craxismo, vamos salvar o socialismo".

A imagem do "ex-golfinho" de Craxi também está em queda livre. Em meados de 1993, Martelli acabará sob investigação por outro episódio definitivamente estranho, mas representativo do sistema Tangentopoli. Relata-o Bruno Falconieri, ex-assessor socialista do Demanio (ente público econômico italiano) e ecônomo da Prefeitura de Milão, preso por suborno: "É sobre o atum Nostromo. Depois que tal empresa venceu regularmente uma licitação para o fornecimento das refeições escolares, Claudio Martelli, que já era vice-secretário do PSI, apareceu pessoalmente para falar comigo. Para demonstrar a gratidão da empresa citada, que é de propriedade do seu sogro, um tal Pedol, entregou-me cerca de oito a dez milhões". Uma pequena propina, que crescerá nos próximos anos, de 1981 a

1986, a até cinquenta milhões por ano. A empresa de Umberto Pedol continua vencendo as licitações, o atum Nostromo continua sendo servido nas cantinas escolares milanesas, e Martelli continua pagando propinas ao assessor. Ele será processado por corrupção em outubro de 1994, não por ter recebido propinas, mas por tê-las pago, mesmo que em nome do sogro empresário. Nem mesmo o fato de ser o número dois do Partido Socialista e de estar diante de um assessor do próprio partido e de própria corrente isentara-o do ritual do envelope. O sistema de "doação ambiental" não admitia exceções. Seria um problema conceder um contrato regularmente, isso abriria um precedente perigoso. A condenação, entretanto, não acontecerá. O processo terminará com uma sentença de prescrição, assim justificada: "O comportamento mantido por Martelli, que consistiu tanto em conceder materialmente quanto em prometer, condiz exatamente com a hipótese de crime alegado contra ele". Mas passou muito tempo.

A Guarda de Finanças no Parlamento

Durante meses, os partidos assistiram o avanço das investigações da Mãos Limpas como pugilistas dementes. Agora tentam recuperar a iniciativa e unir forças contra os magistrados. Em janeiro, como já vimos, houve a primeira negativa a uma autorização para proceder e foi apresentada a proposta craxiana de uma Comissão de Inquérito Parlamentar. Em 2 de fevereiro, acontece o primeiro protesto coletivo político contra o pool, acusado de violar o solo sagrado do Parlamento. Por volta das 13h, o tenente-coronel da Guarda de Finanças, Gianni Giovannelli, apresenta-se na Piazza do Parlamento, 24, entrada secundária do Palazzo Montecitorio, com uma carta assinada pelo promotor Colombo. Não é uma busca, ao contrário do que acontece no mesmo instante na sede do jornal socialista *Avanti!*. A carta do magistrado pede apenas uma cópia das demonstrações financeiras (ali arquivadas) do PSI entre 1985 e 1992. Documentos públicos, nada secretos, mas é o suficiente para provocar um confronto sem precedentes. Naquele momento, o presidente da Câmara, Napolitano, está almoçando. E, na sua ausência, os funcionários da Câmara não podem autorizar a entrada do oficial no Montecitorio: o edifício goza de uma espécie de extraterritorialidade que remonta ao Estatuto Albertino, devido à imunidade que cobre (não por muito tempo) seus ocupantes. Os funcionários chamam os deputados, que alertam o secretário-geral, que contata Napolitano telefonicamente, que ordena a expulsão do coronel: "Sua solicitação é imprópria e incompreensível". Imprópria porque não foi dirigida ao presidente da Câmara, incompreensível porque os balanços dos partidos políticos são publicados na *Gazzetta Ufficiale*. Napolitano retorna ao escritório e liga para Borrelli. O procurador cai das nuvens e pede explicações aos substitutos. Depois, retorna a ligação a Napolitano: "Foi um equívoco".

No dia seguinte, o próprio Colombo, que assinou a carta, explica: a solicitação dos balanços era genérica, e a Guarda de Finanças, para ganhar tempo, foi diretamente à Câmara ao invés de consultar os registros da *Gazzetta Ufficiale*. "Não tive a intenção", diz o juiz, "de violar os direitos parlamentares. Só queria adquirir a documentação sem perturbar o nível institucional. Se não fui compreendido, significa que me expressei mal, peço desculpas". "Realmente", dirá Borrelli, "os financistas voltaram-se às estruturas burocráticas da Câmara sem atropelar o nível parlamentar".

Tudo parece terminar aí, com um amplo esclarecimento entre cavalheiros. Mas, no dia seguinte, 4 de fevereiro, a notícia do incidente acaba na primeira página do jornal de Genova *Il Secolo XIX*: "Guarda de Finanças na porta da Câmara: Napolitano evita a 'profanação', depois os juízes se desculpam". A polêmica política pega fogo contra a Procuradoria de Milão, mas também contra Napolitano, que escondeu o incidente dos deputados. "Tapa na cara do Parlamento", "atentado às instituições", "escândalo" — um coro unânime de protestos forma-se tanto na situação quanto na oposição, com o silêncio apenas do MSI e da Liga Norte. No Parlamento, onde vota-se mais uma moção de desconfiança das oposições ao governo Amato, são os socialistas a colocar lenha na fogueira. "Borrelli", acusa Biagio Marzo, "acredita que o Parlamento italiano é como o de um país sul-americano. Ele deveria renunciar". Alguns deputados pedem um debate parlamentar *ad hoc*. Napolitano consulta o Palazzo Quirinale, depois encerra o caso com um resumo breve e um comunicado que diz:

> Indiscutível que foi solicitada de maneira imprópria à Câmara, por agentes da Guarda de Finanças a pedido da Procuradoria de Milão, a cópia de registros já publicados sob obrigação legal na *Gazzetta Ufficiale*. A secretaria da Câmara contestou a impropriedade e a incompreensibilidade de tal passo oficial. O procurador chefe de Milão emitiu um pedido formal de desculpas em nome da Procuradoria.

Borrelli parece não gostar quando os jornalistas leem a notícia para ele: "São avaliações do presidente da Câmara", comenta, frio. "Em termos de conteúdo, não fizemos nada condenável. Pedimos desculpas, mas pelo equívoco, se é que houve equívoco".

Carra nas grades

Outra oportunidade de atacar o *pool* surge um mês depois, em 19 de fevereiro, quando Enzo Carra, porta-voz do secretário da DC, Arnaldo Forlani, acaba preso e processado. Envolveu-o na investigação Graziano Moro, braço direito do vice-secretário Silvio Lega e membro do departamento econômico do partido, além de gestor público com várias atribuições no IRI e na ENI. No verão de 1991, Moro conta a Di Pietro, Carra revelou que em 1990 a DC havia recebido cinco bilhões referentes à dissolução da Enimont, consórcio público-privado entre a ENI e a Montedison.

122 OPERAÇÃO MÃOS LIMPAS

Em 17 de fevereiro, exatamente um ano após a prisão de Chiesa, Di Pietro chama Carra como testemunha, ou seja, com a obrigação de dizer a verdade. Se ele confirmasse a história do seu amigo Moro (ambos pertencentes à corrente do "grande centro", assim como seus líderes Forlani e Lega), Forlani e o tesoureiro Citaristi seriam envolvidos. Carra nega: "Eu nunca disse essas palavras a Moro e nem poderia, pois nunca fiquei sabendo desses fatos. Não sei nada sobre isso". Dois dias depois, Di Pietro coloca-o em confronto com Moro, que não apenas confirma tudo, mas enriquece a história com novos detalhes: falou-se do choque entre dois representantes da DC, o forlaniano Alberto Grotti (vice-presidente da organização) e o demitiano Antonio Sernia (da junta executiva da ENI). Carra instruiu-o a "permanecer próximo a Grotti, já que ele fez com que a DC recebesse cinco bilhões pela Enimont diretamente nas mãos de Citaristi". Carra não descarta a possibilidade de ter participado de uma reunião sobre as divergências internas da ENI, mas nega ter falado (e sabido) dos cinco bilhões para a DC.

Naquele momento, Colombo e Davigo chegam para auxiliar Di Pietro. Davigo relembra a testemunha sobre a obrigação de dizer a verdade. E Carra: "Eu estou dizendo". Depois, no entanto, começa a vacilar, e, quando o advogado de Moro pergunta se ele tem certeza de que nunca disse aquela frase, ele responde: "Não posso ter certeza, já faz um ano e meio; não consigo lembrar de tudo". Em apenas alguns minutos, ele já não consegue excluir a possibilidade de ter falado sobre as contribuições para os partidos políticos, mas depois volta à versão original: "Aquela frase, naqueles termos, não posso ter dito". É o suficiente para incriminá-lo por falso testemunho e prendê-lo em flagrante, como exige a nova regra contra pactos de silêncio, artigo 371-bis do Código Penal, fortemente desejado por Giovanni Falcone e aprovado em 1992, somente após sua morte.

O julgamento sumário é marcado para 4 de março. Carra é trazido da prisão para o Palácio da Justiça de madrugada, em fila com outros cinquenta prisioneiros, todos algemados e ligados por uma corrente. Quando ele chega, são 7h. Acomodam-no com os outros em uma sala de espera: todos são algemados novamente. A audiência de Carra fica para as 14h. Quando finalmente chega sua vez, quatro Carabinieri escoltam-no da sala de espera até a sala da audiência, ainda algemado, sob o flash dos fotógrafos e a luz dos cinegrafistas, como em um filme americano. A sala é muito pequena para conter a multidão de repórteres e câmeras. O acusado é imediatamente colocado dentro da gaiola, uma cena feia que se repete com frequência nos tribunais da Itália com réus "comuns". Di Pietro e Davigo se apressam e ordenam: "Tirem-no de lá". E depois: "Venha, Dr. Carra, sente-se ao lado de seus advogados". "A transferência com algemas é proibida!", acrescenta Di Pietro. Não é bem assim: a Lei 492, recém-aprovada em dezembro de 1992, sugerida pelo ministro Martelli, tendo como primeiro signatário o socialista Raffaele Mastrantuono (que em breve também será preso), prevê a possibilidade de algemar o preso durante as "transferências individuais", a critério "da autoridade judicial ou da direção penitenciária responsável". Os dirigentes do presídio de

1993. MÃOS LEVANTADAS 123

Milão, preocupados com o estado psicológico do preso, classificaram Carra como um indivíduo que deve ficar "sob grande vigilância", o que levou os Carabinieri a usarem as algemas. De qualquer maneira, a frase e o gesto do procurador serviram para aliviar a tensão pelo menos no tribunal: Carra apertou a mão de Di Pietro e de Graziano Moro, o amigo acusador.

No Parlamento, as primeiras notícias do ocorrido desencadeiam o segundo ataque coletivo à Mãos Limpas depois do "caso Colombo". "Agora chega, temos de reagir!", grita o líder da DC, Gerardo Bianco, na Câmara. Forlani enfatiza: "A Gestapo também obtinha resultados dessa maneira". "Temos de prender os juízes", propõe Vittorio Sgarbi. Marco Boato (Verde), Alfredo Biondi (PLI) e Anna Finocchiaro (PDS) protestam violentamente. Napolitano contém os ânimos, prometendo que "o governo terá que responder o mais rápido possível" e convida todos a fazerem um "esforço de equilíbrio". "Aquelas imagens me perturbaram profundamente", diz Occhetto. Três noticiários da noite (TG4, TG1 e TG3) decidem censurar as imagens de Carra algemado, enquanto o TG5 exibe-as, e o TG2 cobre o rosto e as algemas com um efeito computadorizado. *L'Osservatore Romano* escreve que o tratamento de Riina foi melhor que o de Carra, vítima de uma "incivilizada exposição pública ao ridículo". No dia seguinte, um grupo de detentos do presídio de Quarto (Asti) escreve à imprensa:

> Somos todos ladrões de galinhas e ainda assim somos algemados durante todas as transferências, bem apertado para machucar, e continuamos algemados no trem, no hospital, no banheiro, sempre. Nós também aparecemos acorrentados nos jornais antes de sermos processados, mas ninguém jamais abriu um debate sobre nós. Hoje nos perguntamos qual é a diferença entre nós e o Sr. Carra, pelo qual, de qualquer maneira, expressamos solidariedade.

O novo ministro da Justiça, o ex-presidente da Corte Constitucional Giovanni Conso, que acabou de substituir o investigado Martelli, discursa na Câmara, indignado: "A justiça foi traída. Esse episódio desonra o país, porque a justiça não pode ser uma caça às bruxas, um alvoroço [...]. Carra foi colocado na berlinda [...] por quatro Carabinieri quando dois teriam sido suficientes [...]. Um fato tão grave que necessita de esclarecimentos e providência". São poucos os deputados na Câmara: setenta no total, mas muitos investigados que não apareciam há muito tempo — de Sbardella a La Ganga, de Dell'Unto a Pomicino — acorreram em peso para assistir ao vivo a primeira "vingança" contra a Mãos Limpas. No final, os aplausos ao ministro da Justiça chovem dos bancos da situação e da esquerda. A Liga Norte, o MSI e o PRI não participam do coro. Fini defende os Carabinieri depois do ministro da Defesa, o socialista Salvo Andò, anunciar medidas contra eles: "O anúncio da exoneração dos três militares", diz o presidente do MSI, "parece a oferta de cordeiros em sacrifício para os senhores do Palazzo que ficaram indignados com o caso Carra". Para o membro da Liga Gianfranco Miglio, "essas imagens não são nada demais, pois todos os cidadãos cansados dessa classe dirigente gostariam de ver esses senhores realizando trabalho forçado e vestindo macacões listrados, como nos desenhos animados". "O linchamento", acrescenta Miglio em 6 de março, "é a justiça no sentido mais elevado da palavra". Segundo uma pesquisa do *Giornale* de Montanelli, 63% dos milaneses acham justo o tratamento dado a Carra, o qual, aguardando a segunda e última audiência do julgamento, é libertado com o parecer favorável de Di Pietro.

A condenação de Carra vem em 8 de março: dois anos de prisão por declarações falsas à Procuradoria (mais tarde reduzidos em apelo para um ano e quatro meses, graças ao desconto do processo sumário, confirmado na Cassação). "Foi apurado", escrevem os primeiros juízes na motivação, "que Carra omitiu dolosamente o encontro relatado por Moro, não assumindo o conhecimento da contribuição de cinco bilhões feita à DC no episódio Enimont". Portanto, tendo despistado as investigações, "sua prisão pareceu apropriada, assim como o julgamento sumário e a punição não limitada ao mínimo legal". Ainda mais rigorosos, os juízes do recurso falarão em um "pacto de silêncio pouco apreciável". Carra, na época, não é parlamentar. Se tornará em 2001, após a condenação, nas filas da Margherita.

O golpe Amato-Conso de passar a borracha

Em menos de dois meses, entre fevereiro e março, o governo Amato perde seis ministros: cinco porque são investigados e um (Ripa di Meana) envolvido em polêmica com o governo dos investigados. Em 10 de fevereiro renuncia Martelli, ministro da Justiça investigado no escândalo da conta Protezione. Em março, deixam o cargo o ministro da Agricultura, Gianni Fontana, investigado por propinas, e Giovanni Goria, ministro das Finanças, implicado no escândalo do novo hospital em Asti. Goria é substituído por Franco Reviglio, forçado a demitir-se logo depois pelo envolvimento com os fundos irregulares da ENI. Francesco De Lorenzo abandona o Ministério da Saúde após a prisão do pai, Ferruccio. Entre os partidos, começa a circular uma palavra de ordem: "Solução política para a Tangentopoli". A investigação Mãos Limpas completou um ano, e o Palazzo tenta o contra-ataque: sabe que a opinião pública está do lado dos magistrados e o confronto direto não é possível. A maneira "tradicional" de conseguir anistia também é impraticável: em março de 1992, entrou em vigor a reforma do artigo 79 da Constituição, que elevou o quórum parlamentar para a concessão de anistias de 50% mais um para 2/3. Então tenta-se uma intervenção de autossalvação com uma lei ordinária, quem sabe disfarçando-a de ajuda ao pool. Gherardo Colombo, como vimos, já havia colocado em discussão, em julho de 1992, a ideia de "indulto": nada de prisão em troca de toda a verdade sobre a corrupção. Mais recentemente, em 10 de fevereiro, após a colaboração de Larini, Di Pietro deixou

1993. MÃOS LEVANTADAS   125

escapar um: "Não podemos mais continuar assim, precisamos achar uma solução. Não podemos fazer uma guerra contra o sistema".

Os socialistas suspeitam que os juízes querem parar logo após atingir seu único alvo: o PSI de Bettino Craxi. "Missão cumprida", escreve sarcasticamente o *Avanti!*. "Agora a guerra pode acabar. O 'abre-te, sésamo' pode reduzir-se o 'fecha-te, sésamo', já que a palavra mágica – Craxi – não funciona mais e jamais poderá ser substituída pelo nome de La Malfa, Occhetto e muitos outros secretários políticos que se envolveram no sistema de rublos, dólares da CIA e propinas." No entanto, o carro da investigação avança em todas as direções. Por isso o sistema político tenta desesperadamente puxar o freio de mão.

Em 26 de fevereiro, em Pavia, fala o presidente Scalfaro: "Os políticos corruptos devem relatar tudo, devolver o que foi roubado e depois renunciar ao eleitorado passivo". É uma reformulação da proposta de Colombo: quem deixar a política e restituir até o último centavo poderia evitar a prisão. Baseados nisso, o Palazzo Quirinale, o Palazzo Chigi e a Via Arenula (sede do Ministério da Justiça) trabalhampara preparar a delicada "solução política". O ministro Conso elabora o texto a ser submetido aos presidentes da República e do Conselho. E, em 5 de março, sexta-feira, apresenta quatro decretos e três projetos de lei. O Conselho dos Ministros examina-os durante todo o dia. Conso se divide entre o Palazzo Chigi e Montecitorio, onde falará sobre o caso Carra ao meio-dia. Até Giuliano Amato ausenta-se por uma hora. Scalfaro chamou-o ao Quirinale para insistir em um ponto que acha muito importante: "Quem confessar e negociar deve desistir para sempre da vida pública". Amato concorda e retorna ao Palazzo Chigi, onde, tarde da noite, o "pacote Conso" (na verdade, obra de Amato) é aprovado pelo governo, mas sem aquele detalhe tão importante para o Quirinale.

Os jornais escrevem que foi Claudio Vitalone, ministro andreottiano do Comércio Exterior, que convenceu os colegas de que a proposta de Scalfaro não é viável. Resultado: o financiamento ilícito dos partidos políticos é descriminalizado e transformado em uma mera infração administrativa, punível com uma simples multa (de até três vezes o dinheiro obtido, mas pagável em parcelas, do próprio bolso ou dos cofres do partido). O "pacote Conso" também aumenta a negociação judicial em caso de corrupção e extorsão: para esses crimes gravíssimos serão propostos descontos de pena de até um terço, sendo possível evitar a prisão aceitando penas inferiores a três anos (o limite máximo além do qual não se pode permanecer livre a cargo dos serviços sociais e acaba-se na prisão). As regras também se aplicam a quem pagou propina, ou seja, aos empresários, que poderão voltar para casa com poucos danos e sem nenhum incentivo para cooperar com a justiça e dizer mais do que aquilo que os promotores já descobriram. Além disso, restaura-se imediatamente a confidencialidade das investigações, que o novo Código de 1989 tinha abolido para satisfazer as exigências de informação e transparência: retorna, então, a mordaça da imprensa até o fim da investigação.

Conso, deixando o Palazzo Chigi, adianta-se: "Não é um golpe de passar a borracha; pelo contrário, aceitamos os apelos dos magistrados para simplificar os processos e acelerar as sentenças". Amato ecoa: "Não é um golpe de passar a borracha; fizemos exatamente o que os juízes de Milão, Di Pietro e Colombo, nos pediram". Espalha-se um boato de que o *pool* está dividido: de um lado Di Pietro, favorável à solução política; do outro Davigo, Colombo e as autoridades máximas do ofício, contrários. Na verdade, estão todos furiosos, tanto pelos méritos das medidas, quanto pelo fato de terem sido apresentadas como se fossem ideia deles. O dia 7 de março é um domingo, mas, no Palácio da Justiça de Milão, é como se fosse um dia da semana. Borrelli reúne o *pool* para examinar as consequências das regras antecipadas pelos jornais e desmentir a versão do governo. Davigo, a mente jurídica do grupo, escreve dez linhas de fogo. Colombo suaviza algumas asperezas. Di Pietro e D'Ambrosio aprovam. Todos assinam. Borrelli, no meio da tarde, convoca a imprensa no seu escritório e lê o comunicado enfático:

> Soubemos que a assim denominada "solução política" teria sido justificada com base em nossas declarações. Como magistrados, temos o dever inderrogável de aplicar as leis do Estado sejam elas quais forem [...], mas não permitiremos que ninguém apresente as iniciativas em questão como se tivessem sido solicitadas, desejadas ou aprovadas por nós. O governo e o Parlamento são soberanos nas decisões de sua competência, mas esperamos que cada um assuma perante o povo italiano a responsabilidade política pelas próprias escolhas sem fazer um escudo com nosso trabalho ou nossas opiniões, que são exatamente opostas ao sentido das medidas adotadas. Acreditamos, na verdade, que o resultado previsível das alterações legislativas aprovadas será a paralisação total da investigação e a impossibilidade de estabelecer os fatos e a responsabilidade daqueles que os cometeram. Sem mencionar que assim também se desencoraja qualquer forma de colaboração.

D'Ambrosio acrescenta: "A classe política responsável por um sistema de propinas decidiu absolver a si mesma". Na mesma hora, o Conselho Superior da Magistratura e a Associação Nacional dos Magistrados expressam conceitos semelhantes: descriminalizar o financiamento ilícito dos partidos é desarmar os magistrados do instrumento mais eficaz para descobrir subornos. Além disso, a grande maioria das investigações e dos processos da Mãos Limpas até março de 1993 acusa os réus justamente desse crime. Com o decreto Conso, essas investigações e processos desaparecerão como bolhas de sabão: será o fim da investigação, e não serão descobertos outros casos de corrupção, incluindo a maxipropina Enimont, que começa a emergir justamente naquelas semanas.

Os jornais em um primeiro momento não compreendem completamente o que está em jogo. E, esperando o pronunciamento dos especialistas, assumem um comportamento interlocutório. Mas, no domingo à tarde, enquanto Borrelli se pronuncia, as redações são inundadas de fax indignados de simples cidadãos que protestam contra o que é um "golpe de passar a borracha". Enquanto isso, o decreto aguarda há dois dias a assinatura do presidente da República. O ministro socialista do Meio Ambiente Carlo Ripa di Meana apresenta sua renúncia em oposição ao resto do governo e revela ter votado contra o decreto, sozinho, no último Conselho dos Ministros.

Conso sente o vento contrário e vacila: encontra Amato, implora pelo diferimento e ameaça até demitir-se se Scalfaro assinar o decreto, o seu decreto. Amato quer continuar, mas, no meio da tarde, é convocado pelo chefe de Estado, não no Palazzo Quirinale, mas naresidência privada. Quando chega lá, o primeiro-ministro não encontra apenas Scalfaro, mas também os presidentes das câmaras, Spadolini e Napolitano. Este decreto, dizem todos os três, não deve ser feito. A Liga e o MSI disparam incansavelmente contra o "governo dos investigados". O PDS não quer atropelos. A opinião pública está enfurecida. O Parlamento arrisca incendiar-se, e não é garantido que consigam os votos necessários para converter as medidas em lei em tempo hábil. Melhor deixar para lá. De qualquer forma, Scalfaro anuncia que não vai assinar. O decreto Amato–Conso nasce morto. Encontram um vício de forma para justificar a retirada sem entrar no mérito: o decreto interferiria em um assunto que será objeto de um referendo em 18 de abril — o financiamento público dos partidos políticos —, portanto, é de constitucionalidade duvidosa. Assim, salva-se também a cara de Amato, que tenta resistir no Palazzo Chigi um pouco mais.

No dia seguinte, segunda-feira, 8 de março, os jornais ainda não sabem da grande recusa de Scalfaro e engrossam o coro da opinião pública contra o governo. "Enterraram a Mãos Limpas", é o título de página inteira no *Corriere della Sera*, com um duro editorial de Ernesto Galli della Loggia ("O caminho errado"). Eugenio Scalfari, do *la Repubblica*, ataca de cabeça baixa: "O governo dos assaltos". E o *La Stampa* é frio: "Roubo a Di Pietro". Naquele dia, o ministro da Justiça está em Turim, em uma visita às agências judiciárias. Uma multidão de cidadãos de direita, de esquerda e da Liga Norte recebem-no com uma chuva de borrachas. No mesmo período, em Milão, pelo menos dez mil pessoas desfilam em frente ao Palácio da Justiça apoiando Di Pietro e Borrelli contra o "golpe de passar a borracha" e o "governo dos ladrões".

Armadilha leguista no Parlamento

O debate parlamentar sobre a "questão moral" coloca dois líderes destinados a tornarem-se amigos um contra o outro: Amato e D'Alema. Amato acusa o PDS de ter apoiado o "golpe de passar borracha" privadamente para depois repudiá-lo em público. A revelação é bastante plausível: um homem indispensável para as propinas vermelhas, Primo Greganti, está na prisão desde 1º de março (veremos em seguida). O apoio inicial da esquerda aos magistrados também está dando lugar a um forte desejo de encerrar a Mãos Limpas, tanto que D'Alema, vice-secretário do PDS, chama depreciativamente o *pool* de "os sovietes de Milão". Em 10 de março, quando Amato revela ao Parlamento a conduta ambígua do PDS, o número dois do partido perde a calma. Define o governo como "perigoso" e ataca o primeiro-ministro: "Amato é um mentiroso e um coitado. Deve fazer de tudo para ficar ali onde está". Segundo o *La Stampa*, D'Alema deixa escapar também um "Vá se foder".

Em 16 de março, em Montecitorio, está programada a réplica final do presidente do Conselho, e percebe-se que será um dia especial desde cedo da manhã. Não só porque é anunciada a renúncia de outro secretário da situação, o liberal Renato Altissimo, também sob investigação, como pelo estranho espetáculo de vários deputados do MSI que entram na Câmara visivelmente mais gordos. Os pneus mais suspeitos são os de Teodoro Buontempo, dito "a ovelha", e Carlo Tassi, conhecido por usar sempre uma camisa preta, exceto quando veste uma camiseta que diz: *"Fuori il bottino, dentro Bettino"* (Roubos fora, Bettino dentro). Às 13h20min, Amato toma a palavra e a mantém durante doze minutos sem responder às provocações da direita. Tassi, usando o habitual terno preto, grita: "Ladrões!". Amato suspira: "Meu Deus...", e continua. Às 13h32min, quando evoca a lei eleitoral majoritária que quase certamente sairá do referendo de 18 de abril, duramente hostilizada pelo MSI, começa o fim do mundo. Alguns membros do MSI saltam sincronizados como um só homem, levantam as mãos com luvas brancas e movimentam borrachas coloridas no ar. "Larguem isso", ordena Napolitano, "parem com esta palhaçada!", mas o protesto continua. Dois membros do MSI são expulsos da Câmara. Amato continua entre gritos: "Vos fala um que não fará parte do próximo Parlamento". Vívidos aplausos das bancadas da direita. E o primeiro-ministro: "A satisfação é recíproca". Nova briga.

Se os membros do MSI e da Liga não desconfiassem uns dos outros por causa da unidade nacional, se poderia pensar que foi uma manobra planejada, pois, enquanto todos os funcionários controlam o lado direito da assembleia, de repente o foco muda para as bancadas da Liga, das quais recém levantou-se a figura imponente de Luca Leoni Orsenigo, deputado bossiano de Cantù, jogador de basquete em uma equipe do centro paroquial. Orsenigo movimenta-se um pouco sob a bancada, depois puxa uma corda com um laço, como aquelas utilizadas nas forcas do Velho Oeste para pendurar bandidos. Então, começa a balançar a corda sob os olhares espantados dos colegas. Napolitano perde o autocontrole e, com o rosto roxo, grita: "Largue isso imediatamente". A Câmara tornou-se um caos. No final, a corda desaparece, junto com Orsenigo, expulso da sala e seguido por todos os colegas de partido, que saem em fila indiana gritando "Ladrões! Mafiosos!". Tassi, não percebido pelo presidente, balança um par de algemas. Plinio Marenco, que oferece resistência à expulsão, ainda consegue pegar um cartaz que diz "Fora ladrões", depois é levado para fora. Do bar, o democrata-cristão Raimondo Mairo grita "Palhaço" e joga na sua cara a única arma disponível naquele momento: um

Assédio negro à câmara

O 1º de abril se repete. Em Nápoles, uma patrulha de ativistas dos movimentos sociais organiza um grande protesto dentro da sala do Conselho Municipal, convocado para substituir dezessete conselheiros investigados ou detidos. O membro do MSI Giuseppe Fortunato joga um balde de água sobre as bancadas dos assessores. "Queremos limpar o Conselho", grita, enquanto a magistratura está limpando a cidade. É o sinal combinado: imediatamente, o líder do MSI Amedeo Laboccetta ocupa a cadeira do prefeito (Laboccetta será acusado de corrupção pouco depois, mas será absolvido; mais tarde, em 2011, terá problemas novamente por envolvimento com máquinas caça-níqueis). Voa de tudo na sala: socos, pontapés, ameaças, apitos, buzinas, sirenes de estádio e bexigas de água. Giuseppe Gambale, deputado napolitano da Rede, é agredido por dois conselheiros democratas-cristãos e um socialista, que o perseguem e o atiram contra uma balaustrada. A luta continua por um longo período, diante das câmeras de alguns programas de TV ingleses e alemães.

No mesmo dia, em Roma, uma centena de jovens neofascistas, guiados e protegidos por uma patrulha de parlamentares do MSI (identificados pelo Ministério do Interior como Buontempo, Nania, Maceratini, Rositani, Martinat, Pasetto, Matteoli, Poli Bortone e Gasparri), bloqueiam o ingresso do Montecitorio por cinquenta minutos. Usam camisetas com as palavras: "Rendam-se, vocês estão cercados!". Policiais e Carabinieri assistem à cena sem intervir. Os deputados que se atrevem a desafiar o bloqueio são insultados e empurrados aos gritos de "ladrões, mafiosos, filhos da puta!". Os manifestantes jogam moedas no Palazzo, primeiro com as mãos, depois com estilingues, até quebrar uma porta de vidro. "Mas que democracia, mas que cristão", eles gritam. E ainda: "Rouba o comunista, rouba o socialista, a Itália que rouba é a antifascista". Exigem a dissolução das câmaras antes do referendo sobre a lei eleitoral. Distribuem folhetos: "Não à fraude da lei eleitoral. Eleições imediatamente". No dia seguinte, Gianfranco Fini, secretário do MSI, responde às críticas dos partidos de governo:

> Não me parece correto chamar de ataque uma manifestação de jovens na qual não foi cometida violência alguma contra pessoas; apenas gritaram na frente do Montecitorio, convidando os parlamentares ladrões a se retirar. O que eu critico naqueles garotos? Somente o excesso de generosidade. Com sua ação, ofereceram aos partidos moribundos uma arma: o antifascismo. São graves as declarações de um ministro do Interior, Mancino, sucessor de outro ministro [alusão a Antonio Gava] suspeito de conivência com a Camorra, que deveria ir para casa porque deixou-se

assustar por sessenta meninos de camiseta. O Parlamento foi insultado? Os ministros sob investigação são um insulto. Esses garotos foram lá apenas pedir para votar por outro Parlamento! Não existe "squadrismo", e, se vocês chamam aquilo que aconteceu ontem em Montecitorio e em Nápoles de "squadrismo",* cometem um grande erro. Não existe ameaça fascista na Itália; preocupam-se apenas aqueles que precisam criar um fantasma contra o qual lutar. O verdadeiro perigo é que, diante dos escândalos, dos ministros indiciados e da economia em pedaços, a repulsa pública torne-se forte demais. Isso pode acontecer. Por isso, queremos votar.

2. A POLÍTICA SE ENTREGA

Não haverá eleições antecipadas. Em 18 de abril, no referendo sobre o sistema eleitoral, a grande maioria dos italianos prefere a transição do sistema proporcional para o sistema majoritário e abole o financiamento público dos partidos com mais de 90% dos votos. Imediatamente depois disso, o governo Amato renuncia. "Me retiro da política", anuncia o primeiro-ministro de saída. "Não farei como alguns que querem ser protagonistas do velho, do novo e do supernovo. Para mudar, é preciso encontrar novos políticos. Apenas os mandarins querem ficar para sempre, e eu já estou no Parlamento há dez anos". "Com todo o devido respeito à pessoa de Amato", pergunta-se Walter Veltroni no *Unità*, "é imaginável um novo governo do ex-vice-secretário do PSI?". (Amato logo esquecerá o compromisso e retornará ao governo em 2000, com o apoio decisivo do partido de Veltroni).

Em 26 de abril, o presidente Scalfaro confia a tarefa de formar o novo governo a um homem fora dos partidos: o diretor do Banco da Itália, Carlo Azeglio Ciampi, um "técnico" por excelência. O momento é grave: enquanto no Parlamento a fila dos investigados aumenta a cada dia, a economia do país continua a despencar devido à dívida pública e à crise cambial. Ciampi forma o governo em 48 horas, sem as habituais e longas negociações com grupos parlamentares e secretariados dos partidos. Na lista dos ministros, aparecem também três representantes do PDS — Vincenzo Visco (Finanças), Augusto Barbera (Relações com o Parlamento), Luigi Berlinguer (Universidade) — e um verde, Francesco Rutelli (Ambiente). É a primeira vez na Itália que o ex-Partido Comunista entra no governo. Como ministro dos Correios e das Telecomunicações (responsável pelo mais delicado dos assuntos italianos, a televisão), é surpreendentemente reconfirmado o social-democrata Maurizio Pagani, sobrevivente do governo Amato. Um deputado democrata-cristão anônimo comenta no *La Repubblica*: "Se Pagani ainda é ministro, deve isso às discretas pressões do mundo que ele deve governar", isto é, o mundo da televisão comercial, ou seja, o mundo da Fininvest. "Este é o governo

---

* Formação política, especialmente de direita, que usa a violência como instrumento de luta com o objetivo de intimidar e reprimir os adversários políticos. (NRT)

Ciampi–Pagani", batiza o verde Mauro Paissan. Depois de apenas algumas horas, o problema Pagani será esquecido por todos, incluindo Paissan, relator da Câmara sobre os pedidos de autorização para proceder contra Bettino Craxi.

Na manhã de 29 de abril, os ministros do novo governo juram diante do chefe de Estado. Na parte da tarde, a Câmara deverá votar se concede ou não à Procuradoria de Milão a possibilidade de investigar Craxi. A junta das autorizações para proceder de Montecitorio já disse que sim, excluindo que as alegações do *pool* sejam corrompidas por *fumus persecutionis*. Paissan reitera na Câmara, e também o democrata-cristão Roberto Pinza. Ambos convidam os colegas da situação e da oposição a votar sim, mas tanto na Câmara quanto no Senado aumenta sempre mais o partido transversal dos investigados: uma centena de parlamentares investigados por corrupção ou envolvimento com a Máfia, aterrorizados pelo pedido das oposições de ir o quanto antes às urnas, o que significaria não somente seu fim político, mas também o ingresso na prisão. É nesse clima que a Câmara prepara-se para votar a favor ou contra a imunidade do ex-líder socialista.

Proibido investigar Craxi

Craxi se defende por 53 minutos. Seu discurso foi calmo e duro. A investigação abriu caminho, acusa ele, "com a força de uma avalanche, um processo de criminalização dos partidos e da classe política". Uma campanha alimentada pela imprensa, um "clima infame" que destruiu famílias inteiras. Afirma que o jornalismo de hoje é semelhante ao das Brigadas Vermelhas. "Realmente", pergunta Craxi aos deputados, "fomos protagonistas, testemunhas ou cúmplices de uma prática criminosa?". Defende os anos 1980, os seus anos 1980, quando a Itália ergueu-se e venceu o terrorismo (omitiu a dívida pública). Repete que os financiamentos ilícitos aconteciam em todos os partidos — "Todos sabiam e ninguém dizia nada" — e que todos pagavam, todos os "maiores grupos industriais, aqueles que já foram convocados e os que ainda podem ser chamados, esses também fornecedores do Estado, contribuintes do Estado de sustentos de várias naturezas, de contratos públicos, exportadores, proprietários de cadeias jornalísticas". Afirma ter sido vítima da soma de três ilegalidades: ilegalidade empresarial, ilegalidade política e ilegalidade judiciária. Denuncia prisões injustificadas, confissões forçadas, investigações além dos limites permitidos. "Em que país do mundo", pergunta, "tantos julgamentos sumários foram realizados?". Fala de *fumus persecutionis*, relembra a velha teoria da "mão invisível" que estaria por trás das interceptações telefônicas, dos "roubos" e das buscas em seus escritórios e nos de toda a sua família. Nega todas as acusações de corrupção. Encerra lendo a carta escrita por Sergio Moroni antes do suicídio e acrescenta: "Quando ele se matou, um magistrado investigador disse com palavras depreciativas: 'Pode-se morrer também de vergonha'".

O grupo parlamentar socialista está com ele. O líder da DC, Gerardo Bianco, também o defende, mas o torcedor mais eufórico é Vittorio Sgarbi, então eleito nos liberais. A favor da autorização para proceder estão os grupos da Refundação

Comunista, PDS, Rede, Verde, radicais, PRI, Liga e MSI. A Câmara vota secretamente e rejeita o pedido dos juízes quatro vezes. Recusada a autorização para proceder "pelos atos de corrupção ocorridos em Milão". Recusada a autorização para proceder "pelos atos de corrupção ocorridos em locais não determinados". Recusada a autorização para proceder "pelos crimes de receptação". Recusada a autorização para efetuar buscas nos escritórios de Craxi. Acolhida (apenas por dois votos) a autorização para proceder "pelos atos de corrupção ocorridos em Roma" e pelos atos de financiamento ilícito do partido. A sala torna-se uma arena. Inicialmente, todos são unidos pelas palmas, metade sinceras, metade zombeteiras. Em seguida, gritos, insultos, punhos erguidos e agressões físicas entre os parlamentares. "Ladrões! Ladrões!", gritam em coro as oposições da direita e da esquerda. "Eleições! Eleições!". Entre os socialistas, há euforia e emoção: Agata Alma Cappiello derrama lágrimas de alegria escorada em Mauro Del Bue. Claudio Martelli, comovido, por um instante volta a ser amigo de seu líder, aproxima-se e acaricia seu rosto. Amato não está presente e faz questão de explicar: "Para mim, seria particularmente difícil decidir como votar". É o caos. Os membros da Liga gritam. Gritam também os membros do MSI, que lançam folhetos ao ar. O ex--vice-secretário do PSI, Giulio Di Donato, também lança alguma coisa no ar, mas é uma apostila recolhida no banco. Os assistentes correm pela sala tentando acabar com os tumultos e, em seguida, formam um cordão humano que divide a assembleia.

Mario Segni, pálido: "É um dia triste, inacreditável. A democracia está em perigo". Giorgio La Malfa: "Escavamos um abismo entre nós e a opinião pública". O democrata-cristão Francesco D'Onofrio faz a sua interpretação: foram os da frente anticraxi que, no segredo da urna, o salvaram para deslegitimar o Parlamento, enfurecer a opinião pública e exigir a votação imediata com o antigo sistema eleitoral. Gianfranco Fini responde gritando: "É um golpe baixo, foram vocês que são ladrões e defenderam um ladrão". Um repórter pergunta a Bossi se realmente algum dos seus salvou Craxi para implodir o Parlamento. O senador não se contém: "É um golpe baixo. É um golpe baixo dos democratas-cristãos, que são porcos".

Os socialistas transferem-se em massa ao hotel Raphael para comemorar com Craxi. Chega Silvio Berlusconi, fiel às amizades, trazendo uma garrafa para um brinde de felicitações. Depois, saindo do hotel, declara: "Estou contente por essa votação da Câmara porque sempre fui amigo e admirador de Craxi". Um clima completamente diferente reina fora de Montecitorio. "Eleições!", grita o leguista Roberto Maroni, agitando a bandeira de Alberto da Giussano. "Ladrões! Ladrões!", repete um grupo de cidadãos amontoado atrás das barreiras que protegem o Parlamento. Vittorio Sgarbi sai do Palazzo triunfante, mas é recebido por uma chuva de ovos. Diego Novelli, da Rede, em nome dos grupos da Câmara e do Senado do seu movimento, anuncia:

Os parlamentares da Rede decidiram ausentar-se de todo o trabalho parlamentar, não querendo ser confundidos com a corja do regime da corrupção. A votação escandalosa ocorrida na Câmara, durante a qual foi negada a permissão para proceder contra Bettino Craxi, confirma a evidente deslegitimação do atual Parlamento, que tem centenas de acusados, e a necessidade de dissolver as câmaras o mais rapidamente possível.

Às 20h20min, Achille Occhetto abre uma tumultuada coletiva de imprensa na sede da Via Botteghe Oscure: "Não podemos pertencer a uma maioria que de um lado apoia o governo e de outro nega as autorizações para proceder: isso seria contraditório às condições para nossa participação. Portanto, o PDS não está disponível para apoiar o novo governo. Solicitarei uma reunião com o presidente da República para explicar o significado dessa decisão". Os três ministros do PDS, Visco, Barbera e Berlinguer, deixam o governo Ciampi depois de apenas onze horas; haviam tomado posse às 10h30min, renunciaram às 21h30min. Para os republicanos, "a votação pela qual a Câmara negou a autorização para proceder contra o honorável Craxi demonstra que a Câmara não tem mais condições de expressar o sentimento dos italianos. Consequentemente, resta apenas recorrer às eleições gerais no tempo mais curto possível". Rutelli, o novo ministro do Meio Ambiente, também vai embora. Para um repórter que lhe pergunta se ele realmente deixará o governo, ele responde: "Governo? Meu amigo, já não existe governo". No entanto, não haverá eleições: Scalfaro recusa-se a dissolver as câmaras e ir às urnas, apesar das exigências do PRI, PDS, Rede, Verde, Refundação Comunista, Liga e MSI, e Ciampi supera as quatro deserções com uma remodelação relâmpago pouco antes de apresentar-se às câmaras para o voto de confiança.

O "povo do fax" enfatiza sobretudo a palavra "vergonha" em milhares de mensagens que paralisam as centrais telefônicas e os fax dos jornais e dão um nó no serviço de telegramas do correio italiano. Protestos de toda a Itália inundam jornais, rádios, televisões, sedes dos partidos políticos, o Quirinale, a Câmara e o Senado. Em Milão, o TG1 acaba de dar a notícia, e imediatamente o protesto materializa-se na frente do Palácio da Justiça. Os primeiros a chegar são os militantes da Rede; em seguida, a multidão aumenta: cem, trezentas, mil pessoas. "Roubos fora, Bettino dentro". Agitam as bandeiras brancas da Liga ao lado das vermelhas do PDS e da Refundação Comunista e das tricolores do MSI, mas a maioria não tem partido, são simplesmente cidadãos indignados.

No dia seguinte, a vitória de Craxi no Parlamento já se transformou em uma derrota do país. Os jornais jorram indignação pelo golpe baixo do "partido dos indiciados". *La Repubblica* traz um título de página inteira: "Vergonha. Craxi absolvido". Scalfari escreve: "É o dia mais grave da nossa história republicana depois do sequestro e assassinato de Aldo Moro". Montanelli, no *Giornale*, fala de "quadrilha de ladrões" e lança uma campanha para recolher assinaturas para revogar a imunidade parlamentar (recolherá cem mil em poucas semanas). Os protestos continuam por todo o país. Craxi concede entrevistas repetidamente tentando voltar ao topo, mas só agrava a situação e piora ainda mais os ânimos. Grava uma entrevista com Bruno Vespa para o TG1, depois, em frente ao hotel Raphael, fala ao vivo para os microfones do TG3. "O Parlamento votou segundo a liberdade de consciência", repete satisfeito, mas de uma moto que passa próxima a ele parte um grito: "Ladrão!". "Isto é squadrismo", reage diante da câmera. E desmancha o sorriso dos lábios.

Uma hora depois, o ex-líder deixa o hotel para ir até os estúdios do Canal 5, onde Giuliano Ferrara aguarda-o para uma entrevista. Fora do hotel Raphael, uma multidão crescente de centenas de pessoas espera-o há cerca de uma hora. Três carros blindados e, mais adiante, um carro da polícia tentam intrometer-se entre a saída e a multidão. Craxi olha do hall, desorientado. Depois, parece prender a respiração. Sai e, em ritmo acelerado, caminha poucos metros. Cinco segundos e já está dentro do carro, mas chove de tudo em cima dele: moedas, notas falsas, insultos, pedras e até cuspe. A escolta começa a movimentar-se. Agora, as janelas e as portas são atingidas por socos e chutes, e ouve-se o eco desvanecendo: "Vendido". Passam-se mais quinze minutos. Quando o ex-presidente do Conselho chega em frente à sede romana da Fininvest, encontra a pequena multidão de jovens que sempre espera diante dos estúdios na esperança de conseguir um autógrafo ou uma foto com seus ídolos da TV. Quando veem Craxi, esquecem por um momento os cantores e comediantes e também atacam em coros com insultos. "Squadristi", repete Bettino, mas em voz baixa. E ninguém pode mais ouvi-lo.

No 1º de maio, Dia do Trabalho, Roma está com medo de ataques populares contra os palácios políticos. Às 11h, em frente à sede do PSI na Via del Corso, chega uma passeata, depois a segunda e então a terceira, que carrega uma grande faixa branca escrito em letras vermelhas: "Vergonha". Às 14h, Ugo Intini, reconhecido por alguns pedestres, escapa milagrosamente de uma agressão. Marco Pannella tem o mesmo destino na parte da tarde, durante uma manifestação do MSI na Piazza Colonna, enquanto os militantes do PDS reúnem-se na Piazza Navona.

No dia seguinte, no *Corriere della Sera*, o professor Galli della Loggia, muito crítico com a Mãos Limpas no futuro, denuncia a "extrema gravidade" do "voto parlamentar largamente absolutivo a Craxi". E acrescenta:

> Depois da votação, ficou claro que, na cena pública italiana, existe um núcleo sólido de fraudes políticas e intimidade corrupta com o sistema eleitoral proporcional, com epicentro nos dois principais partidos das antigas maiorias (DC e PSI) e suficientemente forte no Parlamento e em outros lugares para tentar uma disputa de forças contra as mudanças do sistema e da atmosfera política do país que seriam mortais para ele. O objetivo desse núcleo é atrasar a mudança tanto quanto possível. Ele precisa de tempo. Com o tempo, tudo pode acontecer, tudo pode mudar, "ajustar-se".

O editor a seguir apela a Ciampi:

> Coloque contra a parede o núcleo da sua maioria, empurre-o com força viva, por bem ou por mal, na direção do suicídio político. Tarefa paradoxal, mas, caso contrário, continuará prisioneiro da fraude político-partidocrática e, consigo, também continuaria prisioneira a opinião pública que hoje está determinada a apoiar seu governo, porque o considera o caminho para o novo, mas nunca aceitaria cair em armadilha semelhante. O caminho diante do presidente do Conselho é, portanto, obrigatório. Apresente-se ao Parlamento e coloque um fim absoluto e breve: sessenta ou noventa dias são mais do que suficientes para aprovar uma nova lei eleitoral para a Câmara, de maneira que o apelo às urnas se torne possível imediatamente após isso.

Atentados no continente

O fim político de Martelli, envolvido, como vimos, no antigo escândalo da conta Protezione graças às inesperadas confissões do arquiteto Larini e das ainda mais surpreendentes de Licio Gelli, tem repercussões decisivas também na luta contra a Máfia. O técnico que o substitui, Giovanni Conso, é um jurista refinado e um legítimo cavalheiro, mas talvez não tenha costas largas o suficiente para compreender o tamanho da pressão subterrânea que as negociações nunca silenciadas entre partes do Estado e a Cosa Nostra continuam a exercer sobre as instituições, nem para resistir a elas. Em 12 de fevereiro, apenas dois dias após a troca entre Martelli e Conso, o Comitê para a Ordem e Segurança Pública reúne-se. E ali, dirá Niccolò Amato, chefe do DAP (Departamento de Administração Penitenciária, ou seja, diretor dos presídios), o chefe de Polícia Parisi expressa "reservas sobre a dureza excessiva" do 41-bis para os mafiosos detidos em Pianosa e Asinara, mas a intervenção de Parisi não aparece nas atas da reunião. Aliás, na reunião seguinte da Comissão, em 6 de março, resulta que o amaciamento do 41-bis tenha sido proposto pelo próprio Niccolò Amato, socialista e advogado de defesa de Craxi, citando a suposta reserva de Parisi e aspirando a uma saída do estado emergencial pós-atentados. Seja como for, um dos pontos-chave do papelete de Riina entra oficialmente na agenda político-institucional.

Em 4 de abril, como veremos, Berlusconi reúne em Arcore Ezio Cartotto, que trabalha com Dell'Utri há um ano no projeto político da Fininvest, e Bettino Craxi. Ele comunica oficialmente aos dois a decisão de entrar na política com um movimento próprio.

Enquanto isso, no lugar do governo Amato, estabelecem-se os "técnicos" de Ciampi, que, além do professor Conso no Ministério da Justiça, confirma também Mancino no Ministério do Interior. É a última tentativa de restaurar o prestígio das instituições. A Cosa Nostra retoma imediatamente a estratégia sanguinária para colocar o Estado definitivamente a seus pés e forçá-lo a ceder às suas exigências.

O novo governo obtém o voto de confiança em 7 de maio na Câmara e em 12 de maio no Senado. O PDS, retirados os seus ministros, decide permitir o nascimento do novo governo por meio da abstenção. Em 13 de maio, o Senado concede autorização para proceder contra Giulio Andreotti, sob investigação por envolvimento com a Máfia em Palermo (doze dias depois, o ex-presidente do Conselho será investigado também em Roma pelo homicídio do jornalista Mino Pecorelli, acusação da qual será absolvido). Em 14 de maio, a Cosa Nostra inaugura uma nova campanha de assassinatos em massa. Um carro-bomba explode na Via Fauro, no bairro Parioli, em Roma, deixando 21 feridos. O alvo principal escapou por um triz: o jornalista televisivo Maurizio Costanzo, apresentador muito popular do Canal 5 que, nesses meses, expressou dentro da Fininvest posições críticas sobre a intenção de Berlusconi de entrar na política e, junto com Michele Santoro, realizou várias transmissões contra a Máfia. Enfim, a Cosa Nostra, talvez em contato com aqueles que os juízes chamarão de "mandantes externos", insere-se na dramática transição italiana lançando contra o Estado o ataque terrorista mais violento que a Itália já sofreu por organizações criminosas e, pela primeira vez, fora do território siciliano, com uma série de atentados ao patrimônio cultural e artístico nacional.

No mesmo dia, Conso e o DAP decidem revogar o 41-bis para 140 prisioneiros "menores", sem o conhecimento dos juízes, do Parlamento e da opinião pública. Ordem assinada pelo vice de Niccolò Amato, Edoardo Fazioli, e aprovada pelo ministro da Justiça. É o início da nova "negociação" entre o Estado e a Máfia? Se é, não é suficiente. Depois da Via Fauro, em 27 de maio explode um carro-bomba na Via dei Georgofili em Florença (preanunciado pela estranha descoberta planejada de um projétil no jardim de Boboli), com cinco mortos e 29 feridos, danos a Galleria degli Uffizi, Torre dei Pulci, Palazzo Vecchio, Igreja dos Santos Stefano e Cecilia, Museu da Ciência e da Tecnologia, destruição ou estragos de várias obras de Giotto, Tiziano, Vasari, Bernini, Rubens, Reni, Sebastiano del Piombo, Gaddi e Van der Weyden.

Em 2 de junho, Dia da República, é encontrado um Fiat 500 recheado de explosivos na Via Sabini, em Roma, a cem metros do Palazzo Chigi, onde ocorre uma reunião extremamente delicada entre Ciampi, sindicatos e Confindustria sobre os custos do trabalho. O aviso é reivindicado pelo grupo "Falange Armada", considerado pelos investigadores como uma emanação dos serviços secretos desviados.

Poucos dias depois, o diretor Niccolò Amato é removido do DAP e voltará a exercer a advocacia (defenderá, entre outros, Bettino Craxi e Vito Ciancimino). Argumentará que a demissão foi causada pela linha dura a respeito do 41-bis e ordenada pelo chefe de polícia Parisi, que teria colocado Scalfaro e Conso contra ele. Scalfaro, ouvido pelos promotores de Palermo em 2011, negará tudo: "Não tenho nenhuma lembrança de Amato; não posso nem mesmo afirmar tê-lo conhecido".

1993. MÃOS LEVANTADAS   137

Ele será desmentido pelo monsenhor Fabio Fabbri, secretário do então inspetor-geral dos capelães prisionais, monsenhor Cesare Curioni, velho amigo de Scalfaro: o chefe de Estado, Fabbri dirá aos promotores, convocou os dois ao Quirinale para preanunciar a demissão de Amato por causa das indelicadezas que havia infligido a eles. Gaetano Gifuni, muito fiel a Scalfaro e secretário do Quirinale, também confirmará que Amato foi removido "substancialmente por meio do acordo entre o ministro Conso, o primeiro-ministro Ciampi e o presidente da República Scalfaro". O novo diretor das prisões é um antigo magistrado, Adalberto Capriotti, amigo de Scalfaro, e a linha dura do DAP sobre os mafiosos amolece. Em 26 de junho, Capriotti envia uma nota a Conso na qual propõe reduzir em 10% o número de detidos pelo 41-bis:

> São, no momento, 373 indivíduos de periculosidade média, pertencentes a organizações criminosas nas quais não ocuparam posições particularmente importantes de promotores ou organizadores. Os decretos relativos a tais prisioneiros poderiam, no vencimento, não ser renovados, com a exceção de alguns casos individuais a serem submetidos, um por um, aos cuidados do honorável ministro por recomendação da autoridade judicial ou do ministro do Interior.

Um corte "linear" absurdo, visto que cada detento é um mundo à parte e deve ser examinado individualmente. A proposta a princípio continua letra morta, tanto que, em 16 de julho, Conso prorroga outras 240 medidas do 41-bis, mas, no final do mês, tudo desmorona: novas bombas, novos massacres.

Em 23 de julho, o acordo sobre o custo do trabalho será assinado no Palazzo Chigi. Ciampi dirá que aquilo "representa um elemento estrutural de estabilização do sistema econômico e da sociedade civil". Imediatamente as associações dos transportadores rodoviários ameaçam fazer greve a fim de obter aumentos substanciais nas tarifas e, nos dias seguintes, recusam as concessões oferecidas pelo governo e decidem colocar as ameaças de greve em prática. Na manhã de 27 de julho, as prefeituras informam o primeiro-ministro de que as agitações dos transportadores ameaçam bloquear o fornecimento de alimentos e combustível justamente na véspera do "êxodo" de verão. Nesse clima violento, na madrugada entre 27 e 28 de julho, explodem três carros-bomba simultaneamente em Milão e Roma. O primeiro, na Via Palestro, em Milão, causa cinco mortes e uma dezena de feridos e destrói o Pavilhão de Arte Contemporânea. O segundo, em Roma, danifica a Basílica de San Giovanni di Laterano e o Palazzo Lateranese, ferindo 14 pessoas. O terceiro, também em Roma, deixa três feridos e causa sérios danos à Basílica de San Giorgio al Velabro. Os alvos escolhidos (todos com possíveis evocações maçônicas, segundo o historiador dos serviços secretos Giuseppe De Lutiis) parecem indicar a presença de outras entidades junto à Cosa Nostra. "Monumentos, obras de arte, tesouros inestimáveis do patrimônio histórico e artístico do nosso país", escreve o procurador de Florença, Piero Luigi Vigna, são "alvos definitivamente não consoantes com aqueles atingidos anteriormente pela Cosa Nostra e estranhos à sua histórica estratégia criminal". Deve haver algum fomentador externo. Muito culto, por sinal.

Naquela mesma noite, durante três horas, a central telefônica do Palazzo Chigi permanece incomunicável devido a um misterioso e inédito apagão das comunicações. Ciampi, para comunicar-se com o mundo exterior, é obrigado a utilizar um telefone celular privado.

No dia seguinte, suicida-se (ou "é suicidado") na prisão um dos personagens-chave dos atentados de 1992, Antonino Gioè, recentemente visitado por homens do serviço secreto e envolvido na "negociação Bellini".

Em 1996, recordando aquelas semanas dramáticas no livro *Un metodo per governare* (Um método de governar), Ciampi revelará que temeu um golpe de Estado e fará uma série de perguntas destinadas a permanecer sem resposta:

> Por que esses atentados durante o governo Ciampi? Talvez porque, com isso, todas as possibilidades de recuperação se tornassem impossíveis, irremediáveis? Talvez porque, com uma estratégia terrorista, se quisesse demonstrar a incapacidade de controle do Executivo no território nacional e assim deslegitimá-lo? [...] A mesma simultaneidade de eventos levava a acreditar que quem estava minando a estabilidade das instituições naquela noite pretendia aproveitar-se do transtorno causado pelos transportadores para aumentar o efeito desestabilizador das bombas [...]. Objetivamente, a interação das diferentes crises — social, econômica, moral e política — poderia resultar, naquele verão de 1993, em uma mistura explosiva.

A reação de Ciampi é imediata e incomum em relação à tradição dos políticos italianos. Em 28 de julho, o presidente do Conselho vai ao Parlamento e pronuncia, de surpresa, um breve discurso antes da intervenção programada do ministro do Interior Nicola Mancino:

> Estamos na presença de um projeto criminoso colocado em prática por uma organização que tem o claro objetivo de perturbar a realidade política e institucional do país [...]. Atualmente, não estamos em condições de identificar os mandantes, mas temos certeza de que o propósito é interromper o trabalho de mudança democrática com ações que atinjam todos os poderes do Estado, procurando deslegitimar todas as instituições da república, semeando a desconfiança e a desorientação na comunidade nacional.

Naquele mesmo dia, o primeiro-ministro aceita o convite do prefeito de Bolonha, Walter Vitali, que pediu que ele estivesse presente no evento de 2 de agosto em memória ao atentado de Bolonha. "Decidi por impulso", escreverá Ciampi em seu livro. Naquele dia, pronuncia outro discurso muito duro. Fala de uma transição em curso, de uma reviravolta democrática em andamento, feita "pelos cidadãos eleitores, pelos seus juízes, pelo seu Parlamento, assegurada pelo chefe de Estado". Em seguida, explica:

> Contra essa transformação e contra essa concreta perspectiva de um Estado renovado desenvolveu-se uma aliança sombria de forças que perseguem os objetivos comuns de desestabilização política e criminalidade [...]. Nenhum comprometimento é possível, nem com o passado, nem com quem procura condicionar o futuro: nossas vítimas nos impediriam, as de hoje e as de 2 de agosto de 1980 em Bolonha.

Para aqueles que podem não ter entendido ainda, Ciampi acompanha suas palavras com alguns fatos: em setembro, apresenta ao Parlamento um projeto de lei para a reforma e reestruturação dos serviços secretos (que nunca será colocado em pauta, ou melhor, não completará nem mesmo o processo na comissão). Naquelas semanas, o embaixador Francesco Paolo Fulci entrega aos chefes da Polícia e dos Carabinieri uma lista com os nomes de 16 agentes do SISMI "para meros fins de verificação" sobre os atentados. Fulci, em julho de 1993, acaba de ser nomeado embaixador da ONU, mas, até poucos dias atrás, era diretor do CESIS (órgão de conexão entre o SISDE e o SISMI).

Outro rastro das negociações entre partes do Estado e as várias máfias está entre as linhas de uma carta escrita em 11 de agosto ao presidente Scalfaro pelo chefão da Camorra, Francesco Schiavone, conhecido como "Sandokan", pedindo a revogação do seu 41-bis. Cosa Nostra, Camorra e 'Ndrangheta combinam as mensagens para as instituições sobre o ponto mais urgente do papelete: o tratamento carcerário dado aos chefes da Máfia detidos.

Em 11 de setembro, o SCO (Serviço Central Operacional da Polícia) envia uma nota confidencial para a Comissão Antimáfia sobre os atentados da primavera e do verão:

> O objetivo da estratégia das bombas seria chegar a uma espécie de negociação com o Estado para a solução dos principais problemas que atualmente assolam a organização: a "prisão" e o "arrependimento".

Em resumo, as bombas em Florença, Milão e Roma

> não deveriam ter sido massacres, mas apenas peças de um mosaico com a intenção de criar pânico, intimidar, desestabilizar e enfraquecer o Estado, criando as condições para uma "negociação" na qual poderiam ser utilizados canais institucionais pela Cosa Nostra.

Contudo, o aviso sobre a negociação é totalmente ignorado pela classe política. Sabe-se lá se aquele documento aterrador chegou à mesa do ministro Conso, ocupado com a questão espinhosa do 41-bis. Em 21 de setembro, no entanto, mais uma bomba demonstrativa é encontrada no trem Freccia de Etna. Em outubro, nasce oficialmente o Sicília Livre, fundado em Palermo pelo mafioso Tullio Cannella, mais um partido separatista siciliano, o último de uma longa série de "ligas meridionais" criadas por indivíduos ligados à Máfia, aos serviços, à eversão negra e à maçonaria desviada, alguns em contato com emissários da Liga Norte e um — o príncipe romano Napoleone Orsini — em contato telefônico com Dell'Utri. Em 17 de outubro, o chefão Francesco "Sandokan" Schiavone é libertado com dois anos de antecedência por suposto "bom comportamento".

SISDE, assalto ao Quirinale

Depois do verão das bombas, para envenenar ainda mais o clima, explode o escândalo SISDE: uma história italiana de agentes secretos que, em vez de servirem ao Estado, roubavam "fundos secretos" bilionários. No entanto, a atenção da opinião pública é direcionada não tanto para os 007 infiéis quanto para o presidente da República Oscar Luigi Scalfaro, ex-ministro do Interior e, portanto, durante certo período, responsável também pelas realizações do SISDE e destinatário daqueles fundos (cem milhões por mês) para fins institucionais secretos. Alguns protagonistas do escândalo dão a entender que querem arrastá-lo com eles. O promotor de Roma, Vittorio Mele, mantém os documentos da investigação por algum tempo sobre a sua mesa, enquanto decide se vai enviá-los ao Tribunal dos Ministros. Seria, de fato, uma acusação ao chefe de Estado. Enquanto as reuniões borbulham na Procuradoria, na tarde de 3 de novembro, as agências de notícias relatam acusações do ex-diretor investigado do SISDE, Riccardo Malpica, contra Scalfaro e o ministro do Interior Nicola Mancino. Scalfaro decide dirigir-se diretamente aos italianos na mesma noite. Às 22h30min a programação da Rai e da Fininvest é interrompida para transmitir sua dramática mensagem:

> Primeiro tentou-se com bombas, agora, com o mais vergonhoso dos escândalos. Devemos permanecer firmes e serenos. Acredito que chegou o momento de fazer uma avaliação clara da atual realidade italiana para tirar conclusões fortes e eficazes. Foi colocado em prática um plano de destruição lenta do Estado. Não entrarei nesse jogo. Sinto o dever de não entrar e de soar o alarme, não para defender minha pessoa, que pode se retirar de cena a qualquer momento, mas para proteger, com todos os órgãos do Estado, a instituição constitucional da Presidência da República. Mesmo na aspereza da batalha desleal, meu principal dever é não ceder àqueles que trabalham a favor da destruição. Estamos em um momento difícil para a Itália e o povo italiano.

1993. MÃOS LEVANTADAS   141

Não era necessário tanto para conter a chuva venenosa sobre o Quirinale: o chefe de Estado poderia ter assumido de imediato (como fez, por exemplo, Cossiga e como fará tardiamente o próprio Scalfaro, em 1994) que ele também havia recebido os fundos secretos, como de praxe, e os havia destinado para "fins institucionais", de acordo com a lei. O silêncio e o "não jogo esse jogo" acabam, ao invés disso, favorecendo o jogo, até porque os desestabilizadores do tipo "morra Sansão, junto com todos os filisteus" agem no escuro e não param diante de nada. E não apenas no caso SISDE. Em 1993 e em 1994, o procurador Borrelli é periodicamente forçado a negar o envolvimento do presidente nos autos e até mesmo nas investigações. Aconteceu pela primeira vez em 18 de março de 1993, no auge do colapso do sistema, quando alguém espalhou o rumor de que Prada e Frigerio haviam revelado o financiamento secreto de Scalfaro para as eleições europeias de 1984 e falado de contribuições eleitorais da Assolombarda e do grupo Gavio. "Em nenhum momento da nossa investigação aparece qualquer referência, direta ou indireta, ao chefe de Estado", desmentiu Borrelli. Será obrigado a repetir em 26 de janeiro de 1994, no dia seguinte à dissolução das câmaras, quando alguns jornais escreverão sobre um telefonema interceptado entre Scalfaro e o presidente do Banco Popular de Novara, Lino Venini, durante o qual Scalfaro teria garantido uma intervenção do Banco da Itália sobre a falência da SASEA, na qual também estava envolvida a instituição de crédito piemontesa. "Não existe", repetirá Borrelli, "nenhum registro do tipo nos escritórios da Procuradoria de Milão", mas a goteira sobre o Quirinale continuará, mesmo na forma de alusivos questionamentos parlamentares, especialmente após os primeiros "nãos" do presidente ao novo mestre da política: Silvio Berlusconi.

O caso do SISDE é resolvido pela Procuradoria de Roma, sob a direção do procurador adjunto Michele Coiro e os substitutos Giovanni Salvi e Pietro Saviotti, com aquilo que o jornalista Carlo Bonini, entrevistando o promotor Francesco Misiani no livro *La toga rossa* (A toga vermelha), definirá como uma "construção jurídica ousada: a Procuradoria abre mão de parte do processo supondo a legalidade das doações de dinheiro, mas convidando os ministros a explicarem individualmente sobre o uso de tal dinheiro". Os ex-ministros Gava e Scotti são inscritos no registro dos investigados por peculato. A posição de Scalfaro, inquestionável até o final do mandato, é congelada. Para Mancino, pede-se o arquivamento imediatamente. Naquele ponto, conta Misiani, permanece o medo que "a Procuradoria fosse forçada a seguir a estratégia da revelação programada de suspeitos. Então Saviotti teve uma ideia: incriminar os cinco homens de ouro do SISDE nos termos do artigo 289 do Código Penal (atentado a órgão constitucional) pelas acusações contra o chefe de Estado e o ministro do Interior". Misiani explica:

> Contestar o artigo 289 significava não deixar alternativa para eles. Cada acusação adicional contra políticos em exercício ou com responsabilidades institucionais os colocaria na posição de serem investigados por

um crime gravíssimo, da qual sairiam com sentenças muito pesadas [...]. Michele [Coiro] estava envergonhado, mas estava convencido de que o fluxo interminável de acusações precisava parar.

Realmente, com o peso daquela acusação gravíssima sobre eles, nenhum dos homens do SISDE dirá mais uma palavra sobre os políticos. De novo, Misiani:

Com a escolha do artigo 289, parte da Magistratura Democrática e principalmente Michele obtiveram uma forte legitimação política por parte das instituições. Eles haviam demonstrado — e não por oportunismo — que, quando necessário, a magistratura de esquerda sabia proteger-se.

Alguns meses mais tarde, Coiro vencerá diante do Conselho de Estado o recurso contra a nomeação de Mele para procurador chefe e assumirá o cargo. Vamos encontrá-lo novamente em 1996, envolvido no escândalo das "togas sujas".

Estado-Máfia, a segunda negociação

O que acontece no front antimáfia (por assim dizer), no final de 1993, fará com que a Procuradoria de Palermo considere, em 2011, uma segunda negociação entre partes do Estado e a Cosa Nostra. Uma negociação que, visando mais uma vez a colocar fim aos atentados, utiliza o 41-bis como moeda de troca.

Em 3 de novembro, como já vimos, Scalfaro, com seu "não jogo esse jogo" de manobras para envolvê-lo no escândalo dos fundos irregulares do SISDE, denuncia uma estratégia com ares de golpe pensada por antigos servidores em aliança com aqueles que armam as bombas para desestabilizar as instituições e aumentar o vazio político que alguém preencherá. Faltam dois meses para a dissolução antecipada das câmaras e cinco meses para as eleições gerais. Dois dias depois, em 5 de novembro, expira o 41-bis para nada mais nada menos do que 340 mafiosos em isolamento, inclusive de grande calibre. A Procuradoria de Palermo, mediante a solicitação do chefe do DAP, Capriotti, pede ao ministro da Justiça que renove todas as 340 medidas. Os procuradores adjuntos de Caselli, Vittorio Aliquò e Luigi Croce, evidenciam "a incoerência de eventuais alterações no atual regime prisional" e expressam "parecer favorável à prorrogação". Em vez disso, Conso faz exatamente o contrário: não renova nenhum. Em 2011, dirá aos promotores de Palermo que fez tudo sozinho, "trancado no meu bunker", depois de conversar com o ministro do Interior Mancino:

Com isso evitei novos atentados, mas nunca houve qualquer vislumbre de negociação. Decidi absolutamente sozinho, sem informar ninguém. Nem os funcionários do Ministério, nem o Conselho de Ministros, nem o primeiro-ministro Ciampi, nem o líder do ROS, Mario Mori, nem o DAP. Não foi para oferecer uma trégua, uma negociação ou

1993. MÃOS LEVANTADAS 143

uma pacificação, mas para dar um sinal e tentar acabar com as ameaças de novos atentados. Após as bombas de 1993 em Florença, Milão e Roma, a Cosa Nostra estava silenciosa. Riina estava preso, seu sucessor, Provenzano, era contra atentados; então a Máfia adotou uma nova estratégia não terrorista.

Assim, negando-a, Conso confirmou a negociação entre a Máfia e o Estado: como ele poderia saber, trancado em seu bunker, que Provenzano era o novo chefe da Máfia e se opunha aos atentados? E que eles serviam principalmente para o abrandamento do 41-bis (a descoberta do papelete será revelada por Brusca apenas em 1996, e ele será entregue por Ciancimino Jr. somente em 2010)? Quem é, portanto, o elo entre o aparelho do Estado e a Cosa Nostra? Além disso, em 2003, quando foi ouvido pela primeira vez pelo promotor de Florença Gabriele Chelazzi, justamente a respeito da revogação daquele 41-bis, Conso não disse nada sobre o que admitirá mais tarde; pelo contrário, expressa a própria inflexibilidade no tratamento aos chefes da Máfia. Em todo caso, Mancino negará ter sido informado por Conso sobre a revogação dos 41-bis ("Eu soube casualmente através de um jornalista"), mas depois admitirá que sabia que a Cosa Nostra tinha uma ala "terrorista", ligada a Riina, e uma mais "política", ligada a Provenzano. Pena que, naquela época, essas informações estivessem longe de ser de domínio público (impossível tê-las "lido nos jornais", como dizem Conso e Mancino): mais uma prova de que o Estado possuía canais diretos de comunicação com a Cosa Nostra em 1993. Tanto Scalfaro quanto Ciampi negarão saber o que seu ministro da Justiça havia feito, mas será difícil acreditar, dada a importância do tema Máfia durante aqueles meses e a atenção que Scalfaro dispensava ao DAP.

De qualquer forma, o resultado é claro: entre o verão e o outono de 1993, 480 mafiosos (primeiro 140, depois mais 340), pequenos e grandes, saem do isolamento exatamente como solicitado por Riina um ano antes no papelete. Coincidentemente, a partir daquele momento, os ataques da Máfia cessam. O projeto de atentado contra os Carabinieri em serviço no Estádio Olímpico de Roma, depois de uma partida importante (pensado, de acordo com Spatuzza e Brusca, para punir os Carabinieri que "não haviam respeitado o acordo" na primeira negociação) falha em novembro devido a um misterioso defeito no detonador do carro-bomba e é adiado *sine die*.

Naturalmente o papelete não contém apenas a solicitação de abrandar o 41-bis: a Cosa Nostra não pode contentar-se com tão pouco, mas aqui termina a segunda negociação, a dos "técnicos" de centro-esquerda da Primeira República. E, de acordo com as investigações abertas quase vinte anos depois pela Procuradoria de Palermo, inicia a terceira: a dos fundadores do Força Itália. Para atender outras demandas, faz-se necessário um novo governo, ou melhor, uma nova classe política, que já está pronta para entrar em campo. Coincidência: nas agendas apreendidas do secretário pessoal de Dell'Utri, existem dois encontros em Milão entre o idealizador do Força Itália e um certo "Mangano", justamente em novembro de 1993, mas falaremos disso em breve.

À beira do abismo

Enquanto os criminosos mantêm o Estado sob controle, "mentes refinadas" trabalham em uma terrível crise institucional para condicionar e dirigir a transição italiana. Além disso, 1993 também é o ano mais dramático para a economia do país. O PIB cai 1,2%, e o consumo diminui 2,5% pela primeira vez depois da Segunda Guerra Mundial. O valor da lira continua a cair, até 25% menos em relação a antes da desvalorização da "quarta-feira negra", isto é, 16 de setembro de 1992. Se o sistema dos partidos até agora havia inflado os gastos públicos também como resultado da corrupção, a crise do sistema desencadeada pela Mãos Limpas permite uma inversão de tendência, imposta também pelos vínculos europeus. Desde 1992, as leis financeiras impõem cortes e economia sem precedentes na história da república (depois da financeira de Amato, de 93 trilhões em 1993, a de Ciampi, de 47 trilhões em 1994). Os funcionários públicos, igualados aos trabalhadores do setor privado pela lei de 22 de janeiro de 1993, perdem privilégios e garantias, e inicia-se o processo de privatização do setor público, com a transformação do IRI, ENI, ENEL e INA em sociedades por ações, para o pleno benefício da economia privada.

A falta de confiança em massa no sistema partidário continua crescendo. Em 27 de março, como já vimos, a Procuradoria de Palermo entrega uma intimação ao mais conhecido político italiano, Giulio Andreotti, presidente do Conselho sete vezes, ministro 21 vezes, senador vitalício desde 1991. Ele está sob investigação por conspiração externa com a Máfia. O volumoso dossiê com o pedido de autorização para proceder, assinado pelo novo Procurador Gian Carlo Caselli, o adjunto Guido Lo Forte e os substitutos Gioacchino Natoli e Roberto Scarpinato, chega ao Palazzo Madama no final da tarde, enquanto Andreotti janta com uma família de cidadãos romanos ao vivo para a Telemontecarlo. Gianfranco Fini fica sabendo da notícia em Pádua, enquanto faz um comício, e a transmite a seus apoiadores em meio à alegria geral. "É o fim do regime", comenta radiante, "o estrondo que a notícia recebeu demonstra isso [...]. Parece que o regime realmente se apoiava nas propinas e nas organizações criminosas". No dia seguinte, 28 de março, Fini pede "aos grupos de parlamentares do MSI que avaliem a possibilidade de não participar mais dos trabalhos da Câmara e do Senado", porque "me sinto desconfortável em participar deste Parlamento". Em 5 de abril, Andreotti recebe outra intimação, dessa vez dos promotores de Milão, por propina. O suposto crime é a violação da lei sobre o financiamento dos partidos, com uma suposta propina de 250 milhões da Ciarrapico destinada não a ele, mas ao secretário do PSDI Antonio Cariglia. Para a acusação sobre a Máfia, o Senado concederá a permissão para proceder por maioria absoluta em 13 de maio. Na investigação de Milão, no entanto, a posição será pelo arquivamento.

Em 28 de março, no dia seguinte à intimação de Andreotti por conivência com a Máfia, chega outra sob a mesma acusação para o democrata-cristão Antonio Gava, ex-ministro do Interior. O Ministério Público de Nápoles investiga sua suposta ligação com a Camorra napolitana. Uma famosa piada de Beppe Grillo parece tornar-se realidade: "Colocar Gava para lutar contra a Máfia e a Camorra é como nomear o Drácula presidente da AVIS" (Associação Italiana de Doadores de Sangue). Em Palermo, está sob investigação por conivência com a Máfia até o juiz Corrado Carnevale, amigo de Andreotti e presidente da Primeira Seção da Corte de Cassação, chamado de "mata sentenças" devido às dezenas de condenações por envolvimento com a Máfia e subversão canceladas durante sua longa carreira. Dentro de algumas semanas, muitos outros líderes políticos do sul, de Nápoles a Reggio Calabria e Palermo, serão investigados por terem protegido a Máfia.

Em 6 de abril, a Comissão Parlamentar Antimáfia, presidida por Luciano Violante, aprova por maioria absoluta o relatório final sobre as relações da política com a Máfia. "Estão confirmadas", lê-se no trecho mais duro, "as relações de Salvo Lima com os homens da Cosa Nostra. Ele era, na Sicília, o maior expoente da corrente democrata-cristã dirigida por Andreotti. O Parlamento deverá pronunciar-se sobre a eventual responsabilidade política do senador Andreotti". O relatório é aprovado por todos os antimáfia, incluindo os comissários democratas-cristãos. Votam contra apenas o radical Marco Taradash e o MSI, que queriam palavras mais duras contra Andreotti e os outros protagonistas dos conluios com mafiosos.

"A contundência das iniciativas judiciais contra a mistura de negócios e política e as tramas entre a Máfia e a política", escreve o jurista Guido Neppi Modona na revista *Quaderni di sociologia*, "deu a sensação de que estava acontecendo uma verdadeira revolução, conduzida pelos instrumentos legais do processo penal". Na verdade, os efeitos diretos da investigação judicial na política limitam-se à saída de cena de alguns homens (embora não forçada e, em alguns casos, apenas temporária), substituídos pelas segundas e terceiras filas. Como vimos, Craxi deixa a secretaria do PSI para Benvenuto no dia 9 de fevereiro. Em 25 de fevereiro, Giorgio La Malfa renuncia ao cargo de secretário do PRI, intimado por um financiamento ilícito. Em 2 de março, o ex-secretário democrata-cristão Ciriaco De Mita, que preside a comissão bicameral das reformas, renuncia logo após a prisão de seu irmão Michele, envolvido no escândalo da reconstrução após o terremoto em Irpinia. Em 15 de março, é a vez de Renato Altissimo: também investigado, renuncia ao cargo de secretário do PLI. Em 29 de março, a mesma cena para Carlo Vizzini, que deixa a secretaria do PSDI. Em 23 de junho, bem no dia da primeira intimação de Andreotti, o secretário dos democratas-cristãos Mino Martinazzoli anuncia a dissolução do partido, já abandonado por Mario Segni, líder popular do movimento referendário.

Imunidade nunca mais

Depois de apenas um ano de legislatura, as câmaras eleitas em 1992 receberam nada mais, nada menos do que 540 pedidos de autorização para proceder contra deputados e senadores: 107 por corrupção, 89 por extorsão, 46 por receptação, 116 por infrações às regras do financiamento dos partidos e 108 por abuso de poder. Um recorde absoluto em toda a história do Parlamento italiano. Cinco ministros em exercício, investigados, renunciam, e alonga-se a lista de ex-ministros envolvidos em escândalos, investigados por corrupção ou até mesmo por envolvimento com a Máfia.

A geografia da política é desorientada como que por um furacão. Os antigos líderes deslegitimados, o sistema partidário em pedaços. Gianni Pilo, pesquisador da Fininvest, revelará em um livro como a confiança nos partidos havia caído a um mínimo histórico de 2% em 1993 (era de 11,4% em 1989):

> Havia um enorme vazio a ser preenchido, tanto à esquerda quanto à direita. Uma galáxia completamente inexplorada estava ao alcance das mãos. Tinha se espalhado uma aversão por tudo aquilo que representava o passado e um encorajamento para qualquer forma de "novo" tão grandes que poderiam ter nascido pelo menos dois novos partidos.

Os partidos que governam a Itália desde o pós-guerra estão se desmantelando: DC, PSI, PRI, PSDI e PLI. O recém-nascido PDS também diminui, mas, a médio e longo prazos, os efeitos da investigação serão bastante limitados. Muitos homens dos velhos partidos se reorganizarão sob novas siglas com hábeis operações de reciclagem, e nenhuma reforma substancial será aprovada para combater ou pelo menos frear a corrupção. Entre as poucas e parciais exceções está a Lei Merloni sobre contratos públicos, que reorganiza o assunto, estabelece regras mais transparentes e torna a corrupção menos conveniente, prevendo a anulação do registro de construtores envolvidos. A reforma é iniciada, diante de muita resistência, no campo da administração pública: Sabino Cassese, professor universitário chamado por Ciampi para ser ministro da Administração Pública, torna a burocracia um pouco mais transparente: impõe padrões qualitativos e quantitativos de comportamento administrativo, institui a autocertificação, revoluciona o sistema de controles internos, suprime treze comissões interministeriais, setenta órgãos colegiados e um ministério (o da Marinha Mercante), obtendo uma economia de 2,6 trilhões de liras em um ano.

Uma reforma decisiva, pelo significado simbólico e prático, é a do artigo 68 da Constituição, que regula as "garantias" dos eleitos, especialmente a imunidade parlamentar, vista cada vez mais pelos cidadãos como uma odiosa impunidade, não apenas recentemente. Desde o nascimento da república, os "nãos" do Parlamento aos pedidos de autorização dos magistrados para investigar superaram amplamente os "sins", sem contar os pedidos esquecidos nas gavetas, na prática enterrados, e aqueles devolvidos ao remetente com fins predominantemente moratórios, sob o pretexto de pedir esclarecimentos. A estatística publicada por Francesco Bonito no *Unità* em 21 de janeiro de 2002 é esclarecedora. Na primeira legislatura: 503 pedidos recebidos, 316 votados, 240 negados. Na segunda: 407 recebidos, 268 votados, 79 negados e 147 devolvidos ao remetente. Na terceira: 301 recebidos, 191 votados, 136 negados. Na quarta: 229 recebidos, 170 votados, 41 negados, 110 devolvidos. Na quinta: 171 recebidos, 82 votados, 46 negados. Na sexta: 274 votados, dos quais 166 são rejeitados. Na sétima: 119 votados, 75 rejeitados. Na oitava: 114 votados, 47 rejeitados. Na nona: 215 votados, 35 negados. Na décima: 174 pedidos votados, 101 rejeitados. Na 11ª, finalmente, de 6 de abril a 15 de novembro de 1992 (data da entrada em vigor do novo artigo 68 da Constituição), foram recebidos 619 pedidos, que, depois da reforma — exceto os que foram votados — serão devolvidos às procuradorias emissoras para que procedam mesmo sem autorização.

Na tentativa de recuperar a credibilidade, a classe política (que já teve a anistia dificultada por causa da nova regra dos dois terços) decide abrir mão da imunidade, consciente das moedas que choveram sobre Craxi em frente ao hotel Raphael. A solicitação de autorização para proceder é abolida e permanece apenas para prisão, buscas e escutas telefônicas. Criticando explicitamente as mudanças no artigo 68 estão principalmente alguns membros da Liga Norte, Roberto Castelli, Roberto Maroni e Umberto Bossi, que falam de "inaceitável degeneração na aplicação da imunidade parlamentar [...] transformada em um imotivado e injustificado privilégio" com "consequências monstruosas e inaceitáveis" que devem ser "eliminadas" o mais rápido possível. Igualmente explícita a posição do MSI pela boca de Gianfranco Fini, Maurizio Gasparri e Ignazio La Russa: "O uso da imunidade e sobretudo do abuso da negativa de autorização para proceder são vistos pelos cidadãos e pelas autoridades judiciárias como uma espécie de ferramenta para subtrair-se do curso necessário da justiça". O relator da reforma é o democrata-cristão Carlo Casini. "O princípio do *princeps legibus solutus* (aquele que faz as leis não é obrigado a cumpri-las)", argumenta Casini em 12 de maio, "é medieval e ultrapassado. Se a lei pede igualdade, então deve abranger sobretudo os autores da lei". No final, todos os partidos, com algumas dúvidas entre as fileiras do PLI, votam a favor. Em 12 de outubro, a Câmara aprova a reforma com 525 sim, cinco não (entre eles Vittorio Sgarbi) e uma abstenção. O Senado faz o mesmo em 27 de outubro, com 224 sim, nenhum não e sete abstenções.

Outro tímido sinal de mudança chega em 25 de março de 1993, com a aprovação da nova lei para a eleição direta dos prefeitos. Serão os cidadãos que, votando em dois turnos, escolherão os prefeitos, e não mais os partidos políticos após o fechamento das urnas, com a habitual alquimia partidária. O mesmo desejo generalizado de renovação (sentido também pela maioria dos antigos partidos) leva à vitória do "sim" no referendo de 18 de abril promovido por Mario Segni contra o sistema eleitoral proporcional. O referendo é visto pela maioria dos cidadãos não como uma mera modificação técnica, mas como um plebiscito contra o sistema partidário: 82,7% dos votantes (que correspondem a 75% da população) dizem "sim" e obrigam o Parlamento a aprovar imediatamente a reforma eleitoral. A nova lei, aprovada em 4 de agosto, é uma convenção que combina os sistemas majoritário e proporcional (com o qual se continua a atribuir um quarto dos assentos à Câmara). De qualquer maneira, é um passo a caminho de um sistema bipolar, um estímulo para os muitos partidos italianos se agregarem em duas formações opostas. Ao mesmo tempo, como já vimos, o referendo radical para abolir o financiamento público dos partidos torna-se um plebiscito (com o "sim" a 90,3%).

"Deixe Craxi à própria sorte..."

Em 4 de agosto, a Câmara deve decidir sobre outras quatro autorizações para proceder contra Craxi por corrupção, extorsão, receptação e financiamento ilícito. Três pedidos (respectivamente com 31, 46 e duas acusações) vêm da Procuradoria de Milão por episódios de propina nos setores ecológico e de energia: o Plano Ambiente, o Plano Lambro, a dessulfuração e a desnitrificação das centrais ENEL e o precipitador eletrostático de Montalto di Castro. Propinas pagas, de acordo com a acusação, pelas empresas Ferruzzi, Petrothank Itália, Tosi, Belleli, De Bartolomeis, Techint, Intermetro, Idreco, Itinera, ENI, ENEL e ANAS. O quarto pedido vem da Procuradoria de Roma. Craxi lê um discurso de 32 páginas:

> Peço aos senhores colegas que deixem o caso Craxi seguir seu destino para evitar uma outra agressão [...]. Não fui defendido a não ser por alguns daqueles que tinham o dever de defender-me. Muitos, em vez disso, renderam-se à tentação do bode expiatório, tradicional ritual pagão que sempre gerou a ilusão temporária de afastar a culpa de si mesmo, dando assim uma solução para os problemas apresentados na realidade [...]. Se devemos reconstruir a vida, a morte e os milagres da nossa democracia e dos seus males, precisamos fazê-lo corretamente. Portanto, é bom que tudo venha à tona, sem falsidade, sem mentiras e sem extraterrestres que juntam-se a nós com roupas completamente novas. Já falei e continuarei falando, porque é inaceitável que se coloquem na posição de acusadores pessoas que, por financiamento ilícito, deveriam estar no banco dos réus.

Depois, perde o controle com a suposta conspiração ordenada contra ele pelos magistrados, pelo PDS e por Carlo De Benedetti, "príncipe da corrupção pública [...] no comando de um sistema comprovado de influências sobre funcionários, administradores, técnicos, políticos, partidos e jornalistas que praticamente guiou pessoalmente". O ex-secretário do PSI acrescenta: "Em nenhum país de alta civilidade jurídica acontecem os excessos que, pela obra de alguns juízes, foram cometidos na Itália". Excessos aos quais deveriam ser acrescentados o "exibicionismo", a "verborragia política", a "discriminação arbitrária" e as "expressões demagógicas que não são dignas do alto cargo de juiz". Quanto ao PDS,

> contou com recursos muito superiores [aos do PSI]: o financiamento ilícito do qual dispôs era tanto de natureza interna quanto de proveniência internacional. [...] A relação com a União Soviética e com outros estados comunistas do leste europeu era íntima inclusive no plano financeiro. E o honorável Occhetto foi secretário tanto do PCI quanto do PDS. As fontes eram múltiplas e formadas diretamente pelos orçamentos da PCUS e da KGB, ou por atividades diretas e indiretas de importação e exportação, ou em conexão com projetos de empresas italianas na URSS e em outros países do Comecon. Esses financiamentos explicam, pelo menos parcialmente, a presença não só de um forte movimento político, mas da maior e mais cara máquina burocrática existente no Ocidente democrático.

A parte mais perturbadora do discurso é a dedicada aos recentes ataques terroristas em Milão e Roma. Craxi manda sinais nebulosos aos colegas que estão ao redor. Envolve todos, do chefe de Estado para baixo, em seu destino. Segundo ele, não é verdade que "o velho sistema que resiste" está por trás dos atentados:

> E quem seria esse velho que resiste? Os antigos líderes dos partidos políticos? Os antigos líderes dos governos? Poderes ocultos e seus braços criminosos que dominariam a velha classe política? Se fosse assim, seria conveniente sermos mais precisos e rigorosos: são "velhos" o chefe do Estado, ministro do Interior no governo Craxi por muito tempo; o presidente do Senado [Spadolini], que foi ministro da Defesa no mesmo governo Craxi e, antes disso, presidente do Conselho; o secretário da DC Martinazzoli, já ministro da Justiça no mesmo governo? São "velhos" Zanone, também ministro no governo Craxi; os presidentes do Conselho que se sucederam no decênio, ou seja, Forlani, Cossiga, que se tornará presidente da República, e ainda Spadolini, Craxi, Fanfani, De Mita, Goria e Andreotti? Os secretários dos partidos do governo: Piccoli, De Mita, Forlani e Martinazzoli, Longo, Nicolazzi, Cariglia e Vizzini, Zanone e Altissimo, Spadolini e La Malfa representam o antigo? E Azeglio Ciampi não foi sempre um leal colaborador dos antigos governos? Essa era a antiga burocracia do pentapartido, que se reduziu a um quadripartido durante um ano. É nesse âmbito que se deve procurar o responsável pelas bombas, porque, sozinho ou associado com outros, está tentando resistir explodindo monumentos nacionais?

Craxi responde imediatamente à pergunta enigmática: "Somente uma opinião atordoada por uma campanha falsa, imprudente e até mesmo nazistoide poderia acreditar nisso". Não que as bombas tenham sido colocadas pelos renovadores:

> Mas não é de hoje que uma mão invisível age na crise italiana, tentando inflamar todos os pontos frágeis e, para isso, não hesita em recorrer ao clássico método criminal do terrorismo, mercenário e profissional, não o terrorismo ideológico. [...] em um ambiente que está em busca de rupturas violentas, uma ala golpista e aventureira, que se move dentro da dramática crise que atingiu a sociedade política italiana e acredita que o máximo de confusão, desorientação, tensão e rebelião pode trazer o máximo de lucro e talvez até dar corpo a um projeto para sair da crise atual.

Ou seja, Craxi adverte sobre "a presença de uma mão invisível que talvez se encontre com uma força criminal local e que já iniciou uma estratégia terrorista que deve ser temida, esteja ela destinada a continuar da mesma forma ou de formas diferentes". Em uma situação tão complexa, e em um clima tão turbulento, prossegue, é melhor não fazer novas eleições: "Se for aberto um precedente desta natureza, no futuro, uma ala politizada da magistratura poderia deslegitimar, sob rajadas de intimações, qualquer Parlamento". No final, chovem aplausos das bancadas socialista e democrata-cristã, mas, dessa vez, a história do dia 29 de abril não se repete. A assembleia, por maioria, concede as quatro autorizações para proceder.

ENEL, propinas energéticas

Enquanto em Roma a política tenta tornar-se protagonista novamente, em Milão antigos e novos dossiês acumulam-se sobre as mesas dos juízes. E aumentam "às pencas" a partir de contratos da Prefeitura de Milão, entidades nacionais e grandes companhias públicas. Mesmo lá, como contou Zamorani, os partidos dividem os lugares nos conselhos de administração e exigem propinas das empresas privadas. Começam com a ENEL e a ENI no início de 1993 e descobrem que, mais uma vez, o PCI–PDS também sentava à mesa da grande partição junto com a DC, o PSI e outros partidos laicos menores.

Em 15 de janeiro, termina na prisão (e permanecerá lá até 19 de fevereiro), Giovanni Battista Zorzoli, professor universitário, antigo responsável do setor de energia do PCI, nomeado pelo PDS membro do conselho de administração da ENEL (a agência estatal de fornecimento de energia). Junto com ele foram detidos o socialista Bartolomeo De Toma e o republicano Pierfranco Faletti. Esse último, recém-promovido a presidente da SEA, é o "cara limpa" escolhido pela Prefeitura de Milão após a prisão de Manzi e Mongini. Quinze dias depois, acaba preso outro conselheiro da ENEL, o socialista Valerio Bitetto, que colabora com os magistrados e é imediatamente libertado. Craxi o define como "um cretino".

De Toma, o homem-chave do PSI no setor de energia, é primo de Cornelio Brandini, amigo e assessor de Craxi desde os anos 1960. "Não fique lá apenas esquentando a cadeira", recomenda-lhe Bettino, explicando o verdadeiro motivo da nomeação na ENEL. Realmente, De Toma nunca esquentou a cadeira; ao contrário, a fez frutificar, rendendo bilhões ao partido. Uma vez na prisão, ele conta tudo e relata também as propinas que o PSI pedia às empresas para financiar as conferências faraônicas da era craxiana, decoradas com a cenografia kitsch de Filippo Panseca, com grandes frentes imitando templos gregos, grandes pirâmides e jovens recepcionistas com roupas de grife da Trussardi. Congressos pagos com o dinheiro das companhias públicas e de algumas empresas privadas.

Em 1992, foi preso duas vezes (em 30 de junho, em Milão, e em 23 de dezembro, em Foggia) Ottavio Pisante, presidente da Ercole Marelli Implantações Tecnológicas (EMIT) e irmão de Giuseppe Pisante, presidente do grupo Acqua (holding das implantações e líder no setor ambiental, com quinhentos bilhões de receita, 87 empresas e 2,4 mil empregados). Foi justamente Ottavio Pisante, já envolvido nas investigações dos aterros sanitários, a inaugurar a vertente ENEL. A Procuradoria de Foggia também está investigando o grupo Acqua. Em uma busca realizada em Milão, na casa de um gerente da EMIT, Achille Giroletti, são encontradas duas pastas azuis com duzentas páginas de anotações: é o "livro contábil" das propinas. Depois de uma tentativa – falida – de fazê-lo desaparecer, o que resta a Pisante é explicar o sistema de propinas do setor de energia aos juízes de Milão.

Em 1988, a ENEL lança, em nome da proteção do ambiente, um grande plano para dessulfurar e desnitrificar suas usinas elétricas alimentadas a carvão, ou seja, um plano para torná-las menos poluentes. O custo previsto é de três trilhões. As principais empresas do setor movem-se para abocanhar os contratos, dirigindo-se como sempre aos partidos, que têm representantes no conselho de administração da ENEL e controlam projetos e contratos. O resultado é um grande pacto entre empresas e partidos. As empresas contratadas comprometem-se a pagar propinas para a DC, o PSI, o PCI e outros grupos menores por seus intermediários: De Toma para os socialistas, Zorzoli para os comunistas e Faletti para os republicanos. Na ENEL, a DC é representada diretamente pelo presidente Franco Viezzoli, muito ligado a Forlani (mas também ao socialista De Michelis).

As empresas dos irmãos Pisante exibem um excelente know how, mas são bloqueadas por Craxi: "Até 1988", diz Ottavio Pisante, "nosso grupo encontrou muita oposição do secretário do PSI. A razão disso foi que meu irmão, Giuseppe, era colega de estudos de Gianni De Michelis, em quem Craxi nunca confiou". Para evitar a perda dos novos contratos da ENEL, Ottavio Pisante entra em contato com uma pessoa muito próxima de Craxi, o agente da INA de Milão Gianfranco Troielli, que o direciona a De Toma: "Preste atenção: De Toma é Craxi". Quando Pisante encontra De Toma, este se apresenta como principal acionista de uma empresa no setor do ambiente, a Lurgi Italiana. Pisante propõe uma aliança Lurgi–Acqua para "formar um grupo verdadeiramente líder na Itália", mas De Toma diz que não pode fazê-lo. Não dispõe livremente das ações porque é um "testa de ferro do honorável Craxi".

A exclusão dos Pisante cai apenas diante da propina de 1% sobre os trabalhos atribuídos. São 3,5 bilhões pelos contratos da EMIT, recolhidos por De Toma "em nome de Bettino Craxi". Quando os Pisante acreditam ter superado todos os obstáculos, apresenta-se Faletti, do PRI, pedindo 3% por um dos contratos, e Zorzoli, que reivindica 450 milhões, disfarçados de um contrato falso de consultoria. Imediatamente informado sobre as demandas dos "colegas", De Toma fica furioso: "Como ousam os outros partidos? Vocês da EMIT são considerados responsabilidade do PSI".

Pisante continua pagando. Deposita trezentos milhões em uma conta suíça indicada por De Toma; paga pelo contrato de desnitrificação das centrais de Tavazzano e Fusine; por uma outra licitação de 120 bilhões desembolsa 1,2 bilhão, ainda para o PSI; idem para o precipitador eletrostático da central de Montalto di Castro: o habitual 1%, 350 milhões. E assim por diante.

Depois, em 1990, ele percebe ter sido excluído de um contrato de 1,6 trilhão para o projeto dos aquedutos lombardos e vai até De Toma. "Tarde demais", diz a ele o comerciante socialista: o negócio já foi fechado com um acordo entre Angelo Simontacchi, da Torno, o presidente da DC da Lombardia, Giuseppe Giovenzana, e o vice-presidente do PSI, Ugo Finetti. Pisante não se entrega. Ele quer reverter a situação. Pede para De Toma falar com Craxi. No fim, conta, "De Toma me disse que Craxi mandou informar que 'para entrar, você deve pôr na mesa uma ficha de dois bilhões'". Aquele método de cassino deixou Pisante perplexo: pagar só para jogar, sem nenhuma garantia de vitória? Então inicia um amplo diálogo com Simontacchi, Finetti e De Toma, mas é tudo interrompido pela explosão do caso Chiesa e, de investigação em investigação, Di Pietro chega às propinas ambientais, isto é, a ele.

Até a Techint, grande empresa controlada pela família Rocca, entra na divisão dos contratos ambientais, assim como a Impiantistica Mantovana e a Idreco. "De 1985 até hoje", confessa Paolo Scaroni, diretor da Techint, "paguei ao PSI cerca de 2,5 bilhões, sempre a pedido do honorável Balzamo, às vezes entregando-lhe o dinheiro em mãos, às vezes em contas no exterior". As propinas do "sistema ambiente" também começaram em meados dos anos 1980. Scaroni conta que Balzamo convocou-o no final de 1985 e no início de 1986 e disse que os contratos futuros seriam afetados pelas contribuições ao PSI: os homens posicionados pelo partido em pontos estratégicos, a pedido da secretaria nacional, "poderiam impedir qualquer iniciativa do grupo Techint se não estivéssemos dispostos a entrar no sistema".

O sistema parece travar em 1991. Scaroni é convocado por um colaborador de Balzamo, Vittorio Valenza. "Craxi tinha expressado um descontentamento sobre mim", diz Scaroni, que pede uma reunião com De Toma. "Ele deu a entender que a razão pela qual Craxi estava reticente conosco era porque queria mais dinheiro da empresa. Chegamos amigavelmente a um acordo sobre o pagamento de oitocentos milhões de liras", a pagar para De Toma, ou seja, para o PSI.

1993. MÃOS LEVANTADAS 153

Para colocar sua empresa dentro do sistema, Paolo Stafforini, gerente da Idreco, dirige-se a outro administrador socialista, Valerio Bitetto. Este indica Mauro Giallombardo, muito leal a Craxi, que lhe diz explicitamente: "Para ser amigo do partido, é conveniente assegurar um fluxo de dinheiro para o PSI". Assim, conta Stafforini, "conversamos um pouco e concordamos que o grupo Idreco se comprometeria a pagar 250 mil marcos por ano". Os primeiros pagamentos foram de cinquenta milhões de liras; então, em 1992, o PSI pede um bilhão redondo para a campanha eleitoral: "Chegamos a um acordo de quatrocentos milhões de liras", em duas parcelas. A primeira, de duzentos milhões, é depositada em uma conta em Losanna; a segunda, mais duzentos milhões, é entregue quando a Mãos Limpas já começou, após a prisão de Chiesa, no escritório milanês de Troielli:

> Troielli acomodou-me em uma sala e pouco tempo depois veio um jovem que eu nunca tinha visto antes. Eles disseram que levariam o dinheiro imediatamente aos escritórios do honorável Bettino Craxi na Piazza Duomo.

Aldo Belleli, vice-presidente da empresa Impiantistica Mantovana, relata uma contribuição de oitocentos milhões para o PSI em 1985, outros pagamentos tanto para o PSI quanto para a DC, pela central de Montalto di Castro, e um bilhão solicitado por Balzamo. Nem todas as propinas financiavam os "custos da política": Belleli é forçado a pagar 150 milhões em troca de publicidade à televisão privada romana GBR. "Era a emissora de uma tal Anja Pieroni, amiga íntima do honorável Craxi, explicou-me o honorável Balzamo, convencendo-me a aceitar uma proposta que eu não teria aceitado de outra forma." Por causa desses eventos, em 9 de fevereiro, emite-se uma ordem de prisão preventiva para Giallombardo, ex-secretário de Craxi, residente em Luxemburgo. A acusação: cumplicidade com corrupção.

3. AS PROPINAS VERMELHAS

O papel do PCI–PDS no sistema de propinas da ENEL começa a ser revelado por Lorenzo Panzavolta, gerente da Ferruzzi, o segundo grupo privado italiano. Panzavolta, conhecido como "Panzer", homem de confiança do velho patriarca Serafino Ferruzzi e presidente da Calcestruzzi, cruza as portas da prisão pela primeira vez em 30 de janeiro, mas, devido à idade avançada, é imediatamente colocado em prisão domiciliar. A partir daí, começa a revelar os bastidores de algumas histórias que conhece diretamente. Inicia pelos acordos feitos com os partidos para obter para a Calcestruzzi uma parte dos contratos para a dessulfuração das centrais de energia ENEL: três propinas de 1,242 bilhão cada, pagas à DC, ao PSI e ao PCI, ou seja, 1,6% do valor dos contratos destinados ao grupo Ferruzzi. Para a DC, Panzavolta pagou apenas a metade; ao PSI e ao PCI, pagou o valor total.

Até para o PCI, "o partido das mãos limpas"? Até meados dos anos 1980, explica Panzavolta, o PCI estava fora do "círculo" nacional de propinas. Limitava-se a esperar que uma parte dos contratos públicos fosse concedida às cooperativas vermelhas que financiavam o partido. No entanto, em 1986, o sistema muda. A CCC de Bolonha substitui a CMC de Ravenna no papel de empresa-líder do sistema das cooperativas vermelhas. O movimento cooperativo quer expandir seu mercado, acrescentando as grandes obras de instalações às obras de construção civil. Para esse fim, a SIC, uma financeira integrante das cooperativas, adquire a CTIP do grupo Romagnoli e a Elettrogeneral da Ansaldo. Assim, as cooperativas vermelhas preparam-se para conquistar uma fatia da torta da ENEL, e o PCI prepara-se para sentar-se à mesa das propinas como todos os outros partidos. É neste ponto que o companheiro Zorzoli entra no conselho de administração da ENEL.

São os socialistas Bitetto e Balzamo que anunciam a mudança do PCI a Panzavolta, que depois recebe a visita de Primo Greganti. Panzavolta é de Ravenna, conhece bem o mundo comunista, até porque já foi dirigente de cooperativas vermelhas no passado. "Greganti era conhecido por todos em Ravenna como representante do Partido Comunista e tinha relações com a CMC." No entanto, antes de pagar, Panzavolta pede a confirmação do grande líder Raul Gardini: "Ele me disse que verificaria. Depois, confirmou-me que Greganti era a pessoa certa e disse que eu podia prosseguir". Com quem do PDS Gardini fez essa "verificação"? Nunca saberemos. Sabemos que, conta Panzavolta, Greganti apresentou-se a ele "com um cartão de visita da liderança central do Partido Comunista. Fazia parte da gestão financeira".

"Panzer" confirma ter pago, entre 1990 e 1992, a cota acordada com o PCI-PDS: 1,246 bilhão (quatro milhões a mais do que o combinado) em três parcelas. A primeira parcela é de 621 milhões, depositados em novembro de 1990 na conta Gabbietta de Primo Greganti, no Banco de Lugano, e depois divididos entre as contas Sartiame e Sorgente. A segunda é de 525 milhões, depositados em setembro de 1992 na conta de número 294469 no Banco de Gottardo, em Zurique, também de Greganti. A terceira é de cem milhões, "entregues em dinheiro vivo para Greganti" ainda em 1992. Ou seja, após a prisão de Mario Chiesa.

Em 1º de março, Greganti, ex-operário, ex-funcionário administrativo do PCI de Turim e depois do PDS nacional, é preso por ordem de Ghitti e Di Pietro. O "companheiro G", como é chamado pelos jornais, permanecerá preso em San Vittore por três meses, até o término do prazo para a prisão preventiva, ou seja, até 1º de junho. Admite ser o titular da conta Gabbietta e ter recebido os três pagamentos de Panzavolta, mas afirma que trabalha para si mesmo, não para o partido. Diz trabalhar com operações imobiliárias e "marketing internacional". Jura que o dinheiro arrecadado serve para financiar seus negócios e alguns projetos na China que nunca foram implementados. Os juízes não acreditarão e condenarão tanto ele (três anos) quanto Zorzoli (quatro anos e seis meses) por corrupção e financiamento ilícito do partido. "As somas envolvidas", lê-se na sentença do Tribunal de

Milão, "não foram recolhidas por Greganti por prestações pessoais de serviço, mas estão associadas a uma intermediação financeira colocada em prática por este último a favor do PCI em troca da atribuição de contratos ENEL ao grupo Ferruzzi".

Ottavio Pisante também confirma que o PCI estava envolvido na divisão. Explica que teve de incluir no grupo de empresas responsáveis pela desnitrificação das usinas de Fusine e Tavazzano uma sociedade desprovida dos requisitos necessários, mas benquista pelo PCI–PDS: a Elettrogeneral, da qual era administrador o próprio Zorzoli, o homem do Partido Comunista no conselho de administração da ENEL. Não é só isso: Pisante afirma ter sido forçado a pagar uma espécie de "multa" de 450 milhões para a Elettrogeneral. Panzavolta acrescenta: a Elettrogeneral tinha de entrar obrigatoriamente no circuito de contratos da ENEL; caso contrário, lhe haviam dito os diretores da empresa, "diremos aos nossos chefes que vocês não estão nos dando trabalho". Portanto, tiveram de associá-la aos subcontratos, embora fosse desprovida do know how industrial necessário: "E o que vamos levar para casa?", perguntou, preocupado, Panzavolta a Bitetto, mas acabou cedendo: "Essa gente insistia, parecia que podia nos prejudicar na licitação". Assim, juntamente com os representantes da Ansaldo, o gerente da Ferruzzi encontrou os homens da Elettrogeneral em Milão e assinou com eles um contrato privado: o compromisso de atribuir à empresa de Zorzoli parte dos subcontratos. "Depois tínhamos que pagar a contribuição para os partidos, e eles disseram: 'Tudo bem, isso nós pagamos [...], nos arranjamos'."

Outra empresa "benquista" pelo PCI–PDS era a De Bartolomeis, chefiada pelo diretor geral Romano Tronci. O grupo Ferruzzi, para concorrer ao contrato de 870 bilhões para a dessulfurização das usinas de Brindisi, Vado Ligure e Sulcis, seleciona uma empresa especializada, a CIFA, mas, para vencer a licitação, deve associar-se (em 40%) em consórcio também a De Bartolomeis, CIFA e Ansaldo. Panzavolta recorda: "Romano Tronci veio falar conosco, dizendo que queria uma parte dos trabalhos do nosso contrato [...]. Queria cem bilhões de trabalho. Primeiro ficamos relutantes, mas depois recebemos instruções muito específicas do Sr. Benedetti [outro conselheiro ENEL, do PSI]; então, demos a ele uma cota de setenta bilhões". Impossível recusar. "Tronci não escondia que era muito ligado ao Partido Comunista, mas tinha três conselheiros e dizia: 'Temos a unção para todos os males': um era do PSI e um da DC." Portanto, estava organizado para pagar as propinas "em casa". "Ele pagou sozinho as propinas pelo contrato que recebeu", diz Panzavolta.

Contudo, para o sucesso nos negócios, não basta apenas a "luz verde" dos conselheiros administrativos. É preciso ter bom relacionamento também com o Parlamento — maioria e oposição. O caso ENEL é emblemático: para construir as implantações de dessulfuração sem ter de pedir permissão para cada um dos municípios, é necessária uma lei e, para que ela seja aprovada, os partidos majoritários não são suficientes. É preciso evitar que o PCI se oponha. Lembra Panzavolta:

Avisaram-me sobre a ENEL: "Olha, se você tem algum contato com o Partido Comunista, seria bom pedir para que seus parlamentares se apresentem na sala [no sentido de sessão]. Não tanto para votar o decreto, mas para fazer número, porque [...], se não houver quórum, a sessão não é válida. Já temos os votos, a maioria na votação, mas é preciso garantir o número de presentes.

Para evitar surpresas, Panzavolta ativa seu contato no PCI:

Avisei Greganti, obviamente. Eu disse: "Olha, se o senhor puder fazer a cortesia de dizer a seus parlamentares [...]". Como a lei seria votada em uma sexta-feira, e geralmente os parlamentares voltam às suas sedes na sexta-feira, Greganti se apressou e disse: "Sim, sim, vou fazer isso agora". E, de fato, a lei foi aprovada, pois havia quórum. O Partido Comunista votou contra, mas só a sua presença era suficiente para que fosse aprovada. Greganti veio até mim e disse: "Você viu como sou importante, viu que posso conseguir essas coisas".

O companheiro G nega. Ele continuará negando também quando, com o progresso da Tangentopoli, será envolvido em outras histórias de propinas pagas pela Fiat e pela Itinera.

"O PCI reúne os construtores..."

Em 15 de setembro de 1993, Di Pietro consegue a confissão de Bruno Binasco, diretor executivo da Itinera, grande empresa de construção sediada em Tortona, especializada em autoestradas e controlada por Marcellino Gavio, fugitivo desde 9 de agosto de 1992. Binasco, entre outras coisas, confirma um financiamento de quatrocentos milhões para o PCI–PDS, passado pelas mãos de Greganti e, para contextualizar melhor o episódio, volta no tempo até 1989. Naquele ano, o senador Lucio Libertini, responsável do setor de transportes do Partido Comunista, convoca uma reunião na sede nacional da Via Botteghe Oscure com cerca de vinte empresários: os maiores construtores italianos. É a véspera do lançamento de uma série de grandes obras, da alta velocidade ferroviária à construção de novos trechos de autoestrada, após a anulação do decreto que havia bloqueado os empreendimentos. Obras, garante Binasco, a que "o PCI havia aderido". Na reunião fala-se de política, mas Binasco e os construtores presentes interpretam essa atenção do partido às empresas "como uma mudança da linha política relativa às grandes obras de infraestrutura" e "como um encorajamento a envolver as cooperativas na realização das novas obras". Desejo que será amplamente acolhido.

Marcellino Gavio, quatro dias após a confissão do seu braço direito, Binasco, volta para a Itália e se entrega a Di Pietro. Admite as propinas para a Metropolitana de Milão, confirma as declarações de seu homem e é libertado. "Fiquei sabendo através de Binasco", conta, "que ele teve de dar alguma coisa para Greganti a título de contribuição para manter boas relações com o PCI–PDS e para que ele não se opusesse à evolução dos contratos nas obras públicas". Resumindo, na véspera das ordens bilionárias das ferrovias e das autoestradas (em comparação com as quais os contratos da ENEL não passam de migalhas), as empresas e os partidos prepararam-se adequadamente, mas não se encontrarão muitos rastros desses prováveis acordos e dessas possíveis propinas, até porque o início da Mãos Limpas acabará com a festa logo no começo.

O companheiro G, dessa vez, não nega ter recebido dinheiro de Gavio e Binasco como funcionário do PCI, mas reduz a cifra ("apenas 150 milhões") e a justifica com uma complicada operação imobiliária. Em 1989, afirma, havia iniciado uma negociação, juntamente com o tesoureiro nacional do PCI, Renato Pollini, para vender para a Itinera um edifício do partido em Roma, na Via Serchio. Binasco já havia pago a entrada (cem milhões regularmente, mais um bilhão por fora), mas Pollini foi substituído por um novo tesoureiro, Marcello Stefanini, que, acompanhado pelo responsável do patrimônio imobiliário, Marco Fredda, aumentou o preço. Binasco desistiu do negócio, e o edifício foi vendido para a PROAL por sete bilhões, dos quais 2,5 bilhões foram pagos por fora. Greganti devolveu a entrada a Binasco, mas reteve os juros acumulados nesse meio-tempo: 150 milhões, segundo Greganti, quatrocentos milhões, segundo Binasco. "Consideramos a soma remanescente de quatrocentos milhões como uma contribuição do grupo Gavio para o PDS." O diretor da Itinera declara: "Pretendíamos tirar o máximo proveito da relação com o Partido Comunista". De fato, Stefanini havia destacado "que o partido poderia ajudar nossa empresa a adquirir contratos no exterior, especialmente no leste da Europa e na China". Talvez para os países do leste da Europa, após a queda do muro de Berlim, fosse um pouco tarde. Mais realisticamente, Gavio admite que era melhor manter um bom relacionamento com o PCI–PDS, "prevendo o fato de que, naquele momento, seriam estabelecidos os financiamentos para as obras públicas que o partido estava comprometido em apoiar".

Os juízes de Tortona, que processarão os protagonistas do escândalo, aderiram à versão de Gavio, desmontando a de Greganti. "Em se tratando da solicitação de uma contribuição da Itinera", lê-se na sentença do Tribunal de Piemonte, "Greganti disse a Binasco que aquela não era sua vontade, mas do PDS, e que tal solicitação era feita expressamente em nome do tesoureiro Stefanini". Resultado: Greganti e Binasco serão condenados de maneira definitiva por financiamento ilícito do PCI–PDS. O primeiro a cinco meses, o segundo a um ano e dois meses.

O "Citaristi da esquerda"

Em fevereiro de 1993, Giovanni Donigaglia, presidente da Coopcostruttori de Argenta (Ferrara), foi preso pela primeira vez. Donigaglia é o típico homem que se construiu sozinho; um chefe adorado pelos sócios colaboradores. Conseguiu expandir a empresa para além dos pequenos limites da província e transformou-a em uma empresa nacional, com construções também no exterior, que não deixa nada a desejar aos gigantes privados. Com dois mil sócios e 630 bilhões de receita, ocupa o primeiro lugar na classificação das cooperativas vermelhas e o quinto na das empresas italianas de construção. Inscrito no PCI desde sempre e depois no PDS, Donigaglia, a partir de fevereiro de 1993, coleciona mandados de prisão preventiva e intimações de Verona, Milão e Nápoles que o manterão preso por cerca de duzentos dias (incluindo prisão domiciliar) e gerarão cerca de trinta processos devido a uma longa lista de propinas. Por isso, os jornais o apelidaram de "Citaristi da esquerda".

Aos juízes, Donigaglia nega ter participado do sistema de propinas. A relação entre as cooperativas e os partidos, segundo ele, funcionava assim:

> Com o tempo, tornou-se praxe reservar, em quase todas as licitações de vários setores da administração pública, uma parte do contrato para as cooperativas próximas ao Partido Comunista [...]. O PCI sempre solicitou que uma parte dos contratos fosse dada a empresas ideologicamente próximas às suas posições. [...] Sempre que existe um contrato público para o qual se deve formar um grupo de empresas e no qual deve se inserir uma cooperativa, me dirijo ao Consórcio de Cooperativas de Construção (CCC) [...] para receber ordens nesse sentido. É o CCC que decide como distribuir cada contrato entre as cooperativas.

"Periodicamente", continua Donigaglia, "éramos informados por funcionários" sobre as exigências econômicas do partido. Entre eles "Primo Greganti, enquanto trabalhou no partido", e outras pessoas que certamente falaram em nome do chefe da administração; primeiro Renato Pollini, depois Marcello Stefanini. Os dirigentes das quatorze principais cooperativas vermelhas reuniam-se regularmente para chegar a um acordo sobre "o que fazer em relação ao partido. Na prática, a estrutura administrativa central do partido aponta quais são suas necessidades econômicas e nós, dirigentes das várias cooperativas, tomamos conhecimento e nos comprometemos economicamente de acordo com nossa disponibilidade". Então, os valores acordados chegavam ao partido na forma de "publicidade nos jornais do PCI–PDS, contribuições para festas, despesas para a manutenção dos escritórios, contratação de mão de obra e funcionários a pedido dos membros e contribuições para eventos e conferências". Donigaglia admite que, assim, pagou ao partido cerca de novecentos milhões entre 1989 e 1992, mas nega que "os financiamentos possam ser relacionados a contratos individuais favorecidos pelo PCI–PDS".

Muitas procuradorias italianas abrem investigações sobre as cooperativas vermelhas: Turim, Milão, Bréscia, Veneza, Bolonha, Reggio Emília, Modena, Ravenna, Ferrara, Florença, Grosseto, Arezzo, Roma, Frosinone, Nápoles, Lecce, Palermo, Catânia e Caltanissetta. Centenas de dirigentes de cooperativas serão investigados e processados. O promotor de Veneza Carlo Nordio chegará a ter 278 indagados na investigação das cooperativas — entre eles Achille Occhetto e Massimo D'Alema —, que absorverá, entre 1994 e 1995, as investigações "gêmeas" de Milão, Turim e Roma, e isso acabará essencialmente em nada.

Titti, a vermelha

Em Milão, o excesso de trabalho faz com que os chefes da Procuradoria aumentem ainda mais a equipe. Em fevereiro de 1993, como veremos, chega Francesco Greco, grande especialista em crimes financeiros e, na primavera, chega no Tribunal Paolo Ielo, aguerrido magistrado de 32 anos de Messina. D'Ambrosio havia decidido acolher também a jovem Gemma Gualdi, mas Borrelli prefere substituí-la quase que imediatamente por outra colega, Tiziana Parenti, conhecida como "Titti", que tinha experiência na Procuradoria de Savona, depois transferida para Milão, e que havia expressado o desejo em trabalhar no grupo antimáfia. Em vez disso, é agregada à Mãos Limpas para trabalhar com as "propinas vermelhas", mas se mete rapidamente em um emaranhado de mal-entendidos e ressentimentos que a tornam um corpo estranho no trabalho em equipe. Ela não consegue se integrar com os outros membros do pool, reclama de não estar sendo envolvida, faz o papel da marginalizada. É verdade que Di Pietro está no auge da fama e, como diz Ielo, "quer ser o padre, o sacristão e o coroinha". Não é fácil para nenhum magistrado desenvolver o seu próprio papel na investigação: é como saltar em um trem em movimento, mas as questões organizacionais e de caráter, no caso de Tiziana Parenti, logo assumem uma natureza política. "Eles não querem investigar o rastro vermelho a fundo", começa a dizer a alguns jornalistas. "Não querem chegar ao topo do PCI–PDS". Na verdade, não apenas ela, mas todos os promotores do *pool* estão convencidos de que Greganti não está dizendo a verdade quando afirma que a conta Gabbietta é pessoal e que o dinheiro de Panzavolta são pagamentos por serviços profissionais e não propinas. Todos concordam com ela sobre o fato de que o dinheiro de Binasco escondido por trás da história do edifício da Via Serchio é também uma propina ao PCI. Infelizmente, embora Parenti procure insistentemente por eles entre o companheiro G e os líderes nacionais do partido, não encontra.

Em Turim, enquanto isso, abre-se outro caminho. O promotor Giuseppe Ferrando começa a investigar a Eumit Intereurotrade, sociedade especializada em importação e exportação de aço dos países comunistas. A Eumit foi fundada em 1974 por dois parceiros muito especiais: o Partido Comunista Italiano e um banco da Alemanha Oriental, o Deutsche Handelsbank, suspeito de ser controlado pelo Stasi, o serviço secreto da RDA (República Democrática Alemã). Mais tarde se descobrirá que a Eumit depositou "dividendos" mais ou menos secretos de cerca de dezesseis bilhões nas contas do PCI–PDS entre 1983 e 1989, entre contas do exterior. Em paralelo, em Milão, Tiziana Parenti esbarra em um financiamento de

1,07 bilhão que, passando pela conta Gabbietta de Greganti, chega à Ecolibri, uma editora controlada pelo partido e presidida por Paola Occhetto, irmã do secretário do PDS em 1990. A explicação oficial: o dinheiro é fruto da venda das ações da Eumit pertencentes ao PCI–PDS (para Gianluigi Regis, administrador da Eumit), que depois foi usado para equilibrar o balanço negativo da Ecolibri. Contudo, as ações do PCI–PDS tinham realmente aquele valor? Os promotores suspeitam que a transação esconda um financiamento ilícito. O que é certo é que se as ações da Eumit eram do PCI–PDS, e seu valor foi depositado na conta Gabbietta, essa é a prova de que Gabbietta não é uma conta privada de Greganti, mas do partido. Em 7 de maio, Parenti interroga Paola Occhetto como testemunha, que afirma ser uma espécie de presidente honorária da Ecolibri e nunca ter visto um documento da Eumit. Mais tarde, o caso será arquivado: se a Eumit é uma empresa do PCI, não há financiamento ilícito porque o partido financiou a si próprio.

Não importa o que diga Parenti, nesse período, o *pool* Mãos Limpas está ocupadíssimo com as investigações sobre as propinas vermelhas, que se desenrolam em várias vertentes. Em 11 de maio, Di Pietro e Colombo pedem e obtêm a prisão do ex-tesoureiro comunista Renato Pollini, que permanecerá preso até 23 de julho e depois irá para a prisão domiciliar. Quem o envolve é Giulio Caporali, membro do conselho administrativo das Ferrovias do Estado pelo PCI de 1986 a 1988, mais tarde expulso do partido devido ao envolvimento no escândalo dos "lençóis de ouro", juntamente com o presidente das Ferrovias do Estado, Ludovico Ligato. Caporali, preso a pedido de Di Pietro já em setembro de 1992 por uma suposta propina de quinhentos milhões, abre a vertente ferroviária das propinas "comunistas", afirmando ter recolhido dinheiro de cooperativas, empresas públicas e privadas para o PCI. Sob solicitação, assegura, do secretário administrativo Pollini. Depois, a vertente ferroviária será transferida, por competência territorial, para a Procuradoria de Roma. Capolari e Pollini serão absolvidos da acusação de corrupção e obterão a anistia e a prescrição pelos financiamentos ilícitos.

No entanto, Parenti vai e vem entre Milão e Turim, onde encontra-se frequentemente com o colega Ferrando para o caso Eumit e, com seu estilo bastante sociável, completamente oposto ao do pool, conversa frequentemente com os jornalistas e fala livremente sobre seus inquéritos. Um dia, diante da Procuradoria de Turim, compara as estruturas de financiamento do PCI–PDS com as "células das Brigadas Vermelhas". Em julho de 1993, sem consultar os colegas, inscreve o sucessor de Pollini, Marcello Stefanini, no registro dos investigados e, em 24 de agosto, entrega-lhe uma intimação. Ela acredita que Stefanini seja o verdadeiro destinatário das propinas recolhidas por Greganti. Borrelli está de férias. D'Ambrosio está no escritório, mas fica sabendo da notícia pelos jornais. A Procuradoria vira um pandemônio. Até agora, somente Di Pietro fez inscrições no registro dos investigados, sem exceção, e todas as decisões importantes sempre foram tomadas em comum acordo. A decisão de registrar o dirigente do PDS entre os suspeitos traz muitas consequências: Stefanini é senador e, portanto, de acordo com a lei ainda em vigor, a Promotoria deve apresentar ao Parlamento o pedido de autorização para proceder dentro de trinta dias após a inscrição. Nesse caso, por ser o início das férias de verão, acrescentam-se aos trinta dias iniciais outros 45 dias de "suspensão do trabalho", mas, mesmo assim, o prazo final está próximo: no mais tardar, outubro. Di Pietro fica furioso por não ter sido informado. Os outros promotores estão surpresos com o comportamento da colega: temem que ela não tenha provas suficientes em mãos para convencer o Parlamento a autorizar a investigação.

A tensão atinge o pico no final de agosto. No dia 28, em entrevista ao *Corriere della Sera*, Tiziana Parenti diz estar convencida de que o depósito de um 1,07 bilhão feito pela Eumit na conta Gabbietta tenha passado pelas mãos de Stefanini: "O dinheiro acaba com a Ecolibri, cuja presidente era Paola Occhetto", declara. Depois, acrescenta que se sente isolada e boicotada pelos colegas devido à sua vontade de perseguir os comunistas. No dia seguinte, vem a resposta de Borrelli, que convida os promotores a silenciarem e garante a imparcialidade da Procuradoria. A trégua durará o período de um verão. Enquanto isso, D'Ambrosio encarrega um major da Guarda de Finanças de sua confiança (o mesmo que investigou a P2) de verificar a história de Greganti. Assim se descobrirá que pelo menos uma coisa dita pelo companheiro G é verdadeira: ele comprou uma habitação em Roma, na Via Tirso, pagando por fora uma entrada de valor equivalente a uma das transferências de Panzavolta.

O carvalho decapitado[*]

No outono de 1993, reacende-se, de repente, a primeira investigação de Di Pietro e Colombo sobre a vertente "vermelha" do início da Mãos Limpas, com a prisão dos dois tesoureiros do PCI, Soave e Carnevale. Em 22 de setembro, é preso pela segunda vez Roberto Cappellini, ex-secretário nacional do PCI–PDS, e em 30 de setembro a parlamentar Barbara Pollastrini, ex-secretária provincial do partido, recebe uma intimação por corrupção. O ex-vice-prefeito Roberto Camagni, então vereador do PDS, também recebe uma intimação. É um novo choque para a esquerda porque, até agora, todos os presos do PCI–PDS de Milão (exceto Cappellini) pertencem à corrente "melhorista". Barbara Pollastrini, em vez disso, faz parte da maioria do partido, a que se reporta ao secretário Achille Occhetto.

Foram algumas novidades surgidas nas investigações sobre as propinas do Malpensa 2000 que reabriram o caso. O construtor Paolo Pizzarotti, líder do consórcio de empresas que recebeu o contrato para o aeroporto, explica ao pool:

> Havia três empresas no grupo; cada uma delas se responsabilizava por "agradecer" ao sistema partidário da maneira que considerava mais adequada, isto é, Pizzarotti supria a DC, Bonifati, o PSI, e Donigaglia, o PCI. Pessoalmente, paguei o dinheiro da DC diretamente nas mãos do

---

[*] Novo símbolo do partido comunista. (NRT)

senador Severino Citaristi, totalizando cerca de um bilhão, 1,3 bilhão. Não sei de que maneira Bonifati e Donigaglia cumpriram seus compromissos [...]. Eu sabia, e, além disso, Donigaglia confirmou que tinha relações diretas com o secretário administrativo do PCI, Stefanini. Nunca aprofundei a questão com Donigagli porque no nosso ambiente é notória a extrema discrição com a qual os representantes, ligados primeiro ao PCI e depois ao PDS, agem e mantêm relações com os membros dopartido.

O restante conta Luigi Mijno Carnevale, ex-tesoureiro vermelho da metropolitana:

Pizzarotti, no que diz respeito às cotas de contribuição pertencentes ao PCI, acertou diretamente com a secretaria administrativa nacional de Roma, ou seja, com Stefanini. [...] Em vez de apenas pagar uma quantia definida de dinheiro ao PDS, a liderança nacional pediu que a Cooperativa Argenta fosse inserida no consórcio das empresas com uma cota de 15%. Essa circunstância me pareceu, e ainda mais para Cappellini, penalizante em relação a quanto conseguíamos cobrar dos empresários milaneses, quando, por exemplo, para a metropolitana milanesa a cota de dinheiro pertencente ao PCI–PDS era de 25%. Cappellini disse, então, que pediria explicações em Roma conversando com Stefanini. E, de fato, mais tarde, me confirmou que eles haviam esclarecido tudo entre eles, chegando ao seguinte acordo: a partir do final de 1991, foi adotada uma codificação da divisão das contribuições, de maneira que, quando o financiamento para as obras era proveniente do sistema nacional, isto é, quando tratavam-se de obras de relevância nacional, seria a própria direção administrativa nacional do PDS a lidar com as relativas contribuições do sistema das empresas cooperativas, ou seja, as cooperativas que cada vez deveriam ser inseridas nos consórcios de empresas. Da mesma maneira, no caso de obras ou manufaturados de importância regional, as contribuições relativas seriam atribuídas às estruturas políticas regionais do PDS. E, no que diz respeito às obras ou manufaturados realizados na cidade, as contribuições relativas seriam destinadas às seções municipais e provinciais do partido.

Depois de explicar o novo método de divisão territorial pós-1991, Carnevale continua: "Na verdade, me encontrei com Donigaglia aqui em Milão, e ele me confirmou basicamente o que Pizzarotti havia dito: que ele tinha acordos específicos com Stefanini". No entanto, resta a dúvida sobre o Malpensa 2000: haviam se contentado com os 15% em Roma, enquanto, em Milão, o PCI–PDS recebia os habituais 25%. Pressionado pelas solicitações, Pizzarotti decide resolver a disputa com uma pequena compensação: "Somente após a insistência de Carnevale, feita

1993. MÃOS LEVANTADAS   163

diretamente ou por meio de Prada, decidi dar uma contribuição única de cinquenta milhões". Prada, tesoureiro universal e rigoroso guardião do caixa do sistema, é democrata-cristão, mas trabalha também para os "inimigos" comunistas. Ele mesmo confirma:

> Pizzarotti veio a meu escritório na sede da DC na Via Nirone e trouxe um pacote contendo cinquenta milhões, implorando que fosse entregue ao PCI de Milão por meio de Carnevale. [...] Entreguei a soma a Carnevale. Ele pediu que eu agradecesse a Pizzarotti, mas deixou claro que o problema de fundo não estava resolvido, ou seja, a plena participação do PCI milanês no contrato Malpensa 2000.

Carnevale passa o pacote a Cappellini, que confirma tê-lo recebido, mesmo afirmando ignorar a proveniência. E Barbara Pollastrini? Quem a acusa é seu colega de partido Sergio Soave, que afirma ter comunicado a ela, enquanto passeavam ao redor da sede municipal do PCI–PDS na Via Volturno, que, "de todos os contratos MM, o partido poderia ter obtido algumas centenas de milhões em poucos anos". Pollastrini, de acordo com seu acusador, "deu sua aprovação implicitamente, suplicando a Soave que se certificasse de que o dinheiro permaneceria na federação milanesa. [...] À pergunta de Soave sobre quem deveria ser o destinatário final das propinas, Pollastrini indicou Cappellini". Com base nessas acusações, Barbara Pollastrini é investigada por cumplicidade em corrupção e, mais tarde, processada. O promotor Paolo Ielo pedirá a condenação, mas o tribunal a absolverá, considerando apenas a palavra de Soave insuficiente: um "adversário interno" que poderia ter sido motivado por "razões de ódio ou vingança". O ex-vice-prefeito Camagni também será absolvido. Soave, por sua vez, será condenado a um ano e seis meses e se tornará comentarista dos jornais *Il Foglio*, *Italia Oggi* e *Avvenire*. Passará a fazer parte, assim como seu antigo companheiro de partido, Massimo Ferlini, da Companhia das Obras (CDO).

Gianni Cervetti talvez seja o protagonista de maior peso da vertente "vermelha" da Mãos Limpas. Deputado "melhorista", é autor do livro *L'oro di Mosca* (O ouro de Moscou), que revela os sistemas de financiamento da União Soviética ao antigo PCI (também cobertos pela anistia de 1990). Considerado pela acusação o destino final das propinas pagas aos melhoristas no sistema dos transportes de Milão, Cervetti é condenado a três anos em primeira instância por receptação. Algum tempo depois, o promotor Ielo passa diante da sala onde se dá uma das últimas audiências do processo de apelação e cruza com Cervetti: "Doutor", diz o ex-deputado, "se confirmarem minha sentença, vou até o senhor". Uma saudação inofensiva ou a promessa de novas revelações da parte cúpula do partido? Nunca saberemos. Cervetti é absolvido com base no segundo parágrafo do artigo 530: as revelações de Carnevale são "espontâneas" e "não caluniosas", mas não são suficientes porque faltam "detalhes específicos e particulares significados".

"Vocês viram?", comenta Davigo hoje: "As absolvições de Pollastrini e Cervetti são a melhor demonstração de que o *pool* não é um antro de 'togas vermelhas'. A Procuradoria recolheu elementos de acusação contra dois expoentes do PCI–PDS. Mas o tribunal não os considerou suficientes".

Grande caça na Botteghe Oscure

Tiziana Parenti continua a seguir as "pistas vermelhas" depois do verão sem quaisquer resultados tangíveis, mas agora todo o *pool* dedica-se em tempo integral à investigação sobre o PCI–PDS. Nada é descartado para encontrar as provas necessárias ao apoio do pedido de autorização para proceder contra Stefanini. O promotor Francesco Greco lembra hoje:

> Não podíamos correr o risco de errar ou de acusar parlamentares sem provas. Portanto, os inscrevíamos somente quando já tínhamos elementos suficientes para pedir autorização ao Parlamento, mas, dessa vez, tínhamos percebido, e a própria Parenti havia dito, que Stefanini tinha sido inscrito sem termos muitos indícios sobre ele. Tínhamos apenas um mês de tempo, estávamos em apuros. E me lembro que, na reunião operativa, Di Pietro assumiu pessoalmente a responsabilidade de voltar todo o seu poder investigativo para encontrar algo. Por dez ou quinze dias, não o vimos mais: ele estava fazendo interrogatórios continuamente, tentando encontrar alguma coisa.

Em 18 de setembro, Marco Fredda, responsável pelo patrimônio imobiliário do PDS, é preso pelo episódio do edifício da Via Serchio, mas o Tribunal de Revisão coloca-o logo em liberdade. No dia 19, Davigo manda os Carabinieri realizar uma busca em seu escritório, na sede nacional da Via Botteghe Oscure. Um fato que desperta muita atenção. No mesmo dia, Greganti se entrega, era procurado por outras acusações e é preso novamente.

Mais uma vez, o companheiro G não colabora com os promotores. Não existem elementos determinantes contra Fredda e Stefanini. O prazo para solicitar a autorização para proceder contra Stefanini está se esgotando, e a Procuradoria deve tomar uma decisão. Em 4 de outubro, todo o *pool* se reúne no escritório de D'Ambrosio para discutir a questão. Estão presentes Borrelli, Di Pietro, Colombo, Davigo, Greco, Ielo, Parenti e Elio Ramondini, o último jovem magistrado associado ao grupo. Dessa vez, o clima é calmo, não há conflitos. Tendo em consideração as provas recolhidas, todos os presentes se dizem favoráveis ao arquivamento do caso do senador, talvez para retomá-la no futuro, se novas descobertas emergirem. "Titti", vestida de vermelho, está tranquila e não dá sinais de discordância. No final, na votação informal, todos votam pelo arquivamento. Ela, no entanto, se abstém. E, recém-saída do escritório, recomeça a guerra pessoal contra os colegas. Em 7 de outubro, a Procuradoria pede a Ghitti que arquive o inquérito contra Stefanini pelo crime de corrupção. O juiz de investigações preliminares decide não acolher o pedido, mas examinar o inquérito na câmara do conselho, diante das partes. Faz isso nos dias 18 e 19 de outubro e conclui que são necessários mais estudos, indicando alguns pontos a serem explorados (que se revelarão completamente inúteis). O confronto entre Ghitti e o *pool* permanece nos jornais durante dias. Alguém insinua que D'Ambrosio quer "salvar" o PDS.

Stefanini, de qualquer maneira, está sob investigação por fraude fiscal: a venda do edifício da Via Serchio, apresentada como explicação para o dinheiro recebido de Binasco, realizou-se em parte por baixo dos panos, com uma evasão de 3,69 bilhões. Por esse crime, a Procuradoria envia um pedido de autorização para proceder ao Senado em meados de outubro. A hipótese de corrupção permanece suspensa. Greganti argumenta ainda que não repassou o dinheiro de Panzavolta ao partido, isto é, a Stefanini, mas utilizou-o para comprar o apartamento da Via Tirso. No dia 22 de outubro, encontra-se uma cópia do contrato preliminar de aquisição durante uma busca. O original, nem mesmo na sede da Edilnord (grupo Fininvest), que acompanhou as negociações.

Em 25 de outubro, o *pool* reúne-se novamente, dessa vez para decidir que resposta dar a Ghitti sobre Stefanini. D'Ambrosio não participa: "Não quero", declara à ANSA, "que esta indigna campanha da mídia contra mim envolva todo o pool. Disseram que sou o defensor do PDS. Isso significa que desta vez o PDS não terá defensores". Enquanto isso, nos corredores políticos, circula insistentemente o boato do lançamento de uma intimação em nome do secretário nacional Achille Occhetto. Segundo o *La Stampa* de 6 de outubro, Occhetto chega a ameaçar: "A esta altura, digo que, se eu receber uma intimação baseada em declarações como as de Carnevale e Zamorani, estamos realmente diante de um golpe de Estado. Perante algo do gênero, acredito que os nossos iriam às ruas". Então, pede para ser ouvido pelos magistrados e, em 10 de dezembro, apresenta-se em Milão para dar um depoimento espontâneo. Admite a responsabilidade local de uma corrente do partido, a dos "melhoristas", mas reitera o desconhecimento dos líderes nacionais do PDS.

Em 15 de dezembro, Tiziana Parenti deixa oficialmente o *pool* e é designada por Borrelli à Direção Distrital Antimáfia, de onde continua sua polêmica. É um arranjo temporário: em janeiro de 1994, candidata-se com o Força Itália, é eleita deputada e depois nomeada presidente da Comissão Parlamentar Antimáfia. Em 1999, deixará o Força Itália para juntar-se ao SDI, o partido neossocialista de Enrico Boselli. De lá migrará para o Margherita e depois se dedicará à advocacia.

Quem herda a vertente das propinas vermelhas é Paolo Ielo: "Levei um longo tempo para organizar os documentos sobre a investigação, deixados em uma situação de grande caos por aqueles que me precederam." Fredda e Greganti são libertados pelo Tribunal da Liberdade, contra o parecer da Procuradoria. Ielo recorre à Cassação: o recurso é acolhido para Greganti, mas rejeitado para Fredda. De qualquer maneira, a parede levantada pelos homens impenetráveis do PDS torna novos avanços impossíveis. A situação de Stefanini (que morreu em dezembro de 1994), pelo menos em relação ao assunto que era tão caro a Parenti, será definitivamente arquivada pela juíza de audiência preliminar Cristina Mannocci: não "pela morte do réu", mas "pela absoluta falta de provas".

Quanto ao caso Eumit, Ielo tenta reconstituir o percurso do dinheiro recebido pelo companheiro G e, junto com o promotor de Turim, Ferrando, segue a trilha dos financiamentos da Eumit até Berlim, na sede do Deutsche Handelsbank, uma viagem muitas vezes anunciada à imprensa por Parenti, mas que ela nunca realizou. Não se encontram provas de transferências de dinheiro de Greganti à cúpula do PCI–PDS. Uma pista leva até um banco austríaco, mas Viena permanece indiferente às cartas rogatórias do pool. Uma parte do inquérito é enviada, por competência, à Procuradoria de Roma, que o encerrará definitivamente. Uma outra parte, relativa ao balanço falso da Eumit, passa a Turim e obtém resultados melhores, como veremos. A Procuradoria do Piemonte chegará a investigar Achille Occhetto, mais tarde absolvido, em parte pelos méritos, em parte pela prescrição.

"Il Moderno": muito dinheiro, poucos leitores

No caso das propinas vermelhas, também uma corrente puxa a outra. Em 8 de outubro, Di Pietro interroga Marco Fumagalli, novo secretário provincial da Quercia, sobre o patrimônio do partido em Milão. Em 1992, após as prisões dos primeiros comunistas, Fumagalli colocou três "espertos" para controlar os sistemas de financiamento do partido, com o consentimento do secretário nacional Occhetto. No relatório final, os "espertos" concluíram que "a vida do partido em Milão foi marcada pelas dificuldades financeiras da federação, enquanto havia uma grande disponibilidade de recursos apoiando as atividades de um setor do partido". "Qual setor?", pergunta Di Pietro. Fumagalli responde que se trata do CIR, o Centro de Iniciativa Reformista, ou seja, o núcleo da corrente melhorista que desenvolvia intensa (e custosa) atividade política e publicava um periódico há anos, *Il Moderno*. Di Pietro abre uma investigação sobre o tal jornal, que foi fortemente desejado por Cervetti e Ludovico Festa (diretor editorial) para dar voz à corrente que já era um partido dentro do partido. *Il Moderno* começa a ser publicado mensalmente em 1984 e imediatamente revela-se um insucesso. No entanto, continua a ser publicado e, além disso, torna-se semanal. Em 1990, não alcança nem mesmo a média de quinhentas cópias vendidas por edição, mas o dinheiro nunca falta. Em 1988, para cobrir as perdas dos primeiros anos, funda-se uma nova editora, a Moderno srl. Soave explica que foi vice-presidente e teve Claudio Dini a seu lado, o presidente socialista da Metropolitana de Milão, e um representante da Torno. Entre os financiadores, destacam-se os grupos Fininvest, Ligresti, Torno, Acqua, Gavio, Belleli e até mesmo Gianfranco Troielli, tesoureiro secreto de Craxi. Um pedaço do PSI de Craxi dentro do PCI–PDS.

Em 1990, outras dívidas, outra empresa: Nuovo Moderno srl. Os mesmos grandes empresários de Milão compram as ações. Bruno Binasco, em nome do grupo Gavio, coloca 250 milhões. Angelo Simontacchi, do grupo Torno, 168 milhões. Os principais anunciantes — sem qualquer retorno publicitário — são os habituais: Ligresti, Torno, Acqua, Fininvest, Mediolanum e Publitalia. Que interesse tinham esses gigantes (incluindo as empresas do anticomunista Berlusconi) em patrocinar um jornal praticamente invisível? Binasco responde: "O interesse em manter um bom relacionamento com o partido na área de Milão e conquistar as estruturas do PCI". E Simontacchi: "Mesmo sem ter qualquer interesse na participação", Carnevale e Cervetti "me convidaram a contribuir financeiramente para uma iniciativa editorial do partido". O juiz que analisará o caso será mais explícito: os empresários financiavam *Il Moderno* não "por uma avaliação empresarial", porque "nenhuma lei de mercado pode fornecer uma explicação plausível para a questão econômica e financeira", mas "para bajular a corrente melhorista do PCI, que tinha influência política na sede local e poderia ser útil para sua atividade econômica". Os pagamentos para *Il Moderno* eram "vistos como uma despesa de promoção".

A Procuradoria abre um inquérito sobre o faturamento falso e o financiamento ilícito do partido e interroga Cervetti, Soave, Carnevale, Festa (que anos mais tarde se tornará coeditor do *Foglio* com outro ex-comunista, Giuliano Ferrara) e uma longa lista de empresários financiadores. As posições de Festa e Cervetti são imediatamente arquivadas; Soave, Carnevale e os empresários são processados. Eles serão absolvidos em 1996. Para o tribunal, financiar um jornal "próximo" ao partido, mas não oficialmente do partido, não é crime. A Procuradoria recorre na Cassação, que anula a sentença em 1998: "O financiamento feito pelos empresários", lê-se na sentença dos juízes supremos, "era, na verdade, o financiamento ilícito da corrente melhorista do PCI–PDS de Milão". Resumidamente, *Il Moderno* era o "destinatário fictício do financiamento", sendo uma "articulação político-administrativa do partido, com todas as implicações e consequências que derivam" do não cumprimento da lei sobre o financiamento de partidos. Nunca, no entanto, haverá outro processo contra *Il Moderno*, pois os crimes prescreveram.

As **propinas** do GRU

A Fininvest e os comunistas se reencontram lado a lado também no inquérito sobre o shopping "Le Gru", de Grugliasco, na entrada de Turim. O maior centro comercial italiano, dizem os anúncios, ainda não foi inaugurado e já está sob investigação. O promotor de Turim suspeita que foram pagas propinas aos partidos para a obtenção das licenças, inclusive para o PCI–PDS, que controla desde sempre a administração de Grugliasco, um dos municípios mais "vermelhos" da Itália. Os proprietários do Gru são os franceses do grupo Trema junto com os italianos da Euromercato–Standa (Fininvest). Foram duas cooperativas vermelhas que construíram a enorme estrutura: a Coopsette de Reggio Emilia e a Antonelliana de Turim, unidas na ocasião no consórcio Galileo srl. Silvio Berlusconi inaugura o centro comercial pessoalmente com grande alarde em 9 de dezembro de 1993.

Cinco dias depois, foram presos por corrupção, a pedido do promotor Ferrando, o prefeito do PDS Domenico Bernardi, o ex-prefeito comunista Angelo Ferrara, quatro ex-assessores e conselheiros municipais (três socialistas e um democrata-cristão), além do ex-vice-presidente nacional da Confcommercio, Ottavio Guala (que será absolvido porque não é considerado funcionário público). Também estão envolvidos nas investigações dois conselheiros da Refundação Comunista.

Os políticos detidos são acusados de terem recebido propinas totalizando pelo menos dois bilhões, distribuídos pelo arquiteto Alberto Milan, gerente da Trema. Milan, no entanto, confessa estar envolvido apenas em "nível municipal", enquanto quem se envolveu nos "níveis superiores" foi a Fininvest. Ferrando interroga Aldo Brancher, assistente do diretor do grupo Fininvest, Fedele Confalonieri, que foi preso em Milão. Ele também pede para ouvir Silvio Berlusconi, que consegue adiar o interrogatório durante meses. Concordará em apresentar-se no Palácio da Justiça de Turim apenas em 19 de abril de 1994, depois de vencer a eleição.

Em 24 de novembro de 1993, Ferrando escuta como testemunha Sergio Chiamparino, então secretário provincial do PDS (em 2001, se tornará prefeito de Turim), que havia encontrado o arquiteto Milan e recebido um telefone celular de presente. Depois do interrogatório, Chiamparino faz uma declaração tranquilizante e taxativa: "Se Bernardi recebeu dinheiro, sou um idiota". Menos de um mês depois, em 21 de dezembro, Bernardi confessa ter recebido uma propina de 65 milhões.

Primo Greganti também acaba no registro dos investigados: acompanhou as negociações do Le Gru em contato próximo tanto com as cooperativas vermelhas que construíram o centro, quanto com a Standa, ou seja, com a Fininvest. A dupla Brancher–Greganti parece muito ligada: trabalha lado a lado, discute negócios e conclui transações imobiliárias. Brancher também fornece um telefone celular a Greganti. Mary Daniel Puhl, colaboradora e companheira de Brancher na época, conta:

> Brancher comentou que parte dos escritórios romanos da Promogolden [empresa de Brancher] deveria ser colocada à disposição de Greganti; por isso, sucessivamente, assinei uma solicitação endereçada à SIP de Roma para a aquisição e a utilização de um telefone celular para ele.

Em resumo, os dois são quase sócios, mas negam ter cometido crimes. Brancher alega que a atividade da Promogolden não tem nada a ver com a Fininvest. Paralelamente, Greganti admite que se ocupou da localização de possíveis áreas para centros comerciais no Piemonte para oferecer ao grupo Fininvest, mas por conta própria, por intermédio de sua empresa Lubar e não em nome do partido. O fato é que as áreas pré-escolhidas para o investimento Standa fazem parte de municípios administrados pelo PDS.

O "pai" do Gru chama-se Carlo Orlandini, presidente da Euromercato

1993. MÃOS LEVANTADAS   169

quando a sociedade ainda pertencia ao grupo Montedison (a transição para a Fininvest ocorreu em 1989): "Chegamos a um acordo com as cooperativas", revela Orlandini a Ferrando em 26 de novembro de 1993, "segundo o qual uma empresa constituída por elas e denominada Galileo compraria o terreno, realizaria os trabalhos e obteria as licenças urbanísticas e construtivas, deixando as autorizações comerciais sob a responsabilidade da Euromercato". Orlandini nega ter pago propinas, mas admite ter encontrado em 1989 o então secretário do PCI de Turim, Piero Fassino: "Conversamos sobre a iniciativa do centro comercial. Ele me disse que apoiava, desde que nada fosse dado a seu partido ou aos políticos locais do mesmo". Imediatamente após o interrogatório, Orlandini contata Fassino por meio de uma carta enviada pelo correio e por fax:

> Caro Dr. Fassino, fui convidado pelo Dr. Ferrando, da Procuradoria de Turim, para depor como testemunha na investigação sobre o centro comercial de Grugliasco, do qual, como o senhor deve lembrar, fui o criador e promotor. Eu disse a ele que até o momento da minha renúncia (em maio de 1989) após a aquisição da empresa pelo Dr. Berlusconi, que foi meu sucessor, não existiu nenhum problema de corrupção, uma vez que se tratava de uma compra futura do tipo "chave em mãos". Ele me perguntou se eu conhecia Greganti e Brancher, que nunca conheci, mas me lembrei da figura daquele galante homem, prefeito Lorenzoni, também do nosso encontro e de como o senhor expressou seu apoio à iniciativa com a condição de que não houvesse nenhum pagamento, o que coincidia perfeitamente com a minha ideia e com meus princípios [...]. Pareceu-me justo mencionar algo que lhe faz honra e registrar nos autos. Cordialmente, Carlo Orlandini.

Não se sabe o que provocou Orlandini a informar Fassino sobre o conteúdo do seu depoimento, violando plenamente o sigilo das investigações, mas, no mesmo dia, Orlandini faz ainda mais: manda traduzir a carta para o francês e a encaminha para o conhecimento dos mais altos dirigentes da Trema em Paris, Maurice Bansay e Roger Flament. Imagina, com razão, que, mais cedo ou mais tarde, eles serão interrogados sobre o mesmo assunto — o papel de Fassino — e não quer ser desmentido. Pelo menos, foi assim que Bansay e Flament receberam o aviso, mas esta não é a única referência ao futuro secretário do DS no caso Le Gru. A Procuradoria de Turim ouve Antonio Crivelli, ex-líder do PCI em Grugliasco, que foi para o PSI em 1992. Crivelli daclara:

> Eu era contra toda a operação Le Gru [...]. A ideia do partido, em vez disso, era construir o centro comercial a qualquer custo. Nossa sensação era de que a decisão já havia sido tomada em outra sede, ou seja, nas secretarias regional e nacional do partido. Não me lembro de reuniões

com dirigentes da federação para explicar aos conselheiros municipais que linha política seguir sobre a questão, o que significa que os acordos já haviam sido feitos por outros canais e que, por isso, os conselheiros deveriam apenas adaptar-se.

Crivelli não se adapta, deixa o partido e aproxima-se dos socialistas, aos quais começa a contar um boato que circulava no conselho municipal de Grugliasco. Depois explica aos juízes:

> Fiquei sabendo que Fassino tinha ido a Paris, sob a Torre Eiffel, para receber uma bolsa de dinheiro relacionada ao caso Gru. Contei essa história porque realmente fiquei sabendo, falando com assessores e conselheiros municipais, que circulava o rumor de que Fassino e Martelli tinham ido à França buscar dinheiro para o Le Gru. Acrescentei o detalhe do lugar (na Torre Eiffel) e da bolsa. Não sou capaz de afirmar quem disse isso para mim [...], mas era um rumor recorrente no Conselho Municipal de Grugliasco; várias pessoas relataram o fato, mas sem nenhum dado objetivo ou mais preciso. Acredito que ouvindo alguns vereadores ou assessores de Grugliasco, eles possam esclarecer o episódio relativo a Fassino.

No entanto, nenhum dos assessores ou vereadores interrogados dirá alguma coisa sobre Martelli ou Fassino, que é ouvido como testemunha. A pista de Paris acaba em nada, mas deixa uma pergunta sem resposta: por que um alto executivo do PCI–PDS seria "fiador" de um supermercado?

Assim, as únicas propinas comprovadas no caso Gru são aquelas pagas pela Trema aos políticos locais. Bansay e Flament acabam na prisão, em Turim, por causa delas. Interrogado em março de 1994 pelo juiz de investigações preliminares Sebastiano Sorbello, Flament fala das solicitações feitas por Renato Ciaiolo, presidente da cooperativa Antonelliana de Turim, e Amos Vacondio, dirigente da Coopsette de Reggio Emilia, unidas no consórcio Galileo:

> Inicialmente pediram 110 bilhões e depois baixaram para 90–85 bilhões, contra a oferta da Trema de setenta bilhões. No final, aceitaram 86 bilhões. [...] Só agora ficamos sabendo que os terrenos foram comprados a preços irrisórios: se isso é verdade, então o consórcio Galileo teve um lucro próximo aos quarenta bilhões. [...] Aceitamos pagar um preço político, um verdadeiro pedágio para entrar na Itália. Estávamos cientes de que essa enorme sobrecarga era destinada à política. [...] A enorme diferença entre o preço concordado de 86 bilhões e o valor real da estrutura representava uma verdadeira propina imposta por Ciaiolo e Vacondio e aceita pela Trema porque era a única maneira de obter as licenças complementares necessárias (consequência das alterações que solicitamos devido a nossas exigências técnicas) e alcançar definitivamente o nosso principal objetivo

econômico: nos inserirmos no mercado italiano. [...] Quando encontrei Ciaiolo, percebi que estava lidando com um verdadeiro comunista stalinista, e que ele e a Antonelliana representavam o núcleo de toda a operação.

4. O CAVALIERE E O ENGENHEIRO

Aldo Brancher, o "quase sócio" de Greganti, é um personagem verdadeiramente muito especial. Nos anos 1970, o jovem padre paulino tornou-se braço direito de don Emilio Mammana, o homem que abriu o primeiro escritório publicitário da *Famiglia Cristiana* em Milão, retirando a revista católica semanal do ambiente provincial de Alba e da sacristia para transformá-la em uma das revistas italianas mais vendidas e mais ricas da Itália. Ao lado de don Mammana, está sempre don Aldo, brilhante e ambicioso, o bastante para entrar em conflito com o então diretor don Leonardo Zega. No entanto, é por causa de uma mulher que don Aldo deixa a sacristia e a batina, mas não a publicidade. Aproveitando as relações e a experiência, torna-se gerente da Publitalia, a agência da Fininvest dirigida por Marcello Dell'Utri, e depois colaborador da Fedele Confalonieri na Fininvest Comunicações para os "projetos especiais". Realmente especiais: Brancher mantém as relações com os partidos políticos para as propagandas eleitorais nas redes Fininvest.

A brilhante carreira de Brancher parece interromper-se repentinamente em 18 de junho de 1993, quando a Polícia o leva a San Vittore. Lá ele permanecerá em prisão cautelar durante os três meses previstos pela lei sem dizer uma palavra, recebendo o apelido de "Greganti da Fininvest". É acusado de ter pago trezentos milhões para o PSI e mais trezentos para Giovanni Marone, secretário do ex-ministro da Saúde Francesco De Lorenzo (PDI), para poder exibir nos canais da Fininvest a grande campanha publicitária, financiada pelo Ministério, sobre a prevenção da AIDS. "Quando nosso colaborador Brancher estava em San Vittore", diz Silvio Berlusconi, "Confalonieri e eu ficávamos dando voltas ao redor do presídio. Queríamos nos comunicar com ele". Talvez para pedir telepaticamente que ele resistisse. E ele resiste. Assim como Greganti, afirma ter agido por conta própria, pensando nos interesses de sua empresa, a Promogolden, e não em nome da Fininvest, mas será condenado pelas propinas da publicidade antiaids em primeiro e segundo graus a dois anos e oito meses por falso balanço financeiro e violação da lei do financiamento dos partidos. A Cassação declarará o financiamento ilícito coberto pela prescrição e a falsidade contábil descriminalizada pela "reforma" Berlusconi. Em seguida, Brancher se tornará o responsável pelo Força Itália no Norte, depois responsável pela aproximação entre Berlusconi e Bossi e, em 2001, deputado e subsecretário das Reformas Institucionais no Ministério designado a Umberto Bossi. Em 2005, será investigado novamente e condenado pelo escândalo das escaladas bancárias.

Comprometem o homem de Confalonieri principalmente as palavras de Marone:

> Brancher veio a mim em nome da Fininvest para pedir que fosse reservada uma parcela maior da campanha antiaids à Fininvest. Quando esse privilégio foi concretizado, ele retornou para demonstrar sua gratidão, pagando trezentos milhões em duas parcelas.

Uma propina paga como sinal de "gratidão" pelos orçamentos obtidos em 1990 e 1991, quando a Fininvest estava tentando agarrar a fatia mais grossa dos mais de trinta bilhões por ano reservados pelo Estado para os comerciais. O escândalo também envolve outras redes de televisão, como a Videomusic, e agências de publicidade e relações públicas muito conhecidas. "As empresas", prossegue Marone, "demonstraram sua gratidão ao Partido Liberal com anúncios de jornal, pagamento de contas tipográficas e colaborações profissionais gratuitas para as campanhas eleitorais".

O papel de Brancher, lobista responsável por manter as boas relações entre a Fininvest e os partidos, parece emergir também em outra investigação do pool. Ainda em 1993, o ex-padre paulino é chamado para responder sobre um pagamento de cerca de trezentos milhões para o PSI para financiar o 45º Congresso na Ansaldo de Milão em 1989. É a reunião faraônica que ficou para a história por causa da cenografia assinada por Filippo Panseca, amigo de Bettino Craxi. Também neste caso Brancher tenta inocentar o grupo Berlusconi novamente, dizendo que foi a sua Promogolden que comprou o espaço publicitário nos estandes do congresso de uma empresa do PSI, a NEA (Nuova Editrice *Avanti!*). No entanto, a Procuradoria hipotetiza que a operação esconde um financiamento ilegal, autorizado por Confalonieri, que também é inscrito no registro de investigados (e, mais tarde, será absolvido).

Durante esses meses, as sedes da Fininvest sofrem diversas buscas. Segundo a Procuradoria, Brancher também financiou o congresso socialista de 1991. Quando Gherardo Colombo o interroga sobre seus "projetos especiais", admite ter comprado espaço publicitário não apenas dos socialistas (através da NEA), mas também dos democratas-cristãos (Edit), dos republicanos (SOP), dos liberais (Alfa Uno), dos comunistas (Eipu) e do MSI (Il Secolo d'Italia). Mas insiste que se tratava de uma transação comercial normal. E o *pool* não conseguirá desmenti-lo.

A Lei Mammì e as propinas postais

Em 1993, a Fininvest é atingida por um escândalo de propinas muito mais pesado, que gira em torno do Ministério dos Correios e Telecomunicações. Segundo o pool, quem coordena é um brilhante e desenfreado jovem com pouco mais de trinta anos. Seu nome é Davide Giacalone, era secretário do ministro republicano Oscar Mammì e é considerado pela Procuradoria o verdadeiro criador da lei de

1993. MÃOS LEVANTADAS   173

regulamentação do rádio e da televisão: a "lei Mammì" que, em 1990, depois de anos de faroeste do éter,* "fotografou" o *status quo* e garantiu a posse de três redes de televisão para a Fininvest (o único caso na Europa). Giacalone, uma vez terminada a experiência no Ministério, recebeu da Fininvest um contrato de consultoria generosamente remunerado (seiscentos milhões). Por isso, em 18 de maio de 1993, terminou em San Vittore por acusações de corrupção. Um mês depois, ao terminar um interrogatório no escritório do juiz de investigações preliminares Italo Ghitti, desabafa:

> No final dessa história, alguém deverá envergonhar-se, e não sou eu. Eu era e ainda sou uma das poucas pessoas na Itália capazes de entender alguma coisa sobre as normas reguladoras das frequências de rádio e televisão. Não apenas acho legítimo, mas admirável que uma pessoa que, assim como eu, tenha vivido da política no passado, encontre um trabalho sem ser recomendada.

A lei Mammì, portanto, acaba sob investigação. A Fininvest pagou para obtê-la? E foram pagas propinas ao Ministério dos Correios? Muitas pessoas acham que sim, até porque a detecção das frequências de televisão (medida técnica necessária para decidir quais "canais" atribuir às várias redes) foi atribuída pelo Ministério a uma pequena empresa de Segrate: a Federal Trade Misure. Recém-fundada por um importador e fornecedor de equipamentos eletrônicos, Remo Toigo, com um capital de apenas vinte milhões, a empresa é premiada com trabalhos que somam quase 29 bilhões. De acordo com a acusação, o criador da operação é Giacalone. Na época do contrato, Giuseppe Parrella, diretor geral da empresa de serviços telefônicos do Estado (ASST), obtém de Toigo 60% da Federal Trade: na prática, apropria-se da empresa. O episódio tem muitos detalhes obscuros, até porque Parrella, uma vez preso, admite ter "pilotado" todos os contratos que passaram por ele em troca de propina, ter feito a mediação entre empresas e partidos, ter pago quase todos os partidos do governo: democratas-cristãos, socialistas, republicanos e sociais-democratas. Em seis anos no topo da empresa do Estado, ele diz que distribuiu um rio de dinheiro, reservando para si um percentual justo. Ele terá 54 bilhões de bens móveis e imóveis apreendidos na Itália, Suíça e Liechtenstein, junto a empresas panamenhas e holandesas.

Enquanto a investigação das propinas para o correio italiano decola em Milão, a Procuradoria de Roma abre uma paralela, gera conflito de jurisdição e, em 30 de maio, obtém um mandado de prisão para Giacalone, já preso em Milão. Di Pietro reúne-se com as colegas romanas que acompanham o caso: a juíza de investigações preliminares Augusta Iannini e a promotora Maria Cordova. Propõe manter em Milão o inquérito sobre o fornecimento e os contratos, deixando em Roma o das frequências de TV, mas é em vão. O procurador chefe romano, Vittorio Mele, apoia o pedido da promotora Cordova à Cassação para que tudo passe

---

* Metáfora do que é bem público nas concessões para televisões e rádios. (NRT)

à Procuradoria da capital. Motivo: as propinas teriam sido pagas nos escritórios romanos do Ministério.

Dos interrogatórios milaneses emergem supostas propinas para a corrente de Andreotti, com os protagonistas diretos Parrella, o empresário Giuseppe Ciarrapico e o ministro Cirino Pomicino. Parrella confessa ter depositado um bilhão no exterior para Ciarrapico "para as necessidades da corrente de Andreotti". Como prêmio, o "Ciarra" apresentou-o a Andreotti, então primeiro-ministro, que o recebeu em seu escritório no Palazzo Chigi. Mais tarde, apareceu Pomicino: "De agora em diante", teria dito a Parrella, "você dará o dinheiro a mim". Então, "Pomicino forneceu-me o número de uma conta bancária no exterior, na qual pedi que meu secretário Lomoro fizesse mais um depósito de um bilhão". Contudo, "o PSI também esperava as respeitáveis contribuições da minha gestão", recorda Parrella. "Vincenzo Balzamo disse-me que Craxi estava irritado com o fato de que o Ministério dos Correios, até então sob a gestão dos ministros da DC, não havia trazido contribuições significativas para o PSI." Assim, Parrella conta que teve de remediar depositando dez bilhões nos cofres de Garofano entre 1988 e 1992.

O boiardo do correio italiano lembra de ter pago 1,5 bilhão por ano à DC: cerca de 4,5 bilhões entre 1988 e 1990, nas mãos de Citaristi. Mais tarde, o tesoureiro, sabendo da desproporção em relação aos pagamentos para o PSI, pede uma integração para "as eleições de 1992". Uma integração imponente: mais de seis bilhões em uma conta no exterior, que ficaram "congelados" porque "naquela época, explodiu a investigação Mãos Limpas, e Citaristi não quis mais recebê-los".

Tinha também o PSDI, partido do novo ministro dos Correios, Carlo Vizzini, sucessor de Mammì. Vizzini, relata Parrella, pediu-lhe para entrar em contato com seu pai, Calogero, "para discutir as modalidades dos pagamentos para o PSDI": 7,4 bilhões entre 1991 e 1992.

Quem recebia em nome do PRI era Giacalone, que resgatou (ainda segundo Parrella) nove bilhões para o partido, além de um 1,5 bilhão a título pessoal. No Ministério, de acordo com o antigo diretor da ASST, o jovem Giacalone cuidava de tudo, mas particularmente do plano das frequências, base técnica fundamental para a atribuição dos "espaços" televisivos às redes nacionais e locais. Com relação a isso, no interrogatório do dia 31 de maio, em Milão, Parrella revela "a relação próxima que existia entre o redator do projeto de lei, Davide Giacalone, e o Dr. Gianni Letta da Fininvest". "Próxima em que sentido?", pergunta Di Pietro. E Parrella: "Os dois encontravam-se muito frequentemente e davam a impressão de que estavam agindo juntos para preparar a lei em questão".

Letta reage: "Isso é um absurdo". E afirma que seu envolvimento foi totalmente "correto e transparente". A Procuradoria de Roma colocará sob investigação, entre outros, Mammì, Vizzini, Giacalone, Letta e Galliani. Acabará como tantos outros inquéritos romanos: sem resultados, depois de uma perícia encomendada pelo juiz de investigações preliminares que durou anos. Vizzini e Mammì obtêm do Tribunal de Ministros a "arquivação do processo".

"Preso De Benedetti"

"Nunca paguei propinas a partidos políticos ou a entidades a eles associadas. Está na hora de começar a distinguir entre aqueles que o sistema favorecia e aqueles que ele marginalizava. A Olivetti conquistou sua parte do mercado apenas trabalhando." Palavra de Carlo De Benedetti, questionado por um pequeno acionista indiscreto em uma reunião, em 29 de abril de 1993, mas o engenheiro não está dizendo a verdade e, menos de três semanas depois, será obrigado a admitir. Seu nome tem aparecido nos autos do *pool* há um mês e meio, mas Olivetti sempre insistiu que são "alegações infundadas". O primeiro a citar De Benedetti é Vincenzo D'Urso, assistente de Balzamo na secretaria administrativa do PSI, que, em 12 de fevereiro de 1993, descreve a relação entre o engenheiro e Balzamo. Essa relação também inclui o financiamento secreto ("Se o engenheiro De Benedetti encontrava Balzamo", dirá Craxi, "certamente não o fazia para debater o futuro da máquina de escrever"), mas Craxi considera-o, enquanto editor do grupo Repubblica–L'Espresso, um inimigo. E, em tempos de duras polêmicas, permite-se o luxo de rejeitar as contribuições do grupo.

Quando é evidente que o *pool* está chegando a ele, o advogado de De Benedetti, Marco De Luca, pede um encontro à Procuradoria para uma apresentação espontânea. A reunião está marcada para domingo, 16 de maio de 1993, no quartel dos Carabinieri de Milão. O engenheiro entrega aos promotores Di Pietro, Colombo e Ielo um relatório de sete páginas com a admissão de suas contribuições ilícitas para os partidos políticos e os nomes dos gestores que trataram com Parrella e seu capelão, Giuseppe Lomoro. Cerca de vinte bilhões pagos em várias vezes à DC, ao PSI, ao PSDI e ao PRI "desde 1987". Três semanas antes (veremos em breve), Cesare Romiti, diretor da Fiat, fez o mesmo. As duas cenas são impressionantemente parecidas: o relatório, a "lista das despesas" e dos gestores envolvidos e a autodefesa baseada na "extorsão ambiental". Com uma diferença, porém, que De Benedetti faz questão de destacar também nos autos: "Eu poderia buscar proteção na complexa hierarquia da empresa, mas escolho assumir inteiramente as minhas responsabilidades e as da minha equipe".

Nenhum dos gerentes é colocado em apuros: o engenheiro tem as costas largas e diz que autorizou os pagamentos. "Os depósitos para o exterior", precisa, "são provenientes de entes não incorporados no perímetro de consolidação do grupo". Depois pinta um quadro sombrio do "regime político abusivo", em particular do Ministério dos Correios: o único para o qual a Olivetti fornecia máquinas de escrever (segundo a acusação, ultrapassadas e com preço inflacionado), impressoras e materiais eletrônicos. A regra era rigorosa: ou pagava-se, ou não se trabalhava. Um "clima de extorsão", assegura: "Resisti muitas vezes, mas depois me rendi apenas para defender a sobrevivência da empresa e o interesse de dezenas de milhares de funcionários e acionistas".

O pool, como todos sabem, considera a doação ambiental uma forma de corrupção da qual os empresários participam voluntariamente para fugir da concorrência. Portanto, De Benedetti será investigado por esse crime, mas, para os magistrados, suas confissões são muito importantes. Em 1987, diz o empresário, o volume de negócios da Olivetti com o Ministério dos Correios estava muito baixo (apenas dois bilhões). Parrella disse o que estava acontecendo para um dos gerentes do seu grupo: "Todos os fornecedores deveriam pagar uma cota para os partidos. Chegou-se a um acordo, pelo qual a Olivetti deveria pagar como todos os outros fornecedores". O volume de negócios com o Ministério começou a crescer imediatamente e, em 1989, havia saltado para 209 bilhões. Enquanto isso, "começaram os pagamentos que, de 1988 a 1991, totalizaram 10,025 bilhões de liras", ou seja, 6% do contrato para onze mil máquinas de escrever e 8,4 mil impressoras no valor de 168 bilhões. Naquele ano, acrescenta o engenheiro, a Olivetti rebelou-se, interrompeu os pagamentos, e o correio italiano cortou as ordens *ipso facto*. "Paguei", conclui De Benedetti, "por necessidade, para defender a empresa".

A confissão gera reações políticas de vários tipos, mas a mais curiosa é a de Gianfranco Fini, secretário do MSI, que pede inclusive a demissão de Eugenio Scalfari como diretor do *la Repubblica*: "Como pode alguém dirigir um jornal tão moralista quanto o seu, tendo o seu editor diretamente envolvido em uma questão moral?". Scalfari não se demitirá e, ao contrário dos diretores de muitos outros grupos empresariais, continuará a defender o *pool* de Milão, mesmo após a investigação de seu editor. E assim, com mais pressão ainda, o *l'Espresso* de Claudio Rinaldi e Giampaolo Pansa.

Corrupção ou extorsão, após a confissão do engenheiro, a investigação do *pool* sobre a vertente Olivetti está bem avançada, mas, mais uma vez, a Promotoria de Roma entra com uma investigação "gêmea" sobre o correio. Depois de vencer na Cassação o conflito de competência contra Milão, no final de outubro a promotora Maria Cordova pede três ilustres prisões: de dois dos principais líderes do grupo Fininvest, Letta e Galliani, suspeitos na vertente das frequências televisivas, e de De Benedetti, sob investigação por suborno em troca de equipamentos para o Ministério, ou seja, pelos mesmos fatos já confessados em Milão. Porém, a juíza de investigações preliminares Iannini assina apenas uma ordem de prisão: a de De Benedetti. Quanto a Letta e Galliani, pede que seja outro colega a analisar por causa da relação com o "amigo de família" Letta. A juíza Iannini é casada com Bruno Vespa. Então, o chefe dos juízes de investigações preliminares, Renato Squillante, designa um outro juiz para a tarefa: Raffaele De Luca Comandini, um dos mais "protetores" do escritório, que rejeitará ambos os pedidos da casa Fininvest.

O mandado de prisão para o engenheiro é emitido em 29 de outubro. No dia seguinte, os policiais apresentam-se na sua casa nas colinas de Turim para cumpri-lo, mas não encontram ninguém: o destinatário passará o final de semana no exterior. "Estará na Itália em 2 de novembro", anunciam seus advogados, De Luca e Giovanni Maria Flick. A acusação refere-se à propina de 10,025 bilhões pelas máquinas de escrever e impressoras recém-confessadas por De Benedetti em

1993. MÃOS LEVANTADAS 177

Milão, a algumas contribuições feitas aos partidos relacionadas a contratos ferroviários, às ordens do INAIL e ao decreto sobre as caixas registradoras. "As mesmas acusações já contestadas em Milão", dizem os defensores. "Não há nada de novo, nem mesmo um fato, nem mesmo uma quantia que já não tenhamos relatado em Milão." A juíza de investigações preliminares Iannini, fazendo uma escolha no mínimo incomum para uma juíza, responde com uma entrevista ao *Corriere della Sera*, publicada em 2 de novembro: "Existem novos elementos adquiridos pela Procuradoria de Roma". Naquela mesma noite, De Benedetti retorna à Itália. Passa em Turim para pegar uma bolsa com algumas roupas, lâmina de barbear, loção pós-barba e escova de dentes. Então, apresenta-se às 4h40min ao quartel dos Carabinieri na Via Moscova em Milão: "Sou De Benedetti, a Procuradoria de Roma está me procurando". É imediatamente transportado de carro para o presídio romano de Regina Coeli. Lá, após o ritual da foto de identificação, impressões digitais e revista, chegam Cordova e Iannini. Ele as cumprimenta beijando suas mãos. Os interrogatórios duram todo o dia. No intervalo entre um e outro, De Benedetti é trancado em uma cela de isolamento. Então, às 23h, obtém prisão domiciliar. "As exigências cautelares foram atenuadas", justifica Iannini. O engenheiro retorna para casa para mais oito dias de prisão domiciliar, primeiro em Roma, depois em Milão.

A investigação romana sobre o correio durará oito anos e terminará entre 2001 e 2002 como uma bolha de sabão, entre absolvições e prescrições. Para a vertente da lei Mammì e do plano para a atribuição das frequências de televisão, em 3 de abril de 2001, o juiz de audiência preliminar romano Fabrizio Gentili absolve todos os 61 réus, acusados de crimes que variam de corrupção a extorsão, de fraude a abuso de poder, declarando-os em parte inocentes, em parte salvos pela prescrição (pior para aqueles poucos, como Parrella, que enquanto isso negociaram a pena). Está provado, de acordo com o juiz, que Davide Giacalone, quando era consultor do ministro Mammì, disse a Parrella que "as doações de dinheiro [dos empresários interessados em trabalhar para o Ministério] deveriam ser pagas a ele [Giacalone] como representante do PRI, informou-se sobre o montante total das propinas em questão, representando a exigência de satisfazer também DC e PSI". Portanto, arrecadou várias propinas bilionárias e livrou-se do crime de corrupção (não de extorsão ou de receptação, como sugerido pelo promotor), pois confirmou-se que

> a prática no Ministério dos Correios consiste no pagamento de propinas pelos empresários que recebiam contratos do próprio Ministério e [...] o papel que Giacalone tinha na cobrança dessas propinas.

Parrella disse a Remo Toigo e, também por conta disso, pagou a, entre outros, Giacalone, "cerca de 1,5 bilhão para seu benefício pessoal em uma conta bancária no exterior fornecida pelo mesmo". "O fato é admitido pelo próprio acusado", ou seja, por Giacalone, que, no entanto, afirmou ter usado o dinheiro "para as demandas políticas e eleitorais do Sr. Mammì". Em resumo,

> Giacalone estava ciente do fato de que as somas de dinheiro que recebia, inclusive aquela proveniente de Toigo, estavam relacionadas à atribuição de contratos e, portanto, a um sistema de corrupção e, além disso, que ele participava desse sistema de maneira determinante, recolhendo as somas em questão, mesmo que de forma indireta [...]. Portanto, deve ser estabelecida a responsabilidade penal de Giacalone pelo crime de participação em corrupção relacionada a atribuição, para a Federal Trade Misure, do contrato relativo à elaboração de dados para a predisposição de um plano de atribuição de frequências.

Graças à "pouca idade", ele tem direito a circunstâncias atenuantes, que reduzem o prazo de prescrição para apenas cinco anos. Portanto, seus crimes, cometidos até 1991, prescreveram.

Há ainda o episódio que envolve Giacalone como infiltrado da Fininvest no Ministério dos Correios, com a participação de Letta e Galliani, todos acusados de corrupção e extorsão por terem ameaçado Toigo e outras pessoas da Federal Trade Misure em 1991 para que favorecessem os canais de Berlusconi no plano das frequências. Primeiro, em uma reunião em Milão, Galliani teria dito a Toigo "em tom ameaçador" que sua conduta não era "aprovada em Roma pelo Ministério", acrescentando frases intimidantes como: "Temos os meios para convencê-los", "vocês terão problemas porque o Ministério não está de acordo", "ou façam assim, ou se arrependerão, e ficaremos contra vocês". Quando Toigo pede provas de que o Ministério realmente concordava com a posição de Galliani,

> Galliani telefonou para Letta e pediu que marcasse uma reunião no Ministério para aquela mesma tarde, e Toigo, Mezzetti e Magnone [colaboradores de Toigo], usando um avião da Fininvest, foram até o Ministério dos Correios em Roma, onde foram recebidos por Giacalone na presença de Letta.

O que fazia Letta, na época vice-presidente da Fininvest, no Ministério dos Correios, não se sabe, mas pode-se imaginar. Assim, diretamente de Giacalone, Toigo descobriu que o governo e a Fininvest estavam praticamente de acordo. O incidente, segundo o juiz de audiência preliminar, "é praticamente indiscutível", mas os "tons ameaçadores" usados por Galliani com Toigo não são considerados suficientemente "intimidadores". Então, não há extorsão. O fato de Giacalone concordar com a orientação da Fininvest não parece ter sido pensado para favorecer os interessados, mas para ir ao encontro de um dos propósitos da lei Mammì; portanto, também não há corrupção, mesmo que um ano mais tarde Giacalone tenha se tornado um consultor da Fininvest generosamente pago. "O fato não subsiste."

Será pior para Giacalone, Mammì e Parrella diante da justiça contábil. Em 2005, o Tribunal de Contas irá condená-los em sentença definitiva a restituir 2.405.429,00 de euros pelo "fornecimento, à administração do correio italiano, de 3.356 máquinas de escrever da marca Olivetti que ficaram inutilizadas" e "obsoletas", bem como pela "arrecadação de dinheiro pela empresa fornecedora em conexão com o fornecimento das máquinas de escrever". Giacalone se tornará editor dos jornais *Libero* e *Il Tempo*. Em 2010, o terceiro governo Berlusconi, por iniciativa do ministro da Função Pública Renato Brunetta, o nomeará presidente da DigitPA, o novo nome do Centro Nacional da Informática na Administração Pública.

E Carlo De Benedetti? Em 27 de março de 2003, a juíza de audiência preliminar romana Roberta Palmisano declara extintos por prescrição alguns dos crimes pelos quais ele é acusado pela Procuradoria de Roma (incluindo aqueles herdados da investigação gêmea de Milão): corrupção relativa às propinas de mais de dez bilhões pagas a Parrella e Lomoro e de pelo menos 160 milhões pagas a um membro do conselho administrativo do correio em troca do fornecimento de impressoras, hardware e software ao Ministério. O engenheiro é absolvido da acusação de ter pago outros dois membros do conselho administrativo do correio em troca de parecer favorável aos fornecimentos da Olivetti", respectivamente porque "o fato não constitui crime" e "por não ter cometido o fato".

No final dos anos 1990, De Benedetti será perturbado pela Procuradoria de Ivrea em outras duas mini-investigações. A primeira diz respeito a uma manobra perigosa na Bolsa de Valores sobre os títulos da Olivetti: o engenheiro, acusado de insider trading, encerra o processo mediante o pagamento de cinquenta milhões de liras. A segunda refere-se à "falsidade no balanço qualitativo" do grupo de Ivrea (em relação aos anos de 1994 a 1996) e também envolve Corrado Passera, então diretor da Olivetti. Em 1999, tanto o ex-presidente De Benedetti quanto Passera fazem um acordo de três meses de prisão e quinze milhões de multa para cada um, convertidos em uma multa de 51,750 milhões de liras para cada um. Sentença que será revogada em 2002, após a contrarreforma de Berlusconi sobre a falsidade na contabilidade. Motivo: "O fato não é mais previsto como crime pela lei". Passera será promovido a diretor do correio, depois do Banco Intesa e, em 2011, ministro do Desenvolvimento Econômico do governo Monti.

As dívidas de Berlusconi

Paolo Berlusconi, com suas numerosas desventuras judiciais nos anos 1992 e 1993, é a prova viva de que as investigações da Procuradoria de Milão sobre o grupo Fininvest começaram muito antes da "entrada em campo" do irmão Silvio. Desde 1991, como já vimos, Berlusconi Júnior dirige o setor imobiliário do império da família, que gira em torno da Edilnord. Em meados de janeiro de 1993, juntamente com outras 34 pessoas, é acusado de pagar propinas aos partidos em troca dos contratos para a gestão dos aterros sanitários da Lombardia. Contudo, ele está sob investigação em Roma desde o final de 1992 pelo escândalo dos "edifícios de ouro" e deve responder às perguntas do promotor Antonino Vinci. Assim como Salvatore Ligresti, segundo a acusação, ele teria vendido uma série de imóveis para entes públicos de previdência social a preços inflacionados, mediante o pagamento de propinas aos funcionários da Agência Técnica Fiscal. A Procuradoria de Roma colocou as transferências de sua empresa à Inadel sob observação: um imóvel em Desenzano del Garda (por mais de vinte bilhões), os edifícios Masaccio e Vignola em Lacchiarella (por mais de 32 bilhões), as residências Ginestre, Salici e Ontani (por cerca de oitenta bilhões), os edifícios Sansovino, Alberti e Borromini, também em Lacchiarella (por quase setenta bilhões). No final das contas, Vinci, que será envolvido nas investigações "togas sujas" de 1996, considera todos os empresários do escândalo vítimas de extorsão. E, portanto, não são punidos.

Entre 1992 e 1993 a Fininvest dos irmãos Berlusconi está no meio de uma série de investigações conduzidas por pelo menos três procuradorias (Milão, Turim e Roma): sobre os aterros sanitários, o shopping Le Gru em Grugliasco, o plano das frequências de televisão, o escândalo dos "edifícios de ouro", as propinas pelo comercial antiaids e os financiamentos aos congressos partidários. E também sobre as faturas falsas da Publitalia. A segunda metade de 1993 é um calvário para Berlusconi: seus protetores políticos fora do jogo, o fim dos amigos Craxi, Andreotti e Forlani, as investigações cada vez mais impiedosas sobre seu grupo e o endividamento descontrolado da Fininvest.

Depois de tantas indiscrições, a publicação da tradicional relação da Mediobanca sobre as principais sociedades italianas apresenta números confiáveis pela primeira vez, que desmontam o mito do "grande empresário que se construiu sozinho". Em 1992, as dívidas do grupo Berlusconi, de acordo com a Mediobanca, chegam a 7,14 trilhões — 2,95 trilhões a médio e longo prazos, 1,53 trilhão de financiamentos a curto prazo e 2,66 trilhões de débitos comerciais. Números pesados e seguramente piorados em 1993, até pelas altas taxas de juros e pelo fim do aumento das receitas publicitárias (os investimentos registrados no setor no primeiro semestre de 1993 caracterizam o primeiro "crescimento zero" depois de longos anos de crescimento ininterrupto). Mesmo parando nos 4,48 trilhões em dívidas de financiamentos calculados pela Mediobanca e colocando o valor em comparação ao patrimônio líquido de 1,05 trilhão, chega-se facilmente à conclusão de que a Fininvest em 1993 tem 4,5 liras de débito para cada lira de capital. O alarme é imediatamente soado pelos bancos mais expostos: Comit, Cariplo, BNL, Banco de Roma e Credit, que intervêm sobre o *Cavaliere* impondo a restauração do grupo. A primeira resposta (de acordo com muitos, imposta pelos bancos) é a nomeação do "osso duro" Franco Tatò, conhecido como "Kaiser Franz", como diretor da Fininvest, com plenos poderes para "colocar ordem" (palavras de Tatò) na gestão e nas finanças da Fininvest. Uma espécie de comissário. Marcello Dell'Utri dirá a Antonio Galdo no livro *Saranno potenti*? (Serão eles poderosos?):

Em 2007, a Fininvest tinha cinco trilhões em dívidas. Tatò não via saída: "Cavaliere, devemos levar os livros ao Tribunal" [...] Os fatos felizmente nos deram razão, e hoje posso dizer que, sem a decisão de entrar em campo com o próprio partido, Berlusconi não teria salvo sua pele e terminaria como Angelo Rizzoli, que, com o inquérito sobre a P2, foi para a cadeia e perdeu a empresa.

É em meio a este clima — inquéritos judiciais iminentes, dívidas galopantes, fim da expansão publicitária — que Berlusconi toma a decisão de fazer política diretamente, até porque já está claro que o sistema político tradicional italiano está enfraquecido. Em 21 de novembro, no primeiro turno das eleições diretas para prefeito, prevalecem os candidatos de centro-esquerda nas cidades grandes; quase todos são expressão da sociedade civil e não dos partidos: o magistrado Adriano Sansa em Gênova, o filósofo Massimo Cacciari em Veneza, o empresário Riccardo Illy em Trieste, e ainda dois políticos jovens como Francesco Rutelli em Roma e Antonio Bassolino em Nápoles. Dois dias depois, Berlusconi, inaugurando um hipermercado Standa em Casalecchio di Reno, dando uma entrevista ao *Stampa*, apoia Gianfranco Fini, líder do Movimento Social, que está se preparando para o segundo turno contra Rutelli para a conquista da capital. "Entre Fini e Rutelli, eu votaria em Fini", anuncia o *Cavaliere* aos repórteres. A sorte está lançada.

5. ENI, MONTEDISON E IRI: BOIARDOS E PIRATAS

O "efeito dominó" da Mãos Limpas, confissão após confissão, leva o *pool* além da margem da ENI, a companhia pública de petróleo que durante décadas financiou secretamente os partidos políticos, principalmente os do governo. Quem oferece aos juízes a chave para entrar no sistema de propinas e fundos irregulares da ENI é Paolo Ciaccia, diretor da Saipem, a empresa de instalações do grupo, preso em 13 de fevereiro pelas propinas da AEM. Quase que imediatamente, Ciaccia fala de dez anos de transações financeiras inescrupulosas por trás da gigante pública do petróleo, química e energia. Gherardo Colombo vai pessoalmente à sede da ENI, em San Donato Milanese, para uma busca minuciosa. Imediatamente depois, explode uma onda de prisões: acabam detidos Paolo Ciatti, presidente da Nuovo Pignone, e Gabriele Cagliari, presidente da ENI (em 8 de março); Gianni Dell'Orto, presidente da Saipem, Pio Pigorini, presidente da SNAM, e Raffaele Santoro, presidente da AGIP (em 11 de março). A cúpula da ENI, quase completa, muda-se para o braço B do presídio de San Vittore. Cinco boiardos do Estado detidos a poucos metros de distância um do outro, embora rigorosamente isolados. Em 12 de março, junta-se a eles um conhecido contador milanês próximo ao PSI, Pompeo Locatelli, acusado de ter movimentado e distribuído aos partidos uma parte do dinheiro arrecadado pelos contratos internacionais da ENI.

Paolo Ciaccia envolve também um banqueiro quase desconhecido de Bientina (Pisa) que opera em Genebra. Seu nome é Pierfrancesco Pacini Battaglia. Ele tem 59 anos e é descrito por Ciaccia como uma espécie de fiador do sistema partidário. Uma pessoa para quem nenhum boiardo de Estado poderia dizer não, já que ele era responsável por forrar os cofres da DC e do PSI por meio de um complexo sistema de bancos e contas no exterior. O juiz de investigações preliminares Italo Ghitti assina em 17 de fevereiro a primeira ordem de prisão cautelar, na qual Pacini Battaglia é identificado de maneira incompleta. Em 1º de março, acrescenta um segundo mandado de prisão, acompanhado de uma identificação mais completa e precisa, mas não há qualquer vestígio de Pacini na Itália. Sabendo que corre o risco de ser preso, o banqueiro ítalo-suíço não aparece nem em casa, nem nos seus escritórios em Roma. Permanece em Genebra, onde é um dos proprietários de um pequeno banco comercial, o Karfinco, que mais tarde se descobrirá ser o ponto de intersecção dos negócios sujos da ENI e das Ferrovias do Estado: negócios conduzidos por faturas e consultorias falsas, elaboradas por um arquiteto norueguês em um escritório a poucas centenas de metros da sede do banco.

Por alguns dias, a caça ao banqueiro ítalo-suíço é em vão. A Guarda de Finanças mantém seus telefones romanos sob controle, esperando seu retorno à capital. Em 19 de fevereiro, ouvem sua voz ao telefone, pensam que ele está de volta e invadem seu apartamento, mas não o encontram. Foram enganados pela transferência automática de chamadas ativa nos aparelhos domésticos. Pacini escapou, mas percebeu que o tempo está fechando para ele. Por isso, entra em contato com Manola Murdolo, advogada de Milão que tem laços de amizade com o comandante do núcleo operativo da Guarda de Finanças, o general Giuseppe Cerciello, e com Giuseppe Lucibello, advogado amigo de Di Pietro que nos últimos meses havia, entre outras coisas, administrado com sucesso a posição de Prada. Lucibello esforça-se para entender o que está acontecendo. Vai e vem entre seu escritório e a Procuradoria, pedindo inutilmente por notícias sobre um possível mandado de prisão cautelar contra seu cliente, mas ninguém diz nada. Davigo relata:

> Um dia, Di Pietro telefonou-me dizendo que o advogado Lucibello, encarregado da defesa de Pacini, estava diante da sua porta. Ele não queria vê-lo porque temia que, dada sua relação, Lucibello pudesse intuir sobre a existência da ordem de prisão. Então Di Pietro pediu que eu o recebesse. Isso me causou desconforto porque Lucibello, ao contrário do que os defensores costumam fazer, perguntou-me se seu cliente seria preso. Eu menti e disse que não havia nenhum mandado de prisão contra Pacini.

O homem "um degrau abaixo de Deus"

Lucibello não sabe mais para que lado correr. Dirige-se a Colombo, em vão. Enfim consegue falar com Di Pietro, mas seu amigo também se faz de morto. A posição de

1993. MÃOS LEVANTADAS   183

Pacini — assegura-lhe Di Pietro, mentindo — é marginal. Aconselha-o a marcar uma data para a apresentação espontânea, mas Pacini está com medo. Continua repetindo ao advogado que tem certeza do mandado de prisão. Os dias passam. O banqueiro envia um atestado médico à Procuradoria, mas ainda não se apresenta. Então, depois que Lucibello se compromete com os juízes a fazê-lo reconstituir o sistema de fundos irregulares da ENI, ele finalmente se materializa em Milão no dia 10 de março. É interrogado em segredo durante dez horas. Revela detalhes inimagináveis até o momento. Compromete-se a produzir documentos bancários suíços pessoalmente. E no final, com o consentimento de todo o pool, é libertado por Ghitti.

A Procuradoria e o escritório dos juízes de investigações preliminares estão eufóricos. Ghitti, cercado por repórteres que sentem algo no ar, mas ignoram a existência de Pacini Battaglia, não pronuncia seu nome, mas refere-se maliciosamente à captura de um homem que está apenas "um degrau abaixo de Deus". A tensão está muito alta em Roma. Muitos no Parlamento perguntam-se quem é o novo Mister X da Tangentopoli. A resposta vem quase que imediatamente, quando Dell'Orto, Pigorini e Santoro acabam algemados. Um dos promotores, em um excesso de otimismo, deixa escapar uma piada: "A investigação sobre os fundos irregulares da ENI não começou: já terminou. Graças às declarações de Pacini, compreendemos tudo".

A ENI, contudo, é um caso delicado. Esconde muitos negócios sujos, tanto na Itália quanto no exterior. Não é por nada que, na mesma hora, alguém detona uma bomba feita com explosivos de pedreira diante da casa do empresário de Parma Enrico Mineni, 70 anos, proprietário da Unione di Parma e sócio de Pacini na financeira OROX de Roma. Parece um aviso. Realmente, graças a Pacini, começa a se iluminar o mundo obscuro dos grandes contratos internacionais e das superpropinas relacionadas ao petróleo. Um relatório do Tribunal da Liberdade fornecerá uma amostra da situação:

> Sob as ordens do presidente da ENI, Gabriele Cagliari, Pigorini encontrou um mediador líbio, Omar Yehia, em Genebra. Depois de várias reuniões, ele deu a entender que poderia intervir eficazmente no governo argelino para renegociar o preço do fornecimento de gás metano, mas queria em troca, como comissão, a soma considerável de trinta milhões de dólares. Em resposta à afirmação de que a SNAM não poderia pagar um valor tão relevante, Yehia tinha a solução na ponta da língua: simultaneamente à renegociação do fornecimento, surgia a necessidade de duplicar o gasoduto que ligava a Sicília à Argélia através da Tunísia e do Canal da Sicília. O contrato para os trabalhos seria da Saipem.

Omar Yehia, no entanto, quer receber o pagamento imediatamente. Então, Pacini Battaglia, grande amigo do libanês, entra em cena e resolve o problema. Continua o relatório:

Pacini descreve em linhas gerais a angariação de fundos por meio da emissão de faturas falsas por algumas empresas sediadas em paraísos fiscais das Ilhas do Canal e o superfaturamento feito pela empresa grega Biokat, que obteve um subcontrato para parte das obras de duplicação do gasoduto. Deste modo, Pacini recebeu uma soma de mais de 33 milhões de dólares da Saipem e começou a distribuição.

Os partidos italianos também se alimentam da propina do mediador libanês. É a propina da propina. Os juízes listam uma a uma no relatório:

a) 22 milhões de dólares para Omar Yehia por intermédio de seu banqueiro de Genebra; b) 2,1 milhões de dólares para Paolo Ciaccia (Saipem) em títulos do Estado e dinheiro, depositados em partes, sob instruções do mesmo, em uma conta chamada Albatroz em Genebra, da qual Pacini fornece informações precisas; c) 310 mil dólares pessoalmente para Dell'Orto, que admite tê-los recebido e diz tê-los levado imediatamente a Citaristi, para a DC; d) 1,4 milhão de dólares em uma transferência bancária para um funcionário libanês indicado por Ciaccia; e) 3,5 bilhões de liras para Balzamo, para o PSI, sob indicações precisas de Ciaccia e Santoro; f) um bilhão para Citaristi, para a DC.

Boa parte do dinheiro chega aos partidos graças a ex-contrabandistas que, "contratados pela Kamfin Fimao de Chiasso, distribuem grandes quantidades de dinheiro pela Itália destinadas aos partidos, ao invés dos tradicionais cigarros". E não é suficiente: Pacini Battaglia, apesar de não ter relações próximas com ele, conhece e negocia com Bettino Craxi. Em entrevista ao *l'Espresso*, o motorista de Silvano Larini explica que provinham do "homem um degrau abaixo de Deus" algumas das maletas que o arquiteto levava ao escritório milanês do secretário do PSI em Milão, na Piazza Duomo, 19.

Pacini não diz tudo

Pacini é muito poderoso. Os gerentes interrogados da ENI dizem que ele afirmava estar em contato com os democratas-cristãos Gava e Forlani, com os socialistas Larini e Balzamo, com o número um do Banco de Roma, Cesare Geronzi e, obviamente, com o tesoureiro da DC, Severino Citaristi, mas também é um bom amigo de Susanna Agnelli, sua vizinha no Argentario. Em 15 de fevereiro de 1993, o precursor do escândalo ENI, Paolo Ciaccia, narra um episódio que explica bem a situação:

Em um dado momento, Pacini me fez entender que eu não poderia ficar de fora do "sistema" e me disse: "Venha comigo a Genebra que abrirei uma conta para você". Compreendi que eu deveria tornar-me passível de chantagem, pois o "sistema" precisava de pessoas passíveis de chantagem porque elas — e, neste caso, eu — constituíam a máxima garantia para a sobrevivência do próprio sistema.

Depois de abrir a conta no exterior,

> Pacini disse que se certificaria de que a minha parte, em relação às somas que ele lucraria com os negócios que a Saipem faria a partir de então com a SNAM e a AGIP, chegasse até a conta.

Uma propina não solicitada, quase imposta. Interrogado vinte vezes pelo pool, Pacini diz muitas coisas sobre seu papel como administrador da rede internacional de fundos irregulares do grupo ENI: mais de quinhentos bilhões em depósitos secretos para pagar os partidos na Itália e os mediadores e fornecedores no exterior (pelos dutos e ordens de petróleo). Ele leva à Procuradoria os documentos da Karfinco que provam a transferência na Itália de cerca de 44 bilhões para o PSI (nas contas de Balzamo) e seis bilhões para a DC (nas contas abertas por Citaristi), mas não diz tudo. Pelo contrário, submerso no mundo dos negócios obscuros, ele lança uma série de pistas falsas que serão descobertas apenas alguns anos mais tarde. Se em 1993 surge aos olhos dos juízes apenas a figura do Pacini banqueiro, em 1996, como veremos, uma investigação realizada primeiro em La Spezia e depois em Perugia permitirá conhecer o lado de angariador desse toscano corpulento e desbocado. Por isso, em 1996, surgirá uma grande polêmica sobre a sua libertação relâmpago de 1993. Explica hoje Davigo:

> Não é verdade que pegamos leve com ele. Pacini Battaglia recebeu tratamento absolutamente idêntico ao dos outros indagados. Assim que voltou à Itália, ele apresentou-se espontaneamente, e suas declarações revelaram uma série até então desconhecida de episódios; portanto, os requisitos para a prisão cautelar não existiam mais. Obviamente, a experiência da Mãos Limpas nos ensinou que quase nunca os suspeitos dizem tudo, mas a tortura não está prevista na nossa legislação. Não poderíamos bater nele para fazê-lo falar.

Acrescenta Francesco Greco:

> O material que Pacini trouxe nos fez ganhar muito tempo; se tivéssemos de obtê-lo por cartas rogatórias, ainda estaríamos esperando. Certamente ele também omitiu muitas de suas atividades ilegais, mas fez uma contribuição muito importante, até porque estava tudo extremamente bem documentado.

O que Pacini esconde? A Procuradoria de Milão, quando terminar a complicadíssima investigação sobre seu sistema de contas estrangeiras, em julho de 2000, perceberá que, dos cerca de 620 bilhões de liras recebidos, não se sabe quem depositou cerca de 446 bilhões. O mesmo vale para as saídas: de 161 bilhões, apenas 51 bilhões têm um destino conhecido (contas da DC e do PSI no exterior). Davigo repete: "O que deveríamos ter feito para obrigá-lo a dizer o que ninguém sabia naquele momento? Torturá-lo?".

Salvem o soldado Necci

Depois de perder o controle secreto da ENI em 1993 por causa da Mãos Limpas, Pacini está em dificuldades. Durante anos, como veremos, ele acusará o *pool* de não proceder contra Franco Bernabè, diretor da entidade petrolífera e seu arqui-inimigo. Ao fazê-lo, mesmo não apresentando nenhuma evidência sobre o envolvimento de Bernabè no sistema de propinas, será apoiado por vários parlamentares e publicações internas do Polo berlusconiano. Na verdade, se alguém está "encobrindo" alguém nessa investigação, é Pacini, que faz de tudo para manter seu pupilo fora do inquérito: Lorenzo Necci, o brilhante gerente de área republicana, crescido no mundo ENI e depois promovido a diretor das Ferrovias do Estado. Em 1996, se descobrirá que Pacini lhe pagava uma espécie de salário de vinte milhões por mês. Obviamente, por fora.

Tudo começa quando é preso Sergio Cragnotti, ex-diretor da Enimont, o consórcio público-privado entre a Eni-Enichem de Gabriele Cagliari e a Ferruzi de Raul Gardini. Cragnotti conta ao *pool* ter dividido com Gardini e Necci cinco bilhões pagos por baixo dos panos pela Tecnologie Progetti *Lavoro* (TPL), a empresa de instalações que havia recebido o contrato para o craker (uma unidade de produção de etileno) da Enichem em Brindisi. Gardini, diante do custo do contrato (quinhentos bilhões, depois aumentados para 750 bolhões), bloqueou a licitação. Então, os administradores acionistas da TPL, Lionello Sebasti, Mario Maddaloni e Pietro Tradico, decidiram pagar a propina a Gardini, depositada em uma conta de Necci (então presidente da Enimont) por meio da Karfinco de Pacini, mas "o homem um degrau abaixo de Deus" nega a reconstituição de Cragnotti. Aqui está a sua versão de 14 de dezembro de 1993:

> Em setembro de 1989, o engenheiro Maddaloni, diretor executivo da TPL, telefonou-me pedindo a antecipação da soma de cinco bilhões, prometendo-me, naturalmente, um lucro normal e os juros bancários. Ele disse que Sergio Cragnotti entraria em contato comigo para indicar-me como realizar o pagamento dos cinco bilhões. Foi o que aconteceu. Perto do final de setembro, em nome de Cragnotti, ligou Roberto Marziale (conhecido por mim como um colaborador próximo de Cragnotti), que me disse para depositar os cinco bilhões no UBS de Losanna.

Na realidade, segundo Cragnotti, Necci também participa da negociação, mas Pacini deixa-o de fora: "Foi Necci", garante Cragnotti, "quem me apresentou Pacini Battaglia e disse-me que a distribuição dos fundos seria realizada por meio de sua instituição".

De acordo com Cragnotti, o dinheiro permanece em uma conta da Karfinco por algum tempo ("até o início dos trabalhos"). Então é distribuído:

> Gardini deu um bônus para mim e para Necci, equivalente a um terço dos cinco bilhões iniciais, isto é, recebi cerca de 1,5 bilhão, que Marziale depositou em uma conta de minha propriedade no exterior (acho que Anarca, no UBS em Losanna). Os beneficiários finais dessa soma foram Necci, Gardini e eu. A respeito da parte de Necci, ele mesmo deu-me as instruções para o depósito no banco presidido por Pacini Battaglia.

No entanto, o banqueiro não confirma. Especifica os termos financeiros do acordo diante do pool, esclarecendo datas e valores dos depósitos, mas quase não cita Necci. Ao contrário, em 14 de dezembro de 1993, garante: "Pessoalmente, não fiz o papel de mediador para pagamentos de Marziale ou Cragnotti destinados a Necci. Não sei se alguém usou o banco".

A Procuradoria encontra-se, portanto, em um impasse. Somente as palavras de Cragnotti não são suficientes para prender alguém ou para inscrever Necci no registro dos investigados. Além disso, se houve essa passagem de dinheiro, ela deve ser considerada uma propina entre privados. Não é passível de punição segundo o Código Penal italiano. Tanto Necci (pela parte pública) quanto Cragnotti (pela parte privada) administravam a Enimont, uma sociedade anônima cotada na Bolsa. Portanto, a posição de Necci fica suspensa no limbo da investigação, esperando a resposta a uma carta rogatória enviada à Suíça que não chegará. Enquanto isso, ele continua a desenvolver sua relação secreta com Pacini, e o banqueiro, a cultivar muitos de seus negócios escusos.

O drama de Cagliari

A investigação sobre os fundos irregulares e Pacini Battaglia não é a única que atinge a ENI. Durante os mesmos meses de 1993, o promotor de Milão Fabio De Pasquale (que não faz parte do *pool* da Mãos Limpas) abre outra investigação sobre a aliança entre a ENI e a SAI, companhia de seguros de Salvatore Ligresti. Depois de ter excluído o INA das negociações em curso, em abril de 1992, a ENI concordou com a SAI em criar uma sociedade mista (da qual participa, mas apenas formalmente, o banco de investimentos Salomon Brothers) e confiar a ela todos os contratos de seguro dos trabalhadores da entidade petrolífera. Por trás do acordo, esconde-se, só para variar, uma propina considerável. A SAI livrou-se dos concorrentes pagando dezessete bilhões de liras ao PSI e à DC. De Pasquale descobre isso em abril de 1993, analisando os documentos apreendidos durante uma busca no escritório do contador milanês Aldo Molino.

Fausto Rapisarda, diretor da SAI, é imediatamente interrogado pela Guarda de Finanças. E, prudentemente, admite ter suas suspeitas sobre o acordo: "Desconfiei que propinas tivessem sido pagas acerca do acordo ENI–SAI". O caminho parece promissor. Trata-se apenas de insistir. Em 13 de maio, De Pasquale ouve o presidente da ENI, Gabriele Cagliari, mas o gestor socialista afirma não saber nada sobre propinas. As investigações continuam. As evidências de corrupção aumentam. Em 26 de maio, o juiz de investigações preliminares Maurizio Grigo assina quatro mandados de prisão: para Cagliari, para o diretor financeiro da ENI, Enrico Ferranti, para Rapisarda e para Molino. Rapisarda e Molino fogem. Cagliari não pode fugir: já está detido em San Vittore desde 8 de março, a pedido do *pool* Mãos Limpas, acusado de uma propina de quatro bilhões paga por uma sociedade da ENI, a Nuovo Pignone. E, em 29 de abril, recebeu uma nova ordem de prisão pelos fundos irregulares da entidade petrolífera controlada por Pacini Battaglia. Em 26 de maio, recebe a terceira, pela investigação ENI–SAI.

Em 5 de julho, é a vez de Salvatore Ligresti. A Guarda de Finanças procura-o para prendê-lo, mas ele não é encontrado durante alguns dias. No dia 13, ele se apresenta a De Pasquale e admite ter tratado o acordo entre SAI e ENI pessoal-mente com Craxi, Citaristi e Cagliari. No dia seguinte, o advogado de Cagliari, Vittorio D'Aiello, lê os jornais e descobre que Ligresti havia confessado; então, pede novo interrogatório para seu cliente. Passam-se 24 horas. Chega 15 de julho. Cagliari, D'Aiello e De Pasquale sentam-se ao redor de uma mesa no presídio. Agora, o presidente da ENI parece mudar o discurso. Diz que sim, conversou sobre a operação ENI–SAI com Craxi e deu luz verde a Ligresti, mas continua ne-gando saber sobre a propina bilionária. "É suficiente para ser enviado para casa?", repete seu defensor depois de cada resposta. De Pasquale explica que a decisão sobre a liberdade de um investigado não é arbitrária, que depende de fundamentos jurídicos precisos: as exigências cautelares cessam quando a pessoa detida deixa de esconder a verdade, ou parte dela, e de proteger seus cúmplices, ou seja, não pode mais corromper as provas. Depois, com uma expressão grosseira em tom de brin-cadeira, reforça o conceito: "O investigado que confessa mete no cu da acusação" (e volta para casa). O interrogatório continua na tentativa de obter de Cagliari explicações mais precisas sobre as modalidades do acordo e o papel de cada um dos envolvidos. A tentativa falha, mas D'Aiello, depois do cara a cara, diz aos re-pórteres que está confiante que Cagliari, detido apenas pelo episódio ENI–SAI (as outras duas ordens de prisão preventiva foram revogadas a pedido do pool), possa obter a prisão domiciliar.

No dia seguinte, De Pasquale vai até Enrico Ferranti e lê as declarações de Cagliari para ele. O diretor financeiro da ENI responde:

> Quero afirmar claramente que nunca soube da existência de acordos de natureza corruptora. Se Cagliari sabia da existência de acordos estabelecidos politicamente, pelos quais a definição substancial do projeto era confiada a Molino, como responsável por coletar uma substancial quantia de dinheiro proveniente de Ligresti, devo dizer francamente que me sinto enganado.

De Pasquale sai da sala onde está interrogando Ferranti e entra na sala ao lado, onde Cagliari e D'Aiello o esperam. Está perplexo e expressa isso claramente. Não tem certeza de que Cagliari tenha dito a verdade e que, portanto, existam os pressupostos para libertá-lo. Na verdade, naquela mesma noite ele escreve o parecer negativo para enviar ao juiz de investigações preliminares. Além disso, relendo os autos antes de sair de férias, ele se convence de que Cagliari não está apenas mentindo (escolha legítima para um investigado), mas também está tentando "comandar" o comportamento dos seus correqueridos. De Pasquale acredita que Cagliari esteja corrompendo provas mesmo detido (e imagina o que ele poderia fazer se estivesse livre). Ele está certo. A tentativa de desvio realmente existe. Admitem mais tarde tanto Ferranti (que será condenado em primeira instância a dois anos e oito meses e depois reduzirá a pena para dois anos e quatro meses em recurso) quanto o contador Pompeo Locatelli. "O engenheiro Cagliari", dirá Locatelli em 19 de novembro, "mandou dizer várias vezes, enquanto eu estava detido, que eu não deveria falar absolutamente nada sobre as relações econômicas intervenientes entre mim e ele, já que ele havia decidido admitir somente os fatos que lhe eram apresentados. Cagliari, portanto, solicitava que eu me comportasse da mesma maneira". No mesmo interrogatório, Locatelli também fornecerá aos juízes a chave para descobrir os bancos e fiduciários suíços nos quais foi depositado o tesouro pessoal bilionário de Cagliari e sua esposa Bruna Di Lucca (que restituirá doze bilhões, fruto das propinas e dos fundos irregulares acumulados pelo marido).

Em 17 de julho, o juiz de investigações preliminares Grigo recebe o parecer negativo de De Pasquale e começa a examinar o caso para decidir sobre a eventual libertação. Ele tem cinco dias, mas em 20 de julho Cagliari é encontrado morto em San Vittore, sufocado por um saco de plástico enfiado na cabeça e apertado em torno de seu pescoço. Borrelli, um dos primeiros a ser informado, é visto chorando no elevador. Di Pietro, surpreendido negativamente, desdenha o colega publicamente: "Foi um erro", repete aos jornalistas, "não é assim que se faz. Você não pode prometer e depois não cumprir". O advogado D'Aiello declara: "A promessa de libertação seguida da emissão de um parecer negativo o destruiu completamente". De Pasquale é imediatamente apontado como responsável por essa morte, acusado de ter prometido a libertação ao administrador para depois voltar atrás e sair de férias.

No entanto, as férias do promotor não têm qualquer consequência prática no destino do detento, que já estava nas mãos do juiz de investigações preliminares.

Além disso, as cartas manuscritas e o testamento feito por Cagliari na prisão aconselham a máxima prudência ao analisar as possíveis explicações para seu gesto. Na verdade, ele já havia tomado a decisão de se matar pelo menos onze dias antes do último interrogatório diante do promotor. Em uma carta datada de 3 de julho que Cagliari envia à família pedindo que ela não seja aberta imediatamente, pode-se ler: "Meus queridos [...], estou para dar-lhes uma nova, grande dor. Refleti profundamente e decidi que não posso mais suportar essa vergonha". No dia seguinte, um outro bilhete inconfundível: "Eu subscrito, Gabriele Cagliari, em minha plena capacidade de entender e querer, declaro o desejo de que meu corpo, após a morte, seja cremado e que as cinzas sejam entregues à minha esposa Bruna Di Lucca". E, em 10 de julho, outra carta à esposa: "Querida Bruna [...] na semana passada escrevi uma carta que você deve ter recebido e que agora deve abrir. Lá você encontrará as razões para a minha decisão, amarga até tornar-se insuportável, mas sem alternativa. Somos seguidores de um sistema fracassado; um sistema que eu certamente não ajudei a criar, mas que, infelizmente, aceitei". O advogado D'Aiello também recebe uma carta, que termina assim: "A vergonha de meu estado atual, que se segue à mudança repentina da situação geral do país, é a principal razão para esta decisão. [...] Tomei a única decisão que a dignidade e o orgulho me impõem".

De Pasquale na mira

No dia seguinte ao suicídio, uma parte da imprensa e do mundo político revolta-se contra o magistrado "culpado pela morte de Cagliari". E o ministro da Justiça Conso envia a Milão os inspetores ministeriais Ugo Dinacci e Vincenzo Nardi para investigar o comportamento do promotor e do o juiz de investigações preliminares Grigo, mas os dois emissários do ministro Conso concluem que "nenhuma evidência aponta para o JIP Grigo em relação ao assunto em questão": não havia sequer acabado o prazo de cinco dias que o juiz tinha à disposição para avaliar o caso, e a posição de Cagliari "era extremamente delicada, necessitando a ponderação máxima". Quanto a De Pasquale, os inspetores o repreenderam por "expressões inconsistentes com a linguagem que um juiz deve usar no desempenho das suas funções" e "comportamento indiscutivelmente impróprio". Depois transmitem os autos ao procurador-geral da Corte de Cassação, Vittorio Sgroj, titular da ação disciplinar. Sgroj decide que, "mesmo que o comportamento do Dr. De Pasquale pareça inoportuno (por ter criado uma expectativa desmentida pelos acontecimentos sucessivos), não parece ter relevância disciplinar", e arquiva o episódio em 20 de abril de 1994. O caso será reaberto por um novo ministro da Justiça, Filippo Mancuso, que, em 1995, solicitará nova inspeção na Procuradoria de Milão que resultará em um processo criminal contra De Pasquale por abuso de poder e homicídio culposo, fechado definitivamente em 23 de fevereiro de 1996 com um decreto de arquivamento assinado pelo juiz de investigações preliminares de Bréscia, Giuseppe Ondei: "Deve-se considerar, sem nenhuma dúvida, que no comportamento adotado por De Pasquale no episódio em questão não existe a indicação de qualquer tipo de crime". Uma absolvição integral.

No entanto, o caso Cagliari gera uma grande ferida entre De Pasquale e o pool, que será cicatrizada apenas três anos mais tarde. De Pasquale e Di Pietro, em particular, trocam faíscas, e não apenas devido ao caso Cagliari. Em novembro, o jovem magistrado convoca Craxi e Citaristi à Procuradoria sem informar o procurador Borrelli ou coordenar-se com os colegas que têm os dois entre seus réus. A lei permite que ele faça isso, mas Di Pietro, centralizador como é, não o perdoa. Além disso, quando o contador Aldo Molino se entrega, apresentando-se a Di Pietro e não a De Pasquale, surge um boato desagradável sobre perguntas feitas fora dos autos: um oficial da Guarda de Finanças, colaborador de De Pasquale, fez perguntas à esposa de Molino "com a intenção de compreender", escreve a ANSA em 17 de novembro, "se havia existido contato entre Di Pietro e Molino antes que o último se constituísse na sequência dos mandados de prisão cautelar que o atingiram no âmbito dos processos sobre a ENI–SAI e a Mãos Limpas".

Borrelli intervém e ordena por escrito que De Pasquale suspenda a sua investigação, mas o promotor consegue explicar-se: ele tinha medo que a questão ENI–SAI, "se fosse afogada em uma enxurrada de outros eventos", não chegasse ao processo. Borrelli entende, e, em 18 de dezembro, De Pasquale é liberado para interrogar Craxi. Em 10 de janeiro de 1994, o ex-secretário socialista será indiciado pela primeira vez sob a acusação de corrupção, e, em 1998, o processo ENI–SAI lhe custará a primeira sentença definitiva: cinco anos e seis meses por corrupção

O retorno do cardeal

Depois de Fiat, Fininvest, Olivetti e grupo Ligresti, a Montedison, gigante química da família Ferruzzi, já parceira da ENI no consórcio Enimont, também acaba na mira do pool. Em 26 de janeiro de 1993, a Guarda de Finanças efetua uma busca na casa e nos escritórios de Giuseppe Garofano, presidente da empresa de Foro Bonaparte até vinte dias atrás. Garofano é uma personalidade de primeira ordem. Foi gerente de ACNA de Cengio, a "fábrica de veneno" em Val Bormida. Depois, subiu na hierarquia da holding até chegar ao topo. Pelas suas boas maneiras e pela proximidade com a Opus Dei, os jornais o chamam de "o Cardeal", mas sabe-se pouco sobre ele. Apresentado como amigo de Giulio Andreotti, Garofano sempre fugiu dos refletores. "Sou uma pessoa normal, e as pessoas normais não dão entrevistas", chegou a dizer na década de 1980 para um jornalista que tentou sem sucesso lhe entrevistar. Assim, ele formou uma aura de mistério em torno de si mesmo.

Investigado por financiamento ilícito, Garofano é interrogado pela primeira vez em Milão no final de 1992. Admite ter dado 250 milhões ao secretário regional da DC, Gianstefano Frigerio, para a campanha eleitoral de 1990, mas afirma que o dinheiro saiu do próprio bolso, ou seja, ele não tinha a obrigação de registrar. Depois ele foge. Desde o início de 1993, é perseguido por um mandado de prisão. Agora, os magistrados esperam dele mais do que a mera revelação de pequenos financiamentos aos partidos políticos. Está em questão a verdade sobre uma operação muito maior: o casamento de 1989 entre a Montedison e a ENI, isto é, a complicada história da Enimont, o gigante público-privado para o qual os dois grupos haviam contribuído com muitas das suas sociedades, tendo em vista a criação de um polo químico italiano capaz de competir com as multinacionais do setor. Uma bela aventura que terminou mal: o consórcio foi dissolvido quase que imediatamente, deixando em campo, como depois de qualquer divórcio, rancor e rumores de acordos subterrâneos.

A operação não foi indolor para os cofres do Estado. Quando Montedison e ENI separam-se, a entidade petrolífera liderada pelo socialista Cagliari readquire as ações da Enimont do grupo Ferruzzi a um preço insano: 2,805 trilhões, cerca de seiscentos bilhões acima do valor, sob a suspeita generalizada de uma maxipropina paga aos políticos que disseram sim ao acordo. Como sempre, faltam provas. Poucos estão dispostos a falar da Enimont. Por isso, no início de 1993, a Procuradoria de Milão aposta em Garofano, que agora parece ter desaparecido.

A fuga do Cardeal durará seis meses, cheios de rumores e especulações. Alguém escreve que ele foi visto na Espanha, escondido pelos confrades da Opus Dei. Alguns juram que se refugiou em Londres ou Nova York. Enquanto isso, a tensão em torno do caso Enimont aumenta até o advogado do Cardeal, o ex-magistrado Luca Mucci, apresentar-se a Di Pietro e anunciar que Garofano está disposto a voltar. Em 13 de julho, ele dirige-se a Genebra para pegar um avião com destino a Milão, mas algo sai errado: uma denúncia coloca a aduana suíça em alerta, e Garofano, oficialmente procurado na Itália, acaba algemado. Evidentemente, aquele que alertou a polícia não quer que ele chegue até o Palácio da Justiça em Milão. E, agora que está preso em Genebra, o grande gestor tem mais uma oportunidade de esquivar-se: a Confederação não reconhece o crime de financiamento ilícito de partidos políticos. Se Garofano se opusesse à extradição, teria uma boa chance de se safar, mas ele já decidiu. O acordo Enimont está pegando fogo. Permanecer preso na Suíça pode ser perigoso, talvez até para a sua vida. Então, aceita imediatamente a deportação para a Itália, e a sua chegada, para alguém, cai como uma sentença de morte.

Assim morre um corsário

Raul Gardini tem a voz de quem está vendo o mundo desabar ao seu redor quando, logo após as 22h do dia 22 de julho de 1993, enfrenta seus advogados Marco De Luca e Giovanni Maria Flick. Balança a cabeça, fala nervosamente. Caminha para lá e para cá na grande sala do Palazzo Belgioioso, sua residência milanesa. Seu ex-império, o segundo grupo industrial italiano, que, sob as marcas Ferruzzi e Montedison, reunia química e agricultura, está morrendo sob o peso de 31 trilhões em dívidas. E ele, o genro predileto do patriarca Arturo Ferruzzi, o homem que os jornais chamavam "o Corsário", teme as algemas e a desonra.

"Então é guerra?", pergunta pensando no "sistema", nos partidos, nos jornais e nos seus ex-dirigentes, todos contra ele. E repete: "Aprontei demais. Se acabar na prisão, não sairei mais". Os defensores insistem: querem que ele se apresente no dia seguinte no Palácio da Justiça. Lá, em uma sala no quarto andar, o Corsário deverá sentar-se diante de dois promotores da Mãos Limpas, Antonio Di Pietro e Francesco Greco.

"Vi o Dr. Greco hoje", diz Flick. "Ele me disse: 'Venham amanhã após o fechamento da Bolsa de Valores'." Depois, quase ao mesmo tempo, Flick e De Luca acrescentam: "Estamos negociando um comportamento maleável com os juízes: prisão domiciliar ou, alternativamente, um curto período de detenção. Eles não prometeram nada, só perguntaram o que o senhor estaria disposto a contar a mais em relação às confissões de Roberto Magnani [ex-diretor geral da Ferruzzi], que os colocou a par de muitos fatos". Gardini entende que terá de contar tudo. Os números, os segredos e as chantagens que marcaram a curta vida da Enimont, nascida em 1989 e morta um ano depois. Uma aventura feita de sonhos e propinas. Mais de 152 bilhões distribuídos a quase todos os partidos políticos italianos: da DC ao PSI, do PRI ao PLI, do PSDI à Liga Norte, talvez até ao PCI e ao MSI.

"Chega", explode Gardini, "vamos nos concentrar na carta". A carta que ele escreveu uma semana antes, em 16 de julho, quando soube que a Procuradoria havia pedido uma ordem de prisão preventiva contra ele. Uma carta curta, apenas 39 linhas, que começa assim:

> Ilustríssimos senhores procuradores, Dr. Antonio Di Pietro e Dr. Francesco Greco, eu subscrito, Raul Gardini, assistido pelos meus defensores, os advogados Giovanni Maria Flick e Marco De Luca, tendo sido informado sobre uma série de investigações relativas à situação financeira do grupo Ferruzzi, além de várias hipóteses de doação de dinheiro a expoentes do mundo político a partir de 1988, e também em relação ao uso pessoal de bens corporativos, com a presente gostaria de levar a seu conhecimento a minha mais ampla e ilimitada disponibilidade para contribuir com os ilustríssimos, fornecendo todas as informações que forem consideradas do seu interesse.

A referência é às propinas da Enimont — "doações de dinheiro a partidos políticos e, mais especificamente, a figuras políticas na ocasião de eventos pertinentes ao consórcio Enimont e em outras situações", mas Gardini também promete outras revelações. Por exemplo, sobre as operações "back to back", ou seja, o sistema que permitia que a Montedison financiasse de forma oculta as atividades de empresas offshore, com sede em paraísos fiscais em todo o mundo, alimentando um gigantesco fundo irregular controlado por Giuseppe Berlini, o "gnomo" de Losanna que cuidava da contabilidade paralela do grupo Ferruzzi.

Será o próprio Berlini a esclarecer como funcionava o "back to back" em uma audiência do processo que se seguirá. "As sociedades do grupo depositavam oficialmente determinadas quantias em bancos na Suíça ou Luxemburgo. Os bancos, por sua vez, concediam empréstimos de igual valor para uma empresa de minha propriedade. Naturalmente, se eu não pagasse o empréstimo, o banco assegurava seus direitos bloqueando o dinheiro depositado anteriormente." Era a partir dali, daquele cofre suíço, que o Corsário retirava os fundos para pagar as propinas, as despesas pessoais (na carta, ele menciona o "uso pessoal de bens corporativos") e a especulação, como no investimento falho na Bolsa de Chicago, quando tentou elevar o preço da soja, perdendo 450 milhões de dólares. Um rombo que apareceu apenas parcialmente (150 milhões de dólares) nos balanços oficiais da Ferruzzi.

Contudo, há muito mais para explicar. Gardini, pelo menos naquele momento, está decidido a fazê-lo. E pensar que, apenas quatro dias antes, tudo parecia diferente. No domingo, ele estava no barco. Havia navegado por algumas milhas ao longo da costa de Marina di Ravenna, e, quando o mar parecia ter restituído um pouco da sua paz, um telefonema o fez cair na angústia. Naquela ocasião, o Corsário desabafou com um amigo: "Garofano é um traidor. Devo esperar de tudo".

Uma Walter PPK

Gardini não sabe o que os magistrados têm em mãos. Tudo que sabe é que Garofano, seu sucessor no comando da Ferfin (Ferruzzi Finanziaria) e da Montedison, está preso há uma semana e foi interrogado várias vezes. O que ele falou ou omitiu não pode nem imaginar, mas teme o pior. O Corsário e o Cardeal separaram-se de modo tempestuoso quando, em junho de 1991, a família Ferruzzi decidiu expulsar o primeiro líder do império. Seu lugar foi ocupado por Garofano e pelo cunhado Carlo Sama, marido de Alessandra Ferruzzi, irmã de Idina (esposa de Raul). E Sama estava cada vez mais ligado a um brilhante consultor e empreendedor da área socialista, um homem que já havia servido Gardini: Sergio Cusani.

Todos os problemas que o Corsário é obrigado a enfrentar começam com Garofano. Foi a história dos 250 milhões para a DC que acendeu os holofotes sobre o grupo Ferruzzi, e o Cardeal sabe toda a verdade sobre a Enimont. Enquanto ele estava longe, podia-se ficar tranquilo, mas, agora que havia sido preso, era um campo minado. Gardini não explica por que se entregou aos magistrados italianos sem oferecer resistência. Provavelmente, contatou Garofano durante a fuga. A esposa Idina dirá em uma entrevista: "Raul pedia elementos úteis para sua defesa há meses para Sama e Cusani, mas não lhe davam. Raul dizia: 'Eles prometem, prometem, mas depois não me dão nada. Estou sozinho e desamparado, não me dão elementos úteis para a defesa'". Gardini, quando libera seus advogados tarde da noite no dia 22 de julho, tem apenas um pensamento em mente: o que será que o Cardeal revelou ao *pool*? Uma curiosidade que será tragicamente sanada somente sete horas mais tarde.

São 7h de sexta-feira, 23 de julho. O mordomo do Palazzo Belgioioso, Franco Brunetti, serve o café da manhã e disponibiliza os jornais em uma pequena sala adjacente ao quarto. Gardini, já acordado, levanta-se e começa a comer um croissant. Quando seu olhar recai sobre a pilha de jornais, ele estremece. No *la Repubblica*, que antecipa um serviço do semanário *Il Mondo*, vê-se um título de página inteira: "Propinas: Garofano acusa Gardini". O Corsário lê o artigo e provavelmente sente-se perdido. Para ele, aquela é a prova de que alguém da Procuradoria quer enganá-lo. Como as confissões de Garofano podem ter acabado quase instantaneamente naquele jornal? E por que foram publicadas antes mesmo que ele pudesse contar sua versão, já que Flick havia garantido que existia uma "negociação" com o *pool*? E ainda: isto que ele está lendo é tudo o que o Cardeal disse, ou tem mais?

Gardini não pode imaginar que aquele, como muitos outros vazamentos de notícias, não é obra dos magistrados, mas de um jovem carabiniere em serviço na Procuradoria, que passa cópias dos autos para alguns jornalistas. Então, pensa imediatamente que é um vazamento proposital, organizado pela Procuradoria para abatê-lo e afundá-lo antes mesmo de ouvi-lo. Não imagina que o *pool* não sabe de nada.

É um instante. Gardini pega a pistola, uma velha PPK calibre 7,65, já fora de produção. Apoia sobre a têmpora direita. Puxa o gatilho. A bala ultrapassa o crânio. Faltam poucos minutos para as 8h30min quando chega uma ligação ao Palazzo Belgioioso. É o advogado Flick. Ele pede para falar com Gardini. O mordomo transfere a chamada para o "doutor" e deixa o telefone tocar por alguns segundos. Inutilmente. Preocupado com o longo silêncio, ele corre até o quarto. São 8h30min em ponto. Gardini está caído sobre o lençol. Disparou sentado na beira da cama. Ainda tem a arma na mão. O mordomo tenta parar o sangramento tampando os buracos nas têmporas com toalhas. Compreende que o "doutor" está agonizando, mas talvez ainda esteja vivo. Chama uma ambulância, que chega poucos minutos depois das 9h e corre a toda velocidade em direção ao hospital, mas às 9h07min o médico de plantão emite o atestado: Raul Gardini está morto.

A Mãos Limpas vive um dos seus momentos mais dramáticos. Naquela mesma manhã, na igreja de San Babila, a quinhentos metros do Palazzo Belgioioso, celebra-se o funeral de Gabriele Cagliari. A Milão que importa (ou importava) caminha atrás do caixão do ex-presidente da ENI, enquanto na Procuradoria os juízes também parecem preocupados. Francesco Greco está em lágrimas. Desde o início de julho, havia pedido a prisão de Gardini e de outros gestores do grupo por falsidade no balanço contábil, mas o juiz de investigações preliminares (não Italo Ghitti, mas Antonio Pisapia) tinha rejeitado a solicitação; quinze dias mais tarde, fez o segundo pedido, desta vez acolhido, mas tarde demais. Por isso, Greco continua a repetir: "Se o tivéssemos prendido imediatamente, talvez isso não tivesse acontecido. Foi a expectativa que o matou".

No entanto, a investigação não para. Poucas horas após o suicídio do Corsário, foram presos Carlo Sama, diretor da Montedison, o financista Sergio Cusani e o cunhado de Gardini, Vittorio Giuliani Ricci. Esse último é libertado já na mesma noite. Sama colabora com os magistrados e, seis dias depois, é colocado em prisão domiciliar. Cusani, em vez disso, mantém um comportamento diferente: admite algumas responsabilidades, mas recusa-se a entrar em detalhes. Transferido para o San Vittore, será libertado apenas em 23 de dezembro, quando o processo contra ele atingirá a décima nona audiência. "Eu tinha toda a intenção de esclarecer", garante Cusani atualmente, "e havia começado a fazer isso com Francesco Greco. Fui interrogado por horas. Greco queria aprofundar a história, não queria ficar na superfície. Depois Ghitti me disse: 'Por que você está falando com aquele lá?! Ele não importa nada'. Então compreendi que Di Pietro queria conduzir a investigação sozinho, do jeito dele. E eu não estava disposto a jogar aquele jogo".

O livro de pagamentos

O que é a Enimont? E por que sua história é atravessada por um rio de propinas e sangue? Para entender, precisamos voltar no tempo até 1988, quando o governo liderado por Ciriaco De Mita autoriza a criação da nova sociedade. O acordo prevê que o grupo Ferruzzi, que controla a Montedison, fique com 40% da Enimont; o mesmo percentual deve ficar para a ENI, e os 20% restantes das ações devem ser aplicados na Bolsa para permanecerem flutuantes no mercado.

As duas partes concedem suas atividades do setor químico à Enimont, mas a concessão traria ao grupo Ferruzzi, por razões contábeis, uma mais-valia considerável, que custaria oitocentos bilhões de impostos a Gardini. Então, para entrar no negócio, o Corsário pede ao poder político a isenção dos impostos sobre as mais-valias, enquanto, em 21 de dezembro de 1988, Necci e Cragnotti, respectivamente presidente e diretor da Enimont, anunciam em uma coletiva de imprensa as estratégias da nova empresa química. Em 12 de maio de 1989, o governo lança, como prometido, um decreto-lei sobre a isenção fiscal, que, no entanto, não é convertido em lei. Ele será reapresentado outras duas vezes.

Em dezembro de 1989, o primeiro golpe de cena: a Bolsa percebe que alguém está tentando comprar os 20% das ações Enimont deixados no mercado. Naquele momento, ninguém entende quem é o comprador misterioso. Mais tarde, se descobrirá que é Gardini, movimentando-se por intermédio de dois amigos. Nesta situação de incerteza, chega-se a janeiro de 1990, quando o governo Andreotti renova pela terceira vez o decreto sobre a isenção fiscal.

No final de fevereiro, fica tudo mais claro: Gardini detém a maioria da Enimont. Dois financistas de sua confiança, Gianni Varasi e o francês Jean-Marc Vernes, além de seu parceiro em Losanna, Giuseppe Bertini, compram as ações flutuantes. O Corsário quer ser o chefe: "A química sou eu", chega a dizer. Acredita que já ganhou. Propõe um aumento de capital de um trilhão e nomeia Varasi e Vernes conselheiros administrativos. É uma guerra aberta contra a ENI.

Gabriele Cagliari, presidente da ENI que terminou em minoria, opõe-se ao aumento de capital e pede para comprar de volta as cotas da Enimont que estão nas mãos de Gardini. Por trás de Cagliari está o sistema dos partidos, que não pode e não quer entregar a química em mãos privadas. Em 5 de setembro de 1990, o novo ministro das Participações do Estado, o andreottiano Franco Piga, sabendo que a convivência na Enimont é impossível, lança o chamado "pacto do cowboy", estabelecendo um preço para as ações da Enimont e deixando a Gardini a escolha de comprar tudo ou vender tudo.

Gardini quer comprar. Sabe que pode contar com aliados como os americanos do Citibank (que, conta Cusani hoje, "tinham garantido uma cobertura de até três bilhões de dólares") e a Dow Chemical, mas a política é ainda mais forte do que ele. Em 9 de novembro de 1990, a pedido da ENI, o presidente substituto do Tribunal Civil de Milão, Diego Curtò (que depois será preso e condenado por corrupção), assina uma medida de "bloqueio provisório" dos títulos da Enimont tanto nas mãos da ENI quanto nas da Montedison. Simultaneamente, nomeia um tutor legal das ações: Vincenzo Palladino, vice-presidente do Banco Comercial Italiano e inimigo histórico de Gardini. A medida de Curtò é incomum, não prevista pelo Código. Os advogados do grupo Ferruzzi tentam impedi-lo, em vão. Gardini entende que foi encurralado. A Enimont, por causa do aumento dos preços do petróleo provocado pela Guerra do Golfo, perde noventa bilhões por mês; em um ano, será mais de um trilhão. A ENI, holding do Estado, pode suportar uma longa espera. A Montedison não. Não resta outra alternativa a não ser vender, mas a que preço? Em 18 de novembro de 1990, a ENI aprova a proposta de compra e venda das ações Enimont por 1.650 liras por título, um total de 2,805 trilhões. É uma quantia absurda, como já vimos, inflacionada em pelo menos seiscentos bilhões.

Em uma entrevista alguns meses depois, o jornalista Cesare Peruzzi pergunta a Gardini por que os partidos não quiseram ceder-lhe a cota pública. O Corsário responde:

> Porque são um bando de ladrões e queriam continuar roubando. É como desmamar bezerros: não querem ser desmamados, não querem começar a pastar, a ruminar. Querem ficar grudados na teta. Assim serão bebês para sempre, mas a teta secará mais cedo ou mais tarde, e eles acabarão comendo a vaca.

Provas técnicas do encobrimento

Entre os jornalistas e trabalhadores, a suspeita de que tenham existido propinas por trás do acordo da Enimont é quase uma certeza. Aqueles seiscentos bilhões de supervalorização são demais. Alguém chega a perguntar diretamente ao ministro do Orçamento, Paolo Cirino Pomicino, que, como sempre, dá uma de democrata-cristão: "Antes de dizer certas coisas, é necessário ter provas". O assunto circula em todos os lugares, nas redações dos jornais, entre os colaboradores da imprensa e até mesmo entre os funcionários de nível mais baixo dos partidos.

Na Procuradoria, após a descoberta do financiamento ilícito de Garofano a Frigerio, uma segunda confirmação chega no dia 4 de fevereiro de 1993 por Graziano Moro, braço direito do vice-secretário da DC, Silvio Lega. Moro não tem nada a ver com o acordo da Enimont, mas lembra-se de uma coisa que ouviu em um dia do verão de 1991 no escritório de Enzo Carra, então porta-voz de Forlani. Carra havia dito que Antonio Sernia, membro democrata-cristão da junta da ENI, "enviou à DC cinco bilhões para a Enimont, diretamente nas mãos de Citaristi". Para o pool, as declarações de Moro são um bom ponto de partida.

O que nenhum magistrado imagina é que tem alguém trabalhando para encobrir a verdade em Roma. O "porto da neblina" entrou em ação pontualmente. Já em 1990, a magistratura da capital tinha arquivado uma investigação inicial sobre a Enimont. E, em 1992–93 parece tudo pronto para a repetição. Assim como em 1990, em 18 de dezembro de 1992 (quando já está claro que mais cedo ou mais tarde o *pool* vai esbarrar no acordo mais sujo da Tangentopoli), um advogado romano quase desconhecido, Vito Sgarra, apresenta uma denúncia sobre o caso Enimont, oficialmente na qualidade de pequeno acionista. Uma pena que Sgarra, se descobrirá em 1998, nunca possuiu sequer uma ação da Enimont. Muito provavelmente, apresentou aquela denúncia para permitir que algum juiz complacente abrisse uma investigação para depois arquivá-la. A segunda denúncia, do final de 1992, foi apresentada à Procuradoria por Agostina Coglitore, funcionária do escritório de Vittorio Virga, advogado da família Berlusconi, grande amigo de Cesare Previti e do chefe dos magistrados de Roma, Renato Squillante.

Afundada a primeira investigação, a segunda é confiada ao procurador adjunto Ettore Torri e ao substituto Orazio Savia (que será preso em 1997 sob a acusação de ter sido corrompido justamente por um dos protagonistas do caso Enimont; pegará um ano e quatro meses). O fato de a investigação ser conduzida pela Procuradoria de Roma tranquiliza o presidente da ENI, Gabriele Cagliari. Menos sereno está o diretor Franco Bernabè, sem qualquer ligação com o caso Enimont, que dirá ter sido pressionado por magistrados romanos durante doze horas em uma delegacia da Guarda de Finanças:

> Fui até Cagliari para contar-lhe. Ao contrário do que eu esperava, ele estava de ótimo humor [...]. Algum tempo depois, estávamos juntos em Londres quando ele recebeu a notícia de que haviam emitido uma intimação contra ele pelo caso Enimont. A primeira reação de Cagliari foi certificar-se de qual procuradoria havia emitido a intimação e, ao saber que havia sido a de Roma, mostrou-se claramente aliviado. Lembro-me que ele fez um gesto como se dissesse "está tudo bem".

O ativismo da Procuradoria romana em relação à Enimont produz outros péssimos resultados. Savia, totalmente determinado a consolidar o processo na capital, pede a prisão de um dirigente das Participações do Estado, Sergio Castellari, que teve um papel secundário no caso. O juiz de investigações preliminares rejeita o pedido. No entanto, a casa de Castellari já sofreu uma busca, e Savia acertou uma apresentação espontânea com seu advogado. Castellari, que acaba de renunciar ao Ministério, está desesperado. Ele sabe sobre o pedido de prisão, não consegue explicar-se e pede ajuda e conselhos a amigos e colegas. Primeiro, visita Bernabè. Depois, na manhã de 18 de fevereiro de 1993, encontra, por razões jamais esclarecidas, Giulio Andreotti. Às 11h, passa pela última vez na casa da esposa Miranda, da qual é separado, e lhe comunica sua interpretação do último movimento da Procuradoria: "Todos, dos amigos aos advogados, deixaram-me claro: ou eu conto alguma coisa grande aos magistrados, ou me prendem". Em seguida, vai até sua casa em Sacrofano, uma cidadezinha montanhosa na entrada de Roma. Liga para um dos advogados e diz: "Não pretendo me apresentar ao interrogatório agendado para as 15h30min desta tarde, está tudo acabado". Seu corpo será encontrado uma semana depois em campo aberto, com o rosto irreconhecível por causa dos animais. Ele tem um furo na nuca. Ao lado do corpo, meia garrafa de uísque. A Smith e Wesson com o cano para cima, no entanto, está quase presa ao cinto. Dirão que foi suicídio. Contudo, a dúvida permanecerá.

A essa altura, alguns da Procuradoria de Roma estão com medo. Quando Gherardo Colombo explica poucos dias depois ao procurador adjunto Ettore Torri que também o *pool* de Milão está investigando o caso Enimont e pede a transferência dos documentos, realiza-se uma reunião no Piazzale Clodio. Estão presentes os procuradores Vittorio Mele e Orazio Savia e os procuradores adjuntos. Todos, exceto Mele, gostariam de manter o processo em Roma. Torri relatará com espontânea ironia: "Nós, particularmente Coiro [Michele Coiro, outro procurador adjunto], enfatizamos a deselegância com que os colegas de Milão pediram os autos". O pedido do pool, de fato, chegou via fax. No final, Mele convence a todos que é melhor "livrar-se desse processo tão trabalhoso e quente". O único que tenta opor-se é Savia, mas permanece isolado.

Caça ao tesouro

Em Milão, a investigação é acompanhada principalmente pelo último a entrar no pool, Francesco Greco, especialista em crimes financeiros. Por acaso, em fevereiro, a pedido do Tribunal Civil, ele começou a vasculhar as contas de uma nova empresa, a SCI, que havia pedido a "homologação" para um enorme aumento de capital: 3,6 trilhões. A SCI era a empresa para a qual a ENI tinha repassado as ações da Enichem após a dissolução da Enimont. Greco reporta o fato imediatamente a Borrelli, que não hesita: "Atribuo essa investigação a você. Trabalhe com Di Pietro. Entre você também para o pool".

A descoberta de Greco é interessante, até porque, estudando os documentos, acaba também em suas mãos uma arbitragem entre a ENI e a Montedison, nascida do fato de que a ENI tinha acusado Gardini de ter conferido à Enimont uma série de empresas em dificuldades, com grandes problemas de impacto ambiental. Empresas proprietárias de aterros ilegais e outras que não respeitavam os parâmetros mínimos de segurança. Examinando os balanços e uma enorme quantidade de documentos apreendidos na Montedison e na ENI, Greco descobre o papel de Giuseppe Berlini, o homem dos Ferruzzi na Suíça. É ele que revende à ENI as ações flutuantes do consórcio. Roberto Magnani, diretor financeiro do grupo Ferruzzi, explicará: "Berlini era o homem que administrava o patrimônio não declarado dos Ferruzzi".

Enquanto isso, a crise financeira da Ferfin e Montedison está cada vez mais pesada. A família Ferruzzi, vendo seu império à beira da falência, confia seu destino à Mediobanca, que, juntamente com as outras instituições credoras, coloca Guido Rossi no comando da holding em 19 de junho de 1993. Ex-presidente da Consob, a Comissão de Controle da Bolsa, Rossi tem uma merecida reputação de honesto e culto advogado de negócios. Estabelece boas relações com Greco e comunica à Procuradoria as irregularidades que vai encontrando na sociedade que lhe foi confiada. Greco pendura um grande painel na parede de seu escritório, no qual desenha o esquema das empresas envolvidas em paraísos fiscais e registra seus fluxos de caixa. Atualiza-o com as novas descobertas que acontecem quase diariamente. Entre elas, existe uma fundamental: uma fatura falsa no valor de 10,5 milhões de dólares em nome da Allied Engineering de Londres, que serviu para encobrir a passagem de dinheiro da Montedison à ENI. É a fatura que esconde a propina do encerramento da Enimont: a ENI, uma vez encerrado o consórcio, declarou-se disposta a pagar os 2 ,805 trilhões para a Montedison um mês antes da data prevista no acordo. Em troca, porém, exigiu que lhe fossem devolvidos os ganhos perdidos sobre os juros. Esse dinheiro foi posteriormente dividido — segundo o ex-diretor financeiro da ENI, Enrico Ferranti — entre Gabriele Cagliari, alguns jornalistas nunca identificados, Pacini Battaglia e uma série de contas no exterior de Troielli, o representante de Craxi. Greco, antes das prisões e das confissões, faz outra descoberta: a Montedison, coincidindo com a aventura Enimont, criou fundos irregulares de pelo menos 140 bilhões de liras graças a uma transação imobiliária com o construtor romano Domenico Bonifaci.

A mãe de todas as propinas

Nesse quadro já bastante impressionante, Giuseppe Garofano tem pouco a acrescentar. Em 18 de julho, cinco dias antes do suicídio de Gardini, diz apenas que foi o Corsário que comunicou "ao subscrito e a Carlo Sama a necessidade de criar fundos extras" para depois realizar, em 1991, o "pagamento pelos compromissos assumidos por Gardini com os líderes dos partidos do governo em relação aos acontecimentos na química, particularmente à Enimont". Depois, sem entrar em detalhes, explica como o consultor da Montedison, Sergio Cusani, foi capaz de criar a disponibilização para a superpropina. Bonifaci havia vendido para duas subsidiárias da Montedison outras duas sociedades de sua propriedade a um preço muito mais alto do que o valor real (inflacionado em cerca de 140 bilhões). Depois, transformou aquela diferença em títulos do Estado e devolveu para Cusani.

Descendente de uma família napolitana de origem nobre, estabelecido em Milão para estudar na Universidade Bocconi durante os anos do movimento estudantil, Cusani nunca se formou, mas, em compensação, "fez escola" com um dos magos da Bolsa de Valores italiana, Aldo Ravelli, simpatizante do socialismo, que lhe garantiu contatos de primeira linha com os maiores empresários italianos e com os líderes do PSI: Bettino Craxi, Claudio Martelli e o financista Ferdinando Mach di Palmstein. Assim, depois da primeira vida como estudante e ativista do movimento estudantil, "Sergino" iniciou asua segunda vida: a de financista "confidencial", ativo nas intersecções mais delicadas entre os negócios e a política. No dia de sua prisão, começa a terceira. Ele diz ao juiz Ghitti: "Vocês me libertaram". E hoje recorda: "Naquela noite, na cela do San Vittore, finalmente dormi tranquilo". Com Di Pietro, no entanto, não encontra nenhuma sintonia e não aceita tornar-se um "arrependido". Explica a situação da seguinte forma ao psicólogo do presídio:

> Sinto-me como um aluno de uma classe que perdeu o controle: alguns gritam, alguns brigam, alguns quebram a mesa do professor, alguns lançam as cadeiras pela janela. De repente, chega o professor. Todos voltam aos seus lugares a tempo, menos eu, que continuo. O professor me surpreende quando estou prestes a lançar um avião de papel. Então, serei o único da classe a ser punido.

Na realidade, é muito mais do que um aviãozinho. Sama descreve Cusani como o "o verdadeiro administrador da Montedison" e explica:

> Cusani, além de ligado a Gardini por uma relação de confiança, gozava de crédito com figuras políticas importantes, entre elas os líderes do PSI, Craxi e Martelli, e da DC. Portanto, poderia servir como garantia, junto ao sistema dos partidos, da seriedade e do empenho por parte da Montedison de pagar as somas secretas.

O juiz Curtò

Gardini decidiu pagar os partidos somente quando, no meio da batalha com a ENI, o juiz Curtò bloqueou as ações da Enimont e as confiou em custódia judicial a um árbitro nada imparcial: Vincenzo Palladino. A ideia de colocar o juiz em campo foi de Pompeo Locatelli, fiel craxiano e contador de confiança da ENI. Sama diz:

Raul entendeu que perderia o jogo. [...] Se deu conta de que o real poder do sistema político era muito mais forte do que a lógica empresarial da qual ele era a expressão [...]; portanto, entendeu que era hora de chegar a um acordo econômico com o mundo político. [...] Gardini compreendeu que precisaria compactuar com o sistema dos partidos [...] também em relação às contribuições em dinheiro. [...] Gardini, portanto, em relação à questão da divisão da Enimont, comprometeu-se a doar somas de dinheiro para o sistema partidário.

Curtò, após o bloqueio provisório das ações que impede o aumento de capital previsto por Gardini, paga a Palladino 4,5 bilhões por apenas 22 dias de trabalho. Metade paga pela ENI, metade pela Montedison, por meio de contas no exterior. Tanta generosidade levanta suspeitas no pool. Especialmente porque o "bloqueio provisório das ações sem ouvir a outra parte" disposto por Curtò não é uma ação prevista pelo Código e, em 20 de julho de 1993, exatamente uma semana após o retorno de Garofano à Itália, Curtò assina declaração garantindo o bom direito de Palladino de receber a tal parcela bilionária referente à absoluta transparência do episódio obscuro.

Palladino, quando é preso por extorsão (pelo dinheiro recebido da Montedison no exterior) e comparece diante ao pool, apresenta a declaração. Os magistrados ficam de boca aberta: por que um juiz tão importante quanto Curtò, presidente substituto do Tribunal de Milão, se expôs daquela maneira? Curtò é ouvido como testemunha, mas seu depoimento dura pouco. É interrompido quando os promotores contestam o abuso de poder para fins patrimoniais e transferem os documentos para a Procuradoria de Bréscia, que deverá investigá-lo, pois se trata de um magistrado em serviço em Milão.

Então, depois de 33 dias de prisão, Palladino acrescenta ainda mais: Curtò, em sinal de agradecimento, recebeu quatrocentos mil francos suíços pela operação. Foi o próprio Palladino quem abriu uma conta na Suíça para o alto magistrado. Quando a Mãos Limpas decolou, o presidente substituto do tribunal devolveu o dinheiro a Palladino, mas apenas "sob custódia". Três dias após a morte de Gardini, Curtò solicitou e recebeu a propina inteira, desta vez em dinheiro, em Lugano. Então, saiu de férias. Mais tarde, dirá que, em pânico, jogou o dinheiro em uma lixeira.

Portanto, foi a decisão de Curtò que influenciou Gardini a vender sua parte da Enimont. O preço será aumentado, mas, em troca, o Corsário terá de pagar os partidos. Sergio Cusani prepara a provisão de dinheiro necessária em títulos do Estado, graças às faturas falsas de Bonifaci. Agora, era preciso encontrar um modo de reciclar os 140 bilhões em títulos do Estado e, obviamente, negociá-los com algum banco, transformá-los em dinheiro para eliminar os rastros da origem. Então, entra em cena um grande amigo de Cusani, um jornalista da ANSA responsável pelas relações externas da Enimont: Luigi Bisignani, já inscrito na loja P2, com grandes contatos na Santa Sede e, especialmente, o monsenhor Donato de Bonis, alto dirigente do Instituto de Obras Religiosas (IOR), o banco do Vaticano. Bisignani entra em contato com o IOR e consegue o que quer: trocar os títulos por dinheiro e mandar para contas bancárias no exterior.

O rastro do dinheiro

O percurso dos títulos do Estado é uma das aventuras mais fascinantes da Mãos Limpas. Os dois homens do *pool* mais experientes em assuntos financeiros, Colombo e Greco, seguem-no, mas é uma tarefa gigantesca. "Apenas" 93 bilhões passam de Cusani a Bisignani e dele para Vaticano. O resto é identificado buscando quem havia resgatado o dinheiro. Assim, descobre-se que 3,4 bilhões foram resgatados pelo "rei dos grãos" Franco Ambrosio em nome do amigo Paolo Cirino Pomicino, mais de quatro bilhões acabaram com Cagliari por intermédio de um colaborador, novecentos milhões foram resgatados pela esposa do ministro Franco Piga, e um bilhão foi resgatado por Alberto Grotti, entre outros. Além disso, como relatará Sama no julgamento de Cusani, havia os financiamentos da DC por meio do secretário político Arnaldo Forlani, e os do PSI pelas mãos de Craxi e Martelli. O secretário socialista havia recebido o dinheiro no exterior, em contas gerenciadas por Mauro Giallombardo.

No entanto, a caça ao tesouro dá resultados apenas parciais. De 140 bilhões, falta a individualização de 75 bilhões, distribuídos a "políticos não identificados". Cusani, trancado em seu silêncio solene, conta apenas uma pequena parte do que sabe, refugiando-se atrás das regras: "Sou um banqueiro, devo manter o sigilo profissional". Daqueles 75 bilhões, ele diz ter repassado 63 bilhões para representantes não identificados de Gardini em Montecarlo. Di Pietro não acredita nele e, no final da acusação, o definirá violentamente como "três vezes traidor, ladrão, mentiroso e oportunista" e o acusará de ter embolsado 102 bilhões.

No fim, pelo menos uma certa quantidade é atribuída a nomes e sobrenomes. Atribui-se quase onze bilhões a Craxi (7,5 bilhões pela dissolução da Enimont, mais 3,4 bilhões pelas eleições de 1992). Oito bilhões a Citaristi e Forlani (6,5 bilhões e 1,5 bilhão). E ainda há os "presentes" individuais para políticos: 5,5 bilhões para o democrata-cristão Paolo Cirino Pomicino, quinhentos milhões para o socialista Claudio Martelli, trezentos milhões para o republicano Giorgio La Malfa, cinquenta milhões para o liberal Egidio Sterpa, cem milhões para Pillitteri (mais tarde absolvido), trezentos milhões para o social-democrata Carlo Vizzini (mais tarde salvo pela prescrição), cem milhões para De Michelis, duzentos milhões para o liberal Renato Altissimo e duzentos milhões para o líder da Liga Norte, Umberto Bossi. Uma parte desses pagamentos — caso, por exemplo, da parcela da Liga Norte – não foi entregue por Gardini, mas por seus sucessores Sama e Garofano, que queriam "acreditar-se" no sistema dos partidos por causa das eleições de 1992.

O "teleprocesso" Cusani

O julgamento do caso Enimont terá início somente em 5 de julho de 1994, mas todas as provas e depoimentos sobre a maxipropina materializam-se sob os olhos dos juízes (e dos italianos, grudados na televisão) um ano antes, no processo que leva o nome de seu único réu: Sergio Cusani. Na verdade, o financista pediu para ser julgado de imediato, juntamente com todos os outros. Até agora, recusou-se a falar, mas promete que fará publicamente no tribunal. Então, a Procuradoria decide, em 27 de agosto de 1993, realizar um julgamento imediato apenas para ele, sob as acusações de falso balanço financeiro e violação da lei sobre o financiamento dos partidos. Giuliano Spazzali, seu advogado, intui que grande parte do processo será transmitida pela televisão. Então, pede uma reunião com Silvio Berlusconi e visita-o em setembro ("pela primeira e última vez", garante) em Arcore. Solicita um espaço na programação das redes Fininvest para ilustrar as razões da defesa, mas o *Cavaliere* parece não entender, distraído por pensamentos completamente diferentes. "Não consegui dizer mais do que seis palavras", lembra Spazzali. "Berlusconi, usando sua malha azul, falou por mais de uma hora e meia, mas de um assunto completamente diferente: explicou-me que estavam trabalhando na sala ao lado, pois era preciso restabelecer as organizações políticas". Em resumo, preparavam o batismo do Força Itália, mas ninguém percebeu no momento. A *Época*, revista semanal da Mondadori (grupo Fininvest), oferecerá aos leitores duas fitas de vídeo produzidas pelo TG5 com as sequências mais espetaculares do processo de Cusani comentadas enfaticamente por Andrea Pamparana e Enrico Mentana. Os jornais e os canais de televisão do *Cavaliere*, completamente determinado a fundar um partido, continuam "torcendo" por Di Pietro. Quem se importa com as razões da defesa?

A primeira audiência do julgamento de Cusani é realizada em 28 de outubro, em frente à segunda seção do Tribunal, presidida por Giuseppe Tarantola. É um processo-símbolo: a Primeira República sob processo torna-se um evento midiático, transmitido todas as manhãs ao vivo pela Rai com índices altíssimos de audiência. Di Pietro entra nas casas de todos os italianos. Ele é o protagonista absoluto, com aquela estranha mistura entre a linguagem de camponês e a tecnologia processual (computadores, projetores e monitores). O antagonista, mais do que o silencioso Cusani, é o advogado Spazzali, que acompanha o Ministério Público em duelos verbais memoráveis, construídos com o "erre" puxado e a linguagem polida da cultura clássica. No final, os fatos superam a dialética, e o destino do processo, conduzido com grande equilíbrio pelo juiz Tarantola, está traçado desde o início.

Cusani prossegue silencioso e insolente rumo à derrota. Todos ao seu redor apresentam dezenas de pessoas, testemunhas e suspeitos de crimes relacionados. Políticos, empresários e outros poderosos: Craxi, Martelli, Forlani, Citaristi, Cirino Pomicino, La Malfa, Altissimo, Vizzini, Sama, Bisignani, Panzavolta... Todos respondem às perguntas embaraçosas de Di Pietro sobre o dinheiro dado e recebido. No final, serão 51 audiências, quatrocentas horas de processo, 117 testemunhas, vinte mil documentos, sete mil páginas de autos.

A baba de Forlani, as pausas de Craxi

"Nunca lidei com questões administrativas... Não sei nada sobre contribuições irregulares para o nosso partido...". O Arnaldo Forlani que gagueja diante de Di Pietro em 17 de dezembro de 1993 está quase irreconhecível. Muito diferente daquele de aspecto angelical que pouco tempo atrás era entrevistado pelo TG1 no quintal de sua casa de campo, acompanhado por Bruno Vespa, dizendo que "a maxipropina Enimont não existe". Do fundo do tribunal, alguém grita: "Ladrão". A imagem da saliva acumulada nos dois cantos da boca do ex-secretário dos democratas-cristãos tornou-se um dos emblemas do colapso do sistema. Até porque Forlani não foi chamado ao tribunal com base na teoria de que "era impossível que ele não soubesse". Existem acusações precisas contra ele, assim como contra Craxi e os outros ex-secretários dos partidos. A movê-las estão Sama e Citaristi. O tesoureiro da DC explica que tanto De Mita quanto seu sucessor Forlani foram informados sobre os métodos ilegais de financiamento do partido e acrescenta que foi justamente Forlani quem direcionou-o a Sama para retirar uma propina que depois foi subdividida entre vários candidatos da corrente forlaniana da região de Marche, mas Forlani alega que Citaristi não lembra bem dos fatos, e Sama está enganado. Nega tudo. "Até a existência do Duomo de Milão", ironiza Di Pietro. Parece não lembrar nem o nome de seu velho e confiável tesoureiro, que chama repetidamente de "Citarristi", com um erre a mais. No dia seguinte, os jornais o massacrarão.

Naquele mesmo 17 de dezembro, imediatamente após Forlani, é a vez de Bettino Craxi.

Seu interrogatório é outra história. Um Di Pietro excepcionalmente calmo e tolerante faz a pergunta fatídica: se ele estava ciente do financiamento ilícito do partido. Craxi permite-se uma das suas longas pausas. Em seguida, explica:

> Nem a Montedison, nem o grupo Ferruzzi e nem o Dr. Sama ou outros, direta ou indiretamente, jamais me deram um centavo pessoalmente, mas tanto o grupo Ferruzzi quanto a Montedison pagavam contribuições à administração do partido. Não sei desde quando, mas certamente há muitos anos e até as eleições de 1992. De qualquer maneira, eu estava ciente da natureza irregular do financiamento dos partidos políticos e do meu partido. Comecei a entender isso quando ainda usava calças curtas!

É uma confissão integral. Di Pietro sorri, radiante: "Essa manhã alguém afirmou que ficou sabendo apenas há alguns dias". Uma pequena referência a Forlani.

Craxi não apenas admite, como também entrega documentos. E, em um dado momento, com suspense calculado, puxa um bilhete do bolso:

Depois da morte de Vincenzo Balzamo, surgiu este papel escrito à mão, no qual ele fez uma anotação que se refere a um período de cinco anos, com os pagamentos provenientes de empresas e instituições. Ele escreve que em quatro anos recebeu aproximadamente 186 bilhões. Cerca de cinquenta bilhões por ano.

Obviamente não declarados; portanto, ilícitos. Então, é por isso que Di Pietro está tão calmo e não o pressiona: Craxi, com sua franqueza brutal, armou uma armadilha para si mesmo. Não poderia existir melhor confirmação às acusações. Quem esperava um confronto entre eles fica desapontado; muitos comentaristas criticarão o comportamento do promotor, considerado brando demais. "Para mim", explica Di Pietro atualmente, "era essencial deixar Craxi falar. Eu queria o resultado positivo, acrescentar sua confissão ao processo. Se eu o tivesse pressionado com perguntas, teria arriscado contrariá-lo, e ele, provavelmente, teria se fechado como uma ostra".

Di Pietro preparou cuidadosamente aquele interrogatório. Encontrou Craxi pelo menos três vezes no outono de 1993, em Roma, graças à mediação do ex-juiz e agora advogado Niccolò Amato. "Eu lhe joguei uma isca", lembra Di Pietro, "e Craxi mordeu". Contudo, o magistrado não quer negociações informais e pede que Amato seja nomeado advogado de defesa juntamente com os dois advogados "históricos" do ex-líder socialista, Giannino Guiso e advogado Enzo Lo Giudice. Depois de alguns contatos telefônicos, os encontros cara a cara foram organizados. O primeiro acontece no escritório de Amato, em Roma. Os próximos dois, em um edifício disponibilizado pelos serviços de segurança. Di Pietro relata:

> Durante as reuniões, Craxi andava nervosamente de um lado ao outro da sala, fumava e bebia água. Eu queria saber qual era o papel dos partidos no caso Enimont e "inaugurar" o ex-PCI. Esperava que Craxi me apresentasse elementos concretos. Eu queria saber "quem recebeu" e "quem pagou". Insisti, mas ele repetiu o mesmo discurso que fez na Câmara: disse que todos os partidos estavam envolvidos, sem apresentar provas concretas. De qualquer maneira, o meu objetivo era levá-lo ao tribunal para depor, não deixar que ele se escondesse atrás do direito de permanecer calado. E consegui.

Na última reunião, Craxi entrega uma bobina a Di Pietro: é uma conversa entre ele e o advogado Argento Pezzi, defensor do tesoureiro do PDS Mijno Carnevale, registrada sem o conhecimento deste, no escritório da Piazza Duomo. O advogado fazia alusão aos financiamentos recebidos pelo PCI–PDS, mas, de novo, sem fornecer provas concretas. Fora do tribunal, Craxi contará a Bruno Vespa (no livro *Il duelo*) que ele poderia contar com o apoio de muitos amigos para fazer política. "No sentido de que eles vinham até você e perguntavam de quanto você precisava?", pergunta Vespa. "Era só o que faltava", responde Craxi. "Eles não ousariam. Faziam uma fila como se faz no dentista. Passavam na secretaria..."

Mais do que as palavras de Craxi, os slides e gráficos projetados por Di Pietro no tribunal, armado de vareta, caracterizam o processo de Cusani. Eles ilustram as contas abertas em paraísos fiscais em metade o mundo, de Cingapura a Hong Kong, da Suíça a Liechtenstein, de Luxemburgo às Ilhas Cayman, nas Bahamas. O PSI, como veremos, utilizava vários sistemas "financeiros" que eram controlados por vários responsáveis (do partido e/ou de Craxi): Gianfranco Troielli, Giorgio Tradati, Mauro Giallombardo e assim por diante. Apesar dos esforços investigativos, nem todo o tesouro de Craxi será completamente rastreado. Muitos países, indiferentes aos governos italianos, se recusarão a cooperar com a Procuradoria de Milão e a fornecer as explicações e os documentos bancários que poderiam revelar inteiramente as finanças reservadas socialistas e craxianas. Começando por Hong Kong.

A liga também, Bossi também

Em 7 de dezembro de 1993, é preso Alessandro Patelli, 43 anos, encanador e tEm 7 de dezembro de 1993, é preso Alessandro Patelli, 43 anos, encanador e tesoureiro da Liga Norte. A sua, em muitos aspectos, é uma prisão anunciada. Durante o julgamento de Cusani, diante de milhões de italianos assistindo ao vivo pela TV, Carlo Sama respondeu: "Eu não excluo a possibilidade", à pergunta do advogado Spazzali sobre eventuais pagamentos secretos da Ferruzzi para o partido de Bossi. Foram suficientes poucas horas de interrogatório para Di Pietro descobrir quem pagou: Marcello Portesi, o lobista da Ferruzzi. E quem recebeu: Patelli.

Após uma semana de negação, o tesoureiro lombardo admite ter embolsado uma propina de duzentos milhões da Montedison, mas, diante da pergunta: "O que aconteceu com o dinheiro?", registra nos autos uma declaração surpreendente: "Voltei para Milão, fui até a sede da Via Arbe, tranquei o dinheiro à chave em uma gaveta e fui para casa dormir. Naquela mesma noite, a sede foi arrombada, levaram todo tipo de documento, e o dinheiro também desapareceu". Ele jura não ter dito nada a Bossi. Assim, o senador pode declarar aos jornalistas: "Graças a Di Pietro, começamos a esclarecer um assunto sério: descobrimos que o sistema dava com uma mão e tirava com a outra. Isso é coisa dos serviços secretos degenerados. Caímos em uma armadilha". Quanto a Patelli, ele não seria nada mais do que um "mero estúpido" envolvido em um jogo maior do que ele. Mas essa versão dura pouco. O depoimento de Portesi compromete Bossi fortemente. Em meados de dezembro, o líder da Liga Norte (que continua negando saber sobre o pagamento da propina) é interrogado oficialmente e, na véspera de Natal, graças a uma coleta entre os militantes, deposita duzentos milhões em uma conta corrente do Ministério Público. Agora, a imagem da Liga como "partido de mãos limpas", em oposição a todos os outros da "Roma ladra", está comprometida, e o pior ainda está por vir.

No julgamento de Cusani, a história daqueles duzentos milhões é discutida a partir de 4 de janeiro de 1994. O primeiro chamado para falar sobre isso é justamente Portesi, o antigo braço direito de Sama para as "relações institucionais" da Montedison e da Ferruzzi Finanziaria. Di Pietro pergunta-lhe: "Então, Bossi disse a vocês: 'Procurem nos ajudar?'". "Sim", responde Portesi. "Disse que a Liga precisava de apoio financeiro, que poderia ser manifestado por meio de publicidade. Eu respondi que me informaria. Ele disse que me colocaria em contato com seu colaborador Patelli." Di Pietro: "Então, é ele quem pede apoio para a Liga?". Portesi: "É ele", ou seja, Umberto Bossi, que, em 1991, vai até Ravenna e pede para encontrar-se com Carlo Sama, mas tem de se contentar com um colaborador, "porque Sama não podia". A partir daquele momento, começa um relacionamento entre o grupo Ferruzzi e a Liga Norte, que prosseguirá até 1993 e passará pelos duzentos milhões em dinheiro recebidos por Patelli justamente em um dos símbolos da "Roma ladra": o bar Doney da Via Veneto. Depois chega a vez do advogado de Cusani.

> *Spazzali:* "O senhor se lembra do que acontecia em Milão na primavera de 1993? Tinha uma campanha eleitoral..."
>
> *Portesi:* "Para prefeito, claro."
>
> *Spazzali:* "E lá aconteceu outro episódio..."
>
> *Portesi:* "Acho que o senhor está se referindo a isto: algumas semanas depois, houve uma entrevista da *Notte* com o prefeito recém-eleito Formentini. Eu me lembro de ter sido chamado pelo meu superior, o dr. Bisignani, que me pediu para ir até Milão, acompanhando Formentini àquela entrevista".
>
> *Spazzali:* "Em resumo, uma competição de consensos parlamentares que continua também em 1993. Quando, em 1991, a Liga não é muito importante, é Bossi quem procura vocês. E o senhor termina acompanhando Formentini..."

No dia seguinte, é a vez de Bossi. No início, o senador, acompanhado por uma grande torcida sentada na plateia, não evita o confronto. Di Pietro entra rapidamente em sintonia com o seu comprimento de onda. Começa com algumas perguntas sobre a história da Liga. Depois, pede que ele explique o sistema das contas correntes do partido (todas nas mãos de Bossi) e, finalmente, desfere o golpe:

> *Di Pietro:* "Mas por que o senhor foi até Sama?"
>
> *Bossi:* "Havia uma razão principal. Ele possuía canais de televisão, jornais e grandes empresas. Em um momento histórico no qual era fundamental criar uma secretaria política capaz de manter oitenta parlamentares".
>
> *Di Pietro:* "Era por uma questão econômica. Era esse o motivo?".
>
> *Bossi:* "Ele era poderoso, poderia conseguir trabalho para a Liga Norte.

Poderia abrir portas".

Di Pietro: "Sempre reclamam quando usamos expressões muito banais. Abrir portas significa insinuar-se para Sama para que ele viesse ao encontro das exigências".

Bossi: "Pelo amor de Deus...".

Di Pietro: "Pelo amor de Deus sim, ou pelo amor de Deus não?"

Bossi: "Pelo amor de Deus sim".

Contudo, em um ponto o senador não cede: diz não ter sido avisado sobre os duzentos milhões entregues a Patelli. O tesoureiro não teria dito nada porque se envergonhava de ter sido roubado e porque, com a campanha eleitoral em andamento, não havia tido tempo. Patelli, interrogado, confirma. Assim, o registro de suas chamadas telefônicas acaba em análise, e os telefonemas mostram que ele falava continuamente com Bossi. Três ex-membros da Liga Norte, Gianfranco Miglio, Franco Castellazzi e Piergianni Prosperini, explicam que Bossi era o único que lidava com os financiamentos para a Liga. O senador será condenado em via definitiva a oito meses.

A mochila de Martelli e o sono de Pomicino

Outro momento dramático é o confronto, diante do tribunal, entre dois velhos amigos: Claudio Martelli e Carlo Sama. Tema: a propina de quinhentos milhões, entregue em mãos, do segundo ao primeiro, na sua casa de Ravenna, na véspera das eleições de 1992. Sama afirma que eram fundos provenientes do grupo Ferruzzi e que o amigo Claudio sabia. Martelli nega, diz que o amigo Carlo o acompanhou até o portão naquele dia e, no momento das saudações, colocou uma mochila de lona dentro de seu carro, dizendo textualmente:

Preparei uma coisa. Que fique bem claro, Claudio, este dinheiro é meu e da minha família. Nós somos como irmãos, ninguém pode entender a sua batalha melhor do que eu.

Martelli embolsou a soma, evitando cuidadosamente de registrá-la na declaração arquivada na Câmara. E pensar que ele era ministro da Justiça e que Mario Chiesa estava preso em San Vittore há um mês. De qualquer maneira, Sama é taxativo: nunca disse que o dinheiro era seu e da sua família. Aliás, Martelli nunca perguntou sobre a origem do dinheiro. Certas perguntas não se fazem: "Não havia necessidade de explicar nada". Os juízes acreditarão em Sama e condenarão Martelli também a oito meses.

Ao lado dos momentos dramáticos do julgamento de Cusani, também não faltam episódios hilariantes, como quando chamam o ex-ministro Paolo Cirino Pomicino para depor, acusado de ter embolsado duas propinas distintas da família

Ferruzzi: cinco bilhões em títulos do Estado, em 1991, pelo caso Enimont; e outros quinhentos milhões em 1992, para as eleições de 6 de abril. Inicialmente, Di Pietro contabiliza que resultam somente 3,5 bilhões, mas Pomicino corrige-o prontamente: "Não, Dr. Di Pietro, eram cinco bilhões ou um pouco mais. Eu os distribuí entre os amigos da minha corrente". Depois, afirma que o dinheiro não tinha nada a ver com a Enimont; eram simples contribuições eleitorais oferecidas espontaneamente por Sama em demonstração de amizade, sem qualquer solicitação de sua parte, em uma reunião no Ministério do Orçamento. Di Pietro argumenta: "Era junho de 1991. O que Sama sabia sobre as eleições antecipadas de 1992? Vocês começavam a recolher o dinheiro um ano antes?". E Pomicino, com um sorriso: "Na verdade, eu disse a ele que a campanha eleitoral ainda estava longe, mas Sama respondeu que era melhor preparar-se antecipadamente". Ri-se com vontade no tribunal, assim como quando o ex-ministro relembra, com a típica genialidade napolitana, a visita de Arturo Ferruzzi, Carlo Sama e Luigi Bisignani à sua casa no ano seguinte: "Chegaram às 7h50min. Levantar-me àquela hora foi uma tortura, mas já tinha acontecido antes, quando o Dr. Gardini veio me visitar às 7h30min da manhã [...]. De qualquer modo, também recebi na minha casa pessoas que não apoiaram minhas campanhas eleitorais". Di Pietro não se contém: "Era só o que faltava, que as pessoas tivessem de pagar até para entrar em sua casa".

Uma mala para o Bottegone?

À longa lista de propinas pagas no caso Enimont, deve-se acrescentar uma de um bilhão que, segundo Sama e Cusani, Gardini entregou pessoalmente na Via Botteghe Oscure em 1989, para converter em lei o decreto sobre a isenção fiscal da Enimont. A existência dessa propina foi reconhecida pelo tribunal apenas em primeira instância. No recurso, foi anulada pelo segundo parágrafo do artigo 530, que compreende a antiga insuficiência de provas.

O fantasma da propina aos líderes do PCI–PDS começa a pairar no tribunal um mês e meio antes das eleições de 27 de março de 1994, que levarão Silvio Berlusconi pela primeira vez ao cargo de primeiro-ministro. Sama induz o tribunal a explorar o "rastro vermelho" em 2 de fevereiro, quando, sob o fogo cruzado das perguntas de Di Pietro e do advogado Spazzali, conta o que ficou sabendo "em maio de 1993, por ocasião de uma visita minha e de Cusani ao escritório de Berlini". Espectadores e jornalistas acompanham a reconstituição de uma reunião na qual Berlini, o homem que controlava a contabilidade "paralela" do grupo em Losanna, descreveu a situação financeira desastrosa em que se encontravam os Ferruzzi. Estamos em 1993. Raul Gardini já foi afastado do comando há um bom tempo. Restam os desastrosos resultados do seu último período de gestão. Então, Berlini revela algumas operações pouco corretas a Sama e a Cusani, como os cinquenta milhões de dólares entregues a Enrico Braggiotti e os trinta bilhões de liras ilegais pagos para Gianni Varasi. Depois, conta sobre a provisão de dinheiro que

1993. MÃOS LEVANTADAS   211

ele mantém para pagar os partidos. Sama ouve com atenção. Cusani um pouco menos, talvez porque já saiba de tudo.

Após o encontro, volta para casa. Sama pede mais esclarecimentos ao amigo Sergio, que não hesita. "Perguntei sobre a isenção fiscal, e Cusani me disse que eles haviam pago à DC, ao PSI e ao PCI. Fiquei surpreso, e ele explicou os detalhes relacionados ao PCI." Nas casas dos italianos, ao vivo na televisão, revela-se a verdade sobre a suposta e desconfortável maxipropina. Berlini, em 18 de outubro de 1989, saca um bilhão de uma conta chamada Ecru e entrega a Cusani. Em 6 de novembro, um jatinho particular aterrissa em Milão; "Sergino" sobe a bordo segurando uma maleta repleta de notas e parte para Forlì. Lá, Cusani é recebido por Gardini e "por um senhor do qual não sei o nome, mas acho que poderia ser Ennio Tassinari ou Mauro Dragoni". O primeiro é um membro proeminente das cooperativas vermelhas, o segundo é o ex-prefeito comunista de Ravenna. Durante aqueles meses, ambos seguem de perto a evolução do caso Enimont e, de acordo com Sama, esforçam-se para organizar uma reunião entre Gardini e Achille Occhetto. O avião parte quase que imediatamente de Forlì em direção a Roma. Agora, ao lado de Cusani e de sua maleta, também estão sentados Gardini e o representante local do PCI (Tassinari ou Dragoni).

O grupo aterrissa na capital, e a cena se complica. Sama não sabe exatamente o que aconteceu, enquanto Cusani, que fala apenas por meio de memórias escritas, não quer entrar em detalhes. Sama diz ter certeza de que a propina do PCI foi entregue pessoalmente por Gardini a alguém do partido. O Corsário, antes de morrer, também confirmou isso a ele, mas sem dizer o nome do destinatário. As investigações sobre o percurso da maleta, realizadas pública e diretamente no tribunal durante o processo, levam a um beco sem saída, e o testemunho de Leo Porcari, o segurança de Gardini, só serve para aumentar o suspense e a confusão:

> Houve um episódio no outono de 1989. Estávamos na sede do Aracoeli e descemos a pé até a Via Botteghe Oscure, que fica a dez metros dali. Antes de sair, tínhamos encontrado Sergio Cragnotti [...]. De acordo com o que me lembro, poderia tratar-se de meados de outubro ou dezembro, mas, pela presença de Cragnotti, acho era 5 ou 13 de dezembro. D'Alema nos recebeu na Botteghe Oscure. Ele e Gardini entraram por uma porta. Posso imaginar que Achille Occhetto também estivesse lá dentro, mas aquele era o escritório de D'Alema.

Muito pouco para identificar o que Di Pietro chama de "receptor final". Além disso, Porcari não menciona nenhuma maleta ou envelopes de qualquer tipo; portanto, o final da história permanece envolto em mistério. Os juízes da primeira instância também admitirão nas motivações da sentença: "Gardini teve reuniões com os principais representantes do PCI: nas suas agendas, existe um encontro marcado com Occhetto para o dia 6 de dezembro de 1988 e um com D'Alema para o dia 2 de março de 1989, mas é sabido que ele abordou representantes do PCI de Ravenna em razão de uma festa do *l'Unità*". Depois constatarão que "a pessoa que recebeu fisicamente a soma não foi nem mencionada, nem identificada". Resta o fato de que

> o destino aparece claramente nos autos. A Montedison queria evitar o pagamento dos impostos sobre os aumentos das contribuições para a Enimont; Gardini, depois de ter pago cerca de oito bilhões de liras aos representantes dos dois mais influentes partidos majoritários para obter a máxima consideração aos problemas da empresa, decidiu colocar também algum dinheiro à disposição do maior partido de oposição; depois de vários encontros, foi pessoalmente até a sede do PCI levando um bilhão de liras consigo.

Tudo claro? Não exatamente. Na segunda instância, como vimos, essas conclusões foram redimensionadas. Os juízes do recurso não questionam as palavras de Cusani e Sama, mas enfatizam que Gardini já mentiu em outras ocasiões. Daí a absolvição de Cusani, pelo menos por aquele episódio, por falta de provas. Di Pietro esforçou-se para desvendar o enigma. Pediu inclusive para ouvir D'Alema e Occhetto como testemunhas, portanto, com a obrigação de dizer a verdade, no processo de Cusani, mas o tribunal recusou, considerando seus testemunhos inúteis. Diferentemente de Craxi, Forlani e os outros secretários do Pentapartido, os dois líderes do PDS não foram diretamente citados por ninguém; é difícil acreditar que seus testemunhos possam fornecer a solução do mistério. O promotor conclui no tribunal: "Não posso incriminar um partido, a não ser que alguém me apresente um senhor que se chame Partido de nome e Comunista de sobrenome. A responsabilidade penal é pessoal".

Propina preta?

O último capítulo do enigma Enimont diz respeito aos alegados (e jamais comprovados) financiamentos ao Movimento Social Italiano (MSI). Nesse caso, é bom dizer agora, a investigação não levará a nada. O fato é que Carlo Sama também fala desse partido no tribunal e afirma que os pagamentos ao MSI, como "Gardini insinuou explicitamente", também estavam ligados à isenção dos impostos, mas não é capaz de acrescentar mais nada. Então, passa a bola para Sergio Cragnotti, que, de acordo com Gardini,ocupou-se de toda a questão. Cragnotti, interrogado, nega tudo. Os juízes da apelação ficarão convencidos, também por causa disso, que o Corsário tenha "classificado como 'pagamentos a outros' as saídas que tinham outras finalidades ou intenções". Sergio Cusani, que talvez conheça toda a verdade, mas nunca quis contá-la, diz atualmente aos autores deste livro: "O único partido do qual tenho certeza são os radicais. Nunca gostei deles, mas eles nunca receberam dinheiro". Quanto ao capítulo MSI, ele responde simultaneamente com o advogado Spazzali: "Houve um episódio sobre um homem que hoje é muito popular, inclusive é ministro da República [a declaração é de 2002, durante o segundo governo de Berlusconi]. Quem conhece bem a história não podia ou não queria contá-la. É uma pessoa que precisava que seu passaporte fosse restituído. E, realmente, no final, foi restituído".

Isso para a crônica. Para a história e para a justiça, as propinas pretas nunca existiram, exatamente como os financiamentos bilionários que, segundo Sama, foram pagos a um punhado de jornalistas famosos. Os mistérios do caso Enimont não são os únicos que a Mãos Limpas não conseguiu desvendar. Em 1993, a investigação alcança um segundo grande caso: o da alta velocidade ferroviária.

Ferrovias, as propinas do futuro

Entre os milhares de documentos acumulados no escritório de Di Pietro, existe um que é uma espécie de "pedra de Roseta" para decifrar a Tangentopoli do presente e de um possível futuro. É a chamada "agenda Paparusso", apreendida durante uma busca no escritório do construtor Vincenzo Lodigiani: folhas e anotações que o empresário acreditava ter colocado em segurança ao confiá-las ao jogador de futebol Stefano Paparusso, centroavante do time romano patrocinado por sua família. Lodigiani admite que as anotações são um livro-mestre das propinas, com muitos nomes e valores. "Parlamentares 500 — partidos menores 30–40–50". "Turim–Milão, adiantamento 3%, 2,016 bilhões — 2%, 1,404 bilhão. Bolonha–Florença, adiantamento 3%, 1,836 bilhão — 2%, 224 milhões". "À DC, 60%, ao PSI, 40%". "Del Turco–D'Antoni–Benvenuto". É a lista das propinas que os construtores estavam dispostos a pagar pelos grandes trabalhos ferroviários a serem realizados nos anos 1990, a partir da alta velocidade, além da previsão de alguma contribuição para os sindicatos.

Lodigiani tenta minimizar: eram propinas apenas planejadas, mas nunca pagas porque o projeto foi interrompido pela Mãos Limpas. As investigações sucessivas vão desmenti-lo. Em 1997, se descobrirá a existência de um sistema de empresas estrangeiras, o grupo Corak, coordenado pelo mesmo banqueiro Pierfrancesco Pacini Battaglia, que movimentou vários bilhões em propinas entre Itália, Grã-Bretanha, Irlanda, Suíça e Bahamas. Em 1993, Lodigiani limita-se a falar das contribuições aos dirigentes sindicais: "A Lodigiani, unida a outras empresas, entre as quais Astaldi, Itinera e Cogefar Impresit, decidiu prever uma contribuição para cada um dos sindicatos. Contribuição que, em parte, ocorreu para CISL (Confederação Italiana do Sindicato dos Trabalhadores) e UIL (União Italiana do Trabalho)". De acordo com o construtor, D'Antoni e Benvenuto chegaram a ser financiados antes da explosão da Tangentopoli; Ottaviano Del Turco, líder da parte socialista da CGIL, não — porque "faltaram os tempos técnicos".

De acordo com as contas de Lodigiani, o então secretário da CISL, Sergio D'Antoni, teria recebido cem milhões, entregues em dinheiro em fevereiro de 1991, além de outros 350 milhões pagos sucessivamente com a finalidade, explica o construtor, de "evitar pequenos conflitos em determinadas regiões ou em determinadas obras. Esperávamos uma flexibilidade maior dos sindicatos em relação a questões como os horários e os turnos dos trabalhos urgentes, tais como o projeto da alta velocidade ferroviária e da pista Florença–Bolonha para caminhões". Mais tarde, no interrogatório de 9 de julho de 1993, acrescenta: "A CISL representava para nós, construtores, com intenção de manter uma relação de cooperação lucrativa com todas as forças sociais, um importante ponto de referência".

Por fim, a UIL: de acordo com Lodigiani, os construtores haviam estabelecido 350 milhões, embora não tenham sido pagos integralmente. "Benvenuto colocou-me em contato com um funcionário, com quem acordei uma contribuição para a cooperativa CREL na forma de propaganda publicitária na revista *Lavoro*." "Afirmações absolutamente falsas e literalmente inventadas", diz Benvenuto, enquanto D'Antoni denuncia Lodigiani: no âmbito civil em Roma (onde vence o caso) e no âmbito penal em Milão (onde o caso é arquivado). No entanto, os sindicalistas não são funcionários públicos, ou seja, mesmo que aceitem dinheiro de terceiros, não estão cometendo nenhum crime. Por isso, Di Pietro sequer os inclui no registro dos investigados; contenta-se em interrogá-los como testemunhas.

Prodi sob pressão

No verão de 1993, a Procuradoria de Milão acende os holofotes também sobre o IRI (Instituto para a Reconstrução Industrial), a primeira holding do Estado ,e decide ouvir seu presidente, Romano Prodi. O interrogatório acontece no dia 4 de julho, no pequeno escritório de Paolo Ielo, tão apertado que mais tarde será transformado na sala das fotocopiadoras. Prodi não é investigado, mas o pool, como vimos, iniciou as investigações (terminadas em Roma) sobre a telefonia pública controlada pelo IRI e quer verificar se as propinas pagas aos partidos nesse setor "nasceram" nas empresas individuais do grupo (como a ASST de Giuseppe Parrella) ou se obedecem a uma política precisa dos líderes da holding original, ou seja, do IRI. Ielo começa a sondar Prodi sobre essas questões quando Di Pietro entra na sala como um furacão. O programa do interrogatório aumenta dramaticamente. Quais são os critérios para a nomeação dos administradores da sociedade IRI? Como os partidos do governo conseguem controlá-los? Você já ouviu falar de algum dinheiro pago aos políticos? Volume alto, tom duro e perguntas pungentes. Os jornalistas capturam fragmentos da conversa pelos corredores. "Então, professor, quem pagava a DC?". E ainda: "O senhor estava no topo do IRI; será possível que não saiba me dizer alguma coisa?". Di Pietro acrescentará em 2002:

> É verdade, atormentei Prodi como fiz com outros na mesma situação.
> Falando com De Benedetti sobre a venda fracassada da SME (Sociedade Meridional de Eletricidade) do IRI, em 1985, perguntei grosseiramente: "Ainda não compreendi se o senhor é realmente tolo ou se está se fazendo de bobo". Ele insistia em afirmar que não conhecia fatos penalmente

relevantes, e eu não tinha nada em mãos que provasse que ele estava mentindo.

Então, Prodi repete que não sabe nada sobre propinas. Está assustado, gagueja, pede para voltar para casa, onde a sua esposa o espera. Ielo tranquiliza-o: "Telefone para ela, não se preocupe, o senhor não é um investigado, é apenas uma testemunha". Então, oferece a ele seu telefone celular, pois o telefone fixo do escritório não realiza chamadas para fora do edifício. O presidente do IRI tranquiliza Flavia, sua esposa: voltará normalmente a Roma à noite. Depois de mais algumas perguntas, Di Pietro dispensa-o abruptamente, instruindo-o para que volte para casa, mas que pense cuidadosamente nas questões tocadas no interrogatório, nas perguntas e respostas dadas. O interrogatório durou duas horas. A despedida é ameaçadora: "Nos vemos na segunda-feira, mas saiba que podemos ser forçados a fazer você refletir longe de casa".

Na saída, cercado por repórteres, Prodi se recompõe: "Foi um depoimento tranquilo", mas depois trata de se queixar do tratamento recebido ao juiz Filippo Mancuso e ao amigo presidente Scalfaro. Este último, incomodado com o relato, aproveita a primeira oportunidade que tem para lançar um apelo público contra os supostos excessos da prisão preventiva. "Não há dúvidas", declara em 8 de julho, "de que a prisão como modo de convencer o acusado a falar não respeita os direitos invioláveis do homem". Borrelli, informado do incidente, convoca Ielo: "Da próxima vez é melhor que permaneça somente você com Prodi." Realmente, no próximo interrogatório, no quartel dos Carabinieri da Via Vincenzo Monti, Ielo está sozinho. Prodi responde às suas perguntas por um longo tempo. Desta vez, parece muito mais bem preparado, sem as incertezas da vez anterior. Admite saber que as forças políticas são decisivas na nomeação dos líderes da sociedade IRI, mas continua afirmando que nunca soube de propinas pagas aos partidos políticos. Na verdade, o *pool* não tem e nunca terá nada de ilegal a seu respeito. Ele não será mais chamado, pelo menos pela Procuradoria de Milão.

6. NO CORAÇÃO DA FIAT

"Prada, o senhor não nos contou tudo." Quando, em 15 de fevereiro de 1993, Di Pietro o convocou pela enésima vez à Procuradoria, Maurizio Prada, ex-caixa da DC milanesa, tinha duas opções: ou voltar à prisão, ou reabrir o livro de memórias. Optou pela segunda, até porque queria desmontar o teorema que mostrava os políticos como únicos responsáveis pelo sistema de propinas e os empresários como vítimas. Para demonstrar que não era bem assim, decidiu envolver os homens da Fiat nas investigações. Contou sobre um jantar de trabalho, em uma salinha reservada do restaurante milanês Club 44 em maio de 1988. Na mesa com ele estavam Antonio Mosconi e Francesco Paolo Mattioli. O primeiro, ex-administrador delegado da Fiat Impresit e vice-presidente da Cogefar, há dois meses administrador delegado da companhia de seguros Toro Assicurazioni. O segundo, diretor financeiro da Fiat e presidente da Cogefar. Naquela noite, lembrou Prada, falou-se de licitações em Milão e das respectivas propinas. "Mattioli e Mosconi sabiam perfeitamente que as contribuições seriam pagas pelos administradores delegados das empresas que operariam em Milão." Ou seja, as propinas de Enso Papi (Cogefar) e dos outros dirigentes da Fiat envolvidos na investigação desde 1992, Giancarlo Cozza (Ferroviária) e Luigi Caprotti (Iveco), não eram iniciativas individuais: os altos executivos, entre os quais Mosconi e Mattioli, sabiam e aprovavam.

O *pool* prendeu os dois altos executivos por "concurso em corrupção agravada e financiamento ilícito aos partidos", como estava escrito nos mandados de captura assinados por Ghitti no dia 20 de fevereiro e executados dois dias depois. Também retornaram para a prisão Cozza e Caprotti por novas acusações do tesoureiro socialista Sergio Radaelli. No mesmo 22 de fevereiro, os Carabinieri visitaram a sede central da Fiat, no Corso Marconi, em Turim, onde fizeram uma busca por cerca de duas horas no escritório de Mattioli, no oitavo andar, o mesmo em que se encontrava o escritório de Cesare Romiti e o de Gianni Agnelli. Nunca antes daquele dia o santuário tinha sido profanado em um nível tão alto. No dia seguinte, o jornal da Fiat, *La Stampa*, que até aquele momento apoiava a operação Mãos Limpas, publicou um comentário perplexo do filósofo Gianni Vattimo: "Especialmente em Turim, prisões como a de Mattioli e Mosconi impressionam profundamente, enormemente diferente da reação às intimações judiciais para políticos importantes como Craxi". Naqueles casos, havia "um sentimento inconfessado de satisfação", enquanto agora, que atingiam os empresários, se difundia "um misto de incredulidade e de desânimo", porque, "se prendem os políticos, é provável que, depois de um momento de desvalorização, a lira se mantenha nos mercados, e [...] o país readquira um pouco de credibilidade. Se, porém, prendem os grandes empresários da indústria, tememos que os riscos para a economia sejam mais concretos e ameaçadores".

"Nos vemos lá fora!"

Na tarde de 22 de fevereiro, enquanto Mosconi e Mattioli iam para o presídio de San Vittore, o administrador da Cogefar, Enso Papi, compareceu novamente ao Palácio da Justiça de Milão. Acompanhado, como sempre, pelo advogado da Fiat, Vittorio Chiusano. Mas, naquela vez, Di Pietro esbravejou: "Senhor advogado, estou muito constrangido: o senhor defende dois réus, Papi e Mattioli, um dos quais pode se tornar o acusador do outro. O código é claro: as duas defesas são incompatíveis. Escolha uma delas". Chiusano, porém, não se convenceu. Papi, enquanto isso, pressionado pelas novas revelações de Prada, contou mais uma parte da verdade: uma nova série de propinas, num total de 4,5 bilhões, depositados para Prada com a aprovação de Mattioli e Mosconi: "Reclamei aos dois dirigentes sobre os pedidos de dinheiro que chegavam do sistema dos partidos. Disseram-me que não deveria pagar ou, então, no caso de extrema necessidade, pagar o mínimo possível". Então, indagou Di Pietro, autorizaram-no ou não a pagar propinas em troca de licitações? E Papi, com um suspiro, respondeu: "Sim". Na mesma hora, a sede da Fiat assegurava que "os dois dirigentes demonstrarão, o mais rápido possível, seu completo desconhecimento em relação àquele assunto".

Na realidade, alguém havia informado a Fiat sobre as novas acusações de Prada em tempo real, bem antes das prisões de Mosconi e Mattioli.

Foi Mosconi quem revelou, um ano depois, a Di Pietro: "No dia 17 de fevereiro, a pedido do advogado Gandini [Ezio, chefe do escritório de advogados da Fiat], nos reunimos no escritório do advogado Chiusano; estavam presentes também o advogado Giuseppe Zanalda e Mattioli. Chiusano nos disse que sabia que Prada tinha dado depoimentos comprometedores sobre mim e Mattioli. Então eu disse que me valeria de uma defesa independente". Mosconi não fazia mais parte da equipe de Romiti; tinha passado para o time do rival Umberto Agnelli e, de fato, foi o primeiro executivo da Fiat a escolher um advogado completamente estranho ao circuito empresarial, tanto que foi procurá-lo em Alba (Cuneo), na pessoa de Roberto Ponzio. Faltava somente saber quem tinha contado aos advogados da Fiat, facilitando muito o seu trabalho. Havia um "informante" na Procuradoria? O *pool* não excluía tal fato.

Naquele momento, no entanto, a Procuradoria declarou oficialmente a incompatibilidade de Chiusano, defensor de Papi, que acusava Mattioli, e de Mattioli, acusado por Papi. O interessado protestou ("É falso que Papi acusa Mattioli!"), mas, no final, teve de ceder e escolheu o de maior grau: Mattioli, até mesmo porque, naquele meio-tempo, o procurador Borrelli apresentou uma denúncia contra ele ao Conselho da Ordem dos Advogados do Piemonte, que arquivou em seguida o processo.

Também Mosconi, depois de Papi, começava a admitir algumas coisas: as propinas da Cogefar eram obra de Papi, que não avisava Mosconi, comunicando diretamente a Mattioli, ou seja, ao número três do grupo, logo atrás de Agnelli e Romiti. O *pool* então decidiu colocar frente a frente Prada e Mattioli para falar daquele jantar no Club 44. Um confronto dramático, no dia 18 de março de 1993, na sala de interrogatórios do presídio de San Vittore. Além dos dois investigados, à mesa estavam outras nove pessoas: o promotor Davigo com sua secretária; os advogados Giandomenico Pisapia e Vittorio Chiusano, defensores de Mattioli, com um assistente; Giuseppe Lucibello e Paolo Senatore, advogados de Prada; e dois oficiais da Polícia Judiciária. Ao centro da mesa, um velho gravador com vários microfones e um botãozinho para apertar antes de falar. Prada não parava mais de falar, interrompido continuamente pelos advogados da Fiat. Repetiu, aliás, reforçou as acusações sobre o jantar de negócios de 1988, que Mattioli sempre minimizou (um simples encontro "promocional", como dizia, para ilustrar o catálogo de produtos da Cogefar). Chiusano perdeu a paciência e, em meio à conversa, explodiu: "Prada, nos vemos lá fora depois!".

A sala de interrogatórios virou uma confusão. Lucibello insurgiu-se contra a intimidação a seu cliente. Prada quis que aquela frase fosse incluída nas atas. ("Caso contrário, não falarei mais".) Chiusano negou que a tivesse pronunciado. Davigo tentou restabelecer a paz e retrocedeu a fita para ouvir novamente, mas o gravador não funcionou. Um improvisado defeito? Ou Chiusano, antes de desabafar, tirou o dedo do botão para que não ficasse nenhum rastro de seu desabafo? Mistério.

Davigo impôs que cada um dos presentes confirmasse o que tinha ouvido e assinasse uma declaração em comum: "Dá-se ato de que, a um certo ponto do confronto, o advogado Chiusano pronunciou a frase: 'Prada, nos vemos lá fora depois', ou frase parecida". O cara a cara foi retomado e concluiu-se com Prada e Mattioli irremovíveis, cada um em suas posições. Sete dias depois, o Tribunal da Liberdade acreditou em Prada, rejeitando o enésimo pedido de libertação para Mattioli e Mosconi. O caminho que separava o *pool* de Romiti estava cada vez mais curto.

Academia em San Vittore

Então, contra Mattioli havia também a admissão de Papi sobre o "sinal verde" por parte de seu superior direto para o pagamento das propinas. Mattioli, porém, não cedeu: "Eu disse para Papi agir como considerasse melhor, segundo sua consciência e no interesse da sociedade". Uma frase jesuítica que irritou Davigo. Em dia 22 de março, frente ao Tribunal da Liberdade, o promotor produziu uma de suas típicas figuras de retórica: "Até mesmo Badoglio quando foi ao encontro de Mussolini para perguntar-lhe se poderia usar os gases na Abissínia, ouviu como resposta: 'Faça como achares melhor, serás julgado pelos resultados'. A mesma coisa disse Mattioli a Papi. Se Papi e os outros tinham pago às escondidas da empresa, por que a empresa não tomou providências contra eles?". Chiusano rebateu: "Se o senhor descobrisse que um dirigente usou fundos de caixa dois para pagar um resgate e libertar um sequestrado, o que faria? O demitiria? A Fiat foi extorquida".

O que estava em jogo era coisa grande: decidia-se se o ataque do *pool* pararia em Mattioli ou chegaria a Romiti e — quem sabe — Agnelli. A Fiat sabia disso e levantava a guarda. Inclusive nos jornais. No dia 26 de março, enquanto Chiusano, Romiti e a assessoria de imprensa alardeavam a negação à libertação de Mattioli e Mosconi, o *Corriere della Sera* publicava "com exclusividade" as cartas da prisão de San Vittore que Papi teria escrito, um ano antes, para sua mulher e alguns amigos. A correspondência ocupava três páginas da seção de cultura, com o título *Documento* e prefácio de Lucio Colletti, filósofo que passou do marxismo ao craxismo na esperança de chegar ao berlusconismo. Títulos: *Cartas de San Vittore, Moralizar e pronto?, Este é o socialismo real, Hoje limpei a cela, porque tenho de viver também*.

Contudo, a imagem que passava o jornal controlado pela Fiat era de um Papi totalmente diferente do homem descrito por uma testemunha direta, o capelão da

1993. MÃOS LEVANTADAS   219

prisão, dom Melesi que, como já vimos, nos mesmos dias de 1992, o tinha descrito como à beira do suicídio. Então, com um ano de atraso, do *Corriere della Sera* aflora um homem bem integrado ao ambiente carcerário e que, mesmo preocupado, argumentava amavelmente sobre Cristo, Braudel, Platão, Lorenzo, o Magnífico, Leopoldo de Toscana, Martinho Lutero e o Concílio de Trento, sem esquecer a Revolução Francesa, o federalismo, a Itália que precisa entrar na Europa... O efeito daquela correspondência um pouco fantasiosa sobre a opinião pública foi, porém, importante. Nem todo mundo notou a "coincidência" entre a publicação das cartas de Papi e a prolongada detenção de Mattioli e Mosconi.

No dia 22 de março, foram expedidos outros três mandados de prisão para três executivos da Fiat que se encontravam no exterior. O primeiro era Riccardo Ruggeri, ex-diretor comercial da Iveco e atual administrador da New Holland (máquinas agrícolas) de Londres. Era acusado de concurso para corrupção: quando estava na Iveco, em 1986, teria preparado a provisão, que depois acabou em uma conta do UBS (União dos Bancos Suíços) de Lugano, para pagar as propinas pelas licitações da ATM. O segundo era Mauro Bertini, responsável pelo setor de Turbogás da Fiat Avio, oficialmente internado em um hospital americano: era acusado de ter acordado propinas destinadas a Valerio Bitetto, conselheiro da administração socialista da ENEL. O terceiro era Massimo Aimetti, diretor financeiro da Iveco, que também se encontrava no exterior. No dia 31 de março, foram para a prisão também um consultor de empresas, Roberto Araldi, e o gerente de uma empresa de transportes: teriam transferido as propinas da Fiat das contas no exterior do grupo para as contas da DC e do PSI.

No dia 25 de março, como já vimos, o Tribunal da Liberdade rejeitou os pedidos de liberdade para Mattioli e Mosconi e, entre as duríssimas motivações assinadas pelo juiz Walter Ghezzi, ilustrava-se pela primeira vez o sistema de caixa dois escondido pela Fiat na Suíça para pagar as propinas no exterior para os partidos:

> O sistema nacional de caixa dois da Fiat não era fruto de iniciativas autônomas dos responsáveis de cada uma das empresas, sem o conhecimento da direção da Fiat Spa [...]. Tanto Cozza quanto Papi gerenciaram fundos ilegais preexistentes e devem tê-los mantido com o consentimento de seus superiores. A liquidez, segundo declarou Papi no dia 17/7/92, vinha do caixa dois constituído no exterior pela Cogefar Camerun através de um mecanismo de superfaturamento ativado por uma sociedade estrangeira fiscalmente domiciliada nas Ilhas do Canal com as provisões recebidas por consultorias e intermediações para conseguir contratos públicos em Camarões.

Havia também a "conta extra balanço, gerenciada com ato fiduciário pelo advogado Bietenholz", conhecida como "gestão Reno", e ainda os fundos ilícitos que Ruggeri e Caprotti teriam desviado das propinas da Iveco para o banco suíço do caixa dois da Fiat: o Banco União de Crédito (BUC) de Lugano. O provimento das autoridades termina definindo a Fiat como "um grupo industrial em condições de influenciar os destinos políticos do país" e, portanto, de contaminar as provas com "meios ou tecnologias não controláveis", desfrutando de "laços fiduciários e relações políticas".

Interventores na Cogefar?

A resposta da Fiat foi muito dura. Chiusano: "Mais cedo ou mais tarde, alguém se lembrará de que na Itália existe um código". Romiti: "Motivações arbitrárias, graves e profundamente distorcidas da realidade. Teorias e ilações que põem em discussão a verdadeira natureza do nosso grupo e ofendem trezentos mil trabalhadores". A sede da Fiat no Corso Marconi expediu comunicado, falando de "dirigentes obrigados a se submeter a condicionamentos do sistema das licitações e dos fornecedores". Minimizou as propinas como se fosssem "fatos marginais" e as contas secretas como "disponibilidades mantidas por empresas estrangeiras que operam regularmente no exterior e que pertencem ao âmbito da sua normal autonomia de gestão". Davigo lançou um desafio: "Se a Fiat era chantageada, por que não denunciou aquelas chantagens? E por que agora não diz o nome dos chantagistas? E por que Papi, nos seus 55 dias de prisão, foi proibido pela Fiat de revelar os nomes de quem a extorquia?".

Durante alguns dias, o *pool* discutiu uma medida clamorosa: o pedido de intervenção da Cogefar, com base no artigo 2.409 do Código Civil, devido ao não fechamento das contas apresentadas na última assembleia pelo presidente Mattioli (a mesma medida foi pedida pelo tribunal, dois anos mais tarde, para a Publitalia). O assunto chegou, porém, aos ouvidos dos advogados da Fiat, e dois famosos advogados civis apresentaram-se no gabinete de Davigo para adverti-lo, em tom ameaçador, de "um ato que poderia ter pesadas consequências para a economia nacional". O magistrado os expulsou: "Ou vocês vão embora logo, ou mando prendê-los por desacato à autoridade". Então, a Fiat foi obrigada a seguir o caminho certo: zerar o conselho de administração da Cogefar e clarear os balanços (relacionando, na contabilidade oficial, o caixa dois, pelo menos aquele já descoberto pela magistratura nos vários "tesourinhos" espalhados pelo mundo). Contudo, o efeito dominó já havia sido desencadeado. A Procuradoria de Turim começou a investigar as reservas ocultas do Corso Marconi para julgar o crime que era de sua competência: falso balanço. E, como veremos, pediu ajuda aos colegas milaneses.

Cercada por todos os lados, a Fiat vacilava. No dia 29 de março, Di Pietro mandou um bilhete para Mattioli na prisão: "Descobrimos a conta na Suíça de vocês. O que fazemos com ela?". Mattioli respondeu que estava pronto para uma conversa. Naquela mesma noite, em sete horas de interrogatório, fez as primeiras tímidas admissões e, após ter solicitado o recurso na Corte de Cassação contra a sua prisão, obteve o OK do *pool* para a prisão domiciliar; voltou para casa. "Não disse nada", asseguraram os advogados. Seria possível? Exatamente naquela manhã, Di Pietro tomou o depoimento do consultor Roberto Araldi, docente de Economia na Universidade Católica de Milão e consultor do grupo de Turim, que traçou os tortuosos itinerários das propinas da Fiat:

> O engenheiro Valerio Bitetto, conselheiro de administração da ENEL, me chamou e disse que viria a meu encontro o engenheiro Mauro Bertini, dirigente da Fiat Avio, para falar-me sobre alguns problemas [...]. Bertini veio a meu escritório e disse que a Fiat tinha de depositar algum dinheiro reservado ao sistema dos partidos e que, portanto, queria criar, com minha ajuda, um filtro para evitar envolvimentos diretos.

A propina combinada, 2,5 bilhões de liras, foi depositada regularmente na Suíça por meio de uma conta do BUC, o banco controlado pela Fiat: metade ao PSI, por intermédio de Bartolomeo De Toma, e metade à DC, por intermédio de um transportador da Fiat considerado discreto e confiável. Naquela mesma noite, durante o longo interrogatório, Di Pietro leu para Mattioli as atas de Araldi. O alto executivo entendeu que, enfim, havia pouco a negar e admitiu: era verdade que havia aconselhado Papi a pagar, mas somente "o mínimo indispensável", e era verdade que sabia, há anos, do caixa dois da Fiat Ferroviaria e da Iveco. Contudo, afirmou: "Não me considero responsável pelas propinas pagas em relação às encomendas da Fiat Savigliano entre 1987 e 1991, período no qual o informante de Cozza para a holding era Carlo Callieri." A última linha de defesa de Mattioli desmoronou. O *pool* foi atrás de Romiti.

O advogado pede desculpas

Que o clima na Fiat começasse a mudar, pôde-se intuir no dia 2 de abril, quando Ruggeri, ex-diretor comercial da Iveco, apresentou-se ao *pool* após estar foragido por doze dias. Em seis horas de interrogatório, defendido pelo advogado (de fora da Fiat) Alberto Mittone, admitiu seu papel nas propinas da Iveco, envolvendo Giorgio Garuzzo, diretor geral da Fiat Spa: ou seja, o número quatro do grupo, o homem que sentava somente um degrau abaixo de Romiti, ao mesmo nível de Mattioli.

A casa Fiat entrou em pânico novamente. No dia 6 de abril, o advogado Ponzio foi convocado com urgência no escritório de Chiusano e, como contou Mosconi a Di Pietro:

> veio urgentemente de Turim para Milão de helicóptero, para dizer-me [na prisão] que estavam aprontando umas declarações para entregar à Procuradoria sobre alguns fatos delituosos cometidos por alguns dirigentes da Fiat Impresit [...] e, portanto, se eu queria ganhar a liberdade relatando fatos sobre os quais, segundo eles, eu teria conhecimento.

Respondi que eu não usaria os nomes dos meus colaboradores para obter a liberdade: além do mais, eu não conhecia os fatos específicos que eles tinham cometido".

No dia seguinte, 7 de abril, foi emitida a ordem de prisão para Garuzzo, que se encontrava na Alemanha e lá ficou à espera dos acontecimentos: há semanas, junto a seu advogado, Cesare Pedrazzi, tentava convencer os máximos dirigentes da Fiat de que estava na hora de cada um admitir as próprias responsabilidades até o fundo, antes que terminassem todos na prisão de San Vittore. Foi em vão. Com a notícia do enésimo mandado de prisão (o décimo terceiro em quatorze meses para a Fiat), Agnelli suspirou: "Já superamos tantas dificuldades, superaremos também essa". Davigo replicou: "Deixem de pagar propinas e de manter comportamentos que permitam pagar propinas, e o problema se resolve por si só. Tratemos Garuzzo como um dirigente qualquer, de uma empresa qualquer. O comportamento da Fiat, na verdade, não foi nada colaborativo. As nossas cartas rogatórias para a Suíça sobre as contas Cogefar eram contestadas regularmente com oposições e recursos".

Passaram-se cinco dias e, em 13 de abril, o advogado entendeu o recado. Convocou a Turim os 37 máximos dirigentes do "Comitê de Coordenação" do grupo: alguns se apresentaram pessoalmente, outros conectados por videoconferência do exterior. Estavam presentes também Umberto Agnelli, Romiti e os advogados Giandomenico Pisapia e Ezio Gandini. Foi feito um inventário das propinas da Fiat, e preparado um memorial para o pool. E também um "código de comportamento para as relações com a administração pública" ao qual os executivos deveriam responder no futuro, aos cuidados do advogado Franzo Grande Stevens, respeitável civilista de Turim, muito ligado à família Agnelli.

No dia seguinte, 14 de abril, Mosconi decidiu falar de surpresa. Nega ter participado ativamente das propinas e do caixa dois da Cogefar. Explica como e por que foi progressivamente marginalizado na empresa, até chegar ao cargo puramente honorário de vice-presidente. O homem forte, disse ele, era o presidente Mattioli. E, para demonstrá-lo, entregou ao *pool* duas cartas, escritas de próprio punho, em 1990 e em 1991. Na primeira, endereçada a Mattioli, lamentava que os executivos passassem por cima dele (principalmente Papi) para "dialogar diretamente com a Fiat Spa". Na segunda, advertia Romiti de que a situação da Cogefar era "grave do ponto de vista estratégico, moral e financeiro". O que queria dizer Mosconi com aquelas missivas? "Com a cobertura de Mattioli", explicou a Di Pietro, "Papi seguiu uma política personalista, empenhou-se em uma corrida às comissões com a finalidade de adquirir maior poder dentro da empresa". Portanto, mesmo sabendo do que estava acontecendo na Cogefar, Romiti e Mattioli marginalizaram Mosconi e apostaram tudo em Papi.

No dia 15 de abril, Mosconi obteve a prisão domiciliar. O interrogatório em Corso Marconi foi tanto obrigatório quanto angustiante: o que teria contado o homem de Umberto Agnelli para Di Pietro? No dia 16 de abril, no escritório milanês de Giandomenico Pisapia, ocorreu o enésimo encontro entre advogados e altos executivos para estudar as contramedidas a serem adotadas. No dia 17, outra batalha campal: era sábado, vigília do referendo sobre o sistema eleitoral. Desde o início da manhã, difundiam-se rumores sobre a iminente prisão de Romiti, rumores que se intensificaram por volta do meio-dia, quando chegaram à Procuradoria de Milão Chiusano, Pisapia e Pedrazzi para encontrar Borrelli, D'Ambrosio, Di Pietro, Davigo e Colombo. Concomitantemente, no Teatro La Fenice, em Veneza, Gianni Agnelli anunciava o recuo do grupo: "Também conosco verificaram-se alguns episódios incorretos de comunhão com o sistema político. Acredito que seja errado pensar que as investigações da magistratura sejam parte de um complô ou de manobras políticas obscuras". Poucos minutos depois, Gherardo Colombo saiu da sala onde estava ocorrendo o encontro com os advogados da Fiat e fez um misterioso telefonema com seu celular. "Cancelem a prisão!", juraram ter ouvido alguns jornalistas que estavam por lá. A prisão de Romiti? "Tirem isso da cabeça", ordenou D'Ambrosio, em frente aos jornalistas.

Houve realmente um pacto entre o *pool* e a Fiat para exorcizar a prisão de Romiti? Piercamillo Davigo hoje sorri:

> Nenhum promotor pode suspender a execução de uma medida do juiz, porque, se fosse verdadeira aquela lenda, a ordem de prisão teria sido assinada por um juiz de investigações preliminares e daquela ordem deveriam existir rastros, como, por exemplo, os atos. Os atos são depositados à disposição de quem quiser examiná-los. Pode-se, portanto, facilmente verificar que nada disto aconteceu. A Fiat foi tratada exatamente como todas as outras empresas envolvidas nas investigações por corrupção. Só que, a um certo ponto, mudou a estratégia de defesa: após um início de rigidez absoluta, os dirigentes entenderam que a linha da negação total e sistemática não estava dando certo e escolheram então uma linha mais racional, ou seja, a da colaboração, ao menos parcial, em relação aos fatos conhecidos ou previsivelmente conhecidos por nós. É um pouco como uma estratégia militar: há quem escolha retirar-se para longe, deixando-se perseguir pelo inimigo até que ele desista pelo cansaço, e há quem escolha ocupar obstinadamente somente uma trincheira, correndo o risco de ser capturado. Os defensores da Fiat se deram conta de que calar sobre tudo, calar sempre, calar de qualquer modo era pior, porque nós descobriríamos, de um modo ou de outro, os fatos ilícitos por outros canais. Então, a linha de defesa mudou: o advogado Chiusano e outros do grupo, naquele sábado, vieram até nós para anunciar a mudança.

Romiti vai ao quartel

O único dado certo daquele encontro de cúpula no Palácio da Justiça foi que tinha servido para acertar a apresentação espontânea de Romiti, assim como um regresso suave para os executivos que ainda estivessem foragidos, aos quais havia se juntado, nas últimas horas, Paolo Torricelli, administrador delegado da Fiat Avio, também envolvido nas propinas da ENEL. As condições da Procuradoria eram sempre as mesmas: ou os executivos apresentavam a lista completa das propinas pagas, ou havia o perigo de que contaminassem as provas e, assim, fossem presos.

Cesare Romiti apresentou-se em Milão no início da tarde de 21 de abril. Aterrissou por volta das 15h de helicóptero atrás da estação Garibaldi, depois foi de carro até a delegacia da Via Fatebenefratelli, onde o questore Achille Serra havia providenciado o isolamento de algumas ruas do bairro para manter afastados os jornalistas.[*] À sua espera, encontrou Di Pietro, Colombo, Davigo e o policial Rocco Stragapede, que realizou as atas. Foi um encontro preliminar de quatro horas que serviu para agendar os outros que viriam a seguir. Romiti admitiu ter subvalorizado o fenômeno da corrupção política, mas insistiu em dizer que seus executivos foram todos extorquidos e que ele não sabia de nada. Entrou e saiu como uma testemunha. Na sombra, mas nem tanto, apareceu a seu lado a cabeleira prateada de Franzo Grande Stevens no papel de "acompanhante". Chiusano não estava lá. Talvez a denúncia de Borrelli à Ordem dos Advogados de Turim o tenha induzido a afastar-se um pouco. E Di Pietro não resistiu à tentação de fazer com ele uma de suas brincadeiras. Bem no meio da audiência com Romiti, chamou Chiusano no celular e, com uma voz grave, advertiu: "Olha que, aqui para Romiti, as coisas estão indo mal. A situação está cada vez pior". Após alguns intermináveis segundos, o silêncio foi interrompido por uma sonora risada de todos os presentes, incluindo Romiti.

O testemunho do administrador delegado da Fiat começou com a descrição do clima político dos anos 1980, quando a pressão dos partidos sobre as empresas tinha virado um "fenômeno ambiental". Romiti definiu-se até mesmo como um precursor da operação Mãos Limpas: "Fui o primeiro a dizer a estes políticos que voltassem para casa". Depois, porém, admitiu: "Também temos uma responsabilidade moral na degradação do sistema". E, quase respondendo às duras objeções de Davigo, acrescentou: "Eu também, apesar de meu papel e caráter certamente não condescendente, tive de suportar autênticas vexações". Um exemplo? A negociação da Telit, ou seja, o matrimônio entre Italtel (IRI) e Telettra (Fiat), terminado em 1987, após uma duríssima queda de braço entre Craxi e Romiti. Craxi queria a todo custo Marisa Bellisario, a brilhante alta executiva da Italtel, no topo da nova sociedade. Romiti opôs resistência. "Nos demos conta de que estaríamos submetidos a um sistema de poder. Não discutíamos a qualidade de Marisa Bellisario, nem o fato de que fosse socialista. Nos rebelamos quando o IRI pretendeu que a

---

[*] Questore: funcionário do Ministério do Interior responsável pelos serviços de polícia na capital da província. (NRT)

1993. MÃOS LEVANTADAS

Dra. Bellisario fosse a administradora delegada. No mundo político, era considerado como certo que uma parte da Fiat seria incorporada ao PSI. Impondo-nos um nome, queriam impor-nos a dependência a um partido." Romiti não foi além disso. Não falou sobre nenhuma propina. Descambou para a anedótica, revelando suas oscilantes relações com políticos como Craxi, De Mita, Pomicino, Scotti. "Sinto muito que tenhamos nos conhecido nesta situação", disse ao final, cumprimentando os três promotores. "Em outras circunstâncias, teríamos nos tornado amigos."

Três dias depois, em 24 de abril, Romiti voltou ao Palácio da Justiça, precedido por uma carta aberta aos empresários italianos, publicada com muito relevo no *Corriere della Sera*. Título: *Vamos ajudá-los, esses juízes estão mudando a Itália*. Conteúdo: "É preciso agilizar o mais rápido possível a plena reconstrução de tudo isto que aconteceu [...]. O reconhecimento do erro cometido, por mais difícil e penoso que seja, é o único modo para poder realmente iniciar a mudança moral do país". Um convite à confissão legítima, que desmentia a linha da boca fechada seguida até então pela Fiat. Um convite talvez tardio, como escreveu criticamente Giuseppe Turani, no dia seguinte, no jornal *la Repubblica*:

> Na carta de Romiti, há algumas coisas muito cômicas. Lembrei-me daquele farmacêutico de Oltepò que, no dia 30 de abril de 1945, saiu de casa com o lenço vermelho no pescoço e começou a incomodar a todos porque "estava na hora de fazer a guerra contra os fascistas". Seu entusiasmo era tal que levou alguns meses para acalmá-lo e convencê-lo a deixar para lá o lenço vermelho porque tudo já havia terminado no dia 25 de abril. Romiti acordou e lançou o seu apelo no dia 23 de abril de 1993. A investigação da operação Mãos Limpas, porém, tinha começado mais de um ano antes. E, nesse meio tempo, com os golpes dos juízes, caiu toda a nomenklatura política italiana [...]. Pensa-se em um futuro, mas eis que Romiti nos incita: "Denunciem-nos". Como não rir disso? Até porque a investigação levou à prisão muitos dirigentes da própria Fiat [...], que permaneceram na prisão por longo tempo porque não quiseram colaborar com a justiça. Os juízes continuaram, juntaram as provas, emitiram uma ordem de prisão até mesmo para o diretor geral da Fiat (ainda hoje foragido). Àquela altura, Romiti foi iluminado: dirigiu-se aos juízes para explicar as maldades que sofreu dos políticos nos anos passados e depois, quando voltou para casa, escreveu seu apelo: "Denunciem-nos". Pena que os senhores políticos para denunciar tivessem sido já todos denunciados: alguns dez, vinte, até trinta vezes. É como se Romiti, no outono de 1947, tivesse ido às ruas e gritado: "Prendam Mussolini" [...]. A carta-apelo de Romiti é o último prego do caixão de um regime já morto.

O memorial desmemoriado

No dia 24 de abril, portanto, Romiti subiu as escadas do Palácio da Justiça de Milão antes das 8h. Embaixo do braço, tinha uma pasta fininha. Dentro, havia um dossiê de 26 páginas. Era o mapa das licitações públicas vencidas pela Fiat graças às propinas, com dois anexos: as atas das reuniões dos altos executivos com Agnelli e a carta do advogado para Grande Stevens sobre o Código Ético. Romiti escreveu no documento:

> Fiquei sabendo que as empresas subordinadas à Fiat Impresit, exceto a Cogefar Impresit, valeram-se exclusivamente — para efetuar pagamentos de dinheiro pretendidos pelos órgãos públicos ou políticos — vindos de uma conta no exterior em nome da empresa de construções Sacisa e mantida junto ao Overseas Union Bank & Trust de Nassau (Bahamas). Em sentido contrário, a Cogefar Impresit, herdando uma medida instaurada pela precedente gestão da Cogefar, utilizava disponibilidades estrangeiras existentes junto a uma terceira sociedade situada nas Ilhas do Canal, que usava, por sua vez, um banco em Liechtenstein.

Ao "manual" do caixa dois da Fiat (não todos, como veremos) seguiam-se os nomes dos cinco executivos (Papi, Del Monte, Montevecchi, Chicco, Basta) que iriam contar ao *pool* sobre as propinas por eles depositadas nos mais variados setores: cooperação, ferrovias, metrô de Roma, alta velocidade, infraestruturas no sul, hospitais anti-HIV, telefonia etc. Ugo Montevecchi, anuncia Romiti, entregará os documentos da conta da Sacisa (não todos, como veremos). Continuava o dossiê:

> Nestes últimos anos, na Itália, desenvolveu-se, por causa de degenerações e desvios político-institucionais contrários à vontade dos empresários, um sistema altamente corrompido, com o qual as empresas têm tido de conviver para poder trabalhar. Durante muito tempo, nossa ilusão foi de que as dimensões, a força do mercado do automóvel e mesmo seu papel na história nacional nos protegessem do sistema das propinas. Não foi assim.

Seria possível que as grandes empresas, quase todas proprietárias de importantes jornais e até mesmo de televisões, não pudessem denunciar aquele sistema de "extorsão"? Romiti previu a objeção:

> A única resposta eficaz seria a revolta geral [...]. De não a ter realizado, não se pode hoje culpar os simples operadores econômicos, quando a situação lhes parecia imutável [...] e com o risco de que, a uma denúncia aos órgãos competentes, pudessem seguir represálias graves. Confesso sinceramente que não imaginava a amplitude do fenômeno nos termos em que se apresenta atualmente.

Outra possível objeção, já citada por Davigo: por que, sendo já réus confessos de financiamento ilícito aos partidos, os executivos infiéis não foram punidos pela empresa, se realmente ela não sabia das propinas? Romiti respondeu:

> À luz dos fatos hoje conhecidos, acredito que os responsáveis pelas empresas do grupo, em relação à administração pública, não tiveram a possibilidade de resistir às pressões porque tinham consciência das graves consequências que teriam sofrido suas empresas. Parece que vem à tona o fato de que não havia somente alguns políticos e administradores públicos que violavam a lei, mas um sistema perverso que corrompia as transações comerciais e criava um clima de expectativa de um comportamento condescendente dos empresários.

Última previsível objeção: seria possível que Romiti nunca tivesse realizado pessoalmente negócios com os partidos?

> Nas raras, mas muito importantes ocasiões em que tratei de negócios de interesse do grupo com órgãos públicos, nenhum pedido ilícito me foi feito pelos meus também qualificados interlocutores. Faço alusão aos casos de cessão das atividades siderúrgicas da Teksid ao IRI, da compra da Alfa Romeo e da concessão dos financiamentos para o Sul da Itália, como para o distrito industrial de Melfi.

Aquela extorsão ambiental que contagiava tudo, portanto, interrompia-se somente quando Romiti tratava dos negócios, mas recomeçava, mais persuasiva que nunca, assim que ele deixava o caminho livre para seus subalternos. Mesmo que Romiti tenha ocupado, no período de dez anos, todos os cargos majoritários exatamente na Fiat Impresit, o departamento empresarial mais envolvido no fenômeno das propinas e do caixa dois: conselheiro administrativo, vice-presidente, membro do comitê executivo e até mesmo administrador delegado *de facto*.

Satisfeitos com a grande quantidade de novo material de investigação adquirido, os juízes do *pool* liberaram Romiti após 45 minutos, com o compromisso de controlar os fatos contidos no dossiê e de manter contato o mais rápido possível.

O executivo e os marcianos

Que impressão provocava nos juízes estar à frente do executivo mais importante da principal empresa privada da Itália? Hoje, Davigo lembra:

> Com Romiti, houve um assombro recíproco. Estávamos espantados por estarmos frente a frente com ele; e ele estava espantado por encontrar-se frente a frente conosco. O nosso era um espanto positivo, principalmente pelo significado que sua apresentação representava naquele período. Era

um recado preciso para todo o mundo empresarial e também político: se alguém como Romiti colabora e convida a colaborar com a magistratura, então todos os outros industriais devem refletir bem e talvez entender que não há mais razão para calar, nenhuma alternativa à colaboração. Então, o fato de que Romiti viesse ao nosso encontro foi o sinal da reviravolta. Lembro também de certas frases e certos olhares de Chiusano: nem sempre conseguia entender-nos. Às vezes, nos olhava como se fôssemos marcianos.

Até mesmo Davigo, hoje, está convencido de que o dossiê de Romiti não estivesse completo:

Sim, mas, naquela época, como poderíamos saber? Podíamos ter algumas dúvidas, mas por certo não podíamos prender Romiti com base em uma simples impressão. Também naquele dossiê havia a conta da Sacisa e muitos outros fatos que ainda não tínhamos descoberto. A partir daquele momento, começaram a apresentar-se também executivos das empresas do grupo para falar de propinas pagas. Sucessivamente, porém, averiguamos também fatos ulteriores, dos quais Romiti e seus executivos não tinham nos falado. Por exemplo, as propinas da Rinascente para a Guarda de Finanças [foram descobertas na primavera de 1994, junto às da Fininvest e de outras dezenas de empresas milanesas].

Sobre as propinas que tinha vindo revelar, Romiti era crível. Sobre o resto, sobre a visão geral do problema, que ele reduzia tudo à extorsão da classe política sobre as grandes empresas, acreditávamos muito menos. Seria difícil obrigar um grande grupo a pagar propinas, se não quisesse pagá-las. Ele negava que soubesse de alguma coisa, e não podíamos acreditar nisso. Que da corrupção minúscula, da propinazinha simples ele não soubesse nada, era possível e até mesmo provável, mas sobre as questões do sistema e sobre os grandes financiamentos aos partidos, tínhamos sérias dúvidas. Nunca acreditei na tese, não somente romitiana, de que as grandes empresas fossem extorquidas, ou seja, chantageadas contra a sua vontade. Se fosse mesmo assim, não seria possível explicar seu comportamento consequente. Se a Fiat era extorquida, por que não foi correndo denunciar seus extorsores, pelo menos logo após o início da operação Mãos Limpas, mas, ao contrário, esperou que prendêssemos uma dezena de seus dirigentes? E, se era verdade que os executivos e os subexecutivos pagavam propinas sem informar a Romiti, por que estes senhores que haviam mentido durante anos, mesmo depois do início da operação Mãos Limpas, nunca foram punidos?

Contudo, não tínhamos provas de que Romiti, na primavera de 1993, mentisse. Aquelas provas foram encontradas depois, segundo uma

1993. MÃOS LEVANTADAS 229

sentença já definitiva, pelos colegas de Turim. Pelo crime de balanço falso, de fato, a competência era de Turim, para onde mandamos todos os atos e onde os colegas procederam. Enviamos também os atos de balanço falso da Cogefar, cuja sede era em Milão, para evitar dois processos por fatos relacionados. Em Milão, com os homens da Fiat como réus, mantivemos os processos sobre as propinas para a Metropolitana de Milão, para a ATM e para a ENEL.

Nenhum tratamento de favor para a Fiat, então? Davigo nega, segundo a lógica:

Na primavera de 1993, a colaboração de Romiti foi utilíssima. Permitiu-nos avançar muito nas investigações, mas foi útil também para a Fiat: permitiu aliviar o clamor desencadeado por suas desventuras judiciais. Porque hoje ninguém se lembra, mas nós antes e os colegas de Turim depois conduzimos contra a Fiat investigações de volume e intensidade iguais, se não superiores, em relação àquelas contra Finivest, Olivetti, Ferruzzi-Montedison e assim por diante. Com a diferença de que alguns protestam, outros não protestam. Ou protestam muito menos.

Procissão na Procuradoria

O efeito-Romiti logo se fez sentir. Dois dias depois, Massimo Aimetti, fugitivo retornado da China, entregou-se aos juízes, confessou sua parte na propina da Iveco e voltou para casa depois de uma noite na prisão de San Vittore. No dia 27, reapresentou-se Papi, que ajudou o *pool* a montar o complicado quebra-cabeças da conta da Sacisa. Para os pagamentos no exterior, revelou, "dirigia-me à procuradora da Sacisa em Lugano, fornecendo os dados das contas em que deveria depositar o dinheiro". Quando os pagamentos deveriam ser à vista, "ou me dirigia a Lugano para sacar o dinheiro e o levava ao destino, ou o dinheiro chegava a mim diretamente de Milão, disponibilizado pelo diretor financeiro da Fiat Impresit, Aldo Morniroli". E não havia somente aquele pequeno tesouro: depois da fusão com a Cogefar (que pertencia antes à Acqua Marcia), "a Fiat Impresit constituiu no exterior 23 bilhões em caixa dois entre 1990 e 1992, por meio de uma empresa fiduciária de Vaduz, a Fidina". Com o sistema de faturas falsas por trabalhos inexistentes, o dinheiro saía dos caixas da empresa na Itália e desembarcava na Suíça passando às vezes por outro paraíso fiscal, as Ilhas Jersey, no Canal da Mancha. Papi também entregou a Di Pietro uma longa lista de propinas pagas aos partidos das reservas das contas da Sacisa e Fidina.

A peregrinação dos executivos da Fiat ao confessionário do *pool* parecia não terminar nunca. No dia 28 de abril, chegou Ugo Montevecchi, há cinco meses administrador delegado da Impresit, para falar de uma propina depositada para o ministro Francesco De Lorenzo pelos hospitais antiaids, de um apartamento de dois bilhões no bairro Parioli, em Roma, para o senador romano da DC Giorgio Moschetti e de vários subornos para Balzamo, Citaristi e até mesmo Salvo Lima.

No dia seguinte, depois de vinte dias como fugitivos, apresentaram-se Garuzzo e Torricelli. Garuzzo confessou sua parte e acusou Mattioli: "A ideia de depositar uma parte da provisão no exterior (para Caprotti) foi do Dr. Mattioli". Pouco depois, também voltou para casa e reacendeu a polêmica sobre o hipotético "pacto de não beligerância" entre o *pool* e Romiti. "Nenhum pacto, nenhum acordo, nenhum salvo-conduto para quem quer que seja", replicou Borrelli. "Usamos o mesmo tratamento para todas as empresas. Contra Romiti, por enquanto, não há nenhuma hipótese de crime." Por enquanto.

Pelas propinas piemontesas da Fiat, a peregrinação dos executivos se deslocou para a Procuradoria de Turim. Lá, o ex-administrador delegado da Fiat Impresit, Ulrico Bianco, lembrou-se de uma propina de 260 milhões paga para um emissário do PCI–PDS pela licitação do depurador do consórcio Po–Sangone. O pedido veio de um antigo funcionário do partido, Antonio De Francisco, já falecido. "Vocês da Fiat venceram aquelas concorrências", teria dito este em 1987, "e agora devem nos pagar pelo dano sofrido pelas cooperativas". Caso contrário, a Fiat Impresit sofreria retaliação em outras obras nas zonas "vermelhas" da periferia de Turim. Bianco empenhou-se para pagar. Para o depósito, De Francisco mandou bilhete com o número de uma conta suíça aberta para a ocasião. "Tinha pedido quinhentos milhões", lembra o executivo, mas pagamos somente a primeira prestação", 260 milhões a propósito. Providenciaram o pagamento Vittorio Del Monte e Enso Papi, administrador da recém-criada Cogefar Impresit em novembro de 1989. Papi admitiu.

Descobriu-se assim que o dinheiro entrou em duas contas suíças, de dois outros conhecidos nomes do ex-PCI de Turim: o habitual Primo Greganti e Giancarlo Quagliotti, dirigente "melhorista", já envolvido, no início dos anos 1980, quando coordenador na prefeitura, nos escândalos das propinas do "caso Zampini" e dos "semáforos inteligentes" (dos quais foi absolvido). Ambos, com uma missão específica na Suíça no final de 1989, estavam encarregados de receber e fazer entrar novamente na Itália o dinheiro. Depositada pela Sacisa na conta Idea, de Quagliotti, o dinheiro era sacado e entregue a Greganti: parte à vista, parte com um depósito na conta Sorgente, do companheiro G, que, depois, passou-a para De Francisco. A investigação passa para Milão, onde houve o acordo entre Bianco e De Francisco. Greganti declarou que tinha somente "emprestado" sua conta suíça, aberta para negócios particulares, mas que nem suspeitava de que o dinheiro proviesse de um financiamento da Fiat destinado ao PCI. Aliás, De Francisco teria dito que a quantia era uma "herança de um velho militante do partido", morto por causas naturais no exterior, e ele havia confiado cegamente na história do velho militante, sem suspeitar de nada e sem preocupar-se em registrar a contribuição nos balanços do partido. Quagliotti também jurou que não sabia de nada, mas os juízes não acreditaram em uma só palavra do que eles disseram, e, no dia 1º de março de 1996, os dois réus foram condenados a seis meses de reclusão por financiamento ilícito ao partido (pena confirmada também na Corte de Apelação e na de Cassação). Para a base do velho PCI, não foi uma boa descoberta: enquanto milhares de operários comunistas protestavam e faziam greve na Fiat, alguns funcionários da Federação Turinense embolsavam financiamentos ilícitos da Fiat. Por baixo dos panos, tudo no exterior.

"Cesare me falou de um pequeno tesouro..."

O 4 de maio de 1993 foi outro dia negro para a Fiat. Mosconi se deu conta do jogo de Romiti — descarregar tudo nas costas dos executivos, principalmente nas suas — e tirou a última pedrinha de seu sapato. Aliás, o último pedregulho:

> Em 1985, quando se tornou administrador delegado da Fiat Impresit, o Dr. Romiti me disse que o grupo Fiat, no conjunto, tinha à disposição em Lugano um "pequeno tesouro", ou seja, quantias de dinheiro de caixa dois [...] do qual podiam sacar todos os administradores das empresas da Fiat Impresit e também, em caso de necessidade, o Dr. Romiti [...]. Romiti disse que este pequeno tesouro tinha sido constituído por fundos provenientes das realizações de grandes obras no exterior [...]. Pelo menos em uma ocasião, aqueles fundos foram utilizados para pagar algumas propinas na Itália.

Foram palavras que abriram um abismo no dossiê de Romiti e suscitaram sua réplica furiosa: "Declarações absolutamente falsas, que derivam de um equívoco ou de más intenções, em que, agora, me recuso a pensar". Na Fiat, voltava à tona a batalha entre romitianos e umbertianos.

Outro furo no relatório de Romiti foi descoberto no caso do Intermetro, o consórcio de nove empresas (Fiat Impresit e IRI–Italstat no comando) criado em 1969 para realizar o metrô de Roma e empenhado, desde o final dos anos 1980, em construir a terceira linha da obra. Licitações vencidas lá também às custas de propina. Estava envolvido outro romitiano ferrenho, Umberto Belliazzi, diretor da sede romana da Fiat. Mosconi contou:

> A Impresit não pagava, e o mundo político se lamentava. Belliazzi me disse que eu fazia manchar a imagem de Romiti [...]. Não precisei falar disto com Romiti, foi ele quem inicialmente me mandou encontrar Pennacchioni [um alto dirigente da Fiat Impresit, morto em 1992] exatamente para que me explicasse as modalidades da gestão da Intermetro e dissesse porque tinha sido o seu homem de confiança, Belliazzi, a lamentar-se para mim. Além disso, era sabido que Belliazzi, Mattioli e Romiti provinham todos da Italstat [no início dos anos 1970, antes de desembarcarem, todos os três, na Fiat]".

OPERAÇÃO MÃOS LIMPAS

No dia 18 de maio, Crescenzio Bernardini, um idoso que ajudava Balzamo a receber as propinas para o PSI, aumentou a dose:

> Em 1988, Balzamo pediu-me para intervir junto aos dirigentes da Fiat em Roma para que honrassem seus compromissos. Balzamo disse que tinha falado a respeito com o Dr. Romiti, que estava de acordo [...]. Belliazzi me disse que se informaria junto ao seu superior [Romiti] para saber como estavam as coisas. Efetivamente, pouco depois, Belliazzi afirmou que havia a disponibilidade do grupo Fiat para honrar o compromisso assumido.

Belliazzi, ouvido em liberdade, negou que tenha falado daquilo com Romiti. MaBelliazzi, ouvido em liberdade, negou ter falado daquilo com Romiti, mas o *pool* fez as contas e, naquela mesma tarde, inscreveu o nome de Romiti no registro dos investigados por três hipóteses de crime: "a) Corrupção agravada por atos contrários aos deveres de ofício, continuada em concurso; b) Corrupção continuada em concurso; c) Violação das normas sobre financiamento dos partidos políticos".

Enquanto isso, era expedido o mandado de prisão para Belliazzi no dia 26 de maio. O executivo entregou-se no dia 29 e, no dia 31, recuperou a memória: acusou o ex-ministro das Participações Estatais e da Justiça, o democrata cristão Clelio Darida, de ter pedido dinheiro para a Intermetro. Darida, afirmou Belliazzi, reclamou em 1987–88, durante uma recepção, que a Cogefar não "honrava os compromissos assumidos com os partidos", isto é, não pagava sua cota de propinas para o metrô de Roma. "Falei disso com Romiti, que me disse para falar com Mosconi. E foi o que fiz: 'Por favor, não manche o nome de Romiti'". As palavras de Belliazzi foram um contraponto muito importante às palavras de Mosconi e Bernardini. Pela primeira vez nas investigações milanesas, vinha à tona um episódio específico que poderia levar Romiti ao tribunal por corrupção. No dia 7 de junho, a Procuradoria de Milão mandou prender Darida, mas, em seguida, a Procuradoria de Roma declarou conflito de competência territorial com Milão na Corte de Cassação. E não foi só isso: no dia 14 de junho, os promotores romanos mandaram prender Ugo Montevecchi pelos mesmos fatos (propinas para licitações em bens culturais) sobre os quais havia já prestado depoimento em 29 de abril, em Milão. Borrelli intuiu o tamanho da medida e falou de uma "prisão desconcertante". D'Ambrosio aumentou a intriga: "Corremos o risco de arruinar a investigação e de perder credibilidade". A Suprema Corte, em setembro, dispôs a transferência da investigação para a capital.

Para D'Ambrosio e Colombo, memórias históricas da Procuradoria de Milão, era um filme que já tinham visto: voltavam à mente os anos mais escuros da magistratura italiana, quando as investigações mais importantes mudavam à força de Milão para Roma, para terminarem sob montanhas de areia. Também o caso Intermetro, como veremos, não deu em absolutamente nada, mas somente no final de um procedimento processual repleto de erros, estranhezas, viradas de jogo e despistes.

Enquanto isso, os promotores romanos convocavam Mosconi para falar sobre o Intermetro em 31 de janeiro de 1994. No dia anterior, o executivo recebeu a visita do chefe do escritório de advogados da Fiat, Gandini, que, como contou Mosconi a Di Pietro, "pediu para que eu me comportasse bem [...]. Disse textualmente: 'Depende de você se Romiti será levado a julgamento, você não deve dizer que Belliazzi, quando se referia às propinas para o Intermetro, falava em nome de Romiti'". Mosconi, porém, não deu ouvidos e repetiu a versão dos fatos como havia já exposto em Milão. Romiti teminou no registro dos investigados também em Roma, antes por financiamento ilícito, depois por balanço fraudulento.

Chega La Ganga

A notícia de Romiti investigado em Milão chegou no dia 24 de maio e saiu nos jornais do dia 25. Exatamente enquanto o alto executivo era ouvido por três horas em Turim, como testemunha, pelo procurador-chefe Francesco Scardulla, pelo adjunto Marcello Maddalena e pelo substituto Vittorio Corsi a propósito de várias licitações vencidas pela Fiat às custas de propinas no Piemonte. Romiti calculou mal porque, na ânsia de pintar a si e à Fiat como vítimas inocentes da extorsão dos políticos, surtiu um efeito tanto indesejado quanto inesperado. Giusy La Ganga, testa de ferro de Craxi em Turim, decidiu romper a linha do silêncio seguida até então pela cúpula do partido e lançou o desafio à Fiat. Pediu uma audiência com o procurador Maddalena para contar a sua verdade sobre as relações entre política e negócios e para derrubar a teoria da extorsão, tão apreciada por Romiti e pela grande imprensa. "Quero fazer presente", declarou nas atas no dia 26 de junho de 1993, "que a Fiat em Turim, longe de ser ambientalmente extorquida, tinha de fato uma posição de incumbência ambiental sobre todos, fator pelo qual, instintivamente, não fazer algo a favor da Fiat era extremamente difícil pelo temor reverencial que incutia em todos". La Ganga estava acompanhado de outro deputado de Turim, o jovem Giuseppe Garesio, vice-diretor do jornal *Avanti!*, ele também sob investigação. Foi assistido por Andrea Galasso, um experiente advogado, alheio aos condicionamentos ambientais do mundo da Fiat e articulador do "degelo" entre os dois deputados socialistas e a Procuradoria. "Eu", declarou Garesio aos juízes de Turim, "nunca pedi dinheiro à Fiat. É verdade exatamente o contrário: tinha se criado um contexto de verdadeiro e próprio assédio por parte dos homens da Fiat àqueles políticos que não pediam propinas [...]. Recebíamos solicitações contínuas por parte de todos os dirigentes da Fiat que operavam no território".

O resultado da virada foi que, em Turim, promotores e juízes das investigações preliminares começaram a acreditar mais em La Ganga e Garesio do que em Romiti e seus homens. E, pouco a pouco, os processos por extorsão (a cargo somente dos políticos, com os empresários no papel de vítimas) se transformaram em processos por corrupção e financiamento ilícito (a cargo dos dois contratantes). La Ganga contou ainda:

> Balzamo distinguia os financiamentos ao PSI em duas categorias: de um lado, os financiamentos chamados "spot", concedidos individualmente pelos empresários por trabalhos específicos ou contratos. Substancialmente, uma conduta de corrupção pelo trabalho ou contrato a ser obtido ou já obtido. De outro lado, o sustento que prescindia dos contratos e era o verdadeiro financiamento ao partido. O honorável Craxi decidiu que os primeiros financiamentos, ocasionais e não facilmente previsíveis, tinham de ser desencorajados ou diminuídos, enquanto, para os segundos, havia uma política de potencialização [...]. Um dia, enquanto eu reclamava das dificuldades do PSI do Piemonte, Balzamo chamou minha atenção, dizendo: "Estou surpreso que exatamente vocês do Piemonte não consigam obter da Fiat a ajuda necessária" [...]. Eu sabia que a Fiat financiava o PSI nacionalmente, e isto também quando suas relações com o PSI de Turim estavam ruins [...]. Expliquei a Balzamo que a Fiat mantinha relações cordiais com as pessoas de longe, mas queria dominar as de perto [...]. Balzamo indicava a Fiat como empreendedor nacional de máximo sustento, no sentido de financiamento e não somente no sentido de pagamento de dinheiro para simples contratos. Quando Balzamo falava da Fiat como portadora de sustento financeiro ao PSI de modo estável, referia-se não às empresas operativas do grupo, mas à Fiat Spa, ou seja, a empresa que comandava o grupo e, falando de sustento "non-spot", referia-se de fato a um sustento desvinculado de qualquer contrato [...]. O Dr. Romiti tinha diálogo no partido com Craxi, mas principalmente com De Michelis e com Balzamo. O advogado Agnelli, ao contrário, tinha relações somente com Craxi.

Repreendido pelo tesoureiro nacional por ter "escasso rendimento" e necessitar de financiamentos do segundo tipo, La Ganga foi afastado da Fiat no final de 1991 e encontrou Romiti:

> Pelas palavras de Romiti, não posso dizer que tenha achado a prova explícita de que ele soubesse dos financiamentos da Fiat em nível nacional, porque não disse, mas, indubitavelmente, todas as suas palavras faziam pressupor seu conhecimento neste sentido. É certo que, depois da conversa entre Romiti e eu, começaram a chegar os sinais de disponibilidade e, após, os financiamentos do grupo Fiat em nível local, quando antes não se via nem mesmo uma lira. No mais, confirmo que eu disse explicitamente a Romiti que preferia que os financiamentos fossem efetuados em nível nacional e não local (onde seriam condicionantes demais: no

Piemonte, ou se é inimigo da Fiat, ou se é servidor...). Ao que ele consentiu e não disse: "Mas como se atreve?".

No final daquele ano, pontualmente, Montevecchi ofereceu e depois depositou 250 milhões por baixo dos panos para La Ganga, o que não acontecia há anos. "Relacionei aquela mudança de clima à conversa com Romiti", lembrou La Ganga.

No dia 7 de julho, dez dias depois das admissões de La Ganga, Romiti foi reconvocado à Procuradoria para o segundo interrogatório em Turim. Deveria dar a sua versão do encontro com La Ganga e dos financiamentos "nacionais" da Fiat ao partido de Craxi (dois argumentos "esquecidos" no dossiê entregue à Procuradoria). E, naquela vez, deveria falar como "pessoa submetida às investigações por violação do artigo 7 da Lei 154/74 e sucessivas modificações", isto é, da lei sobre o financiamento público dos partidos. Romiti admitiu o encontro com La Ganga, "que tinha me pedido um encontro com ele, me parece, no estádio", mas negou ter falado de dinheiro e disse que o encontro tinha sido no início de 1990, longe das eleições de 1992. Falara, sustentou Romiti, somente de temas políticos, como o apoio da Fiat à candidatura do liberal Valerio Zanone para prefeito de Turim, ou os temores de La Ganga pela ascensão política do rival Gian Mauro Borsano, presidente do time de futebol Torino, 'lançado' por Craxi. As contas, porém, não fechavam. Borsano tornou-se deputado do PSI somente em 1992; em 1990, ainda nem pensava nisso.

No final de novembro de 1993, os promotores Maddalena, Ferrando e Sandrelli foram para Roma interrogar Craxi, que acrescentou particulares e credibilidade à história de La Ganga. "Quando o engenheiro Romiti encontrava Balzamo", disse o ex-secretário socialista, "não acredito que o fizesse para conversar com um ex-ministro dos Transportes". E acrescentou que a Fiat, como outros colossos industriais, financiava "partidos, grupos políticos e simples parlamentares" de maneira "consciente, voluntária, com interesses gerais e particulares, seguidamente organizada e planificada". Mais tarde, Craxi afirmou que "é muito evidente e certo que Balzamo dirigia-se ao engenheiro Romiti para pedido de contribuições e não a seus subalternos", segundo "uma complexa estratégia que não podia ser decidida pela própria cúpula do grupo".

Um Gavião movido a gasolina

A Tangentopoli da Fiat parecia ter se transferido para Turim, mas, no início de 1994, reaproximou-se de Milão, em pleno processo de Cusani. Era 15 de janeiro, e no tribunal estava em curso a audiência de Mauro Giallombardo, um dos tesoureiros ocultos de Craxi, recém-preso depois de um longo período como fugitivo. Naquele dia, como às vezes acontecia, Di Pietro e o advogado Giuliano Spazzali, o batalhador defensor de Cusani, não brigaram, aliás, aproximaram-se, como se à espera da cena teatral ensaiada com magistral direção. "Doutor Giallombardo", atacou Di Pietro, "o senhor não sabe nada de um depósito de quatro bilhões no banco BIL de Luxemburgo, com a referência "Gavião"?". Spazzali, irônico, o incentivou: "Seria talvez um Gavião movido a gasolina?". Di Pietro respondeu: "Sim, talvez a gasolina, e quem sabe alguém nos ouve e amanhã vem aqui no gabinete para falar disso". O único que não entendeu onde os dois queriam chegar foi o presidente do tribunal, Giuseppe Tarantola, que pediu esclarecimentos. Spazzali não se fez de rogado: "Senhor Giallombardo, o senhor sabe que naquela conta, no dia 11 de março de 1992, chegaram quatro bilhões com um doc do BUC (Banco União de Crédito), o banco dos Agnelli na Suíça?". "Não sei", murmurou o réu. "Nunca teve relações com o engenheiro Romiti por propinas?" "Nunca." "E Balzamo?" "Ah, sim, Balzamo dizia que a Fiat sempre deu contribuições ao partido..."

Também daqueles quatro bilhões não havia traços no dossiê de Romiti, até mesmo porque, assim como estabeleceram os juízes de Turim, quem tinha feito acordos com Craxi e com Balzamo não tinha sido um executivo qualquer, mas Romiti em pessoa. Giallombardo pensou na prisão durante uns quarenta dias. Depois, em 22 de fevereiro, contou a Di Pietro a verdadeira história daquele "Gavião movido a gasolina":

> Em 1992, pouco antes das eleições, Balzamo pediu-me para verificar se havia chegado a quantia de cinco bilhões no BIL de Luxemburgo, na conta Hambest. Explicou que Romiti em pessoa havia mandado depositar o dinheiro. Depois que constatei que o depósito não tinha sido feito, falei para Balzamo, e Balzamo me disse expressamente que Romiti havia prometido. Teve um acesso de ira, como se estivesse sendo passado para trás. Disse-me que achava estranho, porque a Fiat era sempre pontual e mantinha a palavra em relação às contribuições e que pediria explicações para Romiti.

Alguns dias depois, acrescentou Giallombardo, Balzamo informou que a quantia prometida, saída da BUC de Lugano (operação sigilosa com a referência "Gavião"), tinha chegado na conta Norange do BIL de Lausanne, mas os cinco bilhões tinham virado quatro. Um bilhão permaneceu grudado nos dedos de alguém.

Peregrinação a Vaduz

O dossiê de Romiti, enfim, parecia uma peneira, tanto mais que, no dia 11 de fevereiro de 1994, Mosconi contou para Di Pietro e Ghitti outro caso digno de um manual de contaminação de provas, que explicava toda a ambiguidade da "colaboração" da Fiat com os juízes. O fato remontava à segunda-feira 19 de abril de 1993, um dia depois do referendo sobre a proporcionalidade, dois dias depois da clamorosa reunião na Procuradoria com os advogados da Fiat e dois dias antes da apresentação espontânea de Romiti ao pool. Naquele dia, contou Mosconi, houve uma significativa e particular reunião em Vaduz, da qual participaram Papi, Pomodoro, Chicco, Giuseppe Gatto e Ferri [todos executivos do grupo Fiat Impresit]. Eles se reuniram em Vaduz porque para lá levaram, ou melhor, alguém levou, todos os documentos da conta da Sacisa de Lugano [...]. Todas aquelas pessoas fizeram questão de ir separadamente e com carros próprios a Vaduz para não chamar a atenção.

Em Vaduz, no número 36 da Landstrasse, ficava o escritório do advogado Markus Wanger. Para lá, no dia 24 de dezembro de 1992, Ugo Montevecchi (o novo administrador delegado da Fiat Impresit, no lugar de Mosconi) transferiu todos os documentos da conta da Sacisa, até então mantidos na sede do grupo Impresit em Lugano, que era exposta demais. Eram as anotações dos depósitos feitos, conservadas por cada um dos executivos envolvidos nas propinas: uma espécie de inventário informal, para dar conta das propinas pagas durante aqueles anos, cuja documentação era sistematicamente destruída. Deixando aqueles documentos na Suíça, havia o risco de que o *pool* pudesse se apoderar deles. Em Vaduz, ao contrário, ninguém sonharia procurá-los. Pergunta: a Fiat não tinha decidido, exatamente seis dias antes, no famoso comitê de coordenação criado por Agnelli pessoalmente, colaborar com a magistratura? Muito antes pelo contrário, disse Mosconi defronte Di Pietro:

> Em Vaduz, tinham de escolher e escolheram, examinando os documentos da conta da Sacisa, o que deveria ser dito às autoridades judiciárias e quem deveria assumir os fatos cometidos. Naquela reunião, decidiram destruir, ou mesmo ocultar, todas as outras informações sobre a conta da Sacisa, para dar às autoridades judiciárias algumas informações específicas para contentá-las e acertar as questões com a Procuradoria de Milão. Pelo jeito como as coisas foram feitas, acredito que tudo tenha sido coordenado e disposto por Romiti, a partir do momento em que foi Romiti quem deu a ordem em tal sentido para Gandini. É sabido que o advogado Gandini é um homem de confiança de Romiti e executa fielmente suas ordens.

Uma `propina completamente vermelha`

Os documentos das propinas da Fiat continuavam a desaparecer, mesmo depois do passeio em Vaduz. No dia 21 de janeiro de 1994, na passagem de fronteira da Ponte Chiasso, a Guarda de Finanças parou um automóvel para fazer um controle de rotina. A bordo estava Ugo Montevecchi, o homem que havia transferido os documentos da Sacisa de Lugano para Vaduz. Naquela ocasião, também estava envolvido em uma mudança: no porta-malas do automóvel, foram encontrados alguns documentos sobre o "pequeno tesouro" da Sacisa, com a lista dos saques em caixa entre 1989 e 1993 e algumas anotações abreviadas: "BC, duzentos milhões para cong PSI", "BZ, um bilhão", "AIDS, 750 milhões", "Dep. Accademia 3006", "Dep. Carassi", "Linus".

Na maior cara de pau, Montevecchi inventou uma desculpa: "Estou de acordo com Di Pietro, estou levando tudo para ele". Bastou um telefonema dos guardas de finanças ao promotor para desmascarar a mentira: Di Pietro ficou perplexo e convocou o executivo para um encontro no dia seguinte. Montevecchi foi obrigado a admitir: aquelas anotações se referiam a outras propinas da Fiat ainda não confessadas. "BC" era Bettino Craxi, "BZ" Balzamo. E o resto? Uma propina de duzentos milhões para o PDS vêneto em três prestações nas contas de Carassi, Linus e Accademia, mas, assegurou, foi Mosconi quem fez tudo.

No dia 11 de fevereiro de 1994, Di Pietro e Ghitti apareceram de surpresa na casa de Mosconi, nas colinas de Turim. Ao executivo, convalescente de uma cirurgia, apresentaram um novo mandado de prisão domiciliar: daquela vez, pelos duzentos milhões depositados ilegalmente para um eurodeputado veneziano do PDS, Cesare De Piccoli, em algumas contas suíças referentes ao conselheiro regional do PDS, Renato Morandina. Dinheiro, lia-se na medida, "destinado à campanha eleitoral da corrente política vêneta chefiada pelo honorável Massimo D'Alema". Era a segunda propina "vermelha" com a marca da Fiat que era descoberta depois daquela embolsada por Greganti pelo depurador do Po–Sangone.

Mosconi, colocado no jogo por Montevecchi, rebateu a acusação contra ele. Não aguentava mais "ser o bode expiatório" da empresa e tirou as últimas pedrinhas de seus sapatos: "Quero evitar que outras pessoas do grupo Fiat utilizem meu nome para coisas que elas fizeram".

Assim, desvendou o passeio de Vaduz, a visita de Gandini às vésperas do interrogatório pelo caso Intermetro e as pressões sobre seu advogado, Roberto Ponzio. Em resumo, todas as manobras para deixar Romiti de fora. Depois, falou da licitação para a construção do novo estádio de Veneza, na qual a Fiat Engineering queria reciclar o projeto reprovado para o estádio Delle Alpi de Turim. Admitiu ter "acompanhado Cesare Annibaldi [chefe das relações externas da Fiat] ao escritório de De Piccoli', mas negou ter autorizado aquela contribuição. Depois, acrescentou que a colaboração da cúpula da Fiat com as procuradorias era pura ficção.

Foi um longo desabafo de Mosconi contra a empresa que o estava descartando. "Sou o único dirigente investigado que estão demitindo. Não aceitei, e a assembleia da Toro [uma lista eleitoral] me confirmou quase unanimamente." Alguns meses mais tarde, foi defenestrado: nem mesmo seu grande patrocinador, Umberto Agnelli, conseguiu aplacar a fúria de Romiti, que explodiu no dia 18 de fevereiro, quando a revista *l'Espresso* antecipou a última explosiva declaração de Mosconi. "Fui o primeiro", disse Romiti, "a revelar para os magistrados o caso Sacisa. Desminto categoricamente as afirmações falsas e caluniosas de Mosconi. Se efetivamente forem confirmadas suas declarações, adotarei imediatamente todas as medidas legais necessárias à tutela de minha pessoa e à restauração da verdade dos fatos". A denúncia ficou somente como uma simples ameaça.

A investigação sobre a propina vermelha com a marca da Fiat passou da competência da Procuradoria de Milão para a da Procuradoria de Veneza e concluiu-se no dia 17 de fevereiro de 2000, com uma sentença de prescrição para De Piccoli e Morandina, considerados pelos juízes como responsáveis por receber o financiamento ilícito da Fiat, mas não puníveis por causa do contumaz "fator tempo". Em 1998, De Piccoli tornou-se subsecretário da Indústria no segundo governo Amato e depois chefe de secretaria do líder do DS, Piero Fassino, secretário do DS do Vêneto e, enfim, vice-ministro dos Transportes no segundo governo Prodi.

7. TANGENTOPOLI, ITÁLIA

O ano de 1993 foi o da máxima expansão das investigações sobre corrupção, não só em Milão, mas em toda a Itália. Entre 1992 e 1994, foram envolvidas setenta procuradorias, que abriram procedimentos judiciários contra doze mil pessoas, obtiveram cinco mil prisões e desbarataram muitas "cúpulas" locais da corrupção. Em Turim, Genova, Vêneto, Nápoles, Bari, Reggio Calabria, Sicília e assim por diante. Se o sistema da corrupção era substancialmente igual por toda parte (licitações públicas manipuladas em troca de financiamentos aos partidos e seus coronéis), cada realidade territorial tinha métodos diversos e características peculiares, hábitos e principalmente homens de referência. No sul, onde estavam radicadas as grandes organizações criminosas, aos dois interlocutores tradicionais do sistema — o político e o empresário — juntava-se um terceiro: o chefe mafioso.

Alguns grandes construtores, com obras em toda a Itália, tornaram-se figuras emblemáticas e "transversais" das diversos Tangentopoli. Vincenzo Lodigiani, por exemplo, foi investigado por trinta procuradorias, interrogado 150 vezes, trancafiado em uma dezena de prisões por toda a Itália. Giovanni Donigaglia, da Coopcostruttori de Argenta, colecionava uma longa série de intimações judiciais e mandados de prisão preventiva de Verona, Milão e Nápoles, que o mantiveram na prisão por cerca de duzentos dias e lhe valeram o julgamento em cerca de trinta processos. Para não falar de Craxi e Citaristi, autênticos "globe-trotters" da intimação judicial, com investigações e processos de um lado a outro da península italiana.

Se em Milão investigavam os secretários de partido e os ex-presidentes do Conselho, nas realidades locais era investigada a "fina flor" territorial, sobretudo ex-ministros com poderes clientelistas e financeiros desproporcionais. Era o caso, entre outros, do bresciano Giovanni Prandini, dos vênetos Gianni De Michelis e Carlo Bernini, dos napolitanos Cirino Pomicino, De Lorenzo e Di Donato. Para Prandini, "patrão" da DC bresciana e ex-titular do Ministério de Obras Públicas, no dia 3 de abril, chegou ao Parlamento um mandado de prisão: era acusado de ter embolsado propinas de pelo menos 25 bilhões. Pelo estilo e desenvoltura, era apelidado de "o Texano", mas também "Prendini". Entre as várias acusações, respondia também por ter obrigado um empresário, Antonio Baldi, a comprar o Hotel Rosa Camuna e a colocá-lo no nome da irmã de Prandini. ("Me disse que em Roma ele controlava as licitações, e, se eu não quisesse ser excluído, tinha de comprar para ele o hotel por mais de sete bilhões.")

Em Gênova, no dia 9 de maio, foi preso Claudio Burlando, o "menino pro-dígio" do PDS, que com 39 anos de idade, era o prefeito mais jovem da história da cidade. Os juízes lígures que investigavam as obras da Expo organizada durante as "Colombíadas", o acusaram de fraude e abuso de poder. E acreditavam que as licitações bilionárias para a construção dos estacionamentos, do túnel de carre-gamento (custou 111 bilhões, contra os setenta do orçamento) e as outras obras realizadas a preços superfaturados para celebrar o aniversário da descoberta de Cristóvão Colombo tenham sido vencidas em troco de propinas aos partidos. Por tudo isso, foram investigados também um ex-senador socialista e um líder da DC local. Contudo, Burlando não foi acusado de corrupção: teve de responder por presumíveis irregularidades administrativas cometidas quando era vice-prefeito, nas tratativas com as empresas, particularmente com a Ansaldo, para definir os prazos e custos das obras.

Após sua prisão, chegou imediatamente a solidariedade do partido e do seu secretário, Achille Occhetto, que declarou: "Espero poder reabraçá-lo o mais cedo possível, assim como já aconteceu com Marco Marcucci". Marcucci era outro ex-poente do PDS, ex-presidente da Região da Toscana, preso em Florença no dia 26 de outubro de 1992 pelo escândalo do dique do lago Bilancino, obra iniciada no autódromo de Mugello há dez anos, confiada à Cogefar, Lodigiani ecooperativas comunistas que nunca foi concluída, mas já havia custado quinhentos bilhões, o dobro do orçado. Occhetto abraçou Marcucci, entre os aplausos dos presentes, no congresso do partido em Florença. "Confiança completa na ação da magistratura", repetia o secretário do PDS, "mas aqui as propinas não têm nada a ver, não se tra-ta de financiamentos ao partido, quanto mais de irregularidades administrativas. Nessa, como em outras investigações, sempre ficamos de fora da Tangentopoli. A história nos dará razão". Burlando e Marcucci foram absolvidos.

Os Doges de Veneza

No Vêneto, as investigações sobre a Tangentopoli começaram bem antes da prisão de Mario Chiesa: no verão de 1991. No final, as prisões por atos de corrupção em toda a região envolveram 330 pessoas. No dia 29 de janeiro de 1993, recebeu a sua primeira intimação judicial Gianni de Michelis, representante do PSI, já ministro do Exterior e das Participações Estatais e vice-presidente do Conselho Regional. No dia 26 de fevereiro, depois de um longo interrogatório na Procura-doria de Veneza, na saída, deparou com uma pequena multidão de cidadãos que gritava: "Ladrão, ladrão, vergonha!". Em outra ocasião, foi até perseguido pelas

1993. MÃOS LEVANTADAS

ruas da cidade. Os magistrados o acusavam de ter dividido as licitações públicas do Vêneto (e as relativas propinas) com o democrata-cristão Carlo Bernini, ex-ministro dos Transportes, líder de uma das correntes mais relevantes do partido, a dorotea. A investigação de Veneza, aberta pelo procurador substituto Nelson Salvarani e continuada por Carlo Nordio, começou com a descoberta de uma conta bancária na Suíça, a Scopa, para onde confluía o dinheiro proveniente de umas quinze empresas. Alguns dos empresários envolvidos foram presos, confessaram e contaram sobre o pacto "dos dois doges" em torno do qual girava grande parte da Tangentopoli vêneta.

Cada licitação pública era destinada segundo uma proporção preestabelecida (ligada aos resultados eleitorais) às empresas indicadas pela DC ou pelo PSI, que depois providenciavam o acerto de contas com o partido de referência. As propinas paravam nas mãos de dois tesoureiros: Giorgio Casadei, secretário de De Michelis, e Franco Ferlin, secretário de Bernini. Às "propinas spot", ligadas às licitações individuais, acrescentavam-se então aquelas "com contrato anual", destinadas às secretarias regionais e nacionais dos partidos, sem referência específica às comissões recebidas.

As propinas eram obrigatórias para tudo: batentes para as ferrovias, os depuradores de Fusine e Marghera, a "banheira de água" de Chioggia, a estrada Transpolesana. E principalmente o trevo na estrada Mestre–aeroporto e a terceira pista da autoestrada Veneza–Padova: licitações bilionárias, inseridas (como tantas outras na Itália) na lei especial para a Copa do Mundo de futebol na Itália em 1990, para poderem ser designadas, com a desculpa da urgência, para a iniciativa privada. Seguidamente não precisava nem mesmo negociar. Já estava tudo combinado. E, no Vêneto, as listas das empresas com as quais negociar, segundo os acordos estabelecidos entre a DC e o PSI, eram feitas pela empresa Iniziativa, formada pelos construtores locais e dirigida pelo democrata-cristão Piergiorgio Baita: na prática, as empresas designavam as obras para si mesmas. O presidente da Società Autostrade Venezia-Padova, estabeleceu a sentença em primeiro grau, "não fez nem mesmo a tratativa privada: tomou para si em bloco o pacote de empresas que lhe foi apresentado pela Iniziativa e que era fruto de um acordo estipulado no exclusivo interesse dos privados, que deveriam ser os destinatários das licitações, e dos políticos, que deveriam embolsar as relativas propinas. E o Conselho de Administração recebeu na totalidade, sem um mínimo de discussão".

Outro negócio de conto de fadas: com vistas à realização dos planejamentos extraordinários para Veneza, nasceram dois grandes consórcios, Venezia Nuova e Venezia Disinquinamento. Um para cada doge. O primeiro, da área socialista, era financiado por De Michelis. O segundo, da área democrata-cristã, era comandado por Bernini. Entre os dois, havia um acordo para a divisão das licitações bilionárias. Apesar disso, em várias ocasiões, os doges brigavam pelos negócios, e, então, durante meses, o sistema das licitações ficava bloqueado até que Gianni e Giorgio, estimulados pelos impacientes empresários, voltavam a fazer as pazes.

"De Michelis brigou com Carlo Bernini", disseram os empresários (interceptados) em setembro de 1991. E ainda: "Eles [De Michelis e Casadei] não estão mais no bolo". Casadei vangloriou-se com um amigo: "Estou vencendo porque estou mantendo tudo parado há dois anos". Alessandro Merlo, construtor, tentou argumentar: "Fazemos outro negócio, não podemos ficar parados". E Casadei, parecendo surdo: "Tem razão, mas, em nível político, não posso aceitar que todo o bolo das licitações no Vêneto esteja sob controle de Baita". Piergiorgio Baita, democrata-cristão, diretor da Iniziativa, contou: "Depois do acordo entre Bernini e De Michelis em relação às atribuições e às esferas de influência dos dois consórcios, procuramos, em nível local, achar um acordo mais específico do ponto de vista político. [...] Lembro que Casadei me respondeu: 'Por mim, tudo bem, desde que as obras tenham valor de 1,5 trilhão'". Queria dizer "1,5 trilhão ao PSI [ou seja, às empresas da área socialista], e 2,5 trilhões para todos os outros partidos". E relatou no tribunal: "A discussão se resolveu quando os dois 'grandes chefes' aceitaram entregar ao consórcio Venezia Nuova toda uma série de obras no valor de quatro trilhões [...] e concordaram em relação à divisão da relativa propina".

As licitações, quando foram divididas entre a DC e o PSI, previam obrigatoriamente uma parte das obras para as cooperativas comunistas, para evitar problemas políticos com a esquerda. Baita contou ainda:

> Telefonou-me o contador Donigaglia, presidente da Argenta [a cooperativa comunista de Ferrara], e pediu, em tom autoritário, para ser inserido nas obras [para o trevo da estrada Mestre–aeroporto]. Nos encontramos no Hotel Plaza de Roma. Quando voltei para o Vêneto, pouco depois me ligou o então chefe do PCI da região, Luciano Gallinaro, me pedindo para inserir também as cooperativas nas nossas obras porque, caso contrário, interviriam tanto em nível municipal quanto estadual e armariam uma grande confusão [...]. No final, foi a Italstat que garantiu, sacrificando a própria quota.

Efetivamente, na reunião de 23 de maio de 1989 da Conferência dos Serviços (na qual estavam representadas todas as entidades públicas envolvidas), o prefeito comunista de Mira se opõe, fazendo faltar a unanimidade necessária para o lançamento da licitação para o trevo da estrada Mestre–aeroporto. Sete dias depois, na reunião de 30 de maio, muda de ideia e vota a favor. Na semana entre as duas reuniões, informaram os juízes, a Cooperativa dos Construtores de Argenta "teve acolhidas as suas solicitações", isto é "o percentual das obras estabelecido pelo acordo de divisão".

Também o depoimento de Carlo Olivieri, tesoureiro vêneto da ala esquerdista da DC, foi esclarecedor: "Se na Emilia–Romagna, onde o PCI–PDS tem um papel direto de poder, 50% a 70% das obras é dado ao sistema das cooperativas, no Vêneto, a cota da Liga [das cooperativas] é em torno de 15%". Acrescentou

1993. MÃOS LEVANTADAS

Gianfranco Cremonese, ex-presidente democrata-cristão da região do Vêneto e depois da Società Autostrade Venezia-Padova: "Deixar de fora as cooperativas comunistas era como enfiar os dedos nos olhos de um partido de oposição que só me incomodava, e eu não tinha nenhum interesse em que alguém realizasse ações de interdição". Também Alberto Zamorani (IRI–Italstat) falou de alguns particulares:

> Tínhamos uma relação direta com o presidente da Liga das Cooperativas, o honorável Lanfranco Turci [depois eleito deputado pelo PDS–DS e nomeado em 2000 conselheiro econômico do primeiro-ministro Amato], motivo pelo qual o diálogo substancial sobre a escolha das cooperativas a serem inseridas era feito no nível máximo. Turci designava seus engenheiros ou administradores das cooperativas, os quais dialogavam com nossos responsáveis pelas empresas concessionárias e diziam: "Então, já que vocês podem transferir para fora 100% das obras à iniciativa privada, devem dar-nos 20% do total arrecadado".

"As formações políticas oficiais", concluiu o Tribunal de Veneza, "eram irrelevantes, no sentido que os partidos do governo e da oposição, enquanto debatiam obstinadamente no Parlamento ou nas várias câmaras regionais, provinciais etc. colaboravam tranquilamente para a divisão das propinas".

Interrogado mais de uma vez na Procuradoria de Veneza, De Michelis admitiu, no mínimo, "formas de financiamento ilícito", negando, porém, a corrupção e os acordos de divisão. Bernini foi muito mais "minimalista": negou ter recebido uma única lira por fora. Para ele, a potente máquina de votos da corrente veneta dorotea, com estruturas caríssimas, simplesmente não existia: "Para discutir as questões" minimizou, "podíamos nos reunir em quatro ou cinco, talvez durante o café da manhã, e dividíamos a despesa com a gasolina [...]. A corrente se autofinanciava com a ajuda dos amigos". Os juízes, na sentença, ironizaram a "tese risível dos 'quatro amigos no bar', uma visão absolutamente fantasiosa, como uma Alice no País das Maravilhas".

Bernini e De Michelis foram condenados por corrupção, respectivamente, a três anos e sete meses e a quatro anos, reduzidos depois para um ano e quatro meses e um ano e seis meses com acordo na apelação. De Michelis, afirmou o tribunal, com as propinas "alimentava seu estilo de vida principesco, tanto público quanto privado". Na prática, não roubava para o partido, mas para si. Suas festas eram lendárias. Em Veneza, organizou uma na Estação Marítima com dois mil convidados. Em Roma, para um aniversário, alugou todo o hipódromo de Tor di Valle. Grande frequentador de discotecas, era seguidamente fotografado nos night clubs, acompanhado por garotas esplêndidas. Realizou até mesmo, com a ajuda de muitas "colaboradoras", um guia das melhores discotecas italianas, com o título *Dove andiamo a ballare questa sera*? (Onde vamos dançar esta noite?). Nadia

Bolgan, sua bela secretária, descreveu assim, em seu diário, a equipe romana de colaboradores do ministro: "Cerca de cinquenta pessoas, entre as quais muitas mulheres encontradas ao acaso e sem nenhum preparo profissional, estavam ali somente porque eram bonitas, e cada uma pensava que fosse a favorita do harém". Em Roma, seu ponto de referência era outra secretária, Barbara Ceolin. No sustento da secretaria-harém pensava o fiel Casadei, definido por Alberto Zamorani como "uma espécie de prótese de De Michelis: se não se está de acordo com ele, não se faz nada". Na decadência do império, De Michelis deixou uma conta não paga de 490 milhões no Hotel Plaza de Roma, onde ocupou por anos uma suíte que custava 370 mil liras por dia, somente pelos "extras". Depois dos processos e das condenações, fundou o novo PSI, aliado ao Força Itália e, em 2001, voltou à ribalta como consultor para política exterior da presidência do Conselho no segundo governo Berlusconi.

Os vice-reis de Nápoles

As pessoas os chamavam de "a tríade" ou "os trimúrtis". A imprensa os chamava de "os vice-reis". Foram os verdadeiros donos de Nápoles por mais de dez anos: o democrata-cristão Paolo Cirino Pomicino, o liberal Francesco De Lorenzo, o socialista Giulio Di Donato. Os juízes do tribunal, nas sentenças, preferiram defini-los como "o comitê de negócios", aumentando o cerco aos outros poderosos da cidade: Antonio Gava, Vincenzo Scotti e Elio Vito pela DC, Carmelo Conte e Raffaele Mastrantuono pelo PSI, sem esquecer o republicano Giuseppe Galasso e o ex-comunista Berardo Impegno. No fim, em Nápoles, foram exatamente 554 as pessoas presas por fatos ligados às propinas entre 1992 e 1994, mais do que em Milão. Alguns líderes foram também investigados (mas absolvidos) por relações com a Camorra.

O vice-rei número um era o ex-ministro do Orçamento Cirino Pomicino, chamado de "o Ministro". Recebeu a primeira intimação no dia 13 de maio de 1993. Depois, as acusações contra ele tornaram-se uma avalanche das procuradorias de Nápoles, Milão, Roma e Foggia: possíveis propinas para o mais lucrativo dos negócios napolitanos, a reconstrução depois do terremoto, para a realização do metrô de superfície, para a privatização do patrimônio imobiliário do município, para as esteiras transportadoras do porto de Manfredonia, pelo caixa dois do ENI, pelos 5,5 bilhões do negócio da Enimont (a maior propina embolsada por um único político não secretário de partido) e assim por diante, para umas trinta intimações (em grande parte canceladas por absolvições e prescrições). Acabou preso por dezesseis dias em outubro de 1995 e da prisão escreveu para o *Corriere* uma carta dramática, anunciando a intenção de matar-se, logo esquecida após a publicação da absolvição e a imediata libertação.

O modo de Pomicino de embolsar propinas era decididamente original. Em uma ocasião, envolveu até mesmo a Madonna de Pompeia. Durante os anos 1980, às vésperas de uma delicada cirurgia no coração em Houston, nos Estados Unidos, como bom napolitano, fez um voto à Virgem: se tudo ocorresse bem, ajudaria os pequenos hóspedes da escola técnica Villaggio dei Ragazzi de don Salvatore D'Angelo em Maddaloni. A cirurgia foi um sucesso, mas Pomicino, ao invés de abrir a carteira, chamou um conhecido construtor, Francesco Zecchina, na lista de espera para as licitações do pós-terremoto. "Pediu-me", contou Zecchina no processo sobre o terremoto, "para dar uma contribuição de cerca de cem milhões, em prestações de dez milhões na Páscoa e dez milhões no Natal, durante cinco anos, para don Salvatore D'Angelo. Falei que parecia estranho que eu tivesse de pagar pessoalmente uma promessa que ele tinha feito, mas ele disse que eu mesmo tinha de pagá-la". "Não fosse pela gravidade das acusações e pelo valor do pagamento imposto", escreveu a Procuradoria no pedido de autorização para proceder à Câmara, "o fato seria verdadeiramente grotesco [...]. Pomicino pretende fazer obras de caridade com o dinheiro dos outros, e isto parece francamente excessivo".

Pela reconstrução depois do terremoto de 23 de novembro de 1980 (com seis mil mortos, dez mil feridos, trezentos mil desalojados), Pomicino foi acusado de ter embolsado propinas de cerca de quatro bilhões de liras (valores da época). O processo interminável tinha como réus por corrupção desde 1993 os vice-reis ao completo: Pomicino, Gava, Scotti, Di Donato, Conte, De Lorenzo. Entre prescrições e absolvições, salvaram-se todos. Outra acusação, outro processo. Como presidente da Comissão de Orçamento da Câmara, Pomicino, junto a De Lorenzo, teria recebido quatro bilhões das empresas que deveriam realizar o metrô de superfície de Nápoles para fazer passar na lei orçamentaria estadual de 1986 a deliberação necessária. A Câmara, com uma votação única no gênero, negou em 1996 a autorização para proceder pelo crime mais grave, a corrupção, sustentando que "vender" uma lei fazia parte das prerrogativas "incontestáveis" do parlamentar. Ficou de pé a acusação por financiamento ilícito, pela qual Pomicino foi condenado em primeiro grau a dois anos, depois prescritos na apelação.

Pela licitação da Gestão do Patrimômio Imobiliário do Município de Nápoles, confiado ao consórcio GIPI, Pomicino recebeu, segundo a acusação, 1,1 bilhão, em parte entregue em suas mãos por um "emergente" da política napolitana: Alfredo Vito. Condenado no tribunal a três anos por receptação, o ex-ministro foi absolvido na apelação, não porque não tenha visto o dinheiro, mas porque "o ato não constitui crime". A primeira sentença, no entanto, foi esclarecedora para entender os mecanismos do sistema Nápoles:

> Foi admitida a prova de existência do comitê de negócios, entendido como centro de determinação das escolhas políticas da administração da cidade em função dos interesses financeiros dos partidos individualmente. Ele é formado pelos principais expoentes parlamentares napolitanos dos diversos partidos da maioria na época e, particularmente, pela DC de Gava, com seus partidários Vito e Russo representando a corrente

dorotea, Pomicino a corrente andreottiana e ainda Scotti e Grippo; pelo PSI, Di Donato; pelo PLI, De Lorenzo; pelo PRI, Galasso; pelo PSDI, Alberto Ciampaglia.

A Procuradoria de Nápoles colocou sob investigação todo o Pentapartido local, acusado de ter dividido licitações e privatizações no valor de mais de um trilhão em troca de propinas. Os custos das obras públicas sofriam, por causa da corrupção, aumentos assustadores, como, por exemplo, a da ampliação do Estádio San Paolo: o orçamento foi de doze bilhões, os gastos reais, 150 bilhões.

Mister Cem Mil Preferências

No comitê de negócios, o homem-chave era Alfredo Vito, conhecido como o "Mister Cem Mil Preferências" pela formidável máquina clientelista e eleitoral, que o fez o homem mais votado da cidade. Era deputado, não vereador.

No entanto, na Câmara de Vereadores, tudo girava em torno das vontades de Vito. "Dirigia a Câmara de Vereadores do seu escritório de Santa Lucia, a trezentos, quatrocentos metros da Prefeitura de Nápoles", contou Luigi Manco, ex-secretário de Limpeza Urbana e de Pessoal:

> Até mesmo as menores deliberações, tudo o que acontecia [...]. Havia momentos nos quais se dizia: "Precisa falar com Vito!". Havia inclusive deliberações que passavam por Vito: ele avaliava, dava endereços, dizia o que deveria ser feito. Vito tinha o consenso de todos, era o diretor e o árbitro dos fatos napolitanos. A Câmara de Vereadores era um zero, e nem mesmo a junta significava alguma coisa.

"A aprovação de uma deliberação importante", escreveram os juízes do Tribunal de Nápoles, na sentença sobre o escândalo das propinas para a gestão do patrimônio municipal, "durava três, quatro, cinco meses, e, no caso do Patrimônio e da Limpeza Urbana, até mesmo alguns anos [...]: os ajustes e escolhas requeriam dezenas e dezenas de encontros". Naturalmente, fora do município: em Roma, onde se reunia o comitê de negócios dos parlamentares napolitanos, ou então em Nápoles, na casa de Vito, que representava todos os outros menos importantes. Nem os vereadores podiam discordar: qualquer um que se atravessasse "não seria mais vereador". Ainda mais explícito foi o depoimento do ex-vereador socialista Silvano Masciari, lido pelos juízes:

> [Masciari] afirmou que, na cidade de Nápoles, desde 1975, portanto, durante a primeira administração de esquerda, até a junta Lezzi, de centro-esquerda, todos os partidos, com exceção do MSI, que não tinha muita importância, sempre trabalharam com objetivos definidos. Até 1983, os democratas-cristãos faziam oposição e garantiam assim todos os anos o

1993. MÃOS LEVANTADAS   247

número suficiente para aprovar o orçamento, enquanto, a partir de 1983 em diante, verificou-se exatamente o contrário: os comunistas na oposição garantiam a sobrevivência da junta [...]. Referiu, por exemplo, que naquela época "fizemos tratativas com a LTR [Linha Rápida de Bondes] em nível interpartidário; o Partido Comunista quis um percentual de 29%, já que essa era a sua representatividade quando foi feito o acordo" [...]. No âmbito do que foi dito, enquadra-se a necessidade do financiamento direto aos partidos ou aos simples componentes dos partidos, que se realizou de diversas formas, como recebimento direto, pagamento por meio de jornais ou publicidade, ou ainda das cooperativas, que sempre necessitou de um acordo entre as forças políticas [...]. Por isso, na cidade de Nápoles, nunca foi realizada nenhuma obra importante sem se passar pelo filtro dos partidos [...] e pela ótica do financiamento dos partidos.

Todos os partidos: do metrô ao estádio ("aprovado com 28 "sim" e 26 "não" à 1h30min da madrugada, quando teria sido suficiente que os comunistas saíssem do plenário para impedir sua aprovação"), da LTR às obras para a Copa do Mundo de futebol. Também em Nápoles, o associacionismo era quase impenetrável: "O financiamento ilícito", escreveram os juízes, "ocorria mediante a designação das licitações a empresários de referência dos partidos". Incluía "as empresas ligadas ao Partido Comunista, direta ou indiretamente, pela peneira da Liga das Cooperativas. [Masciari] salientou que qualquer um que precisasse realizar um negócio que interessasse à DC se dirigia a Vito, mas isso 'não significava excluir todos os outros'. Por isso, precisava ter referências também nos outros partidos". Que embolsavam dois tipos de financiamentos: "parte para o partido central de Roma, parte para Nápoles". Vito muito seguidamente recolhia o dinheiro para todos e depois dividia igualmente, segundo os votos e os apetites do momento. Concluíram os juízes na sentença:

> O comitê de negócios é uma espécie de "sociedade" que agrupa e une os principais expoentes políticos napolitanos, cuja intenção comum, que os move e os une, é obter contribuições em dinheiro; não certamente o desenvolvimento da cidade com a realização de grandes obras públicas, ou a privatização de serviços essenciais, mas, acima de tudo o "retorno" que virá, em termos econômicos, da realização da obra ou da gestão do serviço [...]. Um modo profundamente corrompido de desenvolver uma ação *latu sensu* política, não direcionada à perseguição de fins gerais, mas instrumentalizada para um fim particular, pessoal ou de partido.

Em seu comitê eleitoral, Vito conseguia receber mais de duzentas pessoas por dia: ouvia, consolava, satisfazia, indicava. Uma palavra amiga e um favor não se negavam a ninguém. Era meloso, grudento, persuasivo. Mas, quando encontrava empresários e políticos "concorrentes", transformava-se em uma calculadora viva. Como contou o empresário Alfredo Romeo, citado pelos juízes na sentença do Patrimônio Municipal: "Vito o recebeu com palavras elogiosas; por isso, ele havia exposto seu programa geral. No final da exposição, Vito fez um gesto com as mãos, como um sinal de vitória, que ele não entendeu imediatamente". Romeo pensava que o honorável quisesse dizer que estava tudo certo, que venceria a licitação. Mas se enganou. Depois, disse que queria ir ao banheiro. Em vez disso,

> era na verdade um pedido de 2% sobre o valor da licitação: Vito tinha deixado claro que sua empresa não era conhecida pelo partido e que, por isso, sem o seu apoio, não poderia vencer a licitação dos outros concorrentes [entre os quais tinha vários amigos]. Romeo, então, disse que gostaria de pensar um pouco, por isso Vito marcou outro encontro para as 16h do dia seguinte [...] em um deslumbrante escritório na Via Santa Lucia. No êxito do primeiro encontro, Romeo tinha contatado um velho amigo, expoente do PCI, ao qual tinha pedido informações sobre Vito. Tendo sabido que Vito era uma pessoa capaz de fazer com que perdesse a licitação, decidiu aderir às suas solicitações e foi comunicar a decisão.

Foi com esses esquemas que Vito, ex-funcionário da ENEL, deu início ao crescimento da DC na potente corrente dorotea (aquela de Antonio Gava, dominante no Golfo de Nápoles). Em 1985, foi eleito para o Conselho Regional da Campânia com 120 mil votos. Em 1987, entrou para a Câmara dos Deputados com 160 mil preferências. Em 1992, voltou à Câmara dos Deputados com 104 mil preferências. Depois, estourou a Tangentopoli napolitana, revelada pelos promotores Nicola Quatrano, Rosario Cantelmo e, desde 1993, por outros substitutos do novo procurador Agostino Cordova, como Alfonso D'Avino, Arcibaldo Miller e Antonio D'Amato. Vito foi um dos primeiros a cair na rede. Foi interrogado, preso e processado por vários casos de corrupção e financiamento ilícito, mas não se dobrou, nem se disse vítima de um complô. Como um bom democrata-cristão, vestiu o manto do arrependimento e colaborou com a justiça. Depois, renunciou ao cargo de deputado e escreveu aos colegas da Câmara:

> Volto para minha família, encerrei na política. Entendi que esse sistema político chegou ao fim. São necessárias novas regras que diminuam o peso opressor sobre os partidos e restituam o prestígio às instituições. O atual Parlamento não está em condições de realizar essa grande obra de saneamento, pois não representa mais a opinião pública. Também não tem condições de realizá-la uma classe política velha, que tenta desesperadamente reciclar-se. Precisa-se de uma energia fresca, com ética e cultura diversa, pronta para entender a novidade que brota do povo. Infelizmente não posso participar desse novo processo, porque fui, na minha realidade local, uma expressão do velho partido e, por isso,

considero oportuno afastar-me. Faço isso por minha livre e espontânea vontade, pedindo compreensão aos amigos que me quiseram bem, convidando também outros parlamentares a seguirem o meu exemplo, acelerando efetivamente essa renovação da classe dirigente que está acontecendo na Itália.

Na frente dos juízes, o "novo" Vito esvaziou o saco, envolveu diversos "amigos", desmascarou o comitê de negócios (ele o chamava de "o Interpartidário") e, atrás do compromisso solene de retirar-se para sempre da política, acordou dois anos de prisão e devolveu cinco bilhões de liras, usadas pelo prefeito Antonio Bassolino para construir um parque público na periferia de Nápoles, batizado pela fantasia popular como "Parque Propina". A promessa durou pouco. Em 2001, Vito candidatou-se pela Casa das Liberdades e foi reeleito deputado em Capri, com 42,6% dos votos e 35.007 preferências. Voltou ao Parlamento pela centro-direita em 2001 e em 2006. Em 2010, aliou-se ao partido de Gianfranco Fini, Futuro e Liberdade.

Poggiolini e De Lorenzo, pufe e caldeirão

Outro protagonista da Tangentopoli napolitana foi, pela sua respeitável coleção de "intimações" e condenações, Francesco De Lorenzo, conhecido antes como "Sua Sanità" e depois "Sua Malsanità". Médico (como Cirino Pomicino), era filho de Ferruccio De Lorenzo, liberal, ex-subsecretário da Saúde, inscrito na loja maçônica P2 e presidente da ENPAM (Entidade Nacional de Previdência e Assistência dos Médicos Italianos). Do pai Francesco herdou a crueldade e o sistema de poder, conseguindo tranferi-los e fazê-los fruir em Roma, nas vestes de ministro, obviamente, da Saúde. Adquiriu fama de eficiente, graças também à constante presença nos programas de TV da rede Fininvest, principalmente no *Maurizio Costanzo Show*. Uma carreira brilhante a sua, atrapalhada no início de 1993 pela prisão de seu pai e depois pelos escândalos na gestão do Ministério. O *pool* de Milão, como já vimos, descobriu que a campanha de prevenção da AIDS (trinta bilhões por ano, financiados pelo Estado) tinha se transformado em um banquete: para ter acesso aos financiamentos públicos, precisava-se pagar.

As investigações da operação Mãos Limpas apontaram também para as relações entre o Ministério e as indústrias farmacêuticas. Descobriram uma autêntica máquina para tirar dinheiro das empresas, ansiosas para que os seus remédios fossem incluídos no prontuário nacional ou para que obtivessem revisão dos preços. De Lorenzo, como contou seu secretário Giovanni Marone, era insaciável: queria dinheiro vivo, mas aceitava também depósitos em uma conta bancária aberta em Genebra. Marone foi interrogado antes por Di Pietro em Milão. Depois, tudo passou para a competência das procuradorias de Nápoles e de Roma. Exatamente em Nápoles, o faz-tudo, "arrependido", lembrou-se de um episódio que entrou no imaginário coletivo como a cena-mãe da Tangentopoli. No outono de 1992, depois de uma busca no gabinete de De Lorenzo, ele convocou parentes e colaboradores à sua casa, nas colinas de Posillipo. Queria que o ajudassem a fazer desaparecer apressadamente alguns documentos comprometedores. Assim, o ministro e seus fiéis seguidores estavam todos juntos, ao redor de um caldeirão, no qual queimavam os documentos que não deveriam absolutamente cair nas mãos dos juízes. "Se, no lugar de Marone, tivesse tido como secretário um Greganti", deixou escapar De Lorenzo em uma entrevista, "as coisas teriam seguido um rumo diferente. De outro modo, se ao lado de cada ministro e cada secretário houvesse um Marone, teriam descoberto muitos outros financiamentos aos partidos". Uma autodefesa que não comoveu os juízes, mas, evidentemente, abriu uma brecha entre os colegas.

De fato, no dia 23 de setembro de 1993, a Câmara dos Deputados rejeitou, por somente três votos (221 a 224), o pedido de prisão para o ex-ministro. No país, levantou-se uma nova onda de indignação. Insurgiu-se inclusive o presidente Scalfaro, que mais de uma vez interveio contra os presumíveis excessos da prisão preventiva: "Um voto intolerável", esbravejou o chefe de Estado. "Depois daquele voto, eu juro que, se as medidas tivessem sido tomadas, o dia teria terminado com a dissolução das câmaras."

O desdém aumentou quando se descobriu o papel que teve no escândalo da Malsanidade um altíssimo burocrata: o professor Duilio Poggiolini, diretor central do Ministério da Saúde e presidente do comitê científico que decidia sobre a inserção dos remédios no prontuário nacional. Poggiolini, inscrito na P2 como De Lorenzo *sênior*, controlou por vinte anos o mercado dos remédios na Itália, recebendo rios de dinheiro em troca da admissão dos produtos na lista dos remédios aceitos e reembolsados pelo Serviço Sanitário Nacional. Um enorme giro de bilhões: em uma década, entre 1983 e 1992, as propinas no setor farmacêutico somaram cerca de 7,5 trilhões de liras.

Poggiolini foi preso em Lausanne no dia 20 de setembro de 1993, depois de três meses como fugitivo. Nos bancos italianos e suíços, os juízes bloquearam dezoito contas bancárias referíveis a ele, em um total de centenas de bilhões. No caixa-forte de um banco napolitano, apreenderam quatro caixas repletas de moedas de ouro, libras esterlinas, krugerrands sul-africanos, ECU (unidade de conta europeia, moeda da comunidade europeia anterior ao euro) e até mesmo moedas antigas provenientes das escavações de Herculano e do Museu Arqueológico de Nápoles. Também sessenta telas de grande fama, do século 15 a Picasso, com um valor (para venda) de cinco bilhões, e ainda uma centena de barras de ouro, uma caixa de pedras preciosas, safiras, rubis, brilhantes, uma coleção de objetos de ouro e uma série de rublos de ouro do czar Nicolau II. Proverbial tornou-se o pufe da sala da casa de Poggiolini: dentro dele, foram encontrados 11,2 bilhões de BOT (Bônus Ordinário do Tesouro) e CCT (Certificado de Crédito do Tesouro). "Não imaginava que eu fosse assim tão rico", comentou, enquanto os investigadores esvaziavam os cofres de sua casa e carregavam o tesouro em um caminhão. Foi presa também sua mulher, Pierr Di Maria: passou oito meses na ala feminina da prisão de Poggioreale. O professor Duilio foi condenado em primeiro grau a sete anos e seis meses, com 29 bilhões confiscados. Sua esposa a quatro anos, com mais dez bilhões confiscados.

Sicília, "mesinha"de três pernas

No outono de 1993, na casa do procurador Borrelli, encontraram-se os dois *pools* judiciários mais famosos e temidos da Itália: o de Milão e o de Palermo. Além do dono da casa, estavam presentes Di Pietro, Colombo e Davigo, enquanto da Sicília chegaram o procurador Gian Carlo Caselli e os substitutos Roberto Scarpinato, Antonio Ingroia e Luigi Patronaggio. O objetivo era confrontar as experiências maturadas pelas duas procuradorias sobre as relações entre política e licitações. Muitos dos construtores investigados e presos em Milão tinham canteiros de obras também na Sicília: Lodigiani, Cogefar Impresit (Fiat), Calcestruzzi (Ferruzzi), Grassetto (Ligresti), cooperativas comunistas da Emilia–Romagna. Na Sicília, enquanto em Milão se desenvolvia a operação Mãos Limpas, estava em curso uma complicada investigação sobre "Máfia e licitações".

O dossiê foi aberto em 1989 por Giovanni Falcone com o jovem capitão do ROS Giuseppe De Donno. No dia 20 de fevereiro de 1991, o ROS entregou seu dossiê conclusivo. Falcone estava para deixar Palermo e ir para Roma no Ministério da Justiça. Então, passou-o para seu chefe, Pietro Giammanco. O procurador trancou-o em um cofre porque seus mais estreitos colaboradores, Guido Lo Forte e Giuseppe Pignatone, estavam empenhados em estender os memoriais do processo sobre os homicídios políticos de Palermo. O dossiê foi lido somente no final de março. Era uma bomba, muito mais do que a máfia do crime e das propinas: das páginas do documento, emergia um sofisticado sistema para o controle minucioso das licitações públicas sicilianas, realizado pela Cosa Nostra com a participação de todas as empresas, mafiosas ou "limpas", incluídas as grandes empresas vindas do Norte ou de Roma. O que estava em jogo: licitações de pelo menos um trilhão de liras. A Máfia estabelecia quem vencia ou perdia em troca de uma propina de 3%, dividida ao meio com a política. Se alguém não aceitasse, morria.

A Tangentopoli surgiu nos documentos dos investigadores palermitanos ainda antes do que em Milão. Em junho de 1991, a Procuradoria pediu a prisão de alguns protagonistas do caso De Donno: entre eles, Giuseppe Li Pera, representante na Sicília de uma empresa de Udine, a Rizzani De Eccher, e Angelo Siino, considerado o "ministro das Obras Públicas" de Totò Riina. Em meio às inúmeras dificuldades, conflitos, tensões e uma boa dose de recorrentes "venenos sicilianos", foi traçado o mapa da corrupção na ilha. A Tangentopoli siciliana desenvolveu-se sob o comando de dois sucessivos protagonistas: primeiro Siino, fortificado por suas relações com o representante andreottiano Salvo Lima de uma parte e com os homens da Cosa Nostra de outra; depois Filippo Salamone, o empresário de

Agrigento que, nos anos 1990, tornou-se o ponto de referência da "mesinha", isto é, do novo acordo entre políticos, empresários e Cosa Nostra.

Era este o cenário que, no outono de 1993, apresentava-se aos olhos dos juízes palermmitanos e milaneses, que falaram disso no encontro na casa de Borrelli, prometendo ajudarem-se reciprocamente. "Depois daquele encontro", lembra hoje Di Pietro, "fiz uma espécie de relações públicas com os advogados dos empresários que agiam tanto em Milão quanto na Sicília. Sondei se seria possível conseguir alguma abertura para me aproximar deles e tive alguns resultados". Para falar dos fatos sicilianos, os empresários pediram duas garantias: que colaborassem todos juntos, de modo que nenhum ficasse isolado e que as investigações permanecessem em Milão e não fossem transferidas para Palermo. Di Pietro não teve dificuldades para aceitar e começou uma rodada de interrogatórios (com o construtor Lodigiani, com Simontacchi, da Torno, com Panzavolta, da Ferruzzi e assim por diante) que desmascararam também as licitações no Sul da Itália.

E foi durante este trabalho que Di Pietro esbarrou com a figura de Filippo Salamone. "Já tinha pronto no meu computador um pedido de prisão cautelar contra ele", revelou. Mas ficou só no computador: o promotor, segundo o que foi acordado em Palermo, deixou que fossem os colegas sicilianos a proceder naquele caso. Filippo Salamone era irmão do juiz que, como veremos, conduziu em Bréscia quase todas as investigações contra Di Pietro. "É uma pena", disse o ex--promotor, "se o tivesse prendido em 1993, como eu queria, teria poupado tantas dores nos anos seguintes, porque assim o irmão juiz teria tido de abster-se desde logo das investigações contra mim. E a perseguição contra mim talvez não tivesse nem começado".

8. A GUERRA DOS DOSSIÊS

"Vamos para o corredor." Era o convite que cada juiz do *pool* fazia a outro sempre que tinham de discutir um assunto importante, uma nova descoberta, uma decisão delicada. Colombo disse isso seguidamente a Di Pietro assim que ele entrava na sua sala, e assim também os outros promotores "veteranos" diziam aos colegas mais jovens que entravam no pool. "Vamos para o corredor." Era o corredor da Procuradoria, no quarto andar do Palácio da Justiça, a verdadeira sala de reuniões da operação Mãos Limpas. Por precaução, para estarem seguros de que nenhuma escuta pudesse captar os segredos que os juízes tinham a conversar. No verão, o corredor podia ser substituído por algum jardim interno do Palácio. No final, quase sempre o ponto de chegada era a sala de Borrelli. Alguns sinais inquietantes chegaram já em 1992, e também as revelações que foram acrescentadas nos anos seguintes demonstraram que as precauções nunca eram demais: realmente havia em torno do *pool* um esquema subterrâneo de coleta de informações, de elaboração de dossiês, de venenos. Foram principalmente dois os acontecimentos desse tipo que amadureceram em 1993: as polêmicas sobre as presumíveis proteções judiciárias milanesas ao "estacionamento da Máfia" e um dossiê contra Di Pietro publicado pelo jornal *il Sabato*.

A descoberta do estacionamento da Máfia foi um dos casos policiais (não resolvidos) mais inquietantes da história judiciária italiana. Tudo começou no sábado 17 de outubro de 1992, quando desembarcaram em Milão 150 homens do GICO de Florença (o Grupo Investigativo sobre a Criminalidade Organizada da Guarda de Finanças) e do SISDE (Serviço de Informações e Segurança Democrática) de Roma (onde atuava Bruno Contrada). Foram para a Via Salomone e chegaram em uma vasta área nos arredores do aeroporto de Linate destinada a um estacionamento privado. Lá, afirmavam, era a central operativa da Máfia no Norte, onde atuavam os homens do clã catanês dos Cursoti, ligado a Nitto Santapaola, e de uma quadrilha de criminosos. Lá se organizava o tráfico de armas e drogas, com a cumplicidade dos homens da política e a proteção da polícia. Entre os investigados estavam Giovanni Salesi, considerado o principal membro da organização, o maçom e expoente social-democrata Angelo Fiaccabrino e alguns policiais da Delegacia de Monforte (aquela onde Di Pietro também havia trabalhado em 1980 como vice-comissário). De lá, segundo os investigadores diretos da Procuradoria de Florença, teria partido a ordem para matar o próprio Di Pietro.

No outono de 1993, um ano depois da blitz, explodiu o "caso estacionamento". Um colaborador de justiça, Salvatore Maimone, relatou aos promotores antimáfia de Milão, Maurizio Romanelli e Roberto Aniello, que, em Florença, os homens do GICO lhe haviam feito, em off, perguntas comprometedoras sobre alguns juízes milaneses. O material para as perguntas tinha sido tirado de um relatório do GICO que atirava para todos os lados: contra Francesco Di Maggio, acusado de ter salvo os mafiosos da Via Salomone em 1984; contra Alberto Nobili, acusado de ter encoberto o responsável por um assassinato; contra Armando Spataro, acusado de ter tolerado os grupos criminosos; enfim, contra Antonio Di Pietro, acusado de ter fechado um olho quando era ainda policial.

As acusações foram desmontadas, uma a uma, mas, enquanto isso, a lama começava a jorrar. Seguiu-se um duro conflito entre as procuradorias: Borrelli de um lado e do outro Piero Luigi Vigna, procurador de Florença. Depois chegou a absolvição para todos os juízes frente ao Tribunal de Bréscia, que falou de "montagens sem dignidade". Seguiu-se uma longa trégua armada. Ninguém, porém, conseguiu explicar por que os oficiais do GICO tinham tentado envolver os juízes milaneses na investigação. O único fato certo é que exatamente o GICO de Florença, como veremos, em 1996 tentou novamente encurralar o pool, acusando os promotores, e Di Pietro particularmente, de terem favorecido Pierfrancesco Pacini Battaglia.

A operação, em suma, foi de longa duração e teve muito fôlego. Não produziu resultados imediatos; no entanto, plantou a semente da dúvida: era só esperar que brotasse. Foi esta também a técnica usada para a "mãe de todos os dossiês" contra Di Pietro: uma investigação jornalística que, naquele momento, passou quase despercebida, mas que, em 1994–95, serviu de base para dezenas de investigações penais e administrativas contra a operação Mãos Limpas.

A mãe de todos os venenos

No dia 13 de julho, as agências de notícias anteciparam um dossiê que seria publicado no dia 17 pelo jornal Il Sabato, ligado à Comunhão e Liberação (CL) e ao representante romano da corrente andreottiana Vittorio Sbardella: dezesseis páginas e quatorze documentos para tentar demonstrar que Di Pietro não era nenhum santo.

Começavam com fatos do passado, desde o julgamento negativo assinado no fim dos anos 1980 pelo procurador e pelo Conselho Judiciário de Bréscia após sua experiência de auditor em Bérgamo: Di Pietro foi acusado de "protagonismo" e "métodos excessivamente inquisitórios", além de "pouca retidão nas relações com a Polícia Judiciária". Outro acontecimento do passado: em Bérgamo, Di Pietro teria "esquecido na prisão" um detento, Fausto Tombini, sem interrogá-lo. Um capítulo foi dedicado às suas amizades e relações na época da "Milão festiva": Prada, Radaelli, Dini, Bitetto, Radice Fossati e, principalmente, o incorporador imobiliário Antonio D'Adamo, que teria fornecido a Di Pietro "um telefone celular, que ainda hoje está no nome de sua empresa, a Edilgest". Entre os amigos do promotor indicados no dossiê havia também dois advogados, Giuseppe Lucibello e Giuseppe Pezzotta, e dois policiais: o futuro prefeito Achille Serra e o ex-funcionário da DIGOS Stefano Eleuterio Rea. Il Sabato escreveu que Di Pietro fazia parte da comissão que depois nomeou Rea comandante dos guardas municipais de Milão. Deixou a comissão, é verdade, antes que fosse concluída a nomeação, mas não antes que "o perfil do justo candidato tivesse sido traçado".

E não era só isso: segundo Il Sabato, as investigações de Di Pietro pré-operação Mãos Limpas estariam cheias de erros. Naquela, por exemplo, sobre as "prisões de ouro", teria evitado investigar Prada, Chiesa, a DC e o PSI milaneses e o jornal *l'Unità*. Esquecimentos culpáveis, insinuava o dossiê, também na investigação sobre as propinas da ATM: depois de ter apreendido, junto ao então funcionário da delegacia Rea, um caderninho com a contabilidade das propinas, os dois "parecem fingir que não sabem" quem estava por trás da sigla "ELEUT" e que atrás das siglas "RIV" e "RAD.LI" "se escondem os nomes do democrata-cristão Luciano Riva Cambrin e do socialista Radaelli. Di Pietro inicialmente não pode deixar de incriminá-los, mas no fim consegue chegar a uma conclusão clamorosa: pedido de arquivamento". Radaelli teria depois se livrado, cedendo a Di Pietro, com o aluguel subsidiado, um apartamento da Cariplo na Via Andegari, atrás do teatro Scala de Milão, utilizado também por seu filho Cristiano. Também a investigação sobre as carteiras de motorista fáceis teria tido uma grande carga de irregularidades: Di Pietro teria sugerido aos Carabinieri experts em informática que o tinham ajudado nas investigações fundar uma empresa especializada em software, a ISI,

que depois foi "empurrada" pelo juiz para o Ministério da Justiça, para encarregar-
-se de informatizar os escritórios judiciários italianos.

Também na operação Mãos Limpas, escreveu *il Sabato*, continuavam os "tratamentos de favor do juiz Di Pietro" com os amigos: "Radaelli não passa nem um
minuto na prisão", "Prada, menos sortudo, passou uma noite em San Vittore",
Carlo Radice Fossati "menos de um dia".

Assim que foi informado do dossiê, Borrelli ligou para Di Pietro, que voltava da Espanha. O promotor lhe garantiu: "As minhas amizades eram totalmente
lícitas e sem segundas intenções. Quanto às acusações, a única meia verdade diz
respeito ao celular, mas usava-o minha mulher, que tinha contratos regulares de
consultoria com D'Adamo. Às vezes, pedia para ela me emprestar, durante os primeiros meses da investigação da operação Mãos Limpas. À época, a Procuradoria
ainda não tinha me dado um celular". Depois, na frente dos jornalistas, ficou de
boca fechada. "Nada a declarar."

Em seu lugar falou Borrelli: "O dossiê é uma diligente coleção de todas as
insinuações, de todas as fofocas, de todas as calúnias que há um ano circularam
por aqui em relação ao colega, com o único objetivo de manchar, pela imagem
do juiz, os resultados obtidos por ele e pelos outros substitutos nas investigações
sobre corrupção. Fofocas, vulgaridades, insinuações, calúnias, mentiras. Confirmo
minha confiança no valoroso colega Di Pietro. É uma vergonha". Borrelli refutou
também as teses de *il Sabato* ponto a ponto. O parecer negativo de Bérgamo "foi
derrubado pelo CSM com 23 sim e somente uma abstenção". Quanto às siglas,
"ELEUT" não se referia a Eleuterio Rea, "mas a Giuseppe Eleuteri, que foi regularmente remandado a juízo". A sigla "PRADA", no processo sobre as "prisões de
ouro", não se referia a Maurizio Prada, mas a um seu homônimo encarregado de
cuidar do avião pessoal do arquiteto De Mico. O telefone celular de D'Adamo
estava sendo usado pela mulher de Di Pietro, que trabalhava como advogada para
o incorporador imobiliário. Outros desmentidos foram feitos por Antonio Lombardi, juiz instrutor do processo sobre as "prisões de ouro": quase todas as siglas
"foram decodificadas". E o detento "esquecido" na prisão? Di Pietro não pôde interrogá-lo porque, naquele dia, tinha se oferecido como refém para uma quadrilha
de marginais no lugar de uma menina que tinha sido sequestrada.

Sombras vermelhas sobre Di Pietro

Quem havia armado aquele quebra-cabeça de venenos, mentiras e meias verdades?
A matéria de *il Sabato* foi assinada por Roberto Chiodi, um jornalista romano que,
depois de ter trabalhado em *l'Espresso*, seguiu outros caminhos: durante algum
tempo, dirigiu *il Sabato* (que foi logo fechado); depois, passou para La Voce e para
Il Tempo; e, enfim, foi chamado para a direção de Il VeLino, a agência pró-Ber-
lusconi fundada por Lino Jannuzzi. Quais eram as fontes de Chiodi? Foi o que se
perguntaram, indiretamente, as investigações da Procuradoria de Bréscia sobre os
dossiês "filhos" e "netos" daquele de *il Sabato*, mas sem conseguir esclarecer nada.

Sobre os mandantes da operação, o próprio Di Pietro conduziu investigações pessoalíssimas que chegaram a algumas conclusões, partindo exatamente da estrutura acionária do jornal. Naquele verão de 1993, em graves dificuldades econômicas, *il Sabato* estava mudando de dono, passando para o controle de Alfio Marchini, amigo de Massimo D'Alema, herdeiro de uma das mais famosas famílias de construtores da capital, aliada ao PCI–PDS (o avô Alfio havia cedido ao partido o edifício da Via delle Botteghe Oscure). Coincidentemente, quando diminuíam os tons anticomunistas, naquelas semanas *il Sabato* clamava por um "governíssimo" DC–PCI–PSI, uma espécie de união sagrada das "grandes forças populares" contra os obscuros complôs da Mediobanca e da "economia internacional laica e maçônica" que estariam por trás da operação Mãos Limpas.

Assim que saiu o dossiê, no dia 15 de julho, Roberto Formigoni, expoente político mais vistoso da Comunhão e Liberação, declarou: "il Sabato não faz referência a mim, nem ao Movimento Popular, nem à Comunhão e Liberação. Pelo que me consta, *il Sabato* é um jornal livre e independente, com uma direção definida, que me parece ter sido recentemente enriquecida com um novo participante. No mais, notei que a matéria sobre Di Pietro foi assinada por Chiodi, um conhecido jornalista que acredito pertença ao grupo do PDS". O "novo participante" era, a propósito, Alfio Marchini na estrutura acionária. E foi exatamente Marchini quem "indicou" Chiodi como novo diretor. Hoje, Di Pietro está convencido que se deva dar crédito àquela declaração de Formigoni: "Acredito mesmo que da preparação do dossiê, ou ao menos de sua publicação, tenham participado pessoas muito próximas ao PDS, mesmo que não consiga dar um rosto e um nome ao mandante final". Também o contexto daquela operação foi, segundo ele, significativo: "Estávamos no verão de 1993: Greganti tinha recém-saído da prisão, após o primeiro dos dois períodos de custódia cautelar, e nós, do *pool* de Milão, estávamos ocupados com a maxipropina da Enimont, da qual uma fatia (o famoso bilhão de Raul Gardini) tinha terminado com uma misteriosa entidade dentro do PCI. Nós não sabíamos ainda, como não poderíamos saber, o que estava nos escondendo Greganti, mas, no PCI, alguém sabia de tudo e temia pelas consequências das nossas investigações".

Di Pietro não identificou com certeza absoluta quem materialmente tenha recolhido e organizado os documentos do dossiê. Por isso, não disse nada. "Mas sei como aquele pacote pré-confeccionado chegou à redação de *il Sabato*, quem quis publicá-lo e por quê." Quem lhe explicou foram don Giacomo Tantardini e Marco Bucarelli, líderes incontroversos da Comunhão e Liberação em Roma. Tantardini era o braço direito de don Luigi Giussani, o fundador da CL. Bucarelli, preso em 1993 por corrupção agravada na investigação sobre as propinas da Universidade La Sapienza e reenviado a juízo em 1996 sob a acusação de extorsão também por um outro fato (presumíveis propinas da Universidade Tor Vergata que terminaram em parte, segundo a acusação, exatamente com *il Sabato*), aderiu em 2002 à Democracia Europeia, o partido de Sergio D'Antoni e Giulio Andreotti.

1993. MÃOS LEVANTADAS

Di Pietro encontrou-os na primavera de 2000 para conhecer a verdadeira história daquele dossiê. "No fim, don Tantardini e Bucarelli me autorizaram a relatar sua história." Era a seguinte:

Nos últimos meses de 1992, *il Sabato* navegava financeiramente em péssimas águas. Sbardella tornou-se um dos símbolos das Tangentopoli romana e milanesa, e suas relações com o chefe Andreotti se deterioravam. Andreotti, sempre segundo o que me asseguravam as minhas duas "testemunhas", aconselhou então os amigos da CL a "desgarrarem-se" da relação comprometedora com Sbardella. Assim, Bucarelli foi bater à porta do PDS para conseguir novas relações políticas e novas alianças, bem como para encontrar novos financiadores para o jornal. "Pensávamos", disse-me Bucarelli, "que fosse iminente a realização das reformas institucionais pelo governíssimo e nós da CL tentamos agarrar também o lado esquerdo".

A primeira abordagem, prosseguiu Di Pietro, veio no final de 1992:

Bucarelli, acompanhado pelo então diretor de Il Sabato, Alessandro Banfi, foi falar com D'Alema, então líder do PDS na Câmara. O encontro foi em Montecitorio, na sede do grupo parlamentar. Bucarelli mostrou que, para relançar o jornal, precisaria de um sócio em condições de investir de três a quatro bilhões de capital. Outros tantos teriam investido as empresas amigas da CL (aquelas da Companhia das Obras). D'Alema, segundo o que me disse Bucarelli, respondeu que tinha um sócio já pronto: Marchini. "É um amigo meu", disse D'Alema, "e é como se eu mesmo fizesse a operação. O partido não tem nada a ver com isso". E, de fato, alguns dias depois, Marchini recebeu a visita de D'Alema, Bucarelli e Tantardini e aceitou entrar na companhia acionária de Il Sabato, mas com uma condição: que antes o jornal se liberasse de Sbardella (ainda presidente do Conselho de Administração). Dito e feito. Bucarelli, com certa dificuldade, convenceu o "Tubarão" a pedir demissão. Depois, as tratativas se interromperam por um período, até mesmo porque Bucarelli foi preso (por um caso de financiamentos a Il Sabato feitos por Francesco Gaetano Caltagirone, também acionista do jornal). Os contatos foram retomados quando ele voltou à liberdade. Por solicitação de Marchini, decidiu-se colocar em liquidação a velha sociedade editorial e abrir uma nova, com quotas de 40% para Marchini e de 60% para a Companhia das Obras (a associação das empresas ligadas à CL). Houve então uma nova pausa em função de uma nova prisão de Bucarelli, que, naquela ocasião, entre prisão fechada e prisão domiciliar, cumpriu três meses. Enquanto isso, Marchini acrescentava outra condição: que Roberto

258 OPERAÇÃO MÃOS LIMPAS

Chiodi se tornassse chefe da crônica judiciária do jornal. "É um amigo", teria dito Marchini' "muito informado e demitiu-se de *l'Espresso* para vir trabalhar conosco em *il Sabato*".

Foi isso que aconteceu. Estávamos já na primavera de 1993. E Di Pietro prosseguiu, sempre citando os dois dirigentes da CL:

> Um dia, Marchini avisou don Tantardini (e, através dele, Bucarelli, sempre em prisão domiciliar) que Chiodi tinha um grande furo jornalístico nas mãos para publicar em *il Sabato*. Um furo que tanto Tantardini quanto Bucarelli negaram que tivesse sido realizado pela redação do jornal. Tratava-se de um dossiê sobre a minha vida privada, que tinha chegado lá trazido em mãos por Chiodi, sem que ninguém soubesse de onde tinha saído. Bucarelli e don Giacomo ficaram perplexos. O sacerdote foi encontrar Andreotti e aconselhou-se com ele. Andreotti desaconselhou a publicação do dossiê: "Seria inoportuna e contraproducente, don Giacomo, estejam atentos. Às vezes, estas coisas não têm um resultado objetivo, às vezes a verdade é diferente". Don Giacomo voltou a encontrar Marchini e explicou-lhe suas perplexidades. Marchini, porém, estava irredutível: ou saía o dossiê, e então ele teria até 55 % da sociedade editorial de Il Sabato, ou não se fazia mais nada. O padre continuou o vaivém entre Bucarelli, ainda em prisão domiciliar, e Marchini para desembaraçar a situação, até mesmo porque, naquele meio-tempo, o jornal tinha gasto as últimas liras e estava por fechar.

Em junho de 1993, contou Di Pietro, houve o encontro decisivo:

> As minhas duas testemunhas me asseguraram que Marchini mostrou claramente para don Giacomo que quem queria publicar o dossiê era o próprio Massimo D'Alema. Este teria dado ao amigo construtor uma motivação bem precisa: "Se não publicarem o dossiê, diminuirá nosso interesse político na operação". Então, afundado em dívidas, Il Sabato publicou o dossiê de Chiodi. Apesar disso, Marchini desembolsou somente algumas centenas de milhões ao invés dos quatro bilhões prometidos, e o jornal teve de fechar de qualquer modo. Não antes, porém, de um último encontro na casa de Marchini, no final do verão de 1993: naquela vez, estava presente novamente D'Alema, e Marchini solicitou, como última condição para entrar maciçamente na propriedade do jornal, a nomeação de um novo diretor: Rocco Buttiglione. Aquilo era demais até mesmo para os líderes romanos da CL, que não queriam mais relações com o filósofo ex-membro da CL, há tempo em rota de colisão com o movimento pelas alianças imprudentes. Então, preferiram fazer *harakiri*.

A história de Di Pietro, confirmada por Bucarelli aos autores deste livro e também em algumas entrevistas públicas, foi publicada pela primeira vez na revista *Micromega*, em outubro de 2000. D'Alema se revoltou, dizendo que sempre apoiou a operação Mãos Limpas: "Di Pietro transformou a suspeita da sua fonte, ou seja, Bucarelli, em uma acusação. Quem faz operações deste tipo deveria estar mais atento". "Não acredito que D'Alema não soubesse nada sobre aquele dossiê", rebateu Bucarelli. "Que tenha ele dado a ordem para fazê-lo, não posso dizer. Suspeitamos disso, mas não posso dizer."

Marchini apresentou uma denúncia por difamação contra Bucarelli. A Procuradoria de Roma abriu uma investigação, e, em janeiro de 2002, a promotora Vittoria Bonfanti começou a ouvir todos os protagonistas do fato. "Era o que eu esperava", diz hoje Di Pietro, "quando divulguei os resultados de minha investigação. Esperava que alguém envolvesse a magistratura, que podia investigar com poderes que eu não tinha. E, no final, talvez um juiz descobrisse quem tinha fabricado o primeiro dossiê contra mim e contra o pool. Quem, junto com Craxi, tinha feito o primeiro artifício para desarticular a operação Mãos Limpas no seu momento crucial".

O novo que avança

O ano mais longo da operação Mãos Limpas, o ano dos novos massacres político-mafiosos, o último da Primeira República, chegava ao fim. A Itália, à direita e à esquerda, esperava virar a página. Sonhava com uma nova política, feita com homens e métodos novos. Naquele clima grave, mas eletrizante, um homem novo e velho ao mesmo tempo, empresário televisivo de sucesso, grande amigo de Craxi e da DC, ligado aos ambientes mafiosos por meio de Dell'Utri, gênio do marketing e sócio daquela incubadora de negócios e de eversões que foi a P2, apresentou-se para ocupar a cena política em primeira pessoa. Órfão de padrinhos e referenciais políticos, perseguido ou atingido pelas investigações dos juízes de Milão, Turim, Roma e Palermo, afundado no abismo das dívidas empresariais, Silvio Berlusconi jogou sua última cartada e lançou o desafio extremo: criar um partido.

No dia 9 de dezembro, estava em Grugliasco, na neblina da periferia de Turim, para inaugurar o Centro Comercial Le Gru, que naqueles mesmos dias foi notícia das crônicas pelo enésimo escândalo de propinas. Na arquitetura pós-moderna da maior shopville da Itália, o *Cavaliere* pronunciou seu primeiro discurso completo como líder, um mix de negócios, política e justiça:

> Estou tecendo uma tela. Certo, os novelos são aqueles que tenho à disposição, não dependem de mim. Tenho esperança, mas reconheço que não será uma tarefa fácil. Estou ainda trabalhando na esperança de chegar a um consenso invocado por todos, mas pelo qual ninguém faz nada. [...] Eu, apaixonado pela política? Nem um pouco, sou apaixonado pelo meu ofício de empresário.

Apesar disso, o dever o chamava. Uma autêntica missão. Para impedir que a esquerda, doente "de dirigismo e estatismo", chegasse ao governo: "Occhetto? Não acredito nas conversões interesseiras de última hora. Com o PCI e o PDS tenho uma longa história de relações, e vejo bem os fatos. E os fatos me dizem para não confiar".

Também a direita, tal como era, parecia-lhe inutilizável. Pelo menos foi o que ele disse:

> Nunca falei de uma aliança democrática da qual deva fazer parte o Movimento Social. [...] Há definições que representam um fato altamente negativo para certas forças políticas cujo democratismo ainda se discute. Acredito que uma formação política que queira apresentar-se como consenso não possa se permitir dar aos adversários uma arma injusta, mas fácil demais de usar.

Parecia um parcial retrocesso sobre a investida de um mês antes contra Gianfranco Fini pelas eleições municipais de Roma, mas era pura aparência. Fez depois uma menção à Liga, que teve sua virgindade recém-maculada pelas acusações de Sama no processo Cusani. "É errado", absolveu o *Cavaliere*, falar de propinas na Liga. O financiamento ilícito aos partidos é outra coisa, e já foi aprovada uma lei que inocenta a falta de comunicação dos financiamentos". Não era verdade, mas Berlusconi tinha uma visão bem original sobre o assunto. Não podendo escapar das perguntas sobre a investigação pelas propinas do hipermercado que estava inaugurando, respondeu:

> A corrupção não é do nosso estilo, não está no nosso sistema. Nunca vendemos nem um botão para o Estado ou a administração pública. Portanto, sempre estivemos longe de qualquer tentação. Há, ao contrário, empresários que pagaram para vender ao Estado ou a uma entidade paraestatal alguma coisa a preços mais altos do que os de mercado, alguma coisa obsoleta, que depois seria deixada em um depósito. E essa é uma coisa condenável também moralmente.

Estava falando, para quem não tivesse entendido, do inimigo de sempre, Carlo De Benedetti, que, por ironia do destino, foi investigado em Roma em companhia de alguns altos dirigentes do grupo Fininvest na megainvestigação sobre as presumíveis propinas para o Ministério do Correio.

Na capital, como já vimos, a Fininvest estava em apuros pelo discutível plano das frequências televisivas. O juiz das investigações preliminares tinha recém-rejeitado os pedidos de prisão para Letta e Galliani, mas o Tribunal da Liberdade acolheu o recurso da Procuradoria para a prisão somente de Letta. "Recorreremos à Cassação", anunciou Berlusconi, "mas Galliani foi inocentado: começamos então a obter justiça". No mais, insistiu, "não há grupo menos vigiado do que o nosso. A

1993. MÃOS LEVANTADAS   261

lei Mammì nos obrigou a uma diminuição. Lutamos durante quatorze anos contra uma corrente de propriedade dos partidos. Realizamos um milagre: melhoramos a qualidade de vida dos italianos, enriquecemos a pluralidade das informações". Era injusto, portanto, abandonar o controle da TV: "Se tivesse de entrar para a política, seria uma injustiça impedirem-me de continuar sendo um editor". Depois, arriscou uma ousada comparação, parafraseando um jornalista do *Unità*: "O seu partido, por exemplo, por que não fecha o *Unità*?".

Ao final de sua explanação, Berlusconi cedeu a palavra ao prefeito do PDS Domenico Bernardi (o mesmo que foi preso uma semana mais tarde por corrupção) e depois ao padre de Grugliasco, que benzeu o novo euromercado e, no final, recitou o Pai Nosso. Fedele Confalonieri, em silêncio ao lado de Berlusconi, fez uma careta cínica: "Ouviu? Perdoai as nossas dívidas. Tempos difíceis...".

Era nesse clima que Berlusconi se movimentava enquanto realizava os últimos preparativos para a entrada em campo. Um projeto político no qual Marcello Dell'Utri, como já vimos, trabalhou de maio a junho de 1992, quando ficou claro que o velho sistema dos partidos ao qual a Fininvest se referia corria o risco de ruir.

Por isso, ele engajou o ex-consultor da Publitalia Ezio Cartotto para estudar a iniciativa política da Fininvest. A operação, rebatizada "projeto Botticelli", foi após detalhada nos pormenores pelo próprio Cartotto.

O "consultor" trabalhou por meses a ritmo lento até que, no final do ano, chegou o OK do *Cavaliere*. Assim, nos primeiros meses de 1993, Cartotto instalou-se em um escritório no oitavo andar do Edifício Cellini, sede da Publitalia em Milão 2. Somente Berlusconi e Dell'Utri estavam a par de suas exatas tarefas. Às 18h de domingo 4 de abril, Cartotto participou de uma reunião na Villa San Martino de Arcore com o *Cavaliere* e Craxi. Com dez intimações judiciais nas costas e não mais secretário do PSI, Bettino deu o caminho ao amigo Silvio:

> Você precisa encontrar um slogan, um nome novo, um símbolo, algo que possa unir os eleitores moderados que votavam no Pentapartido. Com a arma das televisões que você tem em mãos, podendo fazer uma propaganda intensa, basta que organizar um slogan, uma embalagem. Você tem homens capazes em toda a Itália, pode conseguir recuperar aquela parte do eleitorado que está revoltada, confusa, mas também decidida a não ser governado pelos comunistas, e salvar o que for salvável.

Conforme as lembranças de Cartotto, Craxi já havia entendido que o PSI e todo o Pentapartido tinham terminado; não serviam para mais nada. Precisava ser criada uma nova sigla, uma nova "embalagem" que seria imposta com a "arma" das televisões. Berlusconi, ao invés, pelo menos segundo a história de Cartotto, parecia ainda desorientado:

> Estou exausto. Vocês me deixaram com dor de cabeça. Confalonieri e Letta me dizem que é loucura entrar para a política e que me destruirão,

que farão de tudo, furungarão em todos os documentos e dirão que sou um mafioso. O que devo fazer? Às vezes, chego até a chorar debaixo do chuveiro.

Também a Cosa Nostra, como já vimos, procurou novas referências políticas para preencher o vazio deixado pela Tangentopoli. E, por acaso, mas, nas agendas de Dell'Utri havia o registro de dois encontros nos dias 2 e 21 de novembro de 1993, na sede milanesa da Publitalia, com um tal de "Mangano". Segundo a Procuradoria e o Tribunal de Palermo, tratava-se do chefe mafioso Vittorio Mangano, antigo "caseiro" na mansão de Arcore, que encontrava Dell'Utri exatamente quando nascia o Força Itália. Segundo a Corte de Apelo de Palermo e o próprio Dell'Utri, aquele Mangano era somente um homônimo do seu amigo chefe mafioso.

Depois de meses de vai-não-vai, no dia 9 de dezembro, em Grugliasco, enquanto pronunciava o discurso político-comercial-judiciário no Centro Comercial Le Gru, o *Cavaliere* não tinha mais dúvidas. Sabia que não podia voltar atrás. As cartas já estavam dadas. O grande trabalho de bastidores tramado por Dell'Utri para construir a nova trajetória política da Fininvest estava para começar oficialmente com a "entrada em campo".

Talvez Berlusconi não soubesse que, nos primeiros dias de outubro, em frente a Di Pietro e depois em 25 de novembro, diante do promotor torinense Maddalena, o amigo Bettino havia repetido afirmações que soaram para ele, aspirante a "homem novo" da política italiana, como um chamado à cumplicidade. Craxi de fato escreveu em seu dossiê:

> Os maiores grupos econômicos deveriam dizer a verdade sobre as práticas seguidas há muito tempo e afrontar a realidade da situação que foi criada, ao invés de esconder-se, como pelo menos uma parte deles continua a fazer. No que diz respeito à iniciativa privada, refiro-me evidentemente, antes de tudo, aos grandes grupos de importância nacional e internacional, que de várias formas, diretas e indiretas, financiaram ou agilizaram os partidos políticos e, também pessoalmente, expoentes da classe política. Da Fiat à Olivetti, da Montedison à Fininvest.

Quem sabe se o procurador Borrelli pensava também naquela última palavrinha, Fininvest, quando, no dia 20 de dezembro de 1993, advertiu os políticos em uma entrevista ao *Corriere della Sera*:

> Sabemos que certas coincidências podem provocar danos, mas o que podemos fazer? Acho que nada mesmo. E gostaria de me dirigir a quem fará a política amanhã. Quem quiser candidatar-se, que olhe para dentro de si. Se estiverem limpos, vão em frente tranquilamente, mas quem souber que guarda esqueletos no armário, vergonhas do passado, abra o armário e se retire. Retirem-se, eu digo, antes que nós cheguemos.

1994.
MÃOS ATADAS

"A Itália está renascendo." O ano de 1994 começou com o eco da mensagem de São Silvestre pelo chefe de Estado, Oscar Luigi Scalfaro. Havia uma expressão, camuflada entre as tantas do discurso presidencial, que dará sorte: "Este é o milagre italiano, que de tanto em tanto se repete". Scalfaro referia-se à reconstrução da Itália, arruinada pelas devastações, mas outro "milagre italiano" logo apareceu em outra mensagem à nação: aquela pronunciada por Silvio Berlusconi para anunciar, em rede nacional, a sua "entrada em campo".

O presidente Scalfaro dissolveu as câmaras no dia 16 de janeiro e fixou as eleições antecipadas para os dias 27 e 28 de março. A partir daquele momento, os jogos políticos tiveram uma brusca aceleração. No dia 18, Mino Martinazzoli fechou a DC e abriu o PPI (Partido Popular), exatamente enquanto Clemente Mastella, Pierferdinando Casini, Ombretta Fumagalli Carulli, Francesco D'Onofrio e toda a ala direita do partido o abandonavam para fundar o CCD (Centro Cristão Democrático). No dia 22, realizou-se o congresso de lançamento da Aliança Nacional sobre as cinzas do velho Movimento Social Italiano (MSI). No dia 23, o congresso da Refundação Comunista elegeu como secretário Fausto Bertinotti no lugar de Sergio Garavini. No dia 24, a Liga Norte aliou-se aos ex-DC Mario Segni e Rocco Buttiglione, mas assinou o pacto somente Maroni, e, no dia 25, Bossi o repudiou, preferindo a aliança com Berlusconi: aparentemente, este oferecia mais. É verdade que o *Cavaliere*, por sua vez, aliou-se com a AN de Gianfranco Fini, mas Bossi foi categórico: "Não faço acordo nem com facistas, nem com quem faz acordo com facistas. Nunca". Acabou por fazê-lo com ambos. O Patto Segni agregou-se ao PPI no bloco do Centro. Achille Occhetto encabeçou o front dos Progressistas (PDS, Refundação Comunista, Verde, Rede, Cristãos-Sociais).

Em 26 de janeiro, foi divulgado o anúncio de Berlusconi aos italianos. Nove minutos de vídeo, em um ambiente sabidamente construído em uma cabana do parque de Arcore, entre luzes difusas, cores em tons pastel e o filtro antirrugas conhecido como "meia de nylon" na câmera para suavizar a imagem. O ataque: "A Itália é o país que eu amo". A conclusão: "Digo que podemos, que devemos construir juntos, para nós e para nossos filhos, um novo milagre italiano". No meio, um explícito distanciamento da classe política da Tangentopoli, destruída não pelos juízes golpistas (como dirá em seguida), mas simplesmente pelos próprios delitos:

A velha classe política foi corroída pelos fatos e superada pelos tempos. A autodestruição dos velhos governantes, achatados pelo peso da dívida pública e do sistema de financiamento ilegal dos partidos, deixa o país despreparado e incerto, no momento difícil da renovação e da passagem para uma nova república.

No dia 6 de fevereiro, houve o desfile na primeira convenção, na Palafiera de Roma, em frente a 1,6 mil militantes dos clubes do Força Itália vindos de todas as partes do país. Muitos dos quais, nos últimos dois anos, desfilaram mais de uma vez na frente do Palácio da Justiça de Milão, exaltando a operação Mãos Limpas e maldizendo os "ladrões de Estado". Berlusconi pensava neles quando anunciou: "Chega dessa velha política: queremos uma política diferente, nova, limpa! Somos a Itália que economiza contra a Itália que rouba. Somos a Itália da gente de bem contra a Itália dos velhos partidos". E, no fim, o triunfal karaokê com o hino do Força Itália. Poucos notaram um versinho vagamente revisionista: "Nós reescreve-remos a história". Muitos, porém, notaram Tiziana Parenti, que tinha se demitido do *pool* – não do judiciário – apenas dois dias antes e já estava ali, cantando o hino aos berros (em setembro de 1993, "Titti" indagava sobre as manobras da Finin-vest para impedir, no final dos anos 1980, a publicação da primeira biografia não autorizada de Berlusconi: da sua indagação, não se soube mais nada). O *Cavaliere*, na onda do entusiasmo, apresentou-a à multidão como "a nossa futura ministra da Justiça". Depois, porém, os fatos ocorreram de um modo diverso.

Ainda não havia espaço, naquele batalhão, para o ataque à operação Mãos Limpas. Ao contrário, tudo soava como novo e inovador. Nenhum personagem do velho regime. Até mesmo Mastella e Fumagalli Carulli, dizia Berlusconi aos seus seguidores, "passam uma imagem de velho" e eram todos colocados em segundo lugar.

1. A JUSTIÇA NA URNA

A campanha eleitoral foi breve, mas contaminada. Provas e suspeitos, revelações e falsidades judiciárias se amontoavam e se repetiam, mas atingiram um pouco a todos. E, ao final, como se diz dos erros dos árbitros no futebol, tudo se equili-brou. O primeiro alvo foi o PDS. O *Giornale*, que há pouco tempo havia passado ao controle de Vittorio Feltri, após o violento ataque de Montanelli, imprimiu em primeira página uma fotografia de Occhetto em um barco em Capalbio: as legen-das acusavam o líder do PDS até mesmo de andar "de barco com os mafiosos". Depois, vimos, na rabeira do processo Cusani, os últimos lampejos de memória de Carlo Sama, que, em dezembro de 1993 envolveu Bossi no caso dos 200 milhões retirados por Patelli. Agora, no dia 7 de fevereiro de 1994, falava sobre o bilhão que Gardini teria entregue pessoalmente a Botteghe Oscure (os comunistas).

Poucos dias após as acusações de Sama ao PDS, foi a vez da Fininvest. Em Milão, amadureciam os frutos de algumas investigações abertas há muito tempo contra o grupo Berlusconi, que, como todos os conglomerados empresariais, estava na mira do *pool* desde 1992, por diversos motivos. No dia 11 de fevereiro, enquanto Cusani confirmava em um dossiê que Gardini pagou inclusive às oposições, o *pool* obteve três prisões, mais bipartidárias impossível: o gerente da Fiat, Antonio Mosconi, pelo pagamento de propina de 200 milhões aos expoentes do PDS de Veneza, Renato Morandina e Cesare De Piccoli ("dinheiro", está escrito na ordem de prisão, "destinado à campanha eleitoral da corrente política vêneta chefiada pelo honorável Massimo D'Alema"); Giovanni Donigaglia, presidente da Coperativa de Construtores de Argenta, por 350 milhões ilícitos à DC; e Paolo Berlusconi, pelas propinas pagas ao fundo de pensões Cariplo em troca da compra de três imóveis da Edilnord.

Desde quando foi avisado que o *pool* estava para pedir a sua prisão, três dias antes, o irmão do *Cavaliere* tentou aliviá-lo com a sua "apresentação espontânea", mas já era tarde demais: não tinha nada para oferecer; os juízes já sabiam de tudo. Às 11 horas do dia 11 de fevereiro, as agências anunciaram que ele era procurado. Paolo estava em Roma e pegou o primeiro avião para Linate, enquanto o advogado Oreste Dominioni telefonava à Procuradoria: "Estamos à disposição". A investigação sobre o pagamento de propinas à Cariplo foi iniciada por um jovem juiz da cidade de Gorizia, Raffaele Tito, ex-oficial da Guarda de Finanças, mas quando atingiu níveis mais altos, Di Pietro o colocou de lado. Porém, naquele dia, Di Pietro e Ghitti (que assinou a ordem de prisão) estavam em Turim para interrogar Mosconi. Assim, quando Paolo Berlusconi se apresentou, Tito iniciou o interrogatório, às 14h50min, na delegacia da Guarda de Finanças na Via Fabio Filzi. O promotor leu a acusação: "No seu papel de responsável pela Cantieri Riuniti Milanesi, Paolo Berlusconi prometia e entregava consistentes somas de dinheiro para obter contratos de compra e venda que tinham o fundo de pensões como comprador".

Paolo, segundo a acusação, pagava 4%: 300 milhões em 1983, outros tantos em 1984, 310 em 1986, destinados em parte à DC e ao PSI, em parte ao intermediário "arrependido" Giuseppe Clerici, em parte ao secretário do fundo de pensões Luigi Mosca. Às 18h25min, chegaram de Turim Di Pietro e Ghitti. Berlusconi Júnior admitiu os depósitos, mas de "somente" 500 milhões e apenas a título de "comissão" ao mediador. Para a Procuradoria e para o juiz das investigações preliminares, no entanto, eram propinas. Corrupção. O acusado, porém, conseguiu a prisão domiciliar.

Os protestos do mundo político foram, assim como as prisões, bipartidários. Massimo D'Alema, furioso pelas citações referidas à sua pessoa nas acusações ao amigo De Piccoli, explodiu: "Tenho uma sensação de nojo e me dá vontade de desistir de tudo". Silvio Berlusconi, ao retorno do encontro decisivo para a aliança com Bossi, estava abatido: "Meu irmão é uma pessoa do bem, que, sem dúvida,

268 OPERAÇÃO MÃOS LIMPAS

fez o que fez com boas intenções. Isso que estão fazendo com ele é terrível. A sua prisão não tem nenhum sentido: é tudo coisa do passado. Quando atacam meu irmão, eu sofro muito mais do que quando me atacam. Espero sinceramente ainda poder confiar na magistratura". Enrico Mentana, diretor do telejornal *TG5*, propôs uma trégua: "Os juízes não deveriam dar publicidade às investigações durante os últimos dias da campanha eleitoral". Como veremos mais tarde, foi exatamente ele quem deu tal publicidade.

"Denuncio Occhetto e D'Alema"

Berlusconi, naqueles dias, obrigou os aspirantes candidatos do Força Itália a assinar uma declaração escrita e juramentada:

> Declaro: 1) não ter ações pendentes; 2) não ter recebido intimações judiciais; 3) não ter sido e nem estar submetido a medidas de prevenção e não conhecer a existência de nenhum procedimento em andamento contra a minha pessoa.

O mesmo compromisso foi solicitado também aos candidatos da AN, aos progressistas e ao PPI–Patto Segni. De fato, o único partido que teve a cúpula investigada, assim como a Liga, nas vésperas das eleições de 27 de março de 1994, foi o PDS: pela investigação aberta pela Procuradoria de Roma contra o secretário Occhetto, contra o vice-secretário D'Alema e contra o tesoureiro Stefanini, decorrente de uma denúncia apresentada por Bettino Craxi. No dia 12 de fevereiro, o ex-secretário do PSI pediu e obteve um encontro com os promotores romanos Gianfranco Mantelli e Maria Teresa Saragnano. "Apresentei uma denúncia", declarou na saída, "contra Occhetto, D'Alema e Stefanini por financiamentos ilegais. Hoje estou envolvido com estes mentirosos; amanhã, estarei envolvido com os extraterrestres que fingem ter vivido na Lua..." A denúncia se articulava em treze pontos, com cinquenta páginas de anexos. Substancialmente, os mesmos dossiês já entregues em 1993 a Di Pietro e aos promotores de Turim: dossiês nos quais não havia informações úteis, visto que os financiamentos vindos da URSS eram comprovados, mas cobertos por prescrição e anistia. No mais, havia alguns fatos já investigados por várias procuradorias.

Em 16 de fevereiro, depois de algumas reuniões, segundo alguns, tempestuosas, com o procurador de Roma Vittorio Mele e o substituto Michele Coiro, os dois promotores inscreveram no registro dos investigados os nomes de Occhetto, D'Alema e Stefanini. A notícia, secreta, vazou imediatamente: com algumas hipóteses para o primeiro, com certeza absoluta para os outros dois. Paolo Liguori, diretor de *Studio aperto*, anunciou ainda que D'Alema recebeu uma intimação judicial. Naquela mesma manhã, D'Alema se apresentou à Procuradoria para denunciar Craxi por calúnia. Após duas horas de declarações espontâneas aos promotores, ele explodiu: "Craxi quer se vingar de quem o combateu e quer dar uma mão ao seu amigo Berlusconi. Assim, visita todas as procuradorias da Itália, na esperança de encontrar um juiz que lhe dê razão. Eu me deterei às regras: apresentarei minha candidatura às eleições, porque não há nada que me impeça, mas, caso receba uma intimação, respeitarei os códigos que estabelecemos". Os progressistas, de fato, firmaram um pacto de honra que comprometia qualquer um que recebesse uma intimidação a não se candidatar, mas, para D'Alema e Occhetto, os procuradores se limitaram a fazer a inscrição no registro de investigados.

O PDS era alvo de todas as partes. Até mesmo em Veneza, onde o procurador Carlo Nordio mandou 26 intimações judiciais pelo escândalo das coperativas vermelhas. Em 18 de fevereiro, o *pool* de Milão apresentou ao juiz das investigações preliminares Ghitti uma lista de 102 pedidos de abertura de processo pelo escândalo do metrô: além de empresários de alto nível, foi acusada toda a *Glotha*** da política milanesa, de centro e de esquerda. Ao lado de Craxi, Dini, Larini e Tomaselli (PSI), Del Pennino e Properzj (PRI), Prada (DC) e Moro (PSDI), a representação mais densa era a do PDS: Cervetti, Pollastrini, Soave, Carnevale, Cappellini, Camagni. Em 1º de março, houve um encontro entre os procuradores de Milão, Turim, Veneza e Roma para "dividir" as solicitações de Craxi. Também o *pool* milanês inscreveu D'Alema e Occhetto no registro dos acusados; mas a investigação foi, após, arquivada pela juíza das investigações preliminares Beatrice Cossia, por falta de indícios.

Honoráveis sem escudo

O fim da 16ª legislatura se aproximava, e o medo dos deputados investigados aumentava. A imunidade parlamentar, o último escudo protetor contra a prisão, terminaria no dia 15 de abril, quando se inicia a nova legislatura no novo Parlamento, mas já em fevereiro começaram as especulações. Os jornais publicaram a lista dos 25 honoráveis e senadores para os quais um juiz de investigação preliminar emitiu um mandado de prisão, regularmente rejeitado pela Câmara à qual pertenciam: dezenove deputados e seis senadores. Quase todos da DC e do PSI, mas havia também um do PSDI e até mesmo um da Refundação.

O verde Alfonso Pecoraro Scanio propôs retirar-lhes os passaportes, retomando uma velha campanha de Dario Fo e Franca Rame, mantida durante todo o ano de 1993 por Vittorio Feltri, no *Indipendente* (e prontamente interrompida em 1994, depois que ele se transferiu ao *Giornale*). No dia 23 de fevereiro, a Câmara de Deputados fechou com chave de ouro, rejeitando, por 249 votos a 175, o pedido de prisão para o socialista Di Donato. Liga e MSI votaram pela prisão, junto com as esquerdas, mas muitos membros do PDS atuaram para salvar o político napolitano, assim como o PPI, o PSI, os laicos menores e também Pannella e Sgarbi, que definiu como "carrascos nazistas" aqueles que não votaram como ele e chegou ao ponto de ir às vias de fato com alguns membros da Liga, seus futuros

* em italiano, é o termo que faz referência aos mais importantes expoentes de um determinado grupo, aos mais influentes, relativo à aristocracia (NRT)

aliados dali a dois meses. O voto da Câmara foi agilizado por uma intervenção de Scalfaro, que no dia 11 de fevereiro escreveu ao ministro Conso para solicitar uma investigação sobre a detenção, em Nápoles, do ex-administrador delegado da SIP, Vito Gamberale, preso por abuso de poder no dia 27 de outubro e posto em prisão domiciliar no dia 12 de novembro, com a acusação de empregar pessoas "indicadas" exatamente por Di Donato. "Infelizmente, mais do que de justiça, temos a sensação de arbítrio!", escreveu o presidente. Conso e o Conselho Superior da Magistratura abriram uma investigação. Gamberale, liberado no dia 26 de fevereiro de 1994, foi após reenviado a juízo, processado e absolvido.

No dia 5 de março, três juízes milaneses, que não pertenciam ao *pool*, Fabio Napoleone, Claudio Gittardi e Giovan Battista Rollero, que investigavam centenas de licitações nos arredores de Milão, mandaram prender o topógrafo Sergio Roncucci, ex-vereador do PCI em Trezzano Sul Naviglio, atual chefe das relações exteriores da Edilnord, já investigado em 1992, junto a Paolo Berlusconi, pelo pagamento de propinas nos aterros sanitários. Roncucci foi acusado de corrupção pelo pagamento de uma propina de 300 milhões para dirigentes do PCI–PDS e do PSI de Pieve Emanuele para "comprar" a administração local comunista e obter a concessão para a construção de um clube de golfe e a reforma do castelo de Tolcinasco. Em 11 de março, o irmão do *Cavaliere* foi à Procuradoria para confessar. Curiosidade: o principal destinatário da propina, a maior até agora descoberta com a marca Fininvest, era o prefeito do PDS. "O dinheiro foi parar em Roma, para a campanha eleitoral de 1990", disse Epifanio Li Calzi, recebedor das propinas comunistas nos arredores da cidade. Segundo a acusação, portanto, a família Berlusconi financiava também os comunistas.

Paolo Berlusconi e Roncucci admitiram também uma outra propina, de 800 milhões, ao prefeito socialista de Pioltello, para obter a licença de construção em um terreno que era da Montedison. O *Cavaliere*, indagado pelos jornalistas, justificou Paolo: "Teve de pagar para trabalhar. Pelas suas palavras sinceras, acredito que não mereça nenhuma condenação moral".

A tese era sempre a mesma: a Fininvest era extorquida pelos políticos. Exceto que, alguns meses depois, descobriu-se que o prefeito de Pioltello, quando ia de Milão a Roma, viajava no jatinho particular do *Cavaliere*.

Dell'Utri, vazamento de notícias

Em 9 de março, o telejornal *TG5* das 13h30min abriu com uma notícia bomba, lida por Andrea Pamparana, o barbudo correspondente do Palácio da Justiça de Milão: "A Procuradoria solicitou ao juiz das investigações preliminares a ordem de prisão cautelar para alguns personagens do nosso grupo: Marcello Dell'Utri e outros cinco gerentes". Dell'Utri era o presidente e fundador de Publitalia, o número três do grupo Fininvest e, principalmente, o idealizador do Força Itália. Os outros eram Valerio Ghirardelli, ex-gerente da Publitalia, há pouco tempo transferido para dirigir a Telepiù, e Romano Luzi, instrutor de tênis e velho amigo do *Cavaliere*, responsável pela agência Conaia (considerada pelos magistrados uma "fábrica" para criar falsas faturas). A investigação tinha sido aberta há meses para verificar os balanços da Publitalia. Trabalharam nela os promotores Colombo, Greco e Margherita Taddei, mas a investigação sofreu uma reviravolta porque foram descobertas faturas falsas e superfaturadas de bilhões de fundos desviados. O sistema era o mesmo que foi investigado paralelamente pela Procuradoria de Turim: superfaturava-se, por exemplo, o pagamento de uma publicidade esportiva, faturando 100 e devolvendo, por baixo dos panos, 60–70 ao cliente cúmplice, que lavava grande parte do dinheiro sujo na agência de publicidade, a Publitalia.

Os mandados de captura para o grupo de dirigentes da Publitalia estavam na mesa do juiz das investigações preliminares Fabio Paparella desde o dia 7 de março. A resposta do juiz foi imediata. Na manhã do dia 9, os jornais publicaram genericamente o anúncio de novas e importantes prisões à vista. Às 11h, um jornalista conseguiu os seis fatídicos nomes. Era comum, com jornalistas que cobriam dia e noite o Palácio da Justiça, interceptar rumores sobre possíveis pedidos de prisões, mas nenhum, normalmente, tinha a ideia de antecipá-los. Aquele, porém, era um pedido especial: dizia respeito ao braço esquerdo de Berlusconi. O jornalista falou com Pamparana, que avisou Mentana. Era meio-dia. Alguns minutos de reuniões secretas, e a lista dos candidatos à prisão foi anunciada ao vivo pelo telejornal *TG5*. Borrelli, um minuto depois, desabou no corredor e perdeu a sua pose: "Não é possível que tais coisas aconteçam, é perturbador! Estamos no limite do favorecimento! Não sei quem falou, mas certamente não foi a Procuradoria. É o que diz a mesma regra do *cui prodest*: se um pedido de prisão é antecipado, é óbvio que alguém se aproveitará disso": o imputado, que poderá fugir ou antecipar a prisão, apresentando-se espontaneamente aos juízes.

Borrelli era um profeta: naquela mesma tarde, Dell'Utri se apresentou, acompanhado pelo advogado Dominioni, no gabinete do promotor Greco. Enquanto isso, a Guarda de Finanças fazia uma busca na sede da Publitalia e nas suas residências em Milão e na Sala Comacina. No entanto, o acusado, se quisesse, já poderia ter feito desaparecer eventuais documentos comprometedores. "Devo agradecer o TG5", disse Dell'Utri, "por não ter sido preso".

Mentana, no dia seguinte, foi acusado por favorecimento e revelação de segredo judicial, junto a Pamparana (os dois foram absolvidos pelo juiz das investigações preliminares em 1996 e pagaram uma fiança de 250 mil liras pela publicação de notícias protegidas por segredo). "Quisemos dizer a verdade, mesmo sabendo que prejudicamos os investigados", defendeu-se Mentana. Na realidade, o vazamento de notícias favoreceu os investigados, pois provocou menos efeito surpresa e, portanto, menos medidas cautelares: exatamente a partir desta motivação, a juíza das investigações preliminares Anna Introini rejeitou os pedidos de prisão, os quais foram, ao contrário, aceitos pelo Tribunal de Revisão (sem êxitos concretos, porém, devido ao imediato recurso dos investigados à Corte de Cassação). Os seis executivos, enfim, ficaram em liberdade, o que não impediu que Berlusconi protestasse contra as "ignóbeis manobras políticas" dos juízes. Também não impediu que a Fininvest se ofendesse pelos "ambientes da justiça e da imprensa que interferem enormemente na campanha eleitoral". Pamparana esclareceu, porém, que o objetivo não era Di Pietro: "Estes joguinhos têm de terminar. Di Pietro, que acompanho há anos, nunca os fez". E, de fato, Di Pietro mostrou que não tinha nada a ver com aquela investigação e não acrescentou a sua assinatura, junto às dos seus colegas, para o mandado de prisão.

No dia 10 de março, após uma noite "de insônia", afirmou ele, Silvio Berlusconi atacou o *pool*, mas deixou Di Pietro de fora: as pessoas o admiravam demais, ele era muito popular para ser atacado às vésperas das eleições. O *Cavaliere* denunciou uma "verdadeira agressão de estado de guerra". E atacou a esquerda: "Achava que tinha chegado ao poder e hoje sente que o está perdendo; por isso, usa aqueles que também são de esquerda no judiciário". Naquela tarde, Borrelli o contestou: "Havíamos dito que quem tem esqueletos dentro do armário não deveria apresentar-se". Berlusconi convocou novamente os jornalistas:

> Os juízes do *pool* da operação Mãos Limpas desenvolveram um papel positivo, mas agora alguma coisa mudou. Há uma involução que é explicável somente com motivações abertamente políticas. O *pool* tem duas almas: uma de justiça e uma de ação e repressão política. Lanço um apelo ao Dr. Borrelli para que demonstre o contrário, retomando a situação que tem como autor o juiz Colombo.

Palavras que soaram como água fresca, se comparadas àquelas que usou nos anos seguintes, mas, naquele momento, foram como gasolina no fogo: nunca antes o *Cavaliere* havia dito alguma coisa assim. E, de fato, até mesmo os seus aliados recentes o deixaram sozinho. Poucos, no Polo, estavam dispostos a lutar por Dell'Utri; muito antes pelo contrário. O criador da Liga, Gianfranco Miglio, objetou: "Se existem faturas falsas, não tem razão para devermos parar". Bossi insistiu em dizer que "o Força Itália faz parte do passado". E Fini: "Não acredito em um complô político da justiça".

Paradoxalmente, foi exatamente da esquerda – já atingida naqueles dias por novas iniciativas judiciárias – que chegaram os comentários mais prudentes sobre os juízes. D'Alema desejou "que houvesse moderação por parte dos juízes, no sentido de respeitar um confronto democrático". Berlusconi, no entanto, seguiu em frente e, no dia 15 de março, voltou a justificar as propinas: "Não considero propina aquilo que o empresário está disposto a pagar para membros da administração pública para obter algo que lhe seria de direito e não lhe é dado". Depois, dirigiu-se diretamente a Scalfaro, com uma carta-denúncia pedindo uma intervenção no caso Dell'Utri–Publitalia. Naquela investigação, como veremos, todos os seis investigados acordaram, ou pediram um acordo, para a pena.

"Ou entro para a política, ou vou para a prisão"

Quem conhecia os trâmites judiciários e o andamento das investigações sabia muito bem que as indagações do *pool* sobre a Fininvest não foram o efeito, mas sim a causa da "entrada em campo". "Sou obrigado a entrar para a política; caso contrário, me colocam na prisão e vou à falência por dívidas", confidenciou Berlusconi, em 1993, a Indro Montanelli e a Enzo Biagi. Até mesmo os seus colaboradores mais sinceros reconheceram isso. Giuliano Ferrara:

> Sim, Berlusconi entrou para a política para impedir que lhe tirassem a roupa... para evitar que lhe roubem tanto a sua empresa quanto a sua liberdade de empreendedor" (25 de fevereiro de 1994).

Marcello Dell'Utri: "Berlusconi entrou para a política para defender as suas empresas" (28 de dezembro de 1994). E Confalonieri:

> A verdade é que, se Berlusconi não tivesse entrado para a política, se não tivesse fundado o Força Itália, hoje nós estaríamos embaixo de uma ponte ou na prisão, sob a acusação de envolvimento com a Máfia. Nem a pau seríamos absolvidos no caso Mondadori (25 de junho de 2000).

Depois, o *Cavaliere* e os seus amigos sustentaram que as investigações contra eles foram todas após a sua "entrada em campo", e as consideraram como uma represália dos juízes de esquerda. Ao contrário, foi a oportunidade de recapitular brevemente todas as investigações contra ele e o seu grupo antes da sua entrada em campo, como prova de que esse não foi o motivo das investigações, mas sim a consequência.

12 de novembro de 1979. Massimo Maria Berruti, Capitão da Guarda de Finanças, conduziu uma inspeção na Edilnord Centros Residenciais e interrogou Silvio Berlusconi sobre possíveis irregularidades tributárias. Berlusconi, mentindo, afirmou que era um "simples consultor" da Edilnord para a "projetação e a direção geral de Milano 2". Quando na verdade era o proprietário da empresa. Berruti engoliu todas as mentiras, concluiu apressadamente a inspeção, apesar das irregularidades encontradas. Em 1980 se demitiu, e pouco tempo depois começou a trabalhar para a Fininvest.

1980. Berlusconi escreveu uma carta para Bettino Craxi, logo depois que o PSI voltou para o governo Cossiga, para que interviesse com o fim de "bloquear" uma inspeção da Guarda de Finanças na Fininvest: "Caro Bettino, como tinha mencionado verbalmente, a Rádio Fante anunciou que, depois da visita a Turim, Guffanti e Cabassi, a Receita Federal me investigará... Te agradeço por tudo o que tu acredites que seja justo fazer". A carta publicada foi pelo fotógrafo de confiança de Craxi, Umberto Cicconi, no livro de memórias *Segreti e misfatti* (Segredos e transgressões), ed. Sapere 2000, Roma 2005).

1983. Investigando sobre tráfico de drogas, a Guarda de Finanças de Milão grampeou os telefones de Berlusconi logo depois de uma investigação. "Verificou- -se que o famoso Silvio Berlusconi financiaria um intenso tráfico de drogas da Sicília, tanto para a França como para outras regiões italianas. O supracitado estaria no centro de grandes especulações imobiliárias desenvolvidas na Costa Esmeralda, valendo-se de associações convenientes". A investigação seria, depois, arquivada.

24 de maio de 1984. O vice-chefe do Juizado de Instrução de Roma, Renato Squillante, interrogou Berlusconi, assistido pelo advogado Cesare Previti e réu "segundo o artigo 1 da lei nº 932, de 15/12/69" por interrupção de serviço público devido a possíveis antenas irregulares no Monte Cavo, que interferem nas frequências de rádio da Defesa Civil e do aeroporto de Fiumicino. Era uma centena de acusados, mas a posição de Berlusconi foi logo arquivada, no dia 20 de julho de 1985, enquanto outros quarenta e cinco permaneceram no fogo até 1992 e se salvaram somente graças à anistia. Não podiam saber que Squillante, a Fininvest e Previti tinham contas conjuntas em bancos suíços.

16 de outubro de 1984. Os juízes de primeira instância de Turim, Pescara e Roma confiscaram os equipamentos que permitiam ao *Canale 5, Italia 1* e *Rete 4* de transmitirem ao mesmo tempo em toda a Itália, em desprezo à lei. Craxi neutralizou os despachos com dois "decretos Berlusconi".

27 de setembro de 1988. Berlusconi foi ouvido pelo juiz de primeira instância de Verona como parte ofendida no processo por difamação, aberto durante a sua denúncia contra dois jornalistas: "Não lembro a data exata da minha inscrição na P2; lembro somente que foi pouco antes do escândalo. Nunca paguei a cota de inscrição". Dupla mentira: inscreveu-se em 1978 (o escândalo foi em 1981) e pagou a cota. A Corte de Apelação de Veneza o declarou culpado por falso testemunho, mas o crime foi coberto pela anistia de 1990.

4 de maio de 1992. Di Pietro assinou uma ordem de "apreensão de documentos" sobre as licitações entregues à COGE (Construções Gerais) de Parma, no âmbito da investigação nº 6380/91: o processo sobre Mario Chiesa e o Piedoso Albergo Trivulzio que, em 17 de fevereiro, deu livre acesso à operação Mãos Limpas. A COGE pertencia a Paolo Berlusconi.

21 de maio de 1992. Paolo Borsellino, dois dias antes da matança de Capaci, falou a dois jornalistas franceses de uma investigação em curso sobre a relação entre o chefe Magnano, Dell'Utri e Berlusconi.

9 de junho de 1992. Os jornais escreveram que o democrata-cristão milanês Maurizio Prada acusou a Fininvest por 150 milhões de liras pagas à Democracia Cristã. Fininvest "desmente categoricamente": eram somente descontos aos partidos pelas propagandas na TV. Também o democrata-cristão Gianstefano Frigerio falou de 150 milhões pagos por Paolo Berlusconi pelo aterro sanitário de Cerro Maggiore.

15 de setembro de 1992. Augusto Rezzonico, ex-presidente da Ferrovie Nord e depois senador democrata-cristão, interrogado por Di Pietro, contou que, em fevereiro, a DC e o PSI inseriram no Código de Trânsito uma emenda para favorecer a "Fininvest, única credenciada depositária do know how técnico necessário" para realizar o sistema de sinalização eletrônica Auxilium para as autoestradass, "um negócio de um trilhão". Em março, foi contatado pelo executivo da Fininvest Sergio Roncucci, que "me agradeceu pela emenda e me confirmou o compromisso da Fininvest com as contribuições para a DC pelo favor recebido".

Dezembro de 1992. Paolo Berlusconi foi investigado em Roma pelos "edifícios de ouro": teria vendido imóveis da Edilnord para entidades previdenciárias a preços superfaturados em troca de propinas para a Secretaria do Tesouro.

15 de janeiro de 1993. Paolo Berlusconi foi processado com outras 34 pessoas pelo pagamento de propinas aos partidos ligados aos aterros sanitários da Lombardia.

4 de abril de 1993. Reunião em Arcore entre Berlusconi, Craxi e o consultor da Publitalia, Ezio Cartotto, há meses encarregado de estudar um projeto político da Fininvest por conta de Marcello Dell'Utri. O ex e o futuro primeiro-ministro falaram de um consenso de centro-direita para se contrapor às esquerdas.

8 de abril de 1993. Gianni Letta, interrogado por Di Pietro, admitiu ter financiado ilegalmente, como vice-presidente da Fininvest Comunicações, o secretário do PSDI, Antonio Cariglia, com 70 milhões: "O dinheiro foi introduzido por mim em um envelope e entregue por meio de um motoboy". Foi salvo pela anistia de 1990.

18 de maio de 1993. Preso por corrupção Davide Giacalone, consultor do ministro dos Correios Oscar Mammì pela lei das TVs, depois consultor da Fininvest, pela propina de 600 milhões.

18 de junho de 1993. O *pool* de Milão prendeu Aldo Brancher, assistente de Fedele Confalonieri, por ter pago 300 milhões ao PSI e 300 milhões a Giovanni Marone, secretário do ex-ministro da Saúde, Francesco De Lorenzo, em troca de publicidades nas redes Fininvest para a campanha ministerial antiaids.

22 de junho de 1993. A Guarda de Finanças fez uma busca nos escritórios da Finivest na Via Paleocapa e em Milano 2, executando um mandado da promotora Margherita Taddei à procura, entre outras coisas, de um contrato de colaboração de Vincenzo Viganò, secretário-geral do SALFi (Sindicato Autônomo dos Trabalhadores Financeiros), preso sob a acusação de ter dado a diversas empresas reembolsos IVA (Imposto sobre Valor Agregado) não devidos. A Fininvest protestou: "Tratou-se da 57ª intervenção da Guarda de Finanças em sedes e escritórios da Finivest no último período".

23 de junho de 1993. Confalonieri e Brancher foram investigados em Milão por um presumível financiamento ilícito de 300 milhões ao PSI.

3 de julho de 1993. Berlusconi reuniu, como todo sábado, em Arcore, os diretores do Biscione e os diretores dos jornais e das televisões do grupo e traçou um quadro nebuloso da situação política, empresarial e, principalmente, judiciária, dizendo-se – já então – "perseguido pelos juízes":

Bancos. A crise do Banco Ferruzzi levou os bancos a pedirem recursos a todo mundo. Até mesmo a nós. Conseguimos o dinheiro atrasando o pagamento do supermercado...

Partidos. O esfacelamento das formações políticas às quais nos referimos no passado nos cria um problema, pelo tempo que falta para a eleição do novo Parlamento... A política criou uma lacuna de um trilhão entre nós e a RAI: da RAI tirou obrigações, o teto [publicitário] etc. em 600 bilhões; de nós, para os menores patrocínios, tirou 400 bilhões...

Juízes. Todos viram a última porcaria contra Fedele Confalonieri: o seu suposto crime (participação com um estande na convenção do PSI da Ansaldo) não é um crime. Processam pessoas e empresas que não tinham alternativas. Assim, esperamos outros ataques por um bilhão e 600 milhões que demos para a *l'Unità* por espaços adquiridos. Somos perseguidos pelos juízes. A Guarda de Finanças que revistou Arcore [Milão 2,] não nos devolveu ainda as atas das nossas reuniões, as agendas e tudo mais que levaram embora. Aquele confisco nasceu de um sutil pretexto, do fato que estavam interrogando um consultor nosso, o inspetor da aduana Enzo Viganò, por problemas seus, e não por problemas nossos. Não há mais o Estado de Direito. Nos nossos escritórios de Roma, no Largo del Nazareno, foram folhear os livros da biblioteca para ver se escondíamos alguma coisa. O fato é que os juízes estão furiosos porque conseguiram prender outros grupos, mas não o nosso, considerado o mais próximo das forças políticas, submetido ao ataque dos jornais dos outros grupos. Gianni Agnelli veio encontrar-me, esteve aqui por duas horas, reclamei do tratamento recebido do jornal *Corriere della Sera* (colocou em um título: "A Fininvest traída por uma mulher"); solicitei-lhe um tramento amigável, não aconteceu nada...

O Grupo. Funciona, e é criminoso querer prejudicá-lo com um ataque político. Um ataque que, se imaginarmos a Fininvest como um quadrilátero, provém de todos os quatro lados: dos juízes, dos bancos, do grupo De Benedetti–Repubblica–Espresso, também sintonizado com Agnelli e, enfim, da classe política desvirtuada: seja pelas suas convocações de corréus, seja pelos impedimentos que põem ao nascimento do "partido que não existe".

Política. A situação política geral me preocupa muito... dizem que o Parlamento, depois do ameaçador Referendo Segni do dia 18 de abril, que aboliu a proporcionalidade, lançará uma lei eleitoral uninominal. A esquerda terá a maioria absoluta: mais de 400 deputados entre os 630, segundo um instituto de pesquisas, até 430, segundo outro instituto. Este sistema eleitoral premia quem tem a capacidade de agrupar mais forças, e a esquerda tem essa capacidade. Os moderados não a têm. A

Liga continua um fenômeno do Norte. Não podemos ficar só olhando; por isso, nós mesmos temos de fazer logo duas coisas: 1) dar suporte às novas agregações centristas que vão se perfilando: o grupo DC de Casini e seus companheiros, o grupo liberal de Costa, Biondi, etc. Sei bem que não são líderes, mas são estes os homens disponíveis no mercado; 2) irmos, com as nossas estruturas de grupo, aos vários colégios para descobrir os possíveis candidatos de centro. Para sustentar essa nova iniciativa política, temos de mudar imediatamente o comportamento do grupo, o comportamento dos nossos jornais: de ecumênicos para intervencionistas, a favor dos nossos amigos liberal-democratas e contra os nossos adversários do PDS e seus companheiros. Caso contrário, com a posse de 400 deputados da esquerda, acaba a TV comercial e, com ela, termina o grupo Fininvest (texto coletado por Federico Orlando, então codiretor de *il Giornale*, presente ao encontro, no livro *Il Sabato andavamo ad Arcore*, ed. Larus, Bérgamo, 1995).

Julho de 1993. Salvatore Cancemi, primeiro chefe arrependido da cúpula, entregou-se à justiça e começou a falar de Máfia e política: disse à promotora de Caltanissetta, Ilda Boccassini, tudo o que sabia sobre as relações entre Berlusconi, Dell'Utri, a Máfia e os massacres de 1992–93. Em Florença, no entanto, o arrependido Roberto Sipala envolveu Berlusconi no massacre de 27 de maio de 1993 em Florença, mas a Procuradoria toscana o desmentiu como falso arrependido e arquivou tudo.

12 de julho de 1993. Berlusconi mandou, via fax, aos diretores dos jornais e televisões do seu grupo, um memorando de onze páginas, redigido pelos advogados da Fininvest, com o título "Avaliações dos comportamentos dos juízes da Tangentopoli". Os house organs do Biscione teriam de começar a atacar a justiça, acusando-a de toda espécie de abusos e ilegalidades.

20 de julho de 1993. Poucas horas após o suicídio na prisão de Gabriele Cagliari, ex-presidente socialista do ENI, Berlusconi chamou o codiretor de *il Giornale*, Federico Orlando, e pediu-lhe para atacar a operação Mãos Limpas: "O meu colaborador Brancher está preso porque querem extorquir-lhe o meu nome. O que esperam, outro Cagliari?".

Setembro de 1993. A Procuradoria de Turim investiga uma circulação de falsas faturas nos patrocínios esportivos, que logo levará ao envolvimento da Publitalia e de Marcello Dell'Utri. Também em Milão descobrem caixa dois nos rendimentos da Publitalia.

Outubro de 1993. Bettino Craxi entregou a Di Pietro um dossiê no qual acusava também a Fininvest de ter, "de várias formas, diretas e indiretas, financiado e facilitado os partidos políticos e, também pessoalmente, expoentes da classe política".

29 de outubro de 1993. A promotora romana Maria Cordova, que investigava as propinas ao Ministério dos Correios em troca de fornecimentos, mas também da lei Mammì e do Plano Nacional de Repartição de Frequências, solicitou à juíza das investigações preliminares Augusta Iannini (mulher de Bruno Vespa) a prisão de Carlo De Benedetti, Adriano Galliani e Gianni Letta, mas Iannini prendeu somente De Benedetti: os outros dois eram seus amigos de família. Letta e Galliani permaneceram em liberdade. A investigação não deu em nada.

4 de dezembro de 1993. A Procuradoria de Turim colheu as confissões do presidente do time de futebol Torino, Gian Mauro Borsano, o qual denunciou o caixa dois que o time de futebol Milan, de Berlusconi, depositou para ele em troca do jogador Lentini.

14 de dezembro de 1993. Presos em Turim o prefeito do PDS e quatro assessores de Grugliasco pelo pagamento de propinas no megacentro comercial *Le Gru*, construído pelas cooperativas comunistas e gerenciado pela francesa Trema e pela Euromercato–Stranda (Fininvest). A Procuradoria indagou Brancher (arquivado, após) e convocou como testemunha Berlusconi, que se apresentou somente no dia 19 de abril de 1994, após ter vencido as eleições.

20 de dezembro de 1993. O procurador de Milão Francesco Saverio Borrelli advertiu "quem tem esqueletos no armário" para que "se livrem deles antes que nós cheguemos". Ao invés, como vimos, Berlusconi entrou para a política exatamente para não "ir preso" e "não falir por dívidas". Estes dois compromissos consigo mesmo foram os únicos que o *Cavaliere* manteve escrupulosamente nos primeiros 18 anos da sua carreira política. Duas promessas que explicavam e resumiam melhor do que qualquer ensaio sociopolítico a incalculável série de leis *ad personam* ou *ad personas* ou *ad aziendam*, ou *ad castam*, ou *ad mafiam* que ilustravam toda a história da Segunda República.

Bola suja

Durante a vigília eleitoral de 1994, o *Cavaliere* estava nervoso: sabia que deveria jogar uma partida crucial. E, assim que tapava um buraco, abria-se logo outro. Por exemplo, o escândalo que envolveu o time do Milan pela compra, em 1992, do jogador do Torino Gianluigi Lentini. Essa investigação também vinha de longo tempo, de tempos não suspeitos. Sobrecarregado pela queda do seu império financeiro, o presidente do Torino, Gian Mauro Borsano (há pouco tempo, eleito deputado pelo PSI), decidiu abrir o jogo para a Procuradoria de Turim. No dia 4 de dezembro de 1993, falou do caso Lentini e de como o Milan, em março de 1992, na pessoa do vice-presidente Adriano Galliani, prometeu-lhe e depositou, além da quantia oficial de 18 bilhões e meio, uma propina de 10 bilhões, 14 milhões e 800 mil liras para "indenizá-lo" pela impopularidade que teve em meio aos torcedores. Entretanto, Borsano, naquele momento, estava tratando também com a Juventus, e o Milan não confiava nele: então, como garantia do aperfeiçoamento do contrato, Borsano teve de empenhar para o time rubro-negro o seu pacote majoritário de ações. Na prática, por diversos meses, Berlusconi controlou dois times da série A: o Milan e o Torino. Um caso clamoroso de conflito de interesses, que deveria levar novamente o Milan para a segunda divisão. No entanto, a justiça esportiva não faz nada: limitou-se a sancionar Borsano (com uma suspensão de um mês e uma multa de 10 milhões). A justiça comum, ao contrário, procedeu pela falsidade da contabilidade do balanço do Milan. A Procuradoria de Turim transmitiu por competência o processo para Milão, onde Gherardo Colombo, no dia 22 de fevereiro de1994, convocou Borsano e, um por um, todos os protagonistas do escândalo. Pela primeira vez, o *pool* investigou as contas externas do grupo Fininvest, e o caso Lentini virou a clássica pedrinha que desencadeou a avalanche.

É certo que, se no *pool* não estivesse Di Pietro, que gozava de uma extraordinária popularidade ("Eu sei que, nas pesquisas de confiabilidade dos italianos, ele me bate", admitiu o *Cavaliere* naqueles dias), seria tudo muito mais simples. Era preciso deixá-lo de fora das polêmicas, aproveitando que não era ele quem conduzia as investigações sobre a Fininvest (por enquanto) e, quem sabe, na primeira ocasião possível, engajá-lo: mais para transferi-lo para o time adversário do que para fazê-lo jogar no próprio time. Na noite de 22 de fevereiro, enquanto Colombo interrogava Borsano sobre o caso Lentini, Berlusconi discursava no programa de TV *Maurizio Costanzo Show* e desabafou: "Di Pietro? É claro que eu gostaria de tê-lo no meu time". Começou assim o longo cortejamento. Porém, havia emergências mais importantes para confrontar, por exemplo, no front siciliano: ali havia os primeiros nós para desatar.

O fator Sicília

No dia 20 de março, foi publicado, com grande evidência, no *la Repubblica*, um artigo sobre as confissões dadas em novembro de 1993 pelo chefe da Máfia arrependido Salvatore Cancemi a propósito das relações entre Berlusconi, Dell'Utri e o chefe palermitano Vittorio Mangano que, entre 1974 e 1976, tinha trabalhado como administrador na mansão de Arcore.

Na tarde do dia seguinte, Violante, presidente da Comissão Parlamentar Antimáfia, comentou os últimos rumores com alguns jornalistas, em pleno transatlântico. Augusto Minzolini, do *La Stampa*, tomou nota e, no dia 22, assinou um artigo intitulado: "Os segredos de Violante: 'tudo o que eu sei sobre Dell'Utri'". Pequena antologia:

> Berlusconi fala de golpe branco organizado pelos juízes simpáticos ao PDS? É uma tirada que faz rir. Quem dera, se tivéssemos a força, o faríamos [...]. Acredito que todas aquelas coisas que foram publicadas nos jornais sobre Dell'Utri foram ditas por Berlusconi e pelos homens do Força Itália [...]. São besteiras[...]. A verdade é que Dell'Utri está na lista dos investigados da Procuradoria de Catânia, não de Caltanissetta. E não se trata de arrependidos dessa vez. Há um promotor local, chamado

Marino [Nicolò Marino], que conduz uma investigação de Máfia sobre tráfico de armas e drogas. A investigação não se baseia em declarações de arrependidos, mas, pelo que parece, em interceptações ambientais. Tudo poderia vir à tona já nestas semanas, mas o chefe da Procuradoria preferiu que tudo fosse adiado para depois das eleições.

O Força Itália protesta. Violante desmentiu e processou Minzolini. Berlusconi pediu a sua suspensão da Comissão Antimáfia. No dia 23 de março, Violante – que foi descrito em um irônico comunicado do PPI como "inscrito no comitê eleitoral de Berlusconi" – foi obrigado a pedir demissão. Ao fazê-lo, falou de "emboscada", desferindo ao Força Itália e seu líder um dos ataques mais duros já feitos por um político: "Tenho a impressão de que o núcleo de interesses que gira em torno do Força Itália esteja em profunda continuidade com o sistema de poder que, no passado, provocou tantos lutos e tantos danos à Itália". À noite, em um comício em Palermo, aumentou a dose e definiu o partido de Berlusconi como "um punhado de seguidores da pior parte do velho regime" e o *Cavaliere* como alguém que, "com a declaração de guerra contra o comunismo, repete as palavras comuns do fascismo e do nazismo, quando morriam nos campos de concentração os comunistas, os socialistas e os judeus e, com estas palavras de ordem, a Máfia matava os sindicalistas. Foi uma apologia à Máfia o que Berlusconi fez em Roma".

Naquele mesmo dia, às vésperas da votação do dia 27 de março, dois funcionários da DIGOS (Divisão de Investigações Gerais e Operações Especiais) se apresentaram na sede romana do Força Itália, na Via dell'Umiltà e pediram, por ordem da juíza de Palmi, Maria Grazia Omboni, a lista dos seus candidatos. Ao mesmo tempo, na sede milanesa, outros agentes recolheram a lista dos presidentes de todos das as unidades do Força Itália.

O advogado da Fininvest, Cesare Previti, disparou: "Estamos abrindo a via judiciária ao comunismo. É uma agressão inspirada por Violante e pelo PDS; não entendo por que nenhum juiz aplica, contra Violante, a lei que pune e atrapalha as campanhas eleitorais com notícias falsas. Por que os juízes não pedem as listas dos candidatos do PDS e dos outros partidos?". O presidente do Conselho, Ciampi, expressou ao ministro Conso "a maior preocupação" e desejou que "se evitem iniciativas que possam perturbar a campanha eleitoral". Interveio até mesmo Scalfaro: aquela iniciativa judiciária estava "desatualizada", "não era urgente", podia ser adiada para após as eleições. O presidente pediu uma imediata investigação do Conselho Superior da Magistratura, que convocou Omboni para o dia seguinte. A Promotoria local demonstrou absoluta urgência para obter aqueles documentos: fosse pelo fato de que a própria DIGOS lhe havia avisado, em um relatório oficial, que uma dezena de maçons investigados eram candidatos ou mesmo giravam em torno do Força Itália (e o crime de venda de voto seria cometido antes, não depois das eleições); fosse porque o juiz das investigações preliminares de Palmi aguardava aqueles elementos para decretar, ou não, alguns mandados de prisão. No fim,

Omboni partiu para Verona, mas o Conselho Superior da Magistratura não achou nada de errado nas suas operações em Palmi (salvo o fato de não ter avisado o coordenador do seu *pool*).

As eleições de 27 de março

As primeiras eleições após a operação Mãos Limpas foram vencidas por Silvio Berlusconi, no comando do Polo das Liberdades e do Bom Governo, que, ademais, como vimos, era a única formação a candidatar um ex-componente do *pool*: Tiziana Parenti. O Polo era uma aliança genial e com geometria variável (no Norte, era Polo das Liberdades: o Força Itália com a Liga, em concorrência com a AN; no Sul, era Polo do Bom Governo: o Força Itália e AN aliadas sem a Liga). Os seus opositores de centro e de esquerda, ao contrário, não entenderam a nova lei eleitoral majoritária e se apresentaram divididos. Nos dias 27 e 28 de março, o Força Itália obteve 21% dos votos e tornou-se, recém-criado, o primeiro partido italiano; o PDS tinha 20%, a Liga, 8,5%, a AN, 13,5%, o PPI, 11%. Todos os outros vinham atrás.

A vitória berlusconiana, contudo, foi mutilada: não tinha maioria no Senado, o que logo foi descoberto pelo Polo quando, no dia 16 de abril, se esforçou muito para eleger o seu candidato à presidência do Palazzo Madama, o ex-liberal Carlo Scognamiglio, contra o homem de centro-esquerda, Giovanni Spadolini. Scognamiglio venceu pela diferença de somente um voto, depois de um dia de altíssima tensão. O novo governo Berlusconi obteve a confiança do Senado com quatro votos de diferença e somente graças ao sim do senador vitalício Gianni Agnelli (Andreotti votou contra) e à saída do recinto de alguns centristas eleitos para a oposição na aliança PPI–Patto Segni: entre eles, despontava o sócio concorrente de Berlusconi, Vittorio Cecchi Gori. O problema foi depois resolvido de forma equilibrada por meio de uma suplementar "campanha de aquisições": o "acordista" Giulio Tremonti e o popular Luigi Grillo passaram para o Polo. O primeiro tornou-se ministro das Finanças, e o segundo subsecretário das Áreas Urbanas.

Outros desgostos ao *Cavaliere* foram provocados pela imprensa internacional, que não se resignou com a chegada dos "neofascistas" ao governo na Itália, nem com a ascensão de um bilionário com negócios por toda a parte. Edward Luttwak, homem de direita, consultor de várias administrações americanas, esclareceu como se via a situação do outro lado do Atlântico: "Se daqui a um ano a Itália não tiver criado leis que garantam uma rigorosa separação entre poder econômico, controle da informação e responsabilidade política, estará praticamente fora da democracia".

2. NOVO GOVERNO, VELHOS AMIGOS

Como se movia, então, a Máfia? Uma resposta, ao menos parcial, chegou nos anos seguintes, pelas investigações sobre as matanças de 1992 e 1993 e pelos materiais investigativos recolhidos pela Procuradoria de Palermo na investigação "sistemas criminais" (arquivada em 2001). A Cosa Nostra joga – entre os anos de 1992 e 1993 – sobre duas mesas. De um lado, e em uma primeira fase, abandonadas as velhas referências andreottianas, tentava fazer política por conta própria, tentava "fazer-se um partido": organizou um movimento, Sicília Livre, pela autonomia separatista da ilha, seguindo o modelo da Liga de Bossi, que tinha cada vez menos seguidores no Norte; apresentou-se também para alguns testes eleitorais e entrou em contato com uma série de "ligas" meridionais, animadas por personagens da maçonaria espúria e do terrorismo da direita. De outro lado, e em uma fase sucessiva, encontrou um novo apoio político no recém-nascido partido que tinha exatamente na Sicília uma das maiores influências: o Força Itália.

Durante a campanha eleitoral de 1994, antes ainda da confissão de numerosos "arrependidos", alguns fatos confirmaram as conexões entre acontecimentos e expoentes do Força Itália e ambientes e personagens próximos à Cosa Nostra. Em Palermo, era muito ativo Giuseppe Mandalari, personagem relevante da maçonaria e, ao mesmo tempo, economista de confiança do clã corleonese (foi depois condenado definitivamente). As escutas escondidas no seu escritório pelo Serviço Central Operativo (SCO) da polícia registraram frases como essas:

> Berlusconi? Dou-lhe uma grande mão, porque eu tenho o arquivo dos irmãos maçons de toda a Itália. O Força Itália é a única esperança que há hoje na Itália... Só digo uma coisa: Força Itália... Já mandei fazer o meu distintivo... Eu apoio o candidato ao Senado Fierotti, um homem maravilhoso... Votem em Berlusconi na lista do Força Itália, na terceira cédula... Para o Senado, o nosso candidato é La Loggia; temos ótimas relações, nos encontramos já aqui em Palermo".

E não são somente simples militâncias, como bem demonstravam os seus telefonemas a alguns futuros parlamentares do Polo: a Michele Fierotti, ao senador da AN Filiberto Scalone e ao secretário de Enrico La Loggia.

Na Catânia, era muito ativo um grupo do qual faziam parte os homens de negócios Aldo Papalia e Felice Cultrera. Este último, envolvido em 1983 na investigação milanesa sobre os cassinos, era considerado aliado ao chefão Nitto Santapaola. Interceptados pela DIA (Direção Investigativa Antimáfia), descobriu-se que os membros do grupo mantinham relações com os gêmeos Alberto e Marcello Dell'Utri. Papalia foi nomeado responsável provincial do território e das relações exteriores do Força Itália. Um telefonema do dia 20 de fevereiro de 1994, entre Papalia e seu sócio Franco La Rosa, foi um exemplo de mistura de negócios com política. Os dois passavam continuamente de considerações sobre a campanha eleitoral em curso para negócios que têm em comum, estabelecendo várias ligações entre os dois planos. "Estive com Giancarlo Innocenzi. Logo será um honorável parlamentar", disse Papalia, acenando a um homem da Fininvest que era candidato nas listas do Força Itália — e futuro subsecretário e até mesmo comissário da AGCOM (Autoridade para as Garantias nas Comunicações). Em seguida, falou de um negócio a ser realizado com o sheik Adnan Khashoggi. E enfim, voltou à política: Marcello Dell'Utri, disse La Rosa, tem uns problemas decorrentes de algumas faturas falsas (por isso, é investigado em Turim e Milão), "mas é tudo uma grande bobagem", e o novo governo terá de "colocar um freio na justiça". Dois dias antes das eleições, Papalia desabafou com Cultrera:

> Quando Berlusconi subir ao poder, e isso foi dito durante um jantar onde estava presente também Marcello, teremos muitas satisfações [...]. A primeira coisa que ele fará será a destruição da administração, a destruirá completamente, porque são grupos de comunistas! [...] Atenção, porque a "pessoa" sabe de tudo, porque estava com Colombo, estava com Di Pietro, com Borrelli. Sabe de tudo; por isso, ela é apta para estas coisas.

A "pessoa" era Tiziana Parenti, na lista do Força Itália exatamente na Sicília. Papalia seguiu recitando a lista de proscrição dos juízes indesejáveis: "Vigna em Florença, Cordova em Roma, Caselli em Palermo, e em Catania, são cinco ou seis juízes, em Palmi, Bari, Verona e em Trieste. Para cada Procuradoria, há um grupo de cinco responsáveis".

Assim falou Totò Riina

No dia 21 de maio, a Procuradoria de Palermo solicitou o reenvio a juízo de Giulio Andreotti por associação mafiosa. Em 25 de maio, uma semana após a posse do novo governo, Totò Riina aproveitou a pausa de um processo para lançar o seu programa político:

> Há um instrumento político, e é o Partido Comunista: há Caselli, Violante, e também este Arlacchi que escreve livros [...]. Então, eu acho que o novo governo deve estar atento aos ataques dos comunistas. E a lei dos arrependidos deve ser abolida, porque são pagos para inventar coisas, são manipulados [...] e fazem o trabalho deles. E, assim, um diz o que o outro diz.

Mas foi o presidente do Conselho em pessoa que deu os sinais mais vistosos. Como a divulgação do dia 14 de outubro de 1994, durante uma viagem oficial a Moscou, quando Berlusconi se irritou com a série de TV *La piovra*:

> Esperamos não fazer mais dessas coisas sobre a Máfia, porque este foi um desastre que fizemos juntos, ao redor do mundo. De *La Piovra* para baixo. Não nos demos conta, mas tudo isso deu ao nosso país uma imagem

muito negativa [...]. Quantos são os italianos mafiosos? Não queremos que uma centena de pessoas deixe uma imagem negativa no mundo....

Riina, da sua cela de réu, no dia 20 de outubro, mandou-lhe imediatamente o seu aplauso:

> É verdade, tem razão o presidente Berlusconi. Tudo isso é uma invenção, é tudo obra de "tragediadores" que desacreditam a Itália e a nossa bela Sicília. Dizem tantas coisas ruins com essa história de Cosa Nostra, de Máfia, que deixam escapar as pessoas. Que Máfia, que piovra, tudo ficção... Andreotti é um "tragediado", como sou "tragediado" também eu. E Carnevale mais "tragediado" ainda. Estes arrependidos acusam porque são pagos, ganham dinheiro.

Quando se tornou presidente da Comissão Parlamentar Antimáfia, também Tiziana Parenti advertiu sobre o risco de "infiltrações mafiosas no Força Itália", mas foi logo silenciada. A partir de 1994, mudou o clima, como demonstraram também os debates de verão. Em Courmayeur, no Vale d'Aosta, Luciano Violante, vice-presidente da Câmara, e Domenico Contestabile, subsecretário da justiça, discutiram sobre a duríssima greve dos advogados que bloqueou por semanas os tribunais em toda a Itália. Violante: "A greve dos advogados tem motivações muito sérias, mas Riina também está envolvido. E há sempre alguém que lhe obedece". Contestabile: "Riina, Riina. Não me interessa absolutamente nada do que ele diz. O fato é que muitos se aproveitam disso, deixam-no falar em uma sala do tribunal e depois usam suas palavras contra o governo". Melhor falar de outras coisas, então: "Sim, posso declarar que Valeria Marini é o sonho da minha vida?".

Viva Valeria Marini, abaixo a justiça. E contra os juízes ("Assassinos!") se manifestou Vittorio Sgarbi, deputado eleito pelas listas do Força Itália e presidente da Comissão de Cultura da Câmara: juízes e políticos ativos demais contra a criminalidade organizada eram atacados violentamente durante os seus sermões venais transmitidos todos os dias, com o título de *Grosserias cotidianas*. Tiziana Maiolo fez também a sua parte. Aliada ao partido de Berlusconi, depois de ter transitado pelo Manifesto, pelos Radicais e pela Refundação Comunista, foi eleita presidente da Comissão de Justiça da Câmara. Durante todo o seu mandato, distinguiu-se por suas iniciativas contra os juízes, contra os arrependidos, contra o 41-bis (prisão de segurança máxima e isolamento para os chefões) e ainda contra o 416-bis, o artigo do Código Penal que permitia punir o crime específico de associação mafiosa.

Quase todas as propostas formuladas por Riina e contidas no "papelete" foram retomadas por expoentes do Polo durante os sete meses do governo Berlusconi, mas somente da boca para fora: não havia tempo para traduzi-las em lei. Isto foi feito, na medida do possível, pelos governos de centro-esquerda, sempre com os votos da centro-direita.

O partido dos advogados

O programa escrito e anunciado pelos expoentes do Força Itália para a operação Mãos Limpas também não prometia nada de bom. Era só escutar as primeiras manifestações do "partido dos advogados" berlusconiano: Alfredo Biondi, Domenico Contestabile, Raffaele Della Valle; mais os advogados da Fininvest, Vittorio Dotti e Cesare Previti ("um para os negócios legais, outro para os ilegais", disse Cristina Matranga, deputada do Força eleita em Palermo). Foram exatamente eles que regularam a política judiciária do partido de maioria relativa. "Os juízes", advertiu Della Valle, futuro líder da Câmara, "precisam dar-se conta de que não podem ser os porta vozes da oposição" (9 de maio). E Giuliano Ferrara, futuro ministro das Relações com o Parlamento: "A suplência terminou. Por muitos meses, a Procuradoria de Milão constituiu-se em um contrapoder, mas agora algo mudou, a revolução terminou" (*Corriere della Sera*, 9 de maio). Até mesmo o advogado Maroni, na lista de espera para o Ministério do Interior, profetizou: "Somos a favor da separação das carreiras entre os juízes julgadores e aqueles investigadores" (23 de abril). Foi Gianfranco Fini o único a desmentir: "São fantasiosas as declarações sobre a reforma do Conselho Superior da Magistratura ou sobre as carreiras separadas, rumores falsos, inventados para atrapalhar o governo que está nascendo" (30 de abril).

A justiça estava preocupada. No dia 13 de abril, Indro Montanelli, que há três semanas havia lançado o seu novo jornal, *La Voce*, encontrou Borrelli para uma entrevista sobre as perspectivas da operação Mãos Limpas na Itália berlusconiana. Havia uma ótima relação entre o velho Indro e o procurador. Montanelli era amigo de seu pai, Manlio, presidente da Corte de Apelação de Milão. Se deixou *il Giornale*, foi também porque Berlusconi não apreciava a sua vigorosa defesa da operação Mãos Limpas. Quando saiu o *La Voce*, Di Pietro e D'Ambrosio compraram cada um uma ação, em sinal de solidariedade, enquanto Davigo colaborou com vários editoriais. "Já tem por aí quem quer ressuscitar", desabafou Borrelli, a separação das carreiras e prevê a discricionalidade da ação penal. Essas são as nossas preocupações [...]. Todos os juízes da operação Mãos Limpas estão determinados a limpá-las de verdade, em todos os campos. Todos nós da Procuradoria, do primeiro ao último, estamos comprometidos a não abandonar o navio até que tenhamos terminado nossa tarefa, desde que o poder político não o afunde".

Três dias depois, Berlusconi recebeu a primeira boa notícia judiciária depois de muito tempo: o Tribunal de Apelação de Roma absolveu Licio Gelli (seu venerável mestre maçom) e outros doze corréus da acusação de ter tentado subverter a organização do Estado. Os chefões da P2, onde também muitos golpistas estavam inscritos, não puderam ser condenados por subversão. Gelli, condenado "somente" por crédito fraudulento e calúnia a 17 anos (dos quais 5 foram perdoados), exultou em uma entrevista ao *Giornale* de Feltri: "Esta sentença representa praticamente o fim do Comitê de Liberação Nacional". Também o *il Giornale* tripudiou. Título em primeira página: "P2, o golpe tinha sido inventado pela Anselmi". Naqueles mesmos dias, *L'Italia Settimanale*, dirigida por Marcello Veneziani e muito próxima à AN, publicou uma lista de "cabeças para cortar" na Itália do Polo. Na primeira fila, aquelas dos procuradores de Milão, Nápoles e Palermo: Borrelli, Caselli e Cordova. Caselli falou de "listas de condenação" e "provas de esquadrão da morte".

A Primeira República vai para a prisão

No dia 16 de abril, o Parlamento reabriu as portas para a décima segunda legislatura. Setenta por cento dos eleitos entrava ali pela primeira vez, e foram colocadas algemas em alguns que ficaram de fora. Enquanto os deputados recém-empossados elegiam Irene Pivetti presidente da Câmara e os senadores recém-empossados escutavam o discurso de posse de Carlo Scognamiglio, Ciampi ia ao Palazzo Quirinale para renunciar ao cargo de primeiro-ministro, e os Carabinieri capturavam Giulio Di Donato na sua mansão em meio ao verde, nas colinas de Posillipo e o acompanhavam para a prisão de Poggioreale, na mesma cela onde até pouco tempo tinha estado Duilio Poggiolini. Mesmo destino, sempre em Nápoles, para outros três ex-deputados: dois da DC, um do PDS. Em Varese, foi para a prisão o democrata-cristão Paolo Caccia, e muitos outros "ex" os seguiram, nas semanas seguintes, em várias partes da Itália. No dia 12 de maio, prisão também para De Lorenzo, acusado de formação de quadrilha e corrupção por 67 acusações e 7 bilhões em propinas. A crônica policial do *Giornale*, de Feltri, ainda não conquistado pelos valores do "garantismo", começava assim: "O desejo de 56 milhões de italianos se realizou. Ontem à tarde, as portas da prisão se abriram para aquele que foi considerado o pior de todos os corruptos da Primeira República. Tinha especulado até mesmo com a AIDS [...]. Então, chegou o acerto de contas". Título da página dois: "Francesco entra na cela, e até os africanos e os contrabandistas aplaudem. Explode a alegria dos concidadãos: nos desastrados corredores do hospital Cardarelli, ouve-se um estrondo de felicidade". Feltri escreveu um editorial especial, com o título: "O professor cara de pau". E prosseguiu assim: "Queria o Prêmio Nobel [...] lhe deram a prisão. Com grande atraso em relação às previsões [...]. Se penso nos insultos que recebi dos colegas por ter escrito, com dois anos de antecedência, nas mãos de quem estava a Itália, tenho vontade de [...]. E, ao invés disso, não, respondo a um monte de processos, mas continuarei", mas não continuou: as investigações sobre a Fininvest e sobre os seus editores Silvio e Paolo Berlusconi fizeram-no mudar de ideia. E De Lorenzo, após voltar à prisão de Poggioreale em 2001 para cumprir uma parte da sua condenação definitiva, inaugurou, exatamente no *Giornale*, uma coluna com o título gramsciano *Cartas da Prisão*.

E Craxi? Entre o fim de 1993 e o início de 1994, podia ser visto na sua casa na Via Foppa, em Milão, no habitual hotel Raphael, em Roma, e na mansão tunisiana de Hammamet (nos finais de semana), mas com frequência também nos Estados Unidos, nos países árabes e, principalmente, na França. As festas de Natal de 1993 ele passou em Cuernavaca, no México, na mansão de sua amiga condessa Francesca Vacca Agusta. Mas, com o novo Parlamento, ele também ficou nu, sem mais direito à imunidade. Ninguém teve a coragem de recandidatá-lo, nem mesmo o amigo Silvio que, ao contrário, se distanciou da Primeira República e quase fingiu não o conhecer. Quando Bossi insistiu, com a sua linguagem colorida: "Atrás de *Berluskàz* está o *crapùn*, está Craxi",* o *Cavaliere* se revoltou: "É uma falsidade, uma coisa sem sentido dizer que atrás do senhor Berlusconi esteja Craxi. Não devo nada a Craxi e nem ao que todos chamam de CAF (Centro de Assistência Fiscal)" (21 de fevereiro).

Parecia que havia passado uma vida, desde quando Confalonieri confessou à revista *Europeo*: "Berlusconi e a sua TV comercial nasceram quase contemporaneamente a Craxi, secretário do PSI: foi o encontro entre dois homens que reagiam do mesmo modo à ideologia da época; para Craxi, assim como para Berlusconi, a América não era mais um pecado, a riqueza merecida era justa, assim como era justo o sucesso". No entanto, tinham se passado somente cinco anos. E somente dois desde que, na campanha eleitoral de 1992, o *Cavaliere* em pessoa, sentado em frente ao piano, gravou um comercial ao lado de Bobo Craxi e Caterina Caselli, exaltando "a grande credibilidade política do governo Craxi" e convidando todos os italianos a votarem no PSI, mas, então, certos atos não eram mais permitidos. Bettino, para os italianos, era o "javalizão" de Feltri, o "crapùn"** de Bossi, o déspota que fugiu para o exterior, retratado por Giannelli no *Corriere* e por Forattini no *la Repubblica* nas vestes de um ávido Ali Babá; o protagonista involuntário dos shows de Benigni — que lhe dedicou um epitáfio fulminante: "Nacque, nocque" ("nasceu, prejudicou") —, dos programas de Serena Dandini e dos irmãos Guzzanti, dos programas de variedades com os sósias no *Bagaglino*. Somente Cesare Previti, recém-empossado ministro, fez afirmações ousadas sobre aquela amizade embaraçosa: "Fui e continuo sendo amigo de Craxi; quem demoniza uma relação desse tipo com Craxi é um imbecil ou um canalha".

No final de abril, o *pool* da operação Mãos Limpas pediu ao juiz das investigações preliminares Ghitti o confisco dos passaportes de quinze ex-parlamentares investigados: Tognoli, Pillitteri, Martelli, De Michelis, Di Donato, Signorile, Reviglio, Pomicino, Citaristi, Bernini, Moschetti, Baruffi, Vizzini, Altissimo e Stefanini. Davigo foi quem se encarregou disso. Milão, diversamente de outras procuradorias, escolheu uma linha mais sutil: nada de prisões, somente proibições de deixar o país. Na metade de maio, à lista de solicitações foi acrescentado o nome de Craxi. Tarde demais: no dia 5 de maio, o velho líder deixou pela última vez a suíte com cobertura no hotel Raphael para transferir-se definitivamente para Hammamet. Antes de partir, teve um gentil pensamento para Martelli ("Disse-me que eu iria ser preso e que talvez eu fosse colocado em uma cela com um mafioso, então me mandou um bilhetinho com o endereço de um lugar onde eu poderia me refugiar, acho que no México"). E, segundo um relatório da DIGOS, viajou algumas vezes para a Suíça e para o outro lado do oceano a bordo de aviões e

---

*   *Crapùn*: em dialeto lombardo, teimoso, cabeçudo. (NT)
** Jogo de palavras com os verbos *nascere* e *nuocere*. (NT)

helicópteros particulares do grupo Fininvest. O último carimbo legível no seu passaporte mostrava a data de 16 de maio de 1994, com o visto de ingresso na Tunísia. Lá estava seguro: protegido pelo tratado de extradição de 1967 e, principalmente, pelo reconhecimento do regime pelos muitos favores prestados pela Itália, primeiro para Bourghiba e depois ao golpista Ben Alì, levado ao poder – como revelou o diretor do SISMI (Serviço de Informação e Segurança Militar) Fulvio Martini – por um golpe de Estado organizado pelos serviços secretos italianos com a benção de Craxi e Andreotti. Entre os motivos de reconhecimento do regime tunisiano havia também o 1,3 trillhão recebido dos governos de Roma entre os anos 1987–1992.

A mansão de Hammamet ("a cidade dos banhos") foi construída por Craxi no final dos anos 1960 e colocada no nome de vários laranjas: primeiro no de Spartaco Vannoni, proprietário do hotel Raphael, depois nos nomes dos arquitetos Silvano Larini e Filippo Panseca e, enfim, no da mulher Anna e da secretária Enza Tomaselli. Assim, enquanto Berlusconi se alojava no Palazzo Chigi, comprimentado com entusiasmo por Anna Craxi ("Estou feliz que haja um governo de pessoas amigas"), Bettino deixava a Itália para sempre. Na hora exata: poucos dias depois, Ghitti ordenou o confisco do seu passaporte. Ele respondeu com um atestado médico do endocrinologista tunisiano Rakim Boukris, que receitou ao paciente ao menos duas semanas de tratamento. O primeiro de uma longa série de atestados. Em 16 de junho, Craxi foi considerado fugitivo. Teve de internar-se no hospital por problemas cardíacos e por uma úlcera no pé, devida ao diabetes. Di Pietro, no tribunal, ironiza sobre o "furunculão de Craxi".

Todos o chamavam de "fugitivo", mas, segundo a lei, Craxi ainda não era. Violou sim a proibição de deixar o país e foi julgado à revelia em vários processos, mas não havia ainda um pedido formal de prisão, nem um pedido de extradição. Por quê? O tratado ítalo-tunisiano que regulava a matéria era uma armadilha para os juízes: não previa a entrega do cidadão em caso de processos por "infrações políticas ou conexas" (e a jurisprudência tunisiana podia permitir a entrada até mesmo da corrupção e do financiamento ilícito), mas, principalmente, estabelecia que a eventual recusa da extradição impediria a Itália de processar o fugitivo. Em resumo, os processos contra Craxi corriam o risco de serem anulados. Seria melhor, então, julgá-lo em liberdade. A primeira condenação em primeiro grau foi no dia 29 de julho: 8 anos e 6 meses pela conta Protezione, isto é, por envolvimento na falência fraudulenta do Banco Ambrosiano, sem atenuantes (condenados também Martelli a 8 anos e meio; Gelli a 6 anos e meio; Larini a 5 e meio; Di Donna a 7 anos). Como veremos a seguir, outras condenações aconteceram.

"Davigo, venha conosco"

Vencidas as eleições, o Polo das Liberdades se preparava para chegar ao governo. Um governo que, um pouco por conveniência, um pouco por convicção, se definiu como o primeiro da Segunda República nascida da operação Mãos Limpas.

No dia 18 de abril, o advogado Ignazio La Russa, líder da AN em Milão, pediu um encontro reservado com Davigo para dar-lhe uma missão diplomática por conta de Fini. Anos de encontros no Palácio da Justiça consolidaram entre os dois uma relação de estima recíproca, até mesmo porque Davigo era conhecido como um conservador. "Doutor Davigo", lhe disse La Russa, "por que não entra no governo como ministro da Justiça? Este é o primeiro governo da Segunda República: quem poderia ser melhor do que o senhor, e talvez do que Di Pietro, para consagrar a passagem? Falei sobre isso com Fini, que está de acordo. Até o Berlusconi entenderá que lhe convém". Davigo disparou uma de suas metáforas: "Mas o senhor acredita de verdade que nós, os árbitros auxiliares, podemos tirar nossos uniformes, largar a bandeirinha e vestir a camiseta de um dos times em campo em meio à partida? Agradeço pela sua lembrança, mas a única resposta possível é não".

La Russa recebeu a resposta, discutiu-a e, no dia seguinte, tentou novamente, com uma carta de educada insistência:

> Caro doutor, gostaria de agradecer ao senhor a cortesia e a atenção a mim dispensadas durante nossa conversa de ontem. Igual agradecimento me pede para desejar-lhe o honorável Fini, a quem já antecipei o teor de nossa conversa, que poderei detalhadamente ilustrar-lhe amanhã em Roma. Refleti muito sobre a sua avaliação, certamente nobre e eticamente muito apreciável, de não considerar oportuno trocar o uniforme de bandeirinha pelo de jogador enquanto a partida está sendo realizada. Na prática, porém, tal convencimento poderia ser superado. É convicção do honorável Fini e, me permita, também minha, procurar fazer com que não somente o ministro da Justiça, mas também qualquer outra área do governo tenha, na nova fase política que está nascendo, uma função mais parecida com aquela do árbitro auxiliar, que nos parece ser a mais idônea à delicadeza da tarefa do que aquela do jogador, à qual até agora estávamos acostumados. Se o senhor me consentir, procurarei, sempre em absoluta transparência, encontrá-lo ainda, se não outro, para verificar a possibilidade de profícuas trocas de opiniões, eventualmente em lugares de debates públicos, com os responsáveis em questão da Aliança Nacional e/ou da área de maioria. Ignazio La Russa.

"Di Pietro, venha conosco"

No dia 28 de abril, Silvio Berlusconi recebeu o cargo das mãos do presidente Scalfaro: era o 51º presidente do Conselho da Itália republicana. "Oitenta por cento", anunciou, está feito: "impedir que uma esquerda não liberal chegasse ao poder. Agora, restam os outros 20% por cento: governar". Foi otimista demais. Bossi, não contente com a nomeação de Irene Pivetti para a presidência da Câmara, pôs as garras de fora: "Ou a Liga vai para o Ministério do Interior com Maroni, ou não entra no governo". No entanto, o *Cavaliere* não queria entregar o Palazzo Vinimale a Bobo Maroni, menos ainda a Scalfaro. A única solução – sugeriu Pinuccio Tatarella, mente lúcida da AN e vice-presidente do Conselho *in pectore* – seria engajar Di Pietro. Berlusconi se iluminou: de um lado, bateria a carteira da operação Mãos Limpas, conquistando o promotor e os seus consensos estratosféricos; de outro lado, desarmaria a mina do Ministério do Interior, calando Bossi. O eleitorado da Liga ambicionava o *pool* e seu símbolo. Para não falar da AN, que torcia para Di Pietro como se fosse para um time de futebol: "Para nós", disse Maurizio Gasparri dia 7 de maio, "Di Pietro é melhor do que Mussolini". E depois, o juiz da Região de Molise nunca foi de esquerda. Provinha de uma família católica de camponeses. Na sua casa, sempre se votou para a DC. Nos meses seguintes, seu cunhado, Gabriele Cimadoro, se tornou o responsável pelo CCD (Centro Cristão Democrático) em Bérgamo. E naquele partido, pelo menos uma vez, votaria também Di Pietro.

No dia 28 de abril, o magistrado celebrou o seu triunfo: chegou a sentença do processo contra Sergio Cusani. Às 23h30min – após 12 horas de Câmara de Conselho e um pouco de confusão causada por uma granada de mão para exercícios (inofensiva) encontrada embaixo de um banco na sala do tribunal pelo filho policial do promotor, Cristiano – o presidente Tarantola leu o veredito: 8 anos de reclusão para o lobista de Raul Gardini, 170 bilhões a restituir para a Montedison, condenação para todos os acusados, até mesmo para aqueles para os quais a acusação tinha pedido a absolvição.

Os boatos sobre Di Pietro ministro cresciam. No dia 1° de maio, Borrelli se declarou publicamente contrário. E, para quem lhe perguntava com insistência sobre a possibilidade de ingresso na política de algum promotor do *pool*, respondeu evocando um cenário catastrófico, como aquele do filme *O dia seguinte*, totalmente irreal, que tornaria a hipótese impossível: "Teria de acontecer um cataclismo, durante o qual sobreviveria somente o presidente da República, que, como supremo tutor, convocaria os homens da lei. Somente neste caso poderíamos responder com um 'serviço complementar'". Esta frase seria usada, mais tarde, para demonstrar que o *pool* armava um "golpe judiciário" para tomar o governo de Berlusconi.

O assunto sobre Di Pietro parecia concluído, mas Berlusconi, confiando em seus dotes sedutores, não desistiu de tentar convencer o promotor mais famoso da Itália. Até mesmo porque naquela época – como se viria a saber mais tarde – Di Pietro discutia seguidamente sobre seu futuro com quem ele considerava um dos seus melhores amigos: o agente imobiliário Antonio D'Adamo, que nos anos 1970 dirigia a Edilnord de Berlusconi e que, após, começou a trabalhar por conta própria, sem, porém, interromper os contatos com o *Cavaliere*. Naquelas últimas semanas, o promotor lhe confessou que estava cansado e enfraquecido, ou seja, que gostaria de concluir a sua experiência na Procuradoria e passar a dedicar-se a algum cargo institucional. Até mesmo porque a operação Mãos Limpas começava a marcar passo: não havia no horizonte novas investigações; os empresários, com a vitória de Berlusconi, compreenderam que se encerrou um ciclo e fecharam a boca; a fila na entrada do seu escritório tinha desaparecido já há algum tempo. Di Pietro, em meados de abril, falou disso também com Italo Ghitti, às vésperas de deixar Milão para ser eleito no Conselho Superior da Magistratura: "Não chega mais água no moinho, está na hora de eu também mudar de trabalho".

O dia 7 de maio caiu em um sábado. Berlusconi entrou no Palazzo Quirinale e anunciou para Scalfaro: "Para o Ministério do Interior, quero tentar Di Pietro". O promotor estava em Roma para uma investigação. Às 11h, Berlusconi ligou para o seu celular: "Ligo do escritório do presidente da República. Pensamos no senhor para assumir o Ministério do Interior: teria um tempinho para conversarmos sobre isso?". Di Pietro hoje se lembra:

> Respondi que gostaria de pensar um pouco. Quando mencionou Scalfaro, Berlusconi mexeu comigo. Borrelli, com os boatos de uma candidatura minha ao Ministério do Interior, tinha me recomendado a máxima cautela: não estava muito claro o motivo daquela oferta. Então, naquela manhã, ganhei tempo até as 14h. Berlusconi me passou o endereço do encontro, Via Cicerone 60, onde, mais tarde descobri, era o escritório do advogado Previti, que eu não conhecia. Quando cheguei, a imprensa já estava lá. Eles a tinham chamado. Tivesse dependido de mim, tudo teria ficado em segredo. No escritório de Previti, além dele, estavam também Berlusconi, Letta e outra pessoa que não lembro quem era. Depois das formalidades, os outros se afastaram, deixando-me a sós com Berlusconi. Foi então que ele me repetiu formalmente o convite para ser ministro do Interior, com todas as cerimônias e salamaleques típicos do personagem. Não o deixei nem terminar de falar e lhe respondi: "Não posso aceitar, estou ocupado demais na investigação da operação Mãos Limpas; tenho um monte de processos para concluir". Ele se mostrou um pouco contrariado, insistiu ainda e, após, marcou um encontro para dali a alguns meses, quando eu tivesse concluído as minhas atividades, prenunciando que me ofereceria um "importante cargo institucional" (não disse qual). Tudo durou somente poucos minutos, cumprimentei Previti, e ele também confessou que me via com bons olhos no comando dos Serviços Secretos, ao que eu respondi que não tinha nada contra, mas o assunto era prematuro. Despedi-me e voltei para Milão.

Antes de partir, Di Pietro anunciou a sua recusa aos jornalistas que esperavam na rua, lendo um comunicado de poucas linhas, preparado com antecedência. Em suma, foi ao encontro com a resposta já pronta. "Quando Berlusconi me chamou do Palácio Quirinale", explica hoje, "telefonei para Davigo, contei-lhe tudo e pedi a sua opinião. Davigo era contrário, mas me disse que falaria com Borrelli. Com o chefe eu não tinha muita intimidade, então deixei que Piercamillo o fizesse. Meia hora mais tarde, telefonei, e ele me confirmou que Borrelli também era completamente contrário. Ambos concordaram comigo, no entanto, que era sinal de boa educação responder pessoalmente ao presidente do Conselho". As lembranças de Davigo coincidiam: "Naquela manhã, Di Pietro me chamou: 'Acabaram de me oferecer o Viminale: o que você acha disso?'. 'Que seria uma loucura', respondi. 'É impossível. Somos juízes, estamos investigando muitos expoentes políticos, não podemos virar políticos também nós', e ponto final".

Segundo Bruno Vespa, enquanto Berlusconi pegava o telefone para ligar para Di Pietro, Scalfaro saía do seu escritório para telefonar para Borrelli, de outra sala do Palazzo Quirinale, para avisá-lo do "perigo". Borrelli desmentiu categoricamente: "É falso. Nem naquele dia, e muito menos antes, falei com Scalfaro. Somente muito tempo depois, com tudo já resolvido, o presidente me cumprimentou pela decisão de ficarmos cada um no seu lugar. Di Pietro talvez tenha ficado um pouco tentado, mas caiu em si depois que falou comigo e com os outros do *pool*". Hoje, Di Pietro acrescenta:

> Visto *a posteriori*, é fácil entender que as motivações daquela oferta eram pouco nobres e muito interesseiras: três semanas antes tínhamos mandado à prisão o marechal Nanocchio, o primeiro dos guardas de finanças corruptos da Fininvest. Ainda não sabíamos quem tinha autorizado o pagamento das propinas para Nanocchio e seus comparsas, mas Berlusconi e família sabiam. Era óbvio, então, que se preocupassem em dar-me alguma outra coisa para fazer.

Ainda hoje, o ex-promotor demonstra perplexidade por ter dito aquele não:

> Em retrospectiva, penso seguidamente sobre o que teríamos podido fazer de bom, eu e Davigo, entrando juntos no governo. O *Cavaliere* teria se arrependido mil vezes por ter nos convidado, porque, da sala de comando, teríamos podido cortar melhor o sistema de corrupção e, naquela época, Berlusconi não poderia ter nos detido. Talvez, com Davigo na Justiça e eu no Interior, não tivessem sido escritos os dossiês contra os juízes. Talvez a operação Mãos Limpas não tivesse sido bloqueada, mas sim incentivada, e teria vencido a disputa contra o partido da impunidade. Talvez tivesse mudado a história da Itália.

A Justiça, entre Previti e Biondi

A negação de Di Pietro fez renascer a candidatura de Maroni para o Ministério do Interior. Berlusconi, por meio de Previti, que administrava diretamente as tratativas, tentou impor um dos seus três candidatos de reserva: os juízes Rosario Priore, Filippo Mancuso e Vittorio Sgroj, todos competindo (juntos, diziam, ao chefe dos juízes das investigações preliminares de Milão, Mario Blandini) também pelo

1994. MÃOS ATADAS

Ministério da Justiça. Bossi, porém, não queria nem ouvir falar deles e impôs o seu braço direito para o Ministério do Interior. No entanto, desatado um nó, aparecia logo outro: aquele, não menos crucial, da poltrona do Ministério da Justiça. Berlusconi queria a todo custo Previti, mas Scalfaro – que já mal digeria Maroni – esbravejou: "Não, o advogado da Fininvest, não". Não se tratava de uma avaliação moral, até mesmo porque ainda se sabia pouco ou nada sobre Previti. Era um juízo institucional: o especialista em causas civis do presidente do conselho e das suas empresas não podia ser o ministro da Justiça. Então, no último momento, Previti se moveu para o Ministério da Defesa. E Alfredo Biondi, destinado à Defesa, foi para a Justiça.

Desde o discurso de posse na Câmara (em 16 de maio), Berlusconi se empenhava em "não colocar nunca em discussão a independência dos juízes" porque "este governo é apoiado por todos aqueles que querem a moralização da vida pública empreendida pelos valentes magistrados". Em um encontro com a cúpula da Associação Nacional dos Magistrados, ele rebateu: "Asseguro-lhes formalmente que não é intenção do meu governo tocar na independência do promotor". Biondi produziu também declarações confortantes:

> De agora em diante, as minhas opiniões terão de respeitar a prudência e o equilíbrio de ministro. Os juízes terão em mim um aliado para a sua independência. Podem ficar tranquilos, serei um deles, uma sentinela muito atenta, de modo que nunca devam imaginar que haja qualquer interferência do Executivo, ou de quem quer que seja, na liberdade das suas decisões... E nada de passar um pano por cima: sou favorável às limpezas [...]. Quando Berlusconi me propôs a Justiça, lhe disse imediatamente em seguida: "Saiba que nunca serei o seu guarda-costas (11 de maio).

Alguns dias depois, acrescentou: "Juro pelos meus seis netinhos que nunca passarei um pano por cima. Não quero ter o mesmo fim que o Conso" (16 de maio), mas, no dia seguinte, Previti mostrou quem era o verdadeiro ministro da Justiça: "É preciso fazer a separação das carreiras e reformar o Conselho Superior da Magistratura para harmonizá-lo com a nova situação política". Disse assim mesmo: "harmonizar", levantando um previsível vespeiro.

E, de fato, para a boa paz dos netinhos de Biondi, o governo começou a agir logo para concluir a operação Mãos Limpas. Já no dia 6 de junho, o ministro da Justiça se desmentiu: "Estamos estudando se devemos descriminalizar completamente o financiamento ilícito". Uma espécie de decreto Conso-bis, mas, desta vez, na forma de "projeto de lei, porque eu sou contra o decreto". Depois, de improviso, na metade de junho, a prioridade virou outra: reduzir drasticamente a prisão cautelar. Foi a primeira reviravolta. A segunda foi em 26 de junho, anunciada por Biondi, eximindo-se mais uma vez de qualquer culpa: "À prisão cautelar recorrem os extremos da necessidade e da urgência: poderíamos recorrer ao decreto-lei". O que aconteceu nesse meio tempo? Estourou o escândalo das propinas para a Guarda de Finanças, que envolveu a fina flor do empresariado milanês, incluídas algumas empresas do presidente do Conselho.

3. GUARDA DE FINANÇAS , GUARDAS SUJAS

Tudo começou no dia 26 de abril de 1994. Enquanto Berlusconi estava elaborando a lista dos ministros, um jovem vice-brigadeiro da Guarda de Finanças, Pietro Di Giovanni, do Núcleo Regional da Receita Federal de Milão, pediu uma audiência ao seu comandante de setor, coronel Gianluigi Miglioli e contou-lhe um episódio desconcertante: no dia 21, o seu chefe de patrulha, marechal Francesco Nanocchio, lhe fez uma estranha revelação:

"Algumas pessoas da Edilnord disseram que queriam nos dar um presentinho". Di Giovanni lhe disse imediatamente para recusar, mas Nanocchio insistiu: "O que tem, já disse que estamos de acordo. É uma bobagem, não há com o que se preocupar". Di Giovanni entrou em licença e, quando voltou, no dia 26 de abril, Nanocchio lhe entregou um envelope branco com 2,5 milhões de liras. O coronel Miglioli o mandou para a Procuradoria, onde quem recebeu a denúncia foi o promotor Tito, que seguiu as práticas ordinárias. Ouviu Di Giovanni, depois convocou Nanocchio. Este negou tudo: "A Edilnord não tem nada a ver, aqueles 2,5 milhões eram um presente meu para este jovem e capaz colega que nos dá uma grande mão". E permaneceu livre, mesmo que na busca à sua casa tenham sido encontrados outros 47,5 milhões em dinheiro (que, com mais os 2,5 milhões dados para Di Giovanni, somam 50 milhões).

No dia seguinte, Di Pietro, no corredor, "bisbilhotou" uma conversa entre Tito e um colega sobre aquele estranho fato. Intrometeu-se, quis saber de tudo, depois desabafou: "Você deveria ter mandado Nanocchio logo para a prisão!". E tirou a investigação de Tito sem cerimônias. Hoje ele lembra:

Vi logo que aquele não era um episódio, mas a clássica ponta de um iceberg, um sintoma de todo um sistema. Um chefe de patrulha que dá 2,5 milhões para um jovenzinho que ganha, a duras penas, um milhão, não pode ser um caso isolado. Coloquei Di Giovanni no caldeirão do "arquivo virtual" da operação Mãos Limpas, antes que a sua denúncia terminasse nas mãos de alguma outra pessoa. Depois, pedi aos meus chefes para poder seguir a investigação junto com Davigo. Não poderíamos ao certo prever, Piercamillo e eu, que, após algumas semanas, viesse à tona o nome de Berlusconi, ou seja, o chefe daquele governo para o qual tínhamos sido convidados tão recentemente. Muito menos poderíamos imaginar que aquela investigação, iniciada daquele modo totalmente ocasional, fosse depois transformada em um complô de juízes comunistas. Dois juízes tão comunistas que Berlusconi e a AN queriam nomeá-los a todo o custo ministros.

Di Pietro e Davigo pediram e obtiveram a prisão de Nanocchio. Depois, conseguiram acesso à lista das averiguações fiscais realizadas pela dupla Nanocchio–Di Giovanni e por Nanocchio junto a outros. Na segunda lista, apareceu o nome Telepiù: uma sociedade que, ao contrário da Edilnord (controlada por Paolo Berlusconi), levava diretamente a Silvio.

Di Pietro lembrou ainda:

> Sobre a Telepiù, o primeiro a falar foi Nanocchio. Aquela averiguação tinha sido concluída em troca de pelo menos 50 milhões para o seu colega Capone, o qual tinha lhe devolvido, depois, 25 milhões, dos quais ele tinha dado 2,5 milhões para Di Giovanni. Somente então começamos a perguntar sobre Telepiù e sobre Berlusconi: era a coisa mais natural do mundo, visto que o próprio Berlusconi era acusado pela Procuradoria de Roma e pelo fiador da Editora Santaniello de ter ignorado -Mammì, continuando, contra a lei, a controlar a maioria acionária da pay-tv. O que queriam esconder, pagando propina aos guardas fiscais? Para responder a essa pergunta, para descobrir a causa daquela propina, começamos a indagar sobre a carteira de ações da Telepiù, mas, naturalmente, as investigações se alastraram também às centenas de corruptos e corruptores da Guarda de Finanças. Logo descobrimos que alguns dos guardas fiscais mais confiáveis da nossa Polícia Judiciária, aqueles que prendiam os empresários corruptos, no passado, tinham recebido propina daqueles mesmos empresários. Uma terrível descoberta.

O marechal Nanocchio não era um guarda fiscal qualquer: trabalhava há muito tempo para o *pool* da operação Mãos Limpas e, naquele momento, estava empenhado nas investigações sobre as possíveis propinas e falsas faturas da Edilnord pela venda de um imóvel em Roma, na Via Senato, ao fundo de pensões Cariplo. Quando, depois da prisão, os promotores lhe perguntaram onde pegou aqueles 50 milhões, ele respondeu que era dinheiro seu, fruto de duvidosas "consultorias não declaradas". Davigo, então, lhe fez um pequeno sermão:

> Ouça, Nanocchio: Di Giovanni nos disse que o senhor lhe havia referido que o dinheiro vinha da Fininvest. O senhor sabe que a Fininvest pertence ao nosso novo presidente do Conselho, e nós não queremos ser taxados nem de querer encobri-lo, nem de querer atingi-lo. Por isso, ou o senhor nos explica de onde vem o dinheiro, ou nós o processamos sem defesa prévia; assim os cidadãos têm logo uma ideia do fato ocorrido.

Nanocchio entendeu a ladainha e admitiu ter pago propina ao jovem colega para "testá-lo". Disse também que o dinheiro provinha da Edilnord. Em seguida, mudou mais duas vezes a sua versão, até que contou que uma parte daqueles 50 milhões serviu também para "amolecer" a Guarda de Finanças nas investigações sobre Telepiù. Na prisão militar de Peschiera del Garda lhe faziam companhia dezenas de colegas de farda, presos por corrupção.

O escândalo das "fiamme sporche" envolveu, em poucas semanas, centenas de investigados. Descobriu-se que quase todas as grandes empresas de Milão molhavam as mãos dos guardas fiscais para que fechassem ao menos um olho durante as averiguações fiscais. Gherardo Colombo contou assim a sua amargura:

> Descobrimos a infidelidade de muitos guardas fiscais que trabalhavam conosco, alguns até mesmo há 10, 12 anos, nos quais confiávamos cegamente. Não posso esquecer o caso de um coronel, com o qual eu tinha trabalhado por muito tempo, ainda antes da operação Mãos Limpas. Numa noite do verão de 1994, me ligaram em casa: "Prendemos o coronel". "Mas não, logo ele!" Voltei para o gabinete para interrogá-lo. Esperava um homem prostrado, humilhado, envergonhado. Ou então alguém que clamaria pela sua inocência. Muito antes pelo contrário. Me disse: "Senhor juiz, me diga o que me convém fazer: se eu admitir as acusações, o que me acontecerá? Que pena eu posso receber?". Fiquei pasmo de surpresa.

O desconforto dos magistrados aumentou quando a cúpula da Guarda de Finanças e do Ministério das Finanças, em meio à investigação, nomeou como novo comandante da região nordeste o general Sergio Acciai: o seu nome aparecia nas listas da P2 de Licio Gelli (com a observação "código E. 18. 78, *in sonno*"),* encontradas em 1981 em Castiglion Fibocchi. Antes da nomeação, vários oficiais pediram aos juízes do *pool* se algum deles fazia alguma objeção. A resposta foi sempre a mesma: "Não nos diz respeito". E, enfim, extenuado de tanto ouvir a mesma pergunta, Gherardo Colombo – que tinha descoberto as listas da P2 – desabafou: "O que vocês querem que eu diga: com todos os problemas que vocês já têm... É um problema de vocês". Poucos dias depois, a cúpula milanesa da Guarda de Finanças convidou Davigo e Colombo para um almoço, onde estava presente também Acciai. No final do almoço, os dois promotores quiseram pagar a conta. Alguns meses mais tarde, o general contou que ouviu Davigo dizer: "Não temos nada contra a Guarda de Finanças, nos interessa Berlusconi". Davigo o denunciou, e o fato terminou nas mãos dos inspetores do Ministério da Justiça, que foram enviados em novembro para Milão para investigar sobre o *pool*. Eles interrogaram todos os comensais e não encontraram nenhuma confirmação para

---

* Expressão que indicava os membros que tinham se demitido da maçonaria. (NT)

a versão original do general. "Vocês acham possível", disse-lhes Davigo, "que eu fale de Berlusconi, que estava nas listas P2, na frente de Acciai, que também estava nestas listas, ainda por cima na presença de Colombo, que tinha descoberto as listas P2? Não sou maluco de fazer uma coisa dessas."

No período de um ano, os acusados da investigação "fiamme sporche" superavam a cota dos 600, quase todos réus confessos e ansiosos para sair do processo o mais rápido possível, com acordos coletivos (exceto os empresários considerados extorquidos): 130 entre oficiais e suboficiais (dos quais ao menos vinte inscritos na maçonaria) e 500 entre empresários, diretores e economistas. A elite da economia milanesa foi acusada de ter pago para a Guarda de Finanças: o rei da siderurgia Alberto Falk, Guido Roberto Vitale e Alberto Milla (administradores delegados da Euromobiliare), Gianmario Roveraro (presidente da Akros), Felice Vitali (diretor geral de Gemina, grupo Fiat), Giuseppe Tramontana (administrador delegado da Rinascente, grupo Fiat), os diretores da Cogefar Costruzioni Generali (grupo Fiat), mais quatro industriais farmacêuticos, dois editores e um time de célebres estilistas, de Giorgio Armani a Santo Versace, de Gianfranco Ferrè a Krizia e a Etro (foram todos considerados extorquidos, exceto Armani, que fez um acordo de nove meses e vinte dias por corrupção). No entanto, a lista das empresas sob investigação da Procuradoria era muito maior: compreendia também Bemberg, Lovable, Legler, Fontana, Selma, Sitia–Yomo, Istituto delle Vitamine, Italease, Château d'Ax, Acciaieria Arvedi, Adilrefra, Kart Italiana, Hotel Rubens, Maiora, Istituto Lusofarmaco d'Italia, Laboratorio Chimico Farmaceutico Zoia, Elena Rubinstein, Impresa Generale Pubblicità, Sandoz Farmaceutici, Artsana, Atahotels, Bepi Koelliker, Girola, Lodigiani, Interhotels Landi & Gir, Nuova Magrini Galileo, Saima, Tubi Sarplast, Cusin, Euromercato, Zambeletti, Gemeaz, Boheringer, Biochemian Roben, Kart Comauto, Elscint, Italcase, Pietro Radici Tappetificio Nazionale, Radici Fil, Sacet Divisione Gyr, Tamoil Italia e muitos outros.

Se a investigação chamava à memória somente Berlusconi, envolvido vários meses depois do que o outro empresário, era somente porque – como observou Davigo – "há quem escolheu ser mais tímido, negociando a pena e saindo da cena, e quem se ofendeu, negando tudo, acusando ser vítima de um complô". E também porque somente um dos 600 investigados era presidente do Conselho.

"Até mesmo a Fininvest pagou"

Então, no dia 27 de abril, Nanocchio foi preso. A acusação, inicialmente, era de corrupção em atos judiciários: acreditou-se que alguém tenha pretendido pagar para "comprar" a investigação em curso em Roma, conduzida por Maria Cordova, para verificar se tinha sido ignorada a Lei Mammì a propósito da real propriedade da Telepiù. Logo após, na prisão militar de Peschiera del Garda, Nanocchio recebeu a companhia do marechal Livio Ballerini (em 19 de maio), do novo chefe da DIA (Direção Investigativa Antimáfia) milanesa, coronel Angelo Tanca (no dia

5 de julho) e do general Giuseppe Cerciello, de saída do comando do Núcleo de Milão (em 9 de julho). Interrogado nos dias 7, 11 e 19 de julho, Tanca confessou exatas 53 propinas, mas não falou da Fininvest. Ao contrário, assim que saiu da cela de isolamento, em 7 de julho, aproximou-se de Ballerini, durante a hora de passeio para tomar sol, e disse-lhe para ficar calado sobre a propina que embolsaram juntos por uma averiguação na Mondadori.

No mesmo dia, Nanocchio voltou ao *pool* e falou pela primeira vez sobre a Telepiù: inicialmente, tinha conduzido a averiguação sozinho, depois foi acompanhado pelo colega Giuseppe Capone, o qual, no início de 1994, lhe havia levado 25 milhões em dinheiro, especificando que os tinha recebido do diretor central dos Serviços Fiscais da Fininvest, Salvatore Sciascia, durante um encontro em um restaurante. Daquela propina tinha tirado os 2,5 milhões oferecidos para Di Giovanni, dizendo-lhe que provinham da Edilnord ("era a única empresa que havíamos investigado juntos"). Nanocchio, maçom, como tantos outros guardas fiscais investigados, revelou que pediu ao consultor da Fininvest, Marco Rizzi, braço direito de Sciascia e, como ele, ex-guarda fiscal, para ser contratato pelo departamento fiscal do grupo berlusconiano.

No dia 8 de julho, foi preso também Capone que, frente a frente com Nanocchio, negou ter recebido propinas da Telepiù. Em compensação, contou que ouviu Nanocchio, durante a averiguação sobre a pay-tv, pronunciar uma fase perturbadora: "Se Nitto Santapaola e a sua máfia abandonassem Silvio Berlusconi, ele seria descartado". O *pool* preparou o mandado de captura de Sciascia, último baluarte antes da máxima cúpula da Fininvest (ou seja, antes de Paolo e Silvio Berlusconi), mas, no dia 13 de julho, o governo Berlusconi logo contra-atacou: aprovou com pressa o decreto Biondi, que aboliu a prisão para corruptos e corruptores. Quem estava preso saiu, e quem deveria ser preso ficou livre. Todos os guardas fiscais indagados ficaram livres e também os seus corruptores das empresas do grupo Biscione ficaram livres, pelo menos por algum tempo ainda.

O decreto foi o último ato de uma operação desencadeada em grande segredo, desde os primeiros dias de maio, para tentar deter a investigação. Uma operação criada assim que na Fininvest viram o que poderia acontecer com a prisão de Nanocchio. A partir daquele momento, os homens de Berlusconi correram atrás: despistando as investigações, combinando versões convenientes, calando protagonistas e recolhendo dossiês para tirar a legitimidade do pool.

O primeiro a se mexer foi o brigadeiro da Guarda de Finanças Paolo Simonetti, que aspirava a um lugar nas empresas do *Cavaliere*. Simonetti foi atrás de notícias (verdadeiras e falsas) para utilizar contra os promotores, e foi seguido por Paolo Berlusconi, titular da Edilnord e editor do *Giornale* que, no verão de 1994, começou a colecionar muitos dossiês anônimos, circulados nos últimos dois anos, sobre os juízes da operação mãos Limpas.

Paralelamente a Berlusconi Júnior e ao brigadeiro, movia-se um advogado muito próximo ao recém empossado presidente do Conselho: o ex-capitão da

Guarda de Finanças Massimo Maria Berruti. No dia 8 de junho – mas isto a Procuradoria descobriu somente no outono –, Berruti foi a Roma para encontrar Silvio Berlusconi, entrou no Palácio Chigi e, assim que saiu, pediu silêncio aos guardas fiscais envolvidos na averiguação "domesticada" da Mondadori. O despiste funcionou somente em parte. Quando ficou claro que a investigação não podia ser bloqueada, veio a solução extrema: mudar a lei.

O decreto salva-ladrões

O Conselho dos Ministros do dia 13 de julho foi mais curto do que o normal. O país, naquela tarde, ficou paralisado para ver a partida Itália x Bulgária, semifinal da Copa do Mundo de futebol em Nova Iorque. Quem vencesse faria a final contra o Brasil. Bem naquele dia, aproveitando a distração geral, entraram em discussão três medidas que ficariam famosas: a anistia que salvava as empresas envolvidas na Tangentopoli (a lei Merloni, de 1993, sobre as licitações, previa o cancelamento do nome da Lista Oficial dos Construtores, os quais, a partir de então, arriscavam no máximo seis meses de suspensão das concorrências públicas); a anistia fiscal, pudicamente rebatizada "combinado", que salvava quem não tinha pago os impostos; e o decreto que salvava da prisão preventiva os colarinhos brancos.

Biondi distribuiu a cada ministro uma folhinha de papel, chamada de "Bignami", com o texto do decreto sobre a prisão cautelar, um relatório técnico e uma anotação resumida para os relatórios não técnicos. Os outros ministros disseram que confiavam nele e pediram para não se demorar muito nas explicações, mas ele explicou por uma hora do que se tratava: para alguns crimes, a detenção na cadeia seria substituída pela prisão domiciliar. Altero Matteoli (AN), ministro do Ambiente, não entendeu por que os "ladrões de Estado" deveriam ficar comodamente nas suas casas. O ministro da Saúde, Raffaele Costa, do Força Itália, preferia o projeto de lei. Biondi então perdeu a paciência: "Ou o decreto passa por unanimidade, ou o retiro e passamos ao projeto de lei". Maroni (que era advogado) disse que tinha perguntado a Biondi: "Mas De Lorenzo e seus sócios sairão da cadeia ou não?", e que ouviu como resposta: "Não, pode confiar em mim". A partir daquele momento, Berlusconi farejou o perigo e anunciou: "Se alguém é contra o decreto, que diga logo, claramente". E ninguém mais ousou respirar. O decreto passou por unanimidade, com voto nominal. Depois, todos foram embora correndo para ver a partida. No dia seguinte, às 8h, Scalfaro (que também teria preferido um projeto de lei) assinou.

Os jornais do dia 14 celebraram a vitória da seleção italiana e deram conta das nomeações de Berlusconi para a RAI (Letizia Moratti para a presidência, e Gianni Billia para a direção geral). Nenhum jornal deu importância para as medidas do governo. Os juízes, por sua vez, assim que receberam o texto do decreto (imediatamente exequível), deram-lhe muita importância, principalmente (mas não só por isso), pelas investigações sobre a Tangentopoli, até mesmo porque os advogados

dos acusados presos por corrupção, extorsão, financiamento ilícito e crimes financeiros começaram a aparecer nas procuradorias para solicitar a imediata liberação dos seus clientes.

O que dizia o decreto? Confrontava quatro argumentos: modificava e "deixava secreta" a intimação judicial, deixava acessível o registro dos investigados aos interessados que solicitassem, aumentava as possibilidades de ter os procedimentos abreviados e revolucionava a prisão cautelar. Os crimes foram divididos em três faixas: aqueles para os quais a prisão preventiva era obrigatória (como homicídio, sequestro de pessoas para fins de extorsão, associação mafiosa); aqueles para os quais era permitido o critério do juiz (extorsão agravada, roubo, furto, calúnia, violência carnal, agiotagem, lavagem de dinheiro e poucos outros); aqueles para as quais era sempre vetada (todos os outros). Na terceira faixa, entravam os crimes financeiros e aqueles da Tangentopoli: extorsão, corrupção, peculato, abuso de poder, financiamento ilícito, falência fraudulenta, falso balanço, fraude fiscal, formação de quadrilha, notas falsas, receptação, crimes de danos contra o Estado e contra as entidades públicas, mas também tráfico de pequena quantidade de droga. Para essa terceira faixa, ninguém mais iria preso: no máximo, prisão domiciliar.

"Roubaram o bisturi do cirurgião no meio da operação", disparou Italo Ghitti. A ANM (Associação Nacional dos Magistrados), por meio dos seus líderes Elena Paciotti e Marcello Maddalena, definiu o decreto como "inaceitável, improvisado e inconstitucional", já que "viola o princípio da igualdade de todos os cidadãos perante a lei", sendo claramente "finalizado para salvaguardar os acusados mais importantes". "A modificação do registro dos acusados permitirá a Totò Riina apresentar-se à Procuradoria para saber se é investigado", observou Paciotti. Caselli também previu "danos irreparáveis para as investigações da Máfia". E assim pensava também Cordova.

Quanto às listas dos crimes, "a lógica era clara: os pobres na cadeia e os ricos em casa". Maddalena se divertia em descrever os aspectos mais paradoxais:

> Alguém que rouba poucas liras vai para a prisão, enquanto alguém que rouba bilhões dos caixas das suas empresas, levando outras pessoas à falência para poder ir passear no Caribe, não pode ser preso. Veta-se a prisão para crimes gravíssimos e se admite para outros muito menos graves, como violação de cadáver, atentado contra instalações elétricas, abuso de poder, ameaça contra oficial público, fraudes em orçamentos públicos e até mesmo ultraje contra o juiz durante a audiência. Em resumo, quem insulta um juiz ou um guarda municipal, ou então quem calunia um vereador, pode ir para a prisão; quem, ao contrário, os corrompe com subornos, deve permanecer em liberdade.

Quanto à violação de cadáver, o governo não considerou suficiente a prisão domiciliar e previu a prisão fechada, sem explicar como fosse possível profanar as tumbas de dentro da própria casa. Havia também o problema dos sem-teto, quase todos imigrantes sem domicílio fixo: os juízes tiveram de liberá-los das prisões, mas não puderam mandá-los para a prisão domiciliar. Portanto, os liberaram e ponto final.

Outro efeito devastador foram os fugitivos: assim que o decreto entrou em vigor, o Ministério começou a revogar todos os pedidos de extradição e de prisão contra os envolvidos na Tangentopoli que haviam fugido para o exterior entre 1992 e 1994, solicitando aos outros estados que liberassem os que já haviam sido presos e suspendessem as capturas de todos os outros. "Estamos falando de mais de cem pessoas", revelou Mario Vaudano, diretor do Departamento de Precatórias e Extradições do Ministério da Justiça, que foi afastado dois meses mais tarde: "Foram frustradas de uma só vez vinte extradições em curso, assim como os mandados de captura para 80 procurados ao redor do mundo. Se contarmos também os fugitivos acusados de financiamento ilícito e receptação, o total sobe muito". Os tratados internacionais falavam claramente: a extradição era possível somente na presença de ordens de prisão fechada. E, lendo a lista de superfugitivos daqueles dias, encontraram-se nomes excelentes: o guarda fiscal socialista Florio Fiorini, na prisão de Genebra pela quebra da SASEA (um furo de trilhões) e pela conta Protezione (aberta na UNS); Ferdinando Mach di Palmstein, fugitivo há mais de um ano; Gianfranco Troielli, um dos laranjas de Craxi; o ex-presidente do Comit (Banco Comercial Italiano), Enrico Braggiotti, acusado de corrupção por 50 milhões de dólares recebidos de Gardini; o ex-chefe de gabinete do SISDE Michele Finocchi, acusado de ter embolsado 10 bilhões de fundos irregulares; e Bettino Craxi, para quem o promotor romano Francesco Misiani havia já pedido a prisão pelas propinas da Intermetro. Todos poderiam, assim, deixar de fugir.

Borrelli contesta o pool

Na manhã do dia 14 de julho, Borrelli participou de uma manifestação em memória do juiz Emilio Alessandrini, assassinado pela Primeira Linha. E não deixou escapar uma recorrência histórica: "É um fato singular que, no aniversário da queda da Bastilha, se abram estas fendas nos muros de San Vittore e da prisão de Opera". E acrescentou ainda: "O governo, ao invés de predispor medidas idôneas para impedir a perpetuação de um sistema de corrupção, demonstra a preocupação oposta. Evidentemente, considera a justiça eficiente demais".

Em Roma, criticaram o decreto personagens insuspeitáveis, conhecidos pelo seu ultragarantismo, como Cossiga ("Medida prematura, intempestiva e incompleta") e Pannella ("É absurdo que os crimes contra a Administração Pública sejam considerados menos graves do que aqueles dos pobres cristãos, quando deveria ser exatamente o contrário").

Naquela tarde, depois de uma manhã passada tratando da liberação "por decreto" de 49 guardas fiscais que haviam sido presos naquela madrugada, os juízes do *pool* se reuniram no gabinete de Colombo. Chegaram um após o outro, a poucos minutos de intervalo. O primeiro a falar foi Di Pietro: "É um nojo, Gherardo, eu quero me demitir ou fazer alguma coisa. Não podemos mais seguir adiante assim". "Agora chega", disse Greco pouco depois, "precisamos fazer alguma coisa." Em seguida, falou Davigo: "Que vergonha, precisamos reagir". Colombo preparou um esboço de comunicado que ilustrava tecnicamente as consequências das investigações em curso. Davigo foi ainda mais duro:

> Precisamos sair, pelo menos das investigações sobre a Tangentopoli. Aqui se estabeleceu, por lei, que o cidadão privado que ameaça uma pessoa por obrigá-la a pagar vai preso, enquanto o oficial público que faz a mesma coisa permanece em casa. E, enquanto o cidadão privado nunca jurou fidelidade às instituições, o oficial público sim. Frente a um decreto tão injusto, que cria disparidades tão estridentes entre réus de série A e de série B, entre colarinhos-brancos e coitadinhos, a objeção de consciência é um dever moral. Lembram-se do processo contra o nazista Eichmann? Ele não foi tão contestado por não ter desobedecido às ordens infames dos seus superiores, quanto por ter colaborado com eles, por estar em condições de recebê-las. Pois é: nós não temos de colaborar.

A metáfora era forte, mas convincente para todos os colegas. Então, o "Doutor Sutil" do *pool* retomou o seu esboço. Depois, os quatro o levaram para Borrelli, que, porém, não o aprovou. O considerou um erro, tentou dissuadir os seus promotores, temia o efeito bumerangue: "Nos acusarão novamente de querer interferir nos assuntos do governo". O procurador estava convencido de que o Executivo nunca mais voltaria atrás: "Aquele comunicado", ele lembra hoje, "era duro demais e era tarde para alterá-lo, e os colegas estavam muito decididos. Então, não o assinei e não me apresentei com eles frente às câmeras de TV". A discussão, na antecâmara do seu gabinete, tinha começado, mas o quarteto foi em frente e, às 19 horas, mesmo sem a assinatura do chefe, apareceram no primeiro telejornal que iria ao ar, o *TG3*, para anunciar a clamorosa objeção de consciência.

"Desculpem, estou emocionado", desabafou Di Pietro, com a camisa aberta e a barba por fazer. Era a primeira vez, após dois anos e meio de operação Mãos Limpas, que os italianos ouviam a sua voz por mais de alguns poucos segundos, fora de alguma sala de um tribunal de justiça. Di Pietro, de fato, nunca havia dado entrevistas televisivas (raramente também para a imprensa escrita: uma para Paolo Guzzanti do jornal *La Stampa* e uma para Enzo Biagi do jornal *Corriere della Sera*). "O atual decreto-lei", atacou, "em nossa opinião, não nos permite mais afrontar eficazmente os delitos que até agora investigávamos e, de fato, pessoas acusadas com provas efetivas de graves crimes de corrupção não poderão mais ser presas, nem mesmo para evitar que continuem a delinquir e a tramar para impedir a descoberta dos precedentes delitos cometidos, às vezes, até mesmo comprando os homens que os investigavam". Essa foi uma alusão à última investigação sobre as propinas para a Guarda de Finanças. "Informamos ao procurador da República", continuou Di Pietro, "sobre a nossa determinação de solicitar, o mais rápido possível, a nomeação de outro encarregado, cuja conduta não seja afetada pelo estridente contraste entre o que a consciência diz e o que a lei impõe".

No Senado, naquela tarde, Biondi estava falando sobre o decreto quando entrou na sala o líder do PDS, Cesare Salvi, mostrando um despacho da ANSA: "O *pool* se demitiu!". "Saiam os corruptos, vergonha!", gritavam os senadores das oposições. Biondi balbuciou: "Sinto muito que tenham entendido mal, não é um decreto contra eles". Em seguida, frente ao grande número de contestações, perdeu a calma: "Se para cada decisão tivéssemos de esperar a aprovação dos juízes, seríamos um governo e um Parlamento com responsabilidade limitada". E concluiu: "O decreto não foi proposto por mim, mas por Berlusconi". O *Cavaliere* foi peremptório: "Ou passa o decreto, ou vamos todos para casa". Giuliano Ferrara, ministro das Relações com o Parlamento, contestou, suado e roxo de raiva: "Pois que vão embora os juízes do *pool*, não precisamos de heróis. Borrelli revolucionário? Que nada, é um reacionário conservador. Não podemos entregar as chaves da nossa democracia aos procuradores da República; essas coisas acontecem somente nas repúblicas de bananas". "Sim, que vão embora mesmo, apoiou Bossi. Eles têm medo que lhe roubemos o seu palco. Querem a restauração". Fini, carrancudo, repetiu que "há também a assinatura do Scalfaro". Maroni, envergonhado, tentou dizer que "é um decreto injusto, ma necessário".

"Viva o pool", "pool assassino"

Por volta das 20h30min, assim que terminaram os telejornais, centenas de cidadãos milaneses foram para as ruas e se reuniram na frente do Palácio da Justiça, lembrados pelas informações dadas naquela tarde pela *Radio populare* e pela revista mensal *Società Civile*. A eles também se uniram o PDS, a Rede, Refundação e Verde, mas, nas ruas, havia também dezenas de seguidores da Liga Norte e do MSI. Um diretório do Força Itália de Massa Carrara enviou uma carta aberta a Berlusconi "para que o decreto fosse retirado" em nome da "luta contra a criminalidade política". Os diretórios da Liga Norte e da AN receberam uma avalanche de ligações e fax de protesto. A revista *La Voce*, de Montanelli, reuniu o "povo dos fax" e começou a publicar milhares que foram expedidos pelos seus leitores, para após compartilhá-los com os chefes do Estado e do governo. A primeira página foi exibida nas ruas quase como uma bandeira, em meio a slogans contra o "Decreto salva-ladrões".

Na manhã de 15 de julho, na entrevista coletiva convocada no Palácio Chigi, Berlusconi perdeu a calma e insultou a enviada especial do jornal *Manifesto*, Giovanna Pajetta: "A senhora não é uma jornalista, é uma agitadora política!". Quando ouviram aquelas palavras, muitos jornalistas deixaram a sala em protesto, enquanto o porta-voz Ferrara tentava desculpar-se. Às 16h20min foi libertado o primeiro prisioneiro famoso: era Pierr Di Maria, mulher de Duilio Poggiolini. Assim que foi libertada do Presídio Feminino de Pozzuoli, a mulher ofendeu os jornalistas e gritou: "Oito meses de barbárie, uma vergonha!". Em Bari, foram libertados os protagonistas das propinas para as clínicas do grupo Cavallari. Em Nápoles, abriram-se as portas da Poggioreale para 22 prisioneiros: dois presos por suborno, outros por tráfico de drogas. Em Torino, viu-se a libertação de dezenas de traficantes, quase todos extracomunitários sem residência fixa, os quais, portanto, não poderiam mais ser encontrados. E, da prisão militar de Peschiera del Garda, voltaram para casa oficiais e suboficiais da Guarda de Finanças presos por corrupção.

Fini e Bossi estavam em Bruxelas para uma reunião do Parlamento Europeu. Bastou terem lido as notícias vindas da Itália para que fossem induzidos a voltar atrás em relação ao salva-ladrões. Para Berlusconi, que anunciou a intenção de instituir a questão da confiança, mandaram dizer: "O decreto precisa ser retirado. Se instituir a confiança, ficará sozinho". Fini solicitou "a restauração da prisão por corrupção e extorsão". Bossi perguntou: "Por que tanta pressa? Talvez alguma investigação incomode Berlusconi. Por isso, nos fez aprovar o decreto durante a partida da seleção italiana, uma coisa de Primeira República. Eu, no feriado de Ferragosto, quero ver os biquínis, não os Bettini". Tiraram o corpo fora também os ministros Raffaele Costa, Pinuccio Tatarella e Giancarlo Pagliarini.

Biondi não cedeu: "Retirar o decreto? Era só o que faltava". Berlusconi: "Este Estado policial, no país do Beccaria, é uma vergonha intolerável. Farei de tudo para esvaziar as prisões. Alguns promotores, que se tornaram populares, ficarão desiludidos se a cara deles não aparecer na TV. E existe coisa mais fácil do que tirar a liberdade desse ou daquele personagem? Ou o decreto passa assim como é, ou vamos todos para casa. A situação ficou intolerável, faz-se um uso político da justiça". Ferdinando Adornato (eleito pelo PDS, futuro deputado do Força Itália) intimou o *Cavaliere* para "não tutelar o clã das propinas".

O TG3 solicitou uma pesquisa para o instituto de pesquisas Doxa: 63% dos italianos disseram não ao decreto Biondi, 21% disseram sim, 16% não souberam ou não quiseram responder. À pergunta: "Di Pietro disse coisas certas ou erradas?", 69% responderam "certas" e somente 7% "erradas". No outro front da guerra, as redes da Mediaset se alvoroçaram. Vittorio Sgarbi, no seu comentário de insultos cotidianos no *Canale* 5, disse textualmente:

> Di Pietro, Colombo, Davigo e os outros são uns assassinos que fizeram muita gente morrer. É justo que vão embora; ninguém chorará por eles. Vão à igreja rezar por todos aqueles que fizeram morrer: Moroni, Gardini, Cicogna [o general da Guarda de Finanças Sergio Cicogna, que se suicidou em 13 de julho: absolvido em dois processos por fraude e difamação pelo Tribunal Militar de Padova, nunca tinha sido nem mesmo

investigado pelo *pool* de Milão]. Eles têm todas estas cruzes na consciência. Agradeçam a Deus porque, com este decreto, escaparão da prisão por todos os assassinatos que cometeram (14 de julho).

Nasceu assim a lenda negra dos suicídios na prisão devidos à operação Mãos Limpas. Na verdade, em 10 anos de investigações, não houve nenhum caso de investigado pelo *pool* de Milão que tenha se suicidado na prisão (o único detento era Cagliari, mas – como já vimos – estava em San Vittore por outra investigação). "Os juízes da operação Mãos Limpas", acrescentou Sgarbi, "devem ser presos, são uma associação de delinquentes com permissão para matar que visa à subversão da ordem democrática" (16 de julho). A Rete 4 modificou rapidamente a programação e, no lugar do brilhante filme *Papai Pernilongo*, com Fred Astaire, transmitiu o dramático *Preso à espera do julgamento*, com Alberto Sordi.

Um país contra um decreto

No dia 16 de julho, chegou ao *pool* a solidariedade de Maria e Anna Falcone, as irmãs do juiz assassinado. As viúvas dos juízes Saetta e Terranova expressaram desdém. As suas palavras foram acompanhadas por imagens dos telejornais que mostravam novas libertações em toda a Itália, ao ritmo de quase 500 por dia. Em Nápoles, foram libertados o ex-prefeito socialista Nello Polese e o ex-ministro Francesco De Lorenzo, recebidos por uma pequena multidão enfurecida que lançava moedas e bolas de papel, aos gritos de "ladrões" e "patifes". Em Palermo, foi libertado o médico pessoal de Totò Riina, Antonino Cinà, preso no Ucciardone por fraude, falsificação e corrupção (foi, após, acusado de ter transmitido o "papelete" de Riina para Vito Ciancimino). Em Trento, libertaram um condenado em primeiro grau a 6 anos e meio por tráfico de dois quilos de cocaína. Ainda em Nápoles, um empresário suspeito de ter embolsado 40 bilhões de algumas empresas em processo de falência e de ter ligações com a criminalidade local foi libertado e posto em prisão domiciliar, como previa o decreto: após alguns dias, deixou tranquilamente a sua casa para voar para a Venezuela.

Quase todas as procuradorias e as seções da Associação Nacional dos Magistrados da Itália e também diversos Tribunais se insurgiram e solidarizaram-se com o pool. Em Gênova, o *pool* antipropinas se dissolveu a exemplo de Milão. O procurador de Ivrea Bruno Tinti também assinou 13 pedidos de captura para crimes para os quais não era mais consentida a prisão e pediu ao juiz para enviar os autos para a Corte Constitucional para que declarasse inconstitucional o decreto. Também o procurador de Florença Piero Luigi Vigna falou sobre "possíveis perfis de inconstitucionalidade". Em Roma, o procurador Michele Coiro assinou, com 36 substitutos, um documento duríssimo.

Na primeira fila estavam também juízes que, a seguir, atacariam os colegas milaneses, acusando-os de interferências e intenções políticas. "Deste decreto penso o pior possível", disse o promotor romano Francesco Misiani, "enquanto aprecio a iniciativa tomada por Di Pietro e pelos outros colegas de Milão". E o colega veneziano Carlo Nordio, ainda alinhado com a operação Mãos Limpas, revoltou-se: "É um horrível dia para a justiça, mas também para a liberdade de imprensa. Tornando-se norma o sigilo da intimação judicial, poderia cair um véu sobre investigações importantíssimas como aquelas sobre o SISDE ou sobre a Ustica".

Agostino Cordova, de Nápoles, ressaltou que o que realmente estava em jogo era o "controle do poder político sobre a magistratura, um dos poucos pontos do 'plano de renascimento' da P2 que ainda não tinha sido realizado". E, de fato, para Berlusconi e Biondi chegou, de Castiglion Fibocchi, o aplauso entusiasmado de Licio Gelli:

> O decreto é o caminho certo; é absurdo que os juízes se permitam o luxo de comentar e julgar as medidas do governo. Eu me coloco sem hesitação ao lado do governo Berlusconi: estão tentando limitá-lo porque entenderam que ele pode fazer alguma coisa para recolocar o país na linha. Até agora, a ação do seu governo é promissora.

No dia 16 de julho, houve um golpe de cena. Maroni apareceu palidíssimo no TG3:

> Enganaram-me, enrolaram-me, fizeram-me ler um texto diferente daquele que me dariam após para assinar. Biondi tinha me jurado que os corruptos, como De Lorenzo, não sairiam da prisão. Disse para eu confiar e eu confiei, mas fiz muito mal. Os outros ministros da Liga não têm nada a ver, a culpa é minha. Se a linha do governo é aquela ilustrada por Berlusconi, não posso mais estar no Ministério do Interior. Peço à Liga não para emendar o decreto, mas para rejeitá-lo em bloco.

Berlusconi os intimou para "desmentir ou demitirem-se". Bossi lhe respondeu: "Que se demita Berlusconi; assim, amanhã faremos um novo governo". A multidão, reunida como todas as noites na frente do Palácio da Justiça de Milão, gritava: "Maroni, Maroni, prenda Berlusconi!".

No dia seguinte, Bossi falava sobre "possíveis novas alianças" e namorava abertamente o PPI e o PDS. No entanto, o Quirinale desmentiu categoricamente a notícia publicada pelo *Corriere*, segundo a qual Scalfaro havia "ficado furioso" assistindo na TV a declaração do *pool*. O chefe de Estado, ao contrário, telefonou para Borrelli para expressar-lhe todo o seu afeto. E foi o próprio procurador quem fez a comunicação: "O chefe de Estado, a quem tenho a honra de conhecer há anos, me telefonou hoje para expressar o grave desapontamento por uma notícia totalmente infundada. Sou-lhe muito grato pelo telefonema e pelo esclarecimento feito pelo Quirinale".

No dia 18 de julho, D'Alema, futuro secretário do PDS (Occhetto havia se demitido no dia 13 de junho, após uma nova derrota de seu partido nas eleições

1994. MÃOS ATADAS   307

europeias), anulou o encontro marcado com Berlusconi para estabelecer as regras nas relações entre a maioria e a oposição. Pouco depois, houve a virada do *Cavaliere*: se dissociou do seu decreto e pôs tudo nas costas de Biondi. "O decreto", disse textualmente, "não é imodificável; estamos disponíveis a todas as melhorias que forem necessárias. Mais ainda, revelo que, em relação à corrupção e fraude, o meu parecer pessoal era oposto à formulação final do decreto. Os setores legislativos do Ministério inseriram também aqueles dois crimes. Agora, o decreto deve ser modificado". Biondi não acreditou no que estava ouvindo: "Berlusconi perplexo pelo decreto? Talvez no seu íntimo. Comigo foi logo entusiasta, tanto é que ele me pediu para apresentá-lo. Eu havia levado ao Conselho de Ministros um projeto de lei e Berlusconi o quis como decreto". Sgarbi gritou: "Morte a Di Pietro que traz a morte".

Para o *Cavaliere*, aquele foi o momento de achar uma saída para limitar os danos e, no que fosse possível, livrar a cara. A assessoria de imprensa do Palácio Chigi, no dia 19 de julho, convocou os jornalistas para uma coletiva às 13 horas. Falava-se de um discurso do primeiro-ministro à nação. Mas Bossi, mais uma vez, o bloqueou. Ordem revogada. Às 17 horas, Ferrara anunciou que o governo, com a sua maioria, não deixaria passar o decreto porque era desprovido dos requisitos de "necessidade e urgência": "Venceram os procuradores de Milão, são os mais fortes. É a nossa Batalha de Caporetto, mas, depois de Caporetto, como dizia Pajetta, tem Vittorio Veneto". "No confronto, Caporetto foi um triunfo", rebateu Contestabile. Berlusconi, ao invés, sustentou que "isso não significa absolutamente um retrocesso" e se disse "dolorido e amargurado por terem pensado que nós fizemos o decreto para alguém que está no exterior [Craxi], quando, na verdade, nós o fizemos por motivos morais". Motivos tão irreprimíveis que um punhado de deputados do Força Itália votou igualmente a favor do decreto. Francesco Storace, da AN, alfinetou: "Talvez tenham confundido Polo das Liberdades com polo da liberdade provisória". O decreto foi, no entanto, rejeitado, com 418 não, 33 sim e 41 abstenções. Gasparri cantou vitória: "Para nós, Di Pietro é um mito".

No dia 21 de julho, Berlusconi atacou a imprensa: "Jornais e televisões me trataram malíssimo; de uma coisa pensada com boa-fé, tiraram exatamente o contrário, mas não terminará assim: segunda-feira, explicarei eu aos italianos o que realmente aconteceu". Bossi o arremedou: "Contra quais jornais ou quais televisões tem alguma coisa contra? Contra os seus ou contra os dos outros?".

No dia 22 de julho, presentes os ex-rivais Maroni e Biondi, o Conselho de Ministros apresentou o projeto de lei destinado a substituir o decreto: limites para a prisão cautelar, mas sem favorecimentos a corruptores e fraudadores. Biondi anunciou que, se a lei não passasse até o verão, se demitiria (não passou nem mesmo até o Natal, mas ele não se demitiu).

De todo modo, em sete dias, 2.764 prisioneiros se aproveitaram do decreto (dos quais 140 presos por corrupção e mais de 200 por crimes financeiros e, mais genericamente, típicos de colarinho-branco), soltos pelos efeitos da lei. Biondi, em seguida, lembrou que, "quando o decreto foi retirado, os ex-prisioneiros recapturados foram somente uma centena. Sinal de que os outros estavam na prisão injustificadamente". Davigo o contradisse:

> O decreto tinha um duplo efeito: não somente deixava sair quem estava dentro, mas também não fazia mais entrar quem estava fora. E depois, após várias libertações, em muitos casos tinham caído as exigências cautelares: no sentido que, nesse meio tempo, os sujeitos tinham tido tempo para comunicar, contaminar as provas, ameaçar as testemunhas, cometer novos crimes ou fugir. Então, entre as libertações e a queda das medidas, passou-se uma semana: recapturar os apenados após sete dias, admitindo que os encontraríamos ali, esperando por nós, era como fechar o estábulo depois que os bois já tinham fugido. De todo modo, quando foi considerado necessário, muitos foram recapturados. Tanto que, uma vez abolido o decreto, do governo nos chegaram pedidos de clemência.

Disse, de fato, Biondi: "Novas prisões? Esperamos que os juízes não façam picuinha". E Berlusconi acrescentou: "Caros juízes, nada de vinganças".

Dois homens de ouro (para calar os outros)

A libertação de prisioneiros em Milão provocou menos rumor do que aquelas em Nápoles: naquele momento, em Milão, atrás das grades não havia expoentes particularmente famosos (a não ser o industrial Alberto Falk). Respiraram aliviados Dell'Utri e os outros investigados da Publitalia, que corriam o risco de ir para a prisão, após o não do juiz das investigações preliminares às suas prisões, o sim do Tribunal da Liberdade, o não da Corte de Cassação e o envio para outra seção do Tribunal da Liberdade. E viram-se, ao menos por algum tempo, longe da prisão os colaboradores mais próximos de Berlusconi, envolvidos nas propinas da Guarda de Finanças. A maior parte das libertações registrou-se na prisão militar de Peschiera del Garda, da qual saíram todos os guardas fiscais acusados de embolsar propinas: uma dezena, incluindo o general Cerciello. Ao menos a metade deles tinha recebido propinas do grupo Fininvest, mas não tinham ainda confessado.

Entre os libertados "excelentes" da prisão San Vittore, havia dois personagens desconhecidos do grande público, mas bem introduzidos nos segredos do grupo de Berlusconi. O primeiro era Calogero Calì, um advogado empresarial envolvido com Craxi, já investigado em 1993 por ter embolsado um bilhão da maxipropina Enimont, naquela época advogado da Fininvest na batalha pela Mondadori. O *pool* o prendeu no dia 11 de julho, por uma propina de 50 milhões passada ao marechal da Guarda de Finanças Livio Ballerini (réu confesso) durante um controle fiscal. Segundo a acusação, a propina teria servido também para amortecer uma averiguação junto ao agente imobiliário Renato Della Valle (sócio de Berlusconi na Telepiù).

O segundo foi Giancarlo Rossi, agente de câmbio com mil ligações, preso no dia 20 de junho: no momento da sua prisão, na sua maleta, havia alguns dossiês verdadeiramente interessantes. Um deles era uma anotação destinada ao amigo Cesare Previti, há pouco nomeado ministro da Defesa, que o tinha contratado como consultor para problemas militares, e se referia à reorganização das Forças Armadas. O outro dossiê, preparado para o amigo Lamberto Dini, Ministro do Tesouro, referia-se à privatização do Instituto Nacional de Suguro Social, sobre a qual Rossi disse ter falado com Berlusconi, Letta e o dono do Banco de Roma, Cesare Geronzi.

Berlusconi desmentiu qualquer interesse pessoal ou empresarial no decreto: "Não o fiz por mim ou pelos meus amigos, mas por um desejo de justiça" (23 de julho). No entanto, Gianfranco Miglio explicou, em uma entrevista ao Europeo, dirigido por Lamberto Sechi: "Nos dias do decreto Biondi, Berlusconi me disse: 'Deveríamos aprovar aquele decreto: os juízes estão perseguindo a mim e também a meus amigos e querem, o quanto antes, derrubar-nos para eles comandarem. Em resumo, preciso tentar detê-los para evitar que se tornem os donos da Itália, talvez com Di Pietro no meu lugar'". "Eu", revelou Bossi dia 2 de fevereiro de 1995, "tinha protestado, dizendo que em matéria de justiça não se pode legislar por decreto, mas Biondi, que dividia em parte essa minha posição, explicou-me que Berlusconi, alarmado pela possibilidade de prisão de seu irmão Paolo, tinha feito uma pressão enorme para que fosse apresentada uma medida daquelas".

O jantar de Arcore

No dia 21 de julho, enquanto caía o decreto Biondi, o marechal Giuseppe Licheri declarou ter recebido suborno para uma averiguação financeira na Videotime, a empresa que gerencia a programação das três redes televisivas da Fininvest. Três dias antes, o marechal Marco Spazzoli tinha confessado o recebimento de um suborno da Mediolanum (a empresa de seguros do grupo Fininvest). No dia 22 de julho, o juiz das investigações preliminares Andrea Padalino assinou uma retificação de mandados de prisões, dois dos quais em relação a homens da Fininvest: Salvatore Sciascia e Gianmarco Rizzi (um dos tantos ex-oficiais da Guarda de Finanças que passaram para a Fininvest como consultores), que permaneceram foragidos por alguns dias.

No dia 23 de julho, alguns jornais escreveram que o *pool* investigou também a Mondadori. No mesmo dia, às 15h40min, o coronel Tanca se apresentou espontaneamente à Procuradoria e confessou ter recebido a sua 53ª propina, a única sobre a qual havia decidido ficar calado, a única (para ele) que provinha da Fininvest: exatamente aquela pela averiguação financeira na Mondadori. Berlusconi, naquele dia, atacou diretamente a investigação prendendo os agentes de finanças corruptos e os seus corruptores: "Arriscamos o bloqueio da economia".

Na noite do dia 24, o *Cavaliere* reuniu-se em Arcore para um "jantar de trabalho" secreto com o presidente da Fininvest, Confalonieri, o ministro Previti, o subsecretário Letta, os advogados Oreste Dominioni (defensor do multiacusado Paolo Berlusconi) e Guido Viola (advogado do foragido Sciascia). Mais tarde, chegou também o irmão Paolo, exatamente enquanto Viola explicava que, no dia seguinte, Sciascia se entregaria a Di Pietro. Aquele jantar foi a manifestação de um conflito de interesses: empresários e governantes à mesa para falar da investigação que estava devastando as empresas e poderia devastar o governo.

No dia seguinte, a jornalista Barbara Palombelli, que tinha descoberto por acaso o jantar graças à gafe de um telefonista da mansão San Martino, revelou a notícia no *la Repubblica*. As oposições se alvoroçaram, mas aquele encontro secreto colocou em embaraço também a própria maioria. "Foi uma bobagem colossal", revelou La Russa. Ferrara descobriu o conflito de interesses e ameaçou abandonar o governo: "Aquela reunião deve ter sido um fato absolutamente privado, senão, o porta-voz do governo já teria pedido demissão... Se eu fosse da oposição, não teria feito uma, mas cinco interpelações por aquele jantar em Arcore. Ou se faz o 'blind trust' rapidamente [para resolver o conflito de interesses], ou deste governo sobrará somente a fumaça das ruínas".

Os jornais criticaram duramente o *Cavaliere*. As pessoas que estavam no jantar, ao invés, tentaram justificar-se e pioraram a situação. Berlusconi se justificou: "Houve um jantar privado, em uma casa privada, em um dia de festa. Houve uma emergência que dizia respeito ao meu irmão, vítima de fraude. Eu fui devidamente informado do que estava acontecendo. A presença de dois advogados foi uma coisa absolutamente natural: os recebi como irmão de meu irmão". Confalonieri acrescentou: "É indigno, vergonhoso que alguém vá à casa de um amigo e vire notícia nos jornais. Era somente um jantar privado entre quatro amigos. Do que falamos é problema nosso. Isso até parece uma Inquisição, parece que estamos na KGB". Previti falou também: "É um vulgar processo de demonização. É verdade, os dois advogados dos empresários passaram em Arcore, eu e Silvio os cumprimentamos e termina aqui, mas somente quem admira o estado de policial e tem o culto da suspeita e da espionagem pode pensar certas maldades e indagar sobre as escolhas dominicais de um grupo de amigos". Pronunciou-se também o advogado Viola: "O meu cliente Sciascia estava para entregar-se à justiça, tocava a sua empresa, eu tinha que falar disso com os responsáveis". E Dotti: "Foi uma reunião de emergência porque a Fininvest está no centro de uma investigação judicial".

No dia 25 de julho, Sciascia se entregou e confessou três pagamentos de propina à Guarda de Finanças: 100 milhões em 1989, pela averiguação financeira da Videotime; 130 milhões em 1991, pela Mondadori; 100 milhões em 1992 pela Mediolanum. Dos 50 (ou 25) milhões pagos para a Telepiù (em abril de 1994), disse que não sabia de nada.

Por que era tão crucial aquela propina? Porque era recentíssima, recém-paga pelas empresas do primeiro-ministro e, principalmente porque, após a lei Mammì, Berlusconi teve de desfazer-se de 90% das cotas da pay-tv sob pena de perder as concessões para as outras redes televisivas. Da pay-tv, dizia a lei, poderia possuir somente 10%. E era assim oficialmente, mas a Procuradoria de Roma e o agente editorial Giuseppe Santaniello suspeitaram que ele tivesse mantido o controle quase total confiando as cotas excedentes a alguns amigos e laranjas. Se fosse assim, o agente editorial teria a obrigação de retirar-lhe as concessões, "tirando do ar" Canale 5, Rete 4 e Italia 1. E, para o grupo, seria uma catástrofe.

Pontualmente, Sciascia, enquanto confessava ter pago, declarava-se vítima de extorsão. Perguntou-lhe Di Pietro: quem o autorizava a pagar? E quem lhe fornecia o dinheiro? "Era Paolo Berlusconi", respondeu o funcionário, "quem fazia chegar a mim o dinheiro, em envelopes fechados, que depositava no caixa do IS-TIFI, o banco interno do grupo. Então, eu era avisado e retirava o envelope onde estava escrito meu nome".

A resposta surpreendeu o *pool*, como explicará Davigo:

> Esperávamos uma linha de defesa tipo aquela da Fiat. Romiti tinha dito: eu possuo uma holding que controla onze sub holdings, que por sua vez controlam 1.033 empesas: como vocês podem pensar que eu tenha conhecimento do que acontece em cada uma dessas empresas? Os administradores de cada empresa se apresentavam e assumiam a responsabilidade das propinas pagas. Sciascia, ao contrário, respondeu que as propinas eram uma coisa delicada demais para envolver os administradores de cada empresa, e quem as autorizava era diretamente a cúpula do grupo, na pessoa de Paolo Berlusconi.

No dia 26 de julho, foi expedida a ordem de prisão para Paolo Berlusconi. Silvio novamente atacou os juízes:

> Sob as togas dos promotores se refugiam as velhas forças políticas. Os juízes, se quiserem governar, que sejam eleitos pelo povo soberano. Senão, cada prisão, cada invasão, cada excesso é um golpe devastante na credibilidade democrática das instituições. A investigação sobre a Guarda de Finanças pode ser outra ação devastadora de demolição da sociedade, não só política, mas também econômica e empresarial.

No dia 27, o juiz das investigações preliminares Padalino assinou a ordem de prisão para o irmão de Berlusconi, não localizado há dois dias. "Tem mais o que fazer", disse o seu advogado. Procurado também o administrador da Mediolanum Factor, Alfredo Zuccotti. "Por sorte, só tenho uma irmã veterinária", brincou Maroni. E Biondi disse: "Berlusconi deve decidir como chefe de Estado. O estado de família é outra coisa". "Paolo é uma pessoa do bem, não é alguém que deva ser mandado para a prisão", exclamou o presidente do Conselho: "Se todas as empresas fossem gerenciadas como a Fininvest, na Itália não haveria mais problemas de moralidade pública, mas é certo que, se quisermos encontrar a agulha no palheiro, a encontraremos. A história do meu irmão me amargura, porque é o governo que está na mira". Ferrara acrescentou: "O governo não tem irmãos, mas não podemos consentir que virem tudo do avesso, como uma meia, desde a lojinha de artesanato até as grandes corporações, como a Fininvest e a Fiat". Davigo se revoltou: "Em qual país um ministro poderia acusar de virar do avesso a nação, como uma meia, quem descobre as propinas pagas a uma entidade do Estado?". A partir daquele dia, graças a uma hábil campanha na mídia, Davigo entrou para a história como o promotor que queria "virar a Itália do avesso como uma meia".

No dia 29 de julho, Paolo Berlusconi entregou-se a Di Pietro e confessou ter autorizado as propinas da Fininvest para a Guarda de Finanças. Depois, se declarou também vítima de extorsão e defendeu Silvio: "Sciascia", assegurou, "dependia somente de mim". Di Pietro então lhe mostrou um documento: uma doação de 500 milhões a Sciascia, feita em 1988 por Silvio: "O senhor não sabia nada disso?". "Não." "E então o senhor se dá conta de como não é importante?" Paolo, então, teve de admitir que, para as questões estratégicas, todos no grupo obedeciam a Silvio. E obteve a prisão domiciliar, deixando o Palácio da Justiça por uma saída de segurança, escondido no porta-malas de um Fiat Fiorino bege. Alguns dias depois, pediu para poder passar o resto da prisão domiciliar na sua mansão de Porto Cervo, na Sardenha. O *pool* consentiu.

Detenham aquele juiz das investigações preliminares

Não podendo se indispor com Di Pietro (naquele momento), o partido da Fininvest atacou o elo mais frágil da corrente: o juiz das investigações preliminares Andrea Padalino. No início de agosto, Tiziana Parenti e Raffaele Della Valle, líder do Força Itália na Câmara, convocaram uma entrevista coletiva para apresentar uma CPI. Tema: Padalino, o jovem juiz das investigações preliminares que seguia o escândalo das guardas sujas. Milanês, ex-carabiniere, Padalino teve seu primeiro cargo na magistratura como juiz de primeira instância no Tribunal de Monza. Após, em setembro de 1993, com 31 anos, foi "destinado" para Milão, onde seria juiz do tribunal. Porém, foi deslocado para a seção dos juízes das investigações preliminares, um cargo mais inferior, onde, por puro acaso, estava de plantão na noite da prisão de Nanocchio. Assim, tornou-se o titular do procedimento sobre o escândalo da Guarda de Finanças. E, assim que vieram à tona as responsabilidades da Fininvest, ele também entrou na mira do Polo. "É uma distorção", declarou Parenti, "que as prisões dos casos da Fininvest e da Guarda de Finanças estejam a cargo de um juiz tão jovem, transferido para Milão, que era pretor do trabalho em Monza".

Entretanto, no último momento, a entrevista coletiva convocada para o dia 3 de agosto foi cancelada, e a CPI, revogada. O que tinha acontecido? Inicialmente, Parenti se convenceu de que, antes de ser transferido para Milão, Padalino era pretor do trabalho em Monza: assim sendo, não poderia mais ser juiz das investigações preliminares, e a investigação sobre as guardas sujas teria que mudar de mãos, porque a lei proíbe a utilização, na vara penal, de juízes em serviço na vara do trabalho. Mais tarde, porém, tendo se informado melhor, a nova combatente berlusconiana descobriu que, na Pretoria de Monza, a vara do trabalho não existia, e os pretores eram "promíscuos", ou seja, faziam um pouco de tudo. Portanto, a transferência de Padalino ao Tribunal Penal de Milão era perfeitamente legítima: Parenti e Della Valle se retiraram antes de exporem-se publicamente ao ridículo na entrevista coletiva.

Superado um obstáculo, porém, o juiz Padalino encontrou logo outro. Naqueles mesmos dias de final de julho, o chefe dos juízes das investigações preliminares de Milão, Mario Blandini, deu-lhe férias até o dia 20 de setembro. Ele, no meio da investigação sobre a Guarda de Finanças, respondeu que não poderia, pois teria de trabalhar e pediu, portanto, somente duas semanas de férias. Nada feito: Blandini lhe impôs quase dois meses de "férias forçadas". Padalino impugnou a medida junto ao presidente do tribunal, que lhe deu razão. Blandini recorreu ao Conselho Superior da Magistratura, que, porém, manteve as coisas como estavam. Padalino pôde continuar a investigar a Finivest e os guardas de finanças corruptos. Seria, no entanto, remandado para Monza no final daquele ano: seus superiores fizeram de tudo para não prorrogar a sua transferência. E, desde então, foram modificados os critérios para a distribuição dos processos: não mais somente um juiz das investigações preliminares para toda a investigação, como até então era feito, para assegurar a máxima uniformidade de tratamento e o máximo conhecimento dos documentos, mas uma miríade de juízes das investigações preliminares, em rotatividade, com grande dispersão de tempo e de profissionalismo. Em 1995, o ministro Mancuso acusou Borrelli de ter pressionado Blandini para manter Padalino em Milão e mandou todo o *pool*, e também o jovem juiz, a um procedimento disciplinar. Blandini, em 2002, sucederá Borrelli como procurador-geral de Milão.

"Sobre Mondadori, água na boca"

No dia 3 de agosto, furioso pelas versões fornecidas ao *pool* pela Fininvest e por muitos outros grupos empresariais ("era uma quadrilha; somos vítimas de extorsão"), o coronel Tanca retornou à Procuradoria. Disse a Davigo que não tinha a menor intenção de passar por agente de extorsão, visto que os empresários estavam felizes de pagar para se livrarem. Davigo pediu-lhe para demonstrar que era verdade, e o oficial contou que os diretores da Finivest lhe entregaram a sua propina em uma confeitaria de Milão, na Via Vittor Pisani, em um clima sociável, nada compatível com uma quadrilha. Depois, revelou um episódio acontecido menos de dois meses antes. No dia 10 de junho, no seu novo escritório na Direção Investigativa Antimáfia de Milão, na Via Mauro Macchi, encontra seu ex-subordinado, o marechal aposentado Alberto Corrado, para dizer-lhe o seguinte: "Mandaram-me vir aqui porque o senhor fez a averiguação financeira na Mondadori. Disseram-me... que se acontecer alguma coisa com o senhor, deixe a Mondadori de fora, porque para 'eles' seriam grandes problemas de imagem...

Sabe, é um grupo... e também o *Cavaliere* está na política... Lhe serão muito agradecidos".

Quem mandou Corrado encontrar Tanca – descobriu- se pouco depois – foi Massimo Maria Berruti, um dos tantos ex-oficiais da Guarda de Finanças que viraram consultores da Fininvest. Por que tentar esconder especificamente as propinas pagas pela Mondadori e não as outras pagas pelo grupo de Berlusconi? Porque Tanca era o único militar corrupto da Fininvest que tinha ficado em liberdade e tinha embolsado somente aquela propina do grupo de Berlusconi. Quanto às outras, os receptores tinham sido quase todos presos, e era praticamente impossível convencê-los a não falar. Ficou um problema: como poderia Berruti, consultor "externo" do grupo, que cuidava do time do Milan e das empresas estrangeiras, saber que Tanca tinha recebido dinheiro da Mondadori? Como podia ter certeza matemática disso, a ponto de mandar Corrado dizer-lhe para ficar calado caso fosse preso, sob o risco de que o outro protestasse a sua inocência e talvez o denunciasse? Evidentemente alguém deduziu que, após a prisão (por outras propinas que não tinham nada a ver com a Fininvest) do marechal Ballerini no dia 25 de maio, seria a vez de Tanca e decidiu "silenciá-lo" o quanto antes. Quem fosse aquele "alguém", o *pool* naquele momento não sabia. E procedeu, como sempre, a passos lentos.

Tanca, no seu interrogatório, disse que tinha liquidado Corrado com uma resposta interlocutória: "Eu certamente não me apresentarei para falar da averiguação financeira na Mondadori. Se tiver de acontecer alguma coisa comigo, quando for o momento, decidirei. Agora não posso dar garantias". Foi fato que, quando o prenderam, admitiu 53 propinas recebidas de outros grupos e calou exatamente sobre aquela da Mondadori. No dia 7 de julho, durante o banho de sol na cadeia, Tanca recomendou a Ballerini para fazer o mesmo. Falará somente no dia 23 de julho, depois que leu nos jornais sobre a iminente prisão de Sciascia pelo caso da Mondadori e somente depois, em 25 de julho, Ballerini confirmará tudo.

O *pool* verificou logo o depoimento do coronel e descobriu que, de fato, no livro de registros dos visitantes da DIA (Direção Investigativa Antimáfia) de Milão, constava uma visita de Corrado a Tanca, exatamente no dia 10 de junho. Corrado foi preso por favorecimento no dia 9 de agosto: confirmou o depoimento de Tanca e deu o nome de quem lhe passou a missão de despiste: o seu velho amigo e superior, Massimo Maria Berruti, atual advogado do grupo de Berlusconi. Berruti foi o mesmo personagem que, em 1979, com o grau de capitão, inspecionou, junto a dois colegas, a Edilnord Centros Residenciais, encarregada da construção do complexo residencial Milano 2 e interrogou Silvio Berlusconi. Então o *Cavaliere*, dono da empresa, se passou por um simples "consultor encarregado do projeto e da direção geral do complexo residencial Milano 2" e negou que conhecesse os sócios da empresa. A inspeção, nascida de uma investigação aberta pelo Escritório Italiano de Câmbio por violação da lei monetária, evidenciou fortes suspeitas de uma infração de mais de 5 bilhões (à época), mas foi concluída apressadamente, sem nenhum resultado de fato. Entre os componentes daquela patrulha estava também Alberto Corrado. Logo depois, Berruti deixou a farda para tornar-se advogado e foi engajado no grupo de Berlusconi. Em 1985, foi investigado, preso e no fim absolvido na investigação pelo escândalo da empresa Icomec, uma história de propinas anterior à operação Mãos Limpas, que envolvia também Gianfranco Troielli e Antonio Natali, o fundador da Tangentopoli milanesa.

Corrado reviu Berruti depois de muitos anos, em maio de 1994. O ex-marechal foi procurar o advogado para pedir-lhe um favor: indicar um médico para sua filha, que necessitava urgentemente de uma internação no Hospital Niguarda. E Berruti o ajudou. Um mês após, na noite de 8 de junho, lhe telefonou de Roma. Ele também tinha um favor para pedir, mas Corrado tinha saído para levar o cão para passear: sua mulher atendeu ao telefone, e o advogado lhe disse que telefonaria no dia seguinte. E de fato, quando voltou para Milão, o ex-capitão telefonou ao ex-marechal às 15h11min e marcou um encontro para as 18h30min na Via Turati, sede do Milan. Era ocasião para retribuir-lhe a cortesia. Corrado deveria aproximar-se de Tanca "para dizer-lhe, caso fosse envolvido na investigação, para não revelar nada sobre um acerto realizado com a Mondadori". Porque, se o fato viesse à tona, "atrapalharia com certeza a política de Berlusconi e do Força Itália". "Diga a Tanca", acrescentou Berruti, "que o seu comportamento obterá um adequado reconhecimento por parte da Mondadori." A missão era muito delicada; Berruti não podia expor-se pessoalmente. Então, no dia seguinte, 10 de junho, Corrado resolveu a questão: ligou para Tanca, marcou um encontro para as 16 horas na sede da DIA e lhe passou a mensagem. Tanca lhe jurou: "Serei uma tumba".

O cerco do *pool* se fechava. No dia 11 de agosto, sempre por favorecimento pessoal, foi preso também Berruti. Negou sempre ter orquestrado o despiste e disse que foi Corrado quem insistiu para vê-lo ("Queria agradecer-me pela minha indicação de um médico para a internação de sua filha doente"), mas o seu depoimento foi cheio de incongruências e datas erradas, enquanto os depoimentos de Corrado e Tanca coincidiam e se encaixavam perfeitamente com os elementos colhidos pelas investigações sucessivas.

Quem ordenou que Tanca ficasse calado foi Corrado, e quem ordenou Corrado foi Berruti. E Berruti, quem ordenou? A resposta chegou – como veremos – no dia 9 de novembro, por meio de um "passe" de ingresso ao Palazzo Chigi, casualmente encontrado entre as agendas recolhidas de Berruti e nas cópias impressas com as ligações do seu celular. Cruzando todos os dados, a conclusão do *pool* foi somente uma: o despiste organizado por Berruti tinha sido combinado com o presidente do Conselho pessoalmente.

4. QUEM TOCA OS FIOS MORRE

Enquanto os juízes estão ocupados com a investigação, que já chegava perto do primeiro-ministro, em Villa d'Este di Cernobbio, no lago Maggiore, o escritório

Ambrosetti reuniu, nos primeiros dias de setembro, a grife das finanças e da economia. E naquele ano, no seminário, estava presente uma nova estrela. Chamava-se Antonio Di Pietro. Tinha sido convidado também em 1992 e em 1993, mas não tinha aceitado o convite. Naquela ocasião, porém, decidiu participar, porque tinha algo importante para anunciar: a proposta do *pool* para "sair da Tangentopoli". Uma solução "judiciária", não política. Sem encobrimentos. Lorde Ralf Dahrendorf o acolheu com um "You are a wonderful man" ("Você é um homem maravilhoso"). Umberto Agnelli comentou: "Era errado que nos outros anos não viesse nenhum juiz". Velhos conhecidos (presos, acusados ou testemunhas) como Romiti, De Benedetti, Bernabè, Pisante, Pesenti, Passera correram para apertar a sua mão. Nem todos estavam tranquilíssimos: Montanelli havia recém escrito na revista *Voce* que Di Pietro tinha outras 39 empresas na mira.

No primeiro dia, 2 de setembro, Di Pietro escutava em silêncio os outros relatores. No dia seguinte, almoçando com Luigi Abete (presidente da Confindustria) e Aldo Fumagalli (presidente dos jovens industriais, desde 1992 ao lado da operação Mãos Limpas), se abriu: "Tenho algo a dizer. Estamos preparando, juízes, advogados e organizadores deste seminário, uma proposta. Não queria dizer, mas ouço aqui muitos empresários falando sobre as incertezas que a nossa investigação está criando para a economia. Talvez eu faça uma menção. Antes, porém, peço permissão aos colegas do *pool*". Permissão dada. Assim, na tarde de 3 de setembro, ele falou. Pegou o gancho do discurso recém-terminado do presidente da Canon, Ryuzaburu Kaku, sobre a importância do kyosei, o princípio japonês do "viver e trabalhar juntos" e fez um apelo à política e à imprensa para que ajudassem a magistratura a descobrir tudo o que fosse possível, "sem passar a borracha e sem khomeinismos", para permitir que a economia retomasse o fôlego e a serenidade o mais rápido possível, mas "na transparência e na legalidade, não somente na eficiência". Di Pietro invocou uma reforma na lei dos crimes contra a administração pública e societários, pelo "momento repressivo", e "uma reforma das licitações, pelo momento preventivo". Uma solução legislativa que fosse promovida não somente pelo governo e pelo Parlamento, mas também "pela sociedade civil e por nós, juízes e advogados que, queiram ou não, trabalhamos nestas realidades, como acusação e como defesa".

Após 31 meses de investigações, 300 prisões e milhares de investigados, o juiz mais famoso da Itália convidou todos para o kyosei: "Trabalhar juntos para produzir bem-estar e moralidade, passando da fase da repressão para a fase da colaboração, para que tudo isso que aconteceu não se repita mais". Mais concretamente, propôs "uma mesa redonda o mais rápido possível, onde se elabore um documento-base com as contribuições dos protagonistas, das quais o legislador possa nutrir-se".

Aplausos explícitos foram recebidos, em ordem, de Umberto Agnelli, Abete, Pesenti, Stefanel, Tatarella, Napolitano, Borghezio, Buttiglione, Dotti, Violante, Scognamiglio. Críticas – à distância – somente da parte de Casini ("Assim se alteram os papéis entre o poder judiciário e o legislativo"), Sgarbi ("Di Pietro é desconcertante, é o guarda-costas dos empresários"), Maiolo ("Ato ilegítimo e incorreto") e Parenti ("Um juiz não participa de um congresso com tantos acusados"). Tremonti, presente em Cernobbio, parecia ciumento: "Por que, ao invés de perguntar-me o que penso sobre o que disse Di Pietro, vocês não lhe perguntam o que ele pensa sobre o que eu disse?". No dia seguinte, na última sessão a portas fechadas, o promotor retomou a palavra: "Tremonti quer que os inspetores do fisco sejam submetidos a controles fiscais para evitar a corrupção. Por que não fazer isso também com os políticos e com os magistrados?". Mais aplausos explícitos. Seguiram-se encontros mais ou menos reservados com vários ministros: Gnutti, Pagliarini, Tremonti, Urbani, Radice, Maroni. Esse último aludiu a uma "iniciativa interessante, mas secreta, que quero discutir com os magistrados e com o governo".

A lei do pool

O que estava fervendo, exatamente, na panela de Di Pietro? Um projeto que circulava, há algumas semanas, entre as mãos dos protagonistas da operação Mãos Limpas de ambos os fronts, isto é, os promotores do *pool* e alguns notáveis advogados penalistas e docentes universitários: Federico Stella, Oreste Dominioni, Domenico Pulitanò, com o apoio de um docente da Universidade Católica, Gabrio Forti. No dia seguinte, alguns jornais anteciparam do que se tratava: 18 artigos, precedidos por um preâmbulo: "A corrupção já é uma autêntica emergência criminal". Três, em síntese, eram as propostas. Primeira: não punibilidade para o corruptor ou para o corrupto que vai espontaneamente confessar e denunciar os cúmplices "antes que a notícia do crime tenha sido inscrita no seu nome e também após o máximo de três meses da data do crime cometido", desde que restituísse até a última lira que havia recebido e com a sanção automática da perda do direito e da interdição no serviço público. Na prática, rompia-se a lei do silêncio entre o corruptor e o corrupto e iniciava-se uma corrida para ver quem chegava antes para denunciar a si mesmo e aos outros para ganhar a impunidade. O objetivo era fazer emergir o que havia de submerso na Tangentopoli, evitando chantagens e venenos. Segunda: os crimes de corrupção e extorsão viravam um só: era proibido oferecer e dar dinheiro a um funcionário público, não importando se obrigado ou espontaneamente, nem em troca de algum favor lícito ou ilícito. Terceira: linha dura com quem chegasse após o prazo máximo estipulado, ou não confessasse tudo, ou fosse pego em flagrante; custódia cautelar obrigatória para corruptos e corruptores, como para os mafiosos e os assassinos, com penas que vão de um mínimo de quatro a um máximo de 12 anos para a autoridade pública corrupta e de 3 a 8 anos para o corruptor privado.

"Nenhum país", explicou Gherardo Colombo, "pode viver em contínua emergência". No entanto, nem todos, no pool, estavam de acordo. "Parece-me um desalinhamento da função de magistrado", objetou D'Ambrosio. Desta vez os meus colegas procuraram as críticas dos políticos." E, de fato, Berlusconi, alarmado, declarou: "Não podemos fundar a Segunda República na base da delação. Corremos o risco de, ao invés de concluir a Tangentopoli, começar outra maior ainda". Ao contrário, a AN e a Liga Norte eram favoráveis à ideia. E La Russa brincou com os agitados partidários do Força Itália: "Parece-me pouco acreditável que o projeto de Di Pietro fosse desconhecido do Força Itália; ao contrário, estou convencido de que a cúpula o conhecesse: alguns advogados alinhados a eles colaboraram no projeto". Dominioni, por exemplo.

No dia 14 de setembro, na sala de conferências da Universidade Pública, a proposta foi apresentada oficialmente pelos seus autores: os quatro promotores do *pool* e os três advogados no palco, mais o professor Giandomenico Pisapia, que presidia o encontro perante uma multidão de autoridades: magistrados, penalistas, empresários, catedráticos, estudantes, jornalistas e pessoas comuns. Di Pietro leu o seu discurso em um clima de estádio de futebol: "O que nos move é a preocupação pelo destino deste país [...]. Se as nossas propostas não são suficientes ou viáveis para combater a corrupção, então encontrem outras, mexam-se, pois não podemos esperar mais. Caso contrário, na fúria da discussão, o país, como Segunto, será expungido". Davigo, que o ajudou a preparar o discurso, escreveu Sagunto. Mas Di Pietro se enganou na leitura. Ninguém na sala se deu conta do engano. O erro foi aplacado pelos aplausos. Quase todos os juristas, de Giovanni Maria Flick a Gustavo Zagrebelsky e a Valerio Onida, expressaram perplexidade, principalmente pela causa da "não punibilidade" e o risco da "delação". Duríssimo foi o Tribunal Penal de Milão, que acusou o *pool* de ter se apropriado "da proposta dos advogados dos acusados". Davigo replicou ferozmente: "Não ouvi nenhuma objeção quando, para os advogados dos acusados, foram oferecidos altíssimos cargos políticos". Cada referência ao ministro Biondi e ao subsecretário Contestabile foi puramente intencional.

A "proposta de Cernobbio" ou "da Estatal", no entanto, apesar dos entusiasmos da AN, da Liga Norte e de uma parte da centro-esquerda, permanecerá letra morta. No dia 17 de setembro, a organização terrorista Falange Armada, que acompanhou as fases mais quentes da passagem da Primeira para a Segunda República, lançou um comunicado: "A vida política e humana de Antonio Di Pietro será breve e será parada".

Os tesoureiros de Craxi

O dia 29 de setembro de 1994, 58º aniversário do *Cavaliere* Berlusconi, foi uma data importante também por outro motivo. Os Carabinieri de Milão prenderam Giorgio Tradati, velho amigo de Craxi e um dos laranjas das suas contas no exterior. A imprensa deu pouca importância à notícia. Poucos sabiam que o retorno de Tradati, para os equilíbrios políticos e judiciários passados e futuros, tinha sido ainda mais devastador do que aquele de Larini. Se Larini chegou a dar o golpe de misericórdia em um Craxi já ferido pelas acusações e pelas intimações judiciais e a afrontar o ainda virgem Claudio Martelli, Tradati foi o elo entre as contas de Craxi e as de Berlusconi, atual presidente do Conselho, até aquele momento não demonstrando sentir-se atingido (ao menos pessoalmente) pelas medidas judiciais. Mas isso o *pool* descobriu, por conta própria, somente alguns meses mais tarde. Naquele momento, Di Pietro se satisfaz em exibir Tradati no tribunal como uma prova viva de que Craxi "roubava para si" e não (ou não somente) para o partido.

O caminho que levaria de Bettino ao *Cavaliere* ainda estava fechado, bloqueado, impenetrável aos olhos profanos. Somente os interessados diretos conheciam aquele caminho. E não podemos esquecer que, durante todo o ano de 1994, Berlusconi considerava-se o "representante do novo", evitava atacar o popularíssimo Di Pietro e negava qualquer ligação direta com Hammamet. De fato, Craxi, da Tunísia, mandava sinais por códigos, não muito amigáveis, para o amigo desmemoriado. Se fosse demonstrado que entre os dois não havia somente um inocente vínculo de amizade, mas também uma sólida relação de negócios, ou seja, que Silvio e Bettino eram sócios em muitos bilhões, seria, para o já hesitante chefe do governo, um golpe duríssimo. Aconteceu que foi exatamente a essa conclusão que levaram as revelações e os documentos bancários produzidos por Tradati nos anos 1995-96. A aliança entre ele e Craxi de um lado, e Silvio Berlusconi do outro, foi uma estranha sociedade offshore com sede nas Ilhas britânicas do Canal, denominada All Iberian, mas ninguém ainda sabia daquilo.

Tradati foi preso no final de setembro, no seu escritório na Via Archimede em Milão. Foi acusado de ter depositado uma propina de ao menos um bilhão, proveniente da Ansaldo, na conta Northern Holding, gerida por ele em nome de Craxi, junto ao Claridien Bank de Genebra. No dia 1º de outubro, pronunciou-se novamente a Falange Armada: "Di Pietro está cozido ao ponto". Em 4 de outubro, o promotor levou Tradati para depor no processo da Enimont. O depoimento do guarda de finanças é um bombardeio contra a trincheira do financiamento ilícito generalizado da política, continuamente desfrutada, durante dois anos, por Craxi e pelos seus defensores:

> É verdade, Craxi me pediu para ser laranja de uma conta sua na Suíça. Era muito dinheiro. A um certo ponto, as contas viraram duas: 30 bilhões no total [...]. Por volta do dia 10 de fevereiro de 1993, Bettino me pediu para sumir com o dinheiro daquelas duas contas, para evitar que fosse descoberto pelos juízes da operação Mãos Limpas. Como eu me neguei a fazê-lo, encarregou outra pessoa: sei que compraram também 15 quilos de barras de ouro [...]. O dinheiro não foi para o partido, a não ser 2 bilhões depositados para o PSI para pagar os salários.

Foi a primeira confirmação pesada daquilo que muitos em Milão já sabiam: as contas de Craxi não tinham quase nada a ver com o financiamento da política.

Di Pietro preparou o interrogatório com cuidado. Tradati, igualmente, era um velho conhecido de Colombo, que já em 1985 o havia interrogado sobre o caixa dois do IRI. "Lembra-se, Dr. Tradati, de já ter estado aqui, no Palácio da Justiça?", perguntou no tribunal Di Pietro. E o guarda de finanças respondeu: "Sim, muitos anos atrás: tive de responder sobre alguns BOT (Bônus Ordinários do Tesouro) que eu tinha trocado a pedido de Mach di Palmstein. Antes de ser interrogado, encontrei um funcionário da Italstat, que me mostrou a foto de um engenheiro recém falecido: pediu-me para dizer que os BOT eram dele. E eu assim o fiz". Colocou tudo nas costas do morto e salvou Mach di Palmstein, o primeiro dos tesoureiros ocultos de Bettino.

Naquele mesmo período, Craxi pediu-lhe outro favor: "Estávamos no início dos anos 1980, e Bettino me pediu para abrir-lhe uma conta na Suíça. Eu a abri, na SBS (Sociedade de Bancos Suíços) de Chiasso, no nome de uma sociedade panamenha (Constellation Financière). Funcionava assim: a prova da propriedade era uma ação ao portador, que entreguei para Bettino. Eu era o procurador da conta", na qual começaram a chegar "somas consistentes": em 1986, com os juros, chegava já a 15 bilhões. Então, o depósito duplicou: outra sociedade panamenha a (International Gold Coast) e outra conta, desta vez no American Express de Genebra. E, outra vez, a ação ao portador da sociedade foi entregue para Craxi, o proprietário, por meio de Balzamo. Outra vez Tradati foi o procurador especial, encarregado de movimentar a conta de Bettino. E mais ainda, naquela ocasião, havia uma conta de passagem, a Northern Holding, colocada à disposição por um funcionário do banco American Express, Hugo Cimenti, para blindar os depósitos e torná-los menos identificáveis. Para ali também, no período de poucos anos, confluíram em torno de 15 bilhões. Como era possível distinguir os depósitos destinados a Cimenti daqueles para Tradati, ou seja, para Craxi? "Para os nossos, usávamos a referência Grain. Que quer dizer grão". No tribunal, todos riram compulsivamente.

Em janeiro de 1993, lendo nos jornais que o *pool* tinha solicitado uma carta rogatória sobre as movimentações da conta Northern Holding com a referência Grain, Tradati entrou em pânico. Craxi lhe disse para ficar calmo e recorrer da carta rogatória. Após, pediu-lhe para esvaziar as duas contas. Tradati recusou-se: "Poluiria as provas, como vocês dizem". Foi então destituído da gestão e substituído por "outro": o ex-barista de Portofino, Maurizio Raggio, um enigmático personagem com interesses na Itália e no exterior, à época noivo da condessa Francesca Vacca Agusta, velha amiga de Craxi. Foi assim que Raggio teve em mãos algo como 37–40 bilhões.

Surpresos pela demissão de Tradati, os advogados de Craxi, Niccolò Amato e Enzo Lo Giudice, tentaram ganhar algum tempo: "Antes temos de falar com o nosso cliente", que gostaria de ser ouvido na Tunísia, ou seja, onde estava foragido. Obviamente, o tribunal recusou a proposta e, enquanto Tradati obteve a prisão domiciliar, Bettino se defendia via fax. Não negou a existência das contas, mas afirmou que o conteúdo "sempre esteve à disposição do Partido Socialista, para a atividade política e para financiar o jornal *Avanti!*. Nunca foi utilizado por mim. Não existe nenhum tesouro de Craxi". Tentando enrolar mais uma vez Balzamo, contou que Vincenzo D'Urso, braço direito do tesoureiro desaparecido, lhe havia revelado que o partido tinha uma necessidade mensal de 5 bilhões e 600 milhões: quase setenta bilhões por ano. Então Craxi, no dia 4 de outubro, tentou enganar seus dois herdeiros no comando do PSI:

> Após a morte de Balzamo, informei sobre a existência daquelas contas aos meus sucessores na secretaria: Benvenuto e Del Turco, e as coloquei à disposição deles. Benvenuto pediu-me para aguardar, na expectativa de que fosse feita uma averiguação no estado geral da administração. Del Turco me agradeceu, mas não deu nenhuma indicação de querer fazê--lo: então, enviei-lhe, em um envelope fechado, entregue em mãos [por Giusy La Ganga], o material referente a estas contas no exterior, com duas cartas de acompanhamento. Uma para um íntimo colaborador seu e a outra para ele pessoalmente, onde me declarava disponível para dar qualquer esclarecimento. As cartas não tiveram nenhuma resposta.

O "novo" PSI de Del Turco levou um dia para replicar. O fez no dia 5 de outubro, com um comunicado oficial: "A secretaria do PSI soube, pelos jornais, da existência do Sr. Tradati e das suas contas no exterior, mas a administração do PSI nunca pôde recorrer a financiamentos do exterior ou provenientes da velha gestão do partido. Dela, como todos sabem, herdamos somente dívidas com os bancos e com os funcionários". Benvenuto disse: "As contas no exterior tinham sido esvaziadas na manhã da minha eleição como secretário. Nas caixas do PSI, encontrei somente um grande vazio e um mar de dívidas".

"A verdade", acrescentou Del Turco, "é que Craxi fingia que nos colocaria à disposição as contas no exterior, para demonstrar à magistratura que eram do partido e não serviam a ele pessoalmente. Porém, as tinha esvaziado. O PSI era um partido cheio de dívidas na Itália, e cheio de dinheiro no exterior". Del Turco confirmou ter recebido "dois envelopes de Craxi: um com uma carta, outro com uns documentos. Abri somente a carta, enquanto o outro, não quis abri-lo, com medo de ficar envolvido em alguma coisa ilegal, e o destruí". A ideia de entregá-la à magistratura, encarregada de investigar o que é ou pode ser ilegal, nem passou por sua cabeça.

Sobre um ponto, os dois ex-secretários tinham razão: as contas suíças. Desde fevereiro de 1993, estavam vazias. Enxugadas. E uma réplica a Craxi chegou também do *Avanti!*, ou daquilo que restava dele: "O fim inglório do jornal, levado quase à falência, foi devido à falta de depósitos do partido durante a gestão Craxi, mesmo que fossem devidos e oficialmente reconhecidos nos balanços. Nenhum financiamento foi dado ao jornal socialista. Nem ilícito e nem, infelizmente, lícito".

Da Suíça, no entanto, chegavam outras péssimas notícias para o ex-líder socialista: o juiz instrutor de Genebra Jean-Louis Crochet encontrou os 15 quilos de barras de ouro que – como havia dito Tradati – Cimenti havia comprado por conta de Craxi com fundos da conta Northern Holding. Valor: 300 milhões de liras.

À procura da condessa

Assim que Tradati falou, Di Pietro despachou os Carabinieri para Portofino, em direção à Villa Altachiara, onde vivia a condessa Francesca Vacca Graffagni, viúva do conde Corrado Agusta (o "rei dos helicópteros"), com o noivo Maurizio Raggio. Os militares ficaram lá de vigia por quatro dias e quatro noites, na esperança de ver algo mover-se dentro ou fora da mansão, mas nada. Chegaram tarde. Raggio – diziam os bem-informados – tinha recém conseguido embarcar em uma lancha. Era compreensível: ele era o "mister X" que esvaziou até o último centavo os depósitos suíços de Craxi, enquanto o *pool* contava os dias para a chegada da carta rogatória com o extrato da conta. Que fim levaram aqueles 40 e poucos bilhões de liras? Sumiram, junto a Raggio, a condessa e um terceiro homem, um advogado mexicano de 45 anos, Miguel Vallado, com bons contatos nas Bahamas. Todos os três investigados por receptação e favorecimento nas relações com Craxi. Também a fidalga, um dia após Raggio, conseguiu fugir para Montecarlo, a bordo de uma Mercedes 500 preta, guiada a toda a velocidade pelo seu motorista. Dizem que os Carabinieri a seguiram por um pouco, mas depois a deixaram ir. Di Pietro confirmou no tribunal: "Não foi a condessa que fugiu de nós, fui eu que ordenei aos Carabinieri para não atirar. Usamos a regra desta investigação, que diz que não se deve nunca fazer uso de armas".

Para completar o depoimento de Tradati, no entanto, chegou Hugo Cimenti, que revelou como Raggio e Vallado esvaziaram as duas contas de Craxi, deixando somente um milhão de dólares e transferindo todo o resto para contas em bancos das Bahamas, das Ilhas Caymã e do Panamá, algumas das quais geridas por Gianfranco Troielli, o outro tesoureiro de Craxi (procurado há dois anos).

De Hammamet, no dia 12 de outubro, o ex-secretário socialista enviou um relatório de 21 páginas para repetir que "não há tesouros de Craxi e também não existe um grande patrimônio de Craxi. Como eu me mantenho e me manterei? Tanto eu quanto minha mulher temos uma boa aposentadoria, desde que alguém não tenha a ideia de confiscá-la. Depois de 40 anos de trabalho, posso contar com algumas economias". E acrescentou: "Não mereço este tratamento". No entanto, a sua defesa já tinha furos de todos os lados e, de fato, em meio ao processo da Enimont, Craxi mandou seus advogados dizerem a Di Pietro que "mudava sua linha de defesa" e que queria "estar ao lado da acusação para esclarecer sobre o sistema de financiamento dos partidos", mas bem naquele dia, o promotor tirou outra carta da manga: a "lista de compras" de Craxi e sua família, com o dinheiro das contas suíças, do tempo de Tradati.

1994. MÃOS ATADAS   323

"O que eram todos aqueles saques das duas contas suíças de Craxi?", perguntou Di Pietro. Tradati deu uma explicação local: "Antes de tudo, serviam para financiar uma TV privada romana, a GBR da senhora Anja Pieroni". Exceto que a emissora da ex-amante de Craxi estivesse em eterno prejuízo, pois Giallombardo lhe havia mandado 1 bilhão de Luxemburgo e Raggio e outros 3 milhões da Suíça, em março de 1993. Di Pietro atacou: "Mas com o dinheiro de uma das duas contas na Suíça compraram também casas?". Respondeu Tradati: "Um apartamento em Nova Iorque". Para o partido? "Certamente não." E com a outra conta suíça? "Um apartamento em Barcelona."

Resolvido Craxi, agora será atingido também o resto do grupo. Falou Andreas Cerveza Calvo, o mordomo espanhol de Villa Altachiara. Tinha notado alguns movimentos no heliporto da mansão ultimamente? "Sim, algumas vezes aterrissou o helicóptero de Silvio Berlusconi. A última vez, dois meses atrás." E disse que "a condessa havia proibido o seu uso, um ano atrás, quando o helicóptero de Berlusconi tinha errado uma manobra, atingindo algumas árvores". Usou novamente o heliporto? "Sim, no feriado de Ferragosto. Para o presidente Berlusconi." E Craxi, vinha também para a mansão? "Não, em Portofino não, mas foi hóspede da condessa no México, no Natal de 1993."

Terceira testemunha, terceiro golpe de cena: falou um brigadeiro dos Carabinieri que reconstituiu os telefonemas de Raggio de um hotel em Genebra: "Raggio ligou para diversos números na Itália, no México e na Tunísia". De quem eram os números na Itália? "Da mansão em Portofino e de Hugo Cimenti." E aqueles na Tunísia? "São de Hammamet. Um correspondente de Bettino Craxi." E as datas das últimas ligações? "2, 5 e 6 de outubro." "Até uma semana atrás", Di Pietro sorriu. O relatório de Craxi já podia ir para o lixo.

Raggio foi preso em 4 de maio de 1995, no México. Na prisão de Cuernavaca, esvaziou o saco (pelo menos em parte) e afirmou que gastou, em pouco mais de um ano de foragido, quase a metade do espólio: 15 bilhões dos 37 ou 40 bilhões. A sua "lista de compras" deu o golpe de misericórdia na defesa de Craxi, até mesmo porque foi considerada autêntica pelo Tribunal e pela Corte de Apelação de Milão, nas sentenças do primeiro processo da All Iberian, depois definitivamente confirmadas pela Corte de Cassação.

"Craxi efetuou saques", escreveram os juízes da Apelação, não somente "para pagar os salários dos redatores de *Avanti!*", mas também para outras e mais prosaicas destinações: "Seja para fins imobiliários (a compra de um apartamento em Nova Iorque), seja para depositar, para a estação de televisão Roma Cine Tivù (da qual a diretora-geral era Anja Pieroni, ligada a Craxi por relações sentimentais), uma contribuição mensal de 100 milhões de liras. O mesmo Craxi, depois, comprou uma casa e um hotel (Ivanhoe), em Roma, no nome de Pieroni". Além disso, Craxi pagava também "as empregadas, o motorista e a secretária". E ainda dizia sempre a Tradati: "Diversificar os investimentos". Tradati executava. Dos seus atos resultaram várias "operações imobiliárias: duas em Milão, uma em Madonna di

Campiglio, uma em La Thuile". E Bettino não esquecia os afetos familiares: fez também uma mansão e um generoso empréstimo de 500 milhões para seu irmão Antonio (seguidor do guru Sai Baba) e para sua mulher Sylvie Sarda. O empréstimo deveria servir para uma mostra itinerante e para uma fundação dedicada ao santo indiano. Craxi, porém, mandou Tradati dizer ao irmão que o dinheiro era fruto de uma doação de amigos: "Caso contrário", explicou, "o dinheiro passa como cavalheirismo e não o veremos mais".

A lista de compras

Nesse meio-tempo, o PSI foi à falência pelo fim dos canais de financiamento oculto. "O próprio Raggio", escreveram os juízes, "manifestou estupor pelo fato de que, após o término do seu cargo de secretário do PSI, Craxi tenha se abstido de entregar ao seu sucessor os fundos depositados nas contas do exterior. Era completamente sem fundamento, portanto, a linha de defesa concentrada no fato de que Craxi não tinha nada a ver com aquelas contas". Bettino tinha colocado tudo nas costas do defunto Balzamo, que saiu, ao menos em parte, "reabilitado" da sentença: quando era tesoureiro do partido, tinha, sim, aberto as contas na Suíça, mas depois – como confirmou Bartolomeo De Toma – "nunca as administrou e reclamava das dificuldades que tinha para mandar o dinheiro para a Itália, quando precisava de fundos para as exigências do partido. O que desmentia a tese, levantada pela defesa de Craxi, de uma injusta atribuição a ele de fatos relacionados a Balzamo".

Após vinham, também, as despesas de Raggio: cerca de 15 bilhões (segundo ele) para "manter-se durante a sua detenção" no México e o seu refúgio na América Central, que durou pouco menos de dois anos, junto à condessa Agusta. Raggio mantinha passatempos bem caros: 235.000 dólares (meio bilhão de liras) à vista "para uma amiga mexicana" e um Porsche, comprado em uma liquidação em Miami. O resto – assegurava – permaneceu à disposição de Craxi, salvo algumas despesas que Bettino lhe tinha expressamente comissionado, como a compra de "uma aeronave Sitation que custou um milhão e meio de dólares" (3 bilhões de liras); a liquidação de um pequeno "empréstimo pessoal" feito em seu nome por Raggio (cerca de 800 milhões); as parcelas dos advogados e uma série de "bonificações especificamente ordenadas por Craxi, efetuadas todas a favor de bancos suíços, exceto os seguintes créditos": o primeiro, de 100.000 dólares, destinado ao guarda de finanças árabe Zuhair Al Katheeb; o segundo, de 23 de maio de 1994, de "40.000 a 50.000 francos suíços para o Bank of Kuwait Ltd", ou seja, 80 milhões de liras, "utilizados para pagar as taxas e o aluguel de uma casa alugada pelo filho de Craxi na Costa Azzurra", em Saint-Tropez. "O filho de Craxi", explicou Raggio aos promotores milaneses, "tinha alugado uma mansão na Costa em outubro-novembro de 1993 para fugir do clima pouco favorável que tinha se criado em Milão". Ele também, a seu modo, foi exilado.

1994. MÃOS ATADAS 325

Em resumo – escreveu o tribunal – as contas de Craxi serviam, "antes de tudo, para a realização de interesses econômicos próprios":

> Craxi é indubitavelmente responsável, como idealizador e promotor, pela abertura das contas destinadas ao recolhimento das quantias que lhe eram depositadas, a título de financiamento ilícito, como deputado e secretário exponente do PSI. A gestão de tais contas [...] não confluía na direção administrativa ordinária do PSI, mas era tratada separadamente pelo réu por intermédio de seus procuradores, o que colocava em dificuldade o próprio Balzamo [...]. Significativamente, Craxi não colocou à disposição do partido estas contas, senão para socorrer financeiramente a GBR, na qual tinha principalmente interesses "próprios", políticos e não políticos.

Como um experiente guarda de finanças – acrescentaram os juízes milaneses, citando Tradati –, Craxi "sempre se informava detalhadamente sobre as contas no exterior e sobre suas movimentações". "Um dia", contou Tradati, "Bettino teve um ataque de riso quando soube que, ao invés dos 10 bilhões anunciados, eram 15". Tradati não lembrava, ou não queria dizer, quem os tivesse anunciado. Relembrou, porém, a gênese daquela bonificação. Tudo havia começado na suíte do hotel Raphael, entre outubro e novembro de 1991. Naquela ocasião, o secretário do PSI explicou a Tradati que, nas suas contas suíças, seriam depositados 10 bilhões, em cinco prestações, para movimentar em uma conta junto ao BIL, Banco Internacional de Luxemburgo. Imaginem a surpresa de Tradati quando, de Genebra, chegou a Milão o fiel Hugo Cimenti para expor-lhe "um problema": os bilhões recuperados não eram 10, mas exatamente 15. Os dois não sabiam o que fazer. Então, agitadíssimos, foram a uma estação de metrô e, de um telefone público, para evitar interceptações, ligaram para Craxi. Bettino ordenou: "Devolvam aqueles 5 bilhões a mais ao remetente". No dia seguinte, Tradati o visitou em Roma para falar-lhe pessoalmente. "Craxi", lembrou o seu laranja, "tinha se informado de todos os particulares. Depois, explodiu em uma grande gargalhada".

As cartas rogatórias na Suíça demonstraram que Tradati não estava mentindo. Nos dias 18, 21 e 31 de outubro de 1991, na conta 7105 Northern Holding, os 15 bilhões efetivamente chegaram. Então, foram rapidamente transferidos com um depósito feito no Banker Trust até chegar, em janeiro de 1992, na conta Bellhart do BIL de Luxemburgo. De onde vinham? De uma conta aberta desde 1989 na SBS por uma sociedade offshore, a All Iberian Ltd, com sede nas Ilhas do Canal: era a conta Q5-772077, aberta por Candia Camaggi, responsável pela Fininvest Service de Lugano. Uma conta, em resumo, da Fininvest. Esta, porém, em desafio à lei, sempre se absteve de mencionar a All Iberian nos seus balanços. De tudo isso, quando Tradati falou, o *pool* ainda não sabia.

Os sistemas Troielli e Giallombardo

O tesouro de Craxi, ou melhor, o sistema das suas contas no exterior, era um jogo complicado, com diversos percursos que se perdiam no mundo dos paraísos offshore e com mais de um personagem que seguia seus movimentos. Tradati era um desses. Depois, Raggio pegou o seu lugar, mas havia também outros compartimentos e outros canais, com outros procuradores e outros profissionais. Ao lado do "sistema Tradati", havia um "sistema Troielli" e um "sistema Giallombardo" geridos um pelo segurador Gianfranco Troielli, com a consultoria técnica do advogado Agostino Ruju, e o outro pelo ex-secretário de Craxi, Mauro Giallombardo que, no dia 14 de janeiro de 1994 voltou para a Itália após um longo período de fuga.

E, exatamente naqueles dias, Ruju entrou em San Vittore e bastou pouco para convencê-lo a falar. Como era o caráter de Di Pietro, afinal, Ruju sabia muito bem. Conhecia há anos o promotor e era amigo da sua companheira, Susanna Mazzoleni, com a qual tinha trabalhado na universidade pública. Aliás, tinha sido exatamente Ruju, quando era somente um pesquisador de Direito Civil com belas esperanças, quem apresentou Susanna a Tonino. Porém, aquela amizade não foi suficiente para evitar sua prisão. Desde que Pacini Battaglia admitiu ter transferido 1 bilhão e 800 milhões, provenientes da Montedison, para duas contas de Ruju abertas no UBS de Zurique e no Hong Kong Shanghai Bank Corporation, o seu destino estava selado.

Na prisão, aquele jovem advogado, definido por Craxi em um relatório como "ligado aos serviços secretos" (morreu oficialmente de enfarte na Tailândia em 2001), explicou como andavam as coisas, como funcionavam aquelas contas. Assim, o *pool* se viu às voltas com uma figura singular: o laranja do laranja. Ruju, de fato, era o fantoche de Troielli. Eis o que ele contou:

> Criei para Troielli, a partir de 1983, um sistema de sociedade e de contas no exterior em Hong Kong, nas Bahamas, na Suíça e na Grã-Bretanha [...]. As leis societárias de Hong Kong previam que as sociedades sediadas no domínio inglês pudessem ter procuradores como acionistas e administradores. As funções do administrador e do secretário, um cargo que não tem correspondência no direito italiano, podiam ser desenvolvidas não somente por pessoas físicas, mas também por outras sociedades [...]. No caso em questão, as sociedades foram constituídas por meio da Acceptor Enterprise, hoje Acceptor Corporation Ltd.

Passo a passo, Ruju acompanhou o *pool* através do labirinto dos depósitos secretos de Craxi e do PSI. Explicou que, com ao menos outras sete sociedades de Hong Kong (Wa Fo Wang, Xizang, Belling, Kingsbury, etc.), tinham sido abertas uma série de contas no exterior, em bancos de Hong Kong, Singapura, Suíça,

Ilhas Caymã, Bahamas e Liechtenstein. Algumas eram puramente "de passagem", constituídas junto ao Shanghai Bank Corporation de Hong Kong e ao UBS de Chiasso e de Lugano com o único objetivo de dificultar eventuais investigações sobre o fluxo de dinheiro. De lá, o dinheiro passava para outras contas, sempre do UBS, para terminar, após essa última etapa, em depósitos geridos diretamente por Troielli. Onde? Certamente nas Bahamas, nos cofres da BSI (Overseas Investment di Nassau, conta 600234, referência Idaho), na Suíça (número 3042251 Caracoal Overseas, no Banque Bruxelles Lambert de Lugano), em Liechtenstein (número 2482037, Dubuque Investment Corporation, no Bank in Liechtenstein, Vaduz).

Para seguir todas estas movimentações de dinheiro no Extremo Oriente, Ruju utilizava outro fantoche, o tailandês Sittipong Kongmuntavvana, enquanto que, nas Bahamas, um paraíso fiscal onde é possível realizar os conselhos de administração das empresas até mesmo por telefone, apoiava-se em um escritório de advocacia local.

Elucidado o esquema, não se sabe ainda hoje quanto dinheiro circulou no sistema Troielli. É verdade que o agente do INA, após um longo período de fuga, voltou para a Itália, mas durante os interrogatórios respondeu vagamente, assegurando que nas Bahamas, último domicílio conhecido de uma parte do tesouro de Craxi, não tinham chegado mais do que 10, 12 milhões de dólares. Eram quase 20 bilhões de liras, das quais se perdeu o rastro. As Bahamas, no mais, não responderam nunca às cartas rogatórias. Assim como Hong Kong.

Um pouco menos misterioso foi, porém, o sistema de contas no exterior comandado por Mauro Giallombardo, de 1975 a 1990 funcionário do Partido Socialista Europeu e, após, empregado do Parlamento Europeu. Giallombardo tinha à sua disposição dezenas de contas, abertas principalmente no Banco BIL de Luxemburgo e na sua filial de Lausanne. Em Luxemburgo, os depósitos eram cerca de trinta, todos em nome de empresas (Hambest, Giama, Hodwen, Yarmouth, Bellhart, Merchant International e Merchant Europe, Italpress, Ife, Archimede Intersave, Elvafi, Luxafin, Société Européenne de Travaux, Lacey, Norange e Bulka), ou então no nome de Giallombardo, de sua mulher e de Bettino Craxi. Giallombardo, ou os seus procuradores Jean e Claude Faber, com um importante escritório de advocacia de Luxemburgo, tinham procuração para movimentar várias contas.

Também em Lausanne, Giallombardo se apoiava no BIL. Lá, foram descobertos três depósitos diversos: a conta número 868.587, referência 110292, no nome da Norange; a conta número 823.427, no nome da Bulka; e, enfim, a conta número 857.602, no nome da Lacey. Dos três depósitos, o último apresentava a situação mais interessante: a conta Lacey foi aberta em maio de 1992 e recebeu o dinheiro da Norange, uma conta fechada precipitadamente após o depósito de propinas pagas por uma série de empresários (entre os quais Lorenzo Panzavolta, da Ferruzzi) e de uma contribuição de 200 milhões do procurador Troielli.

Walter e Demetra, Ferdinando e Domiziana

No outono de 1994, a imagem do Garofano, que nunca tinha estado tão baixa, caiu definitivamente no folhetim. Não bastassem os casais Craxi–Anja Pieroni e Raggio–Francesca Vacca Agusta, apareceu também, na crônica policial-social, um novo par romântico: o professor Walter Armanini, 57 anos, ex-vereador ligado à regulação da construção de cemitérios, sangue azul e fama de sedutor de mulheres, e a atriz americana Demetra Hampton, 27 anos, que interpretou Valentina no filme inspirado nos quadrinhos de Crepax. Em 17 de outubro, a Corte de Cassação confirmou a duríssima condenação de Armanini por corrupção: 5 anos e 7 meses por 300 milhões em propinas. Foi a primeira sentença definitiva da operação Mãos Limpas. No dia seguinte, o casal desapareceu. Fugiu para os trópicos, ou sabe-se lá para onde. Armanini se entregou no dia 29 de janeiro de 1995 na prisão de Orvieto. Colocado em liberdade por motivos de saúde, morreu de câncer em 1999.

Entretanto, em 20 de outubro de 1994, o promotor Fabio De Pasquale concluiu a sentença do processo ENI–SAI e pediu para Craxi uma condenação a 5 anos e 9 meses. No dia 6 de dezembro, no mesmo dia da demissão de Di Pietro, a quarta Seção do Tribunal infligiu ao ex-líder socialista uma pena de 5 anos e 6 meses de prisão (e mais 6 a Aldo Molino, 5 a Sergio Cusani, 3 e meio a Salvatore Ligresti, 4 anos e 4 meses a Alberto Grotti e Antonio Sernia): a sua segunda condenação, depois daquela pela conta Protezione.

Em 21 de outubro, Di Pietro, após uma blitz no exterior, voltou à Itália com a terceira conta de Craxi: "Encontrei-a em Lugano", anunciou no processo da Enimont, "e dessa vez havia ainda o dinheiro": 3,1 bilhões. Foi aberta no nome de uma fundação, a Arano, de Vaduz, em Liechtenstein: lá também houve depósitos ao Northern Holding e deste à GBR de Anja Pieroni. "Naquela ocasião", acrescentou o promotor, "Tradati foi ao banco e conseguiu obter toda a documentação e os extratos da conta. Há ainda alguns bilhões que estamos tentando recuperar".

No dia 30 de outubro, terminou bruscamente outra fuga histórica. Aquela de Ferdinando Mach di Palmstein, de 47 anos, guarda de finanças genovês que há vinte anos figurava em quase todos os escândalos do PSI, desde os tempos das investigações de Turim sobre a falência do guarda de finanças Gianfranco Maiocco e das investigações do juiz de Trento Carlo Palermo sobre um inquietante enredo de tráfico de armas e financiamentos ocultos ao PSI. Diversas procuradorias da Itália o procuravam há pelo menos um ano e meio: Milão, mas também Roma, onde Mach tinha sido reenviado a juízo pelo megaescândalo da cooperação com o Terceiro Mundo. Havia cinco ordens de prisão contra ele. Os Carabinieri o perseguiram por meia Europa entre Espanha, Suíça e França, onde possuía muitas residências e um confortável iate, o *Mi gato*. No final, o descobriram em Paris, para onde havia retornado há alguns dias, hóspede da atriz Domiziana Giordano. Prenderam-no enquanto passeava na Boulevard Saint-Germain, inutilmente disfarçado com um boné e uma grande manta ao redor do rosto. "Bom dia, Mach", disse-lhe o capitão Vittorio Trapani. E ele respondeu: "Bom dia. Parabéns. Como conseguiram encontrar-me?".

5. TODOS CONTRA O POOL

A incrível quantidade de nocautes sofridos por Craxi no mês de outubro teve consequências. A reação do assim chamado "exilado" e dos seus amigos não tardou a chegar. Em 29 de setembro, enquanto o *pool* prendia Tradati, Sergio Cusani anunciava a apresentação à Procuradoria de Bréscia, por meio do advogado Spazzali, de um relatório de 50 páginas sobre as presumíveis irregularidades cometidas por Di Pietro no primeiro processo da Enimont, aquele concluído com a sua condenação a 8 anos de prisão. Cusani detestava Di Pietro, e a recíproca era verdadeira. Cusani acusava Di Pietro não somente de tê-lo injuriado durante o processo ("três vezes ladrão, mentiroso, traidor"), mas também de não ter produzido, no tribunal, alguns documentos que, a seu ver, demonstrariam como o grupo Ferruzzi foi vítima de uma gigantesca extorsão por parte do sistema dos partidos, o que, segundo Cusani, poderia ter derrubado o êxito do seu processo e isentá-lo da condenação.

No dia 30 de setembro, o promotor de Bréscia Guglielmo Ascione confirmou que Di Pietro estava inscrito no registro dos investigados por abuso de poder e difamação. Ninguém se insurgiu contra o "vazamento de notícias". Somente AN defendeu o juiz. "Um ato necessário", disse Fini, "não pode denegrir o prestígio de um homem como Di Pietro". Colombo garantiu que "nunca tinha visto Antonio tão desanimado". "Eu encontro as provas, e os outros me acusam", desabafou Di Pietro após três horas de interrogatório com Tradati. Depois, pediu aos colegas de Bréscia que lhe transmitissem o documento indicado por Cusani para poder exibi-lo logo no processo da Enimont. Tratava-se de um lembrete enviado via fax para Gardini no qual Cusani resumia a situação de impasse criada na discussão entre ENI e Montedison e as posições dos diversos protagonistas. O Tribunal de Milão rejeitou aquele documento porque era "irrelevante e ininteligível". A Procuradoria de Bréscia pediu e obteve o arquivamento da denúncia, e o mesmo fim tiveram as outras três apresentadas por Cusani nos meses seguintes, sempre contra Di Pietro: por presumíveis confissões obtidas sob tortura, pela suposta equiparação dos juízes aos promotores e pela "sede de poder" do promotor.

"Expulsem aquele juiz"

Na metade de outubro, enquanto eram esperadas as primeiras respostas do exterior (Suíça e Luxemburgo) às cartas rogatórias sobre o grupo Fininvest pelo caso Telepiù e pelas falsas faturas da Publitalia, foi prontamente afastado o chefe do Departamento de Extradições e Cartas Rogatórias do Ministério da Justiça: o juiz Mario Vaudano. Expoente da Magistratura Democrática, quando era juiz de instrução em Turim, no início dos anos 1980, Vaudano estava entre os protagonistas da investigação sobre o segundo escândalo do petróleo. Em 1983, havia levado à prisão um jovem ex-guarda de finanças que era estagiário no escritório do pai de Cesare Previti: Giovanni Acampora (o mesmo que voltou aos holofotes em 1996 pelas propinas pagas a juízes romanos). Vaudano tinha também investigado um tráfico de drogas e dinheiro sujo entre a Itália, a Suíça e o Oriente Médio e pedido um mandado de prisão internacional contra o guarda de finanças ítalo-sírio Simon Shammah, amigo íntimo de Craxi. As suas ótimas relações com os magistrados de vários países europeus, a começar pela procuradora suíça Carla Del Ponte, revelaram-se preciosíssimas quando, em 1993, Conso o chamou ao Departamento de Cartas Rogatórias, centro nevrálgico da colaboração judiciária internacional, para desencavar os tesouros da Tangentopoli e capturar os fugitivos de ouro. As procuradorias de Milão, Nápoles e Palermo encontram nele, no biênio 1993–94, um ponto de referência insubstituível para agilizar as cartas rogatórias, mas, em um belo dia do verão de 1994, o ministro Biondi se lembrou de uma velha carta que estava esquecida há meses em uma gaveta. Era uma carta que o procurador-geral do Piemonte e do Valle d'Aosta, Silvio Pieri, tinha mandado, em 18 de fevereiro, para sinalizar que Vaudano, como ex-procurador municipal do Valle d'Aosta, tinha lhe solicitado, sem meias palavras, para impugnar uma escandalosa sentença do Tribunal do Valle d'Aosta (aquela que havia consentido ao jogador de hóquei Jimmy Boni de negociar 2 milhões de indenização por ter causado a morte de um adversário durante uma partida). Ninguém havia levado a sério os sinais de Pieri, até porque era um fato banal. Pelo menos até que, na metade de maio, tomou posse o governo de Berlusconi.

Em junho, contra Vaudoni, agiram os inspetores do ministro Biondi. No dia 16 de setembro, foi aplicada a ação disciplinar. Um ato como qualquer outro realizado por um juiz, principalmente para um fato daquela leviandade (o CSM o inocentou de qualquer acusação, atestando que havia somente "feito o seu dever"), mas, para Biondi, o procedimento disciplinar era um fato tão grave que era necessária, ainda antes do juízo, a remoção do juiz. Vaudano deixou o cargo em 29 de setembro de 1994, e o fato provocou grande ressentimento. Biondi replicou as "insinuações falsas e caluniosas", explicando que, em todo caso, tinha sido "submetido ao CSM pelo seu procurador-geral". No entanto, o procurador-geral contou outra história, muito diferente: "Nunca pretendi nada e não fui eu quem promoveu a ação disciplinar", disse Pieri ao CSM no dia 7 de março de 1996. "A história foi outra. O advogado Chiusano me contou que, quando o honorável Biondi foi nomeado ministro da Justiça, foi cumprimentá-lo pela nomeação e casualmente falaram do Dr. Vaudano. O honorável Biondi disse que ele era um juiz que deveria ser afastado porque era de esquerda e não lhe agradava. Era essa a história. Portanto, [Biondi] procurou alguma desculpa, algum ponto de apoio que eu não lhe forneci."

E não parou por aí. Em 22 de junho de 1994, foi expedido, em Turim, um mandado de captura para Giovanni Arnaboldi, acusado de emitir faturas falsas e superfaturadas de dezenas de bilhões para a Publitalia e de ter fugido depois para Miami às custas da empresa. Preso em 1995 na Flórida, Arnaboldi confessou tudo ao *pool*, e as suas acusações levaram à prisão de Marcello Dell'Utri, do seu braço direito Giampaolo Prandelli e de um consultor, Giorgio Bertone. "Prandelli e Bertone", contou Arnaboldi, "disseram para eu não me preocupar, porque nunca seria emitido, no meu nome, um mandado de captura internacional, porque o canal diplomático estava nas suas mãos [...]. Disseram que, mesmo que fosse estendida a nível internacional a medida cautelar, eles me fariam saber antes, para que eu pudesse me refugiar em algum lugar que me indicariam". Naqueles mesmos dias, a inspetoria do Ministério saiu à caça de Vaudano. Alguém queria apropriar-se do "canal diplomático"? O jornal *la Repubblica* publicou, em 1995, um comentário dos promotores torinenses que investigavam a Publitalia: "As nossas investigações estavam andando como um trem, mesmo no exterior. A remoção de Vaudano as atrasou em pelo menos seis meses".

Di Pietro, interrogado em Bréscia em 1995, confirmou tudo. E incluiu a caça a Vaudano entre os motivos que o induziram a deixar o *pool*:

> O colega Vaudano tinha desenvolvido um papel fundamental na investigação da Operação Mãos Limpas, pois tinha conseguido, com grande empenho, fazer com que fossem agilizadas rapidamente as numerosíssimas cartas rogatórias solicitadas por mim. Foi "congelado" enquanto estava levando adiante, para mim, centenas de cartas rogatórias de extrema importância para o bom andamento das investigações. A sua substituição tirou do *pool* e de mim, particularmente, um preciso ponto de referência para um aspecto fundamental das investigações. Tudo isso enquanto, nos primeiros dias de outubro de 1994, eu havia individualizado os últimos laranjas de Craxi para o seu tesouro pessoal: Tradati, Raggio e a condessa Agusta.

E, entre as cartas rogatórias do *pool* seguidas por Vaudano, havia também aquela sobre as contas e as empresas berlusconianas na Suíça e em Luxemburgo. "Vaudano", disse o ex-promotor da operação Mãos Limpas, "foi um dos tantos que caíram no caminho de Di Pietro". E não foi o único, naquele período.

Outro foi o seu homólogo suíço, o juiz instrutor Paul Perraudin. Di Pietro e Perraudin inventaram o sistema da "dupla carta rogatória cruzada": assim que Milão pedia uma carta rogatória, apresentava uma igual também a Suíça. Assim, a troca de documentos podia acontecer diretamente, sem passar pelos respectivos governos, mas o Ministério da Justiça italiano protestou junto ao Ministério suíço, e Perraudin acabou sob procedimento disciplinar a pedido dos defensores suíços de Giancarlo Rossi (o guarda de finanças amigo de Previti, preso em junho e logo após libertado pelo decreto Biondi), que o acusou de ter transmitido aos colegas italianos documentos bancários que deveriam ser reservados. A Chambre

OPERAÇÃO MÃOS LIMPAS

d'Accusation suíça, na velocidade da luz, emitiu um veredito de censura contra o juiz, colaborador demais. Eram, então, dois a menos.

"Estuda, filhinho, senão vai ser promotor"

Não era mais nenhum mistério que, no outono de 1994, algumas investigações de Milão se aproximavam do Palácio Chigi. Na Fininvest, ao redor do *Cavaliere*, havia terra arrasada: investigados todos os seus principais colaboradores, de Confalonieri a Dell'Utri, do irmão Paolo ao primo Foscale, de Sciascia a Roncucci, de Galliani a Letta e, enfim, a Berruti. Faltava somente ele.

Mais uma vez, sua comitiva jogou antecipadamente e começou a instigar os magistrados para provocar-lhes reação e, assim, conduzi-los ao terreno da discussão política. O primeiro a prever os desejos do *Cavaliere*, de quem esperava tornar-se o aliado predileto no lugar de Bossi e Fini, foi o secretário do PPI, Rocco Buttiglione que, no dia 3 de outubro, evocou "friamente" um cenário inquietante: "A AN quer usar Di Pietro: se chegasse uma intimação judicial para Berlusconi, a direita poderia pensar em substituí-lo por Di Pietro. E eu, neste caso, defenderei Berlusconi". No dia seguinte, Di Pietro aproveitou-se de uma conversa com Martelli sobre o processo da Enimont para responder: "Deixemos as imagens para Buttiglione: é ele quem imagina... Não gostaria que nos acusassem de usar estes microfones para fazer campanha eleitoral". Martelli disse: "Eu não tenho mais campanhas para fazer". E finalizou Di Pietro: "E eu não gostaria de tê-las, aliás, não as terei enquanto vestir esta toga".

O que queria Buttiglione? Uma *captatio benevolentiae* para entrar no coração do *Cavaliere* e afastar o concorrente Fini? Ou ajudar Berlusconi a preparar o terreno para possíveis problemas judiciais iminentes? Provavelmente ambas as coisas. "É possível", escreveu *La Stampa* no dia 4 de outubro, "que o presidente do Conselho receba uma intimação judicial pelo caso Telepiù. Há semanas falam disso nos corredores do Parlamento". Naquele dia, em alguns jornais, Previti propôs até mesmo "uma reforma da intimação judicial para dar garantias ao destinatário". Berlusconi declarou que não entendia "porque os juízes tinham de empenhar-se tanto nesta direção [Telepiù]: não há nenhum fato condenável do ponto de vista penal ou moral".

E levou à discussão uma conversa de Biondi com o jornal *la Repubblica*, cheia de insinuações ofensivas à magistratura investigativa em geral e a Di Pietro em particular: "Lembro-me de Perna, um grande advogado de Alexandria, que dizia sempre: 'Estuda filhinho, ou serás do Ministério Público'. Eu vi só uma vez o nosso [Di Pietro] e o entendi logo: usava um método direto: 'O que é, vai falar ou não? Ah, bem, aproveite então San Vittore'". A petição pública foi publicada no dia 4, junto à declaração de Buttiglione. E Berlusconi, para não deixar por menos, atacou Di Pietro com nome e sobrenome: foi a primeira vez, em um encontro a portas fechadas com os parlamentares do Força Itália, logo tornado conhecido

1994. MÃOS ATADAS   333

pelos seus fiéis escudeiros. "Di Pietro", acusou o *Cavaliere*, "demonstra obstinação contra somente um grupo empresarial, o meu, e usa a justiça para fins distorcidos. Os juízes estão fazendo política, alguns à direita, outros à esquerda".

Foi o suficiente para indignar Borrelli que, pela primeira vez na sua vida (como confidenciou aos autores deste livro), chamou o jornalista do *Corriere* Goffredo Buccini e lhe deu a entrevista mais dura que já havia dado. Antes, procurou interpretar a agitação da maioria: "Bem, é inútil tapar o sol com a peneira. É verdade, estamos em um momento importante, crucial. Aquilo que saiu nos jornais sobre o problema da Telepiù mostra bem claramente que corremos o risco de chegar a níveis financeiros e políticos muito elevados". Depois atacou o ministro da Justiça, fazendo alusão ao seu teor alcoólico: "O ministro Biondi, em um perigoso momento de um fim de tarde, falou demais, foi impertinente e de mau gosto. Falou coisas que os juízes certamente não esperariam do seu ministro [...]. Acredito que Biondi estivesse um pouco cansado, visto que cometeu a imprudência de falar de 'fraude processual'. É um argumento que, para quem quer que tenha assistido ao debate sobre o Banco Ambrosiano, lembra alguma coisa".

O que tinha acontecido no processo do Banco Ambrosiano? Um homem de negócios, defendido também por Biondi, havia apresentado ao Tribunal de Milão algumas declarações registradas falsas para demonstrar a própria inocência. A fraude, porém, tinha sido descoberta. O cliente de Biondi tinha sido condenado por falência e processado por falso testemunho. Biondi também tinha sido convocado como testemunha. O que havia de novo e de tão alarmante sobre a Telepiù? O fato de que a Procuradoria de Roma também estava trabalhando há alguns meses no caso – isto é, desde que emergiram as questões relativas às propinas pagas à Guarda de Finanças – assim como o *pool* milanês. Hoje, Di Pietro explica:

> Pressupondo que a Fininvest tivesse pago pelo menos 50 milhões para bloquear uma inspeção sobre a verdadeira propriedade da Telepiù, fomos ver o que poderia estar escondido naquele front. E interrogamos, Greco e eu, um executivo do grupo Fininvest, Oliver Novik, que havia tratado da venda de uma cota da pay-tv, em observância à lei Mammì. Aquela cota não era controlada pela Finivest (que não podia possuir mais do que 10%), mas pela CIT (Companhia Internacional de Telecomunicações), uma financeira de Luxemburgo que comandava o BIL, o Banco Internacional de Luxemburgo, nosso velho conhecido.

No BIL, Berlusconi tinha um amigo e um colega: o presidente Gaston Thorn, líder da centro-direita de Luxemburgo, ex-primeiro-ministro do grão-ducado e ex-presidente da Comissão Europeia, e também presidente da CLT (Companhia Luxemburguense de Teledifusão), que controlava a rede televisiva europeia RTL e possuía participações em satélites e canais de TV em Luxemburgo, na Bélgica, Holanda, Alemanha e França. Thorn era amigo não só de Berlusconi, mas principalmente do chanceler alemão Helmut Kohl e do empresário de televisão Leo Kirch. Berlusconi e Kirch eram sócios e tinham estreitas ligações, talvez de *portage*: uma troca de pacotes de ações que, segundo as suspeitas da magistratura, seria puramente fictícia, para burlar as leis dos respectivos países. Assim, o *Cavaliere* controlava, na Alemanha, 33,5% da TV alemã de Kirch, a DSF e, em troca, Kirch controlava formalmente 39,9% da italiana Telepiù.

Para se ter uma ideia clara da teia luxemburguense, Di Pietro encontrou-se com o colega Roger Linden, chefe do Departamento de Investigações de Luxemburgo, em janeiro de 1993 e no verão de 1994: primeiro, por uma série de cartas rogatórias sobre as contas de Giallombardo e Cusani; depois, por várias informações e documentos sobre a CIT no processo da Telepiù. Queria saber quem era o verdadeiro proprietário da pay-tv e qual era a relação da Fininvest com a CIT e com o BIL. Os jornais falavam disso todos os dias. No dia 15 de outubro, um relatório da Guarda de Finanças confirmou as suspeitas.

"Atentado à Constituição"

Borrelli, então, na sua entrevista de desabafo ao *Corriere*, não revelou nenhum segredo. Muito menos mandou alguma "pré-intimação judicial" a Berlusconi (no famoso convite para depor, do dia 21 de novembro, como veremos, o *Cavaliere* foi acusado por outras três propinas pagas à Guarda de Finanças, mas ainda não por aquela da Telepiù, pela qual foi acusado somente no ano seguinte). E, em 4 de outubro, o *pool* nem imaginava que, um mês depois, casualmente, encontrariam, nas agendas de Berruti, o documento que complicou a vida de Berlusconi.

No dia 5 de outubro, quando o *Corriere* publicou a entrevista, Borrelli desmentiu que houvesse alguma medida contra Berlusconi, mas o *Cavaliere* falou de "intimação da intimação" e reuniu o Conselho dos Ministros e os líderes da maioria. O clima já era tenso porque Scalfaro havia recém-acusado o governo de ter-lhe apresentado a lei financeira em atraso, na última hora, impedindo que ele a examinasse com a devida calma.

Depois, estourou o "caso Borrelli". Ferrara falou de "canalhice mafiosa", comparou o procurador a um "garoto de recados mafioso" e anunciou uma petição do governo contra ele, feita por Scalfaro, por "atentado contra órgão constitucional", ou seja, contra Berlusconi. Bossi declarou que a Liga Norte não assinaria nenhuma petição do governo, e também a AN ficou muito perplexa. Tudo foi adiado para o dia seguinte. Biondi, no entanto, demitiu-se do cargo de ministro ("para defender melhor minha honra e processar Borrelli"), mas somente por algumas horas: assim que recebeu a solidariedade dos colegas ministros (os jornais citaram um emocionante abraço com Maroni) e depois de uma visita ao Palácio Quirinale, voltou ao seu posto para "assumir as necessárias iniciativas da minha competência institucional".

Foi o enésimo pré-aviso de inspeção ministerial extraordinária que o governo vinha preparando há dias, em segredo, contra o *pool* de Milão. E ainda, na frente do ministro da Justiça, o presidente da República chamou o procurador-geral da Corte de Cassação, Vittorio Sgroj, para pedir-lhe que interviesse como titular da ação disciplinar, mas ainda não era suficiente para Ferrara, que atacou também o chefe de Estado: "Scalfaro deve intervir agora, já. Não esqueçam que este Parlamento é legitimado pelo voto dos italianos, enquanto ele é uma expressão do velho Parlamento. Não me refiro aos seus problemas processuais [o caso SISDE]; me abstenho disso".

Borrelli foi, como de costume, incisivo: "Estou preparando o pijama e a escova de dentes, treinando já para a prisão. Se me expulsam da magistratura, tudo bem, já estou na idade mesmo". Naquelas horas cruciais, tinha de estar atento não somente aos inimigos externos, mas também aos internos. Acabara de ser descoberto que o procurador-geral de Milão, Giulio Catelani, pressionava há quatro meses o ministro Biondi para que mandasse uma inspeção contra o *pool*. Motivo: Berlusconi havia reclamado para ele das perseguições contra a Publitalia. Borrelli falou de "punhalada pelas costas do procurador-geral Catelani", enquanto este tentava desmentir: "Não, tudo foi esclarecido, eu e Borrelli nos abraçamos". Logo se descobriria quem dizia ou não a verdade.

No dia 6 de outubro, o Conselho de Ministros, com alguns resmungos da Liga e da AN, assinou com unanimidade uma petição a Scalfaro e a Sgroj, para que adotassem "as ações devidas" contra Borrelli, acusado de "impedir o legítimo desenvolvimento da ação do governo, com uma grave e prolongada conturbação política para o correto funcionamento dos órgãos constitucionais". Uma espécie de golpe de Estado contra Berlusconi, em violação ao artigo 289 do Código Penal.

Ferrara evidenciou, no pool, a figura de Di Pietro, com um elogio público: "Di Pietro está fora destes acontecimentos; ele respeita o sagrado compromisso que assumiu de não falar fora dos tribunais de justiça. E também nunca mandou uma intimação de intimação em uma entrevista".

A AN, porém, estava em pânico. La Russa se disse "um pouco furioso". Tremaglia sustentou que "é inconcebível tentar deter os magistrados que querem fazer uma limpeza". Fini foi obrigado a minimizar: "Ninguém denunciou os magistrados". E Bossi acrescentou: "É só uma petição que conta os fatos, não é uma denúncia: a Liga Norte não denuncia os juízes".

Cesare Previti, com sua contumaz franqueza, no dia 8 de outubro, explicou os fatos:

> Seria correto que fosse extinta a acusação da qual é vítima a Fininvest. A investigação sobre a Telepiù é uma loucura [...], grosseiramente enorme, típica dos regimes de polícia. A Operação Mãos Limpas já terminou, realizou a sua tarefa, mas a roda gira ainda por inércia e produz danos também relevantes. Alguém precisa detê-la. Quem, o governo? Não só. Penso também em outras instituições. No procurador-geral Sgroj, no presidente da República, no procurador Catelani. Normalizar as procuradorias? Normalizar é uma palavra feia, mas talvez seja o caso de usá-la.

Davigo assumiu o desafio do governo: "Querem nos levar para o CSM? Nós vamos, nos defenderemos nos tribunais. As estatísticas estão do nosso lado: de 87 sentenças da Corte de Cassação (principalmente sobre recursos para as ordens de prisão), 83 foram a nosso favor. E, dos quatro casos que foram contra nós, há aqueles de Greganti e Fredda". Como se dissesse: no máximo, poderão nos acusar de ter perseguido injustamente os comunistas. Depois, o Doutor Sutil percebeu o perigo do momento: "Lembro bem as palavras de Mario Cicala [ex-presidente de Associação Nacional dos Magistrados, ANM]: 'São necessários samurais na magistratura, mas, se não conseguirem levar consigo todo o exército, correm o risco de serem difamados'". Na linha de frente da magistratura, de fato, após dois anos de grande bonança, abriram-se as primeiras grandes rachaduras.

Juízes contra juízes

No dia 25 de setembro, o ex-juiz das investigações preliminares Ghitti, recém-eleito para o CSM pela corrente moderada Unicost, atacou os promotores públicos: "Aproveitam-se da fraqueza do acusado, interrogando-o na prisão e não em liberdade, enquanto os juízes das investigações preliminares têm na mão uma arma descarrregada". No dia 28, o procurador-geral da Corte de Cassação, Vittorio Sgroj, denunciou frente ao plenário do CSM e ao ministro Biondi: "Na Itália, há juízes intocáveis", como aqueles do *pool* de Milão, "que podem ter conseguido adquirir uma imunidade disciplinar por méritos próprios. Pergunto-me quanto o titular da ação disciplinar possa considerar-se livre para exercitá-la sem ser acusado de retaliação. Todos os dias, assistimos a condutas que, se não proviessem de magistrados que aparecem seguidamente nos jornais, poderiam levar à abertura de ações disciplinares". O fato era que a ação disciplinar cabia ao próprio Sgroj (além do que ao ministro da Justiça), e o julgamento disciplinar ao CSM. Qual era, então, a sua intenção?

Uma autodenúncia por não ter feito o seu dever, intimidado por alguns promotores "de capa de jornal"? Não parecia: se fosse o caso, teria de demitir-se. Parecia mais um sinal, um balão de ensaio para algo que aconteceria logo, exatamente no front disciplinar.

E, de fato, no dia 13 de outubro, o ministro Biondi anunciou oficialmente a inspeção extraordinária contra o *pool* de Milão. E seis dias depois, 19 de outubro, Sgroj foi surpreendido enquanto entrava no Palácio Chigi para encontrar o primeiro-ministro. "Berlusconi me chamou com um gentil telefonema." E o alto magistrado disse que correu logo ao seu encontro "por uma questão de etiqueta institucional". Na realidade, foi um fato completamente incomum e não ritual. Exatamente no dia seguinte, o plenário do CSM (do qual Sgroj era membro de direito) arquivou a petição do governo Berlusconi contra Borrelli por manifestada improcedência: o procurador agiu por legítima defesa ao ataque de Biondi. Sgroj não votou, mas não apreciou a decisão final e lançou um duríssimo ataque aos

1994. MÃOS ATADAS   337

magistrados aficionados das "quase proclamações televisivas" e à "espetacularização dos processos", levados pela "vaidade pessoal" e não atentos "às normas dos
códigos éticos".

Di Pietro e o *pool*, enquanto isso, continuavam a moer processos, intimações
e prisões. Estavam para ser concluídos os depoimentos sobre a Enimont-2, Lixões
e SEA (Sociedade de Exercícios Aeroportuários). E havia também o interminável
filão da Guarda de Finanças. Em setembro e outubro, foi a vez dos estilistas e dos
empregados do Departamento de Tributações Diretas de Milão. "Que prazer falar
com Di Pietro", declarou em 28 de setembro, à saída do interrogatório, Mariuccia
Mandelli, conhecida como Krizia, um dos tantos símbolos da moda investigados
pelas propinas pagas à Guarda de Finanças. "Não é ele que atrapalha o nosso trabalho; são exatamente os jornais. Depois de ter falado com ele, tive uma sensação
de liberação, me passou a impressão de uma extrema retidão. Nos seus olhos e nos
olhos de seus colegas, vi um ideal de pureza que me impressionou."

Os inspetores em ação

"Dispor averiguações sobre o comportamento dos magistrados da Procuradoria
de Milão." "Proceder a uma acurada investigação." "Individualizar eventuais comportamentos relevantes no plano disciplinar e/ou no plano da incompatibilidade
ambiental." A ordem dada no dia 13 de outubro pelo ministro Biondi ao chefe
do Serviço de Inspeção, o juiz Ugo Dinacci, foi peremptória. A motivação, quase
uma zombaria: a inspeção "faz-se necessária com a finalidade de ulteriormente
valorizar os enormes méritos adquiridos pela magistratura investigativa milanesa,
levantando dúvidas e perplexidades que poderiam ter derivado dos prospectados
episódios da incorreta aplicação da lei".

Eram onze os pontos para esclarecer: 1) uma carta do dia 17 de junho de
1994, do procurador-geral Catelani, solicitada por uma petição de Berlusconi, a
respeito de uma busca e apreensão na Publitalia utilizada "como meio de pesquisa
das provas e, portanto, de uma coisa indeterminada"; 2) dois interrogatórios de
Sgarbi sobre a não prisão do executivo da Fininvest Salvatore Sciascia; 3) as "perplexidades" de Catelani sobre a investigação da Intermetro, que levou à prisão
de Darida; 4) duas petições do general Cerciello contra o juiz das investigações
preliminares Padalino, que o tinha prendido, e contra o promotor Colombo pelo
suicídio do marechal da Guarda de Finanças Agostino Landi (que se matou no
dia 9 de julho de 1994, em prisão domiciliar, depois de haver confessado e antes
de um novo interrogatório de Colombo); 5) as lamentações de Confalonieri pela
"incomum veemência e decisão" das investigações ao grupo Fininvest; 6) a petição
do estilista Luigi Monti por presumíveis "anomalias processuais" na investigação
contra ele; 7) as anotações de um figurão das finanças, Aldo Lattanzi (preso por
propinas, negociou, depois, sua pena), sobre presumíveis omissões nas investigações sobre as propinas comunistas, após a saída de Tiziana Parenti; 8) um suposto
atraso de Di Pietro em comunicar notícias sobre um funcionário da secretaria;

9) a petição de um tal Renato Massa contra o atraso na transmissão, de Milão para Bréscia, de algumas denúncias contra juízes milaneses; 10) a deliberação da Ordem dos Advogados de Milão contra as interceptações telefônicas do advogado Giuseppe Sbisà (réu condenado e absolvido, após, no caso ENI–SAI); 11) a petição de um tal advogado Marcantonio Bezicheri contra o "escandaloso" arquivamento de uma denúncia sua contra o escritor Gore Vidal por ofensa à religião católica. "Os citados episódios", escreveu Biondi, "provocam grande perplexidade quanto ao rigoroso respeito à lei por parte de alguns juízes da Procuradoria de Milão, autores, entre outras coisas, de frequentes manifestações que estariam em contraste com o dever de confidencialidade".

Assim que entraram em ação, os quatro inspetores – o vice-chefe da Inspetoria, Vincenzo Nardi, que guiava a missão, Evelina Canale, Marina Moleti e Oscar Koverec – acrescentaram à ordem do dia outros dois itens: a última entrevista de Borrelli e as petições de Cusani contra Di Pietro. Após, começaram a ouvir as testemunhas: um longo desfile de investigados e ex-investigados (Darida, Sciascia, Monti, Confalonieri, Cerciello e uns vinte guardas de finanças corruptos), a fina flor dos advogados contrários à operação Mãos Limpas (Taormina, Pecorella, Guiso, Viola, Spazzali) e também Sgarbi, Parenti e o general Acciai (aquele da lista P2). Spazzali, entre uma e outra petição de Cusani, mandou também uma carta para todos os colegas da Câmara Criminal: "Peço que me avisem de todos os casos interessantes que possam ser objeto de exame e de controle. Após, os mandarei ao advogado Pecorella", que exatamente no dia seguinte deveria ser ouvido pelos inspetores.

E nem os convidados de Biondi deixaram por menos. Compraram inclusive um livro recém-publicado, *Cupole, coppole e toghe* ("Cúpulas, bonés e togas"), escrito pelo advogado Italo Martinenghi, e um dossiê anônimo sobre as relações entre Di Pietro e o advogado Lucibello. Nos mesmos dias, as mensagens anônimas para o *pool* chegaram aos montes na sede do Ministério: quase todas pelo correio, em envelopes timbrados do Senado da República".Os inspetores, zelosos, protocolaram cada um deles.

6. INVESTIGAÇÃO CONTRA O PRESIDENTE DO CONSELHO

Na noite de 21 de novembro, Silvio Berlusconi estava em Nápoles para um encontro da ONU sobre criminalidade internacional e recebeu um telefonema do subsecretário da Presidência do Conselho, Gianni Letta. "Acabam de chegar ao Palácio Chigi dois oficiais dos Carabinieri para lhe entregar uma intimação da Procuradoria de Milão, mas não quiseram explicar melhor: devem notificá-lo pessoalmente. Disse para passarem amanhã". Não era uma medida de rotina: era um convite para depor. O *Cavaliere* foi chamado para comparecer à Procuradoria de Milão no dia 26 de novembro para ser interrogado no papel de investigado. Deveria responder por "concurso para corrupção continuada" da Guarda de

Finanças. Após meses de investigações, o *pool* chegou até ele. Colocando junto, peça sobre peça, um mosaico de indícios bem constrangedores.

A reviravolta ocorreu em 9 de novembro de 1994. Até aquele dia, nenhum elemento direto e específico permitia levantar qualquer suspeita sobre o presidente do Conselho, mas, naquele dia, revirando as cartas recolhidas nos escritórios do advogado Massimo Maria Berruti depois da sua prisão, Gherardo Colombo encontrou, entre as páginas de uma agenda, um passe de ingresso para o Palácio Ghigi. Um cartãozinho de 14cm por 10cm, contendo o brasão da República Italiana e o título Presidência do Conselho dos Ministros, onde estava escrito "passe para audiência", com a data carimbada: "Roma, 8 de junho de 1994". Seguiam-se algumas palavras já impressas e outras completadas à mão: "O Sr. advogado Berruti... Solicita audiência com: presidente Berlusconi". Embaixo, à esquerda, sempre à mão, o horário de ingresso: "20h45min". "Objeto dá visita": em branco. Aquele cartãozinho não deveria estar ali: Berruti, no final da visita, deveria tê-lo devolvido à portaria do Palácio Chigi, mas saiu por outra saída, ou então se esqueceu de devolvê-lo e ficou com ele sem querer. Foi, sem dúvida, um infeliz descuido, pois aquele passe marcou o início de todos os problemas para o presidente do Conselho.

O *pool* novamente cruzou os dados com aqueles já obtidos pelas intercepções telefônicas de Berruti e do ex-marechal Corrado, assim como pelas atas dos interrogatórios de Corrado e do coronel Tanca. E finalmente reconstruiu, minuto a minuto, aquele dia crucial de 8 de junho, quando se iniciou a operação de despiste para ocultar a propina paga pela Fininvest à Guarda de Finanças a fim de atenuar a averiguação fiscal na Mondadori.

Berruti, naquele dia, partiu de Milão para Roma no avião das 15h40min, fato comprovado pela cópia da passagem recolhida na Alitalia. Assim que aterrissou, foi para o centro da capital. Deixou as bagagens no hotel e depois – segundo ele mesmo contou – foi encontrar Gianfranco Miccichè, número um do Força Itália na Sicília, no Ministério dos Transportes (do qual era subsecretário). Às 20h45min, entrou no Palácio Chigi e comunicou ao porteiro que tinha um encontro com o presidente Berlusconi. Retirou o passe e subiu. O assunto da conversa deveria ser de extrema delicadeza, senão Berrutti não teria tido o incômodo de voar de Milão para Roma. O advogado ligava com frequência de Milão para o primeiro-ministro nas horas mais incomuns (no primeiro semestre de 1994 as receptações mostraram 60 conversas, somente no celular, depois da meia-noite). "Gostaria de convidar o presidente para fazer pelo menos um comício na Sicília para a campanha eleitoral das eleições europeias", disse Berrutti ao *pool*. Missão decididamente tardia, visto que a votação era no dia 12 de junho, e a campanha eleitoral encerrava à meia-noite do dia 10. Como se poderia pedir ao primeiro-ministro, na noite do dia 8, para ir no dia seguinte até a Sicília, atropelando todos os programas marcados há tempo, para fazer um mero comício?

Às 21h19min, porém, Berruti religou o celular, que estava desligado há 17 minutos e ligou para a casa de sua secretária. Às 21h21min, ligou para o seu escritório. Às 21h28min, discou para um número de teleinformações da SIP para saber um número de telefone. É provável que procurasse o número do marechal Corrado. De fato, às 21h29min, ligou para a casa de Corrado, em Bresso (Província de Milão). Quando lhe telefonou, estava ainda no Palácio Chigi: a interceptação registrou a ligação exatamente da "célula" territorial correspondente àquela zona de Roma. Atendeu a mulher de Corrado: o marido estava fora com o cão. Berruti disse que ligaria novamente no dia seguinte. Depois, ligou para uma tal de Dijana B., uma bela garota da Bósnia que desejava ingressar no mundo da televisão e saía com alguns altos executivos da Fininvest, entre os quais Valerio Ghirardelli (ex-diretor da Publitalia, transferido após para a Telepiù, contra quem havia, desde março, um pedido de prisão expedido pela Procuradoria de Milão). Foi exatamente ele quem a convenceu a sair, naquela noite, com Berrutti. O advogado a pegou em casa e a levou para jantar no restaurante Il Bolognese, onde os esperava Ghirardelli com outras duas amigas.

"Ghirardelli", contou Dijana ao *pool,* "tinha prometido me dar um programa esportivo na Telepiù 2 [...]. Foi por isso que aceitei sair com o advogado [Berruti], visto que Ghirardelli me disse que Berruti tinha de resolver, aqui em Roma, um negócio importantíssimo para Ghirardelli e para 'o *Cavaliere*', sendo Berruti o melhor amigo e advogado pessoal de Berlusconi." Talvez – perguntaram-lhe os juízes – um negócio que dissesse respeito à campanha eleitoral na Sicília? "Não, absolutamente, Berruti nunca falou da campanha eleitoral na Sicília."

A garota contou também que Ghirardelli, pela questão da Telepiù, "tinha medo de ser preso": se fosse o caso, para ela, adeus programa esportivo na TV. "Valério tinha dito: 'Se as coisas forem bem para mim, irão bem também para você'". Mas Berruti, durante o jantar, a tranquilizou: "Não, Ghirardelli não será preso, o salvaremos". A noitada seguiu na Casina Valadier. Berruti tentou inutilmente convencer Dijana a passar o resto da noite com ele, mas a garota rejeitou as suas investidas e voltou para casa de táxi.

No dia seguinte, 9 de junho, Berruti voltou para Milão com o avião das 13h30min. Os registros do seu celular mostravam uma ligação às 15h11min para a casa de Corrado: naquela vez, o ex-marechal estava em casa. Os dois marcaram um encontro para as 18h30min na sede do Milan. E lá – segundo Corrado – Berruti lhe pediu para Tanca "ficar quieto" sobre a propina da Mondadori. Em 10 de junho, como demonstrava o registro dos ingressos na DIA de Milão, Corrado encontrou Tanca: missão cumprida.

Havia o suficiente para suspeitar que, no dia 8 de junho, no Palácio Chigi, Berlusconi e Berrutti tenham feito um acordo para tentar garantir o silêncio de Tanca sobre a propina da Mondadori. De fato, Berruti organizou o despiste somente após ter encontrado o primeiro-ministro. E foi com muita segurança. Mandou Corrado encontrar Tanca porque tinha certeza que tinha sido ele quem havia

1994. MÃOS ATADAS 341

recebido o dinheiro por aquela averiguação financeira. E quem mais poderia ter contado a ele, senão o *Cavaliere*? Caso contrário, por que partir de Milão para encontrá-lo antes de entrar em ação? Diante daquele quadro, interrogar o presidente do Conselho para pedir-lhe explicações como um investigado era uma obrigação.

No mais, as outras chamadas do celular de Berrutti também apareciam sincronizadas com os momentos-chave da investigação Fininvest–Guarda de Finanças. No dia 19 de maio, Ballerini foi preso; no dia 20, Berruti ligou para Corrado. No dia 5 de julho, foi a vez de Tanca ir para a prisão; Berruti ligou para Berlusconi na Via Dell'Anima. Em 18 de julho, o marechal Spazzoli revelou a propina da Mediolanum: entre os dias 21 e 22 de julho, assim que os jornais deram a notícia, Berrutti ligou três vezes para Corrado. Em 9 de agosto, Corrado foi preso e confessou que pediu para Tanca silenciar, por ordem de Berruti; no dia 10 agosto, Berruti, de férias em Sciacca, na Sicília, ligou mais uma vez para o *Cavaliere*.

Um telefonema secreto

No verão de 1994, os Carabinieri de Sciacca interceptaram também os telefones da casa de férias de Berruti: a pedido da Procuradoria Antimáfia de Palermo, pois estavam à caça do chefão local, Salvatore Di Gangi. E, entre os amigos e os conhecidos do chefão da Máfia, vigiaram também o advogado de Berlusconi, que tinha relações com ele há algum tempo por interesses comuns em algumas sociedades (objeto de uma investigação arquivada em 2001).

O caso exigia que os Carabinieri ouvissem Berruti nos dias quentes da investigação do caso "fiamme sporche" e do decreto Biondi, enquanto o advogado falava com altos exponentes do Força Itália e do grupo Fininvest (de Miccichè a La Loggia, de Brancher a Ghirardelli). Imagine a surpresa quando, no dia 10 de agosto, ouviram Berruti conversar com o presidente do Conselho, Silvio Berlusconi, pessoalmente. Pauta: os tráficos ao redor do marechal Corrado e do coronel Tanca. Aquelas interessantes interceptações, autorizadas no âmbito da investigação contra o fugitivo Di Gangi, por lei, não poderiam ser utilizadas em outros processos, nem confluir no processo milanês do caso "fiamme sporche".

A primeira foi de 23 de julho de 1994. Berruti recebeu uma ligação da Sardenha. Do outro lado da linha, estava o executivo Valerio Ghirardelli. Agitado e preocupado, Ghirardelli explicou que havia "nove mandados de captura para nove pessoas da Fininvest". Berruti tentou acalmá-lo, dizendo que não era verdade. Ghirardelli queria falar a todo o custo com Mario Zanone Poma, o número um da Telepiù, mas Berruti, suspeitando das interceptações, foi categórico:

Berruti: "Não telefone... a ninguém! Se ninguém ligou para você, eles têm o seu celular, não?... Então quer dizer que está tudo bem. Com Adriano [Galliani] estamos de acordo. Ligamos somente em caso de necessidade. Se não há nada de novo, não nos ligamos. Porque acho que é tudo, de algum modo, ouvido, escutado... Então, temos de evitar, já que estamos limpos, temos a consciência tranquila, temos de evitar confusões... Ouça, se tiver que me dizer algo em particular, me avisr antes. Você tem aí também aquele outro telefone [um aparelho não interceptável]?".

Ghirardelli: "Não, mas digo onde estou, assim não tem problema".

Berruti: "Tudo bem! Se tiver de me dizer alguma coisa, avise antes que eu pego outro telefone e ligo, mas com estes telefones aqui não podemos falar!".

A conversa entre Ghirardelli e Berruti demonstrava que havia um acordo para não falar de questões comprometedoras utilizando os telefones que estavam no nome dos executivos, que eram facilmente interceptáveis. Foi um fato admitido pelo próprio Berruti em um interrogatório e que foi levado em consideração para tentar interpretar as conversas sucessivas.

No dia 10 de agosto, ligaram para Berruti primeiro Danilo Pezzoni, um amigo milanês, dono da empresa de intermediação Interfincom, e depois seu irmão, Giuseppe Berruti. Ambos leram um artigo sobre a prisão de Alberto Corrado. Berruti admitiu para Pezzoni que conhecia bem o ex-marechal, e quando o amigo lhe disse que Corrado, segundo os jornais, tinha aconselhado Tanca a não falar das propinas da Mondadori "em função de um aviso dado pelos profissionais do grupo", foi pego de surpresa: "Ai, ai. Então, certamente ele deu o meu nome".

Quinze minutos depois, às 10h16min, Berruti falou também com o irmão Giuseppe, que tinha em mãos uma cópia do jornal *Messaggero*. Naquela ocasião, mais calmo e mais preparado, fez de conta que não sabia de nada. Giuseppe explicou o que estava escrito no jornal: "Este profissional o teria contatado e pedido para amolecer aqueles fulanos lá! Entendeu?". Berruti respondeu: "Não! Absolutamente não".

Logo depois, às 10h23min, Berruti ligou para o seu advogado para ter notícias sobre eventuais medidas contra ele. O advogado não sabia de nada e prometeu ligar novamente dali a vinte minutos. Seis minutos depois, às 10h29min, Berruti parecia ter abandonado qualquer prudência e ligou para o presidente do Conselho em Roma. Usou o aparelho de casa que, como já falamos antes, ele suspeitava que estivesse grampeado. E descarregou uma série de declarações de inocência. Berlusconi, porém, pronunciou algumas frases sujeitas a muitas interpretações.

Berlusconi: "Alô".

Berruti: "Sim, presidente?".

Berlusconi: "Sou eu".

Berruti: "Aqui é Massimo. Disseram que, nada, disseram que... querem falar comigo, parece que alguém disse que eu fui pedir para algum oficial para não falar das coisas da Fininvest".

Berlusconi: "E aí?".

Berruti: "O que não é absolutamente verdade, mas parece que querem até emitir uma medida judicial contra mim, se é que já não a emitiram!".

Berlusconi: "É mesmo?".

Berruti: "Sim. Por favorecimento. Esse último marechal, esse tal de Corrado, foi preso, parece que ele disse que esse advogado lhe pediu para interferir junto aos oficiais, etc... O que é absolutamente falso".

Berlusconi: "Tudo bem, o senhor diz para eles: mas me desculpem, vocês são uns loucos, posso dar alguns conselhos, vocês encontraram gente que tem algo a esconder. Eu não tenho nada a esconder".

Berruti: "Sim, sim! Certo, certo".

Berlusconi: "Vocês citam um cidadão da República, fazem uma coisa dessas, eu digo que vocês não têm mais o que fazer... e o senhor deve gritar".

Berruti: "Sim, sim, certo, eu agora...".

Berlusconi: "O senhor deve gritar: vocês são uns loucos, umas bestas ferozes, não podem me prender, isso é sequestro de pessoa...".

Berruti: "Sim, sim, mas de fato!".

Berlusconi: "Etc, etc".

Berruti: "De fato. Então vou lá ouvir o que têm a dizer, pois não estou em Milão e, se me confirmam a voz de prisão, eu mesmo me apresento".

Berlusconi (mudando o tratamento de senhor para você): "Certo. E diz pra eles: mas vocês são uns loucos".

Berruti: "São uns loucos furiosos, e lhes direi isso, lhes direi na cara! E também não se pode...".

Berlusconi (voltando a tratá-lo por senhor): "... E faça também declarações aos jornalistas...".

Berruti: "Sim, sim, certo...".

Berlusconi: "Não dá mais para aguentar esses malucos. Faça declarações antes de entrar...".

Berruti: "Veremos o que acontecerá então".

Berlusconi: "Como?".

Berruti: "Veremos o que acontecerá. Não se pode seguir em frente".

Berlusconi: "...Fazer, porque tem um pirralho que diz... Agora todos os pirralhos podem contar o que querem?".

Berruti: "Certo!".

Berlusconi: "O que ele diz que o senhor lhe disse? Mas o que eu lhe disse?" [a transcrição relata um "eu", mas provavelmente se trata de um "ele"].

Berruti: "Que eu lhe disse: você tem de interferir".

Berlusconi: "Grandessíssimo débil mental, que troca o cu pelas calças, mas o que mais pode dizer, com tudo isso só o que ele faz é ir contra o interesse do país".

Berruti: "Certo!".

Berlusconi: "Porque o país precisa de confiança para trabalhar, precisa de tranquilidade, precisamos reconstruí-lo!".

Berruti: "Certo!".

Berlusconi: "Estes [os magistrados] jogam contra... são inimigos públicos".

Berruti: "Eu sei, eu sei. Tudo bem".

Berlusconi: "E depois tem um imbecil que diz, e eles lhe fazem um interrogatório policial, e o infeliz, para não ir preso, pode contar o que bem quiser!".

Berruti: "Tudo bem! É melhor não falar dessas coisas aqui por telefone".

A conversa deixava espaço para muitas interrogações. Por que Berlusconi, que não deveria saber nada sobre o marechal Corrado, mostrava que sabia quem ele era, a ponto de chama-lo de "um débil mental que troca o cu pelas calças"? Quais "cus" trocava por quais "calças"? O que, enfim, Corrado havia entendido mal, segundo o *Cavaliere*? E por que o líder do Força Itália não parecia nada surpreso ao ouvir despontar nas investigações sobre a Guarda de Finanças "esse último marechal, esse tal de Corrado"? À luz daquelas interceptações, as dúvidas aumentaram, ao invés de diminuírem. E surgiu uma certeza: Berruti, para falar do perigo que constituía o ex-marechal, não ligou para Paolo Berlusconi. Ligou para Silvio.

Os outros indícios sobre Berlusconi

Se as ligações de Sciacca não poderiam ser utilizadas nas investigações de Milão, havia, porém, o famoso passe do Palácio Chigi, que demonstrava, segundo a acusação, como Berruti deu início à operação despiste logo depois do encontro com Berlusconi.

Aquele passe desencadeou no tribunal uma batalha de muitos golpes. A defesa de Berlusconi chegou a levantar pesadas interrogações sobre as modalidades da obtenção do documento. Dois marechais dos Carabinieri (veremos mais adiante, no capítulo sobre 1996) acusaram Di Pietro de ter fabricado aquele passe para encurralar o *Cavaliere*. Após, os dois foram presos em Bréscia e negociaram uma condenação por calúnia. E, no final, um empregado do Palácio Chigi, Michele Mangiavalori, reconheceu a própria caligrafia no passe e confirmou que o tinha escrito.

1994. MÃOS ATADAS 345

"Aquele passe foi a clássica gota que fez transbordar o copo", disse D'Ambrosio, "ou seja, o elemento que nos induziu a inscrever Berlusconi no registro dos investigados". No entanto, não havia somente aquele retangulozinho de papel para acusar o primeiro-ministro. Contra ele havia também "múltiplos elementos circunstanciais graves, certos, unívocos, precisos e concordantes, por isso dotados de relevante força persuasiva, ao ponto de assumirem valor probatório", disse a Corte de Apelação de Milão. Indícios insuficientes, segundo a Corte de Cassação.

Quem colocou o *pool* na pista de Silvio Berlusconi foi, primeiro, o irmão Paolo. Di Pietro lhe perguntou: "Por que Sciascia, no momento do pedido de dinheiro por parte da Guarda de Finanças, não o passou para os responsáveis pelas três sociedades interessadas, ou seja, Galliani pela Videotime, Tatò pela Mondadori e Doris pela Mediolanum?". Paolo respondeu:

> Porque a estrutura empresarial do grupo Fininvest, além dos simples cargos formais, tem as suas referências de cúpula precisas. Por exemplo, em relação ao aspecto tático-estratégico, eu, pessoalmente; e em relação à estratégia global da empresa, Silvio Berlusconi. Eu posso me considerar o número dois do grupo, enquanto meu irmão Silvio [é] o número um [...]. É evidente que, para questões delicadas como o pagamento de propinas à Guarda de Finanças, era oportuno que não fossem envolvidos os executivos do grupo, mas que ficasse ao meu encargo direto, como representante da propriedade, esta incumbência.

Depois, acrescentou que a "provisão" para as propinas provinha do caixa dois da Edilnord.

Sciascia, substancialmente, confirmou:

> Nunca entreguei dinheiro pessoalmente e às escondidas da diretoria à qual eu era subordinado [...]. Eu sempre gozei da máxima estima e confiança da família Berlusconi, tanto de Silvio como de Paolo, os quais certamente nunca acreditaram que eu pudesse reter para mim o dinheiro que eu pedia para fazer frente a essas reivindicações. Quando eu me via em situações tais, de ter de entregar o dinheiro a estes oficiais públicos, me dirigia ao número dois do grupo, ou seja, a Paolo Berlusconi [...] ao qual eu me abstinha de perguntar se tinha ou não o consenso de Silvio Berlusconi.

O *pool* acreditou naquelas declarações e foi verificá-las. Porém, descobriu que quem tinha relações com Sciascia não era Paolo Berlusconi, mas Silvio. E que, no período das propinas da Mondadori (dezembro de 1991) e da Mediolanum (abril de 1992), o reservatório oculto da Edilnord tinha quase terminado: o tinha esvaziado Roncucci, para pagar outras propinas em troca de licitações na grande Milão. E Paolo Berlusconi não indicou outras provisões alternativas.

Nos mesmos anos, o tesoureiro central da Fininvest, Giuseppino Scabini, por ordem do contador Giuseppe Spinelli, administrador do patrimônio pessoal de Silvio Berlusconi, ia entregar envelopes cheios de dinheiro, tanto na mansão de Arcore quanto para Sciascia (que confirmou tudo). O dinheiro, vários bilhões, provinha de dezenas de cheques ao portador do *Cavaliere*.

Nestes complicados derramamentos de dinheiro nunca apareceu o nome de Paolo. Apareceu o de Silvio. "A Edilnord", escreveu o tribunal na sentença de 1998, "não tinha, naquele período, disponibilidade de caixa dois. Nos talões de cheques da Edilnord Commerciale não foram encontrados saques equiparados com os pagamentos à Guarda de Finanças, enquanto nos cheques ao portador de Silvio Berlusconi foram encontrados alguns". Um indício a mais – segundo os juízes de primeiro e segundo graus – da sua "autorização para os pagamentos", "generalizada", executada de uma só vez, como demonstra a constante "disponibilização do dinheiro".

Havia também a questão das propinas para a Telepiù, um caso que, no dia 21 de novembro, o *pool* estava já investigando, mas que seria atribuído a Berlusconi somente em um segundo momento. Lendo as atas das reuniões dos "comitês para a corporate" de Arcore, o grupo de altos executivos que decidia as estratégias do grupo Fininvest sem consultar os dirigentes das outras empresas, o *pool* se deu conta de que quem se ocupava das complexas tratativas para a cessão (fictícia) das quotas da Telepiù era Silvio Berlusconi, e não Paolo. Era Silvio – escreveu o tribunal – quem tinha interesse em "controles superficiais" da Guarda de Finanças naqueles negócios, não o irmão. Se tivessem descoberto "a falsa atribuição das cotas e o fato de que a cúpula da Finivest estivesse em condições de guiar a política comercial da Telepiù", teria sido desencadeada a sanção prevista pela lei Mammì: revogação das concessões públicas e fechamento das três redes televisivas da Fininvest.

A propina para a Telepiù foi paga entre março e abril de 1994, quando Paolo Berlusconi, já há dois anos, estava fora do grupo Fininvest, depois da "divisão dos bens" decorrente da lei Mammì, que lhe havia deixado a Edilnord e o *Giornale*. A quem Sciascia pediu a permissão necessária para pagar, visto que Paolo, o número dois, não poderia mais dar? Segundo o pool, ao número um: Silvio.

Não parou por aí. Quando Sciascia, procurado, decidiu entregar-se, o seu advogado correu para avisar Silvio, e não Paolo, no famoso jantar de Arcore. Paolo chegou somente no final do jantar, ou seja, com tudo já feito, enquanto os outros estavam já tomando os licores digestivos. Detalhe incompreensível, se fosse verdade que Sciascia se dirigia a Paolo e não a Silvio. E também era Silvio quem cobria Sciascia de presentes: doações em dinheiro de 500 milhões, cheques de 100 milhões, objetos de ouro (relógios para ele, colares para sua mulher), depósitos em dinheiro vindos das suas poupanças pessoais. Além disso, Sciascia participava das reuniões operativas dos comitês para a corporate junto com Silvio e outros diretores da cúpula, enquanto Paolo estava ausente ou não abria a boca.

Outro fato: em janeiro de 1992, Sciascia teve de indicar o amigo Ludovico

Verzellesi, diretor-geral de Tributos Diretos do Ministério da Fazenda, para uma promoção. Verzellesi tinha se empenhado com sucesso para conseguir para a Fininvest uma alíquota de IVA mais favorável para as taxas de assinaturas dos três canais da Telepiù. Por isso, merecia uma mão, mas Sciascia não se dirigiu a Paolo: enviou um fax para Silvio, diretamente à mansão de Arcore. Prontamente, Verzellesi foi proposto pelo ministro da Fazenda, o socialista Rino Formica, como conselheiro do Tribunal de Contas (a manobra, depois, deu errado, devido à crise do último governo Andreotti).

Silvio demonstrava ser alguém "criativo", que supervisionava somente as grandes estratégias gerais, sem ocupar-se da rotina, mas, nas atas dos comitês para a corporate, descobriu-se que se ocupava também de minúcias e detalhes: o aumento de salário para o executivo Urbano Cairo, o preço do decodificador da Telepiù, o patrocínio de uma mostra, a compra de uma casa para Antonio Craxi (irmão de Bettino), um fornecimento de carnes Cremonini para a rede de supermercados Standa, uma página de publicidade no *USA Today*, um parque de diversões em Ferrara, solicitado pelo ex-parlamentar de Andreotti Nino Cristofori e assim por diante.

Além disso, o *Cavaliere* há anos mantinha ótimas relações com a cúpula máxima da Guarda de Finanças, desde o tempo em que frequentava a loja maçônica P2 junto com os generais da Guarda de Finanças Raffaele Giudice e Donato Loprete. A Fininvest tinha também engajado como diretores ou consultores pelo menos uma dezena de ex-guardas de finanças, como Berruti e Acampora, e o próprio Sciascia era assessorado por dois guardas de finanças da reserva. Em 1990, o ministro Formica tirou de Milão o coronel Vincenzo Tripodi e o inspetor do SECIT (Serviço Central dos Inspetores Tributários), Carlo Capitanucci, que haviam pedido propina para a Fininvest. Segundo o pool, a ordem teria partido de Craxi, a pedido de Berlusconi. Formica negou a circunstância no tribunal e foi condenado definitivamente a um ano e meio de prisão por falso testemunho. Outro fator que levou a excluir a tese da extorsão, tão falada por Berlusconi: quando quis, o seu grupo soube e pôde resistir aos pedidos de propinas. Até mesmo porque Sciascia não pagava as propinas com um revólver apontado para a cabeça, mas no restaurante, depois de ter almoçado com os militares. E, de fato, grande parte dos oficiais e suboficiais pagos pela Fininvest negociaram a pena por corrupção: Morabito, Tanca, Barberini, Gilardino, Spazzoli, Mastrototaro, Licheri, Sicuro, Di Gennaro. E os outros, Capone e Nanocchio, foram condenados, sempre por corrupção, assim como os pagadores Sciascia e Zuccotti. Os únicos que foram absolvidos, como veremos, foram Silvio e Paolo Berlusconi. O número um e o número dois.

Di Pietro empurra o carrinho

Di Pietro cruzou todos os elementos contra o *Cavaliere* e os recolheu, precedidos por um pequeno resumo, em uma única pasta, que foram, após, fotocopiados em cinco vias e entregues aos colegas interessados: Borrelli, D'Ambrosio, Colombo, Davigo e Greco. Di Pietro ligou para cada um deles no dia 13 de novembro: "Há novidades sobre Berlusconi; já mostro para vocês". E passou de gabinete em gabinete, empurrando um carrinho e distribuindo as várias cópias do dossiê: "Estamos em um momento crucial, está tudo aí dentro, estudem os documentos e depois me digam o que pensam".

No dia seguinte, 14 de novembro, houve uma primeira reunião. Ordem do dia: a eventual inscrição no registro de investigados do presidente do Conselho. D'Ambrosio e Greco contemporizaram, preocupados com o calendário político denso de eventos cruciais: as eleições administrativas em 20 de novembro, a lei financeira, a reforma das aposentadorias, as ameaças de crise feitas por Bossi. Borrelli escutava. Di Pietro estava muito decidido: "Berlusconi está nas nossas mãos. O passe é a prova dos nove de que ele está envolvido, que sabia de tudo, que autorizava as propinas e que, quando descobertas, fazia calar quem poderia falar. Quando as descobrimos, Berruti foi falar com Silvio e não com Paolo. Quero vê-lo, no interrogatório, quando jogarmos na sua cara o passe. A investigação está praticamente concluída: o interrogaremos e depois pediremos o julgamento. Com estas provas, o processo será um passeio. Não quero perder por nada".

Colombo e Davigo concordaram: "Frente a uma similar notícia de crime", lembraram à distância de anos, "a inscrição no registro de investigados era obrigatória, um 'ato devido'. Certo, aquele final de ano estava cheio de encontros políticos importantes, mas, se seguíssemos as opiniões de Greco e D'Ambrosio, teríamos de esperar semanas, talvez meses. E o interrogatório era urgente. Era justo que tratássemos Berlusconi como todos os outros investigados e que deixássemos que fossem os tempos processuais e não políticos, a determinar o calendário da investigação. Essa era a regra que tínhamos combinado depois dos primeiros meses da Operação Mãos Limpas: não nos deixar condicionar nos tempos pelos prazos 'externos', e a seguimos também naquela vez".

Assim, foi decidida a inscrição no registro de investigados, contemporânea ao convite para depor. "Por três razões", explicou Davigo:

> Primeira: havia a necessidade de interrogar Berlusconi e Berrutti o mais rápido possível, separadamente, mas contemporaneamente, antes que os dois soubessem que tínhamos encontrado o passe e pudessem acordar uma cômoda versão sobre aquilo que para nós era um fato importantíssimo: o encontro deles no Palácio Chigi. Segunda: se tivéssemos inscrito Berlusconi sem "avisá-lo", havia o risco de que ele viesse a saber pelos jornais. O vazamento de notícias estava na ordem do dia, o que, infelizmente, é inevitável quando muitos sabem a mesma coisa. Terceiro: a investigação estava, enfim, concluída.

D'Ambrosio acrescentou um quarto motivo:

Se não tivéssemos inscrito Berlusconi, poderiam nos acusar de violação do direito de defesa. A inscrição no registro dos investigados é uma obrigação prevista pelo código de defesa do acusado porque, a partir daquele momento, decorrem os prazos de prescrição das investigações. E, em Milão, estavam chegando os inspetores ministeriais. Colando o nariz nos documentos, poderiam perguntar-nos: "O que é isso? Por que não inscreveram este senhor no registro?". E poderiam suspeitar que quiséssemos investigar sub-repticiamente o presidente do Conselho para prolongar as investigações além do prazo previsto.

Quinta-feira, 18 de novembro, segunda e última reunião sobre o tema Berlusconi. Todo o *pool* estava de acordo sobre o que se devia fazer: inscrição no registro de investigados e convite para depor logo, interrogatório no dia 26, pedido de julgamento até o final do ano ("Eu tinha já preparado um esboço no meu computador", revelou mais tarde Di Pietro) e processo relâmpago, possivelmente já em 1995. "Será um Cusani-bis", anunciou Di Pietro aos colegas, mas, naquela ocasião, no tribunal, estaria sentado o homem-símbolo da Segunda República. E ele, mais uma vez, no banco da acusação.

No domingo, dia 20, ocorreram as eleições administrativas. O primeiro dia útil foi a segunda-feira, dia 21, o mais longe do segundo turno (4 de dezembro). Os Carabinieri, além do mais, asseguraram a Borrelli que, após ter aberto naquela manhã, em Nápoles, a Conferência Mundial sobre Criminalidade, o *Cavaliere* retornaria a Roma para compromissos de governo. Davigo lembrou outro elemento importante:

> Não podemos esquecer que a convocação do primeiro-minisitro tinha de ficar em segredo e, se dependesse de nós, teria ficado. Por isso, então, a data que poderia ter provocado um impacto público não era aquela da entrega do convite para depor, mas sim a do interrogatório: podíamos tentar manter em segredo o convite para depor, mas não podíamos, certamente, pensar que o interrogatório do presidente do Conselho passasse despercebido. Marcamos para sábado, dia 26, quando prevíamos que Berlusconi estivesse livre de compromissos institucionais. Quem hoje nos critica pela coincidência de datas com a Conferência de Nápoles não considera que ter esperado uma semana a mais significaria alongar o interrogatório à vigília do segundo turno das eleições administrativas.

As eleições administrativas foram um desatre para o Força Itália: em dificuldades para aprovar a reforma das aposentadorias, pelas diferenças do CCD e da AN sobre a política social e pelas intrigas de Bossi, que ameaçava abertamente criar uma crise, o partido do primeiro-ministro perdeu até dez pontos.

No dia 21, segunda-feira de manhã, os Carabinieri de Milão festejavam a sua padroeira, a Virgo Fidelis. Ao meio-dia, dois altos oficiais, o comandante regional, general Niccolò Bozzo, e o comandante municipal, coronel Sabino Battista, se afastaram da cerimônia. Borrelli os convocou no seu gabinete para avisá-los de que, naquela tarde, deveria ser entregue um convite ao presidente do Conselho para depor. E aquele incomum entra e sai de uniformes de gala no gabinete do procurador provocou suspeitas nos jornalistas mais experientes. Por volta das 13h, Davigo se trancou na sua sala com um engenheiro da computação. Era tarefa dele – e não de Di Pietro, para dar menos na vista – providenciar as operações de inscrição no registro dos investigados. O escritório estava deserto, o assédio dos jornalistas tinha terminado, assim como o entra e sai da Polícia Judiciária. Davigo operou pessoalmente no seu computador, com um aplicativo anti-hacker que requeria uma modificação no programa de informática. No entanto, no seu gabinete, Di Pietro preencheu o formulário do "convite para apresentar-se como pessoa submetida a investigações" endereçado a "Berlusconi Silvio": uma página no total, à qual foi anexado o teor da acusação, quase inteiramente copiado daquele que já tinha sido endereçado ao irmão Paolo. Outras três páginas: "Como controlador de fato das empresas do grupo Fininvest", o *Cavaliere* deveria responder por três propinas à Guarda de Finanças (pelas averiguações tributárias nas empresas Videotime, Mediolanum e Mondadori). Nenhuma menção à arma secreta: o passe de Berruti.

"Convoquem o Cavaliere"

Di Pietro entregou as quatro folhas a Borrelli e partiu para Paris, onde Mach di Palmstein acabara de ser preso. Borrelli entregou o envelope laranja a dois oficiais dos Carabinieri: o comandante do Departamento de Operações de Milão, tenente-coronel Emanuele Garelli, e o comandante do Núcleo de Operações, major Paolo La Forgia (o mesmo que dois anos antes havia mandado a primeira intimação judicial a Craxi). Deveriam entregá-la pessoalmente a Berlusconi, no final de tarde, no Palácio Chigi. Os dois partiram para a capital em uma viatura oficial. "Naquela tarde", explicou Borrelli, "acreditávamos que Berlusconi estivesse já em viagem de Nápoles para Roma. Por isso mandei os oficiais para Roma e não, como sempre quiseram fazer acreditar, para Nápoles". Ele não sabia que o *Cavaliere* tinha mudado de ideia e decidido ficar em Nápoles para presidir a Conferência também na terça-feira de manhã. O que aconteceu depois seria reconstruído, com algumas inevitáveis aproximações em relação aos horários, pelos inspetores ministeriais, pelo CSM e pelas quatro investigações criminais abertas pelas procuradorias de Milão e de Bréscia.

Às 19h40min, quando chegaram ao Palácio Chigi, Garelli e La Forgia encontraram somente o conselheiro diplomático Giampiero Massolo. Ele chamou então o subsecretário da presidência, Gianni Letta, que avisou Berlusconi sobre aquela visita inesperada. O primeiro-ministro e o seu vice estavam em Nápoles. Pouco depois das 20h, Garelli ligou para Borrelli (que estava chegando em casa na viatura da Procuradoria) para comunicar-lhe que o cenário tinha mudado e para pedir novas instruções. O procurador, para precaver-se de eventuais vazamentos de notícias, autorizou o oficial a contatar Berlusconi em Nápoles para ler o conteúdo do ato para ele. E foi o que Garelli fez, com a mediação de Massolo. Naquele meio tempo, Letta telefonou para Cesare Previti que, como ministro da Defesa (responsável também pelos Carabinieri) poderia obter informações junto à cupúla dos Carabinieri. Previti estava na Espanha e, por telefone, pediu informações ao comandante-geral, Luigi Federici, mas ele também não sabia de nada: saberia alguns minutos mais tarde, após alguns telefonemas aos comandantes de Milão. Pouco antes das 21h, Berlusconi ligou para Garelli ao celular e pediu-lhe esclarecimentos. O oficial falou-lhe de um convite para depor. Berlusconi, impaciente, lhe disse para abrir o envelope e explicar-se melhor. Garelli o abriu, deu uma olhada no documento e disse: "Falam de propinas à Guarda de Finanças". O primeiro-ministro tinha pressa: tinha de ir ao Teatro San Carlo para o concerto de gala de Luciano Pavarotti, marcado para as 21h. Então, para saber de mais detalhes, marcou encontro com o oficial para duas horas depois.

Entre Milão e Roma, cruzavam-se outros telefonemas ilustres. Por volta das 21h, Garelli avisou Borrelli que tinha informado Berlusconi. No entanto, Borrelli recebeu o telefonema do jornalista do *Corriere* Goffredo Buccini (que tinha voltado precipitadamente de Roma para Milão no final da tarde), à caça de confirmações às vozes que diziam que Berlusconi deveria depor. "Não tenho nada a dizer", respondeu, "estou sabendo agora, pelo que o senhor está me dizendo". E desligou. Depois avisou Scalfaro, dizendo que "o convite para depor está em curso de sumária notificação ao interessado por parte dos Carabinieri". Explicaria o procurador:

> Avisei o chefe de Estado por considerações de cunho institucional e porque considerei inoportuno que soubesse por outras fontes de uma medida judiciária daquele nível. Contudo, não violei nenhum segredo investigativo: o convite para depor, como a intimação judicial, não é segredo, porque é destinado ao investigado. O novo código prevê o segredo somente para os atos que não sejam do conhecimento dos investigados. E eu avisei o presidente somente depois que os Carabinieri haviam me confirmado que já tinham notificado Berlusconi do convite para depor.

O presidente ficou perturbado e irritado: "Mas como", perguntou, "exatamente durante a Conferência sobre Criminalidade?". E Borrelli respondeu: "Um fato novo nos levou a intervir; a inscrição no registro dos investigados e a convocação para depor não podiam mais ser adiadas".

Buccini tentou também com Davigo, com o mesmo resultado. "O senhor acha que essas são coisas para falar com um magistrado?", disparou o promotor. "Não falo nada sobre esses assuntos." E desligou na cara dele.

De onde vazou a notícia?

Entre 22h e 22h30min, Buccini e o seu colega Gianluca Di Feo (que desde a manhã, como alguns outros jornalistas, começava a intuir o que estava acontecendo e, junto com Paolo Foschini, do jornal *Avvenire* havia recebido um meio "furo" a respeito), obtêm finalmente uma misteriosa e "garantida confirmação", que induziu o diretor Paolo Mieli a agir e a "desmontar" a primeira página do jornal para inserir nela, em seis colunas "no alto, à direita", a notícia bomba.

Depois das 23h, quando o concerto tinha terminado, Berlusconi ligou de volta para Garelli, que pôde finalmente ler o texto do convite para depor, mas conseguiu ler somente os dois primeiros tópicos da acusação, relativos às propinas da Mediolanum e da Mondadori. Depois, quando estava para ler o terceiro (Videotime), Berlusconi o interrompeu, impacientemente: "Tudo bem, entendi, chega". E desligou, depois de ter marcado um encontro para o dia seguinte, às 14h, no Palácio Chigi, para a notificação formal. Coincidentemente, no dia seguinte, o *Corriere* publicaria somente os dois primeiros itens da acusação. Com o título: "Milão, investigado Berlusconi". Subtítulo: "A inscrição no registro dos investigados foi decidida pela Procuradoria sob hipótese de dois pagamentos à Guarda de Finanças". Na matéria, se falava dos 130 milhões para a Mondadori e dos 100 para a Mediolanum. À terceira acusação, 100 milhões para a Videotime, nenhuma menção. E aquela extraordinária coincidência levantou suspeitas em alguns membros do *pool* – Borrelli e Davigo principalmente – de que a decisiva confirmação ao *Corriere* pudesse ter partido exatamente da comitiva do *Cavaliere* (que também não estava a par, obviamente, do capítulo Videotime).

Antes da edição do *Corriere*, porém, além da comitiva berlusconiana, um grande círculo de pessoas já sabia da notícia: Scalfaro e os seus conselheiros, pelo menos quatro oficiais dos Carabinieri de Milão e o seu comandante-geral, alguns funcionários e consultores da Procuradoria de Milão, além dos juízes do *pool* e alguns homens da Polícia Judiciária. Davigo observa hoje: "Nós éramos os últimos a ter interesse em que a coisa saísse naqueles tempos e naqueles modos, pois era facilmente previsível o uso que teriam feito daquele desastroso vazamento de notícias. Eu tenho certeza de que a confirmação ao *Corriere* foi dada por alguém da comitiva de Berlusconi". Borrelli tinha a mesma opinião: "A minha íntima convicção é de que a notícia tenha vazado dali, dos ambientes da presidência do Conselho. Eram eles os maiores interessados". E, no entanto, o escândalo do primeiro-ministro investigado por corrupção foi logo ofuscado pelo presumível escândalo do scoop do *Corriere*.

As sucessivas investigações ministeriais, disciplinares e criminais excluíram que a fonte tivesse sido um juiz do *pool*. Buccini e Di Feo, diante da Procuradoria de Bréscia, se valeram da faculdade de não responder. Dos registros dos seus telefones celulares foram descobertas, entre outras, uma ligação para a central telefônica do Palácio Chigi por volta das 21h30min. Para quem o telefonista especial da presidência do Conselho teria passado a ligação (poderia ter sido para qualquer um no Palácio) era um mistério. Paolo Mieli, entrevistado pela revista *Panorama* no dia 16 de dezembro de 1994, disse que decidiu publicar a notícia depois que a mesma tinha sido confirmada por outras "cinco fontes". Testemunhando, após, em um processo por difamação, no dia 21 de dezembro de 2001, acrescentou: "Não contatei o presidente do Conselho nem a sua comitiva, nem dei ordem para que alguém o fizesse".

Ninguém sabia dizer se e como dormiu, naquela noite, o presidente do Conselho. Sabe-se, porém, quando e como se acordou no dia seguinte: por volta das 6h, com o telefonema de Gianni Letta, avisado por Enrico Mentana, que foi arrancado da cama pela colega do telejornal matutino *TG5*. Muito cedo, Berlusconi – como contou ele mesmo – decidiu voltar para Roma, para evitar ter de presidir pelo segundo dia a Conferência, que naqueles dias falaria exatamente sobre corrupção. Porém, após outra conversa com Letta, mudou de ideia e permaneceu em Nápoles naquela manhã. O que confirmava que ele não era obrigado a presidir os trabalhos na Conferência também naquele dia. Como disse Davigo para o jornal americano *America Oggi* (em uma entrevista que lhe provocou uma medida disciplinar frente ao CSM, promovida pelo ministro Flick, da coalizão de centro-direita Ulivo, e concluída com a sua absolvição), "um presidente do Conselho que sabe que será investigado por corrupção não expõe a sua imagem e nem a de seu país presidindo uma Conferência Internacional sobre Criminalidade". Hoje, Davigo acrescenta:

> Esquecemos que tudo isso aconteceu porque a Fininvest, a empresa do presidente do Conselho, corrompia a Guarda de Finanças, e isso sim poderia desacreditar a Itália aos olhos do mundo, não o convite para depor, que era somente uma consequência de tudo aquilo. O irmão de Berlusconi estava sendo procurado, diversos executivos das suas empresas tinham sido presos ou investigados, ele mesmo era investigado por corrupção e discutia com os parceiros internacionais sobre como combater a criminalidade: em um país normal se falaria disso, e não do convite para depor.

Ao contrário, na Itália, no dia 22 de novembro de 1994, muito se falava do convite para depor e pouco sobre as propinas da Fininvest para a Guarda de Finanças. A primeira reação oficial do Palácio Chigi ficou a cargo, com um comunicado emitido naquela manhã, do novo e azarado porta-voz Jas Gawronski, contratado há pouquíssimos dias. Gawronski estreou com uma mentira: "A notícia do convite para depor foi dada diretamente ao *Corriere della Sera* e não à pessoa interessada". Não era verdade: a pessoa interessada tinha sido a primeira a saber, na noite anterior. Depois Berlusconi, na entrevista coletiva ao meio dia, confrontou os jornalistas do mundo inteiro:

Estes senhores da Procuradoria de Milão tiveram a ideia de enviar uma intimação judicial ao presidente do Conselho, mas não diretamente: deram a notícia antes para um adversário seu e para o principal jornal italiano. E isso é um crime: violação do segredo de justiça [mas, como vimos antes, os convites para depor não são segredos por definição] [...]. Juro pelos meus filhos que não sei nada do que estão me acusando. Sou vítima de uma grande injustiça. Dizem que esta intimação é a resposta ao que estamos fazendo. Tomo conhecimento que a notícia foi dada diretamente aos jornalistas e não à pessoa interessada.

Depois, tirou a habitual carta da manga: "Decidi vender as empresas que construí em quarenta anos de trabalho". O que foi desmentido duas semanas depois: "Não posso vender, senão os meus colaboradores se desmotivarão".

À noite, enviou um monólogo em uma fita de vídeo para todos os telejornais. Uma mensagem à nação, em tons dramáticos:

Não me demito e não me demitirei [...]. Não estamos dispostos a consentir que um abuso e uma instrumentalização infames da justiça criminal conduzam ao massacre da primeira regra da democracia: deve governar quem tem os votos.

O vídeo terminava com uma intimação a Scalfaro para apoiá-lo "sem hesitações nem ambiguidades".

O chefe de Estado ficou furioso e transmitiu, pelos jornais, toda sua irritação. Depois, telefonou para Letta: "Quem Berlusconi pensa que é? De quem recebe o mandato? Como se permite dizer todas aquelas coisas sobre a magistratura e sobre mim? Se não falo agora é por sentido de responsabilidade; a situação não permite". E, no final da ligação, fez o sinal da cruz. No dia 24 de novembro, Berlusconi pediu em vão para ser recebido no Palácio Quirinale. Não havia nada a fazer. Scalfaro mandou dizer, por uma secretária, que estava muito ocupado: tinha de receber o presidente da Guiné-Bissau e uma delegação da COLDIRETTI (Confederação Nacional dos Cultivadores Diretos). O Polo, nesse meio tempo, bombardeava o Quirinale. Ferrara acusou abertamente Scalfaro de ter "tramado" com o *pool* para derrubar Berlusconi. E até mesmo um moderado, como o vice-primeiro-ministro Tatarella, desabafou: "Quem pode aceitar levar lições de moral de Scalfaro sem lembrar de Salabè, o arquiteto do caso SISDE [amigo de Marianna, a filha do presidente]? Agora não vemos mais escrito sobre as paredes 'Viva Borrelli', mas 'Viva Salabè'... Estão tramando uma fraude, uma operação antidemocrática".

Berlusconi foi recebido somente no dia 25, e Scalfaro, à porta, avisou: "O senhor não pode querer que eu seja o primeiro partidário do seu governo". Então, o *Cavaliere* abaixou o tom e admitiu até mesmo que "os juízes têm todo o direito de indagar quem quer que seja, qualquer que seja a sua posição social, civil e política".

Bossi e Buttiglione contra Berlusconi

"Mais do que um convite para depor, é um convite para desaparecer", ironizou Montanelli. Fulminante também a cartunista Elle Kappa: "Na atual situação, abre-se um delicado problema institucional: pode o proprietário de seis redes de TV ser o presidente do Conselho na prisão?"; "Qual seria o 'blind trust', segundo o presidente do Conselho? Separar Berlusconi das investigações". O jornal satírico *Cuore* tripudiou: "Dezembro de 1969, dezembro de 1994: 25º aniversario da Piazza Fontana. O anárquico Borrelli voa do quinto andar". Feltri, no *Giornale*, começou a atacar o *pool*, que amava tanto: "Caros juízes livres e virtuosos [...], esperamos que a obstinação com a qual tentaram encurralar o *Cavaliere*, com sucesso, caracterize também o importante trabalho de vocês quando se tratar de investigar, para encurralá-los, personagens do PDS". Nem ele pôde negar que a Fininvest tenha pago à Guarda de Finanças: simplesmente afirmou que não era crime. Disse textualmente: "Confundir propinas com pagamentos à Guarda de Finanças é loucura".

A imprensa mundial deu ampla cobertura ao escândalo (aquele verdadeiro): "Transforma-se em pesadelo o novo milagre italiano", ironizou o *Wall Street Journal*. O *Herald Tribune* lembrou uma recorrência histórica: o caso Berlusconi tinha um precedente que remontava exatamente a um século atrás, 23 de novembro de 1894, quando Giovanni Giolitti foi envolvido no escândalo do Banco Romano. Enquanto isso, a revista americana *Vanity Fair* publicou uma entrevista feita algumas semanas antes, na qual o *Cavaliere* disse que tinha entrado na política "para salvar a Fininvest dos comunistas". Seguiu-se, após, um normal desmentido.

Como havia anunciado para os italianos na TV, o primeiro-ministro não tinha nenhuma intenção de renunciar ao cargo. Além de que ninguém tinha pedido para ele fazer isso. Nem mesmo a oposição. A não ser Rocco Buttiglione que, no dia 23 de novembro, declarou: "A intimação judicial põe em suspeita o governo. Berlusconi, até mesmo para defender-se melhor, deveria deixar o cargo à disposição do chefe de Estado. Pelo menos depois da aprovação da lei fiscal". Três dias depois, o secretário-filósofo foi, sem saber que estava sendo filmado, imortalizado pelas câmeras do programa de TV *Striscia la notizia* enquanto sussurrava ao membro do Força Itália, Antonio Tajani, que estava pronto para aliar-se "com o Força Itália no Norte"; quanto à AN, "assim que tiver se limpado, a chamaremos de novo".

Bossi, que nas últimas semanas falou e votou quase sempre contra o governo, junto com PPI e PDS, deu uma entrevista para Daniele Vimercati, em 23 de novembro, no *il Giornale*. E foi claríssimo:

> Mataram um homem morto. Berlusconi estava já caído na lona; nós da Liga o tínhamos derrubado, com a nossa política de ataque frontal ao partido único dos fascistas. Estávamos e estamos prontos para trabalhar para um governo regular logo após a aprovação da lei fiscal, mas, agora,

essa intimação judicial complica tudo, porque a política não pode deixar que a justiça imponha os tempos e as escolhas. Berlusconi não deve renunciar, porque uma intimação judicial não pode ter efeitos sobre o governo [...]. Os juízes não podem influenciar na política até o ponto de derrubar os governos [...]. Agora, precisamos chegar a um acordo sobre a lei fiscal [...]. Pode ser que essa história termine por atrasar até mesmo o nascimento do novo governo".

Berlusconi renunciou um mês depois, por motivos que não tinham nada a ver com o convite para depor.

7. ADEUS, DI PIETRO

No dia 23 de novembro, um dia depois do vazamento de notícias, chegaram à Procuradoria de Milão os quatro inspetores mandados por Biondi, o que acrescentou um toque de singularidade à missão: os enviados do governo Berlusconi começaram a vasculhar os gabinetes e os processos dos juízes que investigavam Berlusconi. Deixaram Milão duas semanas mais tarde e, naquele meio tempo, assistiram ao vivo a demissão de Antonio Di Pietro, sem conseguirem tirar das costas o peso de terem sido a causa de sua demissão. "Pela primeira vez na história judiciária", lembrou Di Pietro, "um grupo de juízes foi 'inspecionado' principalmente em decorrência de denúncias anônimas, o que, para mim, se repetirá, no plano criminal, daqui a alguns meses, após o início das investigações da Procuradoria de Bréscia".

O *pool* se dividiu em relação à acolhida que seria dada aos inspetores. De um lado, havia Di Pietro, que optou pela linha leve: "Eu tinha entendido", sustentou, "que os inspetores não tinham nada contra nós, e era então correto colaborar para ajudá-los a esclarecer dúvidas". Do outro lado, havia Borrelli, que levantou logo uma questão de princípios. Via aquela inspeção como uma injustiça e decidiu revelar imediatamente o seu caráter não ritual, ameaçador, sem precedentes. Então, no dia 21 de novembro, escreveu uma carta ao procurador-geral Catelani, na qual manifestava o desgosto do *pool* por aquela inspeção "sem precedentes em toda a história judiciária italiana, incluído o Ventennio", fundada principalmente "em informações e possíveis lamentações de pessoas investigadas" e em documentos de "procedência ao menos suspeita". Borrelli comunicou também a sua "amarga desilusão" por ter tomado conhecimento pelos jornais de que tinha sido o próprio Catelani quem tinha solicitado a Biondi para abrir a investigação sobre a operação Mãos Limpas: exatamente ele que, publicamente, havia feito só elogios ao *pool* e à "revolução da Operação Mãos Limpas". O ar, no Palácio da Justiça, estava irrespirável, e a convivência sob o mesmo teto entre Borrelli e Catelani tornou-se impossível. Mesmo à luz de um novo e desconcertante episódio.

Interrogado pela primeira vez pelos inspetores em Roma, Paolo Ielo pediu para saber do que era acusado. "Nada", respondeu Nardi, o chefe da delegação,

1994. MÃOS ATADAS   357

"somente algumas interrogações parlamentares sobre propinas comunistas". E, de fato, o interrogatório foi surreal, à base de perguntas do tipo: "Por que os jornais escrevem que vocês não estão investigando suficientemente os comunistas?", "Por que os políticos dizem que vocês encobrem as propinas comunistas?". O promotor respondeu que devia perguntar aos jornalistas e aos políticos, visto que ele havia passado dois anos da sua vida indagando o PCI–PDS. Depois notou, entre os documentos de Nardi, uma pastinha bege, que tinha escrito na capa "Anotações do major Lattanzi", que permaneceu, porém, fechada sobre a mesa. Lattanzi era o major da Guarda de Finanças que investigava as propinas comunistas, antes com Parenti e depois com Ielo, até que, no dia 1º de outubro de 1994, foi preso também por corrupção (depois da negociação da pena e de um breve período de suspensão, foi readmitido na Guarda de Finanças).

Quando, no final de novembro, os inspetores chegaram a Milão, Catelani convocou Ielo no seu gabinete: queria saber "que história é essa de que vocês salvaram os comunistas". Ielo respondeu: "Quem afirma uma coisa assim tão grave deveria apresentar as provas". "E então, o que é isso?", incitou Catelani e tirou da gaveta uma pastinha com um relatório de 14 páginas assinado por Lattanzi com data de 10 de maio de 1994: duas semanas depois das primeiras prisões pelas propinas pagas à Guarda de Finanças. Naquela data, Lattanzi tinha enviado um relatório também para Ielo sobre os últimos desenvolvimentos da investigação sobre as propinas comunistas. Um relatório de 10 páginas, idêntico ao que lhe mostrava Catelani, exceto pelas quatro páginas a mais que faltavam na versão destinada a Ielo. Eram exatamente aquelas nas quais o oficial escreveu que, com a saída de cena de Parenti, as investigações sobre o PCI–PDS "foram sensivelmente contidas", que havia duas novas fontes anônimas dispostas a falar sobre os financiamentos aos "comunistas" e que alguns promotores frequentavam as "escolas do PCI". Como poderia Catelani estar com um documento reservado, e diferente da versão oficial? O procurador-geral respondeu: "E por que eles o têm?", aludindo aos inspetores.

Ielo foi ao encontro deles e perguntou: "Foram vocês quem deram a Catelani aquele relatório?". E eles, surpresos, responderam: "Não, foi ele quem o transmitiu ao ministro Biondi, que o passou para nós". Ielo, então, informou Borrelli, e juntos voltaram a encontrar Catelani, o qual tentou convencer os dois colegas que realmente tinha recebido aqueles documentos dos inspetores: "Então, acreditam em mim?". Borrelli respondeu friamente: "Não sei". E foi embora. Não se falaram mais depois daquilo.

Borrelli, então, decidiu enviar uma carta para Scalfaro e para o CSM. Entregou-a aos inspetores no início da sua audição. E o mesmo fizeram D'Ambrosio e os substitutos (exceto Di Pietro). A inspeção – escreveu o procurador – gozava de duvidosa "legitimidade" e constituía seguramente "um pretexto para nebulosas divagações explorativas, inspiradas no critério de estimular [...] lamentações e críticas de quem quer que estivesse em polêmica contra o gabinete". Tradução: o governo decidiu atingir, a qualquer custo, o *pool*. Seguiram-se cinco perguntas, que já continham em si as respostas. Foram estas:

1) "Pergunto, antes de tudo, para conhecer – mesmo que a resposta pareça óbvia – quais serão as garantias que o magistrado destinatário da investigação gozará [...], se terá direito a uma precisa informação sobre o específico fato objeto da investigação. Se terá direito à assistência de um defensor, se poderá recusar-se a responder sem recorrer às responsabilidades disciplinares, se gozará das imunidades e das liberdades próprias ao investigado." 2) "Pergunto qual será o limite das cognições que o magistrado, também testemunha, deverá transferir aos inspetores em relação aos modos, às motivações, às estratégias, aos propósitos, aos conteúdos das investigações [...] já em curso, largamente cobertas por segredo." 3) "Pergunto se os inspetores terão o poder de exorbitar dos temas dos protocolos a eles submetidos pelo ministro, solicitando a outras pessoas informações suscetíveis de traduzirem-se em novas atribuições de culpa por parte dos magistrados." 4) "Pergunto se os inspetores terão o poder de interrogar oficiais da Polícia Judiciária sobre a matéria das investigações entregues por eles aos magistrados ou de obter deles documentos pertinentes a tais investigações e cobertos por segredo de justiça." 5) A última pergunta do procurador foi a mais maliciosa: se por acaso os inspetores, no exercício da sua missão, cometessem "anomalias criminalmente relevantes", isto é, crimes (por exemplo, violação de segredo, como no caso do dossiê Lattanzi), ele, que era o procurador-chefe, isto é, o titular da ação criminal em Milão, deveria colocá-los sob investigação, transformando-se, assim, de investigado a investigador, ou não?

Borrelli pediu solícitas respostas para fixar os limites aos inspetores, mas também para evitar assumir atitudes erradas que pudessem "instaurar práticas invocáveis no futuro como precedentes" (o CSM, alguns meses depois, respondeu dando-lhe razão em tudo e declarando-se "incompetente" somente em relação ao último quesito, não podendo ainda conhecer o caso que o tinha originado). Na expectativa, decidiu responder a todas as perguntas dos inspetores, exceto aquelas eventuais, sobre notícias cobertas por segredo de justiça. E assim fizeram os seus promotores, que passaram, um após o outro, pelos emissários do ministro da Justiça, alguns uma, outros duas, outros três vezes, nos últimos dez dias de novembro.

Para Bréscia, para Bréscia

Em 29 de novembro, a primeira seção da Corte de Cassação, antes presidida por Corrado Carnevale e então por Arnaldo Valente, acolheu um recurso do advogado do general Cerciello, Carlo Taormina, contra o *pool* da Operação Mãos Limpas e transferiu de Milão para Bréscia, por legítima suspeita, a investigação contra o alto oficial e contra outras dezenas de guardas de finanças acusados de corrupção. Motivo: muitos deles trabalhavam para o *pool* e foram investigados e presos por outros oficiais da Guarda de Finanças. A Corte de Cassação parecia ignorar que as investigações tinham sido confiadas ao Departamento Antidroga da Guarda de

1994. MÃOS ATADAS

Finanças, que não tinha nada a ver com o Núcleo de Polícia Tributária encarregado das averiguações tributárias. "Agora faremos transferir também a outra investigação, aquela contra Berlusconi e os executivos da Fininvest", anunciou Taormina. A decisão, como logo observaram renomados juristas, não tinha precedentes para as motivações justificadas: "Deve-se ressaltar", escreveu a Corte de Cassação, "a particularíssima situação em que se encontrarão" alguns dos réus, ou seja, os guardas de finanças corruptos que trabalhavam nas investigações da Operação Mãos Limpas. Então, havia o risco de que as "relações de recíproca influência que tinham se instaurado com o órgão acusador" contaminassem com um "inevitável condicionamento" o comportamento da Procuradoria. Em resumo, o *pool*, que tinha levado à juízo aqueles oficiais e suboficiais, sem olhar ninguém no olho, não daria garantias suficientes de serenidade para sustentar a acusação contra eles. Não poderiam ter sido lançadas piores suspeitas contra Borrelli, Di Pietro e os outros.

Para os homens da Operação Mãos Limpas, era automático evocar os anos negros dos "portos das neblinas", quando as investigações incômodas eram regularmente transferidas pela Corte de Cassação para longe das suas sedes naturais por legítima suspeita: o processo de Guariniello sobre os arquivos da Fiat, enviado de Turim para Nápoles; a investigação de D'Ambrosio sobre a matança na Piazza Fontana, enviada de Milão para Catanzaro; as de Colombo sobre a P2 e sobre o caixa dois da IRI, remetidas de Milão para Roma e lá encobertas para sempre. "Vinte anos depois: parece um romance de Dumas", observou o melancólico D'Ambrosio. E acrescentou Borrelli: "É um sinal claro de desconfiança em relação à magistratura julgadora". Mas também a Associação Nacional dos Magistrados, que representava também Valente, disse, por meio de sua presidente Elena Paciotti, que "é um ato sem pecedentes, um grave erro, até mesmo porque irremediável". E inclusive da Procuradoria de Bréscia ouviu-se um protesto: "Somos poucos, corremos o risco de sermos envolvidos; é melhor que Milão se encarregue disso".

Montanelli, para a revista *Voce*, jogou duro: "Renunciaram até mesmo ao último pudor. É claramente um abuso político, feito com a cumplicidade de alguns juízes". *Il Messaggero* lembrou que o juiz Valente tinha um filho, Edoardo, major da Guarda de Finanças. E quase todos os jornais relembraram os erros do juiz na presidência da Primeira Seção Civil da Corte de Apelo de Roma, onde foi protagonista de algumas sentenças muito discutidas: aquela que deu ganho de causa à SIR (Sociedade Italiana de Resinas) de Nino Rovelli, condenando o IMI (Instituto Mobiliário Italiano), ou seja, o Estado, a pagar-lhe quase 1 bilhão de liras; aquela que reabilitou os irmãos Caltagirone, anulando a falência das suas empresas e devolvendo a eles 800 bilhões; e enfim, em 1991, aquela que anulou a sentença Mondadori, abrindo caminho para Berlusconi controlar a editora. Escolhas discutíveis (a primeira e a terceira – descobriu-se depois – comprometidas pela corrupção de um juiz), parcialmente equilibradas pelas condenações impostas por Valente, quando havia assumido a Primeira Seção da Corte de Cassação, no maxiprocesso contra a cúpula da Cosa Nostra. Poucos notaram que a sentença sobre

Cerciello foi motivada por um expoente de realce da Magistratura Democrática, Stefano Campo, conhecido como "o Barão Vermelho".

Di Pietro estava amargurado. Falava já no passado. "A Mãos Limpas", repetia aos seus homens, "foi um moinho alimentado por um grande rio. Depois, aquele rio foi pouco a pouco secando e agora o que resta dele é desviado pela Corte de Cassação. Tenho vontade de comprar um belo trator vermelho e voltar para o interior, para arar os campos do meu pai". O governo, ao contrário, exultava, curiosamente solidário com o general Cerciello. "Esfreguei minhas mãos", felicitou-se o ministro Previti. "É um sucesso político para o governo", tripudiou o subsecretário Contestabile, "mudou o vento. As pessoas, entre este governo e a república dos juízes, escolheram o governo." "Di Pietro levou uma enrabada", sintetizou o honorável Sgarbi.

No entanto, a opinião pública continuava, na grande maioria, a favor do *pool*. Uma pesquisa do instituto Directa revelou que 59,5% dos italianos eram contrários à decisão da Corte, somente 19,5% eram favoráveis, e 21% não expressaram opinião. Certamente, 71%, em caso de eleição direta para presidente da República, votariam em Di Pietro, e somente 29% em Berlusconi. No dia 2 de dezembro, Borrelli e Biondi foram à "estreia" do Teatro Carlo Felice de Gênova, mas não chegaram nem perto um do outro. Do palco, ouviu-se um grito: "Viva Borrelli!", e a plateia explodiu em uma ovação. Quem lançou o grito foi Ferruccio Sansa, de 24 anos, filho do prefeito Adriano (o ex-juiz de primeira instância genovês que, em 1973, junto com os colegas Almerighi e Brusco, tinha descoberto o primeiro escândalo do petróleo).

Envolvido nas polêmicas, no dia 12 de dezembro Valente deixou a magistratura batendo a porta, exatamente às vésperas do interrogatório de Berlusconi. Denunciou as "agressões inimagináveis, brutais e sem precedentes". Acusou aqueles "grupos de juízes que não aceitam decisões diferentes das próprias", ou seja, o *pool*. E revelou que há uma semana tentava, em vão, um encontro com Scalfaro ("Fui deixado sozinho, abandonado por todos"). Cinco meses depois, começou a colaborar com *il Giornale* de Paolo Berlusconi com alguns comentários sobre justiça. Um destes foi muito crítico com o *pool* de Milão por querer indicar um preposto para a Publitalia ("Corre-se o risco de inverter o direito", 31 de maio de 1995).

Um homem solitário em Paris

No dia 25 de novembro, o *pool* se reuniu para preparar o interrogatório de Berlusconi, marcado para o dia seguinte. Decidiram que seria conduzido por Di Pietro, mas estariam presentes também Borrelli, Colombo e Davigo. Enquanto isso, Greco, em outra sala, ouviria Berruti para verificar se, em relação àquela crucial visita do dia 8 de junho ao Palácio Chigi, as duas versões coincidiriam ou divergiriam.

Di Pietro havia voltado um dia antes de Paris muito desiludido (além de tudo, com a enésima profecia da Falange Armada: "Di Pietro tem os dias contados"). Mach di Palmstein encontrou o promotor romano Vittorio Paraggio, que investigava o escândalo da cooperação com o Terceiro Mundo sem, porém, dizer-lhe nada, mas com Di Pietro não quis nem falar. E não só isso: na casa da atriz que o hospedava, Domiziana Giordano, a polícia francesa encontrou um volumoso dossiê contra o juiz, o enésimo, e Paraggio não quis mostrar-lhe. Nos dias anteriores, Di Pietro recebeu pelo correio algumas antecipações, uma por vez, de um dossiê intitulado "Abusos DP", assinado por "Catone", e imediatamente denunciou o fato à Procuradoria de Bréscia. Acima de tudo, recebeu uma revelação de Roma sobre uma iminente ofensiva contra ele: o seu amigo Giancarlo Gorrini, dono da quase falida Seguradora MAA, teve contato com a comitiva de Berlusconi e se apressou em contar alguns episódios da sua vida passada para desacreditá-lo frente aos inspetores de Biondi. Cansado e amargurado, o promotor estava também furioso pelo vazamento de notícias sobre o "convite" ao *Cavaliere*. Os seus colegas lhe avisaram disso naquela madrugada, no hotel. Ele não teve paz, não parava de se perguntar de onde tinha vazado a notícia, se aquela não seria a enésima manobra contra ele. Tinha quase certeza de ser espionado ou interceptado por um informante na Procuradoria: "Com todas as precauções que tomamos", repetia, "é impossível que a notícia sobre Berlusconi não tenha permanecido em segredo nem por meio dia". O que foi confirmado por D'Ambrosio: "Estávamos preparados também para os microespiões e para as interceptações".

Então, no avião que o levava de Paris para Milão, Di Pietro maturou uma convicção: o melhor a fazer era se demitir. Hoje ele lembra:

> Não pensava em deixar para sempre a magistratura, somente o *pool*. Aquele crescente de sinais inquietantes e de dossiês anônimos lançava presságios de uma longa temporada de acusações, certamente disciplinares, talvez também criminais. Tinha já começado em Bréscia, com as investigações abertas sobre as denúncias de Cerciello e Cusani, e esse último anunciava novas denúncias, desta vez por "fatos pessoais" meus. Melhor afastar-me – pensei – e defender-me como um cidadão normal. Para o meu bem e do *pool*. Assim, agindo na espreita, desarmo quem quer me acertar. E depois, quando tiver saído limpo de toda essa história, talvez retorne. Enquanto isso, me afasto, saio de cena e aceito algum cargo institucional. Ofertas não faltam.

De volta à Procuradoria, no dia 24, foi interrogado durante cinco horas pelos inspetores. Depois, recebeu um telefonema do amigo Maurizio Losa, o jornalista da RAI de Milão que seguia a Operação Mãos Limpas desde a prisão de Chiesa: "Eu soube por Roma que há novos boicotes vindos do Ministério, desta vez dirigidos a você". Losa não sabia nada de Gorrini, mas o promotor, graças à misteriosa revelação romana de alguns dias antes, tirou suas deduções. E confidenciou com Davigo, que hoje lembra:

Di Pietro veio me dizer que sabia, de uma fonte segura, que estava por chegar uma nova inspeção, mas somente para ele. Tudo partia deste tal de Gorrini, que estava tentando fazer passar por um favor ilícito um empréstimo de 100 milhões que Antonio, na verdade, tinha recebido de um amigo que trabalhava na MAA, Osvaldo Rocca. Eu lhe aconselhei a dirigir-se imediatamente à Procuradoria de Bréscia para abrir um processo por calúnia e avisar logo o CSM: "Se você denunciar logo a manobra", eu disse, "a arranca pela raiz. Demonstra que não tem nada a temer, que não é condicionável e que aqueles fatos não tinham nada de ilícito". Os fatos sucessivos nos mostraram que, se ele tivesse me escutado, teria neutralizado a manobra em nível disciplinar e criminal. Acho que, se tivesse ficado no seu lugar, não teria sido transferido de gabinete e nem condenado.

Mas Di Pietro não podia seguir aqueles conselhos. Davigo prosseguiu:

Ele respondeu evasivamente, tive a exata impressão de que estava desorientado porque não conseguia entender de onde vinha o ataque. "Se apresento denúncias", ele me disse, "me perguntarão o que fiz para saber destas coisas e não posso revelar a minha fonte". Tanto era verdade que não a revelou nem para mim. Somente um ano depois, pelo processo de Bréscia, veio à tona a história de um telefonema de Previti que o informava da operação Gorrini. Mas, naquele momento, Di Pietro não acreditava que, atrás de todos aqueles acontecimentos, pudesse ter a mão de Berlusconi. O *Cavaliere* e seus homens continuavam a bajulá-lo. Di Pietro pensava mesmo que fosse o enésimo ataque de Craxi e de seus amigos: Cusani, Mach di Palmstein, a Guarda de Finanças... Ainda se iludia de que Previti e Berlusconi fossem seus amigos.

Di Pietro confirmou:

É verdade, podia imaginar tudo naquele momento, menos que a armadilha viesse do lado de Berlusconi: pensava somente em Craxi e em seus comparsas, como reação à descoberta do "tesouro" escondido por Tradati e Raggio. Eram Berlusconi e seus homens que continuavam a mandar-me mensagens de estima e amizade e a convidar-me para entrar no Polo... Descobri isso tarde demais.

"Eu quero arrebentá-lo"

Contra os primeiros, portanto, Di Pietro parecia intencionado a combater vestindo a toga, tanto é que mostrou a Davigo um esboço de um relatório que estava preparando sobre suas relações com Gorrini e Rocca, tendo em vista a nova e previsível convocação frente aos inspetores. E, no dia 25 de novembro, na reunião preparatória para o interrogatório de Berlusconi, parecia mais do que nunca resolvido a conduzir ele mesmo o interrogatório. Simulava perguntas e respostas, usando os colegas como cobaias, mas foi além disso, como contou em 1996 Borrelli, no processo de Bréscia: "Ele me disse também: 'Vou eu ao interrogatório porque eu quero arrebentá-lo'". "Não lembro dessa expressão", disse Davigo, "mas é possível que Di Pietro a tenha pronunciado. No contexto em que teria sido dita, não haveria nada de mal. Ele apenas queria demonstrar que, com os elementos que tínhamos reunido contra ele, Berlusconi não tinha saída. Quando se fala entre amigos, com camaradagem, após anos de trabalho juntos, acontece de usar frases desse tipo". Di Pietro concordou: "Pode ser que eu tenha dito 'arrebentá-lo', mas para explicar um conceito absolutamente legítimo, ou melhor, devido: que não se processa alguém se não se tem provas suficientes para condená-lo. Eu respondia a uma pergunta de Borrelli: 'Mas com estes elementos de acusação, estamos tranquilos?'. Eu disse que sim e lembro que evoquei o nosso grande feito no processo Cusani, quando afogamos publicamente o réu em uma montanha de provas: 'O senhor verá, senhor procurador, no processo Berlusconi farei bis'".

Porém, segundo Di Pietro, aquela frase tinha sido pronunciada em uma das duas reuniões realizadas para decidir sobre a inscrição de Berlusconi no registro dos investigados no dia 14 ou, mais provavelmente, 18 de novembro: "A lembrança de Borrelli", acrescentou Di Pietro, "deve ser retrocedida em pelo menos dez dias. No dia 25, eu já havia decidido afastar-me. E a única coisa que eu havia prometido ao chefe naquele dia foi que eu conduziria o interrogatório de Berlusconi, marcado para o dia seguinte. Eu realmente acreditava que o *Cavaliere* se apresentaria no dia 26. E tinha me preparado para isso. Se não tivesse adiado com repetidas desculpas o interrogatório, o primeiro-ministro teria acertado as contas também comigo".

Porém, no dia 26, sábado, Berlusconi não se apresentou. "Culpa minha", comunicou o advogado De Luca, "estou mal, nos falamos segunda ou terça-feira para um novo encontro". A enrolação prosseguiu por outras duas semanas.

Naquela mesma tarde, Di Pietro falou novamente com Davigo e anunciou-lhe, pela primeira vez, a intenção de demitir-se. O amigo tentou convencê-lo a pensar melhor e ainda lhe prospectou sobre as vantagens que teria se fizesse uma imediata denúncia de chantagem, mas ele havia já decidido: "Amanhã aviso o chefe". Na mesma hora, Previti ligou para ele e o avisou sobre a visita que Gorrini fez aos inspetores ministeriais no dia 23. O securitário contou, entre outras coisas, que havia emprestado 100 milhões sem juros e uma Mercedes usada, em 1989, ao futuro promotor da Operação Mãos Limpas. Então, o ministro Biondi decidiu abrir uma segunda inspeção, secreta aquela vez, contra Di Pietro. "Previti", lembrou Di Pietro, "disse que havia essas acusações de Gorrini, que teve de abrir uma inspeção reservada para verificá-las, mas que ele sabia muito bem que se tratava de 'veneno para cachorro'. Eu respondi que sabia o quanto Gorrini era pouco confiável. Os seus segredos, adequadamente aumentados e retocados para seu bom uso e consumo, circulavam há tempo de forma anônima nos ambientes judiciários, forenses e jornalísticos. Naqueles dias, eu mesmo, por meio de algum jornalista, tive em mãos trechos de um dossiê anônimo. Disse a Previti que bastava ouvir o colaborador de Gorrini, Osvaldo Rocca, para saber a verdade: que Rocca tinha feito o empréstimo para mim, e não Gorrini". Previti prometeu que Rocca seria ouvido o mais rápido possível. No final, o magistrado fez um desabafo e revelou ao ministro que se demitiria o mais rápido possível, ao final do processo da Enimont. Demitiu-se no dia 6 de dezembro. Berlusconi foi interrogado no dia 13.

O domingo 27 de novembro, em um Palácio da Justiça semideserto, foi o dia mais dramático. Di Pietro, acompanhado por Davigo, entrou no gabinete de Borrelli: "Estou deixando o *pool*: assim que concluir o processo Enimont, vou embora". O procurador ficou surpreso, atordoado. Convidou-o para pensar melhor e o chamou para conversar dali a dois dias. Esperava convencê-lo a permanecer, tanto que não falou logo com D'Ambrosio, que estava de partida para as férias. Naquela noite, chegou uma nova mensagem da Falange Armada: "Di Pietro é um homem morto". Foi a última mensagem para ele.

No dia 1º de dezembro, Di Pietro deu a notícia ao *pool*, reunido por completo. Borrelli tentou a última cartada e o confrontou com a cara fechada na frente de todos, apelando aos seus sentimentos de fidelidade e lealdade: "Se você vai embora exatamente neste momento, pouco antes do interrogatório de Berlusconi, será uma verdadeira defecção. Ou será assim interpretada, vista de fora. Você conhece os políticos, não fazem cerimônia para dizer que o *pool* está dividido, que você se afasta porque teve polêmicas conosco. E ainda por cima bem na vigília do interrogatório do presidente do Conselho".

Mas Di Pietro estava irredutível; aliás, procurou convencer os outros a seguirem seu exemplo: "Precisamos descer antes que caiamos do cavalo. Levar a Operação Mãos Limpas para as instituições, para a administração pública. A investigação judiciária já está exaurida, a água não chega mais ao moinho".

As horas seguintes foram frenéticas. No dia 2 de dezembro, Borrelli avisou D'Ambrosio (que retornou precipitadamente para Milão, na esperança de conseguir ainda fazer alguma coisa). Bem na hora, porque naquela mesma noite, Emilio Fede, do telejornal *TG4*, anunciou: "Di Pietro se demitiu, soubemos por fonte segura". E mostrou um bilhete escrito à mão, sem assinatura.

No dia 5 de dezembro, depois de três dias de "nada a declarar" e desmentidos pífios por parte dos interessados, Maurizio Losa confirmou ao *TG1* das 20h: "Amanhã Di Pietro se demitirá". Contrariamente ao que se diria nos anos seguintes, o convite para depor enviado a Berlusconi levou verdadeiramente alguém a pedir demissão. Só que o alguém não foi Berlusconi. Foi Di Pietro.

"Desliguem os computadores"

No dia 6 de dezembro, no interrogatório do processo Enimont, o último de Antonio Di Pietro, estavam presentes os jornais e as televisões de quase todo o mundo.

1994. MÃOS ATADAS

O *TG1* transmitiu ao vivo, em uma edição extraordinária. Contemporaneamente, em outra sala do Tribunal de Milão, era condenado pela segunda vez Bettino Craxi: 5 anos e meio de prisão pelas propinas da ENI–SAI, mas todas as atenções estavam voltadas para aquela que Paolo Guzzanti, então enviado especial do *La Stampa* e futuro deputado do Força Itália, definiu, comovido, "a nudez do juiz Antonio Di Pietro, que para tantos italianos era o juiz que vestia a justiça". O magistrado havia acabado de pedir um total de mais de 35 anos de prisão para 24 réus, entre os quais todos os secretários do velho Pentapartido (aliança entre DC e PSI), mais Bossi, Martelli, De Michelis, Pomicino, Sama, Garofano e Bisignani. "Senhor presidente", concluiu, dirigindo-se ao juiz Romeo Simi de Burgis, "terminei. Digo somente aos meus colaboradores para desligarem os computadores". O telão do interrogatório telemático desligou-se. Eram 16h43min. Di Pietro retirou a toga, arrumou a gravata, colocou a jaqueta e saiu em silêncio do tribunal. Após, entregou a alguns jornalistas a carta enviada para Borrelli. Era fruto de um trabalho em conjunto: Di Pietro havia entregue uma primeira versão ao chefe, ainda de manhã, pedindo-lhe uma espécie de *imprimatur*. O procurador, com a ajuda de Davigo, introduziu alguns retoques. Na Procuradoria, queriam evitar que as demissões fossem interpretadas como o sintoma de um dissídio na investigação contra Berlusconi. Eis o texto final:

> Caríssimo senhor procurador, em todos estes anos, como o senhor me ensinou, trabalhei sempre do modo mais objetivo possível, sem nenhum fim escuso e também sem olhar para a cara de ninguém. Nunca persegui finalidades que não fossem de justiça, nem mesmo quando, como em Cernobbio, me permiti relatar a necessidade, para a pacificação social, de encontrar em tempo uma solução judiciária justa. No entanto, das mais variadas partes, especialmente nestes últimos tempos, os meus deveres de magistrado estão sendo interpretados, para meu desgosto, cada vez mais como uma competição pessoal. Refiro-me, por exemplo (mas não somente), às inúmeras manifestações nas praças que – sejam a favor ou contra o *pool* – têm, enfim, exasperadamente personalizado o meu papel, a ponto de cada obrigação judiciária executada por mim ser considerada contraposição a alguma coisa ou a alguém. Ouço falar, enfim, de "torcidas políticas" para como são acolhidas estas ou aquelas decisões jurisdicionais, tanto que, ultimamente, a ação da magistratura foi qualificada como uma "espécie de metáfora judiciária da repartição". Sinto-me usado, utilizado, manipulado, estampado todos os dias na primeira página, tanto por quem quer contrapor-me aos "seus" inimigos, quanto por quem quer, assim, dar crédito a uma inexistente finalidade política em minha atividade normal. Todas estas distorções interpretativas quanto ao meu modo de agir, com as quais não concordo, estão alimentando um confronto no país, frente ao qual acho difícil reencontrar o significa-

do profundo do meu papel de magistrado, pelo qual prestei juramento. Sinto, então, o dever, como homem político e cidadão, de fazer alguma coisa para levar serenidade e confiança às instituições. A única coisa que consigo imaginar (e que está ao meu alcance) é "despersonalizar" a investigação da Operação Mãos Limpas, na esperança de que, sem mim, as paixões que minha pessoa possam ter involuntariamente acendido em torno da normal dialética processual se acalmem. Deixo aqui a ordem judiciária sem nenhuma polêmica, na ponta dos pés, como em um último "serviço", com a morte no coração e sem nenhuma perspectiva para o futuro, mas com a esperança de que meu gesto possa, de qualquer modo, contribuir para restabelecer a serenidade. Visto que a comoção me impede de fazê-lo pessoalmente, peço-lhe para agradecer por mim aos órgãos da Polícia Judiciária e os colaboradores e abraçar os colegas que compartilharam comigo o peso desta investigação. Com muita, muita estima. Antonio Di Pietro.

Uma bela carta, mas também astuta, sujeita a várias leituras e deixando abertas todas as portas. Típica, disse Davigo, "de um homem desorientado, que não tinha entendido ainda quem eram os seus amigos e os seus inimigos". O procurador-geral Catelani reagiu friamente, até porque Di Pietro não tinha nem se despedido dele: "Há sete mil juízes na Itália, nenhum é indispensável". Borrelli, ao contrário, ficou comovido:

> Lamento do fundo do meu coração. Todos nós devemos imenso reconhecimento pelo trabalho desenvolvido durante anos, que permanecerá escrito em letras de ouro na história da magistratura. Tomo conhecimento de uma penosa e dolorida decisão, que não tenho poderes para contrariar, mas que certamente foi motivada por fortes e graves razões, referentes ao papel primordial de Antonio Di Pietro na ação de justiça conduzida por este gabinete, em um clima de crescente e injuriosa hostilidade. A nossa ação prosseguirá igualmente sem interrupções, sem temores, sem fraquezas. E disso eu sou fiador.

Por trás da fachada, porém, os colegas do *pool* estavam preocupados. Alguns inclusive se irritaram com Di Pietro. O mais contrariado era D'Ambrosio, que considerava a demissão uma verdadeira "traição".

"A toga está na alma"

O presidente Scalfaro, em uma jogada completamente inusitada, mas que interpretava o sentimento de grande parte dos italianos, emitiu uma declaração pública, na qual se dirigia diretamente ao promotor demissionário:

Juiz Di Pietro, a toga, para quem foi verdadeiramente magistrado, não está nos ombros, está na alma. Eu, modestíssimo, nunca a tirei de minha alma. Não a tire também o senhor dos ombros, para servir à Itália como serviu até agora [...]. O senhor recebeu aplausos e críticas [...]. O seu sofrimento nasce do fato de que não pode continuar o seu trabalho com serenidade.

Os jornais do dia seguinte escreveram que, por duas vezes, o presidente ligou para Di Pietro para convencê-lo a pensar melhor: a primeira vez às 13h (um mensageiro tinha levado ao promotor, em pleno interrogatório, um bilhete de Borrelli onde estava escrito: "O presidente Scalfaro quer falar com você: ligue agora", e ele ausentou-se por alguns minutos do tribunal), a segunda às 18h. E, no final, marcou um encontro no Palácio Quirinale: "Quando vier a Roma, venha encontrar-me, temos muitas coisas para conversar". Recebeu-o alguns dias depois, antes do Natal. Hoje, Di Pietro revela:

Não é verdade que Scalfaro tenha tentado me fazer permanecer. Aquele dia, assim como nas outras ocasiões em que falamos, Scalfaro não me pediu nada. Dava sempre a impressão de que esperava alguma coisa, que queria saber como andavam as coisas e quais seriam as próximas ações, mas sem perguntas precisas, com um comportamento de curiosa expectativa. Não me disse, também naquele dia, para eu não me demitir. Somente quis saber se era verdade que eu estava me demitindo, e por quê.

Em Roma, enquanto isso, os políticos discutiam sobre o sucessor de Di Pietro (ninguém acreditava na opção Cincinnato) e sobre os verdadeiros motivos de sua demissão. Para a esquerda, a leitura era simples: o governo, desde o decreto Biondi, passando pelas inspeções e até aos insultos, declarou guerra à Mãos Limpas, e o símbolo da Mãos Limpas foi embora. O Polo apostava em supostas divisões internas no *pool*: Di Pietro, a parte boa, tinha se demitido para dissociar-se da parte má, as togas vermelhas, os juízes politizados. Era o que dizia abertamente Ferrara: "Di Pietro cansou de ser considerado como a haste de uma bandeira e de ser usado como símbolo por Davigo e por Borrelli". Era a opinião também de Biondi, quando revelou que Di Pietro lhe havia telefonado para "dizer-me, com palavras muito afetuosas, os seus sentimentos de estima, autorizando-me a declarar que ele não havia encontrado nada a objetar sobre a inspeção". Seguiu-se o desmentido de Di Pietro: "A inspeção tem a ver, e muito, com minha demissão". O ministro da Justiça, entretanto, lamentava "uma perda tão grave para todos que se dedicam à justiça". Bossi e Veltroni viam já o ex-promotor como ministro da Justiça. Cossiga solicitou-lhe "um cargo de relevância pública".

Apenas dez dias antes, enquanto se amontoavam contra o magistrado dossiês anônimos e inspeções ministeriais secretas, o ex-presidente da República havia anunciado publicamente, como retaliação ao convite para depor de Berlusconi, o cancelamento de seu prefácio no livro de Di Pietro sobre a Constituição. Uma decisão sem consequências práticas (o livro já estava nas livrarias com seu prefácio), mas de grande valor simbólico: o promotor tinha se sentido abandonado pelo homem que o havia apoiado desde o início da Mãos Limpas. Buttiglione e Formigoni (ambos ainda no PPI) lhe ofereceram a liderança do Centro. Berlusconi disse que "as suas investigações expressavam uma grande ânsia de verdade, e a sua demissão deixou um gosto amargo na boca até mesmo de quem considera discutível algum aspecto da sua atividade". Dois dias depois, convidou-o publicamente a entrar no Polo, vangloriando-se de tê-lo sempre apoiado nas suas televisões e também nos seus jornais.

No país, a lira despencou em relação ao dólar (que chegou à cota 1.624) e em relação ao marco (1.034), os contratos dos BTP (Bônus do Tesouro Polianuais) perderam uma lira, e a bolsa caiu 1,83%. Jornais e telejornais receberam milhares de fax. E também houve manifestações espontâneas nas praças de todo o país, a partir do Palácio da Justiça de Milão, onde, naquela noite, o carteiro entregou a Di Pietro 200 telegramas de solidariedade. Houve também brigas entre os apoiadores da operação Mãos Limpas e as equipes do TG5 e do TG4. Foram contestados e insultados também os jornalistas Andrea Pamparana e Paolo Brosio, assim como o honorável Gianni Pilo, o recenseador de Berlusconi, que havia se unido temerariamente aos adeptos de Di Pietro.

Di Pietro, após ter abandonado a toga, desapareceu por um mês. No dia 13 de dezembro, chegou uma carta sua ao Conselho Superior da Magistratura, na qual pedia um período de afastamento ordinário e que fosse colocado "fora da equipe orgânica" para poder tornar-se consultor da Comissão Parlamentar de Inquérito sobre os assassinatos, presidida por um amigo de Cossiga, o senador do PDS Luigi Pellegrino: "Nunca farei política", prometeu. E dois dias depois, em Curno, casou-se com Susanna Mazzoleni, com quem convivia há diversos anos, depois do divórcio da primeira mulher.

Durante 1.024 dias, Di Pietro foi o símbolo da Mãos Limpas. No momento da sua demissão, a investigação envolvia 2.500 investigados, dos quais 600 foram presos. Eram 874 as posições já definidas pela conclusão das investigações. Muitas empresas foram mandadas a julgamento, entre elas: AEM (Empresa Elétrica Municipal), 70 réus; AMSA (Empresa Milanesa de Serviços Ambientais), 16; ATM (Associação dos Transportes Municipais), 39; empresas de aterros sanitários, 16; Enimont, 36; Ferrovie Nord, 30; Fundo de Pensões Cariplo, 30; Metrô de Milão, 102), SEA (Sociedade de Exercício Aeroportuário), 44. Para um total de 273 bilhões de propinas recuperados.

8. TCHAU, BERLUSCONI

Se olharmos atentamente, no dia 22 de novembro de 1994, houve uma gravíssima violação do segredo de justiça contra Berlusconi. E de fato, os jornais do dia 23 diziam que a Procuradoria de Roma tinha inscrito Silvio Berlusconi no registro dos investigados sob a acusação de ter proposto ao conselho de administração da RAI, no cargo de presidente do Conselho, um acordo de divisão do mercado publicitário com a Fininvest, com total vantagem para a última. Ao contrário daquele de Milão, este vazamento de notícias foi totalmente ilícito: à diferença dos convites para depor, as inscrições no registro dos investigados são rigorosamente secretas. E, daquela vez, a hipótese de crime era ainda mais grave do que simples corrupção: era extorsão, cometida como presidente do Conselho (a investigação foi depois arquivada), mas, naquela ocasião, nenhuma voz levantou-se para denunciar hipotéticas manobras da Procuradoria de Roma para sujar o bom nome do *Cavaliere* e arruinar o seu governo.

No final do ano, sempre de Roma, chegaram péssimas notícias também para o PDS. Os promotores Mantelli e Saragnano reinscreveram no registro dos investigados D'Alema, Occhetto e Stefanini (onde já apareciam desde fevereiro, depois da denúncia de Craxi). O fato novo foram as declarações do ex-presidente da Cooperativa da Região Emilio Romanha UNIECO, Nino Tagliavini, que admitiu ter levado à sede do PCI um financiamento oculto de 370 milhões, em três parcelas, em 1991. Crimes suspeitos: financiamento ilícito e falso balanço (a investigação foi também arquivada). A promotora junto ao tribunal Distrital de Roma, Maria Monteleone, inscreveu também Occhetto por financiamento ilícito no caso dos rublos de Moscou. Novidades chegaram também de Milão: o promotor Paolo Ielo foi para a Alemanha Oriental, para novas investigações sobre o caso Eumit, e de Veneza, Nordio pediu a abertura de processo para 49 dirigentes das cooperativas e do PDS (inclusive quatro ex-deputados) por financiamento ilícito e faturas falsas. "Se deixarmos a magistratura trabalhar, até mesmo D'Alema logo terminará no tribunal", disse, naqueles dias, Gianfranco Fini. O PDS o processou. Logo depois, a Procuradoria de Palermo mandou os Carabinieri aos escritórios do PDS para obter nomes, listas e documentos sobre os dirigentes do partido nos últimos 15 anos. O mesmo aconteceu na sede da Liga das Cooperativas, onde foram apreendidos documentos relativos a todas as duas mil cooperativas comunistas da Sicilia e às suas empreitadas no setor público. A ordem partiu do promotor Luigi Patronaggio, o mesmo que abriu algumas investigações, arquivadas depois, sobre o prefeito de esquerda Leoluca Orlando e sobre o ex-coordenador siciliano do PDS, Pietro Folena.

O Cavaliere frente ao pool

Silvio Berlusconi, acompanhado pelos advogados Ennio Amodio e Giuseppe De Luca, entrou no Palácio da Justiça de Milão ao meio-dia de 13 de dezembro. O interrogatório ocorreu na grande antecâmara do gabinete de Borrelli. Estavam presentes também Colombo e Davigo, enquanto Greco, em outro gabinete, interrogava Berruti.

O clima era tenso, aliviado somente pelas bebidas e pelos croissants ao creme que os magistrados pediam do bar. As primeiras perguntas foram de Borrelli, focadas no grupo Fininvest e na subdivisão das tarefas entre Silvio, Paolo e os dirigentes das outras empresas. Depois sobre o papel de Sciascia e sobre a sua real referência: por que o executivo recebia de Silvio doações de 500 milhões por vez, mais joias e objetos preciosos? E por que se encontrava com ele duas ou três vezes por semana, se realmente dependia exclusivamente de Paolo? "Estranhamente", observou Borrelli, "seu irmão não sabia nada sobre aquelas doações". E ainda: de onde Sciascia havia tirado os fundos ocultos para pagar os 330 milhões para a Guarda de Finanças? "Eu gosto de chamá-los "fundos não contabilizados", corrigiu o primeiro-ministro, "mesmo que fossem totalmente ocultos para mim". E depois explicou:

> A Edilnord Commerciale era uma agência imobiliária; intervinha nos negócios entre pessoas físicas, registrava o fato de que as pessoas físicas tendessem a economizar nos impostos e camuflava estas quantias para um total de 50–60 milhões por mês. Pelo menos, foi o que me disseram [...]. Meu irmão que disse que era ele quem decidia como usar aquele dinheiro [...]. Mas este fato tem dimensões mínimas para um grupo como a Fininvest [...]. Uma importância de 100 milhões representa um milésimo das operações diárias [...]. É uma escolha precisa, diria até filosófica, o grupo pagar impostos e taxas ao nível de mais de 200 bilhões por ano.

Estranho, objetou Borrelli: constavam quase dez bilhões de caixa dois até para o jogador de futebol Lentini: "São coisas que eu não conhecia, e se as tivesse conhecido não teriam acontecido [...]. Acho que pagar 18 bilhões e meio para Lentini é por si só uma loucura". No entanto, na empresa a ordem de cima era de abster-se à máxima regularidade, "enquanto para o resto existe o Código Penal".

Davigo interveio: quando soube do caixa dois da Edilnord? "No verão deste ano", ou seja, depois da prisão de Sciascia e de Paolo. Certo, insistiu Davigo: desde 1992, o seu irmão estava envolvido em vários casos de propinas e financiamentos ilícitos; como era possível que o *Cavaliere* não lhe tivesse perguntado nada durante dois anos? "No entanto, não posso explicar", lamenta-se Berlusconi, "por qual razão meu irmão não seguiu as formalidades requeridas pela lei sobre o financiamento público dos partidos".

Borrelli pediu esclarecimentos sobre o jantar em Arcore com os advogados dos investigados. Resposta:

> Nada foi premeditado. Eu tinha um encontro com Confalonieri, Previti e Letta para discutir situações relativas ao governo. A um certo ponto, chegou o advogado Viola, que tinha telefonado a Confalonieri dizendo que queria falar com ele. Confalonieri encontrou-se com Viola, depois me chamaram, e Confalonieri me disse que no dia seguinte Sciascia se

entregaria, pois tinha recebido uma medida restritiva. Viola disse que não sabia se se tratava de extorsão ou de corrupção [mas, no caso de extorsão, Sciascia teria sido uma vítima, e não o teriam prendido], e me disse que Sciascia estava de férias.

"O que o senhor soube", perguntou Colombo, "depois da prisão de Sciascia?". Berlusconi contou que Sciascia, depois que tinha sido libertado, lhe falara de outras solicitações de dinheiro por parte da Guarda de Finanças, às quais, porém havia resistido. Então, ele lhe disse: mas vocês não podiam resistir também no caso da Mondadori, da Videotime e da Mediolanum? E Sciascia: "Não naquela ocasião. Aquela é gente que não perdoa. Doutor, são verdadeiros gangsters! Eu tive medo deles".

Àquela altura, os promotores finalmente farão deslizar sobre a mesa o único argumento que verdadeiramente lhes interessava: as relações com Massimo Maria Berruti. O *Cavaliere* tentou minimizar: "Não lembro de ter falado pessoalmente com o advogado Berrutti sobre fatos que se relacionavam com a Fininvest, nem de ter tido com ele reuniões de trabalho". Talvez ele tenha se lembrado mal: nos registros telefônicos do celular do ex-oficial constavam, de janeiro ao dia 8 de junho de 1994, mais de 60 ligações entre os dois, algumas até mesmo de madrugada. E então, que necessidade teria Berrutti de se deslocar de Milão para Roma, no dia 8 de junho, para encontrá-lo pessoalmente no Palácio Chigi? A habilidade dos promotores foi de introduzir o fulcro da acusação sem que praticamente ninguém se desse conta: não conheciam ainda a carta na manga deles, o passe do Palácio Chigi, mantido em segurança em um cofre há cinco semanas, no mais impenetrável segredo. Veio então a pergunta, lançada despretensiosamente: ele lembrava de Berruti encontrá-lo no Palácio Chigi no mês de junho? O *Cavaliere* não teve dúvida:

> "Acredito que seja verdade: [Berruti] veio encontrar-me porque queria que, antes do fim do prazo eleitoral, eu fosse para a Sicília para ajudá-lo na campanha eleitoral". A lembrança daquela noite de seis meses antes era vívida, o *Cavaliere* lembrava até dos particulares: Berruti "insistia muito, queria que eu fosse para a Sicília [...]. Eu inclusive perdi a paciência com ele".

Borrelli então revelou que, assim que tinha saído daquela conversa, Berruti havia telefonado para Corrado para que colocasse um "silenciador" no guarda de finanças. E Berlusconi disse:

> Excluo categoricamente o fato que Berruti tenha me falado de um acontecimento desses. Excluo ter falado nos últimos tempos com Berrutti sobre a Fininvest... Eu o encontrava no Estádio San Siro, nas tribunas de honra... Se tivesse me falado de assuntos desse tipo, teria expulsado-o do meu gabinete.

Como explicava, então, que Berruti tivesse tomado aquela iniciativa?

> Não sei explicar. Se tivesse feito uma coisa dessas, teria sido uma iniciativa sua... Não gostaria que um excesso de preocupação política o tivesse levado a tudo isso [...]. Eu, desde que sou presidente do Conselho, possuo um enorme sentido de Estado, proíbo quem quer que seja de falar comigo em meu gabinete sobre assuntos que digam respeito à Fininvest [...]. Nunca falei com Berruti sobre a Fininvest e sobre esses fatos ali.

Àquela altura, o *Cavaliere* pareceu ter se dado conta de que havia caído em uma armadilha, e sua raiva explodiu, com uma longa ladainha contra os magistrados que o estavam interrogando:

> Gostaria de acrescentar uma coisa. Parece-me que não tenham surgido, deste interrogatório, provas sobre minha participação direta nos três acontecimentos contidos em meu convite para depor. Então, vocês se dão conta dos danos que esse convite para depor provocou a mim pessoalmente, como presidente do Conselho e ao nosso país, uma vez que me mandaram o convite para depor enquanto eu presidia a Conferência sobre Criminalidade? Não vi até agora nenhum fato que me envolva em nada [...]. Recebi este aviso, além do que, com uma enorme violação do segredo de justiça, porque, antes que me fosse entregue pelos Carabinieri, já havia lido a notícia no *Corriere della Sera*! [...]. Talvez a profissão de vocês e tudo o que têm visto nos últimos anos tenham lhes feito perder qualquer contato com a realidade.

Borrelli, friamente, respondeu: "Não creio que devamos dar nenhuma resposta, até mesmo porque a inscrição no registro de investigados de crimes é o pressuposto para podermos desenvolver as investigações". Davigo lhe esclareceu melhor a situação: "Em resumo, resulta que, às 20h45min do dia 8 de junho de 1994, o advogado Berruti pediu um encontro com o senhor no Palácio Chigi. Pouco depois, às 21h28min, o advogado Berruti ligou para a SIP e, um minuto depois, às 21h29min, ligou para o número do marechal Corrado. No dia 10, o marechal Corrado avisou o coronel Tanca de que estava para ser envolvido nas investigações e que devia ficar calado sobre o episódio da Mondadori. Não sei se para o senhor está clara a sequência temporal e a validade dos indícios". Berlusconi confirmou que não estava muito claro: "Se o senhor pode considerar esta prova como motivação para fazer um ato cheio de consequências contra o primeiro-ministro italiano, para mim parece uma coisa que não pertence nem ao céu e nem à terra. Estou perplexo".

Às 14h15min, o interrogatório terminou. A defesa pediu segredo para as atas, "para não causar danos à execução do cargo institucional mantido pelo acusado". Borrelli consentiu, "consideradas as exigências conexas ao alto cargo detido pela pessoa submetida às investigações". Berlusconi deixou o Palácio da Justiça somente às 19h40min, autorizando – entre os jornalistas que se amontoavam fora do Palácio – os boatos mais inquietantes ("Sete horas?", perguntou o aliado Bossi naquela noite. "Ah, mas então o *pool* tem em mãos alguma coisa grande; assim são tratados os delinquentes"). Ninguém podia imaginar o que estivesse acontecendo no quarto andar: por quase cinco horas, o primeiro-ministro corrigiu palavra por palavra e entregou as 37 páginas das atas: "Razões de imagem, vocês sabem como é. Hoje enforcam por uma palavra fora do contexto". Os promotores tentaram explicar, em vão, que havia a gravação integral e que a ata era o resultado da transcrição com o sistema de estenografia, praticamente textual. Berlusconi não confiava. E, no final, enriqueceu suas palavras com uma citação culta: "Na Fininvest, mantive-me sempre fora dos problemas da administração. Me considero um criativo... Tomei para mim o lema: 'A intendência seguirá'". O lema – assegurou o *Cavaliere* – era de Charles De Gaulle. Davigo, grande apaixonado por história, segurou com dificuldade uma risada: o lema era de Napoleão Bonaparte.

Naquela noite, Berlusconi conclamou os italianos com o costumeiro monólogo gravado em vídeo e enviado a todos os telejornais, informando a nação sobre o interrogatório. Teria sido suficiente divulgar as atas, mas tinha sido exatamente ele quem havia pedido para mantê-las em segredo: era melhor contar somente a sua versão sobre os fatos. De qualquer forma, ninguém poderia desmenti-la. Então, o *Cavaliere* falou sobre uma "iniciativa judiciária baseada incrivelmente em um teorema sem nenhuma confirmação probatória" e um "clamoroso ato de espetáculo da injustiça". E revelou: "Não há contra mim nenhum documento e nenhum testemunho de acusação. Fui envolvido somente porque sou presidente da Fininvest, o que, para alguns, é um pecado original imperdoável". Apesar da guerrilha dos membros da Liga Norte e das vozes de uma moção de censura de Bossi–Buttiglione–D'Alema, "não desisto e prossigo com o programa de governo pelos próximos seis meses". E concluiu: "Está claro para todos que na Itália desenvolveu-se um uso destorcido da justiça criminal com fins políticos". Os promotores, naturalmente, não puderam replicar: era severamente vetado (a eles) entrar no mérito das investigações em curso, sob pena de imediata ação disciplinar.

Naquela noite, Bruno Vespa exibiu no *TG1* outro réu excelente: Francesco De Lorenzo. Libertado pelo decreto Biondi e logo depois preso novamente por uma montanha de condenações, o ex-ministro da Saúde foi entrevistado no dia 5 de dezembro em um leito do Hospital de Poggioreale e somente com áudio, sem câmeras. Vespa decidiu transmitir aquela gravação exatamente na noite do dia 13. "Vejam, estou virado em uma larva", disse o ex-político com um fio de voz, tratando informalmente o jornalista, apoiado sobre a cabeceira do leito: "Que provas posso eu contaminar? Que perigo represento? Os juízes de Milão abateram um sistema, mas aqui destruíram um homem. Continuo tomando antidepressivos que me provocam anorexia. Na prisão, descobri a Bíblia, mas não consigo nem lê-la. Você vai ver, não saio vivo daqui, me levarão embora em um caixão".

"Doutor Davigo, me enganei"

Na manhã seguinte ao interrogatório, houve um golpe de cena. Berlusconi telefonou à Procuradoria e pediu por Borrelli, mas o procurador não estava e lhe passaram para Davigo. "Doutor Davigo, me escute. Ontem eu devia estar um pouco confuso, mas hoje, controlando melhor minhas agendas e falando com meus colaboradores, reconstruí exatamente meus passos naquela noite do dia 8 de junho. Estive ocupado até tarde, acho que até as 22h, no Conselho dos Ministros. Posso mandar-lhe o comunicado para a imprensa que demonstra este horário, e meus dois secretários estão prontos para testemunhar que as coisas foram assim como lhe estou dizendo agora". E de fato, se a reunião tivesse mesmo terminado assim tão tarde, as coisas poderiam mudar. Davigo não perdeu a pose: "Muito bem, presidente, nos mande as atas oficiais do Conselho dos Ministros do dia 8 de junho, assim poderemos verificar os horários". No dia seguinte, os advogados do primeiro-ministro entregaram à Procuradoria um relatório do seu cliente, e em anexo o comunicado para a imprensa do Conselho dos Ministros. Das atas oficiais, nenhum rastro: a Procuradoria as requisitou diretamente ao Palácio Chigi e obteve a enésima confirmação: naquela noite, a sessão terminou às 21h, não às 22h. Antes também o presidente do Conselho tinha se ausentado pelo menos duas vezes da sala: às 18h15min, para uma breve entrevista coletiva, e às 20h, para receber uma delegação de mineiros da região do Sulcis. Então, nada o teria impedido de encontrar-se, mesmo por poucos minutos, também com Berrutti.

Na agenda da secretária do primeiro-ministro, na data de 8 de junho, estavam anotados somente três nomes: Scalfaro, Francesco Saja (presidente da Antitrust) e Berruti, além de um encontro com o presidente de um clube palermitano do Força Itália "para uma foto".

Por que Berlusconi mudou a versão da noite para o dia? A resposta talvez estivesse nas atas do interrogatório "paralelo", entregues um dia antes por Berruti na frente de Francesco Greco. Enquanto Berlusconi confirmava a conversa com Berruti, Berruti a negava. Ou melhor, no início do interrogatório, às 13h, declarou: "Não me lembro se falei, naquela ocasião, com o presidente Berlusconi". Depois, às 19h, pediu para reabrir as atas e acertou o tiro: "Pensando melhor, acho que naquela ocasião eu falei somente com os assistentes do presidente". Em todo caso, admitia ter retirado o passe: "Na saída do Palácio Chigi, fiquei com o passe por mero esquecimento, ou melhor, depois que entrei, o funcionário encarregado de recebê-lo de volta não me solicitou". O que havia mudado, entre o antes e o depois? Simples: Berruti, superada a surpresa pelo passe encontrado pelo promotor, pôde "pensar melhor". E, como bom advogado, entendeu onde queriam chegar,

1994. MÃOS ATADAS   375

com as interceptações telefônicas à mão, os interrogadores. No dia 30 de janeiro de 1995, pensando melhor ainda, Berruti negou até mesmo que tivesse recebido aquele passe, abrindo caminho para uma nova e inusitada versão da defesa de Berlusconi: o passe era apócrifo.

Seria possível que os dois protagonistas de um fato ocorrido apenas seis meses antes dessem duas versões completamente opostas? No dia 15 de dezembro, como havia pedido Berlusconi, foram ouvidos a sua secretária, Marinella Brambilla, e o seu assistente pessoal, Niccolò Querci. Os dois juraram que aquele encontro nunca havia ocorrido: Berruti esperou na antecâmara durante quinze minutos, mas Berlusconi estava ainda ocupado no Conselho dos Ministros e não podia sair. Então, Berruti foi embora em seguida, pouco antes das 21h (que pena: se, após ter esperado tanto, tivesse esperado somente mais alguns segundos, o Conselho dos Ministros teria terminado às 21hs em ponto). No fundo – acrescentaram – o único motivo da visita era pedir ao presidente para realizar um comício na Sicília: uma bobagem, uma coisa que eles mesmos poderiam ter feito. E de fato – afirmaram – o advogado os tinha encarregado de transmitir o recado a Berlusconi e depois tinha ido embora, com muita pressa. Ligou para eles – contaram Brambilla e Querci – na manhã seguinte para saber a resposta do *Cavaliere*. Resposta negativa (talvez porque a campanha eleitoral terminaria no dia seguinte). Então, Berruti pegou o primeiro avião e voltou para Milão.

Esta versão dos fatos, que era a segunda do presidente do Conselho, e confirmada pelos seus colaboradores, foi considerada mentirosa por 12 juízes: o juiz das investigações preliminares que levou Berlusconi a julgamento, o tribunal que o condenou, a Corte de Apelação que o declarou prescrito, mas culpado, os dois juízes das investigações preliminares que condenaram Corrado e Tanca, e principalmente os nove juízes de primeiro grau e de apelação (duas vezes) que condenaram Querci e Brambilla por falso testemunho (mas não pela Cassação, que anulou duas vezes as suas condenações). No entanto, pelo menos à luz da razão, a sentença mais convincente foi a do Tribunal de Milão (17 de julho de 2001), que desdenhava a versão oficial do "partido Fininvest", segundo a qual "Berruti pediu um encontro e o obteve, mesmo sem ter comunicado o motivo da visita. Foi de Milão para Roma dois dias depois e se dirigiu ao Palácio Chigi, chegou até a porta da sala onde estava Berlusconi. Disseram-lhe que ele estava ocupado; estaria livre dali a poucos minutos, mas, ao invés de esperar, como qualquer um teria feito, contou para um secretário as suas finalidades e foi embora com muita pressa para um encontro galante". A verdade era outra: quando partiu apressadamente de Milão para Roma, "talvez Berruti não soubesse ainda com certeza quem fosse o oficial da Guarda de Finanças que deveria contatar e nem sobre exatamente qual fato deveria induzi-lo ao silêncio, mas ele, como ex-oficial bem relacionado em Milão e não envolvido em escândalos de corrupção, poderia facilmente propor-se como pessoa em condições de fornecer preciosas ajudas ao primeiro-ministro e, assim, conquistar sua simpatia e talvez conseguir levá-lo para a Sicília".

Berruti não tinha nada a ver com a Mondadori. Tinha deixado a Guarda de Finanças dois anos antes da averiguação sobre as propinas. Era um simples consultor externo do grupo Fininvest. Em resumo, observou o tribunal, "nunca havia participado daquele fato, nem havia falado com Tanca, Cerciello ou Ballerini, réus por aquele processo de corrupção [...] e não consta que tenha feito contato nem com Paolo Berlusconi nem com Sciascia". Em compensação, estava em constante contato telefônico com Silvio. Quem lhe havia dito que tinha recebido dinheiro pela Mondadori e que tinha recebido exatamente Tanca? "A fonte da informação", responderam os juízes de primeiro grau, "só pode ser Silvio Berlusconi. Somente ele pode ter fornecido a informação necessária para mandar Corrado ao encontro de Tanca". Era muito provável que, naquela noite, no Palácio Chigi, além da história do comício na Sicília, "Berruti quisesse tratar de algum outro assunto: quisesse ter de Berlusconi a confirmação das informações e a definitiva aprovação necessária para conseguir a aproximação de Tanca, o que era seguramente melhor tratar pessoalmente e sem nenhuma testemunha".

Tinha mais. Querci e Brambilla falaram de uma ligação de Berruti, na manhã do dia 9 de junho, para saber da resposta de Berlusconi. Pena que, naquela manhã, as interceptações do celular e do quarto de hotel de Berruti não registraram nenhuma ligação para Querci ou para Brambilla e, quando Berruti partiu de Milão para Roma, não demonstrava nenhuma urgência em contatar Corrado. Quando saiu do Palácio Chigi, ao contrário, estava hiperativo. Uma ligação após a outra, uma para conseguir o número, depois a primeira ligação e depois aquela do dia seguinte, com encontro marcado para aquela tarde. Um assédio. "Alguém" deve ter falado de Tanca para Berruti depois da sua entrada no Palácio Chigi. "Talvez toda aquela pressa", escreveu o tribunal na sentença que não foi acolhida pela Corte de Cassação, "fosse justificada pelo fato de os protagonistas daquele acontecimento, depois da prisão de Ballerini [19 de maio], saberem que Tanca poderia ser preso e que então seria impossível contatá-lo. E, se fosse mesmo assim, Berruti não poderia sabê-lo, mas Berlusconi sim; por isso a pressa foi somente na noite do dia 8 de junho. No mais, para Berruti, a ida para Milão, com a finalidade de encontrar Corrado, devia ter uma importância capital, porque o induziu a não fazer o que, segundo ele, pediria para Berlusconi: ou seja, terminar na Sicília a campanha eleitoral".

E foi isso que aconteceu: ao invés de ir, ao menos ele, ao seu colégio eleitoral siciliano, Berruti voltou para Milão, para ver imediatamente Corrado e assegurar-se de que ele falasse com Tanca. "Mais uma vez, se confirma a dependência entre a viagem para Roma e a incumbência para Corrado, que eram a autorização e as informações recebidas de Berruti em Roma, as quais somente Berlusconi poderia dar-lhe, e certamente não Querci ou Brambilla [...]. A conversa [de 8 de junho no Palácio Chigi] é decisiva para a vinda à tona de toda a corrupção da qual é acusado Silvio Berlusconi."

Foi por isso que, assim que se deu conta da gravidade daquela *consecutio temporum*, o *Cavaliere* não achou nada melhor a fazer do que retratar o seu primeiro interrogatório com aquele precipitado telefonema para Davigo.

O golpe que não existe

Em 2001, absolvido na Corte de Cassação por "insuficiência de provas", o novamente primeiro-ministro Berlusconi pediu, em uma carta aberta ao *Corriere della Sera*, que lhe fosse restituída "a honra pisoteada" pelo *pool* com uma falsa acusação que "ocorreu na origem da famosa reviravolta". Um conceito manifestado desde 1996 e traduzido em 1998 em uma denúncia apresentada em Bréscia contra os promotores milaneses por "atentado a órgão constitucional" (artigo 289 do Código Penal). O *Cavaliere* não lembrava, porém, que aquele, como outros processos de Bréscia, produziram várias sentenças que desmentiam qualquer ligação entre aquele convite para depor e a crise de governo do dia 22 de dezembro de 1994.

Dois dias após o adeus de Di Pietro, somente duas semanas depois do convite para depor, cuja primeira assinatura era exatamente a do promotor demissionário, Berlusconi declarou aos jornais:

> Di Pietro é um juiz que conquistou, com o seu trabalho, o respeito dos italianos. Acho que o encontrarei logo. Di Pietro na política poderia ser uma ótima ideia... É um homem de centro, como eu. Eu sempre reconheci o papel desempenhado pelos magistrados na luta contra o sistema perverso da Primeira República. As TVs e os jornais da Fininvest estiveram sempre à disposição para defender os magistrados e, em particular, Di Pietro. A sua gana de moralização seria um patrimônio precioso para todo o país (*la Repubblica* e *Il Messaggero*, 8 de dezembro).

Por que, então, caiu o governo Berlusconi? Bastavam alguns dados jornalísticos precedentes ao dia 22 de novembro para explicar. No dia 14 de outubro, 3 milhões de trabalhadores participaram das manifestações, em toda a Itália, pela greve geral e contra a manobra econômica do governo. No dia 10 de novembro, a maioria foi batida no Senado, graças à deserção da Liga Norte, sobre a ocupação da RAI por parte do Polo, e o que passou foi a ordem do dia das oposições. Em 12 de novembro, depois do rompimento entre governo e sindicatos, um milhão e meio de pessoas participou da grande manifestação dos sindicatos e das oposições, em Roma, contra a lei fiscal e a reforma das aposentadorias. No dia 16 de novembro, Bossi votou um documento, junto a Buttiglione (que, naquele momento, fazia parte da oposição), contra a reforma das aposentadorias e pediu para o governo reabrir o diálogo com os sindicatos. No dia 20 de novembro, entre 7 municípios, o Polo perdeu o primeiro turno das eleições administrativas em cinco por causa da crise do Força Itália, superada em quase todos os lugares pela AN. O PDS se tornou o principal partido italiano, a Liga se manteve, e Bossi anunciou "um governo constituinte".

A maioria, de fato, não existia mais. Estava unida somente para a aprovação da lei fiscal. No dia 21, Scalfaro, em visita a Nisida, disse que faria de tudo para evitar o "elemento patológico" das eleições antecipadas, que seriam inevitáveis "somente quando o Parlamento não expressasse mais uma maioria capaz de governar nem um eventual executivo do presidente [...] estabelecido pelo inquilino do Palácio Quirinale". Depois, quando, alguns minutos mais tarde, o chamou Borrelli para anunciar-lhe que Berlusconi era investigado, expressou irritação e perturbação pelo momento escolhido. No dia 30 de novembro, o governo recuou sobre as aposentadorias, e os sindicatos revogaram a nova greve geral do dia 2 de dezembro. No dia 14 de dezembro, a Liga e as oposições aprovaram a moção da presidente da Câmara, Irene Pivetti, para instituir uma Comissão Parlamentar Especial que regulasse o sistema radiotelevisivo, depois que a Corte Constitucional havia vetado parte da lei Mammì, que consentia a uma só pessoa ser titular de três concessões de TV. Força Itália e AN votaram contra. Não contente, a Liga expôs publicamente o esboço de uma moção-interpelação para apresentar a Biondi sobre a justiça: "Julgamos que seja uma incongruente interferência a emissão, ao seu tempo, do 'decreto Biondi', interpretável não somente como uma tentativa de bloquear as investigações sobre a Tangentopoli, mas, especialmente, de bloquear a intimação judicial ainda não transmitida ao presidente Berlusconi". Mais tarde, recuou parcialmente.

No dia 17 de dezembro, Bossi, Buttiglione e D'Alema se encontraram e anunciaram duas moções de censura contra o governo Berlusconi: uma do PDS, a outra da Liga e do PPI juntos. As moções foram apresentadas logo depois da aprovação da lei fiscal no Senado, no dia 19 de dezembro. Naquele dia, o primeiro-ministro exortou os italianos com o costumeiro vídeo, esbravejou contra a "traição" da Liga e pediu eleições antecipadas o mais rápido possível.

No dia 22 de dezembro, Bossi atacou o primeiro-ministro no Parlamento: "Honorável presidente, o senhor não é o Estado, e depois do senhor não haverá o dilúvio. Eu, aqui, hoje, ponho fim à Primeira República. A Liga, honorável presidente, lhe retira a confiança". Depois falou Berlusconi. Nenhuma menção aos conflitos judiciários, mas somente um assunto: "Durante sete longos meses, o honorável Bossi pôs à prova minha paciência e a de todo o governo". Se caísse o Executivo, acrescentou o *Cavaliere*, seria tudo culpa do secretário da Liga, definido como "judas, traidor, ladrão e comprador de votos, com dupla e tripla personalidade". Depois, antes que o Parlamento votasse a moção de censura, foi ao Palácio Quirinale para renunciar ao cargo. Talvez com a esperança de ser reencarregado de um novo governo, ou pelo menos para poder ele mesmo gerir o desenvolvimento dos negócios correntes em vista das eleições. No entanto, como havia prometido, Scalfaro tentou um governo do presidente, deixando que o próprio Berlusconi escolhesse o primeiro-ministro, e ele indicou exatamente o seu ministro do Tesouro, Lamberto Dini. Depois, reprovou-o e clamou a "reviravolta".

Por intermédio do processo de Bréscia sobre o presumível complô anti-Berlusconi, nascido da denúncia do *Cavaliere*, descobriu-se que a Liga tinha decidido boicotar o governo bem antes que o *Cavaliere* fosse interrogado. Escreveu, a respeito, o juiz da audiência preliminar de Bréscia Carlo Bianchetti, na disposição de 15 de maio de 2001, com a qual arquivou (a pedido da própria Procuradoria) a denúncia berlusconiana contra o *pool* por absoluta inexistência de indícios:

> Entre as causas da assim chamada "reviravolta", foi absolutamente estranho o fato do meu convite para depor, a partir do momento que, segundo o testemunho do então ministro Maroni, a decisão da Liga Norte de "desacreditar" o governo Berlusconi (decisão que tinha sido determinante para a queda do Executivo) havia sido formalizada no dia 6 de novembro de 1994, portanto, duas semanas antes da publicação da notícia do envio ao honorável Berlusconi do convite para depor. Tinha, então, suas raízes em um irremediável contraste entre a Liga Norte e os outros partidos do conhecido Polo das Liberdades, que remontava ao final de agosto de 1994, quando o honorável Bossi veio a saber da intenção do chefe de governo de "participar das eleições antecipadas do outono".

Em resumo, o *pool* não somente não conspirou contra o governo Berlusconi, mas foi Berlusconi quem conspirou contra a Liga (projetando secretamente eleições antecipadas para miná-las) e contra o *pool* de Milão. Confirmado pelo próprio Maroni (desde 2001 novamente ministro de Berlusconi), que testemunhou, sempre em Bréscia, no dia 7 de novembro de 1995, na investigação sobre a demissão de Di Pietro:

> Entre o final de setembro e os primeiros dias de dezembro, mantive diversos encontros com o honorável Berlusconi e o senador Previti, que tentavam, por meu intermédio, convencer Bossi a não romper com as coligações. Lembro que meus dois interlocutores disseram várias vezes que era preciso deter Di Pietro. Berlusconi, um dia, me disse em particular: "Esse aqui quer me envolver, junto com Bossi, nessa história". Não estava preocupado pelo fato judiciário em si, mas pelo fato de, apesar de ser o presidente do Conselho, estar atrás de Di Pietro nas pesquisas de opinião pública. Na prática, Berlusconi temia ter Di Pietro como concorrente e procurava convencer Bossi a não abandonar o Polo, mostrando-lhe as consequências judiciárias [a iminente condenação em primeiro grau pela propina da Enimont] se não conseguissem deter Di Pietro [...]. Berlusconi e Previti nunca me disseram qual seria o melhor modo para deter Di Pietro [...]. Depois do anúncio da sua demissão, Berlusconi e Previti não me disseram mais nada.

Mas a melhor confirmação veio de Bossi, também ele ouvido como testemunha no dia 11 de novembro de 1995:

Posso dizer que o honorável Berlusconi, por razões que estão certamente ligadas à sua atividade empresarial e às relações que certamente havia mantido com os ambientes políticos no poder antes de março de 1994, tinha um comportamento de genérica desconfiança em relação à magistratura, em particular à milanesa, temendo que as investigações em curso pudessem, de qualquer modo, prejudicá-lo. No mesmo sentido, pode também ter acontecido que o honorável Berlusconi tenha se expressado com expressões genéricas, do tipo "precisamos deter a magistratura". E mostrava insatisfação quando via nas pesquisas que o Dr. Di Pietro tinha uma preferência superior à sua. Posso dizer que este era o seu problema constante [...]. Era evidente que Di Pietro constituía para Berlusconi uma verdadeira preocupação política.

Em suma, não era verdade que tivesse sido Di Pietro a provocar a demissão de Berlusconi. No máximo, foi o contrário. De fato, logo depois do convite para depor de Berlusconi, ele não foi embora. Foi embora Di Pietro.

9. TODOS OS COMPLÔS CONTRA DI PIETRO

Esta era a história oficial daquele abrasador final de 1994. A história visível, legível por todos. Entretanto, aquela história tinha um fundo falso secreto: de fatos, personagens e manobras que se moviam subterraneamente, mas sempre em paralelo. Um fundo falso reconstruído dia a dia, minuto a minuto, pelos juízes das investigações preliminares do Tribunal de Bréscia. Eles concluíram todas as numerosas investigações abertas pela Procuradoria sobre Di Pietro e sobre os complicadíssimos fatos que causaram, acompanharam e seguiram a sua demissão da magistratura (e depois, como veremos, do Ministério das Obras Públicas). Daquelas sentenças, emergiu uma operação científica, realizada a várias mãos, para fabricar acusações sobre acusações para utilizar, de tanto em tanto, contra Di Pietro e, quando convinha, contra os outros promotores do *pool*. Daquelas manobras, daquele jogo sujo se conheciam já todos os movimentos, quase todas as peças e muitos protagonistas. Desde o marechal Simonetti ao major Lattanzi, do securitário Gorrini ao construtor D'Adamo, dos guardas de finanças Cusani e Mach di Palmstein ao advogado Previti e, até sobre expoentes da Guarda de Finanças e dos serviços secretos, a Craxi e aos irmãos Berlusconi.

Tudo começou em maio de 1994, contemporaneamente à primeira investigação que ameaçava chegar ao *Cavaliere*: aquela sobre as propinas pagas à Guarda de Finanças. Foi naquele momento que o brigadeiro da Guarda de Finanças Paolo Simonetti, que até há poucos meses estava ao lado de Tiziana Parenti na Procuradoria de Milão, intensificou o seu trabalho. Procurou notícias comprometedoras sobre Di Pietro e o *pool*. Preparou dossiês. Na sua agenda e no seu computador, anotou siglas fáceis de decodificar: pessoas a quem dava ou de quem recebia notícias. Berpao (Paolo Berlusconi), Braal (Aldo Brancher), Preces (Cesare Previti), Dadant (Antonio D'Adamo), além de dois jornalistas do *Giornale* e do *Panorama*. E também Reaele (Eleuterio Rea, comandante da Guarda Municipal de Milão) e Salgia (Giancostabile Salato, capitão do "Departamento I", isto é, informações da Guarda de Finanças). No computador do brigadeiro, depois confiscado, havia muitas histórias falsas que, nos anos sucessivos, estariam no centro das investigações da Procuradoria de Bréscia sobre Di Pietro (por exemplo, os supostos favorecimentos a Pacini Battaglia) e constituiriam tema de ataque político do bloco de centro-direita (por exemplo, a falta de envolvimento do PDS na Operação Mãos Limpas). Ler aquelas anotações era esclarecedor. Simonetti foi o primeiro a falar de uma "conta na Áustria do advogado Lucibello", amigo de Di Pietro, e de uma mansão (em San Felice, Milão Segrate) que Pacini teria colocado à disposição do promotor. O zeloso brigadeiro escreveu também que precisava sondar quatro investigados da Tangentopoli – entre os quais Larini – para convencer pelo menos um a acusar Di Pietro do presumível "favorecimento a Pacini".

Simonetti sonhava em dar o grande salto: "Eu me propunha", admitiu na Procuradoria de Bréscia, "a deixar o corpo e a ter uma relação de consultoria continuada com a Fininvest". Não obstante o prestigioso patrocínio de Tiziana Parenti, ele já era apreciado, em janeiro de 1994, quando elaborou um "estudo sobre a lei dos delegados, por conta da Liga Norte e do Força Itália". Mas não foi suficiente. Então, o Brigadeiro continuou a caça às notícias antipool. Entrou em contato com outro multi-investigado da Fininvest, Aldo Brancher. Encontrou-o no dia 27 de setembro na Edilnord e anotou na sua agenda: "Gorrini, ex-proprietário da Seguradora MAA, está disposto a falar sobre verbas extorquidas por DP [Di Pietro] a favor do amigo Reaele [Rea] por corridas de cavalos. Gorrini, ao início, teria recusado, mas, após as ameaças de DP, foi obrigado a pagar. Mesma situação para Dadant [D'Adamo], que poderia falar somente depois de Gorrini, pois era um grande medroso. Fato que era já conhecido por Preces [Previti]. Haveria outros casos análogos, conhecidos por Berpao [Paolo Berlusconi]".

Desde o final do verão de 1994, portanto, os fiéis seguidores de Berlusconi já tinham recolhido as confidências de dois empresários, ex-amigos de Di Pietro, Gorrini e D'Adamo, ansiosos por entregar numa bandeja de prata a cabeça do promotor mais famoso da Itália em troca de ajudas financeiras.

Paolo B., colecionador de dossiês

Giancarlo Gorrini também trabalhava em cheio na investigação sobre a Guarda de Finanças. Precisava de Berlusconi, o homem mais poderoso da Itália, para se salvar do colapso da sua Seguradora MAA e resolver um contencioso bilionário com o impaciente sócio Renato Della Valle (amigo e sócio também do *Cavaliere*). Então, Gorrini se dirigiu antes a Paolo Berlusconi, depois a Cusani. Bem naqueles dias, Cusani apresentou a sua primeira denúncia em Bréscia contra Di Pietro. Paolo, ao invés, colecionava todos os dossiês anônimos que haviam circulado nos últimos dois anos sobre Di Pietro e o *pool* em uma encorpada pasta datilografada com o título "Resumo Abusos DP". Havia o famoso dossiê do *Il Sabato* e havia uma longa lista de supostos favorecimentos de Di Pietro a este ou aquele investigado, mas havia, principalmente, uma "notícia" (falsa) que valia a pena ter em mente: pela primeira vez, se falava sobre um suposto pagamento de 5 bilhões em francos suíços, feito por Pacini Battaglia a Lucibello, em troca de presumíveis favores prestados por Di Pietro, quase a mesma acusação que, como veríamos, seria feita em 1996 pelo GICO de Florença.

Quem materialmente recolheu e organizou o dossiê, com tantas fichas explicativas sobre os casos mais complicados, não se sabia. Paolo Berlusconi disse que o recebeu pelo correio, anonimamente, ou no seu escritório ou na sede do *Giornale*, na primavera de 1994. Nos anos seguintes, várias sentenças dos juízes das investigações preliminares de Bréscia hipotetizaram que toda a encadernação tivesse sido confeccionada especificamente por ele. Ele, no entanto, sustentava que o tinha logo em seguida entregue à sua ex-mulher. Ela confirmou, mas havia muito mais: o dossiê – escreveu o Tribunal de Bréscia no dia 29 de janeiro de 1997 – foi organizado "não antes do final de julho de 1994", tanto é que referia fatos acontecidos no dia 17 de junho de 1994. Paolo Berlusconi se livrou dele somente "entre janeiro e março de 1995".

Outro dado certo era que, entre as fontes do irmão do primeiro-ministro, estava o securitário Gorrini, que após anos de boas relações, começou a detestar Di Pietro. O promotor, de fato, investigou e prendeu diversos velhos amigos pegos com a mão na massa. Não fez nada para amolecer os colegas que tinham processado e condenado Gorrini pela quebra da MAA (3 anos e meio de prisão em primeiro e segundo graus, por fraude, falso balanço e apropriação indébita de 50 bilhões). E, principalmente, mandou para a prisão Salvatore Ligresti, última tábua de salvação para Gorrini. No verão de 1992, o securitário estava tratando com o construtor siciliano (proprietário do grupo SAI) para vender-lhe a MAA. O encontro decisivo estava já marcado, mas, um dia antes, Ligresti foi mandado para a prisão de San Vittore. "É muito azar" desabafou Gorrini com a ex-mulher; depois foi encontrar Di Pietro na Procuradoria para pedir-lhe para libertar Ligresti o mais rápido possível. Di Pietro não ajudou; ao contrário: no dia 6 de outubro, pediu e conseguiu para Ligresti uma prorrogação da custódia cautelar até 25 de novembro.

Mas se a raiva contra Di Pietro remontava a 1992, por que Gorrini começou a desafogá-la com Paolo Berlusconi somente em 1994? Sua companheira, Maria Donatella Turri Gandolfi, explicou tudo em Bréscia: "Soube por Gorrini que Paolo Berlusconi seria o mediador na discussão entre Gorrini e seu sócio Renato Della Valle pelas questões relativas ao pacote de ações da MAA, e que Cusani desenvolvia uma mediação com Salvatore Ligresti para verificar a real intenção da SAI, de propriedade de Ligresti, de assumir o controle da MAA". No mais, Gorrini, como resultou dos atos, esperava de Paolo uma intervenção junto ao Banco Popular de

Novara, do qual era vice-presidente Achille Boroli, amigo dos Berlusconi e sócio deles no *Giornale*. Paolo prometeu, ou, ao menos, assim deixou parecer. Attilio Santuccio, braço direito de Gorrini na MAA, confirmou: "Gorrini, pelo que me disse, com Berlusconi antes e com Cusani depois, havia estipulado um acordo para troca de favores. Berlusconi e Cusani ajudariam Gorrini nas suas questões relativas à MAA, enquanto Gorrini faria o favor de referir as suas relações, verdadeiras, com Di Pietro". Outra confirmação veio de um dos seus advogados, Mario Donzelli: "No verão de 1994, Gorrini me disse que estava tentando entrar em contato com Paolo Berlusconi, que tinha conhecido alguns anos antes por negócios relativos à publicidade da MAA nas redes da Fininvest [...]. Disse-me que estava nauseado pelo ataque da Procuradoria de Milão a Paolo Berlusconi e que tinha decidido deixá-lo de fora dos acontecimentos que havia me contado naquela época. Eu lhe perguntei quais eram seus objetivos com aquela iniciativa; respondeu-me que queria ser útil a Berlusconi, para ter um eventual reconhecimento".

Gorrini começou a procurar Berlusconi Júnior em julho. Tentou novamente em agosto, na Sardenha, onde o irmão do presidente do Conselho cumpria sua pena na mansão de Porto Cervo. Conseguiu finalmente em setembro, quando Paolo voltou à liberdade. O securitário condenado o visitou mais de uma vez. Expressou toda a sua solidariedade pela "perseguição judiciária". Externou toda a indignação pela conduta do ex-amigo Di Pietro, que teve a ousadia de levar à prisão tantas pessoas conhecidas. Proclamou-se grande admirador do Força Itália. Pediu ajuda para as suas desaventuras financeiras. E, no final, contou para Paolo Berlusconi os seus gastos com Di Pietro, misturando habilmente verdades e mentiras sobre um empréstimo de 100 milhões e de uma Mercedes usada, assim como sobre dívidas de jogo de Rea: centenas de milhões acertados, sustentou Gorrini, a pedido de Di Pietro. E acrescentou que da "coleta" para Rea tinha participado também outro amigo de Di Pietro: o ex-diretor geral da Edilnord, Antonio D'Adamo. Paolo Berlusconi acrescentou estas "revelações", pela primeira vez não anônimas, a sua vasta coleção de dossiês anônimos. Depois convocou logo D'Adamo, que, em particular, confirmou tudo, mas não quis expor-se publicamente.

Àquela altura – contou Donzelli – Berlusconi Júnior "pediu para Gorrini uma espécie de memória escrita sobre aqueles fatos, e ele lhe entregou" no dia 4 de outubro de 1994, um dia depois da confissão-bomba de Tradati no processo da Enimont. O relatório do securitário condenado intitulava-se "Lembrete" e consistia de cinco folhas manuscritas assinadas no fim: tudo o que tinha feito por Di Pietro e por Rea – afirmou Gorrini – não foi fruto de um gesto espontâneo de amizade, mas de veladas coações por parte do magistrado.

"Paolo Berlusconi", acrescentou Donzelli, "tinha assegurado que manteria aquele escrito de Gorrini no cofre". Ao invés, fez uma cópia e a anexou ao dossiê "Abusos DP" que, no final de outubro, chegou ao chefe dos inspetores ministeriais, Dinacci. Quanto a sua cópia, melhor não correr riscos: se apreendida em uma busca na sua casa, a história de Gorrini perderia logo credibilidade. Surgiria

– escreveu a juíza da audiência preliminar de Bréscia Anna Di Martino – "a fundada suspeita de que Gorrini tivesse denunciado Di Pietro em coordenação com as iniciativas tomadas pelo grupo Fininvest e por outros para fazer valer as supostas ilegitimidades da obra do magistrado e da Procuradoria de Milão".

Assim, Paolo Berlusconi, no início de 1995, entregou a cópia do dossiê para a ex-mulher Mariella Bocciardo, e aquela do "Lembrete" para a filha Alessia que, em novembro, a passou para o noivo Alessandro Lecchi. Os dois mais tarde se deixaram e, em abril, Lecchi cedeu o Lembrete a Luciano Panciroli, um expert de artes marciais com alguns problemas com a justiça por supostas extorsões em restaurantes milaneses. Panciroli tinha sido o personal trainer de Paolo Berlusconi e de Bocciardo antes de começar com ela uma relação sentimental. Da ex-mulher de Paolo, o carateca recebeu também o resto dos documentos (alguns sobre a contabilidade da Fininvest). A história de amor entre Panciroli e Mariella terminou na primavera de 1995. Paolo Berlusconi, alarmadíssimo, ligou várias vezes para Panciroli para pedir de volta o dossiê, mas ele tinha outros planos: queria ganhar algum dinheiro com ele. Tentou vendê-lo para a Liga Norte por um intermediário: um fisioterapeuta com um passado tempestuoso de prisão, droga e delinquência, que o colocou em contato com o vice-secretário da Liga em Crema. O político da Liga, entre agosto e setembro de 1995, marcou um encontro na sede milanesa do partido com o secretário nacional, Roberto Calderoli. Panciroli levou uma parte da mercadoria, mas os seguidores de Bossi não demonstraram interesse. Da contabilidade da Fininvest, emergiam somente "pecados veniais". Em compensação – explicou Calderoli – "havia documentos de conteúdo gravíssimo contra Di Pietro". Calderoli deu uma olhada no material e chamou a polícia.

Cartas anônimas ao Ministério

Entre o final de outubro e o início de novembro de 1994, Dinacci, o chefe dos inspetores do Ministério, encontrou na caixa de correio de sua casa um grande envelope branco, com o carimbo do correio de Milão. Pelo menos foi o que ele contou. Quem era o misterioso remetente? Os juízes de Bréscia não tinham dúvidas: Paolo Berlusconi, o mesmo que, poucos dias depois, em carne e osso, mandou para Dinacci e também para Gorrini. "O tribunal considera", estava escrito na sentença do Tribunal de Bréscia de 1997, "que foi Paolo Berlusconi quem enviou para Dinacci o envelope anônimo composto pelo dossiê intitulado 'Resumo Abusos DP' e pelo documento intitulado 'Lembrete', com a data de 4 de outubro de 1994 e proveniente de Gorrini. Graves indícios, precisos e concordados, convergem neste sentido". Entre outros, o fato de que "a família Berlusconi, em particular Silvio Berlusconi, conhecia bem o papel da inspetoria e de quem estava no seu comando, isto é, Dinacci. Consequentemente, era fácil para Paolo Berlusconi obter, do irmão Silvio, informações a respeito da autoridade competente para apresentar denúncia contra os magistrados".

Enquanto isso, também Gorrini procurou Biondi, mas teve de contentar-se com o subsecretário Contestabile. Foi o mesmo Berlusconi Júnior quem os apresentou: o securitário disse que precisava dele para algumas causas criminais, mas, assim que se encontraram frente a frente, no dia 2 de novembro, não resistiu e lhe falou das histórias dos empréstimos, da Mercedes e de Rea. Contestabile, no entanto, não se convenceu e não aceitou defendê-lo, por motivos de incompatibilidade com o cargo que ocupava.

Aquilo que a juíza da audiência preliminar Di Martino chamou de "o partido dos investigados" estava em pânico. Entre outubro e novembro, até mesmo Craxi, nocauteado pelos golpes de Tradati–Raggio, sentia um cheiro de vingança e mandou publicar a sua obra-prima do "exílio" tunisiano: *O Caso C.*, cheio de alusões ao *pool* e principalmente a Di Pietro. Depois, pediu para Pillitteri levar-lhe, em Hammamet, outro empresário amigo de Di Pietro que, segundo Gorrini, participou da "coleta" pelas dívidas de Rea: Franco Maggiorelli, o qual, porém, recusou o convite e negou sempre que tenha sofrido pressões do ex-promotor.

Enquanto isso, nos primeiros dias de outubro, enquanto ocorria a prisão de Tradati, Biondi pediu à sua inspetoria para "ver todos os documentos que haviam chegado contra os juízes da Operação Mãos Limpas" (palavras do inspetor Domenico De Biase, em Bréscia). Na metade de outubro, Dinacci e seus seguidores começaram a agir. No final do mês, Dinacci recebeu o dossiê "Resumo Abusos DP": uma centena de páginas de recortes e anotações, mais as cinco folhas do "Lembrete" de Gorrini. Na inspetoria pensaram logo em Previti, mas, pelo menos segundo os juízes de Bréscia, como já vimos, o remetente era Paolo Berlusconi.

Dinacci levou o dossiê para Biondi que, "depois de uma sumária leitura", lhe disse: "Você conhece o meu garantismo; pois então, jogue-o no lixo". Depois falou com o chefe de gabinete, o juiz Gianfranco Tatozzi: "Disse-me", contou Dinacci, "que, em se tratando de documentos substancialmente anônimos, recebidos em casa, eu poderia fazer o que eu quisesse, inclusive não os anexar aos atos de ofício, mas, se os quiséssemos ler, precisava antes anexá-los aos atos". Ou seja, protocolá-los. Dinacci agiu por livre e espontânea vontade: trancou o dossiê em um cofre, não o protocolou e entregou uma cópia a De Biase, o seu inspetor mais competente.

As ordens de Dinacci eram bem vagas: ler o dossiê, mas sem muita pressa. Di Pietro, no fundo, naqueles primeiros dias de novembro, estava já sob investigação em Bréscia e pela inspetoria (pelas acusações de Cusani). Era inútil, então, abrir novas investigações. No dia 11 de novembro, porém, tudo mudou. O promotor de Bréscia Guglielmo Ascione pediu o arquivamento da denúncia de Cusani por mérito aos documentos que Di Pietro teria ocultado durante o caso Enimont.

Sábado, dia 19, Paolo Berlusconi ligou para Previti e lhe falou sobre Gorrini, que estava tão ansioso para ajudar nas acusações contra Di Pietro. Previti, enquanto partia para Milão, aconselhou mandá-lo aos inspetores. Terça-feira, dia 22, foi o dia do vazamento das notícias sobre Berlusconi investigado. Paolo ligou novamente para Previti, o qual, tendo retornado precipitadamente da Espanha, lhe aconselhou a mandar logo Gorrini aos inspetores. Paolo ligou para Gorrini e lhe disse para estar preparado. No final da manhã, Previti telefonou para Dinacci para anunciar-lhe a visita do securitário. Dinacci afirmou:

> Previti me disse que havia uma coisa particularmente delicada sobre a qual, na ausência de Biondi e Tatozzi, gostaria de me falar [...]. Tendo em vista a particular delicadeza e urgência, aceitei ir encontrá-lo no seu escritório particular.

No final da tarde, o juiz Dinacci foi ao escritório da Via Cicerone, convocado por um ministro, que não era nem mesmo seu superior, mas que tinha muita influência:

> Previti me demonstrou uma profunda indignação pelo vazamento de notícias sobre a intimação judicial para Berlusconi [...]. Depois, me falou que dali a dois dias se apresentaria à inspetoria um tal de Gorrini para dar declarações contra Di Pietro [...]. Perguntei-lhe expressamente como ele sabia das intenções de Gorrini. Respondeu-me que as tinha recebido de Paolo Berlusconi, a quem Gorrini, evidentemente, tinha se dirigido. Quando me aconselhou a prestar atenção, pois podia tratar-se de uma pessoa manipulada por alguém (informando-me também que aquele tal de Gorrini tinha sido condenado por ter se apropriado de cerca de 50 bilhões da MAA), Previti me disse, como homem do governo, que Di Pietro era o único do lado da maioria e que "teria feito" ou "poderia ter feito política com eles".

Àquela altura, Dinacci e Previti lembraram que existia um ministro da Justiça chamado Biondi e, quando tudo estava concluído, avisaram-no. Biondi, naturalmente, autorizou a audição de Gorrini. Dinacci avisou De Biase: "Gorrini está para apresentar-se à inspetoria". De Biase recebeu um bilhete com o número de telefone de Gorrini, ligou, e Gorrini lhe anunciou: "Estou disponível para encontrá-lo ainda hoje". O que, pontualmente, aconteceu no dia seguinte. A que se propunha Gorrini? Ele mesmo explicou, em Bréscia: "Dar uma lição em Di Pietro, quem sabe fazê-lo se transferir para outro lugar, nada mais".

Recapitulando: um securitário condenado a 3 anos e meio por fraude, balanço falso e apropriação indébita sugere ao governo transferir o juiz mais famoso da Itália com um monte de fofocas chantagistas, e o governo o recebeu com todas as honras, com a recomendação especial do irmão do presidente do Conselho e a colaboração de um ministro da República que nem ao menos era o ministro da Justiça.

A inspeção minuto a minuto

No dia 23 de novembro, Gorrini voou para Roma. Encontrou Paolo Berlusconi no Caffè degli Specchi para os últimos detalhes; depois foi para o Ministério. Lá, diante de De Biase, acusou Di Pietro de tê-lo obrigado a emprestar 100 milhões, mais um automóvel e a eliminar, junto a D'Adamo, as dívidas de Rea. Acrescentou que Di Pietro tinha recém terminado de devolver-lhe o dinheiro, "à vista, enrolado em folhas de jornal" (um detalhe, também esse, que se revelou totalmente falso: a entrega foi em cheques). Havia, porém, um problema: a título de que e com qual função Gorrini comparecia diante dos inspetores, e bem naquele momento? Como justificar o seu depoimento? Impossível escrever nas atas a verdade: que tinha sido mandado por um ministro advogado de Berlusconi e pelo irmão de Berlusconi. Então, recorreu à piedosa mentira da "apresentação espontânea". Baseado naquela mentira, Biondi assinou, seis dias depois, a reinspeção, somente contra Di Pietro (número de protocolo 1296/94).

Acolhido "com grande cordialidade" na inspetoria, Gorrini teve a ilusão de que havia resolvido os seus problemas: "Disse-me", revelou o advogado Donzelli, "que esperava um 'reconhecimento espontâneo' em relação aos seus desgraçados eventos jurídico-patrimoniais, como uma intervenção autorizada junto ao Banco Popular de Novara", mas o ingrato Berlusconi Júnior não deu mais notícias, a não ser mandar-lhe no Natal um "presentinho simples": duas garrafas de champanhe.

Ainda no dia 23 de novembro, Dinacci transmitiu a Biondi as atas de Gorrini e pediu para formalizar e estender a investigação, porque os fatos, se comprovados, "poderiam ter um valor no plano deontológico e penalista". No dia seguinte, encontro a três entre Biondi, Dinacci e Tatozzi. Segundo Dinacci, foi Biondi quem decidiu separar aquela investigação da inspeção em andamento, em Milão, sobre todo o *pool*, há mais de um mês, mas a oficializou somente no dia 29. E Dinacci delegou De Biase somente no dia 30, sete dias depois da audição de Gorrini. Naquele meio tempo, Di Pietro decidiu renunciar e avisou os colegas e amigos, mas também Previti.

No dia 26 de novembro, dia marcado para o interrogatório de Berlusconi, ele não se apresentou. Fez-se vivo, ao invés, Previti, com um telefonema para Di Pietro, para falar-lhe de Gorrini e da investigação secreta ("É uma almôndega envenenada"). E exatamente aquele telefonema foi considerado pelos promotores de Bréscia (mas não pelo tribunal) a prova do complô para obrigar Di Pietro a renunciar em troca do imediato cancelamento da inspeção secreta. Previti disse: "Foi Di Pietro quem me chamou". Di Pietro negou: "Não, foi Previti quem me procurou. Se depois eu o procurei, foi só porque ele tinha me procurado antes e não tinha me encontrado, tinha deixado um recado para a minha secretária". O ministro da Defesa pensou que tivesse lhe revelado uma notícia secreta, aquela contada por Gorrini. Em vez disso, descobriu que o promotor já sabia de tudo, ou quase. "Ouçam Rocca", disse-lhe Di Pietro, "porque ele sabe da verdade sobre o empréstimo, e a verdade não é aquela contada por Gorrini". Depois fez menção à sua futura renúncia.

Outro telefonema. Dinacci ligou para Di Pietro, provavelmente no dia 28. Foi o chefe dos inspetores que contou:

> Previti me disse que Di Pietro o tinha contatado por meio de outras pessoas e, amargurado quando ficou sabendo da investigação administrativa contra ele (Previti não sabia como), quis que eu lhe ligasse para tranquilizá-lo e para pedir-me que ouvisse Rocca para saber a verdade. Liguei para o celular de Di Pietro, e ele disse que aquelas sobre a inspetoria eram falsidades divulgadas "para arruiná-lo" e com as quais ele não se preocupava. Eu lhe respondi que ele podia ficar tranquilo... Durante a conversa, Di Pietro, evidentemente referindo-se a Gorrini, em tom irônico, disse textualmente: "Aquele cara veio para ganhar o dia".

Di Pietro, porém, não se lembrava daquele telefonema de Dinacci. De toda maneira, no dia 26, Previti descobriu que Di Pietro estava para renunciar, e Berlusconi, que já tinha feito adiar o seu interrogatório daquela manhã, continuou a adiá-lo até a renúncia do promotor. No dia 29 de novembro, Biondi ordenou oficialmente a De Biase para fazer o que oficiosamente já estava fazendo há uma semana: uma reinspeção sobre Di Pietro. Na manhã do dia 30, Dinacci voltou a encontrar De Biase para anunciar-lhe o que Previti lhe havia recém comunicado: estava por apresentar-se Osvaldo Rocca, importante colaborador de Gorrini e companheiro de caça de Di Pietro, a pessoa que entregou materialmente ao promotor os 100 milhões e a Mercedes. "Não lembro as palavras exatas de Dinacci", contou De Biase, "mas senti esta sua comunicação como proveniente de Previti. Dinacci, mais com gestos do que com palavras, me fez entender também que Gorrini tinha sido pago". Sempre segundo De Biase, Dinacci citou uma frase de Previti: "Temos de destruir Di Pietro", frase que o Tribunal de Bréscia considerou pouco acreditável.

Rocca chegou pontualmente na tarde do dia 30 e inocentou Di Pietro contando uma história completamente diferente em relação a Gorrini. O verdadeiro amigo de Di Pietro era ele, e não Gorrini (que o visitava raramente). Foi ele que, em 1989–90, lhe vendeu a Mercedes usada por 20 milhões (antecipando o pagamento), no lugar de um velho Fiat Regata que tinha fundido o motor. E foi ele, no mesmo ano, quem lhe ofereceu os 100 milhões para comprar uma casa na frente da sua, em Curno, onde foi morar seu filho do primeiro casamento, Cristiano, que era policial e não se dava com a segunda mulher do pai, Susanna. Um gesto de pura amizade, sem segundas intenções, assegurou Rocca. Di Pietro devolveu os 120 milhões entre junho e setembro de 1994. Não em dinheiro enrolado em folhas de jornal, como um delinquente, mas com treze cheques ao portador nominais para Rocca, que depois devolveu o dinheiro para Gorrini.

Naquela noite, contou De Biase, Dinacci lhe ligou novamente: "Para tudo, Di Pietro renunciará no dia 6 de dezembro, com uma carta de demissão do *pool*, devido ao convite para depor feito a Berlusconi. Previti me disse". O Tribunal de Bréscia considerou "não acreditável" também essa história de De Biase. No entanto, a inspetora Evelina Canale confirmou que o colega também tinha lhe contado aquilo e mostrou até mesmo a agenda na qual tinha anotado. ("30.11.1994. De Biase me diz que há uma investigação sobre Di Pietro: ele acha que é uma encenação. 1.12.1994. De Biase me dá a notícia bomba: terça-feira, Di Pietro renunciará. Fonte: Previti. No mais, para nós tinha dito: estou cansado, gostaria de me aposentar".)

"Arquivem tudo"

De Biase, porém, estava convencido de que, no caso Gorrini, não havia crimes nem ilícitos disciplinares (as jurisprudências administrativa e criminal foram unânimes em excluí-los), mas antes de concluir a investigação gostaria de ouvir ainda alguém: D'Adamo, Rea e, principalmente, Di Pietro, o "investigado", para dar-lhes a possibilidade de defenderem-se. Porém, no dia 2 ou 3 de dezembro, Biondi, Dinacci e Tatozzi decidiram repentinamente bloquear a reinspeção, que já havia produzido o resultado esperado.

No dia 6 de dezembro, Di Pietro renunciou. E, naquela mesma noite, Dinacci mandou arquivar imediatamente o caso "no estado dos atos". "Também neste caso", lembrou De Biase, "tive a percepção, talvez porque tenha me dito explicitamente ou talvez porque tenha usado uma transparente referência àquela pessoa, de que a decisão de concluir daquele modo e com resultados inevitavelmente favoráveis a Di Pietro, tivesse vindo do ministro Previti". Disse também que havia perguntado ao seu chefe o que o ministro da Justiça, ou seja, Biondi, pensava daquela história toda, e Dinacci respondeu: 'Imagina se não estará de acordo'", mas também sobre isso o Tribunal de Bréscia não acreditou em De Biase. Todavia, no diário de Evelina Canale, no dia 19 de dezembro de 1994, estava escrito: "Pergunto a De Biase que fim levou a sua investigação sobre Di Pietro. Resposta: arquivada no dia 12/12. Explicou-me que a tinha solicitado [Previti] e depois da renúncia a bloqueou, pedindo o arquivamento 'no estado dos atos'. Sou tão ingênua a ponto de perguntar a De Biase se a disposição de arquivar 'no estado dos atos' tinha chegado por escrito. Atrás de Previti tem a Guarda de Finanças? Ah, Mãos Limpas!". Para os juízes de Bréscia, eram "infundadas" também as anotações de Canale, que evidentemente mentia em seu diário.

O inspetor De Biase propagou com pressa e com fúria a motivação e, no dia 10 de dezembro, apresentou o relatório conclusivo, pedindo o arquivamento: "Parece que podemos considerar que o Dr. Di Pietro nunca tenha se afastado dos cânones de exatidão e de respeito dos deveres de ofício". Dinacci acrescentou a sua assinatura. No dia 12, Biondi mandou o processo para o arquivo. No dia 13, com a saída de cena de Di Pietro, Berlusconi pôde finalmente se apresentar ao *pool* de Milão, ou ao que restava dele. Em Milão, entre outras coisas, a inspeção oficial estava terminando em uma bolha de sabão. "Mas recebemos pressões do Ministério para continuar e manter alta a tensão até o interrogatório de Berlusconi", revelou uma das duas inspetoras.

A outra inspeção, ao contrário, aquela secreta, produziu pelo menos dois resultados. O primeiro, com efeito imediato: Di Pietro, como magistrado, acabou; como político, há ótimas esperanças de que tenha o mesmo fim, a não ser que escolha a parte "correta". O segundo, com efeito retardado: os venenos do dossiê "Resumo Abusos DP", que circulavam anônimos e inutilizáveis há dois anos, tinham finalmente um aspecto formal, quase oficial, protocolados em um gabinete do Ministério e prontos para uso, ou melhor, para reuso. Dinacci mandou a secretária queimar a sua cópia do dossiê, enquanto a Procuradoria de Salerno realizou uma busca e apreensão na sua casa às vésperas do Natal, no âmbito de uma investigação ligada à Camorra (da qual foi absolvido).

No entanto, aqueles venenos não eram biodegradáveis: voltaram a borbulhar cinco meses mais tarde, no dia seguinte ao "não" de Di Pietro à oferta de Berlusconi para entrar no Polo. Foi o advogado Taormina quem fez vir à tona novamente aqueles venenos, na precatória do processo do Tribunal de Bréscia contra o general Cerciello. No fim, encontrou alguém – a Procuradoria de Bréscia – disposto a levá-los a sério.

No entanto, os fatos estranhos ocorridos na metade do mês de novembro de 1994 ainda não terminaram. No dia 21, enquanto era emitido o convite a Berlusconi para depor, e enquanto Gorrini fazia acordos com os inspetores, D'Adamo decidiu, de improviso, fazer um testamento. Pelo menos foi o que disse, três anos depois, ao promotor de Bréscia. O testamento, datado 21 de novembro de 1994, e entregue a um tabelião romano, foi – como veremos mais adiante – muito bizarro, porque era endereçado, além de aos parentes, a Silvio Berlusconi e porque continha veladas acusações contra Di Pietro.

Mach e as profecias parisienses

Além de Simonetti e de Berlusconi Júnior, havia um terceiro colecionador de dossiês que se movia em perfeita sintonia com os dois no outono de 1994. Era Ferdinando Mach di Palmstein, que estava já ativíssimo desde aquele verão.

Em uma ligação interceptada do dia 30 de agosto para a tia Caterina Camerini Prada, ele disse: "Se eu abro a boca, está tudo acabado: o primeiro a ir preso é Di Pietro, de quem eu sei umas coisas loucas, que não conto a ninguém. E ele sabe que eu sei, porque quem me disse essas coisas foi um seu amigo, que depois se arrependeu de ter dito. Tanto que, depois, ele foi comunicar-lhe que as tinha dito sem querer". Quem seria este amigo? Gorrini? Ou quem mais? A Procuradoria de Bréscia nunca esclareceu isso.

Mach, como já vimos, foi preso no dia 30 de outubro em Paris, após dois anos de fugas e, no dia 21 de novembro, foi interrogado, sem muito êxito, pelo promotor romano Paraggio, mas, no dia 22, quando chegou Di Pietro, não quis nem mesmo vê-lo. Enquanto isso, a polícia francesa revistou o apartamento da mulher que o hospedava, Domiziana Giordano, encontrando uma montanha de documentos, mais uma agendinha que testemunhava as relações de Mach com Craxi e Cusani e continha também os números de Silvio Berlusconi. "Quando pedi para dar uma olhada nos documentos apreendidos", lembrou Di Pietro, "o colega Paraggio me respondeu: 'Não posso mostrar. Falam principalmente de você. Não me coloque em uma posição difícil'. Mostrou-me que era o enésimo dossiê, como os tantos que circulavam naqueles dias. A coisa toda me perturbou muito: sabia já das manobras de Gorrini e tinha recebido pelo correio algumas antecipações do dossiê 'Abusos DP'. Lá em Paris, comecei a pensar que a única solução para salvar a investigação e o *pool* era a minha renúncia".

O material aprendido com Mach (que, em Bréscia, foi absolvido da acusação de ter sido o seu autor) era um dossiê com centenas de páginas mais sete fitas de videocassete. Destacava-se, no monte, uma parte datilografada, com o título "Segundo Relatório", com muitas notas anexadas à mão por Mach: eram as anotações utilizadas para passar para o computador as informações contra Di Pietro. Entre os anexos, três atas de interrogatório entregues em Milão por Giancarlo Zavaroni (executivo da Gepin Sistemas Informáticos) e um relatório da Guarda de Finanças. Eram os atos judiciários que apareciam também no dossiê "Resumo Abusos DP" enviado um mês antes por Paolo Berlusconi a Dinacci. Mas havia bem mais: o "Segundo Relatório" começava com uma referência ao testemunho de "quem tinha emprestado a própria garçonnière" (um miniapartamento na Via Agnello, 5, em Milão) para Di Pietro: ou seja, D'Adamo. O "Primeiro Relatório", ao contrário, nunca foi encontrado. "Do Primeiro Relatório", leu-se no dossiê Mach, "emergia substancialmente o perfil de um homem muito briguento, impetuoso, mulherengo (com os testemunhos de quem havia lhe emprestado a própria garçonnière), policial amigo de policial (Serra) e delinquentes (veja-se o anexo A do Primeiro Relatório); justiceiro, mas capaz de arredondar o próprio salário com operações *extra-legem*". Naquelas páginas de puro veneno, havia todo o roteiro dos futuros três anos de guerra a Di Pietro. O roteiro das "revelações" do *Panorama*, do *Foglio* de Giuliano Ferrara e do *Giornale* de Feltri e Belpietro (três jornais da família Berlusconi).

Foi também o roteiro dos infelizes relatórios preparados pelo GICO de Florença entre 1996–98 e das investigações abertas continuamente pela Procuradoria de Bréscia entre 1995 e 1997, que não deram em nada.

Em um lembrete datilografado, se lia: "O caso mais explosivo se refere a Battaglia e aos favores prestados ao Banco Karfinco de Genebra. Protagonista também o advogado Lucibello, cuja proverbial compostura foi superada pela superficialidade e pela familiaridade com que Pacini operava em território suíço. No dossiê, foi acrescentado à caneta: "Favor aos clientes do seu amigo advogado Lucibello, por exemplo, Pacini Battaglia, o qual, nesse meio tempo, tornou-se bilionário (principalmente com Pacini, por intermédio do advogado suíço de Pacini). Além disso, a 'proteção' de Di Pietro foi útil a Pacini para evitar a prisão quando o promotor Paraggio soube de um seu envolvimento também nos negócios da Cooperação".

O dossiê Mach continha também referências explícitas a centenas de horas de gravações (ilegais) de telefonemas e "conversas entre presentes", recolhidas por um "time especializado", com a ajuda de agentes secretos franceses "fora de serviço".

Inquietante pelos documentos que continha, era mais inquietante ainda pelos documentos que faltavam: pelo menos 325 páginas de anotações datilografadas, umas vinte de anexos e também "fotografias com data e hora registradas; fitas de áudios e vídeos gravados". De tudo isso, a polícia francesa não encontrou rastro: o que significava que tudo aquilo continuava a circular sabe-se lá nas mãos de quem. Sem contar o "material ainda por chegar" que Mach esperava receber o mais rápido possível, tendo "duplicado o pessoal" para ficar no rastro de Di Pietro e dos seus amigos (Lucibello, em maio de 1993, descobriu uma microescuta na sala de sua casa). "Recorrendo", lê-se no dossiê Mach, "também a alguns amigos franceses fora de serviço, sem os quais os resultados teriam sido menos eficientes: a tecnologia moderna faz verdadeiros milagres (paredes de papel de seda, centenas de metros fonicamente interceptados, automóveis transformados em amplificadores, etc)". Em suma, em 1994, estava em ação "um time especializado de pessoas encarregadas de reconstruir o mais fielmente possível as redes de amizade do homem", ou seja, Di Pietro. E assim, "escutando e seguindo os seus contatos, controlando cada gasto seu, verificando os números de telefone para quem tinha ligado, reconstruiu-se toda a sua vida".

Como capitalizar todo aquele material recolhido ilegalmente, portanto inutilizável, transformando-o em algo útil para incriminar Di Pietro? O autor do dossiê respondeu com singular previdência: "Apresentando uma denúncia no Tribunal de Bréscia [...] poderiam ser válidos indícios de acusação [...] encurralando definitivamente o homem". "Um tal de Federico", estava escrito no dossiê, "deveria dar as indicações justas para encontrar o interlocutor que faria chegar as notícias em Bréscia para que Di Pietro fosse colocado sob investigação, enquanto Salvatore deveria dar o nome de um interlocutor confiável para contatar no Conselho Superior da Magistratura". Quem eram Federico e Salvatore? A Procuradoria de Bréscia não considerou interrogar sobre a identidade destes dois emissários de Mach. Aliás, mandou arquivar a denúncia de Di Pietro contra Mach (porque, mesmo sendo o dossiê "a expressão de uma prolongada atividade de ilícita interferência na vida privada de Di Pietro", não havia a prova de que Mach quisesse realmente "utilizá-lo para culpar falsamente Di Pietro de um crime"). Assim, nunca se soube exatamente para quem trabalhava Mach, com quem estava em contato naqueles dias cruciais, quem financiava aquela intensa e cara atividade de espionagem, por quem era realmente conduzida e quem deveria transformá-la em uma denúncia em Bréscia.

Sabemos somente o que aconteceu em seguida. O dossiê Mach foi longe. Quem acusou Di Pietro em Bréscia, para incriminá-lo, foram, em ordem: Cusani em 1994, Cerciello e Taormina em 1995, Previti e Berlusconi em 1996. E, sempre na Procuradoria de Bréscia, chegou na primavera de 1995 um dossiê anti-Di Pietro assinado por um fantasmagórico "Giovanni Salvi", extraordinariamente semelhante ao dossiê de Mach, com acusações extraordinariamente semelhantes ao dossiê de Taormina. Com base naquele dossiê anônimo, o promotor Fabio Salamone abriu uma investigação contra Di Pietro, a primeira de uma longa série. No final, foram 54, que terminaram em outros tantos arquivamentos e absolvições, mas, a longo prazo, conseguiram minar, por muitos anos, a imagem de Di Pietro.

"Eis a razão pela qual renunciei"

Muitos se perguntaram mil vezes: por que Di Pietro se demitiu do *pool*? Alguns de seus ex-colegas preferiram não responder. Suspeitavam, ou temiam, que por trás daquela escolha extrema houvesse uma armadilha ainda mais insidiosa do que aquela do dossiê Gorrini. Borrelli respondeu com franqueza e com uma pitada de inocência na entrevista que conclui este volume. Também Davigo, o colega que permaneceu mais perto de Di Pietro naqueles anos, parecia não ter dúvidas:

> Não, não acredito em outras chantagens. Com tudo aquilo que fizeram
> e disseram a ele, já teriam vindo à tona. Creio que Di Pietro tenha se
> afastado para concluir imediatamente a inspeção secreta e bloquear a divulgação daqueles fatos que seguramente não constituíam crime, e tenho
> certeza que não teriam levado, naquele momento, a nenhuma medida
> disciplinar, nem mesmo a nenhuma transferência por incompatibilidade
> ambiental, mas teriam, sem dúvida, arranhado a sua imagem e atrapalhado enormemente a investigação da Operação Mãos Limpas. Tentei
> convencê-lo a antecipar-se aos seus difamadores: havia todo o tipo de
> extremos da calúnia, mas também da extorsão e da ameaça à autoridade pública. Ele, porém, não podia revelar a sua fonte e não me ouviu.
> Então, lhe dei um conselho, de não se demitir da magistratura, mas de
> simplesmente deixar "expirar" seu mandato, o que, tecnicamente, teria
> lhe permitido, depois de um ano, retomar a função. Ele me ouviu, mas,
> depois, deixou definitivamente a toga em abril de 1995, quando as acusações de Gorrini voltaram à tona no processo Cerciello.

Se tivesse que explicar hoje aos seus filhos porque se afastou, o que diria? Di Pietro respondeu:

> Que choviam ataques, denúncias, ameaças, inspeções e dossiês de todos
> os lados. A magistratura se estava rompendo; tínhamos muitos colegas
> que jogavam contra, a começar pelos procuradores-gerais de Milão
> e da Corte de Cassação, e também a mesma Corte de Cassação, que
> até aquele momento tinha nos dado quase sempre razão, agora nos

roubava o processo Cerciello. Também o Ministério, os inspetores. E ainda a leitura política de cada ato nosso, agravada por aquele desastroso vazamento de notícias sobre o convite para depor. Enquanto isso, a investigação marcava passo, e eu intuía que o pior ainda estava por vir. Quando eu soube do dossiê Gorrini e do dossiê Mach di Palmstein, disse basta. Sabia que não havia cometido nenhum crime, mas sabia também que, para qualquer fato verdadeiro sobre alguma leviandade minha do passado, poderiam pintar e bordar com infinitas medidas disciplinares e processos criminais. Daquelas histórias todas, os inimigos da Operação Mãos Limpas poderiam alimentar-se por meses, talvez até por anos. Aqueles dois dossiês eram como garras que estavam se fechando ao meu redor. Mesmo que eu soubesse que Rocca tinha dito a verdade sobre Gorrini, e que, portanto, a "bomba" teria feito "puf", eu sabia que eles não desistiriam. Se concluíssem uma investigação secreta, criariam outras dez, cem, com todos os dossiês que estavam recolhendo, e depois as transformariam em denúncias penais e, mais cedo ou mais tarde, encontrariam algum juiz complacente ou idiota que lhes desse ouvidos. Para neutralizar aquelas bombas-relógio disseminadas no meu caminho, tive de desarmá-las uma a uma, com muita paciência. Era melhor que eu me defendesse de fora, pelo menos de fora do *pool* (da magistratura, me demiti somente na primavera de 1995, depois da retomada dos ataques em Bréscia). Era melhor me afastar para o bem dos colegas, que sem o "alvo grande" retomariam fôlego: se eu ficasse, os obrigaria a me defender continuamente de fatos que não lhes diziam respeito, fatos da minha vida privada e passada, mas o fiz também por mim: para recuperar a minha total liberdade de ação, e também o tempo e as energias necessárias para investigar em minha defesa. Sabia que, para voltar para casa com honra, teria e me empenhar a fundo, dia e noite, com investigações defensivas pessoais: um compromisso totalitário, incompatível com o trabalho massacrante na Procuradoria. Ainda não tinha individualizado os verdadeiros mandantes da minha deslegitimação, mas as outras coisas eu tinha entendido logo: se eu permanecesse, toda a operação Mãos Limpas seria atingida por uma hábil campanha de desinformação, e tudo devido a um empréstimo restituído e uma Mercedes usada. Não podia permitir que isso acontecesse, então me afastei. Assim como fiz dois anos depois, quando fui investigado por Pacini Battaglia e deixei o Ministério das Obras Públicas: para não envolver a instituição governo nos meus fatos judiciários privados e para não dar a impressão de fazer o que eu sempre repreendi nos outros, naqueles que usam o poder e o cargo público como escudos para obter privilégios e tratamentos de favor da justiça. Eu quis ser um réu comum, como creio que todo cidadão deveria ser. Somente na Itália a minha renúncia foi, e continua sendo considerada estranha,

1994. MÃOS ATADAS   395

inexplicável, incompreensível, tanto que continuam a perguntar-me qual foi a "verdadeira razão". No exterior, ao contrário, foi um fato normal: quem é investigado que se afaste até que demonstre a inocência. Na Itália, ninguém se demite, e quando alguém se demite, passa por louco. Ou todos se perguntam por anos o que há por trás disso.

Di Pietro explicou aos juízes de Bréscia: "A minha demissão foi uma livre escolha, mas não uma escolha livre". O que ele queria dizer com isso?

Que há tempo eu já pensava em deixar o *pool* no final de 1994, mas, então, intervieram a investigação sobre a Guarda de Finanças e depois o envolvimento de Berlusconi. Por isso modifiquei os meus planos, adiando o adeus por um ano, um ano e meio: o tempo para obter o julgamento e para celebrar o processo ao então primeiro-ministro. Em novembro, quando lhe enviamos o convite para depor, a investigação estava praticamente concluída e havia todos os pressupostos para o processo sumário, ou com rito imediato, mas tive de antecipar minha demissão quando descobri que estavam preparando uma armadilha para mim.

1995.
MÃOS BAIXAS

"Em relação às notícias sobre eventuais cargos ministeriais que eu poderia ser convidado a ocupar, embora esteja honrado por ter tido meu nome relacionado a tão altos cargos, reafirmo que não tenho intenção de assumir qualquer compromisso político." Assinado: Antonio Di Pietro. É o dia 14 de janeiro de 1995, e, no Palácio da Justiça de Milão, abre-se o novo ano judiciário. Cinco semanas após a demissão, o magistrado retorna ao local da operação Mãos Limpas para encontrar seus amigos membros do *pool* e, junto com eles, participa da cerimônia solene. Ali, entre um discurso oficial e outro, declara aquelas três linhas de comunicado de imprensa para desmentir os rumores de que se tornaria ministro da Justiça ou do Interior no novo governo "técnico" que está prestes a nascer. Naqueles dias, todos procuravam Di Pietro e queriam falar com ele, que encontra os líderes de diversos partidos. Nesse meio-tempo, começa a lecionar Direito Penal da Economia no Libero Istituto Universitario Carlo Cattaneo (LIUC) de Castellanza, Província de Varese. Em sua primeira aula, há mais jornalistas do que alunos, e o novo professor aproveita a situação para anunciar sua recusa ao cargo de dirigente do SIS, o novo serviço de inspeção anticorrupção e antievasão fiscal do Ministério das Finanças, que parecia ter sido criado especialmente para ele, mas o ministro Tremonti não lhe conferiu os poderes necessários. "É apenas uma sigla vazia", explica Di Pietro, "não vou a Roma para esquentar cadeiras".

Em Roma, estabelece-se o governo técnico de Lamberto Dini, ex-ministro do Tesouro. Foi o próprio Silvio Berlusconi, por convite do presidente Scalfaro, quem o escolheu como seu sucessor. "É o nosso ministro mais prestigiado; o seu governo técnico garante a plena continuidade do nosso até as eleições", exulta o *Cavaliere*, saindo do Quirinale. Logo mudará de opinião, descobrindo que o governo técnico é realmente um governo técnico, ou seja, desatrelado de todos os partidos, inclusive do seu. Berlusconi queria a reconfirmação de Letta, Martino, Tremonti, Fisichella e D'Onofrio. Em seguida, aumenta a aposta e adiciona também Fini. Pretensões inaceitáveis para Scalfaro, a Liga Norte, o PPI e o PDS. Após ter tentado, em vão, induzir Dini à renúncia, decide votar contra ele. Grita "vira-casaca", "golpe", "traição", mas depois muda novamente de ideia e se abstém. No fundo, não tem nada com o que se preocupar. O PDS prometeu-lhe em segredo (Violante revelará somente em abril de 2002) que "não tocaria nas suas emissoras", justamente agora que a Corte Constitucional pediu a redução das redes Fininvest de três para duas e, dos dois ministérios que realmente lhe interessam, obtém ótimas garantias. No Ministério das Telecomunicações, está o professor Agostino Gambino, já advogado de Michele Sindona, escolhido por Berlusconi em 1994 como um dos três "sábios" para o "misterioso" *blind trust* de suas empresas. Para o Ministério da Justiça, vai Filippo Mancuso, um ex-magistrado siciliano ancião que tem os *pools* de Milão e de Palermo como pimenta nos olhos; em compensação, é um grande admirador de Corrado Carnevale, o juiz "mata-sentenças" da Corte de Cassação, além de frequentador da casa de Cesare Previti em Roma.

Nesse meio-tempo, Bossi e os leguistas sobreviventes à "campanha de recrutamento" do *Cavaliere* dão início a uma duríssima batalha *mors tua, vita mea* contra o Força Itália. O senador Umberto Bossi ameaça expulsar Maroni, leniente demais com Berlusconi, e parte para o ataque contra a Finivest. O *Cavaliere* torna-se "o mafioso de Arcore", o "palermitano que fala milanês", que teria conseguido seu dinheiro "com tráfico de drogas" e "lavagem de dinheiro". Em 10 de fevereiro, no Fórum de Assago (Milão), o congresso da Liga Norte se transforma em uma quermesse antiberlusconiana. Bossi define o ex e futuro aliado como "o Frankenstein da direita, o monstro partidocrático com uma perna fascista". Diz que suas emissoras de televisão "nasceram com o dinheiro da Cosa Nostra". Ameaça: "Mais cedo ou mais tarde, faremos vir abaixo suas torres de transmissão". E ainda: "Convoco as instituições a verificar se, em relação à Fininvest, não haveria o extremo da reconstituição do partido fascista. Se assim for, que se cortem aquelas televisões". Também chega a Assago D'Alema, que discursa fervorosamente aos leguistas em delírio e, na euforia geral, sussurra a Bossi: "Umberto, obrigado por estar aqui".

O *Cavaliere* aposta tudo nas regionais de 23 de abril, para triunfar e arrebatar de Scalfaro as eleições em junho (de tal modo a também adiar os referendos contra suas emissoras, requeridos pela esquerda e marcados para o dia 11 de junho), mas não conseguirá. A imagem de Emilio Fede, que, na noite das eleições administrativas, arranca as bandeirinhas azuis das onze regiões precipitadamente atribuídas ao Polo pelas sondagens empresariais, para substituí-las por bandeirinhas vermelhas, permanecerá nos anais da televisão. O centro-direita perde nove de quinze regiões. Uma derrota pungente, destinada a obnubilar até mesmo a revanche do referendo de junho. É um alívio para o governo Dini, que seguirá em frente até o Ano-Novo, a despeito do perigo iminente do seu ministro da Justiça.

1. A JUSTIÇA DE MANCUSO

Nascido em Palermo em 1922, Filippo Mancuso veste a toga com 33 anos e sua carreira segue de promoção em promoção, sem jamais sofrer investigações ou processos de grande clamor. No final dos anos 1970, chega à primeira seção civil da Cassação, na época presidida por Carnevale. Nos primeiros anos da década de 1980, passa para o penal: presidente da Corte de Apelação de Bari e, depois, de 1986 a 1992, procurador-geral de Roma, onde logo se destaca por alguns memoráveis acessos de raiva. Destrata o alto comissário antimáfia Domenico Sica, "culpado" de ter coletado as digitais do juiz siciliano Alberto Di Pisa fazendo-o tocar em uma xícara de café. Este juiz era suspeito de ser o "corvo" das cartas anônimas contra Falcone (Di Pisa será condenado em primeiro grau e absolvido em apelo devido também à impossibilidade de uso daquelas digitais). Depois, Mancuso ataca a Procuradoria de Palermo, que ousou implementar um disque-denúncia para receber denúncias de corrupção dos cidadãos ("Resquícios de uma revoltante medievalidade", insurge o magistrado no seu típico discurso bizantino). Em 1991, irrita-se também com Falcone. Este, tendo recém-chegado ao Ministério, convoca os procuradores de toda a Itália para discutir sobre a coordenação geral dos escritórios judiciários. Apresentam-se todos, exceto Mancuso, que manda dizer: "Sou eu que convoco o senhor, não o senhor que me convoca".

Já com o poder político, especialmente com Bettino Craxi, tem relações excelentes. Demonstra isso um episódio relatado sob juramento pelo ex-diretor do SISMI (Serviço Secreto Militar), o almirante Fulvio Martini, aos promotores de Roma, que investigam a quebra do grupo industrial Di Nepi (que tinha cheiro de maçonaria desviante). Estamos no ano de 1987, e Martini recebe do serviço secreto "uma pequena amostra" dos documentos descobertos no apartamento do terrorista de extrema-direita Stefano Delle Chiaie, preso na Venezuela. Documentos que apresentam "uma analogia" com o arquivo uruguaio de Gelli, no qual havia documentos sobre o ex-presidente da República Francesco Cossiga. "Tal amostra", conta Martini em 28 de abril de 1995, "foi examinada no decorrer de uma reunião entre o então presidente do Conselho, Craxi, o parlamentar Giuliano Amato e eu. Decidiu-se chamar o procurador-geral de Roma, Dr. Filippo Mancuso: este disse que os documentos não apresentavam nenhum interesse especial e que poderiam ser reunidos com aqueles já entregues à embaixada italiana [que, por lei, é obrigada a entregá-los à magistratura]". Não está claro o que teria feito Mancuso caso tivesse julgado de interesse os documentos, tampouco está claro por qual motivo participava de reuniões informais com o presidente do Conselho.

De qualquer forma, Mancuso aposenta-se em 1992, Falcone é assassinado, e uma nova geração de juízes investiga a Itália das máfias e das propinas. Em janeiro de 1995, convocado ao serviço no cargo de ministro da Justiça, tem a oportunidade de colocar na linha seus jovens colegas, e não a deixa passar. No início, mantém-se discreto, mas isso dura apenas um mês. Em 15 de fevereiro, apresenta-se ao CSM (Conselho Superior da Magistratura) para pedir mais garantias aos investigados e aos advogados. E, no dia 23 de abril, manda seus inspetores investigarem sobre a atividade "de um colaborador da Comissão Interparlamentar de investigação dos massacres", ou seja, Antonio Di Pietro.

Os inspetores exaltam a Mãos Limpas

Naqueles mesmos dias, os inspetores ministeriais enviados a Milão em 1994 encerram sua missão com um relatório de 350 páginas que afasta qualquer suspeita sobre a Procuradoria da Mãos Limpas. Os agentes de Biondi elogiam "o máximo empenho do escritório" e os "resultados alcançados" graças à "grande seriedade, ao estrito profissionalismo, ao espírito de sacrifício dos magistrados do *pool*" e à "profunda harmonia entre os substitutos e a direção". Agradecem ao *pool* pela "total e eficaz colaboração" prestada a eles. E, embora recomendando "uma maior distância da fama", reconhecem a absoluta "regularidade das questões processuais" que o governo Berlusconi havia mandado verificar.

Sobre as investigações da Fininvest: "O Dr. Confalonieri parece inferir, unicamente a partir do fato de terem sido realizadas investigações de pessoas de alguma forma relacionadas à Fininvest, que haveria uma perseguição à empresa, independentemente das censuras concretas ao comportamento dos investigados". Quanto às reclamações pela investigação da Telepiù, "os investigadores forneceram respostas exaustivas e documentadas sobre todas as questões levantadas". O mesmo para as supostas pressões sobre os investigados para encurralar o premier Berlusconi: "Igualmente gratuita é a afirmação de que haveria a intenção, por evidentes motivos políticos, de que os investigados denunciassem caluniosamente o presidente do Conselho". Perseguição judiciária a Berlusconi e à Fininvest? "A alegada perseguição investigativa, expressão de uma suposta manipulação política do Poder Judiciário, não foi de modo algum confirmada nas atividades de investigação da Procuradoria de Milão." Concluindo – escrevem os inspetores – "as queixas do Dr. Berlusconi (bem como o juízo do procurador-geral Catelani, que endossa essas queixas) não procedem [...]. As críticas aos magistrados do *pool* feitas pelo Dr. Berlusconi em relação às investigações são um pretexto".

Segundo ponto, as supostas prisões preventivas abusivas: "Nenhum juízo, sob esse aspecto, pode ser emitido dos magistrados milaneses, os quais não parecem ter extrapolado os limites impostos pela lei [...]. As medidas privativas de liberdade, além disso, foram sustentadas pela decisiva prova da confissão do investigado". E confirmadas pelos veredictos dos vários juízes do gabinete do juiz de investigações preliminares, do Tribunal de Revisão e da Corte de Cassação. "Tampouco evidencia-se", escrevem os inspetores, "que as confissões tenham sido desmentidas em seguida por terem sido prestadas sob ameaça do prolongamento da detenção". Então, não houve prisões por extorsão de confissões. Quem afirma isso, como Vittorio Sgarbi, afirma-o falsamente: "Não é possível atribuir aquelas confissões às 'condições físicas e desumanas' nas quais teriam vindo a encontrar-se muitos investigados, alguns dos quais cometeram suicídio, condições às quais se refere o parlamentar Sgarbi [...]. Nunca foi constatada a aplicação de regimes de detenção diferenciados e mais severos em relação aos demais casos". Em resumo, os detidos da Mãos Limpas eram tratados como os outros.

Terceiro pomo da discórdia entre o governo Berlusconi e o *pool*: as propinas vermelhas. Não apenas não houve pudores ou calma quanto a isso após a polêmica saída de cena de Tiziana Parenti, como ocorreu exatamente o contrário. Porque

– avaliam os inspetores – "a postura de desconfiança da Dra. Parenti em relação aos colegas do *pool* talvez tenha prejudicado o desenvolvimento das investigações sobre as quais discutimos, e certamente contribuiu a conduzir a opinião pública a avaliações errôneas quanto a tais investigações".

A única verdadeira censura aos inspetores relaciona-se à entrevista concedida por Borrelli em 4 de outubro de 1991 ao *Corriere della Sera* com a dura réplica a Biondi e o anúncio de avanços nas investigações dos "mandantes". Entrevista "inoportuna", inclusive por ser "capaz de gerar na opinião pública a suspeita de manipulações judiciárias (suspeitas infundadas, como se verificou)". Os inspetores concluíram seu trabalho exaltando

> os grandes méritos de uma investigação que permanecerá como um marco milenar na história judiciária do nosso país, tendo servido para a recuperação da legalidade e da transparência nas instituições e na política. Méritos que as presentes verificações, dissipando sombras e dúvidas projetadas sobre determinados casos, alguns dos quais haviam atingido a opinião pública, evidenciando a substancial retidão dos magistrados do *pool* da Operação Mãos Limpas – excluindo-se alguma exceção ou aspectos suscetíveis de inquérito disciplinar –, acabaram por reforçar ainda mais.

O relatório final do inspetor chega à mesa do ministro Mancuso em meados de março de 1995. No entanto, permanece fechado dentro das gavetas do Ministério da Justiça por quase dois meses. O ministro da Justiça não gostou nem um pouco dele e precisa de tempo para decidir o que fazer. Tanto assim que, no dia 19 de abril, o vice-presidente do Conselho Superior da Magistratura, Carlo Federico Grosso, após mais de um mês de espera em vão, escreve-lhe para que envie o relatório a ele, mas não obtém resposta por três semanas. A correspondência chegará ao Palazzo dei Marescialli* somente no dia 9 de maio, quase ao mesmo tempo que uma carta enviada por Mancuso ao procurador-geral da Corte de Cassação para dar início a uma ação disciplinar contra todo o *pool*: culpado, segundo ele, de ter "violado gravemente os deveres fundamentais de retidão moral da conduta".

A ação parece sem sentido. Como se pode acusar magistrados que acabaram de ser elogiados ao final da inspeção? Simples. Basta afirmar que a absolvição do *pool* se baseia em uma relação em parte "falsa" e em parte "duvidosa". Na prática, segundo o ministro, os inspetores teriam sido "intimidados" pelas cinco questões de Borrelli ao Conselho Superior da Magistratura e lidas a eles por cada um dos promotores da operação Mãos Limpas durante os interrogatórios. Uma ação – defende Mancuso – "voltada unicamente a atingir, por meio de uma manobra daquela autêntica encenação, uma torpe e incorreta finalidade pessoal e comum".

---

* Edifício do Conselho Superior de Magistratura. (NT)

A segunda inspeção

No dia 11 de maio, no Senado, o ministro da Justiça explica que a comitiva enviada por Biondi aprovou a Procuradoria de Milão porque três dos quatro inspetores eram jovens e inexperientes demais, tinham pouco tempo à disposição e foram aterrorizados por um "clima hostil". Embora não colocasse os pés dentro do Palácio da Justiça de Milão havia anos, Mancuso sabia mais do que os colegas que haviam acabado de voltar de lá. Ele assegura que existem "métodos de conduta e algumas histórias erradas", mas os jovens e ingênuos inspetores não perceberam isso – ou melhor, "abstiveram-se do aprofundamento" devido ao "contexto em que tiveram de trabalhar". Assim, anuncia o ministro da Justiça a todos os senadores, no dia 3 de maio iniciou-se "não uma segunda inspeção, mas o complemento daquela não finalizada" e, desta vez, também no gabinete do juiz de investigações preliminares, para demonstrar aquilo que a primeira inspeção deixou de lado: as prisões preventivas abusivas.

"É necessário", explica Mancuso, em meio ao desconcerto de sua própria maioria, "desenvolver outra inspeção, em um clima diferente: permanecem exigências de instrução ainda não concluídas, uma vez que não foram tratadas; emergências também de relevante gravidade, que foram pouco ou nada examinadas". O ministro enumera-as em 14 pontos, alguns dos quais absolutamente incompreensíveis. 1) Dois investigados denunciam abuso de prisão preventiva para obter confissões. 2) Um oficial da Guarda de Finanças relaciona o suicídio do primeiro-sargento Agostino Landi com a decisão do juiz de investigações preliminares Padalino de negar seu pedido de liberdade (mas Landi tirou sua vida após sair da prisão, já cumprindo prisão domiciliar). 3) A habitual denúncia do major Lattanzi sobre os supostos atrasos nas investigações das propinas vermelhas após a partida de Parenti. 4) O suposto relacionamento entre um consultor do tribunal e um promotor. 5) A exposição de um advogado sobre supostas violações de normas processuais por parte do *pool*. 6) Outra denúncia sobre a suposta instrumentalização da prisão cautelar, sobre a limitação dos direitos de defesa e sobre o suicídio de dois investigados. 7) A entrevista de um magistrado do *pool* que confirmaria os abusos da prisão preventiva. 8) A exposição de um general da Guarda de Finanças que fala de "relações" com magistrados. 9) Outras queixas pelas investigações sobre a "pista vermelha". 10) Teria sido sugerido a um magistrado que fazia parte do *pool* o risco do envio ao ministério de uma certa gravação. 11) Um detento não protegido teria sido submetido a graves riscos. 12) Outro detento teria permanecido por 44 dias em isolamento, tendo direito a apenas uma hora de sol por dia. 13) Rumores sobre a prática de protelar indevidamente o segredo sobre a data de registro das notícias-crimes. 14) Dúvidas sobre a prática de inserir em um único "arquivo virtual" todos os registros sobre a Operação Mãos Limpas. Ao final, o ministro acrescenta uma anotação tão vaga, que permitiria aos inspetores permanecer na Procuradoria de Milão por vários anos: verificações "de tudo que pudesse surgir no decorrer das investigações".

1995. MÃOS BAIXAS 403

O Polo aplaude a iniciativa (os vizinhos de Mancuso garantem a um jornalista ter visto, nos dias anteriores, Silvio Berlusconi entrar no seu apartamento para uma visita de cortesia). "Estamos surpresos e satisfeitos", declara Contestabile, "com as palavras do ministro contra o partido dos juízes". Dini, por sua vez, muito desconfortável, distancia-se: "O artigo 107 da Constituição atribui diretamente e de modo exclusivo ao ministro da Justiça a faculdade de promover a ação disciplinar contra os magistrados", mas o partido Refundação Comunista pede a cassação do ministro e anuncia uma moção de censura pessoal. A Liga também é muito crítica. Cesare Salvi (PDS) ataca: "As palavras de Mancuso abrem um sério problema político que veremos como resolver. O ministro pode sempre ser substituído. Não aceitamos que o problema na Itália seja a Operação Mãos Limpas e não a Tangentopoli."

O novo presidente da Associação Nacional dos Magistrados, Nino Abbate, embora não habituado a palavras fortes, também protesta com vigor inusitado: "Desse modo, o ministro insulta e deslegitima a magistratura: não apenas a Procuradoria de Milão, mas também seus inspetores". O vice-presidente Mario Cicala observa: "Quem perguntava 'por que só agora as investigações da corrupção?' agora tem a resposta. Homens como Mancuso – honestos, mas de mentalidade fechada e formalista, dominada pela cultura da impotência –, frearam as investigações e puniram com procedimentos disciplinares quem tentava afirmar a legalidade contra a corrupção".

Em 14 de maio, o grupo inteiro de inspetores, retratado como um bando de menininhos inexperientes, escreve ao ministro uma carta na qual reivindica o trabalho realizado e Milão, pede "um esclarecimento" e faz ameaça de demissão em massa. Mancuso não responde. Demite todos sem aviso prévio, com apenas duas linhas de comunicado: "Na data de hoje, o ministro estabeleceu que sejam restituídos aos escritórios judiciários os magistrados em serviço na Inspetoria Geral que já faziam parte da equipe que desenvolveu a primeira fase da investigação junto aos escritórios investigativos de Milão". No dia seguinte, chega a resposta de Nardi, novo chefe da Inspetoria: "Em Milão, não nos deixamos intimidar pelos magistrados. Muito menos nos faremos intimidar pelo ministro. E Evelina Canale: "Na inspeção, em Milão, nunca tivemos dificuldades".

A demissão dos inspetores, de qualquer forma, fica só no papel: Mancuso faz o anúncio por meio da imprensa, mas se esquece de comunicá-lo aos interessados, e, no dia seguinte, tem de voltar atrás. A questão se encerra em 16 de maio, com um brinde de champanhe. O plenário do Conselho Superior da Magistratura vira oficialmente a página com um documento, aprovado na presença de Scalfaro, no qual se indica "o risco de que, no curso das investigações dos inspetores, possa-se ultrapassar certos limites, após os quais a atividade dos inspetores entra em conflito com o exercício independente da atividade judiciária. Justamente aquilo que Borrelli temia, em novembro de 1994, com as suas cinco questões. Em 31 de maio, a maioria aprova no Senado uma moção para a justiça: máximo apoio à magistratura, não às inspeções contra a Operação Mãos Limpas, explícito apelo ao presidente do Conselho para que "o exercício dos poderes que digam respeito ao ministro da Justiça seja sempre inspirado por uma relação equilibrada entre os poderes do Estado" e alinhado "com os objetivos gerais do governo". A inspeção, por fim, é congelada, ou ao menos é o que parece. No dia 5 de junho, Dini, embora aceitando a moção, se lança em defesa de Mancuso, o que desagrada a muitos. No dia 6, Nardi anuncia que Mancuso não havia cancelado a sequência da inspeção: "Até que o cargo de inspetor representado pelo ministro no Parlamento não seja revogado, não temos direito de ir adiante". Dini, desnorteado, convoca Mancuso com urgência. Em seguida, comunica que "não existe nenhuma nova iniciativa quanto ao *pool* da Operação Mãos Limpas". Informação ambígua, visto que Mancuso considera a segunda parte da inspeção um complemento natural da primeira (portanto, não uma "nova inspeção"). Enquanto a maioria pede novamente esclarecimento, Mancuso afirma ser "alvo de ameaças de morte" e vítima de "espionagem jornalística". A prova: "Um cronista ousou entrevistar meus vizinhos, perguntando sobre as pessoas que me visitam".

E a inspeção fantasma? O Palácio Chigi tenta esclarecer a situação: "Estão em curso apenas atividades de reconhecimento, e não foi tomada nenhuma nova iniciativa que diga respeito à Procuradoria de Milão". Luciano Violante pergunta: "O que quer dizer 'atividade de reconhecimento'? Os inspetores estão ouvindo testemunhas ou não? Porque o ponto político é um só: se se trata daquela inspeção para a qual as forças da maioria já haviam dito não e que Dini havia dito que não teria sido feita, então estamos na mesma". O Polo aclama Mancuso; o porta-voz do Partido Verde, Ripa di Meana, pede sua demissão. A maioria decide esperar pelas misteriosas "ações de reconhecimento", mas, em 30 de junho, para evitar equívocos, registra a moção de censura individual, postergando para o outono a eventual votação: se e quando iniciará a inspeção.

As polêmicas sobre a justiça, porém, não param por aí, mesmo porque o novo ataque contra a Mãos Limpas coincide, mais uma vez, com um momento crucial das investigações do grupo Fininvest. Investigações não apenas de Milão, mas também de Turim e até mesmo de Roma.

2. OBJETIVO FININVEST

Em 3 de março de 1995, Silvio Berlusconi recebe uma nova intimação por participação em corrupção. O emitente esta vez é o Tribunal dos Ministros de Roma, que envia outras intimações ao ex-ministro socialista das Finanças, Rino Formica, e ao empresário Luigi Koelliker, famoso importador de automóveis. Tudo começou meses antes, com um testemunho prestado pela gerente Marina Salamon a Di Pietro e por ele enviado para Roma: tem-se a hipótese de um crime ministerial cometido por Formica. Salamon conta que, durante suas férias no Caribe, Koelliker contou-lhe sobre como havia evitado uma "facada" fiscal que seria cobrada pela compra dos seus off-roads japoneses: Formica havia anunciado o aumento do

1995. MÃOS BAIXAS

imposto (de 19 para 39%) sobre os jipes, mas isso não foi adiante. Koelliker – de acordo com Salamon – pediu ajuda ao amigo Berlusconi, que, por sua vez, pediu ajuda aos amigos socialistas. Após alguns dias, o *Cavaliere* ligou para Koelliker para dizer que tudo estava em ordem. Em troca – Salamon disse ter sabido por meio de Koelliker – de uma propina de 100 milhões.

Ouvido por Di Pietro, Luigi Koelliker confirma praticamente tudo, exceto a propina: o favor, em resumo, teria sido gratuito, na amizade. Formica, por sua vez, desmente tudo, favor e propina, e anuncia que fará queixa contra Salamon. Berlusconi parece sereno: "Eu sabia dessa investigação havia tempo. Não tenho nada a ver com isso, e nada disso é verdade" (a investigação do Tribunal dos Ministros não conseguirá encontrar provas e se encerrará em 2001 com a absolvição de todos os acusados). Suas preocupações são outras nesses meses. Estão para chegar por carta rogatória a primeira "papelada suíça" sobre suas contas da Fininvest no exterior. Há as novas descobertas sobre suas cadernetas de poupança e há a clamorosa confissão prestada em Miami por Giovanni Arnaboldi, um dos nomes da Publitalia, preso após passar um ano foragido.

O magistrado que escava no poço de ilegalidades dos fundos de balanços extras do grupo Fininvest é uma mulher e se chama Margherita Taddei. Não faz parte do *pool*, mas o acompanha de perto nas investigações de caráter financeiro e fiscal: por exemplo, as investigações sobre a Publitalia e sobre os supostos reembolsos de impostos recebidos indevidamente por Biscione. Em 13 de fevereiro, trabalhando com a Guarda de Finanças sobre essas duas linhas que se cruzam, Taddei descobre uma rede de 24 cadernetas de poupança, algumas em nome fantasia, outras em nome de dirigentes do grupo Fininvest, e as apreende junto ao Banco Popular de Abbiategrasso e à Agência de Monte dei Paschi, em Segrate. Naquelas cadernetas, há uma quantidade impressionante de dinheiro: fala-se, inicialmente, de aproximadamente 70 bilhões. "A Fininvest não tem nada a ver; as cadernetas pertencem à família Berlusconi", respondem os advogados. Em resumo, são os "trocados" do *Cavaliere* para as despesas cotidianas. No entanto, descobre-se que daquelas cadernetas partiram muitas operações financeiras da Finivest (entre as quais três cheques descontados por Romano Comincioli após estar foragido) realizadas por diversos dirigentes do grupo: como se explica uma tal junção dos balanços privados com os balanços empresariais?

Ao final da investigação, as cadernetas de poupança descobertas eram 105, abertas também em outros dois bancos (Rasini e Comit). "Foi comprovada", explicará o Tribunal de Milão na sentença de primeiro grau sobre as propinas à Guarda de Finança, "a existência de elevadas quantidades de dinheiro e de fundos não contabilizados no âmbito do grupo, certamente geridos conforme a vontade de Silvio Berlusconi". Fundos ocultos, escondidos primeiro na Itália (com o sistema de cadernetas) e posteriormente em paraísos fiscais ao redor do mundo. Entre 1988 e 1995, as cadernetas, sob posse de Giuseppino Scabini, chefe da tesouraria central da Fininvest, registram a movimentação de 130 milhões de entrada e 126 milhões de saída. "O sistema de cadernetas", escreve o tribunal, "interconectava-se com as sociedades. O dinheiro que saía servia para saldar os débitos de "desembolsos de caixa" feitos pela Istifi, a tesouraria central da Fininvest, em favor das várias sociedades do grupo:

A Istifi colocava à disposição das várias sociedades dinheiro vivo (entre um bilhão e um bilhão e meio) do qual se perdia o rastro [...]. O dinheiro era retirado por Scabini [...] e então eram saldadas as saídas de caixa de dinheiro vivo com cheques descontados das cadernetas de poupança [...]. Por um lado, chegava dinheiro vivo, pelo outro voltavam os cheques [...]. No livro-caixa da sociedade, não foi encontrada nenhuma justificativa para tal atividade; a saída de dinheiro, portanto, não tinha nenhuma justificativa econômica [...]. Naturalmente, não foi possível comprovar o destino do dinheiro que saiu da Istifi, que seria de conhecimento apenas de Scabini e Livio Gironi, que não o revelaram. Às vezes, o dinheiro era levado diretamente a Arcore; foram encontradas anotações na contabilidade das sociedades que faziam o transporte de valores do tipo [daqueles] transportados a Arcore.

O que o *Cavaliere* fazia com todo aquele dinheiro vivo? Mistério. Mais uma vez – como já feito para os financiamentos utilizados para capitalizar, entre os anos 1970 e 1980, as mais de 22 holdings controladas pela Fininvest –, assiste-se a um furacão de bilhões em dinheiro vivo. Os homens do *Cavaliere* limitam-se a explicar qual era a prática: entregar na Villa San Martino (Arcore) meio bilhão por mês para a despesas habituais de manutenção da villa. Todos pagamentos em dinheiro vivo, na era do cheque e da transferência bancária. Lê-se ainda na sentença:

Ninguém forneceu a mínima prova do destino das somas em dinheiro [...], diversas dezenas de bilhões no espaço de poucos anos [...]. Scabini fala de exigências pessoais genéricas de Silvio Berlusconi, mas não forneceu nenhuma especificação nem algum elemento de prova, nem indicou os motivos para a grande urgência de tais despesas de considerável valor, para as quais teria sido desenvolvido um mecanismo que envolvia o caixa central do grupo Fininvest [...], que impunha retiradas não registradas do caixa da sociedade do grupo e causava uma diminuição de liquidez e uma consequente perda nos juros. Tudo isso perante a grande quantidade de dinheiro vivo que fazia parte do patrimônio pessoal de Silvio Berlusconi, que em seguida seria utilizado.

A conclusão do tribunal escancara a porta para muitas perguntas: "À frente de um mecanismo tão articulado e complexo, a imediata disponibilidade de elevadas somas de dinheiro para exigências pessoas teria sido possível por meio de um sistema bem mais simples e linear: o saque do dinheiro diretamente das cadernetas".

As razões de "comodidade" sustentadas por Berlusconi não correspondem. Aquela incrível e complicada engenhosidade, por sua vez, foi colocada em pé pela "vontade de ocultar o destino e a proveniência do dinheiro usado para saldar os débitos e, assim, tornar extremamente difícil a reconstrução dos fatos".

O sistema das cadernetas de poupança e das retiradas não registradas tem fulgor máximo entre 1988 e 1992. Logo após, as leis contra lavagem de dinheiro tornam obrigatória a indicação por parte dos bancos dos movimentos de capital superiores a 20 milhões. Berlusconi prontamente acha uma solução e transfere o dinheiro ocultado na Suíça e nos paraísos fiscais. Certamente não para tornar mais transparentes seus negócios: os juízes, aliás, dirão que "a formação e a gestão das atividades irregulares passou a ter mecanismos diferentes, chegando às sociedades offshore, geridas principalmente por meio do advogado inglês David Mills e dos funcionários da Fininvest Vanoni, Foscale, Gironi e Messina, por meio dos quais o dinheiro chegava aos seus diversos destinos".

As confissões de um nota fria

Giovanni Arnaboldi é um protótipo antropológico dos anos 1980: superbronzeado, brilhante e despreocupado. Ex-piloto de competições de motonáutica, administra algumas sociedades de intermediação (que mais tarde faliram) que captam clientes no setor esportivo para a Publitalia, a concessionária publicitária da Fininvest. Em particular, graças aos seus conhecimentos na área, contata a equipe de motonáutica, e a Publitalia aplica a marca de seus patrocinadores mais próximos nos cascos das embarcações. O mesmo faz Vittorio Missoni, filho do estilista Ottavio. Quanto vale um adesivo colado em um barco disparado na água a centenas de quilômetros por hora? O custo do patrocínio é bastante vago e aleatório. Nascem assim, de acordo com a Procuradoria de Turim, os contratos falsos ou inflados em até 70% do valor real. Arnaboldi confirma: faturava para a Publitalia 100 e, de fato, o anunciante pagava 100, mas seu cliente, o proprietário da embarcação, recebia somente 30; os 70 entravam clandestinamente nos caixas da Publitalia, que o recompensava pelo incômodo e retinha o resto. Acumularam-se, assim, bilhões e bilhões de fundos ilegais que acabaram em grande parte nos bolsos dos dirigentes: seguiam passo a passo, até chegar ao vice-presidente Giampaolo Prandelli e ao presidente e administrador delegado Marcello Dell'Utri. Por isso a acusação de faturas falsas e fraude fiscal a Dell'Utri, Prandelli e ao contador da Publitalia, Vincenzo Lupo Stanghellini.

A investigação da Procuradoria de Turim sobre os patrocínios esportivos começou em tempos não suspeitos, no outono de 1993, a partir de um controle em uma pequena agência publicitária nos arredores de Turim. A partir dali, passo a passo, envolveu mais de uma centena de investigados e outras dezenas de sociedades cada vez maiores, entre as quais as de Arnaboldi e Missoni. Junto a essas, encontra-se a Publitalia.

Em Milão, nesse meio-tempo, o *pool* descobriu outras faturas falsas do grupo Fininvest e a investiga também por falsificação de balanço. No verão de 1994, Arnaboldi e Prandelli fogem para o exterior, enquanto Dell'Utri é investigado em liberdade vigiada. No final de março de 1995, Arnaboldi, depois de nove meses foragido, é preso em Miami pelo FBI. No final de abril, em um escritório do Consulado Italiano, Gherardo Colombo interroga-o em grande segredo. O "nota fria" confessa tudo: as faturas infladas para a Publitalia, mas também os particulares de como permaneceu foragido. Fuga financiada – revela – pela sociedade de Dell'Utri ("Prometeu-me um bilhão, mas no fim me deu somente 300 milhões") para que mantivesse a boca fechada e ficasse longe da Itália pelo maior tempo possível. "Lembre que os amigos são os amigos", havia-lhe dito Dell'Utri, com forte sotaque siciliano, em junho de 1994, enquanto o acompanhava à Espanha em seu avião particular no último encontro antes da fuga.

Em 11 de maio, logo que vaza a notícia da confissão de Arnaboldi, a Fininvest tenta caracterizá-la como política: denuncia um "esquema de demolição da Publitalia feito para fins políticos em perfeita coincidência com o início de uma campanha de um referendo no qual se decidirá o futuro da Fininvest e da sua concessionária de publicidade". E invoca "a intervenção do ministro da Justiça para restaurar o segredo".

Sete dias depois, apresenta-se, após três meses foragido, o vice-diretor da Publitalia, Giampaolo Prandelli, procurado em Turim pelas notas falsas do grupo. Será descoberto que a sociedade pagou sua fuga e também seus advogados. Não é preciso de muito para entender que o cerco se fecha em torno de Marcello Dell'Utri, e não apenas em Turim. Em 23 de março, em Milão, os promotores Colombo, Greco e Taddei encerram a investigação sobre os fundos irregulares da Publitalia e pedem a abertura do processo contra 37 investigados: os crimes vão de falsificação de balanço a evasão fiscal, de notas frias a receptação, de falência a apropriação indébita. Entre os nomes mais conhecidos, além de Dell'Utri e Prandelli, há Giancarlo Foscale (ex-presidente da Publitalia e primo de Berlusconi) e Romano Comincioli (chefe do grupo na Sardenha, foragido desde janeiro). A acusação diz respeito às notas falsas ou infladas em até 30 milhões.

Em 20 de maio, é a vez de Berlusconi. O *pool* coloca sobre a mesa do juiz de investigações preliminares Maurizio Grigio as solicitações de julgamento das propinas para a Guarda de Finanças. Às três propinas já conhecidas (aquelas contidas no célebre convite a comparecer: 130 milhões para a Mondadori, 100 para a Mediolanum e 100 para a Videotime), adicionou-se uma quarta, de pelo menos 50 milhões, dada à Telepiù em 1994. Entre os réus de corrupção, além de Silvio e Paolo Berlusconi, dos gerentes Sciascia e Zucotti, há o general Cerciello, os coronéis Tanca e Tripodi, os primeiros-sargentos Nanocchio e Capone e também o advogado Berruti e o ex-primeiro-sargento Corrado, acusados de favorecimento. Berlusconi havia desafiado o *pool*: "A equipe das togas vermelhas de Milão, seis meses após a intimação de Nápoles, não chegou ainda à decisão de realizar o julgamento. Sinal de que não há testemunhos nem provas escritas; sinal de uma vontade política, de uma caça ao homem que não deve nada à justiça" (5 de abril de 1995). Agora a Procuradoria aceita o desafio e o processa, após apenas seis meses de investigação, sem ao menos uma extensão, mas ele protesta da mesma forma: "É um teorema sem provas. Sinal de um claro preconceito político" (20 de maio).

O *Cavaliere* esquece que a Fininvest não é a única grande empresa sob investigação. Apenas dois meses antes, no dia 7 de março, a Procuradoria de Turim organizou uma clamorosa operação da Guarda de Finanças na sede da Fiat, para a investigação sobre os balanços fraudados da primeira empresa italiana: cem guardas fiscais à paisana visitaram e peneiraram por vários dias o quartel-general da holding na Avenida Marconi, 10/20, onde estão os escritórios de Agnelli e Romiti; o edifício da Fiat Auto em Mirafiori; os escritórios da IFIL, a financeira da família, reino de Umberto Agnelli; as casas de cerca de vinte gerentes. No total, 24 buscas apenas no primeiro dia. A Fiat protesta pela intrusão ("Já havíamos entregue as informações e a documentação necessária à Guarda de Finanças") e até mesmo "pelo grande uso de energia com o qual foram conduzidas as inspeções". Poucos dias depois, Romiti é investigado, afora por financiamento ilícito dos partidos, também por falsificação de balanço e fraude fiscal.

Dell'Utri na cadeia

Em 26 de maio, às 10h30min, cinco carros da Guarda de Finanças vindos de Turim param em frente ao Palácio Cellini, quartel-general da Publitalia em Milano 2. Descem o capitão Lucio Redi e uma dezena de homens em fardas cinza. Vão diretamente ao oitavo andar, onde está o escritório de Marcello Dell'Utri, o criador do Força Itália, o homem que fatura 3 trilhões por ano. No prédio, trabalham 749 empregados que, naquele momento, estavam muito atarefados em dar apoio à campanha eleitoral contra os referendos sobre as televisões. Paredes e escrivaninhas cheias de cartazes e bandeirinhas com os dizeres: "Defenda as nossas noites. Vote não". É a secretária de Dell'Utri, Gabriella, que abre as portas aos indesejados visitantes. "Sofremos duzentos mandados de busca", lamenta-se Confalonieri naquela noite, "foi um recorde". Doze dias antes, em 15 de junho, interrogado em Turim, o administrador delegado da Fiat, Cesare Romiti, zombou dos contínuos lamentos da Fininvest: "Recebemos 345 visitas dos investigadores. Se Berlusconi souber, se ofende, porque quer ser sempre o primeiro. Mas, dessa vez, não foi o primeiro: acredito que tenha sido o 100º ou 112º".

Este não é, de qualquer maneira, um dos tantos mandados de busca de rotina. O capitão Redi entrega a Dell'Utri o mandado de prisão assinado pela juíza das investigações preliminares Piera Caprioglio. Quem o envolveu, lá da América, foi o "nota fria" Arnaboldi. Os reembolsos irregulares dos superfaturamentos dos patrocínios esportivos – conta – eram realizados com cheque nominal para nomes fantasmas. Era ele próprio a preenchê-los e fazê-los chegar a Prandelli. Este ficava com uma parte, e o resto repassava ao chefe, ou seja, a Dell'Utri. Um dia – conta Arnaboldi – depois do início das investigações, Prandelli telefona para dizer-lhe que alguns daqueles cheques (12 no total, perfazendo o valor de oitenta milhões de liras), não nominais, tinham sido entregues por Dell'Utri ao arquiteto Antonio Gilardoni, que estava reformando sua mansão em Sala Comacina, no lago de Como. O profissional, por sua vez, os havia repassado para diversos empregados, sendo impossível localizá-los. Existia, então, o risco de que os investigadores descobrissem o envolvimento direto de Dell'Utri.

"Prandelli", recorda Arnaboldi, "sugeriu que eu declarasse ter emitido aqueles cheques para comprar livros antigos de Dell'Utri". Ideia deixada de lado, visto quem era o personagem, pois ninguém teria acreditado na história de um Arnaboldi bibliófilo. Assim, caiu-se em outra mentira: uma improvável coleção de relógios presenteada por Berlusconi a Dell'Utri e, em seguida, vendida por Dell'Utri a Prandelli. Para despistar melhor as investigações, foi chamado um advogado de Cuneo, Giorgio Bertone: oficialmente para uma assessoria jurídica, na realidade para destruir ou esconder os documentos mais comprometedores e "alinhar" os depoimentos dos dirigentes perante a Procuradoria de Turim.

Edoardo Pizzotti, diretor dos negócios legais da Publitalia, opôs-se àquelas manobras ilícitas e foi prontamente demitido. Dois meses depois da demissão (anulada posteriormente pelo pretor do trabalho), Pizzotti foi convocado como testemunha pela Procuradoria de Turim. Em 17 de janeiro, dia seguinte ao depoimento, aproximam-se dele, em pleno centro de Milão e em plena luz do dia, dois sujeitos mal-encarados que, com forte sotaque meridional, o ameaçam: "Seguinte, vamos estourar sua cabeça, estourar de verdade". A partir daquele momento, Pizzotti começou a receber uma infinidade de ligações mudas no telefone de sua casa. Algumas provenientes, conforme o registro de chamadas, de seu antigo escritório na Publitalia.

Recapitulando: assim que se inicia o inquérito, Prandelli e Arnaboldi se agilizam a fim de destruir papéis e alterar provas. Em seguida, fogem para o exterior à custa da Publitalia. Dell'Utri também participava da divisão das entradas ilegais: é ele – segundo a acusação – o chefe das operações na alteração das provas. Quando os promotores de Turim o interrogam pela primeira vez ainda em liberdade vigiada, admite que "alguma irregularidade pode até ter existido, mas de pouca importância" e, principalmente, que não era de seu conhecimento. Berlusconi, quando Prandelli foge, trata-o como Craxi tratou Chiesa, como um ladrão: "É um senhor que roubou dinheiro", mas tem muito cuidado em demiti-lo e em pedir ressarcimento dos danos, aliás: além da fuga, a empresa pagará os honorários dos advogados. Existem provas suficientes para colocar as algemas em todos, desde a base até o topo da pirâmide dessa sociedade.

Com a chegada dos investigadores, Dell'Utri pede para fazer uma ligação. Liga para Berlusconi, em Roma: "Seguinte, Silvio, está aqui a Guarda de Finanças que está fazendo buscas; aliás estão me levando preso". Às 13h20min, sob o olhar incrédulo dos empregados reunidos no saguão do Palácio Cellini, ele sai escoltado por militares, sem algemas, e entra em um dos quatro carros. Destino: a delegacia de Turim, para recolher digitais. Visto por um fotógrafo, cobre o rosto com uma blusa. Em seguida, é transferido para a prisão de Ivrea.

Berlusconi reúne o estado-maior do partido-empresa na Via dell'Anima — Confalonieri, Letta, Previti e Ferrara — e protesta contra as novas "togas vermelhas": "É uma ingerência da magistratura na campanha do referendo. O segundo grupo italiano, a empresa que os de extrema-esquerda querem destruir foi criminalizada por vias legais. Responderemos com frieza e paciência. Queremos uma Itália diferente dos esquerdistas e extremistas que vestem a toga do justicialismo". Sgarbi convida o povo a "ir para as praças contra Bossi (sic) e contra os juízes" e anuncia "um referendo para anular a prisão cautelar".

A denominação de "togas vermelhas" é vista com bom humor pelo procurador chefe de Turim, Francesco Marzachì e pelo adjunto, Marcello Maddalena: líderes históricos da Magistratura Independente, corrente mais conservadora da Associação Nacional dos Magistrados. Os dois magistrados lembram que apenas um ano antes, Berlusconi os havia elogiado abertamente, por ocasião do seu testemunho no escândalo Le Gru. "Aqui tem gente séria", havia dito o então presidente do Conselho. E Previti, que o acompanhava, havia elogiado publicamente "o equilíbrio" dos homens mais importantes daquela Procuradoria, contrapondo-os aos de Milão. "Antes de falar", disse Marzachì, "seria necessário ler o que motivou a prisão. Era, de fato, uma grave tentativa de alteração de provas. Quando virem os documentos, todos serão mais cautelosos". Os magistrados são classificados de acordo com a orientação partidária dos seus acusados. Sobre isso, Agostino Cordova sabe alguma coisa, pois é, desde 1993, procurador da República em Nápoles.

Golpe pesado em Nápoles

No dia 3 de maio, a Procuradoria de Nápoles prende o responsável da Fininvest na Campânia, Maurizio Japicca. Foi acusado de ter pago propinas e feito favores à tríade Pomicino–Di Donato–De Lorenzo, por meio de duas emissoras de TV locais (Canal 7 e Canal 8) controladas secretamente pelos três políticos. De fato, Japicca teria dado programas, incluindo o audacioso *Colpo grosso* (Golpe pesado) por cerca de 10 milhões às duas emissoras. Em troca, os três líderes teriam garantido um olhar mais atento na aplicação da lei Mammì. No escritório do gerente – logo liberado da prisão, pois era réu confesso –, é encontrada uma lista de 16 políticos de vários partidos, classificados com base em sua suposta proximidade com a Fininvest: "já em relação", "em bons contatos", "próximos", "muito amigos", "em contato" e assim por diante. Os interessados, obviamente, negam (Giorgio Napolitano, do PDS, indicado como "próximo", ameaça prestar queixas). Apenas um admite: é o socialista Luigi Vertemati, que faz questão de informar que também teve contatos com Fiat, Pirelli, ENI, Olivetti, ENEL e outras. Praticamente com todos.

OPERAÇÃO MÃOS LIMPAS

Conforme o juiz de investigações preliminares Marco Occhiofino, o que prova que a lista não é fruto de pura fantasia é uma carta enviada em 1993 por Gianni Letta ao deputado da DC Vincenzo Viti (na época, presidente da Comissão de Cultura, que estava discutindo as novas regras das campanhas eleitorais na televisão): "Gostaria de lembrar-lhe", escreve Letta, "de que seria muito útil fazer uma emenda parcial ao parágrafo 3 do artigo 7. A modificação é muito pequena, mas poderia influenciar substancialmente o desenvolvimento das nossas coisas". E segue outra carta, enviada pelo deputado do MSI Franco Servello: "Caro Gianni, a proposta anexa aprovada pelo Senado está sendo examinada pelas comissões da Câmara [...]. Você pode nos dar alguma indicação?". Letta, na época, não estava ainda (ao menos oficialmente) na política: era simplesmente um alto dirigente da sede da Fininvest em Roma encarregado das relações políticas.

O procurador Cordova é tido como um magistrado conservador, mesmo que não frequente correntes organizadas e, em 1996, se demite da Associação Nacional dos Magistrados, causando polêmica. Violante não perde a ocasião de atacá-lo. O prefeito Antonio Bassolino – várias vezes investigado (e depois sempre liberado) – detesta-o cordialmente, mas, logo que se espalha a notícia da prisão de Japicca, Berlusconi percebe ali a ação dos comunistas: "Estamos no segundo turno das eleições administrativas, e em breve haverá a campanha para os referendos: o circuito das procuradorias vermelhas está de novo em movimento" (3 de maio de 1995). "Que campanha eleitoral! Na Itália se vota a cada mês e meio!", responde Cordova: "E, depois, deveriam alinhar-se logo: quando eu estava em Palmi e prendia os socialistas, chamavam-me de democrata-cristão; depois, eu prendia os democratas-cristãos e me chamavam de socialista. Depois me passei por membro da Refundação Comunista. Em Nápoles, chamaram-me logo de fascista. Agora sou um comunista". Dessa forma, ele também é provisoriamente vizinho de escritório do clube das togas vermelhas, junto aos colegas de Milão, Palermo e Turim.

O PDS reage às prisões na Publitalia com a máxima prudência. É o início da virada de Massimo D'Alema em relação à magistratura e, portanto, em relação a Berlusconi. "É necessário evitar o costume garantista", comenta o secretário, "ser preso não necessariamente significa ser culpado. Não se pode combater Berlusconi no plano judicial; seria bárbaro se seus adversários usassem esse argumento como instrumento de luta política. Se os juízes estivessem mesmo na nossa mão, eu lhes diria para deixar o *Cavaliere* em paz, porque ele faz muito bem o papel de vítima, e assim acabam favorecendo-o". Bassanini critica até mesmo "as prisões na véspera da votação [dos referendos de 11 de junho] que correm o risco de dar a ideia de um uso político da justiça".

Aqueles terrenos em Macherio

Na primavera-verão de 1995, florescerão surpresas ruins não apenas para Dell'Utri e Publitalia, mas também para Silvio Berlusconi. Depois daquela das propinas à Guarda de Finanças, o *Cavaliere* recebe, no dia 13 de junho, a segunda comunicação de abertura de processo, pela suposta fraude fiscal ligada à compra dos terrenos nos arredores da residência de Macherio (Villa Belvedere, onde vive sua segunda mulher, Veronica Lario, com os três filhos daquele casamento). Antecedente: em 1989, Berlusconi compra a mansão de 120.000 metros de área, em leilão público, por 6 bilhões. Depois compra outros terrenos que somam 286.000m², oficialmente pelo valor de 575 milhões; na realidade, por 5 bilhões (dos quais, 4,4 irregulares). Um dia, o vendedor decide regularizar-se pela anistia fiscal e é obrigado a revelar que o comprador, Berlusconi, lhe pagou um considerável montante não declarado. Daí surgem as acusações de fraude fiscal, apropriação indébita e falsificação de balanço das duas sociedades envolvidas: a imobiliária Idra e a imobiliária Buonaparte. Os promotores convocam Berlusconi para o dia 8 de maio de 1995. É a segunda intimação a comparecer, mas ele não comparece: "Não vou ao Palácio da Justiça, seria uma perda de tempo para mim e para os magistrados. Além disso, eles podem descobrir essas coisas sozinhos".

Conforme a promotora Taddei, as provas são evidentes a ponto de permitir o processo imediato, sem passar pela audiência preliminar. Porém, no dia 21 de junho, o juiz de investigações preliminares Fabio Paparella não acolhe o pedido: tanto porque o promotor deveria tê-lo feito antes (a lei concede até 90 dias a partir da descoberta do crime, e, neste caso, para Berlusconi, o crime veio à tona em 30 de janeiro de 1995, mesmo que seu nome tenha sido inserido no registro dos investigados somente no dia 21 de março) quanto porque ele não contou com uma consultoria técnico-contábil para a transação incriminada. Berlusconi exulta: "Finalmente um juiz de verdade!". Em 13 de setembro, oito deputados do Força Itália, dentre os quais Sgarbi, Maiolo, Matranga e Del Noce, apresentam uma investigação parlamentar contra Taddei, pedindo sua incriminação por "omissão e abuso em atos oficiais": "A Dra. Taddei", escrevem, "registrou o nome de Berlusconi com três meses de atraso e, dessa forma, estendeu irregularmente a duração das investigações fixada rigorosamente pelo código". Apesar disso, a promotora solicitou até mesmo o processo imediato, no dia 13 de junho, no terceiro mês de investigação, renunciando aos outros três previstos pela lei. Esse suposto escândalo também acabará em nada. Julgado em 1997, Berlusconi será processado pelos terrenos de Mancherio em rito ordinário. E, em 1998, será em parte absolvido pelo tribunal (apropriação indébita e fraude fiscal), pois os fatos não constituíam crime, e em parte salvo pela prescrição graças a atenuantes genéricos (duas falsificações de balanço). Sentença confirmada em apelação e na Corte de Cassação (que o absolverá também por uma das falsificações de balanço, declarando Berlusconi anistiado).

Intervenção na Publitalia

Em 28 de maio, a Procuradoria de Milão pede ao tribunal a "intervenção judicial" na Publitalia. Se o pedido – assinado pelos promotores Colombo, Greco e Taddei – fosse acolhido, o conselho administrativo seria anulado e substituído por um comissário nomeado pelo Tribunal Civil para colocar as contas em ordem. O comissário teria livre acesso a todos os documentos e poderia inspecionar palmo a palmo os balanços que se presume serem falsos, fazendo com que lhe fossem entregues as contas do exterior com um simples telefonema. Um risco mortal para a Fininvest.

O Código Civil, artigo 2409, estabelece que o sócio ou o Ministério Público podem pedir ao tribunal uma inspeção em uma sociedade quando consideram que ela tenha sido afetada por irregularidade e ilegalidade graves, incompatíveis com a gestão corrente. Depois disso, o tribunal pode dispor de uma série de medidas, entre as quais a nomeação de novos administradores. E isso, segundo o *pool*, é o caso da Publitalia, quinze anos após seu nascimento.

Arnaboldi declarou oficialmente que "todos os dirigentes da Publitalia tinham a tarefa de recolher fundos irregulares". E existem provas – faturas falsas ou infladas, organizadas quase como um sistema – de que muitos faziam isso, partindo de Dell'Utri e seguindo por todos os outros, num total de 70 bilhões ocultos contestados pela Procuradoria de Milão, mais uma dúzia pela de Turim. As cinco páginas do pedido assinadas pelo *pool* são muito duras:

> Os administradores e dirigentes utilizaram parte do dinheiro não declarado para exigências pessoais [...]. Os acionistas da sociedade não tomaram nenhuma iniciativa com relação aos graves fatos que vieram à tona e que foram denunciados [...]. Tal inércia é uma clara violação dos deveres dos administradores e é um sintoma de evidente cumplicidade [...]. O conselho administrativo ainda presidido por Dell'Utri não demonstra ter verificado nenhum dos episódios surgidos nas investigações, nem adotou alguma providência com relação àqueles conselheiros, dirigentes e assessores envolvidos nos inquéritos, que continuam trabalhando para a sociedade [...]. Não aparecem intervenções do colégio sindical.

Segue uma longa citação da sentença do Tribunal de Revisão que, em 1994, atribuía a Dell'Utri "uma índole para agir com desprezo às regras e aos interesses societários e um insensível desrespeito às leis".

"Querem nos destruir", esbraveja Berlusconi, "enquanto a Fiat e a Mediobanca são intocáveis como os mares e as montanhas". A Fininvest fala em "medida única e inusitada". Na realidade, como vimos, o primeiro pedido de controle judicial do *pool* havia sido projetado justamente para a Cogefar, uma sociedade da Fiat. "Dois anos antes", lembra hoje Davigo, "na primavera de 1993, estávamos pensando em um pedido análogo para a Cogefar Impresit do grupo Fiat, envolvida em casos irregulares de valor bastante inferior. Só que, assim que o assunto vazou, os dirigentes previram nossos movimentos, trouxeram à luz os fundos irregulares, retificaram os balanços em assembleia e renovaram os dirigentes".

Para evitar o controle judicial, Dell'Utri assina, da prisão, uma carta na qual anuncia "colocar novamente o mandato nas mãos da assembleia dos acionistas"

1995. MÃOS BAIXAS   415

(como já havia feito, dias antes, o seu vice, Prandelli). Em 29 de maio, é interrogado em Turim: cinco horas em frente ao procurador Marzachì e aos seus substitutos Bianconi e Marini, mais uma hora em frente à juíza das investigações preliminares Piera Caprioglio.

Nega tudo, inclusive saber que os cheques de Prandelli provinham de fundos irregulares, mas os promotores têm em mãos o depoimento do arquiteto Gilardoni: trabalhava na villa de Sala Comacina e foi pago com cheques em nome de fantasmas. Como Dell'Utri, se realmente não sabia a proveniência desses cheques, não pediu explicações sobre os nomes inexistentes e não os assinou para poder repassá-los? Poucas semanas antes de ser preso – conta Gilardoni – Dell'Utri em pessoa o convocou a um hotel de Milão para pedir que devolvesse os tais cheques. Estava desesperado, mas, àquela altura, Gilardoni já os havia repassado a seus empregados. Tarde demais.

As provas são tão evidentes que os advogados de Dell'Utri abandonam a ideia de apresentar a instância de soltura ao juiz de investigações preliminares e ao Tribunal de Revisão para evitar derrotas inúteis. O procurador Marzachì havia dito: "Quando forem ler os documentos...". Em 1º de junho, a Publitalia compra uma página no *Corriere dela Sera* e uma no *Giornale* para publicar a relação dos empregados ansiosos para cumprimentar o presidente da empresa que está momentaneamente na prisão. Título: "Orgulhosos por trabalhar na Publitalia 80. Orgulhosos por trabalhar com Marcello Dell'Utri". Seguem 642 assinaturas.

3. SAIR DA OPERAÇÃO MÃOS LIMPAS

Em 16 de junho, depois de três semanas exatas da sua prisão, Dell'Utri sai da cadeia de Ivrea e volta para casa. "Descobri uma realidade que não conhecia", foram as primeiras palavras como cidadão livre. "Foi uma experiência e uma ocasião de enriquecimento espiritual. Li muito, descansei e até consegui fazer dieta. Estou bem mais forte que antes; em certas circunstâncias, se revela o caráter". Nada de ataques aos juízes. Pelo contrário: "As acusações são risíveis, mas os magistrados estão fazendo o trabalho deles: procuram apurar se a lei foi violada. Em Turim, encontrei pessoas corretas, mesmo que estivessem do outro lado [...]. Se eu fosse um magistrado, faria como eles". Em seguida, uma parcial admissão de culpa: "Cometi uma *culpa in vigilando*. Existia um ditado belíssimo no Regulamento da República de Veneza: 'O capitão do navio está sempre errado'".

Assim que sai da cadeia, Dell'Utri manda uma mensagem política pelas colunas do *Corriere della Sera*:

> Se queremos sair desta guerra contínua que envenena o país, esse embate frontal tem de acabar. E tenho a sensação que D'Alema seja o mais disponível, aquele que procura o diálogo e manda mensagens, o mais sensível. Sim, também em relação ao Força Itália e ao Polo. É o político mais disponível e responsável. Entendeu que o embate frontal prejudica

somente o país. Procura o diálogo, revelando uma sensibilidade que eu não esperava. Sem diálogo, não saímos desta situação e tudo se necrosa cada vez mais. Berlusconi não deve evitar pessoas como ele, mas sim aquelas como Bossi.

Na convenção da Publitalia, que se realizava justamente naqueles dias, Dell'Utri foi recebido por cartazes que diziam: "Bem-vindo de volta", por um longo aplauso e com um abraço de Fedele Confalonieri. E volta a repetir: "Considero D'Alema o melhor dos adversários, melhor que tantos outros do Polo, porque entendeu que é hora de cessar o confronto, é hora de se sentar à mesa e procurar, juntos, uma solução. D'Alema entendeu, finalmente, que assim não se pode ir adiante e mudou sua postura".

D'Alema responde positivamente já no dia seguinte: "Acredito que Dell'Utri tenha apreciado o fato que não quisemos de modo algum nos aproveitar em âmbito político dos fatos judiciais que lhe diziam respeito. [...] Aquela imagem, que acredito seja falsa, de uma esquerda reacionária que tramava junto com as procuradorias para atingir os seus adversários, que nunca correspondeu à verdade, estamos tentando dissipá-la". É o início, como veremos, de uma reviravolta.

Em 20 de junho, em Arcore, reúnem-se Berlusconi, Confalonieri e Dell'Utri. Este último oficializa sua demissão da Publitalia "para o bem da empresa". Saem também os conselheiros Giuliano Andreani (segundo administrador delegado), Marina e Piersilvio Berlusconi. No dia 22, a assembleia dos sócios nomeia seus sucessores: o consultor de empresas Roberto Poli (presidente), Vittorio Coda (vice-presidente), Franco Pontani e Aldo Bonomo (conselheiros). O único elemento de continuidade é Andreani, que se torna diretor-geral. "O que posso fazer?", brinca Dell'Utri. "Farei, sem irreverência, o Espírito Santo." Na realidade, há pouco ele havia se tornado coadministrador delegado da Mediaset. A repaginação da cúpula da empresa acontece justo a tempo da primeira audiência do tribunal sobre o controle judicial, marcada para 3 de julho. Ao final, os juízes excluirão aquela medida extrema, mas, em 27 de novembro, o juiz Tarantola, indo além dos pedidos do promotor Greco, colocará uma inspeção na empresa que têm como chefes quatro fiéis de Berlusconi e Dell'Utri, esses também acusados em Milão pelas operações ilícitas com a Publitalia: Urbano Cairo, Valerio Ghirardelli, Romano Luzi e Romano Comincioli. E criticará duramente os novos componentes da cúpula da Publitalia:

> Esquivaram-se das respostas sobre os interrogatórios na sequência em que surgia a necessidade de aprofundar as investigações e adotar medidas sobre as eventuais irregulares anteriores [...]. Não existe uma perspectiva concreta de se aprofundar nas investigações que os atuais órgãos da sociedade não tenham se empenhado em desenvolver e é legítimo duvidar que eles não tenham conseguido evitar, efetivamente, a influência da vontade do grupo de comando a não proceder além dessas investigações.

Em 4 de julho, a juíza de audiência preliminar milanesa Anna Introni manda a julgamento 21 pessoas, entre as quais Dell'Utri, Foscale, Ghirardelli, Cairo e Comincioli. Outros 15 acusados fazem acordos sobre os crimes cometidos, de falência ao balanço falsificado, de fraude fiscal à receptação. Não existe problema para uma sociedade que – jura Berlusconi em 20 de julho – "nunca teve fundos irregulares e nunca emitiu uma fatura falsa".

O pool sob investigação

A reação do Força Itália às más notícias vindas do Palácio da Justiça de Milão não tardou. Em meados de junho, inicia uma nova ofensiva, desta vez contra o próprio Borrelli. No dia 15, Previti acusa o procurador até mesmo de ter chantageado Di Pietro: "Sabia do passado ambíguo do ex-promotor e o encobriu para depois poder chantageá-lo". No dia 16, na Via dell'Anima, Previti anuncia triunfalmente que Berlusconi acaba de apresentar ao ministro Mancuso e ao novo procurador-geral da Corte de Cassação, Ferdinando Zucconi Galli Fonseca, uma petição "para denunciar as reiteradas e sistemáticas manipulações das informações judiciárias" por parte do *pool*. "Agora está claro, o objetivo sou eu", responde Borrelli, "querem que eu me vá. Paciência! Nos sete anos que me restam, quem sabe como ficará longa a minha ficha disciplinar". O *Cavaliere* acusa o *pool* de ter conduzido sistematicamente as supostas "violações do segredo de investigação", lembra que "foram publicados integral ou parcialmente 130 interrogatórios", tudo isso "para destacar cada passo de uma ação judicial abertamente voltada a atacar, sem sequer uma notícia-crime, um cidadão e um parlamentar". Ou seja, ele mesmo.

Mais uma vez, Berlusconi antecipa-se, visto o cheio calendário judiciário que o aguarda. "Os abusos denunciados", escreve na petição, "sugerem, por sua sistematicidade, a existência, em alguns setores da magistratura, de uma hostilidade, de um preconceito político e de métodos de perseguição judiciária que implicam uma noção inquisitória, persecutória e bárbara do processo penal". A petição é enviada a Bréscia, e o *pool* inteiro acaba sob investigação (mais tarde arquivada, como todas as outras, por absoluta falta de fatos).

Berlusconi chama, e Mancuso responde prontamente. No dia 25 de junho, uma semana após a petição do *Cavaliere*, enquanto o *pool* comparece perante o Conselho Superior da Magistratura para defender-se das acusações de supostas ameaças aos inspetores, o ministro da Justiça expede um envelope com documentos sobre o suicídio de Gabriele Cagliari (ocorrido dois anos antes) ao procurador-geral Catelani pedindo esclarecimentos. É a enésima investigação ministerial sobre aspectos já sondados tanto na sede penal (o promotor De Pasquale foi absolvido em Bréscia) quanto na sede administrativa (a inspeção do ministro Conso não deu resultado). Mancuso pergunta quais foram as razões que levaram o juiz de Milão a "prender Sergio Moroni", "que se suicidou na cadeia", como ele diz. Infelizmente, Moroni matou-se como cidadão livre, sem jamais ter sido preso: era deputado e, como tal, possuía imunidade.

OPERAÇÃO MÃOS LIMPAS

Também há Nápoles na mira do ministro da Justiça (e de Berlusconi). Mancuso promove a ação disciplinar contra Nicola Quatrano, um dos promotores da Tangentopoli da Campânia e das investigações sobre Corrado Carnevale. Quatrano é culpado de ter citado, em um artigo satírico, o discurso de um humorista americano do século 19, Ambrose Bierce, sobre a categoria dos advogados. Ele será, naturalmente, absolvido. Poucos dias depois, o ministro aumenta a aposta: outra ação disciplinar contra Quatrano e seu colega Rosario Cantelmo devido a supostas irregularidades na prisão do gerente da Sociedade Italiana de Pediatria, Vito Gamberale, que já havia sido excluído por uma inspeção ministerial em 1994. Em seguida, Mancuso denuncia por perseguição um jornalista do *La Repubblica*, Paolo Boccacci, que havia feito entrevistas com alguns de seus vizinhos sobre as visitas de Berlusconi (obviamente, Boccacci também será absolvido).

Mancuso e o presidente

Contra as intemperanças do ministro da Justiça, se pronuncia, também, o chefe de Estado. No dia 25 de junho, em visita ao Rio de Janeiro, enquanto lhe anunciam a prisão do chefão Leoluca Bagarella, Scalfaro convida a não deslegitimar a magistratura: "Quanta perplexidade em ver iniciar uma obra de demolição com relação aos homens que cumpriram o seu dever [...]. Este é um assunto que deverá ser avaliado com muita atenção". Um jornalista lhe pergunta sobre o modo hiperativo de Mancuso. E o presidente: "Não posso fazer juízo sobre coisas que não conheço". O ministro se enfurece e, no dia seguinte, lança um longo e pomposo comunicado no qual condena que a frase do presidente possa soar como uma "contestação prejudicial ou desacordo" a respeito da nova inspeção em Milão e que possa influenciar "a objetividade da apreciação". E convoca, no Quirinale, uma retratação. Scalfaro, estupefato, rebate: "Não tenho nada a acrescentar ao que foi dito ontem nem a retirar". Dini também intervém, para censurar os "excessos verbais" do seu ministro e para dizer que está "em desacordo com ele" e de "pleno" acordo com o chefe do Estado.

A partir de agora, a guerra de Mancuso com o mundo inteiro terá dois alvos a mais: o Quirinale e o Palácio Chigi, e um apoio fixo: Berlusconi e os seus fiéis, mas não todo o Polo. Dia 19 de junho, perante o Conselho Superior de Magistratura, o ministro enfrenta verbalmente o conselheiro Franco Franchi, "laico" indicado pela Aliança Nacional. Franchi critica Mancuso pelo atraso na entrega do relatório dos inspetores. Mancuso o chama de "tendencioso" e acrescenta que "o Conselho Superior da Magistratura não pode censurar o ministro". Franchi rebate dizendo que "o ministro não pode se dar o direito de bater boca com o Conselho Superior da Magistratura". Mirko Tremaglia apresenta uma interrogação parlamentar em defesa do colega. Mancuso lança obscuras mensagens em código: "Não deem atenção aos bonecos cheios de cinzas e de palha". Bossi não se contém: "Se ele não for embora, faremos um novo governo remanejando as peças que temos; podemos

1995. MÃOS BAIXAS

ir adiante com aquele chato que quer frear a atividade do *pool* colocando o dedo em velhas feridas. O governo garantirá a liberdade de investigação aos magistrados". E faz entrar em votação pelo seu "Parlamento do Norte", reunido em Mântova, uma moção que condena as inspeções ministeriais como "intempestivas, parciais e distorcidas".

Menos linear é a posição do PDS. Por um lado, pede as demissões do ministro da Justiça, mas, por outro, parece utilizar o caso Mancuso como mercadoria de troca para uma tratativa com o Polo. De fato, o voto de desconfiança contra o ministro continua a deslizar. Berlusconi, depois das fortes derrotas judiciais dos últimos tempos, não pede mais "eleições já", e D'Alema, depois das apreciações de Dell'Utri, propõe uma "mesa de discussão" ou um "governo com regras" junto com o Polo: "um bis para o governo Dini", explica, "sempre técnico, que aprove a reforma eleitoral em dois turnos, também com a designação do premier, uma lei sobre o uso das redes de televisão e o antitruste. Depois se votará, talvez na primavera de 1996". Concomitantemente, o secretário do PDS lança uma boia salva-vidas para Berlusconi justamente sobre o assunto do momento, a justiça: "Os partidos", publica em 21 de junho no *La Stampa,* "não devem instrumentalizar as questões judiciais para fins políticos. É um problema de civilidade e de reconquista de uma visão mais equilibrada e garantista. Se se fez um uso bastante excessivo da prisão cautelar, somos os primeiros a condená-la, mesmo demonstrando que por três décadas, a magistratura não prendeu nenhum ladrão, apesar de haver muitos". O que dirá disso tudo a sociedade civil? "Que Deus nos livre da sociedade civil. A ideia de substituí-la pela política revelou-se um grande erro."

A prisão de Dell'Utri não teve consequências nos referendos televisivos de 11 de junho, promovidos pela esquerda contra o monopólio da Fininvest sobre as televisões comerciais, sobre o lucro de publicidade, contra o número excessivo de propagandas. Os italianos votam não, como pede Berlusconi, com uma maioria de 55–57%. No dia seguinte, depois de uma forte campanha eleitoral, D'Alema reassegura ao *Cavaliere*: "O PDS nunca votará uma lei antitruste que não seja votada também pelo Polo".

Mais uma vez, depois da tempestade, imprevista e inesperada, vem a bonança. Dois homens-chave de coalizões opostas, Cesare Salvi e Cesare Previti, dão prova disso em um debate na RAI 3 conduzido por Lucia Annunziata. Um debate em que as convergências, no juízo da magistratura, superam amplamente as divergências. O título é: "Estamos cansados da Operação Mãos Limpas?", mas o ponto de interrogação parece supérfluo.

Previti lamenta a "perseguição" do *pool* de Milão a Berlusconi. Salvi reprova a insistente perseguição do *pool* de Nápoles a Bassolino e às cooperativas vermelhas. Seguem telefonemas ao vivo do advogado Taormina e do condenado Martelli que elogiam os participantes pelo ar de entendimento que paira com relação à lei de "prisões preventivas dificultadas" em análise nas câmaras, lançando outras acusações às procuradorias. A única voz que destoa é de uma telespectadora que liga de

Nápoles: "Sou uma eleitora progressista, lembro de um caloroso debate entre Previti e Salvi, um ano atrás, sobre o decreto salva-ladrões. Agora vejo que vocês estão de acordo. Gostaria de saber o que mudou". Mal-estar no estúdio. Em seguida, Salvi responde que "essa amplitude de consensos em volta do garantismo não deveria surpreender, muitas coisas mudaram nesses meses". Previti sorri. Dias depois, surge a Liga Norte: "Um episódio grave, a Liga não foi convidada; mesmo assim combateu sozinha a batalha contra as novas medidas supergarantistas", acusa Borghezio. O jornal *L'Indipendente* fala em " Pacto Molotov–Ribbentrop à italiana".

Justiça, virada à esquerda

"É necessária uma clara demarcação entre a política e a ação judiciária: é a política que deve resolver os problemas do país [...]. Um magistrado tem o dever de perseguir quem recebe propinas, mas não o administrador que decide construir uma ponte ou uma estrada, porque quem julga essas escolhas são os eleitores [...]. É necessário permitir que o país retome seu desenvolvimento, deixando de criminalizar uma parcela da economia italiana ou apenas a classe política." Quando a plateia da Associação Nacional dos Construtores escuta essas palavras saírem da boca de Massimo D'Alema, não acredita nos próprios ouvidos, mas foi exatamente isso o que disse D'Alema no dia 1º de junho de 1995. E, logo em seguida, Lanfranco Turci, ex-presidente da Liga das Cooperativas e agora deputado do PDS, traduz ainda melhor seu pensamento:

> Os equilíbrios políticos não podem mais ser influenciados pela ação judiciária. Um caminho pode ser a anistia para as empresas que, como a Publitalia, têm fundos irregulares. Verdade seja dita: quase todas as empresas italianas cometeram algum pecado [...]. É necessário sair do estado de emergência para não viver sob o medo de uma intimação que pode chegar para qualquer pessoa. Acredito que, no fim, o discurso de D'Alema leve exatamente a isso.

O secretário do PDS repete-o no dia 21 de junho perante uma plateia de advogados:

> Nunca fomos reacionários, nunca balançamos a forca no Parlamento. Uma fase passou, e queremos uma política com P maiúsculo que nenhum outro poder possa pensar em substituir. Um poder político que não se deixe intimidar por ninguém, seja por advogados, magistrados ou pilotos. Voltemos à normalidade [...]. A notícia de uma intimação judicial não deveria ter mais do que duas colunas no jornal. No fundo, é uma notícia banal. É errado o princípio de que um cidadão investigado deve desligar-se de suas funções. Isso significa colocar sobre a Promotoria uma carga tão pesada como a queda de um governo. Você investiga, eu governo.

1995. MÃOS BAIXAS

Uma regra que se mostrará útil menos de três meses depois, quando D'Alema receberá um convite para comparecer. Os italianos não sabem que o líder do PDS, naqueles dias, está especialmente sensível às questões judiciárias devido a um caso que o envolve diretamente. A Procuradoria de Bari, há um ano, investiga-o por financiamento ilícito. Revistando a casa de um empresário da Puglia, Francesco Cavallari, rei das clínicas particulares em Bari, os investigadores encontraram, escondida entre os livros da biblioteca, a folha de pagamentos do chefe da casa, repleta de valores e nomes de políticos e jornalistas. Naquela lista, havia a nata da velha política da Puglia: de Vito Lattanzio a Rino Formica, de Pino Pisicchio a Claudio Lenoci, de Gennaro Acquaviva a Pinuccio Tatarella. E também Massimo D'Alema. Interrogado pelos promotores de Bari, Cavallari confirma: "Sim, eu o convidei para jantar algumas vezes quando ele era secretário regional do PCI e, em uma noite de 1985, na véspera das eleições, deixei-lhe um envelope com 20 milhões para sua campanha eleitoral". Cavallari afirmará sempre ter sido anticomunista ("Eu era filiado ao PLI; queria tudo, menos ajudar o PCI"). De qualquer forma, financiou D'Alema, "porque a CGIL (Confederação Geral Italiana do Trabalho) me incomodava nas clínicas e depois daquela contribuição ficou bem tranquila".

Deppis disso, Cavallari fará um acordo de 22 meses de reclusão por associação mafiosa, acusado de ter pago ao chefe da Sacra Corona Unita para ameaçar e agredir os sindicalistas da CGIL que "incomodavam" nas suas clínicas e para convencer os funcionários a passar para o seu sindicato amarelo. No mesmo período, D'Alema pegava das mãos de Cavallari o fatídico envelope, "esquecendo-se", no entanto, de registrá-lo nos balanços do partido e, assim, violando a lei sobre o financiamento público dos partidos. D'Alema, que nesse meio-tempo tornou-se secretário nacional do PDS, é interrogado em Bari no fim de 1994. A Procuradoria não é importante, a cifra da qual é acusado é baixa, manter segredo não é um problema. Dessa forma, o auto do interrogatório desaparece. O líder do PDS, de qualquer forma, admite os fatos, embora deixe em dúvida o valor da soma, mas sua confissão não leva a nada: depois de nove anos, o crime de financiamento ilícito já estava prescrito. Restaria a possibilidade de acusá-lo de corrupção, mas é necessário provar que D'Alema tenha prestado algum favor em troca daqueles 20 milhões. Assim, no dia 28 de março de 1995, os promotores Maritati, Scelsi, Chieco e Lembo prendem todos os figurões da Primeira República, de Lattanzio a Formica (depois absolvidos), pelas supostas propinas de Cavallari, mas pedem o arquivamento para a antiga propina a D'Alema. A juíza das investigações preliminares Concetta Russi leva quase dois meses para decidir: quando o líder do PDS anuncia sua vitória sobre a justiça, ela ainda não havia tomado uma decisão. Anunciará seu veredito apenas uma semana mais tarde, no dia 25 de junho: "A punibilidade do crime está extinta por prescrição, tornando inútil qualquer aprofundamento".

No dia 21 de junho, enquanto D'Alema fala com os advogados, Berlusconi reúne na Via dell'Anima o irmão Paolo, Previti, Confalonieri, Letta e o advogado Taormina (muito engajado, como veremos, na guerra contra Di Pietro em

Bréscia). No fim, Previti, em nome de todos, aprova a virada do líder do PDS: "É necessário voltar à normalidade, como diz D'Alema. Sua atitude é séria, ele disse aquilo que eu tentei explicar há seis meses: é necessário voltar à normalidade. Por isso, concordo 100% com suas afirmações sobre a justiça".

A opinião pública se pergunta sobre o porquê da mudança de rumo do PDS, justamente no dia posterior à prisão de Dell'Utri e na véspera do congresso de julho. "D'Alema", explica o ex-comunista Giuliano Ferrara, "como verdadeiro comunista, desconfia da supremacia do circuito midiático-judiciário. A aliança entre juízes e jornalistas é, para ele, um modo de tirar a autoridade da política e sua supremacia". E um veterano do PCI–PDS como Emanuele Macaluso adiciona: "A virada amadureceu o partido, sobretudo com as coisas que estão fazendo em relação às cooperativas."

As "coisas" são as investigações em curso em Nápoles, Milão, Veneza, Turim, Palermo (ninguém sabe sobre Bari ainda) e em pelo menos 15 procuradorias sobre os problemas de contabilidade de muitas cooperativas vermelhas, que frequentemente escondem financiamentos ao PCI e ao PSI. E, sobretudo, quase todos os grandes processos da Tangentopoli em Milão chegaram ao momento decisivo da audiência preliminar. Em poucos meses, perante os juízes das investigações preliminares, apostam-se os destinos de dezenas de homens muito poderosos da Primeira República e da assim chamada Segunda. Homens de direita (poucos), de centro (muitíssimos) e de esquerda (vários) têm o risco, dentro de alguns anos, de acabar na cadeia, exatamente como a nata do grande empresariado.

Um cartoon de Danilo Maramontti sobre "o coração" deixa bem clara a ideia: Berluscorni abraça D'Alema, e Fini o interroga: "Silvio, está certo que este não é um raio?". E Silvio: "Não, é que espero sempre um golpe de passar a borracha".

Mãos Limpas continua

Superado o choque da demissão de Di Pietro, o *pool* coloca-se novamente em marcha. O substituto ainda não foi encontrado (logo chegará Ilda Boccassini), mas o que mais urge não é encontrar outro soldado de guerra: é necessário encontrar alguém que se arme de santa paciência e que transcorra alguns meses nas salas cheias de papelada, fichários, disquetes, onde somente "Tonino" sabia se achar. Para colocar ordem nos dossiês, separar os casos que não eram de Milão e mandá-los para as procuradorias competentes, para completar as investigações que ficaram pela metade, arquivar aquelas "sem esperança" e pedir o julgamento daquelas que foram concluídas e depois acompanhar os processos. Para ajudar Colombo, Davigo e Greco, há um jovem promotor, Elio Ramondini e, principalmente, Paolo Ielo, que voltou há alguns meses. Este é um magistrado de Messina, aluno do professor Taormina, que já foi membro do colégio judicante que havia condenado Matteo Carriera e que depois passou à Procuradoria e foi colocado junto ao *pool* como "um aprendiz de corrupção". Havia se distanciado em março de 1994,

1995. MÃOS BAIXAS

depois de uma briga com Di Pietro em razão dos pedidos de acordo no processo Metropolitana (Ielo havia se comprometido com os acusados em concedê-lo, Di Pietro não estava de acordo). Depois havia se reinserido no grupo ("por um dever moral") em final de novembro, após a inspeção ministerial e o "roubo" do processo Cerciello, transferido para Bréscia.

Reiniciada assim, a máquina organizativa, entram na reta final quase todos os grandes processos instaurados nos anos do auge da Operação Mãos Limpas. O processo pelas propinas da Agência de Transportes de Milão está em audiência preliminar, concluído em dezembro com 17 julgamentos. Para os pagamentos feitos à ENEL, os acusados perante o juiz de investigações preliminares são 160, dos quais aproximadamente 60 entrarão em acordo e 74 serão mandados a julgamento. Outro processo-chave é o do metrô de Milão, que não só envolve mais outros do que a corte de Craxi, como revela a coassociação de propinas entre PCI e PDS. Ver atrás das grades Cervetti, Pollastrini, Camagni, Cappellini, Soave (os últimos farão acordo, os outros três serão absolvidos), mais nove dirigentes de cooperativas vermelhas, não pode agradar ao PCI. De fato, em novembro, quando o promotor Ielo pronunciar uma requisitória pedindo a condenação de todos, se unirão aos ataques de Craxi e aos protestos de Livia Turco e Mauro Zani.

Além disso, existem os debates em curso. Aquele sobre as propinas à Ferrovie Nord está no tribunal. O debate sobre as propinas distribuídas por Chiesa e Carriera, chamado simplesmente de "processo AEM (Agência Energética de Milão)" já está em segunda instância: em 23 de março, a Corte de Apelação confirma as condenações de Tognoli (4 anos, reduzidos para 3 anos e 3 meses pela Corte de Cassação), de Pillitteri (4 anos e 6 meses, reduzidos para 4) e o único do Movimento Social Italiano acusado em Milão pela Tangentopoli, o ex-senador Giuseppe Resta (2 anos por corrupção, depois preso definitivamente). O caso Enimont, por sua vez, ainda está no tribunal: o processo contra todos os secretários do velho Pentapartido, além de Bossi, Martelli, Pomicino, De Michelis, vários secretários pessoais e os integrantes da cúpula da Ferruzzi, está parado desde 6 de dezembro, quando Di Pietro pronunciou a última requisitória. Desde então, para evitar a sentença, as defesas apresentaram uma enxurrada de instâncias de "redirecionamento" para outra sede. Pretexto: uma velha desventura do presidente do colégio, Romeo Simi de Burgis, que, na metade dos anos 1980, esteve envolvido em uma história de cocaína pelo ex-chefão arrependido da Máfia Angelo Epaminonda, mas resolvida com plena absolvição em Bréscia. Os responsáveis pelo inquérito sobre Epaminonda eram os promotores Davigo e Di Maggio. Portanto, de acordo com os defensores de Craxi e de outros acusados, Simi de Burgis seria uma marionete do *pool*, onde também trabalha Davigo. TVs e jornais berlusconianos servem como propagadores. Sgarbi e Maiolo chegam a insinuar que Davigo, de alguma maneira, "chantageia" o juiz. Davigo faz queixa; Simi de Burges também, mas o jogo já está mais do que escancarado: até que a Corte de Cassação decida sobre a instância, o processo não pode prosseguir (em

424 OPERAÇÃO MÃOS LIMPAS

1996, a Corte Constitucional será obrigada a modificar a normativa, justo para evitar a parada dos processos do alto escalão por meio da apresentação, mesmo que por pretexto, de instâncias de redirecionamento). A decisão chega somente em 20 de setembro de 1995: o processo fica em Milão. No dia 27, Simi de Burgis poderá finalmente ler a sentença: 22 condenações para 22 acusados (depois confirmadas na Apelação e na Cassação).

Em outubro, o promotor Greco manda a julgamento 127 casos pelo capítulo dos fundos irregulares acumulados no exterior pela ENI e pela Montedison (pelo menos 600 bilhões, somente entre 1989 e 1992): são acusados, novamente, políticos e gerentes de alto escalão. Prosseguem os processos da SEA, Cariplo, Guarda de Finanças. Em apelação encontram-se os processos de Cusani, dos lixões e da ENI–SAI. Depois das primeiras condenações de Craxi e da descoberta das falsificações no seu passaporte, em julho, o *pool* pede sua prisão. Anexada à declaração de foragido. "Com o fechamento do caso ENI", anunciará Borrelli em 2 de outubro, "esgotou-se o fascículo virtual da Operação Mãos Limpas número 8655/92. Em três anos, pedimos 1.596 julgamentos, mais os da Guarda de Finanças".

Em Turim, depois das buscas de março, fecha-se, em 15 de maio, a investigação sobre os balanços da Fiat com o longo interrogatório (oito horas) do administrador delegado Cesare Romiti. No Sul, multiplicam-se as investigações sobre a Máfia e política. Em Palermo, em fevereiro, o julgamento de Andreotti e a prisão, sempre por causa das relações com os chefões da Máfia, de outros dois ex-democratas-cristãos: Calogero Mannino (depois absolvido por causa de uma montanha-russa de sentenças contraditórias) e o ex-senador Vincenzo Inzerillo (depois condenado em definitivo). Em Napoli, em julho, Antonio Gava é preso por receptação e reenviado a juízo por associação mafiosa (será absolvido pela segunda acusação, mas condenado em primeira e segunda instâncias e depois prescrito na Corte de Cassação pela primeira acusação). Em Perúgia, no dia 26 de outubro, inicia-se a audiência preliminar pelo homicídio do jornalista Mino Pecorelli. São acusados como mandantes Giulio Andreotti e o juiz e ex-senador Claudio Vitalone; como organizadores, os chefões Tano Badalamenti e Pippo Calò; como executores, o mafioso Michelangelo La Barbera e Massimo Carminati, afiliado do grupo dos Magliana (o processo de primeira instância será concluído com uma série de absolvições; na Apelação, Vitalone e Andreotti serão condenados, sentença depois foi anulada pela Corte de Cassação).

"Sair da Tangentopoli"

A pressão do partido dos investigados e dos acusados importantes aumenta, e a exigência de "fazer algo" para salvá-los traduz-se em uma corrida contra o tempo cada dia mais dura. Assim, o verão de 1995 torna-se a estação das soluções para a aguardada "saída da Tangentopoli", e alguns, também na centro-esquerda, recomeçam a pronunciar uma palavra que até alguns meses atrás era tabu: anistia.

1995. MÃOS BAIXAS 425

O primeiro a fazê-lo é um técnico "externo", o professor Giovanni Maria Flick, advogado de personagens importantes (de Da Benedetti a Gardini e Prodi), no *Stampa*, em 14 de março. Fala de uma "anistia condicionada" à restituição do que foi roubado e à saída dos culpados da vida pública. Na prática, uma "anistia comprada", vantajosa para quem pode se dar ao luxo, sobretudo os empresários. "Digo não à anistia, não ao autoengano, não à amnésia", responde Borrelli na primeira possibilidade, em uma convenção organizada por Di Pietro em Castellanza. Então, Flick dá um passo para trás: "Era apenas uma provocação minha".

No verão, Flick é chamado por Romano Prodi para a equipe dos sete especialistas encarregados de redigir o programa do Ulivo, com uma promessa de ser empossado como ministro da Justiça. O advogado coloca mãos à obra com um grupo de colegas, dentre os quais encontra-se Salvatore Catalano, grande defensor de muitos democratas-cristãos investigados em Milão. No dia 11 de agosto, fala novamente de "anistia", ainda que "imprópria e muito condicionada", tendo a finalidade de evitar o risco da prescrição:

> Os crimes de corrupção prescrevem, com atenuantes genéricos, após sete anos e meio. Se os processos pelas propinas de 1990 não chegarem a uma sentença definitiva até 1997, tudo será cancelado e será pior do que a anistia. Por sua vez, a anistia condicionada apaga as penas, mas não os crimes. E é justamente condicionada às confissões integrais, à restituição de uma parte do "espólio" e à demissão do réu confesso das funções públicas. Proponho fixar uma data limite: quem confessar um crime até aquela data terá uma sentença diferenciada. Se pagou propinas, terá de pagar uma "taxa de transparência"; se as recebeu, será excluído da vida política, terá de ressarcir os danos que a administração pública sofreu por sua causa.

Independentemente da proposta, Flick parte de uma visão previdente: a Tangentopoli corre o risco de acabar prescrevendo. E as respostas de Borrelli ("O temor da prescrição é injustificado") se revelarão, a longo prazo, otimistas. Marcello Maddalena, para encurtar os tempos de julgamento, preferiria outras soluções: aumentar o rito abreviado, no qual se tomam decisões sem abrir o debate, "tendo em vista as atuais circunstâncias" e em troca oferecem-se descontos de pena de até um terço do total, mas, no final, obtém-se uma sentença verdadeira, que "vale" também para os ressarcimentos em âmbito civil e o afastamento das funções públicas (coisas que, no acordo, não estão previstas). O ex-presidente da Associação Nacional dos Magistrados e agora senador do PDS, Raffaele Bertoni, propõe "faixas preferenciais" nas procuradorias e nos tribunais para dedicar um certo número de promotores e de juízes para tratar exclusivamente os processos da Tangentopoli. Talvez essa seja a proposta mais eficaz. No entanto, ninguém a aceita.

O advogado Taormina, defensor de Cerciello, Craxi, Gava, Mannino e

Vitalone, portanto, mais sensível ao destino dos acusados "políticos", apresenta a ideia de uma anistia máxima,

> um processo simplificado perante o juiz de investigações preliminares ou sob requerimento do acusado, não havendo oposição do promotor. Em caso de afirmação de responsabilidade, a pena seria reduzida à metade, e outras reduções de pena poderiam ser concedidas com a restituição do lucro ilícito: o ressarcimento do dano, a confissão, a colaboração ou a aceitação de penas acessórias. O processo simplificado substituiria o rito abreviado e o acordo e resultaria em sentenças sem possibilidade de apelação.

Não está claro em troca de que os acusados obteriam o abono de metade da pena, visto que não teriam nem ao menos que fazer uma confissão. O resultado, em resumo, seria a isenção do cárcere para todos, inclusive para aqueles que realmente têm o risco de acabarem presos. Dentre esses, justamente dois dos clientes mais conhecidos do advogado Taormina, que compartilham o risco de diversas condenações e de rigorosas penas por extorsão e corrupção: Craxi e Cerciello.

O *pool* reage com sarcasmo. D'Ambrosio comenta:

> Tenho vontade de rir. Eles nos reprovam com uma proposta de passar um pano nessas histórias. Procuram uma solução à italiana, daquelas que satisfazem sobretudo aos clientes dos advogados. Taormina propõe a redução da pena pela metade: é como se eu visse os propineiros dizendo: "Já que estamos falando sobre isso, deem-nos uns 2 ou 6 anos de remissão [...]". A situação de Flick, então, é totalmente uma passada de pano. Nos dois casos, querem impedir-nos de trabalhar. E se dá uma bofetada nos honestos. Espero que isso seja só um sonho ruim.

D'Ambrosio sabe muito bem que, com as eleições batendo à porta, nenhum partido assumirá a responsabilidade de uma medida tão impopular, mas ao menos em um ponto ele concorda com Taormina: a eliminação da instância de apelação, como em todos os países de rito "acusatório". Tampouco disso se voltará a falar.

O congresso do diálogo

Inicia-se no dia 6 de julho, no Palafiera de Roma, o congresso do PDS. O primeiro com D'Alema como secretário. O primeiro com Silvio Berlusconi como convidado de honra. O *Cavaliere* agradece antecipadamente pelo convite e promete aos ex-comunistas um "acordo estratégico para levar a Itália ao voto" e até mesmo "ao fim da guerra civil". No entanto, apressa-se em publicar, pela sua Mondadori, o último trabalho literário de D'Alema, *Un paese normale* (Um país normal). A boa receptividade dos adversários o deixa feliz, e ele confessa ao *Stampa*:

1995. MÃOS BAIXAS 427

Não entendo por que, na opinião de certos empresários que são apenas investidores financeiros, que pagam – chegaram a confessar – para vender material obsoleto ao Estado, que foram condenados pelos tribunais do país [alusão feita a De Benedetti, condenado em primeira e segunda instância por Ambrosiano, mas, depois, absolvido pela Corte de Cassação], os comunistas têm um trânsito total. E, ao contrário, Berlusconi, que se fez sozinho, é considerado o inimigo público número um. É necessário que me expliquem isso.

No primeiro dia de congresso, em um cenário todo azul, na primeira fila, aplaudindo D'Alema, estavam Letta e Previti. "Basta com a demonização do adversário", repete o secretário do PDS, "basta com a cultura do inimigo, chega de novidade, temos de nos tornar um país normal. Com o Polo, é necessário respeito e diálogo sobre as regras". O secretário tem em mente um "novo partido", que deveria nascer dentro de um ano com os ex-socialistas, de Amato a Boselli até Intini (com o nome de Cosa 2). Em 7 de julho, chega Berlusconi. Aperta a mão de D'Alema no palco e em seguida faz um discurso conciliador com o PDS e crítico com Prodi ("Ainda não é um líder") e com os juízes ("A justiça está sendo exercitada de maneira sumária e desumana, é necessário retomar a certeza do direito"). Ao final, poucos aplausos e poucos assobios. Depois é a vez de Veltroni atacar "o uso instrumental da magistratura" dizendo que "muita gente foi para a cadeia", que "política e magistratura têm de separar os próprios caminhos", que "não faremos mais alianças contra Berlusconi". Para esse, palmas asseguradas: as do *Cavaliere*. D'Alema também, no discurso de encerramento, volta a criticar os magistrados:

> Basta com a justiça-espetáculo e com o uso instrumental dos inquéritos judiciais. Nos mobilizamos por uma justiça normal, onde a prisão preventiva seja um caso extremo e uma exceção. Nem com Ferrara, nem com Maiolo, nem com os partidários da forca e das algemas. Temos de colocar em campo de modo mais evidente o nosso garantismo. Se a direita quiser entender este discurso, sobre esse terreno pode existir o diálogo e a busca de uma solução para a Tangentopoli.

A partir daquele dia, justo no momento para ele mais difícil do ponto de vista político, empresarial e judiciário, Berlusconi vê abrir um tipo de "linha vermelha" com D'Alema. Por meio de Gianni Letta, os líderes ficarão em contato constante, mesmo nos momentos de máxima tensão (pelo menos aparentemente) entre os dois polos. Mesmo em dias de confronto aberto (pelo menos aparentemente) sobre o caso Mancuso. E o "novo clima" logo produz efeitos. Giuliano Ferrara intima os políticos a "pedir desculpas a Craxi pelo modo vergonhoso com que foi tratado"; chega a pedir que se coloquem "de joelhos diante dele". Fini se revolta: "Pedir desculpas para Craxi? Era só o que faltava!". No dia 11 de julho, o *pool* pede a prisão do ex-líder socialista, e o juiz de investigações preliminares a dispõe no dia 21. Ignazio La Russa observa que, no fundo, "Craxi era um estadista". Francesco Storace e Mirko Tremaglia revoltam-se. Maurizio Gasparri lembra que "Craxi era um bom político, mas roubou". E Gianfranco Fini aplaude o *pool*: "Antes tarde do que nunca! Não vejo o escândalo. Craxi fez mal para a Itália". Até o leguista Speroni exulta: "É necessário incrementar o contingente dos agentes penitenciários porque esperamos que entre os presos possa existir logo um tal Bettino Craxi", mas D'Alema os faz calar: "Não se deve ficar alegre pelos pedidos de prisão". E Turci (PDS): "Esse pedido de prisão é uma loucura, incrível".

Prisões preventivas difíceis

A prova de fogo da virada de D'Alema é a chamada "reforma da prisão preventiva", aprovada em definitivo pelo Senado no dia 3 de agosto. Raramente os representantes do povo trabalharam verão adentro, mas a medida foi considerada de máxima urgência por quase todos os partidos, até porque as associações de auxílio jurídico estão em greve há três meses para "empurrar" a medida, assim como está, sem modificações. A reforma é filha legítima do decreto Biondi, "revisto e alterado" sob a forma de projeto de lei. Em sete anos, é a 18ª reforma relacionada à prisão preventiva. Não prevê apenas pequenos retoques ao Código de Processo Penal como a drástica redução dos casos em que é possível prender e a robusta ampliação dos poderes de investigação e de provas para os advogados, sem mais nenhuma análise por parte do promotor, bem como um acesso mais fácil para os advogados ao registro dos investigados. Contém, também, nove normas de direito substancial, como o desmantelamento do artigo 371-bis do Código Penal, isto é, da norma contra o silêncio da Máfia que queria Falcone, que consentia a prisão em flagrante para testemunha que mente ou se recusa a responder ao promotor e à polícia judiciária.

O texto circula de uma câmara para outra há quase um ano: os partidos maiores esperam o momento mais propício para aprová-lo afetando o mínimo possível a sua popularidade. Somente a Liga, o Verde de Pecoraro Scanio e alguns gatos-pingados do PDS e da Refundação Comunista são contrários. Estão hostis toda a magistratura associada (sem distinção de corrente) e todas as procuradorias mais expostas: Milão, Palermo, Florença, Nápoles, Reggio Calabria e a Procuradoria Nacional Antimáfia dirigida por Bruno Siclari.

De Turim, Marcello Maddalena promove uma petição contra a lei e recolhe em poucos dias 244 assinaturas, entre promotores e juízes. Explica:

> Antes de tudo, a reforma prevê um prazo máximo de seis anos para a prisão cautelar em todas as instâncias da justiça, naturalmente sem fazer nada para reduzir as instâncias ou abreviar a duração. Os processos durarão sempre mais, e as prisões cautelares sempre menos. Que ninguém venha depois se lamentar se criminosos perigosos forem soltos antes da

condenação definitiva. Além disso, existe uma série de normas restritivas que, combinadas, tornam ainda mais difícil a prisão por crimes da Tangentopoli e não por eles, mesmo na presença de exigências cautelares. Nada mais de algemas para quem prevê que, no momento da sentença, obterá a suspensão condicional da pena. Nada mais de algemas se o risco de repetição do crime corresponder a delitos puníveis com penas máximas inferiores a 4 anos (antes eram 3) e se o perigo de fuga não for "atual", nem "fundado em um fato expressamente indicado na medida". Na prática, é necessário torcer para que o fugitivo seja surpreendido com as malas prontas, casaco e bilhetes aéreos no bolso, mas, sobretudo, para fins de emissão da medida cautelar, a reincidência não vale mais nada.

Era melhor o decreto Biondi? Maddalena responde:

Em certos casos sim, porque pelo menos previa a ilegibilidade e a exclusão de alguns cargos públicos para condenados pela Tangentopoli. Esta reforma não prevê mais. Além do mais, o decreto Biondi se limitava a salvar excessivamente da prisão preventiva os colarinhos-brancos, mas deixava intacta a prisão para quase todos os outros. Esta lei, ao contrário, devasta toda a estrutura do processo penal. Um belo presente a todas as categorias de crimes, incluindo a Máfia. Biondi não abolia a prisão em flagrante de falsos testemunhos (uma norma, o artigo 317-bis, que Falcone queria e que foi aprovada só depois da sua morte). Agora, quem mente ou se cala perante o promotor não corre o risco de ser preso; no máximo, corre o risco de receber um processo ao final do procedimento principal (isso se este último não acabar antes mesmo de começar, por falta de testemunhas). No mais, a reforma acrescenta uma série incrível de sofismas que tornam inutilizáveis as investigações dos promotores. Limita a prisão obrigatória por crimes de máfia (para assassinos, sequestradores, terroristas, estupradores a medida é, de agora em diante, facultativa). Consente ao defensor apresentar diretamente ao juiz os elementos e os depoimentos em defesa do acusado por ele mesmo reunidos, sem qaulquer controle sobre a veracidade e a completude.

A manifestação dos magistrados (inclusive os do *pool*) é publicada no dia 15 de junho e desencadeia uma série de ataques, sobretudo por parte do front progressista. "Pronunciamento latino-americano", julga Boato. "Ingerência inoportuna e infundada nas escolhas do Parlamento", protesta Salvi. "Me parece", repreende Macaluso, "que alguns magistrados colocaram na cabeça fazer a revolução, cancelar a classe política. Pode até ser que exista um projeto para desestabilizar". Apenas Violante julga "legítimo que alguns magistrados expressem um parecer técnico. O partido dos juízes não existe; existe, ao contrário, aquele dos acusados importantes, encabeçado por Craxi e composto por uma parte da classe política acostumada à impunidade". As associações de auxílio jurídico, presididas pelo advogado Gaetano Pecorella, indicam a enésima greve, paralisando os tribunais por quase todo o mês de julho.

Scalfaro fica em cima do muro: "Basta com as prisões-espetáculo, mas também é necessário escutar as razões da magistratura". Para Gian Carlo Caselli, a nova lei é um indício da "vontade de punir os magistrados". D'Alema o silencia: "Erra ao se expressar assim sobre uma lei do Parlamento", mas homens como o ex-magistrado Giuseppe Ayala e o sociólogo Pino Arlacchi, o verde Pecoraro Scanio e os populares Pinza e Bindi, em nome de um bom número de parlamentares cansados das decisões impostas pelas secretarias, pressionam para que seja revista a reforma. Violante propõe eliminar as partes mais nocivas da luta contra a Máfia, mas logo é travado pelo novo responsável pela área jurídica do PDS, Folena: "A lei fica tal como está".

A reforma é aprovada definitivamente em 3 de agosto por todos os partidos de direita, centro e esquerda, com exceção do Verde, que se abstém (mas Boato e Manconi votam sim) e da Liga Norte e alguns dissidentes do PDS, que votam contra. "O partido dos juízes foi finalmente derrotado", exulta Manconi. No tribunal, é desencadeada uma briga quando os leguistas se jogam contra o "novo salva-ladrões" e, um deles, Giorgio Cavitelli, inicia um strip-tease em sinal de protesto, enquanto um outro, Giorgio Regis, grita contra "o Parlamento transformado em bordel".

Salvatore Cucuzza, chefe da família mafiosa palermitana de Porta Nuova (juntamente com Vittorio Mangano) e depois um colaborador da justiça, contará aos magistrados de Palermo que, ao final de 1994, Mangano encontrou por duas vezes Dell'Utri na sua mansão junto ao lago de Como para discutir essa "reforma" muito esperada pela Cosa Nostra:

> Mangano me contou que, antes do Natal de 1984 [1994] encontrou-se em Como com Dell'Utri e que este prometeu apresentar em janeiro – falamos de janeiro de 1995 – algumas propostas muito favoráveis na justiça, como a modificação do 41-bis, o impedimento para as prisões correspondentes ao 416-bis, enfim, fazer alguma coisa na justiça. [Sobre o decreto Biondi] no que se refere à prisão pelo 416-bis [associação mafiosa] houve uma pequena modificação... Mangano disse que houve uma tentativa, nem sei por parte de quem, de fazer neste decreto – depois da assinatura de Maroni –, de modificar secretamente um artigo que Cinà [Gaetano Cinà, amigo mafioso de Mangano e de Dell'Utri] devia nos favorecer. Depois, ciente dessa situação [havia trancado tudo].

Não sendo um jurista excepcional, é improvável que Cucuzza tenha inventado tudo, visto que a sua história reflete, até nos mínimos detalhes, algumas normas contidas no decreto Biondi e, depois, na sucessiva lei das "prisões preventivas dificultadas".

1995. MÃOS BAIXAS 431

Eis como prossegue o delator, referindo-se às confidências de Mangano a propósito da norma em gestação junto à Comissão de Justiça, praticamente ignorada naqueles meses pelos mais expressivos meios de comunicação:

> Propostas muito favoráveis à justiça, uma modificação do artigo 41-bis, um bloqueio das prisões em decorrência de um 416-bis, enfim, fazer alguma coisa pela justiça... [Dell'Utri] prometeu apresentar em janeiro, falamos de 1995, algumas propostas em favor da justiça.

E, de fato, justamente em dezembro de 1994, a reforma da prisão cautelar parecia algo terminado e teria passado até janeiro de 1995 não fosse a queda do governo Berlusconi. Uma medida ainda mais favorável aos mafiosos do decreto Biondi: não só para as restrições à prisão preventiva e para a revogação do 371-bis, mas também para outras cinco normas resumidas brevemente.

1) Está abolida a prisão automática para os investigados por associação mafiosa, para aqueles a quem antes a prisão preventiva era a norma, salvo quando se pudesse substituí-la por "medidas menos graves". Até então, o artigo 275 do Código de Processo Penal previa que

> quando existem fortes indícios de culpa com relação a delitos do qual o artigo 416-bis [...], isto é, a fim de agilizar a atividade das associações previstas pelo mesmo artigo [...] é aplicada a prisão cautelar, salvo quando surgirem elementos dos quais resulte que não existem exigências cautelares.

Na prática, enquanto para outros crimes a prisão cautelar era a *extrema ratio*, para os crimes da Máfia era uma escolha obrigatória até a prova contrária. A nova lei, ao contrário, modifica essa norma: também para os delitos da Máfia o juiz, antes de aplicar a prisão cautelar, deverá procurar e ilustrar as exigências cautelares, antes negligenciadas.

2) Um pequeno inciso complica posteriormente o trabalho dos juízes e abre uma brecha no sistema, na qual os advogados de defesa poderão rapidamente entrar com os seus recursos: "[...] salvo se forem encontrados elementos por meio dos quais se demonstre que não existem exigências cautelares". Na norma precedente, aquela expressão tinha um sentido, no qual o interrogado da Máfia seria preso automaticamente, salvo elementos concretos que provassem a inutilidade das algemas. Na nova norma, que impõe ao juiz motivar a necessidade de prender o mafioso, não tem sentido pedir-lhe que motive também a necessidade de não o prender.

3) São encurtados consideravelmente os termos de duração máxima da prisão cautelar, cancelando a possibilidade de suspendê-los nos maxiprocessos da Máfia, particularmente longos e complexos: ninguém poderá permanecer na prisão por mais de seis anos, valendo para as três instâncias judiciais, antes da condenação

definitiva. No entanto, nada se faz para reduzir as instâncias judiciais ou para abreviar a sua duração; portanto, os processos durarão sempre mais e as prisões cautelares sempre menos e, visto que os processos duram em média mais de seis anos no total, principalmente aqueles sobre a Máfia, muitos deles se concluirão com "celas vazias", com a soltura de perigosos criminosos.

4) Para demonstrar o perigo de alteração das provas – um dos três requisitos pedidos para prender antes do processo – não basta mais a exigência de proteger "as investigações"; agora, deve-se demonstrar que estão correndo o risco "atos específicos das investigações", o que impõe ao magistrado mostrar logo as cartas, revelando antecipadamente as pistas investigativas que está seguindo e também os nomes das testemunhas que está ouvindo.

5) Está restringida a possibilidade de prisão preventiva também para outra exigência cautelar: o perigo de fuga. Não basta mais o "perigo concreto de que o acusado fuja", mas é necessário provar que ele "esteja fugindo": perigo esse que deverá ser "atual" e "baseado em um fato expressamente indicado na medida". Na prática, é necessário esperar que o fugitivo seja surpreendido com as malas prontas, com seu casaco e bilhetes aéreos no bolso, mas, principalmente, para fins de emissão da medida cautelar, a reincidência não vale mais nada. Justamente o que refere Mangano a Cucuzza: a modificação "se referia ao 416-bis no que dizia respeito às prisões". Maroni havia se rebelado contra o decreto Biondi porque havia descoberto, falando com alguns magistrados antimáfia, que o controle nas prisões não dizia respeito somente aos propineiros, mas também ao crime organizado.

A nova lei entra em vigor em 23 de agosto de 1995. No dia 25, já pipocam as primeiras solturas e os primeiros protestos dos agentes de polícia, que veem serem liberados punguistas, ladrões e assaltantes que presos depois de muito esforço. Serão centenas os detentos liberados pela lei nos meses seguintes, enquanto falta computar aqueles que, graças às novas normas, não entraram mais na prisão. Em compensação, em breve, será desencadeada a polêmica contra os juízes pelas chamadas "solturas facilitadas", que, na realidade, salvo alguns erros pontuais, são solturas baseadas na lei.

O cheiro de uma tratativa ininterrupta e transversal entre Estado e Máfia volta a ser sentido em outubro, quando o coronel do ROS Michele Riccio fica sabendo por meio de um mafioso seu confidente, Luigi Ilardo, que este encontrará Bernardo Provenzano no dia 31, em uma casa de campo em Mezzojuso (Palermo). Riccio contará à Procuradoria de Palermo, que, por sua vez, espera que seja logo informado o novo comandante do ROS Mario Mori. Entretanto, o general e o seu braço direito, coronel Mauro Obinu, fazem com que a blitz policial falhe e que Provenzano fique livre e possa fugir. Por essa acusação, Mori e Obinu serão mandados a julgamento por favorecimento à Máfia, crime agravado por causa da vontade de favorecer a Cosa Nostra e por ter coroado a tratativa com Provenzano, iniciada três anos antes por meio de Ciancimino. Resta o fato de que Provenzano, o fugitivo mais procurado do mundo depois da captura de Riina, estará livre para ir mais vezes encontrar Vito Ciancimino na prisão domiciliar em Roma (e, portanto, teoricamente vigiado pelas forças da ordem), a bordo do seu Volkswagen Maggiolone, com o nome falso de "engenheiro Lo Verde". Como se, graças às tratativas, tivesse se tornado um intocável.

4. BRÉSCIA CONTRA MILÃO

E que fim teve Di Pietro? No início de 1995, formalmente, ainda é um magistrado: primeiro em férias por dois meses, depois "interino". Somente no início de abril escreverá ao Conselho Superior da Magistratura para apresentar a demissão irrevogável. "Procuravam-me os líderes de todos os partidos e até o presidente da República", lembra hoje, "mas eu previa a tempestade que estava para cair em cima de mim e não tomava nenhuma posição política. Eu encontrava gente, observava a situação". Nesse meio-tempo, além da docência, diversifica as atividades: consultor das comissões de massacres e cooperação; ombudsman em um novo jornal nacional popular, o *Telegiornale*, dirigido por Gigi Vesigna e publicado por editores com alguns problemas com a justiça; comentarista no *La Stampa* e, de vez em quando, no *La Repubblica*, *Corriere della Sera*, *Il Sole 24 Ore*. Mais do que na política ativa, pensa em um cargo institucional de prestígio, do tipo que muitos já vêm lhe oferecendo há quase um ano: chefe do serviço secreto, da polícia, do SIS, dos inspetores do fisco e assim por diante. É uma espécie de Madonna peregrina. O jornal satírico *Cuore* ironiza-o a cada semana, pintando-o como um Superman dos pobres, que pousa em cada canto do mundo para salvar as velhinhas dos motoristas em alta velocidade e resgatar os gatos presos nos telhados, mas os italianos ainda gostam dele. Uma sondagem da revista semanal feminina *Gioia* chega a indicá-lo como o "modelo masculino absoluto", o homem com quem a maioria das mulheres italianas gostaria de se casar – primeiro na classificação, na frente de Berlusconi e de Giovannino Agnelli, sobrinho de Gianni Agnelli.

Berlusconi encontra Di Pietro

A proposta mais persuasiva para o ex-promotor vem da parte dos políticos. Alguns são do PDS: "Violante", lembra Di Pietro, "eu o vi quatro vezes, inclusive na sua casa. E também Visco e Bassanini". Os outros, quase todos do Polo ou assemelhados:

> Vi Casini muitas vezes na sua casa, em Roma. Tremaglia falava em nome da AN, e eu o via ou nos falávamos por telefone com frequência; já Fini encontrei apenas uma vez, em Bérgamo. Com Buttiglione, me encontrei na minha casa, em Curno, e depois em Roma, na casa de sua irmã. Encontrei Tremonti na sua casa, em Pavia. Frattini, em Roma. Como Mastella e Cossiga, uma infinidade de vezes. E também Pivetti, pelo menos três vezes, e Maroni, Pannella e Gustavo Selva, no seu escritório

no Parlamento. E ainda muitos outros que hoje fazem de conta que não me conhecem. E também Scalfaro, algumas vezes, no Quirinale, mas ele nunca perguntava nada: estava sempre curioso e esperava sempre que eu lhe revelasse algo sobre minhas ações futuras.

O que queriam os do Polo?

Livrar-se do *Cavaliere*. Falavam-me de todos os modos; cada um deles esperava que eu entrasse na política ao seu lado para poder enfraquecê-lo com a força do meu consenso, para entrar (ou para que eu entrasse) no seu lugar. Berlusconi sabia disso, e por isso temia-me como a peste bubônica. Assim, em um dia de fevereiro, pediu que um amigo em comum me chamasse, e depois teve a cara de pau de dizer que eu é que o tinha procurado. E convidou-me para uma reunião na sua casa, em Arcore.

O compromisso é para o dia 18 de fevereiro. O primeiro e último encontro dos dois havia sido no dia 7 de maio de 1994, no escritório de Previti, para a oferta (recusada) do cargo de ministro do Interior. Agora, Berlusconi é investigado por corrupção, justamente por iniciativa de Di Pietro, que ainda é um magistrado, mesmo fora das suas funções. E hoje se lembra assim daquela conversa:

Impus uma condição: que não se falasse de questões judiciárias. Ele aceitou, mas logo depois quebrou a promessa. Naquele período, eu estava observando a situação e ainda não sabia nada do papel de Berlusconi e de seus amigos nas atividades do dossiê contra mim, o qual eu atribuía somente a Craxi e companhia, já que o *Cavaliere* me enchia de elogios. De qualquer forma, nossa conversa foi bastante formal, fria e desconfortável para ambos. Pela segunda vez nos vimos e pela segunda vez compreendemos que não fomos feitos um para o outro. Ficamos em uma espécie de átrio, um lugar com varanda, sem ao menos passar para um salão ou visitar os outros cômodos da mansão. Berlusconi alegrou-se com a minha visita: "Dr. Di Pietro, o senhor é o símbolo da Itália honesta, séria. E também é moderado. Agora que é um magistrado fora da função, o que me diz de retomar o discurso interrompido em maio? O senhor é um homem do Estado, das instituições", e coisas do tipo. Depois lamentou--se novamente por ter sido convocado a comparecer perante a justiça e o que se seguiu. Eu respondi que o fato grave era aquele infeliz vazamento de notícias que havia causado tantos problemas, sobretudo na investigação e que certamente aquilo não havia partido do *pool*, mas não disse uma única palavra para me distanciar de meus colegas. Sabemos como é Berlusconi: quer ouvir das pessoas aquilo que ele pensa, e, mesmo que alguém não o diga, se autoconvence da mesma forma. Acredito que Antonio D'Adamo também tenha tido um papel nefasto naquela tentativa de me atrair para seu lado. Na época, ele era meu amigo. Depois, descobri que, por razões de interesse econômico, continuava falando com Berlusconi em meu nome, sem que eu jamais o tivesse autorizado a fazê--lo. Tanto é que, naquele dia, eu disse a Berlusconi para não pensar mais que D'Adamo era meu porta-voz: quando quisesse saber o que eu penso, deveria dirigir-se a mim. D'Adamo ofendeu-se mortalmente por aquilo que considerava "quebrar a palavra". Ainda naquele período – eu viria a descobrir mais tarde por conta própria – procurava favores bilionários do *Cavaliere*.

D'Adamo confirmará à Procuradoria de Bréscia: "Por volta de março ou abril de 1995, Berlusconi disse-me que Di Pietro, quando se encontraram, havia dito que eu não era mais seu porta-voz". E Di Pietro:

Nunca o autorizei a ser meu porta-voz. Na verdade, nos únicos dois encontros que tive com Berlusconi, D'Adamo não teve nenhum papel: ele soube do primeiro pelos jornais, no dia seguinte, e do segundo diretamente de Berlusconi, quando já havia acabado. Após o segundo, pediu a Lucibello que organizasse um encontro comigo. Disse-me que eu o havia arruinado, que havia tirado toda a sua credibilidade com Berlusconi. Eu o intimei novamente a parar de falar em meu nome.

Em Arcore, de qualquer forma, Berlusconi e Di Pietro falam principalmente de política. O ex-promotor conta:

O *Cavaliere* estava aterrorizado pela minha popularidade e pela possibilidade de que eu entrasse na política com um movimento autônomo, que tiraria votos principalmente dele e de seus aliados. Em vista das eleições administrativas de 23 de abril, pediu-me uma declaração pública a favor do Polo e ofereceu-me outra vez o Ministério do Interior em seu possível futuro governo. Como alternativa, falou de um cargo institucional. Eu não me comprometi. Respondi que sou um moderado, mas havia deixado o *pool* há pouquíssimo tempo, e ainda esperava voltar à magistratura. Assim, disse-lhe que não tinha a intenção de me candidatar junto a ninguém e que, se um dia eu o fizesse, preferiria fundar um movimento autônomo. Exatamente aquilo que ele mais temia.

Berlusconi fornecerá uma versão bem diferente dos fatos. Primeiro no programa *Temporeale*, como convidado de Michele Santoro. Depois na Procuradoria de Bréscia: "Naquela ocasião, Di Pietro confirmou o que me havia sido comunicado por D'Adamo: a decisão de enviar a intimação a comparecer havia sido tomada quando ele estava no exterior, e ele havia assinado aquela intimação porque era de praxe para os atos mais importantes do *pool*, mas confirmou-me que não havia absolutamente provas contra mim". Também na segunda parte da conversa, sobre política, Berlusconi diz o oposto de Di Pietro: "Deu-me a sua confirmação para aqueles cargos [um papel institucional na cúpula da polícia ou dos serviços]", e até mesmo "uma declaração de voto uma semana antes das eleições administrativas". O fato é que, em abril, Di Pietro não fará qualquer apelo eleitoral. Nem por Berlusconi, nem por outros.

Embaraço no Temporeale

Na noite de 13 de abril, quinta-feira, o *Cavaliere* é um convidado no programa *Temporeale*. Fala-se das eleições e de seus últimos problemas judiciários. Especialmente da polêmica intimação há pouco feita por D'Ambrosio para que não obstruísse as cartas rogatórias suíças: "Ele", disse o procurador adjunto, "não é um acusado qualquer, ele não pode fazer apelação ao direito de defesa como os outros: ele quer voltar à presidência do Conselho e, como homem público, deve garantir sua máxima transparência". Berlusconi responde elogiando Di Pietro e atacando o *pool* pela intimação a comparecer (um "ato irresponsável"). Santoro o alfineta: "Intimação assinada também por Di Pietro". É naquele ponto que o *Cavaliere* lança o seguinte: "Não acredito mesmo que Di Pietro estivesse consciente de me enviar a intimação judicial. Ele a assinou porque era prática comum que toda a equipe assinasse certos documentos". Santoro, incrédulo: "Foi ele quem disse isso?". E Berlusconi: "Houve uma conversa particular entre nós dois, mas não estou autorizado a revelar o conteúdo". No entanto, acabou de revelá-lo. Naquele momento, o *Cavaliere* não diz mais nada, mas deixa-o com a pulga atrás da orelha.

Naquela noite, Borrelli, D'Ambrosio e Colombro estão em frente à TV. O primeiro e o terceiro logo telefonam a Di Pietro. A rede do celular do ex-promotor sofre interferências e "cai" com frequência. "Antonio", lembra Colombo, "disse-me que estava no carro, já era tarde e, de qualquer forma, ele o desmentiria na manhã seguinte". E Borrelli:

> Eu liguei para seu celular. Ele estava no carro, indo para Montenero di Bisaccia. Eu lhe disse: "Antonio, pegue o telefone agora, ligue para Santoro e desminta ao vivo as coisas que Berlusconi acabou de falar sobre você, porque você sabe melhor do que eu que as coisas não aconteceram assim. Se não o fizer, na próxima vez que você se apresentar na Procuradoria, eu o jogo escada abaixo do Palácio da Justiça a chutes".

No carro, porém, Di Pietro limita-se a dar uma breve declaração à ANSA, que apenas o noticiário *TG5* da noite transmite a tempo: "Sempre tive consciência de todas as intimações que assinei e me responsabilizo totalmente por elas". É a sua versão do fato. Seus colegas, no entanto, julgam a declaração branda demais e pensam que ele tenha "blefado" novamente para Berlusconi, deixando-o entender o que quisesse.

"Antonio, pela forma como o conheço, não deve ter dito nada de explícito a Berlusconi", hoje reflete Davigo, "mas é possível que o tenha feito acreditar, com um olhar ou uma careta, que não concordava conosco". Outros membros do *pool* optam, em voz baixa, por uma hipótese ainda mais grave: que Di Pietro, já na época, tivesse ouvido rumores das novas chantagens (que veremos em breve) dos partidários de Berlusconi, como havia sido tentado com o relatório de Giancarlo Gorrini, e estaria tentando, à sua maneira, impedi-los antes mesmo de surgirem, jogando com seu patrimônio ainda intacto de popularidade. Em resumo, que aquele que se apresentou em Arcore não fosse mais o samurai da operação Mãos Limpas, mas um homem intimidado, condicionado, acuado. Tal interpretação é fundamentada ainda por outra particularidade. Após o programa *Temporeale*, evidentemente desconfortável, Di Pietro não admite prontamente ter-se encontrado com Berlusconi, o último e mais célebre dentre seus investigados. Aliás, quando Giuliano Ferrara revela que o encontro ocorreu na villa de Arcore, tenta desajeitadamente negar. E o faz duas vezes: sábado, 15, e terça-feira, 18, em telefonemas feitos por dois cronistas do jornal *l'Espresso*.

Vinte e quatro horas após *Temporeale*, Borrelli vocifera:

> Di Pietro desmentiu pouquíssimo daquilo que foi dito por Berlusconi na TV. O fato de que políticos como Cossiga e Berlusconi ou Previti difundam mentiras sobre as relações entre Di Pietro e o *pool* já não me deixa tão escandalizado, mas essas mentiras nascem e são alimentadas também pelo silêncio de Di Pietro. Um silêncio culpado que ele mantém desde o dia da sua deserção.

E é dessa forma que diz o procurador: "deserção", e não "demissão". E acrescenta:

> Di Pietro sabe e deveria dar seu testemunho sobre a história, e em seu próprio interesse, pelo papel propulsor que desempenhou desde o primeiro até o último ato da investigação Mãos Limpas. Somos profundamente gratos a ele pelos resultados surpreendentes que foram alcançados, mas, pelo seu silêncio, por aquilo que não disse, sentimo-nos traídos em certa medida. Estou muito decepcionado devido à confiança que tinha nele, em sua lealdade e também pela relação humana que havia entre nós. Se alguém vai embora entre a intimação a um investigado a comparecer e o interrogatório dele, pode levantar suspeitas sobre o motivo de sua saída...

"Antonio", reforça D'Ambrosio, "deve dizer em alto e bom som que não falou com Berlusconi sobre seu caso judicial". Di Pietro tenta encerrar a polêmica no dia 15, com um editorial no *La Stampa* intitulado: "Quantas polêmicas inúteis". Repete que "ninguém jamais me obrigou ou induziu a assinar um ato contra Berlusconi". Confessa que o ataque de Borrelli "é injusto e me fere". Quanto às propinas da

Fininvest à Guarda de Finanças, surpreendentemente deixa a porta aberta: "Falta estabelecer se se trata de um fenômeno de corrupção ou de uma extorsão combinada" (mas a Procuradoria de Milão pediu o julgamento por corrupção). E, no dia seguinte, no *la Repubblica*, puxa as orelhas de D'Ambrosio: "Entre nós, houve muitas convergências e algumas divergências. Por exemplo, não partilhei algumas de suas declarações fora do comum, como aquelas que tornaram famosa, no devido momento, a colega Parenti, ou os recentes posicionamentos sobre as contas de Berlusconi no exterior: como magistrado investigador, não pode fazê-las". Então, garante-lhe toda a sua solidariedade, pois, justamente naquele dia, os jornais escrevem que o procurador adjunto escapou de um misterioso atentado.

Um `fuzil` e uma `colomba pascal`

No pátio da creche em frente à casa de D'Ambrosio, os homens da escolta dizem ter notado um homem que empunhava um objeto, provavelmente um fuzil, esperando que o magistrado descesse para a rua para ir ao trabalho. Logo o trancam em casa, tentando, nesse meio-tempo, capturar o indivíduo. Este, porém, consegue subir na moto de um cúmplice que o esperava a poucos metros com o motor ligado e consegue fugir (em 2010, o mesmo chefe da escolta de D'Ambrosio, responsável pela proteção do diretor do jornal *Libero*, Maurizio Belpietro, relataria ter colocado para correr um indivíduo que se preparava para atingir o famoso jornalista, mas também não se encontrará rastro nenhum desse suspeito assassino). O episódio acontece poucos dias depois de dois estranhos furtos no alojamento de D'Ambrosio e depois de terem sido avistados dois desconhecidos de binóculo que estavam espiando as janelas da casa de Francesco Greco. Enfim, para a Operação Mãos Limpas, são dias nada serenos, mas o centro das atenções ainda é o caso Di Pietro. "Borrelli", menciona Davigo, "estava furioso com ele. D'Ambrosio, Colombo, Greco e eu estávamos muito sem jeito. Então Gherardo tomou a iniciativa de organizar uma janta de modo que Antonio se explicasse e nos fizesse entender alguma coisa sobre as renúncias e sobre o fatídico encontro em Arcore". O Doutor Sutil lembra-se muito bem da janta na casa de Colombo. Era 18 de abril, terça--feira depois da Páscoa.

O primeiro a chegar é justamente Di Pietro, com uma grande colomba pascal. Depois, pouco a pouco, os outros: Davigo, Greco, D'Ambrosio e Borrelli. Não se viam, todos juntos, desde a inauguração do ano judiciário. Alessandra, a bela esposa de Colombo, também magistrada, leva à mesa o assado. Em seguida, se retira, para levar para a cama as duas crianças. Na sala, a discussão se anima, mesmo sendo em um clima formalmente amigável, quase brincalhão. Nenhuma pergunta muito direta ou insistente. Os ex-colegas esperam que seja Di Pietro a falar, a explicar. "Antonio, por sua vez", lembra Colombo, "escorregava como uma enguia. Podia se entender que não queria entrar em detalhes: em termos técnicos, eu diria que não estava muito 'colaborativo'. Em suma, não nos convenceu totalmente e ficamos com algumas dúvidas a mais. Somente depois, a partir dos processos de Bréscia, entendemos que ele ainda não podia nos dizer tudo". Borrelli e Greco são os mais curiosos. Di Pietro divaga, gesticula, pisca, bate os punhos na mesa assim que se comenta quem quer lhe fazer mal, mas, ao final, consegue desagradar a todos. Depois daquela noite, o sexteto não se reconstituirá mais.

As reações políticas às polêmicas entre Di Pietro e o *pool* estão acesas e são bem surpreendentes. O Polo ataca Borrelli, enquanto partem críticas por parte dos progressistas ao ex-promotor. Fini se pergunta "se é oportuna a permanência de Borrelli a cabo da Procuradoria" e hipotetiza se "Di Pietro entraria no nosso futuro governo como ministro". Folena, por outro lado, diz que "existem alguns pontos obscuros na inesperada renúncia de Di Pietro da magistratura" e o convida a esclarecê-los. "Di Pietro é chantageado", arrisca dias depois o senador Stefano Passigli. De qualquer forma, o *Cavaliere*, revelando a conversa privada e obrigando Di Pietro a desmenti-lo, não só disseminou a discórdia no *pool*, mas também jogou fora muito do que restava de esperança em dialogar com o homem mais amado pelos italianos, mesmo procurando recuperá-la ainda por uns meses alternando um morde (em segredo) e assopra (em público): "Di Pietro é uma pessoa de valor. Sempre foi bem-vindo" (1º de abril); "É melhor que Di Pietro continue no seu lugar, intocável lá no alto, como uma Madonna, como poucas que temos na Itália, mesmo que agora elas tenham começado a chorar. Na casa dos moderados, é bem acolhido quem serviu ao Estado, mas que ele não escolha posicionar-se imparcialmente" (4 de abril); "A hipótese de um Di Pietro chantageado pelo Polo é coisa de romance policial. A verdade é que a esquerda quer destruir o mito de Di Pietro, desde que ele deu a entender que, se fosse para a política, estaria entre os moderados. Seu destino é como o de todos aqueles que estão desse lado" (18 de abril). No entanto, há mais de dois meses, o séquito berlusconiano recomeçou a se movimentar justamente para "destruir o mito". Exatamente como sugeria Ferdinando Mach di Palmstein (e, veremos, Craxi): "Apresentando uma denúncia em Bréscia".

Os irmãos Salamone

Entre o final de março e os primeiros dias de abril, fica claro que Di Pietro não se voltará nem para a direita nem para a esquerda. Mas ambas as coalizões sabem que, se tivesse de se apresentar às urnas, carregaria consigo votos para todos e, principalmente, para o polo moderado. Chegou o momento de desenterrar o dossiê Gorrini, ou seja, todas as acusações (desde o empréstimo de uma Mercedes e de 100 milhões até as relações com o chefe dos guardas de trânsito de Milão, Eleuterio Rea) que, no outono de 1994, haviam levado Biondi a iniciar uma inspeção secreta sobre Di Pietro. Agora, porém, para que funcionem os venenos de Gorrini – que a opinião pública ainda não conhece – precisam sair do âmbito das investigações disciplinares (arquivadas) e devem se transformar em inquéritos penais. Se ocupará disso, exclusivamente, um promotor público que há pouco aportou na Procuradoria de Bréscia. Chama-se Fabio Salamone, tem 45 anos, 1,90m de altura e foi chefe dos juízes de investigações preliminares nativo de Agrigento. A mesma cidade onde opera também o irmão Filippo, titular do grupo Impresem, que terminou investigado por corrupção e concurso externo em associação mafiosa, considerado pelos investigadores o sucessor de Angelo Siino na "mesinha"onde se acomodam mafiosos, políticos e empresários para dividirem as comissões da Sicília, com as relativas propinas.

Em 1993, os procuradores substitutos de Agrigento Pietro Pollidori, Bruna Albertini, Stefano Dambruoso e Giuseppe Miceli escreveram ao procurador-chefe para expressar-lhe todo o desconforto pela situação embaraçosa de parentesco do juiz Fabio, que os coloca "em uma situação de clara dificuldade para o desenvolvimento das investigações" sobre o irmão Filippo, até porque é inevitável "o conhecimento das ações por parte do escritório do juiz de investigações preliminares". O Conselho Superior de Magistratura iniciou o processo para transferi-lo para outro lugar por clara incompatibilidade no ambiente. Àquela altura, em janeiro de 1994, Salamone antecipou a decisão do Conselho pedindo a transferência para outra sede. A Itália é grande, a Sicília é longe, mas para Fabio Salamone cai justamente a Procuradoria de Bréscia, à qual compete ocupar-se de casos judiciais que envolvem magistrados de Milão. O primeiro magistrado a se encontrar com Salamone é o próprio Di Pietro que – como vimos – ocupou-se algumas vezes do irmão Filippo a ponto de ter pronto, já em 1993, um pedido de prisão cautelar (depois suspensa porque toda a investigação passou para a competência de Palermo). Enfim, Fabio Salamone tem algum "motivo familiar" para não amar Di Pietro, mas, assim que chega em Bréscia, uma série de coincidências (a transferência do procurador-chefe Francesco Lisciotto e um processo disciplinar aberto sobre o promotor mais expert do escritório, Guglielmo Ascione) faz dele o dono da Procuradoria.

Por quase dois anos, de 1995 a 1996, ladeado pelo jovem colega Silvio Bonfigli, Salamone irá se dedicar de corpo e alma a Di Pietro, conseguindo abrir em poucos meses uns cinquenta processos sobre ele e uns quarenta sobre outros promotores do *pool*. Graças também, à incessante peregrinação de acusados importantes que correrão para fazer as denúncias mais disparatadas e infundadas. Assim, o epicentro das crônicas político-judiciais redireciona-se bruscamente de Milão para Bréscia, e o fato não parece desagradar nem um pouco a Salamone: suas numerosas externações preenchem por meses as primeiras páginas dos jornais, mas, dessa vez, ninguém apresenta denúncias, nem pede medidas disciplinares ou inspeções ministeriais. Ouvidor judicial em Palermo nos tempos de Falcone e Borsellino, depois procurador substituto em Agrigento juntamente com Rosario Livatino, Salamone nunca se esquece de lembrar aquelas influências. Declara-se um magistrado "incomodado", "insatisfeito" por ter de investigar "um mito" como Di Pietro. Lamenta-se: "Quando eu era juiz em Agrigento, fui colocado sob investigação umas 25 vezes, e ninguém chorou por mim". Seu longo momento de glória durará um ano e meio, até suas investigações começarem a bater-se contra a barreira chamada juízes das investigações preliminares e atracar em outros tantos arquivamentos. Só então seu novo procurador-chefe, Giancarlo Tarquini, procurador-geral de Bréscia, e o Conselho Superior da Magistratura perceberão a "grave inimizade" que opõe Salamone e Di Pietro, e o destinarão a outras incumbências.

A campanha de primavera

O processo Cerciello diz respeito a 48 oficiais e suboficiais da Guarda de Finanças e a 23 entre consultores e empresários acusados de tê-los corrompido. É aquele iniciado pelo *pool* em Milão e transferido pela Corte de Cassação para Bréscia por suspeita legítima. Nos documentos, uma gigantesca descrição da Tangentopoli. Havia até mesmo um tarifário para os empresários que não queriam problemas com a Guarda de Finanças: 500 milhões para a evitar o controle fiscal, 350 milhões para um controle falsificado. A Procuradoria de Milão constatou que cada inspeção "corrompida" escondia do fisco, em média, de 8 a 10 bilhões. Os controles incriminados nos processos de Bréscia e Milão são mais de 200. Total: pelo menos 2 trilhões retirados do erário somente em Milão e só pela ponta do iceberg que já despontava da água. Observa hoje Davigo:

> Sabemos alguma coisa somente sobre os controles falsificados, mas não sabemos nada sobre aqueles efetuados *tout court*. A cada ano a Guarda de Finanças de Milão, de aproximadamente oitocentos mil números de contribuintes, pode controlar no máximo 400, em amostras com escolhas inevitavelmente criteriosas. Se muitos pagavam para atenuar os controles, creio que ao menos outros tantos desembolsassem mais dinheiro ainda para se safarem de tudo, mas a lista de controles que não foram feitos é impossível achar.

Cerciello tem de responder por propinas de, ao menos, meio bilhão de liras e corre grande risco (em Bréscia, será condenado definitivamente a 3 anos e 10 meses, enquanto em Milão sofrerá duas condenações em primeira instância a 12 anos e a 7 anos e 11 meses. Depois, em Milão, a primeira condenação será reduzida com acordo para 5 anos e meio incorporada "em continuação" com a de Bréscia). Mesmo assim, quando interrogado no tribunal, preocupa-se sobretudo em atacar quem o pegou com a boca na botija. "Foi o doutor Di Pietro", declara em 3 de abril de 1995, "a querer a todo custo que se citasse o meu nome". E não só seu: "Na prisão de Peschiera, fiquei sabendo que os magistrados do *pool* queriam fazer chegar ao marechal Nanocchio o nome de Silvio Berlusconi". Salamone anuncia, em seguida, que investigará Di Pietro: "Existe aqui, seguramente, uma notícia de um crime: ou Cerciello está caluniando alguém, ou alguém cometeu abusos". Um comportamento, como aquele do promotor de Bréscia, que o juiz para audiências preliminares Andrea Battistacci, ao arquivar a investigação, definirá como "excêntrico" e que o Tribunal de Bréscia rejeitará por "absoluta singularidade do procedimento do promotor": ninguém obrigava Salamone a dar crédito "a um acusado, Cerciello, que exercita o seu direito de defender-se e, portanto, de mentir".

Di Pietro entende que está se iniciando contra ele a campanha de primavera: "Neste país", desabafa, "não dá mais para viver", e anuncia ter escrito ao Conselho Superior da Magistratura a carta de demissão irrevogável da magistratura. Depois lembra aos desmemoriados a gênese da investigação da Guarda de Finanças desonesta: "Esses senhores dizem que eu os teria obrigado a falar de Berlusconi? Bendito Deus! O primeiro a falar das propinas à Guarda de Finanças foi o vice-brigadeiro Di Giovanni. Denunciou que Nanocchio havia lhes oferecido dinheiro proveniente de uma inspeção em uma sociedade do grupo Fininvest. De quem eu devia lhes perguntar? De Agnelli? De De Benedetti? Ou dos chefes da Fininvest, ou seja, dos irmãos Berlusconi?". A partir daquele momento, o processo contra Cerciello, sob o comando do advogado Taormina, transforma-se em processo contra Di Pietro.

Um Salvi falso e um Taormina verdadeiro

Em 6 de abril, uma mão anônima envia de Roma um dossiê anti-Di Pietro a um seleto grupo de destinatários, entre os quais destacam-se os nomes de Salamone e Taormina. Trata-se de um texto datilografado, assinado por um inexistente "Giovanni Salvi". Contém o já habitual elenco de supostas "revelações": Di Pietro "apresentou D'Adamo a Balzamo em Roma no saguão do Hotel Plaza para que estivesse presente nos contratos da capital"; Di Pietro salvou Balzamo na investigação da Lombardia Informática; Di Pietro "cobre" um tal de Falsitta; Di Pietro "prende, ou melhor, sequestra por toda uma noite", um industrial farmacêutico; Di Pietro e a esposa, graças a Cossiga, "projetam a informatização do Senado" e embolsam 100 milhões. O dossiê se conclui com o bilhão que "os empresários Gorrini, Maggiorelli e D'Adamo desembolsaram para pagar as dívidas de jogo do comandante dos guardas de trânsito de Milão, Eleuterio Rea", com "Di Pietro como organizador da coleta" depois que já havia feito eles passarem no concurso, tendo feito parte da comissão examinadora a partir de um pedido feito a Borrelli".

Acusações, venenos e insinuações, em parte, já contidos nos dossiês do jornal *Il Sabato* e no de Mach di Palmstein, em parte novas, mas tudo anônimo. Mesmo assim, Salamone os leva bastante a sério: encarrega a DIGOS de identificar o fantasmagórico "Giovanni Salvi" e, em 8 de maio, pede ao Ministério os documentos relacionados "às inspeções conduzidas com relação à Procuradoria de Milão e ao doutor Di Pietro". Estranho: até aquele momento, a única inspeção conhecida era aquela de Biondi sobre todo o *pool*, mas, quem sabe como e por que, o promotor de Bréscia já sabe da inspeção secreta de novembro contra Di Pietro no caso Gorrini. Sabe tudo, também, o advogado Taormina, que lança as primeiras mensagens em 7 de abril. Depois, no dia 18, na sala do tribunal onde ocorre o processo Cerciello, o advogado pede, de surpresa, ao tribunal para interrogar Di Pietro como investigado de crime conexo. Com precisão minuciosa reassume publicamente todos (ou quase todos) os venenos despejados por vários anônimos: "Di Pietro tem a ver com a intervenção por uma dívida de jogo (600 milhões) contraída pelo seu amigo Eleuterio Rea, chefe dos guardas de trânsito de Milão? E com a compra de uma Mercedes feita pela Seguradora MAA de Gorrini? E com a indicação do escritório de sua esposa da carteira de sinistros da própria MAA?". Seguem outras perguntas: dos bastidores da informatização do Senado até as relações com D'Adamo. Em suma, um resumo dos dossiês do jornal *Il Sabato*, de Gorrini e do tal "Giovanni Salvi".

O ataque é frontal. Di Pietro fala de "velhas e novas ilações, acusações anônimas e fatos inventados". Diz que "em Bréscia, festeja-se uma palhaçada".

Desafia Taormina a "exibir documentos processuais". Depois anuncia: "Agora basta, começo a denunciar qualquer um que me difamar. Não ficarei mais só olhando". Apresentará mais de 600 denúncias. No entanto, coloca-se novamente a investigar: dessa vez, para "trazer para a casa a honra" e para parar os mandantes da campanha de primavera. Hoje recorda que,

> aquela investigação foi muito mais difícil do que a Operação Mãos Limpas, porque eu não tinha mais os instrumentos do magistrado. E, sobretudo, porque desfazer uma mentira é muito mais árduo que descobrir uma verdade, tanto que não sabiam fazer as investigações, em Bréscia, como depois mostraram as sentenças, e aquelas a favor do investigado não queriam fazê-las. Por meses e meses, junto ao meu advogado Massimo Dinoia, tive de suprir as inércias daquela Procuradoria.

Uma investigação puxa a outra

As investigações de Bréscia sobre Di Pietro multiplicam-se e se reproduzem a ritmo vertiginoso, continuamente alimentadas por denúncias dos acusados e dos condenados da Operação Mãos Limpas em busca de vingança. Em pouco tempo, o quadro das acusações torna-se tão intrincado que confunde até os cronistas judiciais mais atentos. Até que, em meados de junho, a jornalista Marcella Andreolli desafia os seus editores revelando na revista *Panorama* (editora Mondadori) que, junto a uma série de investigações sobre o ex-promotor, existe uma que envolve diretamente Cessare Previti e Paolo Berlusconi.

De acordo com Salamone e Bonfigli, os dois teriam obrigado Di Pietro a renunciar com chantagem. Teriam utilizado as acusações feitas a Di Pietro contidas no depoimento de Gorrini para abrir, em novembro de 1994, a então célebre inspeção ministerial secreta, encerrada assim que o promotor foi embora. Os magistrados de Bréscia, no entanto, são bipartidários. Se por um lado pedem (e obtêm) um processo de concussão contra Previti e Berlusconi Júnior, por outro lado atingem em cheio o símbolo da Operação Mãos Limpas tendo como base um pressuposto lógico bastante desestabilizador: se realmente Di Pietro era chantageado, algo de penalmente relevante ele cometeu.

As acusações, por enquanto, referem-se aos anos anteriores à Operação Mãos Limpas. O empréstimo feito pela Seguradora MAA de Gorrini? Um caso de concussão: Di Pietro havia extorquido com ameaças aqueles 100 milhões. A amizade com Eleuterio Rea? Um caso de abuso de poder: o ex-promotor teria favorecido Rea no concurso que o promoveu a chefe dos guardas de trânsito e depois teria obrigado a D'Adamo, Gorrini e Maggiorelli a eliminar a dívidas de jogo dele e assim por diante. Praticamente, não existe investigação ou iniciativa de Di Pietro por trás da qual a Procuradoria de Bréscia não entreveja um crime. Nas páginas da fase instrutória do escândalo das igrejas de Oltrepò, conduzidas por Di Pietro em 1989, Salamone e Bonfigli acreditam encontrar a prova de outra concussão e outro abuso: o então promotor teria utilizado aqueles autos do processo para levar o principal investigado, o então ministro da Função Pública Remo Gaspari, a favorecer a ISI (Engenharia Sistemas Informáticos), uma sociedade criada pelo advogado Giuseppe Lucibello juntamente com alguns Carabinieri ex-colaboradores do magistrado. A cena teria se repetido um ano depois, em 1990, com o inquérito sobre a Lombardia Informatica: Di Pietro a teria usado para constranger o presidente da sociedade Giancarlo Albini e outros políticos envolvidos no escândalo a nomeá-lo responsável pelo escritório de automação do Ministério da Justiça.

No fim, todas essas acusações derreterão como neve no sol. Salamone e Bonfigli serão regularmente rejeitados. Pelo tribunal no caso de Previti e Paolo Berlusconi. Por diversos juízes de investigações preliminares no caso de Di Pietro: nenhum pedido de julgamento chegará à discussão do mérito do processo. De qualquer forma, a frenética atividade da Procuradoria de Bréscia obterá um resultado: devastar por anos a imagem do homem símbolo da Mãos Limpas.

Os inimigos do *pool* logo intuem que o momento é propício para o golpe final. Em 30 de junho de 1995, Bettino Craxi reaparece, inundando os jornais de fax com registros telefônicos de ligações feitas e recebidas de um celular usado por Di Pietro em 1992: "Quem me deu foi Parisi", revela, sem explicar o motivo pelo qual a polícia tivesse que investigar os telefones de um magistrado e o motivo pelo qual o chefe da polícia tivesse entregue a ele, secretário de um partido de governo, todo aquele material secreto. O ex-líder socialista quer demonstrar que a Mãos Limpas é só blefe e que Di Pietro era guiado por amigos investigados (Prada, Rafaelli). É a reedição da famosa grande jogada do verão de 1992, boa para todas as estações. Depois, Craxi se oferece a Salamone: "Se quiser me ouvir falar sobre Di Pietro, estou aqui", e se prepara para dar à imprensa, a partir de agosto, seu novo caso literário: *O caso C. segunda parte*. Em seguida, convida Salamone a investigar uma viagem feita por Di Pietro à Costa Rica, onde o ex-promotor teria encontrado "importantes personalidades das finanças italiana e internacional".

Uma nova "permuta"

Também a campanha de primavera de 1995, como a do outono de 1994, tem um fundo falso, uma história secreta que aparecerá somente a partir dos processos de Bréscia. Tudo começa, aliás, recomeça, em 29 de março de 1995, quando o securitário Giancarlo Gorrini, ainda em busca de ajuda para as suas finanças desastrosas, bate à porta de Sergio Cusani. Foi este último a procurá-lo, por meio do advogado Donzelli: quer parabenizá-lo pela ótima performance perante os inspetores, mas também quer lhe dar algumas sugestões para superar a versão favorável a Di Pietro tida por meio do testemunho de Osvaldo Rocca, o colaborador de Gorrini que havia concretamente oferecido e entregue ao ex-magistrado o empréstimo de 100 milhões e uma Mercedes usada.

Gorrini compreende que, para realmente causar mal a Di Pietro, o aviso feito ao Ministério, miseravelmente naufragado em novembro, não basta mais. Assim, prepara uma outra versão, muito mais pesada do que a primeira, para incriminar o ex-amigo. É suficiente pesar a mão, transformando alguns favores feitos (por meio de Rocca) a Di Pietro em uma série de extorsões feitas pelo então magistrado, e o jogo está feito. Com aquela carta na manga, Gorrini vai até Cusani e depois entra em contato com Paolo Berlusconi. Com eles, estipula o que a juíza para audiências preliminares Anna Di Martino (juíza que irá dispensar Di Pietro) chamará de "uma nova permuta", "um novo comércio ilegal". Cusani, em troca de um depoimento, em Bréscia, contra Di Pietro, oferece a Gorrini "uma intervenção junto ao Banco Popular de Novara e à SAI pelos negócios societários da MAA". E talvez também uma boa conversa junto ao IOR (Instituto de Obras Religiosas). Por intermédio de Berlusconi Júnior, ao contrário, o securitário espera eliminar os contrastes com o ex-acionista da MAA Renato Della Valle (sócio e amigo de Silvio Berlusconi) e sonha em obter indicações junto ao banco Popular de Novara e junto ao líder do Força Itália.

Gorrini admite isso explicitamente falando ao telefone (grampeado): Paolo Berlusconi e Sergio Cusani têm todo o interesse em descreditar Di Pietro, sendo ambos pluriacusados e já condenados em primeira instância justamente por causa dele. "Esses dois malandros aqui", diz. O securitário, além de tudo, naquele momento, é investigado pelo promotor Davigo por corrupção da Guarda de Finanças e dos autos resultam suas fortes relações com o general Cerciello desde os anos 1980, quando ele comandava o Núcleo de Polícia Tributária de Milão e parecia mostrar-se mais "gentil" com a MAA. Portanto, de acordo com a juíza de audiências preliminares Di Martino, "o novo modo de agir de Gorrini se movia diretamente em direção dos interesses de Cerciello, obstinado acusador de Di Pietro". E defendido por Taormina.

Enfim, para o juiz de Bréscia, os mandantes de Gorrini na campanha de primavera foram Cusani, Cerciello e Paolo Berlusconi. Três pessoas investigadas e depois condenadas graças a Di Pietro e "certamente nem um pouco animadas pelo sentimento de reconhecimento em relação a ele". Os primeiros dois "já autores de testemunhos contra o mesmo revelados infundados"; o terceiro, como vimos em 1994, grande colecionador de "várias e anônimas indicações contendo acusações contra Di Pietro". Com este trio – escreve a juíza Di Martino – Gorrini faz um pacto de "trocas de favores", para "satisfazer interesses pessoais (as ajudas para os negócios societários) além de, indiretamente, satisfazer o interesse de outros sujeitos que fazem parte do grupo de investigados por obra de Di Pietro".

O cavalo de Borrelli

"As inquietantes ligações entre Gorrini e o 'partido dos investigados' emergem nitidamente" – segundo o juiz – a partir de uma ligação: aquela feita em 21 de maio entre Gorrini e o seu factótum Attilio Santuccio. Os dois leram no *Giornale* de Paolo Berlusconi a estranha história de um cavalo, um alazão de nome Calùn, montado pelo procurador Borrelli. A notícia vem com uma grande foto na primeira página, que imortaliza o cavalo e o cavaleiro, mas, principalmente, a sigla G.G. sobre a sela. O jornal insinua que a sigla seja Giancarlo Gorrini e que esse seja o verdadeiro proprietário do animal. Enfim, que até mesmo o ex-chefe de Di Pietro tenha relações de privilégio com o securitário condenado. A notícia é totalmente inventada: bastaria verificar para descobrir que a escuderia de Gorrini chama-se Lady M e que G.G. é a sigla de um certo Giuseppe Gennari, antigo proprietário de um alazão. No entanto, por alguns dias, os jornais não falam de outra coisa (justamente quando o *pool*, no dia 20 de maio, pede o julgamento de Berlusconi pelo caso da Guarda de Finanças).

Disso irá se ocupar o Conselho Superior da Magistratura, visto que se descobre que o primeiro a ordenar a averiguação – tão informal quanto ilegítima – sobre o corcel montado por Borrelli foi seu próprio superior, o procurador-geral Catelani. A foto não é novidade: já havia aparecido em 1993 em um jornal. Por curiosidade, volta à mente de Catelani justamente em abril de 1995, enquanto Taormina dispara os seus tiros sobre o caso Di Pietro–Gorrini. O alto magistrado chama um procurador-geral substituto, Gustavo Cioppa, e pede que ele indague. Cioppa encarrega um oficial dos Carabinieri, que se pergunta se é lícito investigar assim, informalmente, em nome do procurador da República e pede um conselho ao promotor Armando Spataro. Ele o aconselha a pedir que seja um encarregado oficial, mas a resposta da Procuradoria Geral ao oficial é que a investigação é "informal e reservada". O oficial recusa então a proceder e relata isso a Spataro, que oferece um relatório a seu superior Borrelli, que, por sua vez, informa ao Conselho Superior da Magistratura. Assim, no Palazzo dei Marescialli abre-se um processo de transferência de Catelani por incompatibilidade no ambiente. Em 2001, começará a colaborar com o *Giornale*, da família Berlusconi.

A "invenção" sobre o cavalo não é a primeira e nem a última. O *Giornale* de Feltri já havia tentado com Davigo. No dia 13 de março de 1994, havia escrito que o promotor teria ligação com uma cooperativa de construção civil junto com

1995. MÃOS BAIXAS

Ligresti e Curtò. Não é verdade. Feltri será condenado a ressarcir o magistrado por danos morais. Um ano depois (11 de junho de 1995), falando de outra cooperativa de construção, o *Giornale* tem como manchete: "A estranha dupla Davigo–Cerciello", insinuando sabe-se lá quais tipos de negócios em comum entre o promotor e o general corrupto. Na realidade, Davigo havia se inscrito junto com outros magistrados em uma cooperativa criada para construir alojamentos e, dias depois, havia saído dela quando da entrada de Cerciello (quando Cerciello, número um da Guarda de Finanças de Milão, não havia nem sido citado como suspeito). Outra condenação definitiva para Feltri.

Que sentido tem, na primavera de 1995, essa sequência de investidas contra o *pool*? Um telefonema interceptado entre Gorrini e Santuccio ajuda a entender melhor.

> *Santuccio*: "Eles estão preparando o terreno para chegar no fundo com o resto [ou seja, com o dossiê Gorrini], assim dão credibilidade a isto... E depois as pessoas se perguntam: como, se é verdade com Di Pietro, por que não deve ser verdade a do cavalo? [...]. Sustentamos isso com uma bomba certeira... entra tudo no mesmo caldeirão.... Se é verdade essa [a história do cavalo], por que não pode ser verdade a outra [a história Gorrini–Di Pietro]?... Aquele lá [Paolo Berlusconi] tem tudo nas mãos".

> *Gorrini*: "Estão preparando o terreno... fizeram por graus de importância... Primeiro o advogado [talvez Taormina]... Porém, para aguentar, visto que um pouquinho o nosso amigo [Cusani] se gaba [com as promessas de favores a Gorrini]... de ter feito aquilo que dificilmente fez, isto é, a famosa bomba... Vamos nos gabar um pouquinho nós também que temos algo nas mãos... não tenha dúvida, Attilio, que ele [Cusani] não é mais desafeto [para] Di Pietro, ele trabalha por conta de P [de acordo com o juiz, poderia ser Paolo Berlusconi]... Aqueles lá se deram conta que erraram comigo: poderiam ter feito eu entender que me ajudavam para a questão".

> *Santuccio*: "Sim, porém eles não podiam usá-la, este é o motivo pelo qual nos abandonaram... Seria como um bumerangue se eles tivessem usado, e então pensaram: quem é que temos nas mãos que é qualificado para usá-la? ".

A juíza de audiências preliminares Di Martino traduz em italiano o sentido daqueles discursos cifrados: "A conversa exposta nos faz intuir que Gorrini tenha sido induzido a ir ao Ministério da Justiça [em novembro de 1994] por pessoas que não podiam denunciar Di Pietro diretamente, e que – depois de terem-no usado – o abandonaram. Certamente entre essas pessoas estava Paolo Berlusconi". O que quer dizer Gorrini quando fala de "nos gabar um pouquinho nós também"? Quer dizer que queria "fingir ter outras revelações perturbadoras para fazer, e assim ser mais facilmente ajudado por Cusani", que, no momento, não é apenas atiçado pelo ódio que sente por Di Pietro: está a serviço de Berlusconi Júnior. De fato, três dias depois, Cusani convida Gorrini a não falar nunca o nome de Paolo Berlusconi. E a "bomba" de Cusani? Será o próprio Gorrini a explicar que era a prometida intervenção junto ao IOR para que o ajudasse com o Banco Popular de Novara.

Cusani, Taormina, Paolo Berlusconi e o seu *Giornale*: "Está manifestada", escreve a juíza, "a referência à manobra totalmente direcionada a deslegitimar a obra da Procuradoria de Milão que parece estar se movendo a partir das circunstâncias evocadas na sala do debate de Cerciello feitas pelo advogado Taormina, com base nas declarações feitas à imprensa por parte do advogado, a partir das notícias sobre o caso da inspeção do procurador-geral Catelani" sobre o cavalo de Borrelli.

No dia 22 de maio, Cusani, excitadíssimo pela história do cavalo, faz uma enxurrada de telefonemas a Gorrini para saber tudo sobre o monograma do seu haras, mas o securitário apaga o seu entusiasmo: "Aquilo é uma besteira". Depois comenta com a sua companheira: "Pois é, bem que ele gostaria que a sela fosse minha". Contudo, é necessário muito mais para levar o *pool* ao tribunal: é necessário pegar Di Pietro de surpresa. "A nova ofensiva contra Di Pietro", de acordo com a juíza Di Martino, "depois do insucesso no outono de 1994 em razão do encerramento da investigação ministerial, devia necessariamente ter o suporte de uma criminalização mais séria dos eventos". Trata-se, isto é, de partir de fatos reais – o empréstimo, a Mercedes, as dívidas de Rea – e de misturá-los com mentiras e "novos detalhes tendenciosos", mas principalmente de transformá-los em crimes, enchendo os fatos de conteúdos mais alarmantes, a fim de evitar um novo fechamento do caso". Nasce, assim, o segundo e mais duro depoimento de Gorrini: "Uma nova versão mais alarmante nascida da necessidade de tentar superar o fechamento do caso, para o qual se pensou atribuir mais inquietantes conteúdos com a finalidade de induzir uma reconsideração do mesmo caso em sede penal". Uma versão – escreve a juíza – que "demonstrou ser infundada".

As mentiras do securitário

Quando lhe perguntam por que ele sentiu a necessidade de escrever o segundo depoimento, Gorrini responde com uma mentira: "Porque não tinha mais cópia daquele do dia 4 de outubro de 1994". Bastará uma revista na casa da sua companheira para descobrir cópias de ambos depoimentos. Aquele de outubro de 1994 (entregue a Paolo Berlusconi, que o endereçou aos inspetores) e aquele de março 1995. Muito diferentes entre eles. Qual a diferença entre eles? O segundo – escreve o juiz de audiências preliminares – contém "uma versão decisivamente mais comprometedora das relações entre Gorrini e Di Pietro":

> Gorrini afirmava, falsamente, ser conhecido de Di Pietro desde o início dos anos 1980 ou um pouco antes; se mostrava um assíduo frequentador

1995. MÃOS BAIXAS 449

do magistrado. Sobre o caso dos débitos de Rea, acrescentava que Di Pietro temia que ele corresse riscos pessoais e que lhe havia indicado os credores de Rea, que eram pessoas perigosas. Sobre o caso da Mercedes, dizia ter sabido que o magistrado havia vendido o carro, "obviamente" embolsando o preço da venda igual ao valor de mercado (aproximadamente 60 milhões). Sobre o caso de empréstimo, falava do estado de estupor no momento da restituição do dinheiro [...] sobre o qual não conseguia dar "uma explicação plausível".

Essa trama contada por Gorrini é "de longe pouco confiável": há também a suspeita de que Gorrini tenha querido alterar o conteúdo real dos relatórios com Di Pietro, aproveitando para satisfazer os próprios interesses (as ajudas nos casos societários) e de outros personagens investigados pelo ex-magistrado que, finalmente, podiam ver no lugar de acusado o obstinado acusador.

Recapitulando: Gorrini, em março, escreve o segundo depoimento; em 29 de março, o entrega a Cusani; em 6 de abril, alguém o retoma no dossiê anônimo assinado por "Giovanni Salvi" enviado a Salamone e Taormina; em 18 de abril, Taormina divulga o depoimento no processo Cerciello, enquanto Salamone abre inquérito colocando sob seu controle os telefones e as casas dos inspetores ministeriais Dinacci e De Biase, de Paolo Berlusconi, Rocca, Gorrini, Cusani, Santuccio e Rosilde Craxi (irmã de Bettino e esposa de Pillitteri). Em seguida, o promotor de Bréscia convoca Gorrini para testemunhar no dia 26 de maio.

Dois dias antes, no dia 24, em uma ligação para a sua companheira, o securitário anuncia que, se dessa vez não o ajudarem, então "direi a verdade, vou falar de Paolo, Dinacci e do ministro". Ou seja, vai contar como aconteceram as coisas envolvendo Paolo Berlusconi e lembrando que fora ele a incentivá-lo a falar com os inspetores. Dessa vez – diz Gorrini – não fará nada de graça: em troca das acusações a Di Pietro, pretende fazer "um acordo com o Banco Popular de Novara". Não como em novembro, quando se expôs perante os inspetores, conseguindo indiretamente provocar as demissões do ex-amigo sem ter obtido nada em troca ("do Paolo, recebi só duas garrafas de champanhe no Natal").

No dia seguinte, dia 25, seu advogado, Mario Donzelli, aconselha-o a dizer a verdade.

> *Gorrini*: "Mario, fiz o que pude, o que minimiza é que estive lá [perante os inspetores]... Eu não diria, eu o deixaria de fora [Paolo Berlusconi] porque, vamos ser francos: o menor você quer dizer que disse o maior... e ali não tem dúvida... me disse o grandão, quer dizer o Genovese [Biondi], é uma confusão, vai ser uma confusão".
>
> *Donzelli*: "Tem de dizer a verdade".
>
> *Gorrini*: "Hoje montei o cavalo certo... Se tenho a esperança de salvar, de

ter um negócio, não o terei mais, você acha? Me parecia uma imbecilidade não vender preventivamente a esses dois trapaceiros".

Donzelli: "Se consegue encontrá-los... o que quer que eu diga a você...".

Naquela mesma noite, véspera do encontro com Salamone, Cusani liga para Gorrini. É tarde, são 23h33min, mas ele precisa vê-lo a todo custo. De fato, vai até sua casa para sugerir que melhore a versão que fornecerá ao promotor sobre a origem da visita feita aos inspetores. Quando vai embora, à 1h30min, Gorrini liga para a sua companheira e lhe conta que Cusani perguntou a ele: "Você tem coragem de arrastar os outros? ", e, para dissuadi-lo de dizer a verdade, promete ajuda: "Tenho um claro compromisso com você, tenho de tirar você dessa".

No dia seguinte, pela primeira vez em frente a Salamone, Gorrini sustenta ideias mirabolantes para não dizer o nome de Paolo Berlusconi. Dá uma versão fantasiosa dos fatos: ele não gostava mais de Di Pietro por causa do seu "protagonismo"; porque havia prendido gente demais – Prada, Radaelli, Pillitteri – com os quais um ano antes havia jantado; porque um artigo do jornal *Corriere della Sera* intitulado "Di Pietro contra Berlusconi" (sobre o andamento das investigações sobre a Telepiù) o havia irritado tanto a ponto de induzi-lo a mostrar a quem quer que fosse toda a sujeira do seu ex-amigo que estava debaixo do tapete. O que, na fúria em contar, "evidentemente chegou aos ouvidos dos inspetores", que o convocaram a testemunhar sobre Di Pietro. Um relato simplesmente risível, como escreverá a juíza Di Martino:

> É implausível que um sujeito que não foi atingido por nenhum "tiro" dado pelo magistrado Di Pietro possa indignar-se com ele como "réu" por ter feito seu dever perante seus conhecidos (conhecidos do juiz). Ao cidadão médio, não interessa tanto que um magistrado tenha prendido um amigo, podendo, eventualmente, gerar reprovação se for o contrário, caso o magistrado seja pouco rigoroso em relação ao seu círculo de amizade [...]. Não dá para compreender por que Gorrini não fez algo antes do outono de 1994, remetendo a 1990–1991 o conhecimento das "sujeiras" e para 1992 as prisões de Prada, Radaelli, Pillitteri [...]. A virada que macula toda a história ocorre só no verão de 1994, justamente coincidindo com a prisão de Paolo Berlusconi, do qual Gorrini esperava ajuda para resolver os casos societários que se referiam a ele.

Até então, Gorrini "nunca havia manifestado a alguém ter sido extorquido por Di Pietro" por causa do empréstimo. Desde então, ao contrário, "acontecia uma reviravolta do que até então tinham sido favores lícitos concedidos por meio de Rocca a um conhecido (Di Pietro), fora de questão a atividade profissional do mesmo só para satisfazer a irrefreável sede de 'justiça' do amigo Berlusconi e suas próprias necessidades".

Em 1º de junho de 1995, Gorrini é convocado pela Procuradoria de Bréscia pela segunda vez. Tem de explicar as frases que saíram nas interceptações telefônicas, por exemplo, sobre os frenéticos acordos feitos com Cusani sobre o que falar e o que calar no primeiro interrogatório e sobre as revelações "vendidas" a "esses dois malandros". A intenção em deixar de fora Berlusconi Júnior em troca de dinheiro é gritante. Gorrini desaba: é verdade; antes de se apresentar, contatou Cusani e Paolo Berlusconi "para solicitar uma intervenção mais autoritária junto ao Banco Popular de Novara e à SAI para resolver os problemas das minhas sociedades". É verdade: entregou a Cusani um segundo relatório anti-Di Pietro, mas o resto quem fez foi Paolo Berlusconi e/ou Cusani, que foram correndo contar tudo a Taormina".

Teve depois a prometida recompensa? Isso não saberemos nunca. A Procuradoria de Bréscia, que também investigou por muito tempo o caso, esqueceu-se de apurar. "Não está claro", observa a juíza Di Martino, "não tendo a acusação se aprofundado no tema, se Berlusconi fez algo para tentar intermediar com o Della Valle Renato ou com o Banco Popular de Novara em favor de Gorrini".

Di Pietro, a autodefesa

Di Pietro defende-se com unhas e dentes. Em um relatório-denúncia de 28 de maio de 1995, pede à Procuradoria de Bréscia para "verificar como e por meio de quem teriam chegado todas aquelas notícias para a defesa de Cerciello" e para "proceder penalmente contra qualquer um que tenha me caluniado". A Procuradoria não faz isso, e é a Procuradoria Geral que terá de intervir. Depois, o ex-promotor é interrogado por Salamone e Bonfigli três vezes: em 2 de julho, por 18 horas (um recorde); em 7 de julho, por aproximadamente seis; e em 29 de novembro por outras 8 horas. Seu primeiro depoimento como investigado abre assim:

> Pretendo declarar que servi com dedicação, devoção e determinação o meu país e nunca misturei os interesses privados com as atividades públicas realizadas por mim. A demonstração evidente são os fatos pelos quais hoje me encontro aqui sendo interrogado. Cheguei a exercitar a devida ação penal com relação a todos, amigos e inimigos, e enquanto poderiam existir razões de oportunidade, providenciei logo a abstenção.

Depois, o ex-promotor responde as acusações. Partindo daquelas mais inverossímeis, para chegar a ilustrar suas verdadeiras relações com tantos amigos, verdadeiros ou supostos, "para os quais exercitei a devida ação penal": Prada, Radaelli, Pillitteri, Claudio Dini, todos presos a seu pedido. Em seguida, enfrenta a questão do empréstimo e da Mercedes, que é de 1989 a 1990. Por trás do dinheiro e do carro, não existe Gorrini, mas, como já vimos, seu colaborador Osvaldo Rocca, grande amigo de Di Pietro. O dinheiro serviria ao magistrado para poder reformar uma casa para o filho, Cristiano. O montante, colocado pouco a pouco em uma conta ao portador, foi inteiramente restituído com cheques ao portador em 1994. Obviamente, porém, Gorrini sabia do empréstimo: o dinheiro vinha da MAA. Mesmo assim, nunca o pediu de volta.

Aliás, no início da Mãos Limpas, havia aparecido junto com Di Pietro, mas só para aconselhá-lo a ir até o fim com as investigações, lembrando que o empréstimo podia ser restituído com toda a calma.

Di Pietro liquida depois a questão da sua intervenção junto a um grupo de amigos para eliminar os débitos de Rea:

> Repreendi fortemente Rea, convidei-o a parar de jogar e a saldar seus débitos, dos quais me havia falado D'Adamo. Ele me disse que Gorrini e Maggiorelli estavam lhe empestando dinheiro. Então, aconselhei D'Adamo e Gorrini a entrarem em acordo a fim de que Rea não continuasse a jogar com o dinheiro do empréstimo. A partir daquele momento, decidi, pela minha tranquilidade, acabar as relações com Rea.

Enfim, a autocrítica. Di Pietro admite "ter cometidos algumas leviandades (entre as quais, por exemplo, não ter pedido a um banco o empréstimo), mas, sobretudo, ter subestimado, com o risco de deslegitimação iminente, a possibilidade de que alguém pudesse mudar, além da conta, a realidade dos fatos e dar a eles um valor penalmente relevante". Estava tão pouco preocupado que aparecessem as suas relações com Gorrini que, "quando chegaram os primeiros anônimos nos quais aparecia também o nome de Gorrini, fui eu mesmo quem os transmitiu ao procurador para a sucessiva transmissão para Bréscia. Essa é a prova de que na época não me alarmava nada essa situação, como também que a enfrentei com leveza".

Resta, lá no fundo, a pergunta das perguntas: por que Di Pietro se demitiu do *pool*? "A partir do verão de 1994 e por todo o outono do mesmo ano", responde em 2 de junho, "aconteceram diversos fatos que, juntos, contribuíram para a minha decisão. Enfim, fui embora da magistratura sem que ninguém tenha me pedido explicitamente, mas por escolha como consequência a partir de todas as razões que agora elencarei". A lista é uma enciclopédia, em pequenas doses, de todos os ataques que sofreu sozinho ou junto com ex-colegas desde 17 de fevereiro de 1992 até 6 de dezembro de 1994. E ainda mais. Di Pietro chega a enumerar "137 tentativas de deslegitimação".

Existem as "cem ameaças físicas à minha pessoa e a meus filhos", os comunicados da inquietante Falange Armada (uma sigla que seja talvez a expressão de inesperados desvios dos serviços secretos, talvez com relação com a Cosa Nostra, que demonstra, com as suas mensagens, as etapas decisivas da investigação da Mãos Limpas), os projetos de atentados contra ele na Sicília e a "sinalização sobre a confiabilidade das escoltas" (no final de 1994, Di Pietro renunciará à escolta porque "algum dos agentes fazia parte da DIGOS de Bréscia, que está investigando meu processo"). Há as "acusações de violação de lei", isto é, de ter favorecido os "comunistas" ou os amigos acusados (a Fiat, a Olivetti, alguns setores da ENI), abusado nas prisões excessivas, forçado confissões, falsificado atas, induzido investigados ao suicídio. E, além do mais, a "alternância de posições políticas", com as contínuas ofertas de todos os partidos para entrar na disputa e as incompreensões e os contrastes com os outros magistrados: não somente os conflitos de competência com outras procuradorias, mas o jogo duplo de Catelani, os ataques de Sgroj, a guerra contra Paladino e contra Vaudano, até o "roubo" na Corte de Cassação do processo Cerciello. Os vazamentos de notícias, também em âmbito privado, que levam a pensar em "um controle constante daquilo que dizíamos e fazíamos" por meio de "controles telefônicos" claramente mostrados com as listas de registros nas mãos de Craxi e de Parisi.

Depois, os ataques do governo Berlusconi (as duas inspeções ministeriais), "a retirada do prefácio do meu livro por parte de Cossiga" e as "tentativas de deslegitimação pessoal": os contínuos dossiês, os venenos, as fofocas sobre a vida privada, sobre o andamento das investigações da Mãos Limpas e pré-Mãos Limpas, as denúncias de Cusani e Cerciello, as atividades do GICO (Grupo de Investigação sobre a Criminalidade Organizada), sobre o Autoparco, as insinuações e as advertências de Craxi, as primeiras notícias sobre o dossiê Gorrini e Mach. Tudo em concomitância com as "clamorosas descobertas sobre Berlusconi e a Guarda de Finança" e com a volta de Tradati e a aparição das contas pessoais de Craxi, que inevitavelmente levarão junto o *Cavaliere* ("eu ainda não sabia, mas ele sim").

Naquele ponto, Salamone e Bonfigli fazem a Di Pietro a pergunta decisiva para as investigações: alguém, naqueles dias cruciais de novembro de 1994, pediu que ele se demitisse esfregando-lhe na cara o dossiê Gorrini e a inspeção secreta? Resposta:

> Claro que não, ninguém me pediu para que eu me demitisse, e eu o fiz por uma escolha pessoal. Isso não quer dizer que me agradou ter me demitido. Sem dúvida, ter tido o conhecimento da investigação nascida a partir de declarações de Gorrini determinou a escolha final de antecipar a minha saída da magistratura. Enfim, a minha foi uma livre escolha, mas não uma escolha livre.

Contudo, a campanha de deslegitimação não se concluiu com a demissão. De fato, ainda em 1995, Di Pietro descobre uma nova emboscada, a 138ª no decorrer da obra. Uma voz amiga, no mês de junho, lhe confidenciou que o jornalista do *Giornale* Andrea Pasqualetto recém-entrevistara Maurizio Raggio, o último laranja das contas de Craxi, há pouco preso no México. O ex-promotor, no interrogatório de 2 de julho em Bréscia, logo coloca em ata: "Raggio teria dito a Pasqualetto que Pacini Battaglia teria depositado, por meio do advogado Lucibello, 5 bilhões e 200 milhões em uma conta suíça destinados à minha pessoa. Obviamente, a circunstância é falsa, e peço, por isso, tutela judicial". Inútil falar que Di Pietro não obterá nenhuma tutela. A entrevista a Raggio será publicada no jornal, mas somente no dia 22 de dezembro de 1995.

Do processo ao complô

No dia 23 de março de 1996, a juíza Anna Di Martino absolverá Di Pietro das falsas acusações de Gorrini, criticando fortemente o trabalho da Procuradoria de Bréscia. Serão processados Previti, Paolo Berlusconi e os inspetores ministeriais Dinacci e De Biase, todos acusados de extorquir o ex-promotor. O julgamento se iniciará no dia 23 de setembro de 1996 e se concluirá no dia 29 de janeiro de 1997 com a enésima derrota da Procuradoria: todos os quatro acusados serão absolvidos "porque o fato não existe". Será a mesma acusação, não mais representada por Salamone (excluído do processo por causa da "grave inimizade" com Di Pietro), a render absolvição plena.

Durante o julgamento, o Tribunal de Bréscia, presidido por Francesco Maddalo, lembrará que foi o próprio Di Pietro a "excluir completamente qualquer restrição para obter seu afastamento" e a confirmar "que renunciou sem que ninguém tenha lhe pedido explicitamente para tomar tal decisão". Enfim, "é o primeiro extorquido a negar o fato criminoso em seu prejuízo". Di Pietro, na verdade, escreveu, em uma carta em defesa de Previti, ter decidido renunciar antes do telefonema do ministro da Defesa que anunciava a inspeção secreta no final de novembro de 1994. É verdade que saber da inspeção secreta, baseada nas acusações de Gorrini, poderia "constituir um sério temor para Di Pietro sobre a possível abertura de uma ação disciplinar por parte do Conselho Superior da Magistratura", mas ele já havia decidido ir embora. Porque, para ele, diferentemente do que para um magistrado "normal", a renúncia não seria um trauma, mas "uma porta aberta para lugares maiores e mais importantes, onde poderia usufruir da experiência obtida nos anos passados a perseguir os crimes de corrupção e extorsão". Di Pietro "aparecia para a opinião pública como um herói, ou seja, como aquele que havia conseguido caçar uma classe política corrupta". A sua popularidade teria, certamente, saído arranhada pela publicação das acusações de Gorrini, sem "alguma relevância penal", mas "decididamente passível de uma iniciativa no plano disciplinar".

Em suma, Di Pietro, "que conhecia aqueles fatos na sua real dimensão", tinha "por que preocupar-se e se sentir ameaçado pela apresentação de Gorrini. Estava em jogo o seu prestígio como magistrado, como um magistrado honesto, como uma pessoa de comportamento idôneo. Justamente por esse prestígio, estava sendo ameaçado por levianidades que ele havia cometido, mas que ele estava pronto para admitir. Estava em jogo, definitivamente, o seu papel e a sua imagem". Isso, de acordo com o tribunal, não basta para explicar a renúncia. Como não bastam as "137 tentativas de deslegitimar [...], um caleidoscópio de motivos, certamente presentes e influentes na decisão final, mas não capazes de serem a razão principal de um ato tão importante" como a renúncia.

1995. MÃOS BAIXAS

Por que, então, Di Pietro foi embora? Não porque soube da investigação secreta sobre as acusações de Gorrini: é "destituída de fundamento a hipótese de complô [...]. Di Pietro tinha diversos modos de reagir a esta ameaça, se foi realmente uma ameaça, e fugir do perigo". O verdadeiro motivo da renúncia, de acordo com o tribunal, foi a "intenção de começar uma atividade política, ou seja, de obter cargos públicos de maior relevância". Intenção cultivada há tempo, desde a primavera de 1994, quando havia anunciado a Italo Ghitti a intenção de "remover-se" e quando Berlusconi lhe havia oferecido um cargo de ministro.

Resta entender por que Di Pietro havia prometido a Borrelli interrogar Berlusconi e, além disso, sustentar a acusação no processo (que não teria sido concluído antes de um ano ou um ano e meio), se realmente já havia estabelecido há muito tempo a data de sua renúncia para o fim do processo Enimont. Das duas uma: ou Di Pietro estava de jogo com seus superiores ou, no verão de 1994, havia decidido, depois dos "imprevistos" da Guarda de Finanças e do envolvimento de Berlusconi, prorrogar pelos menos por um ano o seu afastamento preventivo do *pool*, até que alguém ou alguma coisa, perto de 20 de novembro de 1994, o convenceu a antecipar a renúncia. Tal coisa não pode ser nada mais do que a inspeção secreta sobre o caso Gorrini, e o certo alguém que o comunicou primeiro: o tribunal identificou como o jornalista da RAI Maurizio Losa.

Os juízes de Bréscia se dão conta da gritante e "insanável contradição" entre a promessa de Di Pietro aos colegas pelo processo de Berlusconi ("vou desmascará-lo") e a decisão de ir embora amadurecida já há tempos, mas depois colhem as conclusões. Aliás, chegam a escrever que,

se o acusado Berlusconi [Paolo] tinha tido uma vantagem com aquela renúncia, todos os outros não tinham conseguido vantagem alguma. O acusado Previti não teria nenhuma utilidade; nem investigado era pela Procuradoria de Milão, nem era previsto seu envolvimento nas investigações em andamento.

O fato de Previti ser a *longa manus* de Berlusconi em Roma e também o seu amigo íntimo, o advogado civil mais conhecido do seu grupo, não diz nada aos ingênuos juízes de Bréscia, que apresentam Previti como uma espécie de estranho, indiferente aos resultados judiciais do *Cavaliere*, tudo isso ligado por um inocente "sentimento de solidariedade". É verdade que telefonou a Di Pietro naquela noite e em outras circunstâncias, mas só por uma questão de "cordialidade e estima recíproca". Idem para Dinacci: é verdade, esquecera de protocolar o dossiê Gorrini, assim como também esquecera de transmitir – como a lei prevê – à direção geral da organização judiciária o relatório final de De Biase que concluía a inspeção secreta; essas coisas são, na verdade, pequenos descuidos. Nenhum complô. Di Pietro – afirma o tribunal – foi embora para "fazer política" (salvo depois por não fazer, por dois anos) ou para atuar em "cargos institucionais de prestígio" (salvo depois por recusar todos, por dois anos). Enfim, "o fato não existe".

Cernobbio, não à anistia

Durante todo o verão de 1995, o investigado Antonio Di Pietro é como um fantasma. Di Pietro o "réu por extorsão"; Di Pietro, o suspeito de abuso de poder, prepara os documentos da sua defesa, procura as provas para desmontar as acusações e não abre a boca senão perante aos promotores de Bréscia. Reaparece em público, de surpresa, no dia 2 de setembro, em Cernobbio, pequena cidade da Lombardia, no habitual encontro do escritório Ambrosetti para gritar seu "não" para as frequentes hipóteses de perdão. "Tenho o despudor e a presunção", diz, "de acreditar que ainda consigo mobilizar a consciência contra o famigerado golpe do deixa para lá: uma tentativa que se faz urgente ao passo que estão se aproximando as sentenças de prováveis condenações de vários investigados importantes". Se candidata a ser "aquele que garantirá os interesses do povo, povo cansado de ser passado para trás", e daqueles "cidadãos que, depois de terem sido submetidos ao mau governo da Primeira República, depois de terem visto a primavera da Operação Mãos Limpas, não estão mais dispostos a voltar atrás".

O discurso tem um claro caráter populista e contra o sistema: "Não, caros senhores responsáveis pelas ações ou representantes do povo que são, não confiem demais no resultado dessa operação para livrar o sistema da inutilidade dos processos pendentes. O povo está cansado. O coração me diz que terminaremos todos por pagar a pena de um povo enfurecido se não lhes dermos justiça". O ex--promotor adotou a estratégia dos inimigos: por um lado, paparicar, por outro desacreditar, denunciar e demolir. "Ninguém me tira da cabeça que tudo isso que foi construído e que ainda será construído em torno da minha pessoa nasce a partir da oculta vontade de nivelar os comportamentos pelos poderes e depois cancelá-los".

Para Berlusconi, Di Pietro continua sendo um pesadelo; com as suas aparições públicas, não só coloca em risco o perdão do próximo caso, mas também boicota o precioso acordo sobre a justiça trabalhosamente iniciado com D'Alema. É necessário pará-lo antes que seja tarde demais. Existem, é verdade, as investigações de Salamone, e os italianos passaram o verão a se questionar sobre as "revelações" de Bréscia: o empréstimo, a Mercedes, o mistério da renúncia. Mas esses fatos não macularam nem um pouco a popularidade do ex-promotor: segundo uma sondagem para a revista *Panorama*, os italianos acreditam que, atrás daquelas acusações, é muito provável (61,4%) ou bastante provável (11,5%) que se faça uma manobra para desacreditá-lo.

É necessária uma nova campanha: a campanha de outono. Confiada a um outro ex-amigo do ex-promotor que está com a corda no pescoço: Antonio D'Adamo. No dia 3 de setembro, um dia depois da fala de Di Pietro em Cernobbio, o *Cavaliere* telefona a D'Adamo (interceptado por ordem do onipresente Salamone) e lhe diz: "Engenheiro, estamos em suas mãos. Seu amigo está fora de si". Começa assim a enésima emboscada, cujos bastidores virão a público em 1997. Só então, D'Adamo, depois de ter recebido (graças à intervenção de Berlusconi) tantos bilhões em empréstimo por parte de alguns bancos, se apresentará em Bréscia para desmentir o ex-amigo com acusações falsas, mas essa é uma outra história.

Por enquanto, vamos ver o que acontece à luz do sol naquele frenético outono de 1995. O primeiro efeito visível do "não ao perdão" gritado por Di Pietro em Cernobbio é seu envolvimento na campanha do jornal *Giornale* sobre a Affittopoli*: "Também Di Pietro: casa no centro por 240.000", está na manchete do jornal de 23 de setembro. É a velha história do apartamento de 70 metros quadrados na Via Andegari em Milão, de propriedade da Cariplo, já contada no dossiê do jornal *il Sabato* e nos depoimentos de Pillitteri. Só que, afirma o advogado Dinoia, o verdadeiro valor do aluguel é mais que o dobro: 625 mil liras por mês, "com os aumentos já fixados para que chegasse ao triplo em 1998". Di Pietro fala de "represália de Paolo Berlusconi, preso por mim e julgado junto com funcionários daquele mesmo fundo de pensão da Cariplo que tinha me alugado o apartamento". Em outubro, nova investigação em Bréscia: dessa vez, Di Pietro é acusado, junto com Borrelli, de ter assinado as atas de alguns interrogatórios (sete, de alguns milhares) sem tê-los presenciado por inteiro. Naquele período, o ex-promotor interrogava mais de um investigado contemporaneamente, pulando de sala em sala e confiando à polícia judicial a tarefa de prosseguir; depois, se reapresentava no final para a leitura da ata. Fazia isso mais por razões investigativas do que por razões de tempo. Isso, para Salamone, é falsidade ideológica, mas não é para o juiz de investigações preliminares, que arquivará essa investigação também.

Uma Medusa para o Cavaliere

O momento é cheio de compromissos judiciais para Berlusconi também. No dia 5 de outubro, o promotor Colombo pronuncia a requisitória de audiência preliminar sobre as propinas da Guarda de Finanças e pede seu julgamento. No dia 6 de outubro, a promotora Taddei lhe envia um pedido de comparecimento pelo escândalo da Medusa Cinematográfica: 10 bilhões de fundos irregulares na aquisição da casa de produção a preços superfaturados. Berlusconi, junto com quatro dirigentes do grupo (Galliani, Foscale, Bernasconi e Gironi), é acusado de apropriação indevida e balanço maquiado: o preço da operação, 28,8 bilhões de liras, teria sido superfaturado para que pudessem entrar clandestinamente 10,2 bilhões, que depois acabaram nos livros do portador do *Cavaliere*, com cheques em nomes de laranjas. Berlusconi diz desconhecer tudo isso, mas depois, para ganhar um atenuante, restitui os 10 bilhões (mais de 8 bilhões só de juros) à Reteitalia, a sociedade Fininvest que ergueu a Medusa. Em 1997, será condenado (pela primeira vez), justamente por esse caso, a 1 ano e 4 meses, mesmo que depois a Corte de Apelação e a Corte de Cassação decidam absolvê-lo, mesmo tendo a confirmação

---

*Escândalo dos apartamentos alugados por entidades públicas para políticos. (NT)

dos crimes e a responsabilidade do outro acusado, Bernasconi (enquanto Berlusconi – sustentarão – é rico demais para se dar conta de ter embolsado 10 bilhões).

O *Cavaliere* anuncia que não se apresentará à promotora Taddei e fala mais uma vez de "perseguição política pelo Estado Policial". Seus advogados – como já haviam feito os advogados do irmão Paolo no processo pelas propinas de Pieve Emanuele – pedem o envio do processo da Guarda de Finanças para outra sede, porque em Milão "existe um clima de hostilidade judiciária". Berlusconi está agitado:

> Esses não são juízes, são adversários políticos. Não agem por fins de justiça, mas para fazer mal, por ódio, fazendo perseguição política que responde a um desenho político bem preciso. Hoje, o nosso é um Estado Policial [...]. Estava convencido que tudo seria arquivado. Esse pedido [de Colombo] é também uma defesa do *pool*, uma defesa da imagem deles, depois que caíram por terra todas as ideias da acusação, quando descobriram que o advogado Berruti nunca tinha vindo ao Palácio Chigi [mas, no interrogatório do dia 13 de dezembro de 1994, o *Cavaliere* havia dito exatamente o contrário]: a prova suprema...

Depois, lança novamente acusações do marechal Nanocchio sobre a suposta vontade do *pool* de pegá-lo na investigação sobre a Guarda de Finanças. Di Pietro responde no dia 8 de dezembro com uma duríssima carta na primeira página do jornal *la Reppublica*. Uma carta intitulada "Berlusconi, quantas mentiras", que marca o fim de qualquer ambiguidade e o encerramento definitivo do Polo berlusconiano: "Caro diretor, os últimos ataques de Silvio Berlusconi à magistratura não podem passar batido". O ex-promotor revela ter "confiado pessoalmente" no *Cavaliere*: "Me sinto perto, com o coração, dos eleitores do Força Itália", isto é, daqueles "cidadãos que confiaram nessa nova formação política justamente porque dava a impressão de representar uma virada no panorama político italiano. Deveria representar o novo". Acrescenta: "Tenho a impressão de que, se Berlusconi continuar a contar mentiras aos italianos, cedo ou tarde muitos serão obrigados a rever sua própria posição. Entre eles, eu também". A propósito da suposta perseguição do *pool* contra a Fininvest, lembra que a Mãos Limpas conduziu muitas investigações "a cargo de outros grupos industriais, entre os quais Fiat, Olivetti, ENI, Italstat, Ferruzzi, Montedison. E, de fato, muitos dirigentes dessas e de outras sociedades foram submetidos à investigação, julgados e presos. Só que [...] não se colocaram aos berros; escolheram defender-se com a mais serena dialética processual".

Di Pietro, a essa altura, rompeu a inércia. Três dias antes, Luciano Segre, homem de públicas relações com Prodi, e Marialina Marcucci, ex-proprietária da Videomusic (recém-cedida a Cecchi Gori) e secretária da Cultura da Região da Toscana, conseguiram organizar um almoço entre o ex-promotor, Prodi e Veltroni

1995. MÃOS BAIXAS 459

em uma sala reservada do Hotel Brunelleschi de Florença. É dia 5 de outubro. Di Pietro e Prodi encontram-se por acaso na estação de trem Santa Maria Novella, às 13h, um chegando de Milão e o outro de Roma. Se abraçam ali, entre as plataformas: a última vez que tinham se visto tinha sido no escritório de Paolo Ielo, na Procuradoria de Milão. Di Pietro gritava, Prodi tremia. Aquele dia em Florença, ao contrário, somente sorrisos e projetos em comum. Uma hora e meia de conluio secreto (pelos menos até a chegada de dois fotógrafos), durante o qual Di Pietro anuncia que fará de tudo para barrar Berlusconi em direção ao Palácio Chigi e fundará um movimento político de centro que se aproximará da coalizão Ulivo por meio de um acordo eleitoral, com uma condição: que as investigações de Bréscia se concluam positivamente antes da votação. Caso contrário, vai passar a vez: "Não vou fazer política como investigado". Três dias depois, faz publicar o artigo "Berlusconi, quantas mentiras". A réplica do *Cavaliere* é fulminante:

> Di Pietro é subserviente [...]. As coisas que diz se voltarão contra ele. Me faz lembrar aqueles juízes que dizem: se fosse por mim, o senhor não estaria aqui e lhe mandam preso. Seus movimentos indicam que a campanha com a coalizão Ulivo está indo bem. É um mestre nos dogmas da mais retrógrada inquisição [...]. Ele se comportava como um soberano absoluto que faz uso descontrolado do poder de punição ou de graça. Em Milão, para D'Alema, vale a presunção de inocência; para mim, a presunção de culpa [...]. Di Pietro foi investigado com base em uma precisa e circunstancial denúncia tendo por objeto fatos pacíficos, admitidos por ele mesmo [...]. A meu ver, não existe uma única denúncia, um único depoimento, uma única chamada de coparticipação que comprove a minha responsabilidade (9 de outubro de 1995).

No dia 14 de outubro, o juiz das audiências preliminares Fabio Paparella manda a julgamento Berlusconi pelo caso da Guarda de Finanças. O líder do Força Itália grita contra o golpe: "Com aquele aviso infundado que me foi enviado a Nápoles, os promotores milaneses poderiam ter cometido o crime previsto no artigo 289 do Código Penal, atentado contra órgãos constitucionais: isso é punido com reclusão não inferior a dez anos. Cometeram um crime gravíssimo contra o governo atual, um comportamento que deverá ser examinado pelos responsáveis".

A guerra a Di Pietro, porém, procede a solavancos. Avança e para. Presentear a galinhas dos ovos de ouro ao inimigo, a coalizão Ulivo de Prodi, seria um problema: "Di Pietro se tornou um pesadelo para mim", repete o *Cavaliere* aos seus conhecidos. "Pode levar de um lado para o outro de 6% a 7% dos eleitores de centro. Se se juntar a Prodi e a D'Alema, será muito difícil para nós". Assim, logo depois do ataque, como se fosse um carinho: "Di Pietro? O Força Itália está aberto a todos aqueles que queiram renovar moralmente o nosso país. Quem quiser se dedicar a isso com paixão civil e tensão moral, é bem-vindo" (10 de outubro). E

OPERAÇÃO MÃOS LIMPAS

mais: "Di Pietro é um moderado. E o polo dos moderados já existe, e é o nosso" (14 de outubro).

5. TODOS CULPADOS, NENHUM CULPADO

D'Alema e Berlusconi se separaram no dia 2 de agosto, antes da pausa de verão, com um debate frenético na Câmara sobre a "Grande Reforma" institucional. E a sensação foi tal que, depois da participação do líder do Polo no congresso do PDS, Cesare Previti foi enviado à Festa Nacional da Unità, programada para o final de agosto em Reggio Emilia. Na volta das férias, porém, o clima muda. O *Giornale* de Feltri começa uma insistente campanha sobre o escândalo Affittopoli denunciando aluguéis facilitados concedidos por entidades públicas aos políticos de Roma. E, no fim de agosto, aparece na primeira página D'Alema como beneficiário de um alojamento INPDAP (Instituto Nacional de Previdência e Assistência para Empregados da Administração Pública) de 150 metros quadrados no coração do bairro Trastevere a um preço bastante vantajoso. D'Alema será obrigado a anunciar, justamente em uma entrevista a Feltri, a decisão de mudar de casa (será o único a fazê-lo entre todos os protagonistas do escândalo), mas, no momento, a situação vai mal: fala de "campanha de ataque do jornal da família Berlusconi". Diz que, "em um país normal, uma pessoa como Berlusconi seria entregue a dois médicos para ser analisado". Quanto às eleições antecipadas, não se fala disso "antes que passem alguns meses". E, mesmo que Berlusconi vencesse, "não seria decente lhe dar o cargo: não está em condições de governar. Ele representa todos os aspectos negativos do espírito italiano, pois, para ele, as leis são só um incômodo, é um homem ligado à lógica do clã e coloca os interesses de seu grupo acima dos da comunidade". No dia 9 de setembro, o líder do PDS volta a falar do assunto: "Feltri é um canalha. Por trás da campanha do *Giornale*, existem também interesses, como aqueles do dono do jornal, que se relaciona com entidades públicas. O senhor Paolo Berlusconi é um infrator que vendia prédios superfaturados às custas dos aposentados". E propõe "publicar em pequenos episódios a história da mansão de Arcore".

Em 14 de setembro, em Reggio Emilia, enquanto D'Alema prepara o discurso de encerramento da Festa da Unità, se difunde a notícia de que é investigado juntamente com Occhetto e, o que é pior, junto com Craxi. O remetente dos três convites de comparecimento (aliás, quatro: tem também Luciano Bernardini, vice-presidente nacional da Liga das Cooperativas) é o promotor de Veneza Carlo Nordio, que há mais de um ano mexe abertamente nas contabilidades pública e oculta das cooperativas vermelhas. Crimes hipotetizados: violação da lei sobre o financiamento público dos partidos e receptação de somas provenientes de atos ilícitos (falência fraudulenta agravada, caixa dois, fraude fiscal) cometidos pelos responsáveis das cooperativas agrícolas do vêneto. D'Alema deverá se apresentar no dia 23 de outubro à Procuradoria de Veneza, na Piazza San Marco. De acordo

1995. MÃOS BAIXAS

com a acusação, D'Alema e Occhetto, juntamente com o falecido tesoureiro Stefanini (como Craxi e Bernardini, para a parte reservada aos socialistas) teriam recebido pelo menos até 1991 "grandes somas" de Alberto Fontana, o administrador das cooperativas incriminadas, que terminaram na prisão na mesma investigação.

"D'Alema não podia saber"

Nas 65 páginas do pedido de comparecimento, Nordio reconstrói a relação de "evidente simbiose" e "interesse econômico comum" entre os partidos de esquerda e as cooperativas vermelhas. Os dirigentes da Liga – sustenta – eram todos de partidos políticos e se trocavam favores com os dois partidos de referência financiando-os ocultamente por meio de uma miríade de canais: admissões fictícias, publicidade em revistas de partidos, pagamento de gastos para as Festas da Unità e para a propaganda eleitoral, mas, sobretudo, usava-se a técnica de falências societárias "pilotadas" para retirar fundos dos caixas das empresas, literalmente "esvaziados" para depois serem preenchidos com contínuos financiamentos públicos. "O sistema de depauperamento das cooperativas agrícolas", escreve o promotor, "tinha como finalidade o financiamento do PCI–PDS". Um financiamento tanto ilegal como imponente, supõe o magistrado, que, em letras maiúsculas e em negrito se debruça também sobre os números: "Basta o dado incrível das somas desembolsadas pela região para essas cooperativas agrícolas: *são mais de 120 bilhões*". Dado parcial, que não leva em conta os financiamentos do Ministério e aqueles regionais ainda não adquiridos. Nordio anexa a carta endereçada a Occhetto, em 1988, pelo ex-secretário da Província de Belluno, Sérgio Reolon, que acusava o presidente da AVCA (Associação Vêneta das Cooperativas Agrícolas), Renato Fontana, de uma "gestão de tipo mafioso".

Agostini Borello, administrador da cooperativa piemontesa Cuneo Polli, conselheiro de administração da AICA (Associação Italiana das Cooperativas Agrícolas) entre 1987 e 1989, foi o responsável por envolver diretamente D'Alema e Occhetto. Borello já foi ouvido em 1993 pelas Procuradorias de Turim e de Milão e assegurou que os líderes políticos eram convidados para as reuniões, líderes como Occhetto, D'Alema, Natta, Craxi, Martelli, Di Donato, La Malfa. "Esses", disse Borello, "vinham só depois que, em favor dos partidos de referência, fosse depositado dinheiro [...], pagamentos não indicados nos balanços e cobertos por atestados falsos." Isso era tudo? Tudo. Por isso, as procuradorias de Turim e de Milão, feitos os devidos controles, não consideraram poder proceder contra os secretários do PDS e agora se maravilham quando descobrem que, na palavra de Borello, Nordio decidiu investigar Occhetto e D'Alema. Borello, de fato, nunca viu ser entregue dinheiro algum aos partidos por parte dos chefes das cooperativas e não trouxe nenhuma prova oral ou documental do fato que os líderes nacionais realmente se ocupavam daqueles casos, nem que se preocupassem em ocultar provas, mas faz algumas "deduções". O promotor de Veneza decide segui-lo: o envolvimento dos secretários – escreve Nordio – deriva da "combinação lógica" de 14 elementos que "não consente uma solução diferente daquela de que os políticos Occhetto e D'Alema, juntamente com o falecido Stefanini, estavam cientes do fluxo de recursos gerenciado por Fontana", visto que o partido "o havia colocado e mantido lá" para que providenciasse "o ilícito financiamento do partido", "enquanto os máximos dirigentes tinham sido os recebedores finais".

É o que os jornais chamam de o teorema do "não podia não saber", cobrando – muitas vezes de modo inoportuno – a Procuradoria de Milão. O *pool* nunca acusou um secretário de partido com base na sua posição de relevância: Craxi, Forlani, La Malfa, Altissimo, Bossi e os outros foram interrogados por conta do caso Enimont porque trataram pessoalmente dos envelopes com dinheiro ou autorizaram seus tesoureiros a embolsá-lo, não porque "não podiam saber". De fato, depois, foram condenados. As medidas assinadas por Nordio em relação a D'Alema e Occhetto dão início a uma longa investigação com 278 investigados, que naufragará em novembro de 1998: será o próprio promotor a pedir o arquivamento para todos os protagonistas políticos do caso. "Nordio", diz hoje Borrelli, "chegou quatro anos depois lá onde já havíamos chegado em 1994: de toda forma, visto que se baseava em um material já examinado por nós, o encerramento dessa investigação é a melhor demonstração de que, com aqueles elementos, não se poderia ir a nenhum lugar".

A reação de D'Alema para o pedido de comparecimento, no dia 14 de setembro, é duríssima:

> Estou bastante irritado; basta ler as motivações do pedido para entender a credibilidade de quem o emitiu. Assim, acaba-se por desacreditar todas as instituições e corre-se o risco de deslegitimar a magistratura. Eu era uma pessoa que – de acordo com esse teorema – não poderia saber. Um princípio indigno de um país civil. Além do mais, fala-se de fatos que vão de 1987 a 1991, quando eu era diretor da Unità. Eu nunca participei daquelas assembleias sobre balanços das cooperativas agrícolas, aliás, nunca fui nem ao menos convidado. Não sei realmente como teria podido saber dos negócios nas cooperativas vênetas de um tal desconhecido Fontana. Sobre mim, existe só um convite para um congresso; sobre Occhetto, uma carta enviada por um fulano. Baseado nisso, convocam-se os secretários do maior partido italiano para que se apresentem à Procuradoria no dia 23 de outubro? Eu deveria dançar por um mês à espera de ser ouvido? Eu pretendo ser recebido por Nordio amanhã de manhã e não tenho nenhuma intenção de renunciar.

Occhetto está mais sereno:

> Estou feliz que o promotor Nordio me dê a possibilidade de responder às acusações; demonstrarei a minha total inocência. Quando a Guarda

de Finanças me entregou o pedido de intimação, eu o li na frente deles, depois perguntei se, por acaso, não tinham errado de endereço. Sou acusado de não ter respondido uma carta que nunca recebi e que o próprio remetente não está certo de ter enviado. De qualquer maneira, é legítimo que a magistratura, se tem dúvidas, indague e nos dê garantias disso.

D'Alema e Occhetto serão ouvidos logo, em 28 de setembro, em Roma. "A conversa com Nordio", dirá D'Alema na saída, "foi um momento importante para o debate cultural sobre surrealismo". Os comentários do Polo demonstram dois pesos e duas medidas, um tipo de garantismo intermitente. Sgarbi grita em plena Câmara, enquanto D'Alema fala: "Viva Nordio!". Berlusconi se regozija: "São um pouco histéricos os do PDS. Não estão acostumados a receber lama; nós já estamos treinados". Giovanardi, do CCD, chega a pedir que "D'Alema e Occhetto se autossuspendam da atividade política" porque está em jogo "uma série de questões políticas e morais".

Naquele momento, as relações entre Nordio e o *pool* de Milão ainda são excelentes: desde 1992, existe uma troca contínua de informações e de autos entre as procuradorias de Milão e de Veneza e, em 1994, foi o próprio promotor Ielo a transmitir a Nordio elementos úteis sobre as proprinas vermelhas. "Nordio", lembra Di Pietro, "nos enchia de telefonemas e visitas para participar da Operação Mãos Limpas; ele queria seu pedaço de glória. Depois, entendeu que, vindo atrás de nós, ninguém o consideraria. Assim, começou a procurar pelo em ovo, a nos contradizer todas as vezes: desde então, começaram a notá-lo, e ele tomou uma posição. "

O idílio entre Milão e Veneza se interrompe bruscamente em setembro de 1995 por causa de telefonemas de Craxi interceptados pelo *pool*.

"Alô, Hammamet?"

Em 29 de setembro de 1995, Berlusconi faz 59 anos, mas, mais uma vez, as notícias do Palácio da Justiça de Milão estragam a festa. Naquela manhã, o promotor Paolo Ielo, que mantém a acusação no processo Metropolitana, se apresenta na sala com um carrinho cheio de fascículos: são as transcrições dos telefonemas interceptados desde a metade de julho até o dia 27 de setembro sobre o lado tunisiano de Bettino Craxi, multicondenado e foragido em Hammamet. Documentam as chantagens, os dossiês, os venenos, as calúnias que o ex-líder socialista confecciona e comissiona, da Tunísia, a numerosos e poderosos amigos italianos contra seus juízes e seus adversários políticos. "A conduta de Craxi é como a de um criminoso profissional", deixa escapar o promotor. Depois acrescenta:

Existem provas de que Craxi pode se movimentar em Hammamet, enquanto aos processos de Milão nunca pôde se apresentar alegando problemas de saúde. Craxi é mentiroso, capaz de mentir até no tribunal.

Ficou provado por meio das interceptações que organiza de Hammamet uma assídua atividade de produção de dossiê contra vários personagens políticos, como D'Alema, Prodi e Del Turco, e que organizou uma verdadeira agressão contra os magistrados. Tem uma anotação na qual diz o que o Força Itália deve fazer para atingir o *pool* de Milão. Existem interceptações telefônicas que demonstram como Craxi é o inspirador de pelo menos duas recentes campanhas jornalísticas: aquela do apartamento alugado para Di Pietro [publicada no *Giornale* de Feltri] e aquela conduzida pela *Italia Settimanale* sobre um suposto movimento da Liga Norte com armas [...]. Craxi demonstra notável periculosidade social.

O presidente Crivelli convida Ielo a ter um pouco de moderação; entretanto, o promotor começou a folhear os rascunhos das interceptações mais inquietantes e a ilustrar os documentos confiscados pela DIGOS no dia 7 de julho em um apartamento localizado na Via Boezio, 2, em Roma, onde está a sede da Giovane Italia, associação dos seguidores de Craxi coordenada por Luca Iosi, um jovem admirador do ilustre fugitivo. Durante as buscas, naquele dia, havia tocado o telefone do escritório, e Ielo foi atender: era Craxi que, informado sobre a blitz e acreditando que estava falando com um agente qualquer, intimou seu interlocutor a deixar o prédio e a interromper as buscas. Não obtendo nenhuma satisfação, Craxi pergunta: "Quem é o senhor?". "Aqui é Paolo Ielo, promotor que ordenou as buscas." Em seguida, Craxi interrompeu a comunicação.

Ielo, no tribunal, lê somente os telefonemas que provam a atividade ilícita de Craxi, mas, graças a alguns advogados, logo começa a circular entre os jornalistas o dossiê completo com o material interceptado e confiscado que a Procuradoria, como impõe a lei, deixou à disposição dos defensores. Os advogados de Craxi presentes no processo, Giannino Guiso e Domenico Constestabile, declaram: "São citações subjetivas que não têm a ver com o processo". Seus colegas Enzo e Salvatore Lo Giudice (pai e filho) não estão na sala, mas estão presentes nos telefonemas. Craxi diz: "Agora vou me preparar para denunciar esse Ielo". Responde Salvatore Lo Giudice: "Deixa que ele pense nisso... que pense nisso o ministro". O ministro é Mancuso, que, no verão de 1995, pediu a Dini para incriminar a Liga Norte por supostos tráficos de armas. Sobre o mesmo tema Craxi, está de posse de um dossiê do SISDE, misteriosamente desaparecido dos arquivos do serviço. Ele mesmo o publica, sob forma de "carta de um leguista delator" de Edmond Dantès (um dos pseudônimos de Craxi) na *Italia Settimanale*, revista próxima à Aliança Nacional, dirigida por Alessandro Caprettini (que está entre os mais assíduos interlocutores do telefone de Hammamet).

Em favor de Craxi, se mobiliza naqueles meses até o amigo Berlusconi. Revela, em 3 de setembro, a Bettino, a fidelíssima Margherita Boniver, cuja fala acaba interceptada: "Quem me disse foi Alberto [irmão de Boniver, diplomático] que assistiu à conversa entre Arafat e Silvio [Berlusconi] e falaram por dez minutos somente de você. Arafat, assim que for à Tunísia, encontrará você e pediu a Berlusconi que dissesse a você que ficaria muito feliz em tê-lo como hóspede na Palestina, depois... ouviria Nemer Hammad [embaixador da OLP em Roma]". Craxi: "Sim, assim organizamos essa visita". A mesma Boniver liga novamente para um outro importante comunicado: "Estou aqui, e está também Enzo Carra, que queria encontrá-lo". Craxi: "Você pode vir quando quiser e, para os outros, podemos fazer até depois do dia 18 [de agosto]".

Os documentos confiscados na Via Boezio demonstram uma intensa atividade ilegal de espionagem sobre as contas de políticos de centro-esquerda e dos magistrados de Milão. São milhares de folhas e uns oitenta disquetes. Há uma pasta anônima que se refere a uma "atividade de controle efetuada com foto e filme" para espionar, pelo menos até 1984, os maiores dirigentes do PCI: de Enrico Berkinguer a Ugo Pecchioli, de Adalberto Minucci a Tonino Tatò. Existem também relatórios anônimos sobre os promotores milaneses Pierluigi Dell'Osso, Gherardo Colombo, Piercamillo Davigo, Francesco Di Maggio, com amplas considerações sobre Di Pietro e Borrelli. Uma outra anotação se intitula "Central ENEL–Brindisi e mais Puglia" e refere-se diretamente a D'Alema. "Para a desnitrificação dos rios da central ENEL de Brindisi, sob iniciativa dos conselheiros Bitetto (PSI) e Maschiella e Zorzoli (PCI), juntamente com os secretários regionais da época (Carella, do PSI, e D'Alema, do PCI), nasce um consórcio de empresas de que faziam parte a Emiti e a Elettrogeneral. Foi assinado um acordo financeiro cujo fiador foi Greganti". Segue toda a história já reconstruída por Ielo no processo da ENEL. Sobre D'Alema, exceto uma reunião política, não existe nada.

Definitivamente mais inovador é o minidossiê (um arquivo de computador) intitulado "Del Turco", isto é, o último sucessor de Craxi antes do final do PSI, depois deputado progressista:

> A administração do PSI sempre contribuiu para manter a corrente socialista da CGIL (Confederação Geral Italiana do Trabalho). Depois de Marianetti, quando entrou Del Turco, o fluxo não se interrompeu. Em média, Del Turco recebia de Balzamo entre 20 e 30 milhões mensais. A cada evento eleitoral ou congresso, havia depósitos extraordinários. Por exemplo, para o comício de C. [Craxi] em Roma, das últimas eleições, B. [Balzamo] fez o depósito de 100 m. [...]. Depois das eleições administrativas dos anos 1990, quando B. comunicou que estava deixando a administração [do PSI] por causa de um ministério, preocupou-se em formalizar alguns pagamentos, entre os quais aquele para Del Turco.

Linha direta Craxi-Força Itália

Além dos rastros dos dossiês sobre Prodi e D'Alema e das várias fichas sobre a P2, sobre terrorismo vermelho e preto, sobre os mediadores Pazienza e Carboni, sobre

Calvi e Sindona e sobre o escândalo SISDE, na Via Boezio é conservada uma lista de pessoas a quem presentear, de maneira bem precisa, "pastas 1ª série": Ferrara, Sgarbi, Berlusconi, Confalonieri; os "companheiros" Boniver, Intini, Di Donato, Tiraboschi, Rotiroti; alguns jornalistas craxianos, todos no *Giornale* berlusconiano, Lehner, Gismondi, Damato, Guarini, Pini; e mais a amiga Tina Soncini, a filha Stefania Craxi e o irmão Antonio Craxi. Sobretudo, o que causa mais rebuliço é a carta enviada a Craxi, por fax, no dia 29 de junho de 1995, do responsável pela assessoria de comunicação do Força Itália na Câmara, Luca Mantovani, amigo de Bobo:

> Caríssimo presidente, permita-me incomodar para apresentar-lhe, a pedido de Bobo e graças à gentileza de Serenella, o texto da investigação apresentado no último dia 27 pela parlamentar Tiziana Maiolo (mais outros cinquenta deputados do Polo) sobre as relações econômicas entre Gorrini e Ilio Poppa, procurador substituto de Milão, por meio da esposa de Poppa, e as eventuais responsabilidades do procurador chefe Borrelli [...]. Além do mais, a parlamentar Maiolo está recolhendo nas próximas horas outros documentos para formular, em breve, outras investigações sobre a gestão da Procuradoria de Milão.

Mantovani, no momento, é obrigado pelo chefe do Força Itália, Vittorio Dotti, a deixar o escritório da assessoria de imprensa do partido, mas será admitido de novo depois da caçada de Dotti, em 1996, e depois de ter publicado na América um panfleto contra a Operação Mãos Limpas, com o título *Italian Guillotine* ("Guilhotina italiana", escrito com a colaboração de Henry Kissinger). De todo modo, as relações entre Craxi e o séquito de Berlusconi são diretas e não precisam de assessoria de imprensa. Demonstra isso um outro documento – uma página da ordem de prisão expedida pelo juiz de Nápoles Antonio Sensale contra Antonio Gava – que faz referência a Craxi e a interesses econômicos comuns entre os dois políticos no projeto sorrentino-almalfitano, enviado a Hammamet por um fax da Fininvest Serviços de Roma.

Há também uma carta escrita no dia 25 de junho de 1994 pelo então subsecretário da presidência do Conselho, Gianni Letta, à secretária de Craxi, Serenella Carloni: ela havia pedido, em nome de Bettino, para recomendar um amigo para que ele obtivesse uma área de serviço em Perúgia. Três dias depois, o subsecretário havia respondido que tal coisa havia começado mal, mas que agora, com sua intervenção, tudo estaria organizado: "Prezada Serenella, aquilo que a senhora temia talvez já tenha acontecido, mesmo que G. e C. estejam prometendo interesse e reparação. Pessoalmente lhe explicarei melhor [...]. Gianni Letta".

As chamadas interceptadas fotografam ainda melhor as relações e as atividades realizadas pelo homem de Hammamet. Em 14 de setembro, Luca Iosi, agitador da "Giovane Italia", liga para Craxi e fala sobre o apartamento da Cariplo concedido na época em aluguel para Di Pietro e habitado pelo filho Cristiano: "O filho de herói contribui com 240.000". Craxi, impaciente: "Era só o que faltava; quando sai essa coisa aí? ". Iosi: "Agora fazemos esquecer um pouco esse caso e depois atiramos nos colhões". Uma semana depois, como vimos, encarrega-se disso, justamente, o *Giornale* de Feltri e Paolo Berlusconi ("Também Di Pietro: casa no centro por 240.000"). Iosi, porém, reclama com Bobo porque "nenhum telejornal falou sobre o caso Di Pietro, o apartamento: Filippo [Facci, ex-jornalista do *Avanti!* e, depois, da Mediaset, 'fonte' de Salamone em muitas investigações sobre Di Pietro] fez alguma coisa para o *Giornale*".

O outro inimigo de Craxi, naquele momento, é Bossi. Caprettini liga para Craxi para anunciar o furo jornalístico da *Italia Settimanale* sobre a "Liga armada": "Estou fazendo esse golpe graças ao senhor e a essa coisa. Enlouqueci alguns cronistas. Pensei: o que faço? Publico a coisa toda e depois vou até algum magistrado amigo e lhe digo: ei, investiga. Divertido, não? " Craxi: "Sim, pode investigar, serve para instigar dúvidas".

No dia 10 de agosto, Veronica Lario Berlusconi (recém-chegada à Sardenha com o marido depois de uma viagem, garante, "massacrante") fala com Anna Craxi (em Hammamet). Veronica: "Bettino, como vai? Emagreceu um pouco?". Anna: "Não, nem um pouco, não pode nem tomar banho, com aquele pé [...] Espero ver você". Veronica: "Vou visitá-la assim que passar o início das aulas".

No dia 24 de julho, liga para Craxi a jornalista da RAI Alda D'Eusanio para ver como pode atacar a magistratura da melhor maneira possível:

D'Eusanio: "Este é o momento de fazer alguma coisa sobre o garantismo, sobre os magistrados, sobre os delatores, Contrada, Tortora; se deixar escapar todas essas ocasiões, não fará mais nada".

Craxi: "Vamos falar a verdade: aqui estão as gangues golpistas, as verdadeiras gangues".

D'Eusanio: "Existem imbecis, incapazes e covardes".

Craxi: "Não, não, estão de acordo entre eles. E a covardia está na informação, porque tudo isso não aconteceria se não existisse um acúmulo de covardes nos jornais e nas televisões".

D'Eusanio: "O meu diretor [Clemente Mimun, do *Telejornal 2*] é que não acredita em droga nenhuma, por isso está grudado na sua cadeira e tem quem o proteja, ele e seus amigos que não acreditam em nada".

Em outra ligação, no dia 18 de agosto, Craxi e D'Eusanio falam de possíveis "alianças" para combater os magistrados de Rimini que investigam sobre Vincenzo Muccioli pela violência com os internos da comunidade de San Patrignano.

D'Eusanio: "A gente tenta passar a perna neles antes... A única coisa que acredito poder fazer é defender esse presidente do tribunal e assim fazer

468 OPERAÇÃO MÃOS LIMPAS

com que apareça tudo. Só que, Bettino, não existem alianças... e é justamente por isso que eu sinto muito a sua falta, meu tesouro".

Craxi: "São necessários bons advogados, que têm de falar, mostrar, denunciar, levantar a voz... é o mesmo problema que eu tenho, minha querida, é...!".

D'Eusanio: "Veja bem, se me aparece alguma coisa para fazer, eu serei sua voz".

Craxi: "Voltou aquela maldita dor nas costas... a hérnia de disco...".

D'Eusanio: "Dou um beijinho e a dor passa".

Craxi: "Não tenho hérnia no cérebro...".

Telefonam muitos outros jornalistas, prontos a se fazerem úteis. Pialuisa Bianco aproveita a ocasião do décimo aniversário dos fatos de Sigonella,[*] em 10 de outubro de 1985, para entrevistar Craxi para a *Epoca* e o chama de entusiasta: "Vai sair segunda-feira, 2 de outubro, já está tudo editado e agora lhe mando antecipadamente". Craxi: "O importante é divulgar!". Bianco: "Vamos dar bastante ênfase, já entramos em acordo com o *Corriere della Sera* para que façam grandes manchetes. Fique tranquilo, porque está sendo bem orquestrado, você vai ver que terá muita repercussão". Ligam até Bruno Vespa, Francesco Damato (para dar "Feliz Ferragosto"), Emilio Fede, Enrico Mentana e Gianni Baget Bozzo.

Craxi, longe da Itália, está obcecado pelos inimigos e ativíssimo em recolher informações e dossiês contra eles: sobre o presidente Scalfaro (procura desesperadamente notícias sobre o arquiteto Salabè, envolvido no caixa dois do SISDE e amigo da filha do presidente), sobre os homens do PDS e os financiamentos ilícitos, mas não se esquece de pesquisar sobre a vida privada e sobre a família D'Alema ("o jovenzinho de bigode") graças à grande colaboração de Tina Soncini Massari que, no dia 20 de setembro, anuncia triunfante: "Isso é uma fofoca: soube que o pai de D'Alema estava em 1941 no secretariado do GUF (Grupo Universitário Fascista) de Ravenna, isso é certo". E Craxi se delicia: "Quero pelo menos um parágrafo"; Soncini: "Posso colocar toda a história porque depois ele fez com que morressem 300 pessoas. Me disse um jornalista que, D'Alema-pai, antes de morrer, disse estar muito orgulhoso por isso". Craxi: "Depois, vamos nos preocupar com o traidor". Craxi fala sobre D'Alema com Pierangelo Maurizio, jornalista do *Tempo* e depois do *Giornale*: "Agora vai sair muita coisa sobre aquele jovenzinho ali". Craxi discute, com um amigo sem nome, sobre Prodi. Diz o amigo: "Semana que vem, lhe dou tudo o que me pediu sobre Kronos, a coisa mais importante pelo menos até um mês e meio atrás... porém, o conselheiro da sua sociedade mais importante era Prodi". Craxi responde em código: "Ah, muito bem, me mande todos os dados, por favor... Maravilha. E depois me interessa receber o material daquela

---

[*] Caso diplomático entre o então presidente do Conselho Bettino Craxi e o presidente dos Estados Unidos Ronald Reagan sobre os sequestradores do navio *Achille Lauro*. (NT)

outra coisa que você havia dado. Entendeu? Carlo Pisacane.... Eram trezentos, eram jovens e fortes e foram mortos...".

O inimigo público número um de Craxi continua sendo Di Pietro ("o cachorrinho Lulu", o "trapaceiro", o "pequeno aventureiro traficante"), que, de acordo com o advogado Guiso, está "ligado à América" e teria se apresentado a Cernobbio com "um agente investigativo financeiro da polícia americana". "Se alguém", grita Craxi a Lo Giudice, "na primeira fila não abre o 289 [uma denúncia por atentado a órgão constitucional] não vai a lugar algum". Depois vêm os outros promotores do *pool* da Operação Mãos Limpas. Com especial atenção a Ielo: "Vamos atacar frontalmente", grita Craxi a Luca Iosi em 25 de setembro, "sem medo. Estão fazendo a Mancuso... Esse Ielo se comporta como um mafioso nato, uma arrogância de poder...". E a Salvatore Lo Giudice: "Agora me preparo para denunciar esse Ielo".

Eis o capítulo dedicado a Nordio. O advogado Lo Giudice Júnior fornece amplas e positivas referências sobre o magistrado veneziano, que recém expediu as intimações para D'Alema e para Occhetto (mas também a Craxi) e parece intencionado, assim como Salamone, a fazer uma visita ao fugitivo.

Lo Giudice: "Precisaria dar disponibilidade de ser ouvido, porque essa situação é interessante. Peguei vários contatos com esse magistrado".

Craxi: "Está bem; eu, no entanto, sobre aquelas coisas lá, não sei nem o que são".

Lo Giudice: "É obvio, ele também sabe que não é absolutamente relevante".

Craxi: "Para uma conversa geral".

Lo Giudice: "Exato, ele sabe que [Craxi] não tem nada a ver com aquela história lá; foi coisa que ele colocou para poder ouvir você".

Craxi: "Me manda um texto".

Lo Giudice: "É importantíssimo. Eu envio, e você repassa ao promotor Dr. Nordio junto ao Tribunal de Veneza. O senhor tem aquela intimação?".

Craxi: "Nem ao menos li".

Lo Giudice: "Veja, pois é uma coisa séria. Não terá nenhuma dificuldade com a Tunísia".

Craxi: "Aqui eles estão um pouco de saco cheio com a Itália em geral. Vou intervir".

Lo Giudice: "Agora, o que é fundamental é dar uma mão. É fundamental que eles olhem para essa coisa de Veneza, que é a única coisa que eles temem, porque que têm muita suspeita, eles precisam disso como precisam de pão para viver".

Craxi: "Eu não sei nada sobre aquela história lá [...]. Vou me ocupar disso logo. Amanhã mando fax e depois conto para você".

Lo Giudice: "Depois, é importante solicitar a disponibilidade do Estado [...]. Estamos fazendo tudo bem rápido [...]. De qualquer forma, aqui, [Nordio] é justamente um de confiança com o qual estamos trabalhando, pois o que é sério é que ele utiliza os mesmos elementos de Milão pelos quais surgiram as confusões, com os mesmos elementos que Milão não usou. Existem muitas ideias para serem usadas [...]. E assim faremos estourar uma grande confusão [...] ainda tem a inspeção [...]. São todas coisas que temos de usar, e nos serve essa ligação com Veneza, fundamental para todos os equilíbrios [...]. Se conseguirmos leva-lo lá [Nordio a Hammamet] seria difícil para eles [os promotores milaneses] justificarem a fuga [isto é, as medidas dos juízes de Milão que, em julho, declaram Craxi oficialmente um fugitivo]".

Bettino dita as regras

Craxi não se limita aos dossiês e às relações públicas. Sonha em recolocar de pé o Partido Socialista, como confia a um anônimo interlocutor:

> No final de outubro, lançamos um novo Garofano. Eu faço a lista do Garofano, novos cravos em toda a Itália. Chega de bagunça: não dá mais para aguentar essa situação; o próximo passo é a violência... Chegaremos à violência física: o Sul se revoltará porque o "louco" [talvez Bossi] se fará de louco no Norte... Nos falamos novamente quando tivermos a data das eleições, quando chegarem; acho que a magistratura está indicando que irá às eleições com o PDS, mas daqui a pouco deverão prestar contas.

Na espera do novo Garofano, Craxi procura aconselhar e condicionar o Força Itália. Entre os papéis da Via Boezio, existem muitas anotações, algumas proféticas, dirigidas ao partido de Berlusconi:

> Passado o referendo da melhor maneira, são necessários uma linha e um time de combate. [...]. O caso Di Pietro deve tornar-se um caso-símbolo: é necessário ir até o fim, visto que existem todas as condições para isso. A queda do mito determina consequências em cadeia. É incrível que, ainda para muitos do Polo, parece que aconteceu uma desgraça [com as investigações sobre Di Pietro em Bréscia] e não um caso de sorte [...]. Existem objetivos essenciais: antes de qualquer coisa, o *pool* milanês. São magistrados que usaram instrumentalmente o Poder Judiciário, que aproveitaram determinadas circunstâncias, violaram leis, princípios constitucionais, tratados internacionais. Seria necessário ter a coragem

1995. MÃOS BAIXAS   471

de pedir a prisão de todos eles [em 2001, o próprio ex-defensor de Craxi fará isso, o subsecretário do Interior Carlo Taormina], talvez antes que eles peçam. Nada vai ser feito, mas o confronto para o país será levado a um nível mais alto e mais forte. Em suma, atacar e não se defender, porque os meios de defesa são insuficientes. É necessário denunciar os estragos da "revolução judiciária" e fazê-lo com insistência obsessiva.

Eis uma outra série de conselhos, que será interpretada ao pé da letra pelos homens de Berlusconi:

É necessário usar a força parlamentar com todos os meios possíveis, compreendendo o pedido de clamorosas investigações e denúncias contra os abusos de poder, investigação parlamentar sobre suicídios, sobre interceptações telefônicas, sobre financiamentos de campanhas eleitorais de 1992 em diante, sobre as relações entre os órgãos dos governos (incluindo a magistratura) e os serviços estrangeiros, sobre o deputado Violante e suas relações com a magistratura (só com os registros da Telecom Itália se poderia obter resultados milagrosos). Denunciar no Parlamento, desde a ocupação das salas do tribunal, que o golpismo rastejante de todos as cores e de todos os tipos viola o direito dos cidadãos, viola a liberdade de informação, viola a liberdade de imprensa, usa para fins políticos o Poder Judiciário. Enfim, o que mais deve fazer (não falo das fraudes eleitorais). A tudo isso não se pode responder com ladainhas. Denunciar fortemente a criminalização das regiões meridionais condenadas a um estado de crise endêmica [...] tratadas como se fossem um faroeste sem soldados, a mercê de magistrados, xerifes e militares. Abrir uma grande questão no Parlamento sobre os poderes constitucionais, sobre a invasão política de setores da magistratura e sobre os aspectos que podem configurar um atentado à Constituição. As provas são infinitas.

Craxi convida Berlusconi a atacar ainda mais o PDS e a desconfiar da AN:

O PCI–PDS é o partido que tinha mais recursos e mais financiamentos ilegais. Financiado aqui e no exterior. É uma história incrível. Hoje está em sala de aula dando lições de moralização. Nos últimos anos, o responsável político também pela administração era D'Alema. Ora, que sobre tudo isso não tenha se aberto uma frente é realmente um absurdo [...]. O Força Itália deve readquirir a sua autonomia e ficar subalterno às exigências dos aliados traiçoeiros e hipócritas. Pior de tudo, relacionar o desenvolvimento político com o binômio Berlusconi–Fini, que perdeu antes mesmo de começar [...]. É completamente irresponsável pensar em eleições em curto prazo.

OPERAÇÃO MÃOS LIMPAS

O último apelo de Craxi é a mobilização do "sistema da informação política Fininvest", que ainda está "poluído", mesmo que por sorte algo tenha "acontecido" ultimamente.

"Berlusconi é um laranja"

"Você fez mal, aliás muito mal ao usar aquelas palavras. Podia dizer as mesmas coisas com mais estilo." Francesco Saverio Borrelli, naquele 29 de setembro, não está em Milão. Está em Cagliari para um congresso. Fica sabendo, à noite, pelos telejornais, que o seu substituto Paolo Ielo definiu Craxi, no tribunal, como um "criminoso profissional". Liga imediatamente para ele e o repreende, mas só por causa daquelas duas palavras. Compartilha plenamente a estratégia processual, de acordo com todo o *pool*. Por que Ielo virou em cima da mesa dos juízes todo aquele material, as interceptações de Hammamet, os documentos e os dossiês de Via Boezio? "Para demonstrar", explica o próprio promotor ao tribunal, "a periculosidade social do acusado Craxi, para fins das penas requisitadas, que não podem ignorar o comportamento processual do acusado". D'Ambrosio, com o código em mãos: "Tem um artigo, o 133, que diz que para determinar a pena, a acusação deve basear-se não só em fatos, mas também em elementos que definem a personalidade do acusado".

Cai sobre Ielo uma avalanche de críticas: pelas cruas expressões usadas, pelas interceptações tornadas públicas e até mesmo pelas suas roupas (por baixo da toga, apareciam os jeans e uma camisa xadrez sem gravata), consideradas censuráveis pelo ministro Mancuso e pelo conselheiro do Polo do Conselho Superior da Magistratura, Gianvittorio Gabri ("Ielo se veste como um ajudante de feira"). E enquanto Berlusconi evoca Goebbels e o fascismo, em defesa dos magistrados se apresenta inesperadamente Rocco Buttiglione, que antecipa em três anos uma famosa entrevista de Gherardo Colombo sobre a Bicameral: "Existe uma onda de chantagens", comenta o novo secretário do CDU, "que remete à Primeira República: tomam-se tantas, mas tantas decisões, porque alguém é forçado por essa montanha de esgoto que vem desse sistema". D'Alema, entrevistado no *Unità* por Fabrizio Rondolino, é ainda mais explícito: "Craxi é a marionete da direita italiana. Parece-me que o dualismo Letta–Previti para quem será o secretário do Força Itália esteja já superado: o secretário é Craxi, o Grande Velho que está do outro lado do Mediterrâneo". E alguns dias depois, na Câmara: "O Polo está ligado à velha política por vários fios, inclusive telefônicos".

Fini está desconcertado: "É uma história obscura. Que alguém na Itália possa ter dado uma ajuda a Craxi para tecer manobras e atos para deslegitimar os magistrados milaneses é simplesmente vergonhoso". La Russa é duríssimo:

> Quem se prestou a ser apoiador das tentativas de Craxi não tem desculpas. Se aqueles registros são verdadeiros, tem de se proceder para descobrir quem manteve contato com Craxi capaz de condicionar a própria

operação, até institucional. Eu acredito que os magistrados do *pool* da Operação Mãos Limpas sejam corretos, acredito que em 90–95%. Nesse ponto, nasce a exigência de esclarecer no Polo, de uma vez por todas, um juízo sobre a Mãos Limpas.

Bossi, como sempre, é lapidário: "Nada de novo sob o sol: que Berlusconi fosse o homem de Craxi e o homem da Máfia já sabíamos todos há um bom tempo. O Força Itália fez nascer o velho sistema político, Berlusconi é um laranja [...]. Ele nunca me escondeu isso". Depois revela:

Um dia, em 1994, estava na casa de Berlusconi e lhe perguntei ironicamente: "Como está o seu chefe? ". Ele me disse que não estava muito bem. Retruquei: "Então vocês têm uma relação diária". Ele respondeu que não era bem assim, mas que tinha falado com ele no fim de semana. Aconselhei-o a ficar atento, porque se a ligação tivesse sido interceptada poderia respingar em seu governo, que já estava em dificuldade. A impressão é que estivesse em contato constante, contínuo.

O leguista Antonio Marano, membro da comissão de vigilância da RAI, pede a suspensão do programa de Alda D'Eusanio, *La cronaca in diretta*: "Combatemos Telekabul, não podemos permitir que chegue o Telehammamet" (Marano, em 2002 se tornará diretor da RAI 2, onde reencontrará Alda D'Eusanio).

As polêmicas sobre o caso Craxi atingem também a magistratura por causa do desconcertante telefonema sobre Nordio entre Craxi e "Salvatore", que logo descobre-se ser o filho do advogado Enzo Lo Giudice. Ielo não toca nesse assunto no tribunal, mas a transcrição é colocada à disposição das dezenas de advogados do processo sobre o metrô de Milão e acaba nos jornais. Nordio, em um comunicado, acusa os colegas milaneses de terem "violado os princípios mínimos de civilidade jurídica", interceptando "uma conversa entre investigado e defensor".

De Milão, responde Borrelli: "Nordio não entendeu a nossa iniciativa nem de direito nem de fato. No telefonema, fala-se de um certo Salvatore, e na Itália existem muitos Salvatores. Descobrimos que era um procurador legal só depois da audiência na qual as interceptações foram reproduzidas, até porque Salvatore Lo Giudice não é defensor de Craxi no processo do metrô. Se reproduzimos todo o material é porque o artigo 268 do Código de Processo Penal o prevê". Ielo, de qualquer forma, havia advertido Nordio, na noite anterior, para apresentar as interceptações. "Tem um telefonema antipático que lhe diz respeito. Se quiser, mando para você por fax", mas, explica Ielo, "Nordio não quis". O confronto Veneza–Milão termina no Conselho Superior da Magistratura, que abre investigação preliminar e convoca os dois promotores para um esclarecimento. O procedimento apurará a retidão da operação da Procuradoria de Milão e será arquivado.

A última cartada de Mancuso

Revigorado pelas férias de verão, o ministro Mancuso se reapresenta ao trabalho nos primeiros dias de setembro mais fortalecido e ágil do que nunca; pronto para a ofensiva final. No dia 6 de setembro, três dos seus inspetores se apresentam de manhã cedo no Palácio da Justiça de Milão para a nova missão extraordinária contra o *pool* da operação Mãos Limpas. "Estamos prontos para responder às perguntas", informa Borrelli.

No dia 8 de setembro, a Liga Norte, a Rede e a Itália Democrática (movimento de Nando dalla Chiesa) chamam para uma manifestação silenciosa em frente ao Palácio da Justiça de Milão. Os cartazes falam: "Viva a Mãos Limpas", "Os magistrados de Milão devolveram a honra para a Itália", "Não tem de ser investigado quem investiga, mas quem rouba". "Continuem", grita a multidão para Gherardo D'Ambrosio que sai de carro. Ele para, desce e sorri: "Continuaremos".

Mancuso também continua um ministro muito embaraçoso, capaz de despertar perplexidade e críticas tanto da esquerda quanto da direita. Riccardo De Corato, da NA, fala de "manobras para investigar a Mãos Limpas e, sobretudo, a atividade de Di Pietro para atrasar os processos sobre a Tangentopoli que o partido transversal dos advogados e dos garantistas diz querer celebrar". Salvi, do PDS, anuncia que é o momento de "votar a moção de censura contra Mancuso", há tempos congelada no Parlamento "porque Dini havia nos garantido que não havia nenhuma nova inspeção em Milão. Agora, não somente existe a inspeção, mas existe também uma contrainvestigação e uma reescritura da Mãos Limpas. Mancuso responde somente para si mesmo, ou para alguém que não é o Parlamento". No entanto, em 19 de setembro, em plena segunda inspeção ordenada por Mancuso, com a motivação que durante a primeira os inspetores teriam sido "intimidados" pelo *pool*, a Procuradoria Geral da Corte de Cassação conclui a instrutória disciplinar sobre o *pool* acusado por Mancuso de ter intimidado os primeiros inspetores. Conclusão fovorável ao *pool* e desfavorável ao ministro: proposta de arquivamento por Borrelli, D'Ambrosio, Colombo e Davigo (acolhida pelo plenário no dia 29).

No entanto, para o Ministro da Justiça, a nova negativa não conta. A inspeção segue adiante. Os 007 da Via Arenula dedicam uma semana para interrogar acusados e advogados, depois é a vez dos magistrados. Ouvem Colombo, Davigo, De Pasquale, D'Ambrosio, Ielo, Ramondini, Borrelli, Greco, Ichino e dois policiais que colaboravam com Di Pietro. Encerram com o presidente das Câmaras Penais, o advogado Gaetano Pecorella. É claro que a segunda inspeção também está por terminar como a primeira, como uma bolha de sabão, mas Berlusconi procura reanimá-la. No dia 21 de setembro, encontra Dinacci e "revela" ter sabido por meio de Scalfaro que Borrelli havia advertido o Quirinale do famoso convite a comparecer por corrupção na Guarda de Finanças até o dia 20 de novembro de 1994, isto é, um dia antes que o envelope partisse para Roma e fosse lido pelos Carabinieri ao interessado. Se fosse verdade, este episódio levaria Borrelli a processo por revelação de notícias cobertas por sigilo.

No dia 26 de setembro, Borrelli é ouvido pelos inspetores e refuta a enésima acusação falsa: "Informei a Scalfaro na noite de 21 de novembro, por volta das 21h, depois que os Carabinieri me disseram que Berlusconi, contrariamente às expectativas, havia ficado em Nápoles, mas que tinha sido contatado telefonicamente pelo oficial e sumariamente informado sobre o conteúdo do auto". Nenhuma violação de sigilo (o auto em si, uma vez "conhecível" pelo interessado, não era mais coberto), nenhuma antecipação indevida de um ato processual ainda não cumprido. Somente a devida decisão de informar o chefe do Estado.

O depoimento de Borrelli aos inspetores, ao contrário, é sigiloso, mas, poucos dias depois, Berlusconi volta aos inspetores para modificar sua versão. Diz ter confundido as datas: queria dizer 21 de novembro, não 20. Para Borrelli, fica uma dúvida:

> Me maravilha a estranheza de um sujeito que primeiro faz uma denúncia e depois, espontaneamente, bate a mão na testa e diz: "Me enganei". Alguns dias depois de ser ouvido pelo inspetor, o mesmo inspetor me comunicou que Berlusconi espontaneamente havia declarado uma nova reflexão, retificando, de acordo com minha declaração, a data de minha conversa com o presidente Scalfaro. Explicitei ao inspetor minha surpresa pela mudança de pensamento, que não somente mudava profundamente o sentido de sua denúncia, mas que chegava a poucos dias do meu depoimento. Quase que Berlusconi é excluído de meu depoimento.

Berlusconi então veio a ter conhecimento das declarações de Borrelli? Se sim, qual dos inspetores o informou? Essas perguntas ficam sem respostas. Ao invés de esclarecer as dúvidas, Mancuso inicia uma nova enxurrada de ações disciplinares. Uma é contra De Pasquale, ainda pelo suicídio de Cagliari. Uma contra Colombo, por ter citado o decreto Biondi na requisitória do processo da Guarda de Finanças. Uma contra Borrelli; agora, esclarecido o caso Scalfaro, recai sobre ele outra suspeita: "vazamento de notícias", por ter advertido o comandante dos Carabinieri de Milão, general Bozzo, sobre o convite de comparecimento feito a Berlusconi (o procurador replica estupefato: "Oh, que bonito, por força tive de advertir o general: precisava de dois oficiais que fossem para Roma para notificar a medida ao presidente do Conselho"). A última ação disciplinar promovida pelo ministro da Justiça é para o juiz de investigações preliminares Andrea Padalino, mas uma outra é iniciada pelo procurador-geral da Corte de Cassação contra Gerardo D'Ambrosio por causa de um comentário irreverente sobre a recente inspeção ministerial ("sempre melhor do que um tiro nas costas") e sobre Mancuso ("diante de magistrados como ele, procura-se sempre se consolar pensando que cedo ou tarde eles vão se aposentar; depois, em vez disso, eles se tornam ministros").

O "caso" Caneschi

A ação disciplinar contra Padalino, expressamente pedida pelo Força Itália, diz respeito ao caso sobre um médico milanês, Sergio Caneschi. Chefe de neurocirurgia no hospital Fatebenefratelli e presidente do Instituto de Soropositivos, socialista, amigo de Craxi, é preso em Milão no dia 17 de maio de 1994. A acusação – baseada em denúncias de sete testemunhas – é de extorsão, por ter pedido e obtido duas propinas de outros tantos pacientes do Fatebenefratelli. Além do mais, o médico teria pedido 40 milhões para os pais de uma criança de 19 meses, hospitalizada por aneurisma e transferida, depois de muita pressão, para a sua clínica particular. De acordo com os promotores Ramondini e Ielo, o bebê poderia ter sido operado gratuitamente na estrutura pública. O caso teria se repetido, causando danos a outra paciente.

Depois da prisão, Caneschi descobre estar doente (seu médico fala em uma grave "forma de diabetes descompensada") e, no dia 20 de maio, pede prisão domiciliar. Padalino pede algumas averiguações e, no dia 31 de maio, assim que recebe a resposta dos médicos da prisão, consente. Caneschi volta para a casa depois de 14 dias transcorridos na prisão San Vittore. Nesse meio-tempo, um auxiliar do chefe do departamento médico revela um novo suposto episódio de abuso de poder realizado com o consentimento de Caneschi: em 5 de junho, nova medida cautelar, dessa vez na prisão domiciliar. Em 22 de junho, o Tribunal da Liberdade confirma os "graves indícios de culpa", mas, por motivos de saúde, transforma as primeiras prisões domiciliares em proibição de atividade profissional médica. O mesmo acontece em 4 de julho para a segunda medida, mesmo destacando que Caneschi atuava em um "aproveitamento sistemático da própria posição de chefia na estrutura pública" e "desviava o dinheiro referido com sintomática naturalidade e notável perigo para a sociedade".

No entanto, uma terceira paciente o acusa de um posterior caso de extorsão, com a mesma passagem do hospital para sua clínica privada. Duas testemunhas confirmam. No dia 3 de julho, Padalino dispõe uma terceira medida de prisão domiciliar, que o Tribunal da Liberdade converte, mais uma vez, sempre por motivos de saúde, em proibição da atividade profissional: o ex-chefe recém havia sido operado para a retirada de um tumor no pulmão. Mandado a julgamento duas vezes por extorsão e abuso, Caneschi morre dia 31 de janeiro de 1995, e os seus crimes são declarados extintos "pela morte do réu". Os familiares denunciam os magistrados por supostos "maus-tratos": teriam sido eles a causa do tumor pulmonar, por terem infligido a ele 14 dias de prisão e por terem-no denunciado por "tentativa de fuga enquanto estava na mesa de cirurgia".

Padalino, de fato, havia autorizado Caneschi a hospitalizar-se na clínica nos dias 6 e 7 de junho, mas depois a cirurgia tinha sido adiada, e a hospitalização havia sido adiada para o dia 11, sem que ninguém tivesse avisado os juízes. Os Carabinieri encarregados de vigiá-lo, não encontrando Caneschi em casa, haviam informado à Procuradoria junto ao Tribunal Distrital sobre a suposta fuga. O equívoco foi logo esclarecido, e o próprio Caneschi, interrogado dia 14 de julho, havia reconhecido que "uma vigilância mais atenta por parte do meu advogado teria evitado qualquer mal-entendido". Mesmo sobre o suposto "caso Caneschi" e sobre a compreensível dor dos familiares, se iniciará uma pulsante campanha político-jornalística do Força Itália, lançada nos canais Mediaset por Sgarbi e Liguori, pelo *Giornale*, pela *Panorama* e por dois livros da Mondadori — *Il caso Caneschi* (O caso Caneshi), de Giancarlo Lehner; e *Presunti innocenti* (Presunção de inocência), de Filippo Facci. O teorema é simples: o acusado é uma vítima; os juízes são assassinos. Um novo caso Tortora.[*] O promotor Ramondini e o juiz Padalino são denunciados pela viúva de Caneschi na Procuradoria de Bréscia (denúncia arquivada). Padalino, levado por Mancuso ao Conselho Superior da Magistratura, será absolvido também em sede disciplinar. Assim se confirma o que era claro desde o início: os magistrados haviam acolhido imediatamente os pedidos de prisão domiciliar e haviam concedido todas as permissões requisitadas pelo investigado para se consultar e ser hospitalizado.

A campanha continuará a autoalimentar-se, a ultrapassar os portões do Quirinale: em outubro de 1997, Scalfaro, confiando na *vulgata* corrente, escreverá uma carta para a viúva de Caneschi, acusando mais uma vez os juízes pelos "comportamentos que deixam desanimados qualquer um que acredite realmente na justiça". Borrelli protestará: "Me dói que o presidente esteja se baseando somente no livro de Lehner, tendo-o como verdade absoluta". E a imprensa berlusconiana continuará a contar a versão infundada sobre as sentenças, colecionando várias condenações (para Feltri, Liguori e dois cronistas do *Giornale*) para ressarcir os magistrados difamados pelo inexistente "caso Caneschi".

As páginas brancas do ministro

O dia 18 de outubro, dá início, no Senado, ao debate sobre a moção de censura apresentada pela maioria contra Mancuso. A sessão do dia 19 está entre as mais dramáticas da história da República. A maior parte dos jornais não irá contá-la por causa da greve de três dias indicada pela Federação da Imprensa, mas a televisão transmite ao vivo. "Falarei improvisadamente, não preciso escrever nenhum discurso", anunciou o ministro da Justiça na véspera. Escreveu dois discursos: um para ler perante aos senadores e às câmeras, e outro para fazer circular informalmente, salvo depois por negá-lo fora do tempo máximo.

Às 9h40min, com voz velada por um tremor, Filippo Mancuso inicia a declamar as 23 folhas datilografadas. Vai longe: "Não pronunciarei, como nunca pronunciei, uma palavra para contestar as pequenas coisas, os insultos camuflados por pensamentos e as infinitas provocações recebidas por parte dos suboficiais inseridos no ecossistema do 'não pensamento'". Depois anuncia "respostas de uma

---

[*] Enzo Tortora, nascido em 1928, morto em 1988, ex-apresentador, jornalista e político, foi acusado e condenado injustamente por associação com a Camorra e tráfico de drogas. Foi preso e, depois de sete anos de reclusão, foi provada a sua inocência. (NT)

clareza capaz de não causar dificuldade até mesmo aos falsos graduados" (e aqui alguém aproveita a ocasião para fazer alusão às polêmicas em torno da formação de Di Pietro, que alguém, entre os quais Sgarbi, colocou em dúvida nesses dias). Se vangloria pelas "217 inspeções" dispostas nos diversos tribunais e procuradorias da Itália em oito meses e também pelas "36 iniciativas disciplinares". Em Milão, afirma, surgiram "fatos novos e graves" dos quais logo se ouvirá notícia. Segue uma obscura referência aos "herdeiros daqueles que, segundo Plutarco, erigiam um templo para um tipo de divindade chamada 'Notícia e Intimação', obviamente ainda não de 'Crime e Garantia'. E segue com o barroquismo: "mentores sem escrúpulos e temíveis", "curso latente", "percursos enfeitados", "aura de caça em palude", "um jogo construído como uma parada programada para um início organizado", "uma parada brusca para quem quer aproveitar".

Em um crescente irrefreável, o ministro coloca "Dini errante, entre indecisas conveniências, vínculos plurilaterais e algum escrúpulo", obrigado por "fortes interesses" a dispensar um "ministro colaborativo e estimado" (isto é, ele). E profetiza: "Está certo que para ele o galo cantará bem mais do que três vezes [...]. Sempre esteve por dentro do que acontecia por meu intermédio: como iam as inspeções, as investigações dos escritórios milaneses. Aprovou com plena participação moral a ação do ministro, mais de uma vez com explícitos encorajamentos a seguir em frente. Lembro ainda as exclamações que fizera". Salvo depois por dissociar-se em público porque a inspeção em Milão "e aquela temida em Palermo (a qual, seja dito, tem mesmo de ser temida) preocupavam sempre mais a esquerda e o chefe do Estado".

A mesma duplicidade Mancuso atribuía a Scalfaro: Dini – afirma – levava para ele "a recorrente mensagem do chefe de Estado, autênticas lembranças de uma época", dizendo: "O presidente da República sabe que o ministro tem razão sobre 'aqueles de Milão', mas tem também o aviso de que não é necessário ir adiante com as investigações porque eles estão se destruindo com as próprias mãos. Portanto, não vale a pena". "Por que", pergunta o ministro da Justiça, "esse comportamento nada discreto por parte do parlamentar Scalfaro?".

A sala do tribunal se torna uma arena incandescente. Os senadores do Polo assistem satisfeitos a ruína das instituições e encorajam Mancuso a "ir adiante, sem se intimidar". A centro-esquerda e a Liga balbuciam. Dini ficou em casa. Nos bancos do governo, além de Mancuso, senta-se somente o ministro da Reforma, Giovanni Motzo que, deixado sozinho, entrou em contato com os mais altos cargos do Estado. Assim que se inicia o ataque ao Quirinale, levanta-se, interrompe Mancuso e pede uma pausa ao presidente do Senado Carlo Scognamiglio: "Foram evocados problemas que não dizem respeito ao governo, mas ao chefe de Estado". Na confusão, depois da interrupção alguém nota que Mancuso pega quatro folhas do envelope que tinha na mão esquerda e as coloca sobre o banco, junto daquelas que já foram lidas.

1995. MÃOS BAIXAS   479

Quando finalmente retoma, Mancuso ataca a "onipotência" da magistratura, principalmente a investigativa" com a "impune cumplicidade de uma certa mídia que realmente merece o epíteto de 'canetas limpas'". Ataca o *pool*, "novos santuários tibetanos, verdadeiros e próprios sultanatos rebeldes sem nenhuma restrição", gente que usa a prisão preventiva "como um instrumento de tortura e de terror generalizado". Depois lança a maldição final:

> Pergunto se está confirmada a mensagem segundo a qual se está disposto a tudo, até o uso da força física, para destituir o ministro da Justiça das suas funções constitucionais. E quando e de qual Procuradoria possa chegar intempestivamente uma intimação. Ontem eu tive uma clara premonição [...]. Senhor presidente, senhores senadores, não desafio o Parlamento por não aceitar punições muito, mas muito, injustas. Erraram os outros por terem desafiado a verdade, a razão e, de alguma forma, até mesmo a Constituição, sempre, como Mercuzio, pensando sobre nada [...]. Disse-lhe, senhores, no mais profundo sentido da minha consciência. De todo modo, terei gratidão se vocês tiverem me ouvido, escutado e compreendido.

Assim que se acalmam os ânimos, pede a palavra o ministro Motzo "em nome do presidente do Conselho". Diz que "as afirmações do ministro Mancuso sobre o chefe de Estado não refletem as opiniões do governo", mas depois consegue, até mesmo, dedicar-lhe "a mais alta estima e consideração", como se deve a um "grande jurista". Surrealismo puro. Pela primeira vez na história da República, um governo tenta se livrar de um ministro fora de controle; o ministro em questão ataca plenamente Parlamento e o chefe do Estado e do governo, desconhece o voto de confiança do Senado e anuncia que deverão tirá-lo "fisicamente", à força; e o governo reage com frases diversas e um panegírico final.

A situação se torna kafkiana alguns minutos depois, quando os jornalistas comparam o texto do discurso oficial de Mancuso, distribuído pelo chefe de gabinete Tatozzi, com aquele lido no tribunal e descobrem que a conta não bate: o ministro da Justiça "esqueceu" de ler 4 das 23 folhas datilografadas. Quatro páginas que "revelam" dois supostos bastidores do Quirinale. Primeiro: o secretário-geral Gaetano Gifuni teria pedido a Mancuso para autorizar o procedimento (previsto no Código Penal para os crimes cometidos em dano ao presidente da República) em algumas investigações "que tinham investigado ou denunciado, entre outros, os parlamentares Berlusconi e Fini" por terem insultado o chefe do Estado. Mancuso afirma ter afastado Gifuni "com desdém, tendo uma desagradável sensação de intriga que me causou uma crise muito forte".

Segundo: o caso SISDE. Mancuso lembra quando foi chamado, em 1993, para presidir o Comitê de Investigação Administrativa sobre o escândalo dos fundos irregulares e no relatório final escreveu que os documentos obtidos "não apresentam razões que consintam declarar que as somas de dinheiro pertencentes aos fundos reservados do SISDE tenham sido depositadas, para proveito pessoal, a ministros do Interior nos mandatos seguintes". No entanto, aquela fórmula negativa "não deve ter agradado completamente; assim, certa noite, fui gentilmente levado até a casa do secretário-geral e, pela primeira e última vez, conduzido à moradia particular do parlamentar Scalfaro". Ali, Scalfaro e Gifuni o teriam pedido que modificasse aquela frase "em positivo e em absoluto", isto é, escrevendo que "os ministros nunca haviam recebido nenhum dinheiro proveniente do SISDE". Mancuso, porém, se opõe com "uma dura negativa" e interrompe bruscamente "a embaraçosa situação" mudando de assunto e colocando-se a falar de De Gasperi. Depois "voltei para a casa, sempre acompanhado por um funesto secretário-geral. Desconheço, naturalmente, se a história irá se dedicar a esse caso que é, todavia, um caso nada exemplar, pelo menos deontologicamente".

O tom é, no mínimo, chantagista. Montanelli fala de "aviso mafioso", e o chefe de relações públicas do Quirinale, Tanino Scelba, diz compartilhar plenamente a definição, "a título pessoal". O Senado, com as declarações de voto, torna-se novamente um ringue. O Polo, ladeado compactamente por Berlusconi a favor do ministro da Justiça, abandona o tribunal. No fim, Mancuso é contestado por 173 senadores dos 184 votantes: três votaram não (entre os quais o de Cossiga); oito se abstiveram (entre os quais os populares Andreotti e Zecchino). A centro-direita apresenta uma moção de censura contra o governo e é imitada pela Refundação Comunista, que anuncia um propósito análogo entre os aplausos dos berlusconianos. E o dia 25 de outubro, com o debate sobre a aprovação do governo, é outra dramática jornada parlamentar. O Polo já se delicia com a crise, Berlusconi sente o perfume de "governíssimo", mas, no dia seguinte, Dini promete que sairá até o Ano-novo, dando a Bertinotti o pretexto para retirar sua moção. Assim, o governo salva-se com 310 votos contra 291.

Scalfaro confia interinamente a Dini o Ministério da Justiça, na expectativa de encontrar um novo ministro da Justiça (será o ex-presidente da Corte de Cassação Constitucional Vincenzo Caianiello). Mancuso, porém, não se demite: levanta perante a Consulta um conflito de atribuições contra o Senado, o chefe do Estado e o chefe do governo, pedindo que seja declarado ilegítimo o voto que o afastou (o recurso será negado em 6 de dezembro). Antes de se retirar, ordena a terceira inspeção ministerial contra o *pool*: ainda sobre as propinas vermelhas, para saber como Nordio investigou Occhetto e D'Alema e não seus colegas milaneses e continua a lançar mensagem em código. Insinua que na Mãos Limpas existam "extremos não só de caráter disciplinar, mas também ultradisciplinares [ou seja, penais], como demonstrarão eventos futuros". Quanto a Dini, "deveria tornar públicas as razões pelas quais uma denúncia específica feita por mim no Conselho dos Ministros foi escondida por ele em agosto". A denúncia – revelará depois – era contra a Liga Norte, por "atentado à unidade do Estado" (artigo 241 do Código Penal: prisão obrigatória em flagrante, pena máxima de prisão perpétua).

Mancuso, em 1996, será eleito pelo Polo e reeleito em 2001 pela coalizão de centro-direita Casa da Liberdade. Dessa vez, aliado também à Liga Norte.

Final de ano de fogo

Em frente às câmeras, Polo e Ulivo se combatem asperamente sobre o caso Mancuso, mas, nos corredores, continuam as tratativas. Em 5 de outubro, o *Cavaliere* dá a entender estar cada vez menos entusiasmado em votar logo e propõe a D'Alema "um pacto para evitar as manipulações políticas das investigações judiciárias, das intimações e dos julgamentos". Pensa em um "governo com a maioria das cadeiras" que realize as reformas (também, e sobretudo, da justiça) antes do voto e se dissocia da campanha do *Giornale* sobre a Affittopoli.

A ideia da "trégua" sobre as intimações judiciais e sobre os julgamentos não nasce por uma questão de princípio, mas porque, sobre Berlusconi, estão chovendo novas intimações e transferência dos primeiros julgamentos. De fato, como vimos, em 14 de outubro, o juiz Fabio Paparella acolhe o pedido formulado pelo *pool* desde maio e manda a julgamento o *Cavaliere* e seus coacusados por corrupção da Guarda de Finanças, marcando o processo para 17 de janeiro de 1996. A notícia tem efeito bombástico no debate político. No Polo, fala-se abertamente de "passo atrás" do *Cavaliere*, não mais investigado, mas acusado, em vista das eleições de 1996. E, ao se retirar da política ativa, pelo menos momentaneamente, é convidado por quase todos os comentaristas independentes. Até o diretor do *Corriere*, Paolo Mieli:

> O julgamento de Berlusconi por corrupção e o processo que pesa sobre ele tornam mais difícil para o *Cavaliere* de Arcore, pelo menos por um longo período, estabelecer-se em primeira pessoa na tentativa de reconquistar o Palácio Chigi. Será o debate que dirá se Berlusconi corrompeu a Guarda de Finanças ou se foi vítima de extorsão. Nesse meio-tempo, porém, deverá se conformar em dar aquele famoso passo atrás que muitos sugerimos que fizesse há mais de um ano (15 de outubro de 1995).

No Polo, procura-se uma liderança alternativa. E muitos – principalmente na AN – pensam em Di Pietro. Importante telefonema, interceptado em Bréscia dia 17 de novembro, entre o ex-magistrado e Mirko Tremaglia, que faz contato com ele por causa de Fini.

> *Tremaglia*: "O meu chefe viu aquele lá... viu o Berlusca... O problema dos problemas é ele... isto é, tem de ser colocado de canto... porque senão Di Pietro não faz o discurso".
>
> *Di Pietro*: "Sim, claro".
>
> *Tremaglia*: "E ele [Fini] me disse: 'Veja que me disse que ele sai de cena'.

E eu lhe disse: 'Sim, porém, seria necessário fazer com que Gianfranco se ligue nesse fato, isto é, que venha a público esse fato'. Depois falei com o Urbani... Urbani tem a mesma opinião que eu. Falei com La Loggia, que também tem a mesma opinião. Falei com Di Muccio, ele queria escrever uma carta a favor de Di Pietro... as coisas andam, isso...".

Di Pietro: "Até o momento que me fizer responder a Ferrara, que me diz: 'Di Pietro me dá náusea, Di Pietro isso, Di Pietro aquilo'... a essa altura, vai tomar no cu. A essa altura um responde: 'Mas então eu me coloco contra e pronto'. De qualquer forma, enquanto Bréscia não se mexer, não posso fazer nada [ou seja: até que não seja absolvido, nada de política]".

O *pool*, no entanto, marca mais um ponto: 22 condenações, em primeira instância, para a maxipropina da Enimont. Entre os condenados, além de todos os secretários do Pentapartido e de Bossi, tem está Cirino Pomicino, recém-preso em Nápoles por uma suposta extorsão a um empresário, Giovanni Punzo. É o último dos reizinhos de Nápoles que ainda estava livre depois das prisões de Di Lorenzo e Di Donato. Há dois anos, colabora como editorialista no *Giornale*. Dessa vez, é acusado de propinas de mais de um bilhão, embolsadas até mesmo depois de sair de cena da vida política ativa (de acordo com as crônicas, porém, seria uma das marionetes do Força Itália em Nápoles). "Em maio de 1994", conta Punzo, "Pomicino me convocou e disse que queria fazer um acordo para as acusações sobre a Enimont, mas, para ganhar o atenuante da indenização por danos, precisava de dinheiro. Me pediu 200 milhões, explicando que todos os outros já o haviam ajudado". Depois de uma semana em Poggioreale, o ex-ministro escreve ao *Corriere* uma carta chocante na qual anuncia: "Vou morrer na prisão". Depois, por sorte, deixa de lado o trágico propósito e após dezesseis dias é liberado.

No dia 7 de novembro, a Procuradoria de Turim pede o julgamento de Dell'Utri, Prandelli e Lupo Stanghellini – os chefes da Pubblitalia – por faturamentos falsos e fraude fiscal. Vinte e quatro horas depois, acaba na prisão, em Palermo, Francesco Musotto, presidente do Força Itália da província: a Procuradoria de Gian Carlo Caselli o acusa de concurso externo de associação mafiosa junto ao irmão Cesare. Os dois teriam hospedado na casa de férias alguns chefões fugitivos, entre os quais Leoluca Bagarella. Francesco Musotto será absolvido pelo artigo 530, segundo parágrafo. O seu irmão, ao contrário, será condenado.

Passam-se duas semanas. Berlusconi e seu grupo não têm nem tempo de se refazer dos golpes sofridos em Turim e em Palermo. Em Milão, no dia 22 de novembro, a Procuradoria pede ao juiz Maurizio Grigo e obtém quatro mandados de prisão para o chefe do setor de exterior da Fininvest, Giorgio Vanoni, para Bettino Craxi e para os seus laranjas Tradati e Giallombardo. Todos são acusados de financiamento ilícito. Na ordem de prisão preventiva, fala-se de uma maxipropina de 10 bilhões depositada para Craxi pelo grupo Berlusconi em 1991. As provas, todas documentais, chegaram há pouco tempo da Suíça, de Malta e da Inglaterra por carta rogatória. Na base da investigação, enfim, não existem "delatores", somente papéis. Como as informações bancárias fornecidas por Hugo Cimenti, alto dirigente da American Express, cotitular da conta Northern Holding 7105, aberta no Claridien Bank de Genebra junto com Giorgio Tradati. Aquela reserva, como vimos, era o cofre suíço do líder do PSI. Um cofre destinado exclusivamente para uso pessoal, no qual passaram, até 1992, pelo menos 35 bilhões depositados pela nata das empresas públicas, como Ansaldo e Italimpianti, e por empresas privadas também, como a Calcestrussi (grupo Ferruzzi) e a Techint (grupo Rocca). Além do dinheiro de Berlusconi.

6. ALL IBERIAN: CRAXI, BERLUSCONI & CIA.

Depois do afastamento de Di Pietro, o capítulo Tradati–Cimenti–Craxi passou para Francesco Greco. Logo chamou sua atenção uma carta enviada no dia 14 de novembro de 1991 pela SBS (Sociedade de Bancos Suíços) de Lugano para o Claridien Bank, na qual se lê: "Em 16 e 20 de outubro, efetuamos em sua conta duas bonificações de 5 bilhões em favor de Northern Holding 7105. Nosso mandatário nos comunica que a bonificação deveria ser somente uma: pedimos que, gentilmente, seja providenciada a restituição pela soma depositada a mais".

O que significa? Para entender, em 1995, o *pool* convoca novamente Tradati. O ex-colega de aula de Craxi repete o que já havia declarado a Di Pietro no processo da Enimont. Isto é, em 1991, o ex-secretário do PSI havia anunciado a chegada de 10 bilhões por meio de um misterioso empresário. Na realidade, depois, chegaram 15 bilhões, bonificados a Northern Holding por duas contas acessadas na SBS, a primeira aberta por uma sociedade offshore chamada All Iberian e a segunda denominada Ampio. Ele perguntou a Craxi que, caindo na risada, lhe havia dito para restituir 5 bilhões ao remetente. Assim, aquele visível "excesso" já tinha retornado.

O que se esconde atrás da All Iberian? Tradati jura não saber de nada e se limita a explicar que os 10 bilhões que sobraram haviam voado para uma conta do banco BIL de Luxemburgo, denominada Bellhart Holding, onde havia permanecido para depois entrar na órbita de outro laranja de Bettino, o ex-secretário Mauro Giallombardo. Por meses Francesco Greco quebra a cabeça sobre os documentos bancários. A sua sensação é que por trás da All Iberian esteja Ligresti, mas o enigma fica sem solução. A solução chegará muito tempo depois por outra investigação: aquela sobre o suborno da Guarda de Finanças. Os magistrados se perguntam: por que o grupo Fininvest pagava para a Guarda de Finanças? Para a evasão de taxas ou para que não existisse controle muito detalhado sobre a sua organização societária? Para entender, olham para o que não aparece nos balanços oficiais: o departamento internacional da Fininvest.

Uma investigação aberta pela Procuradoria de Roma e depois transferida para a competência de Milão revela que, em Malta, a holding de Berlusconi controla algumas sociedades offshore. Por meio dessas sociedades de Malta, em relação com o Arner Bank de Lugano, a Fininvest adquiriu também uma empresa de eletro-domésticos, a Micromax. Para que tanta discrição? Em muitos documentos, aparece a assinatura de Giorgio Grandi, um jovem advogado de Milão do escritório Carnelutti. Por quê? Os promotores Greco e Taddei interrogam-no. O advogado explica não ser nada mais do que um laranja e afirma jamais ter perguntado para que serviria todo aquele monte de sociedades nas quais operava. "Vinha o office--boy da Fininvest, me trazia uns papéis, eu assinava sem fazer perguntas". Até que, em 1993, Grandi abandona o jogo. O que aconteceu? "O escritório", responde o advogado, "decidiu renunciar aos mandados quando considerou que era muita responsabilidade penal e civil, uma responsabilidade excessiva. Realmente, éramos procuradores e beneficiários de sociedades que movimentavam somas de dinheiro consideráveis para nós, sem que houvesse clareza sobre a origem desse dinheiro e a finalidade das várias movimentações". Se os documentos a serem assinados chegavam de Segrate, as ordens sobre as operações a serem efetuadas eram dadas por um advogado inglês: David McKenzie Mills.

Greco tem uma luz. O nome de Mills não lhe é estranho: nos relatórios dos investigadores, resulta ser o laranja de uma série de pequenos acionistas da Telepiù. Qual é, portanto, a ligação entre Mills e o grupo Berlusconi? É Marino Bastianini, sócio sênior do escritório Carnelutti, que explica a Greco. Ele conhecia muito bem Mills. Havia trabalhado com ele, lado a lado, até 1989, quando o advogado inglês resolveu trabalhar sozinho, mas havia mantido boas relações: às vezes, quando tinha algo para fazer em Milão, Mills o contatava. Em Roma, ao contrário, a relação entre Mills e a Fininvest era direta. Ali, de fato, o advogado inglês trabalhava com Giovanni Acampora, administrador, junto com ele, da Nantoc, a empresa de fachada de Luxemburgo que controlava uma outra quota da Telepiù. Acompora há seis anos era consultor da Rede Itália e no seu escritório fazia processos para Stefano Previti, o filho de Cesare.

Mills gerencia formalmente a All Iberian, visto que a offshore controla uma sociedade de serviços londrina. Portanto – começa a suspeitar Greco – não é Ligresti, mas Berlusconi que controla a All Iberian, mas para atribuir com certeza a sociedade com a Fininvest serão necessárias provas mais sólidas.

O mundo offshore do Biscione vem à tona pela primeira vez com as investigações sobre os fundos irregulares para a aquisição do jogador de futebol Lentini. Agora, para entender um pouco melhor, os magistrados tentam ouvir Giorgio Vanoni, responsável pelo departamento internacional da Fininvest, mas Vanoni é de poucas palavras. No dia 22 de março de 1995, esclarece somente que uma sociedade anônima de Luxemburgo, a Silvio Berlusconi Financeira (SBF), usava "alguns bancos de Lugano, UBS E SBS" e que, a partir de 5 de janeiro de 1995, a SBF havia mudado de nome para Société Financière Internationale

1995. MÃOS BAIXAS 485

d'Investissements "porque alguns fornecedores não aceitavam receber pagamentos de uma sociedade que tinha o nome do então presidente do Conselho". Do resto, Vanoni diz não saber nada. Faz de tudo para pintar-se como um simples homem-máquina, sem autonomia operativa. Quando Colombo lhe pede notícias sobre sociedades offshore pelas quais assinou várias faturas, é categórico:

> Nunca ouvi falar em Stanhope Investments Ltd, Antares, Crescent, New Manhattan. Assinei muitas faturas na minha vida, mas não sou capaz de dizer em favor de qual sociedade foi [...]. Cadia Camaggi, responsável da Fininvest Service de Massagno, é a minha interface operativa, é ela que me diz o que pagar, quando e como.

A cortina de fumaça funciona por um tempo, mas, no dia 11 de setembro de 1995, começam a se infiltrar alguns raios de luz. Naquele dia, em Berna, a procuradora-geral da Confederação Suíça, Carla Del Ponte, convoca Candia Camaggi (ex-mulher do primo de Berlusconi, Giancarlo Foscale). É um interrogatório por carta rogatória, decidido depois que a senhora havia respondido negativamente aos magistrados que queriam ouvi-la na Itália. Em 2 de novembro, quase todo o *pool* (Boccassini, Greco, Colombo e Borrelli) transfere-se para a capital suíça. Oficialmente para falar sobre a luta contra a corrupção. Por trás das cortinas, porém, discute-se a investigação sobre Berlusconi e os prazos para o envio dos documentos confiscados em dezembro de 1994 na Fininvest Service.

Em Milão tudo está pronto para encenação. Às 18h do dia 22 de novembro, no escritório de Colombo, começa o interrogatório de Giovanni Romagnoni, responsável pela tesouraria da SBF. Depois de cinco horas de depoimento, Romagnoni admite: no período de 1991 a 1992, a All Iberian recebeu da SBF dezenas de bilhões. Durante a madrugada, o juiz Maurizio Grigo assina quatro ordens de prisão cautelar por financiamento ilícito a partidos, isto é, pelos 15 bilhões que caíram nas contas de Craxi:

> A All Iberian é gerenciada por Vanoni e alimentada por financiamentos vindos da Silvio Berlusconi Financeira [...]. A distribuição ilícita é atribuída diretamente à Fininvest, como resulta das declarações de Romagnoni e do fato de que a Silvio Berlusconi Financeira entra na área de consolidação da Fininvest. Além disso, somente a Fininvest poderia ter interesse em financiar Craxi, mesmo que ilicitamente. São claras as ligações e as relações de Craxi com os altos dirigentes do grupo Fininvest.

Silvio Berlusconi recebe um convite de comparecimento. Os destinatários da ordem de prisão cautelar são Bettino Craxi, seu ex-secretário Mauro Giallombardo, seu caixa oculto Giorgio Tradati e seu homem-Fininvest Giorgio Vanoni. Às 5 da manhã de 23 de novembro inicia-se a blitz. Todos, exceto Tradati, estão no exterior. Só o laranja de Bettino entra (pela segunda vez) na prisão de San Vittore.

Os amigos árabes

No final de 1995, para a opinião pública italiana, o nome de Craxi ainda é sinônimo de mau governo e corrupção. A descoberta de uma superpropina dada ao ex-líder do Partido Socialista Italiano corre o risco de prejudicar a imagem de Berlusconi. Por isso, sua primeira reação é categórica: nenhuma propina a Craxi, mas somente – assegura – uma operação internacional normal sobre direitos cinematográficos:

> É incrível que, mais uma vez, se construa, para fins políticos, um teorema judiciário sobre uma operação que a Fininvest mostrou ser real, regular e transparente. É uma das tantas transações comerciais que constituem objeto habitual de um grupo que opera internacionalmente na área do cinema e da televisão. Se 5 bilhões voltaram, bem, isso não é a prova que não era um financiamento a um partido? Quando um partido teria restituído 5 bilhões?

No dia seguinte, Berlusconi convoca uma coletiva de imprensa e garante que os magistrados do *pool* se equivocaram: "Nosso setor internacional nos confirmou um pagamento da sociedade Principal Communication para a sociedade holandesa Accent Investment and Financing, comandada pelo produtor cinematográfico Tarak Ben Ammar". Homem acima de qualquer suspeita, Ben Ammar é um empresário franco-tunisiano, condecorado em 1984 pelo presidente socialista francês François Mitterrand com a Legião de Honra, financiador histórico da causa palestina, apresentado a Berlusconi pelo príncipe saudita Al Waleed. "O pagamento de 15 bilhões", continua o *Cavaliere*, "refere-se à comercialização dos direitos televisivos e cinematográficos no território francês para 100 bilhões. O contrato era acompanhado pela All Iberian, uma sociedade que não pertence à Fininvest e que, tendo de efetuar o pagamento para este contrato, pediu à Accent para indicar a conta para fazer o depósito". Só por acaso, segundo Berlusconi, o dinheiro acabou na Northern Holding, depósito suíço de Craxi. De fato, "Tarak Ben Ammar usava um escritório de advocacia que era usado também por outras pessoas. A conta tinha sido aberta também para outras movimentações e usada por outras pessoas". Um erro banal, em resumo.

A explicação seria fraca, se não tivesse chegado logo uma providencial suposta confirmação. Na noite do dia 24 de novembro, o *TG5* dá uma notícia bombástica. Enrico Mentana faz uma entrevista exclusiva com Tarak Ben Ammar. O produtor cinematográfico (que em outubro de 1996 irá entrar no conselho de administração da Mediaset) dá razão a Berlusconi. E acrescenta que quem indicou a conta da Northern Holding foi um advogado iraquiano ligado, ele também, à OLP: Zhuair Al Kateeb. Esse nome não é uma novidade para os investigadores milaneses: já havia aparecido no processo sobre a maxipropina da Enimont, quando se descobriu que as propinas dadas a Craxi acabavam na conta da Ambest no BIL. Di

Pietro, no caso Cusani, já o havia definido de maneira hilária como "aquele árabe estranho, estranho".

Depois da entrevista ao *TG5*, porém, Tarak Ben Ammar se recusará sempre, a ser interrogado pelos magistrados italianos. Convocado três vezes ao Palácio da Justiça, evitará cuidadosamente apresentar-se. A OLP (Organização pela Libertação da Palestina) declara desconhecer completamente o caso. Os auditores da Arthur Andersen, que sabem tudo do grupo Berlusconi, depois de terem conferido os balanços do grupo, afirmam nunca terem ouvido falar da Accent. E, no dia 20 de dezembro, em uma entrevista para o *La Repubblica*, Zuhair Al Kateeb também diz desconhecer os fatos: "Não sei nada daqueles 15 bilhões". A pista árabe é a enésima armação.

Tradati tem medo

Na prisão, prosseguem os interrogatórios de Giorgio Tradati. O ex-laranja de Craxi parece aterrorizado. Os seus advogados, Carlo Gilli e Giuseppe Jannacone, explicam que "alguém" lhes aconselhou a não revelar os segredos da conta Northern Holding. E aquele alguém, de acordo com Tradati, seria Sergio Cusani. "Ocorrem dois encontros", diz o advogado Gilli, "em março de 1995. Naquelas ocasiões, Cusani – depois de ter fornecido conselhos de natureza fiscal e de ter sugerido a Tradati se desfazer de todos os bens para evitar o confisco – aconselhou-o a substituir os advogados que davam assistência porque eram muitos ligados – eu, em especial – à Procuradoria. Na prática, pediu que mudasse a linha de defesa e sugeriu que contatasse Oreste Dominioni, porque 'não custa nada'". Dominioni é o advogado da Fininvest.

Dez dias depois, sempre de acordo com o advogado Gilli, Cusani volta a se ocupar de Tradati e pede que ele denuncie o *pool* aos inspetores ministeriais: deveria contar que os promotores o pressionavam para que ele falasse que a All Iberian pertencia a Berlusconi. Quem organizou os encontros entre Tradati e Cusani – conta Gilli – teria sido Marco Bassetti, marido de Stefania Craxi. Cusani admite os encontros, mas fornece outra versão. "Tradati", diz hoje, "me pediu, naquela ocasião, somente conselhos financeiros". No fim, a Procuradoria de Bréscia abre um processo por calúnia que depois será arquivado. A verdade sobre a All Iberian, de qualquer forma, não demorará a chegar. O *pool* descobre que a All Iberian, em 1991, tinha sido alimentada com 60 milhões de dólares recolhidos pela Fininvest tendo como fiador o Banco de Roma. Depois, na Inglaterra, a Guarda de Finanças e o Serius Fraud Office sequestram 15 caixas de documentos mantidos em Londres pelo advogado Mills: dentro está também o ato constitutivo da All Iberian. Assinado por Carlo Foscale, primo de Berlusconi.

Em 30 de março de 1996, chega da Suíça o resultado de uma outra carta rogatória que desmente o *Cavaliere*. A All Iberian não é, de fato, uma terceira sociedade, como ele afirma: demonstram isso os documentos bancários suíços dos quais resulta que, dia 25 de julho de 1989, quem abriu a conta All Iberian Q5-772'077 tinha sido a esposa de Foscale, Candia Camaggi, e que, em março de 1990, por ocasião da renegociação da conta corrente, um advogado de Lugano, Giorgio Cattaneo, após sua assinatura na qualidade de procurador, indicando, porém, como "titular o Grupo Fininvest junto à Fininvest Service SA, localizada na Via Besso, 86, Massagno". A conta Ampio, da qual saíram 5 dos 15 bilhões para a Northern Holding, também tem como titular a Fininvest. De fato, foi aberta por Giuseppino Scabini, responsável pelo caixa central da Fininvest, e é movimentada pelo gestor da Fininvest Livio Gironi, mas as surpresas não acabam por aqui.

Quem vendeu a Mammì?

No dia 28 de novembro de 1995, a Guarda de Finanças bate à porta da Fiduciaria Orefici, uma dezena de salas a dois passos do Duomo de Milão. Em mãos, uma ordem de confisco assinada pelo promotor Francesco Greco, na qual são citadas 13 sociedades offshore da Fininvest (mas o elenco, como veremos, chegará logo a 64). O pacote de controle de, pelo menos, quatro dessas empresas de fachada – contou Giovanni Romagnoni, diretor financeiro do grupo – está detido fiduciariamente pela Orefici em nome do Biscione.

Aos investigadores bastam poucas horas para se darem conta de terem encontrado o Poço de São Patrício. Entre as milhares de páginas dos documentos sequestrados, aparece um dossiê intitulado "Mandato 500". É o mandato fiduciário pessoal de Silvio Berlusconi, sobre o qual somente o fiel Giuseppino Scabini tem procuração para operar. Scabini usualmente chama aquele arquivo de "o mandato do doutor". E é justamente em torno do "mandato 500" que gira o maior (e não resolvido) mistério das investigações sobre a Fininvest: uma inexplicável compra e venda de CCTs (títulos do Estado) por 91 bilhões, talvez para mascarar o pagamento de uma maxipropina.

Giovanni Manzo, por trinta anos procurador da Fiduciaria Orefici, explica: "O responsável pela tesouraria da Fininvest, Mario Moranzoni, em 1991, nos comunicou que deveríamos abrir um mandato fiduciário em nome de Silvio Berlusconi. Nos disse que, nesse tal mandato, deveríamos operar as aquisições dos títulos do Estado". O dinheiro necessário para as aquisições chegava por meio de bonificações do exterior, enquanto Moranzoni servia-se da Fidelitas, uma sociedade de transporte de valores de Bérgamo, para a retirada dos títulos do Estado. Os títulos, depois, transformavam-se em dinheiro vivo graças à intervenção de cinco institutos de créditos de San Marino. E de San Marino o dinheiro líquido era transportado, sempre com furgões blindados da Fidelitas, até Milano 2. "Quando lhe pedi explicações", recorda Manzo diante do promotor Greco, "Moranzoni respondeu sempre com frases genéricas, mas bastante significativas, como: 'Os políticos custam muito'. 'Está em discussão a lei Mammì.'" Uma frase que o havia preocupado muito, mas os acordos já tinham sido feitos: uma sociedade pequena como a Orefici não poderia, obviamente, dizer não à Fininvest. Por isso, quando

1995. MÃOS BAIXAS

aquele estranho pedido chegou em 1991, Manzo o atendeu: comprou os títulos do Estado e os entregou aos homens de Berlusconi.

Manzo continua: "Uma operação tão importante eu nunca havia feito. Foi também por isso que em mais de uma ocasião procurei saber de Moranzoni o motivo pelo qual pediam a entrega material dos títulos". A resposta de Moranzoni, com menção à lei sobre as emissões televisivas, era só conversa para boi dormir? Ou a explicação de uma gigantesca propina que acabou realmente nas mãos dos políticos? E nesse segundo caso, que políticos embolsaram todos aqueles bilhões? Para Greco, que lhe pede os nomes, Manzo responde ter dito tudo aquilo que sabe: "Os nomes Moranzoni nunca me disse".

Quatro horas depois, às 17h10min, é chamado na Procuradoria Gerardo Pastori, colega de Manzo na Orefici. Confirma tudo:

> Giovanni comentou comigo que os títulos do Estado, de acordo com o que foi indicado por Moranzoni, eram destinados a homens e partidos políticos na ocasião em que se discutia a aprovação da lei Mammì. Moranzoni nos pediu que procurássemos títulos porque o grupo precisava. Precisava materialmente. Não é fácil encontrar no mercado títulos do Estado nessa quantidade disponíveis fisicamente. Digo isso porque o nosso trabalho foi bem difícil, até porque os pedidos de Moranzoni eram caracterizados pela urgência.

A lei Mammì sobre a emissão televisiva foi aprovada em 5 de agosto de 1990, muito antes do negócio de 91 bilhões, mas por meses e meses o Ministério dos Correios e Telecomunicações esteve ocupado com a definição do plano de frequência, necessário para a atuação da lei e lançado somente em 1992. Meses muito delicados para o futuro da Fininvest. Justamente naqueles meses, altos dirigentes do grupo se ativaram para recolher aqueles 91 bilhões de fundos irregulares para o misterioso destino. Provas sobre o emprego real daquela montanha de dinheiro não existem, mas, em todo o caso, o negócio dos títulos do Estado foi inconfessável: demonstra isso a modalidade de toda a operação, reconstruída pelos homens do tenente-coronel da Guarda de Finanças Federico Maurizio D'Andrea e os esforços dos gestores de Berlusconi para confundir as águas, negar as evidências e acordar as melhores versões.

Consta no registro das declarações de Raffaele Maria Zenoni, ex-braço direito de Moranzoni, aos magistrados que o advogado Massimo Maria Berruti também participou de um encontro para discutir o caso. No entanto, são as modalidades de transporte dos títulos e do dinheiro que suscitam as maiores dúvidas. No dia 6 de março de 1996, de fato, o responsável pela sociedade de transporte de valores Fidelitas, Luigi Ferrara, conta a Greco:

> Fomos utilizados tanto para transportar pacotes contendo valores para San Marino quanto para transportar de San Marino dinheiro vivo que

entregamos na Fininvest para Scabini. Em uma certa circunstância, fomos chamados para retirar o dinheiro que havíamos entregue, pois existiam problemas na proteção do mesmo durante o fim de semana. Então meus colaboradores dirigiram-se ao lugar indicado para a retirada. Me foi dito, hoje mesmo, que o tal lugar era um apartamento vazio. No total, foram 12 viagens [que na realidade foram pelo menos 14]. Podemos constatar que o valor declarado do dinheiro transportado, em duas ocasiões, era de 3,5 bilhões e de 6,7 bilhões.

A Fidelitas, curiosamente, trabalhou de modo irregular. Ferrara diz que Moranzoni lhe deu "dinheiro à vista como pagamento". Outros empregados da sociedade de transporte de valores lembram que, no primeiro transporte, ninguém da Fininvest queria assinar os recibos de confirmação de entrega. Também por isso Ferrara se preocupou e, em 1993, quando iniciaram-se as investigações sobre as propinas do grupo Berlusconi, ele pediu um encontro com Scabini. "Encontrei com ele", conta para Greco, "na presença de Ernesto Clinimarchi, responsável pela segurança da Standa e meu amigo, e perguntei se existiam relações entre as viagens e as investigações. Scabini disse para eu não me preocupar, pois se tratava de uma operação legítima e que dizia respeito exclusivamente ao senhor Silvio Berlusconi".

No dia 12 de março de 1996, foi a vez de Scabini se apresentar pela segunda vez na Procuradoria de Francesco Greco e Margherita Taddei. Seu interrogatório, ainda nas vestes de testemunha, é dramático. O homem de confiança do *Cavaliere* já tinha sido ouvido dia 28 de fevereiro sobre os títulos, sobre o dinheiro e sobre o famoso "mandato 500", mas não havia falado sobre os transportes da Fidelitas e, principalmente, assegurou ter visto somente duas entregas. Agora a Procuradoria lhe contesta: foram 14. Scabini tenta se defender:

> Durante os interrogatórios anteriores, não lembrei o nome exato da transportadora de valores. No que diz respeito ao número de entregas, admito que não foram duas, mas muito mais e confirmo. Lembro que naquele período chegaram diversas dezenas de bilhões em dinheiro vivo, mas não sou capaz de quantificar o total porque eu não contava o dinheiro; me limitava a ser um simples funcionário, ou seja, entregava o dinheiro a Spinelli [Giuseppe Spinelli, administrador do patrimônio pessoal de Berlusconi]. Era Livio Gironi [diretor financeiro] que indicava a quantidade que eu deveria entregar a Spinelli, mas às vezes eu entregava a Moranzoni.

Que fim terá tido o dinheiro, Scabini afirma não saber. No dia 20 de maio, Zenoni, já braço direito de Moranzoni, volta ao assunto e joga a carta suíça. De acordo com ele, os 91 bilhões seguiram um caminho tortuoso e incompreensível: primeiro, as bonificações do exterior direto para a fiduciária, depois a transformação em títulos do Estado, e mais adiante a conversão em dinheiro vivo em San Marino, e enfim, a entrega em Milano 2 e, a partir daqui, sempre em dinheiro vivo, o transporte até o Canton Ticino, na Suíça. Zenoni está certo disso. No início de 1995, de fato ocorreram em Montecarlo várias reuniões com o gestor da Fininvest justamente para tentar responder as investigações judiciais. E no principado, onde Moranzoni reside, discutiram-se todas as "operações em risco". Zenoni insiste:

> Em fevereiro-março, quando fomos a Montecarlo juntamente com Scabini e Spinelli, falei com Moranzoni e Gironi sobre meus problemas. Depois a discussão foi adiante entre os dois e Scabini e Spinelli, que conversaram demoradamente sobre a operação efetuada por meio do "Mandato 500". Depois de terem reconstruído a operação, detiveram-se sobre a soma final que Scabini havia entregue a Spinelli. Me lembro que se falava de uma grande quantia levada à Suíça por meio de um contrabandista. Tal soma teria sido entregue a Giorgio Vanoni, responsável pelo departamento internacional.

O império das falsificações

A complicada aventura dos 91 bilhões será reconstruída somente em parte e nunca virão à luz os nomes dos destinatários finais (se existem) do dinheiro. Em contrapartida, é certo – como estabelecem as cartas rogatórias – que pelo menos uma parte daquele tesouro, provisoriamente guardado na All Iberian e em outras contas suíças, entrará novamente na Itália inexplicavelmente. Elena Bauco, responsável pela Diba Câmbio de Lugano, revela que, a partir de 1º de março de 1991, a organização de contrabando feita pelo célebre Alfred Bossert (especializado em movimentações financeiras provenientes do tráfico de cigarros) começou a entregar dinheiro da Fininvest, 500 milhões por vez. "De vez em quando", lembra, "Bossert chegava a nós com dinheiro e bilhetes contendo as instruções, isto é, as indicações da conta onde depositar o dinheiro". Assim foram transportados aproximadamente 18 bilhões no total. Depois, em fevereiro de 1993, chegou a ordem de fazer entrar tudo novamente na Itália. Surpreso, um dos colaboradores da Diba Câmbio exclamou: "O que fazem com esse dinheiro? Mandam-no tomar ar fresco?".

Ordens são ordens, e as bolsas lotadas de dinheiro foram entregues em um escritoriozinho do Palácio Donatello em Milano 2, onde esperava apreensivo o Giuseppino Scabini de sempre. O caixa da Fininvest, porém, amava a discrição: aos contrabandistas apresentava-se com um codinome: "Rocco".

O trabalho frenético dos magistrados e investigadores nas semanas da passagem de 1995 para 1996 leva a outras descobertas. Pouco a pouco, a Procuradoria se convence de que na casa Fininvest a criação de fundos irregulares não é uma exceção, é praxe. Arnaldo Del Bo e Giancarlo Rossi, ambos dirigentes da Arthur

Andersen, a sociedade de auditoria que a partir de 1984 certifica balanços das sociedades de Berlusconi, explicam a Greco e Taddei boa parte dos bastidores do império offshore do Biscione em 29 de abril e 1º de maio de 1996. "Uma certificação de tipo voluntário", explica Del Bo, "que servia para as relações com os bancos e com terceiros, além de servir para a direção do grupo conhecer os resultados do exercício".

Óbvio que, em onze anos de trabalho, a dupla de auditores tinha alcançado uma certa intimidade com os gestores da Fininvest, tanto que esses chegaram a confessar para eles, inocentemente, estarem "tranquilos, apesar das violações da lei sobre as concentrações televisivas espanholas no caso Telecinco". Essas eram apenas conversas íntimas. Oficialmente, a Fininvest, frente aos pedidos de explicações sobre a estrutura e sobre o funcionamento do departamento internacional do grupo, mentia: aos auditores produzia "atestados não seguros da autenticidade" e declarações escritas nas quais, entre outras, "afirmava-se que a All Iberian não fazia parte do grupo".

Os três longos depoimentos assinados por Del Bo e Rossi se tornaram essenciais para levantar o véu que cobria as operações reservadas (e quase sempre ilegais) de Silvio Berlusconi e seus gestores. Um método de trabalho que a Fininvest, depois do início da Mãos Limpas, queria, a todo custo, manter escondido. Tanto que, a partir de 1992, os gestores de Segrate pedem para a Arthur Andersen não manter em Milão os documentos utilizados para certificar o balanço consolidado. Conta um dos auditores: "Nos pediram para guardar no exterior os nossos documentos de trabalho que, de fato, encontram-se em nossa filial de Genebra. O pedido nos é explicado por razões de discrição e pela necessidade de não levar para a Itália tais documentos".

O que tinham a esconder os homens de Berlusconi? Muito. A começar por uma série de créditos de centenas de bilhões para uma sociedade que Giancarlo Rossi define como "empresa de fachada": offshore para as quais a Fininvest "deu declarações nas quais atesta que se trata de sociedade externa" e que, ao contrário, o *pool* milanês da Mãos Limpas descobriu pertencer ao *Cavaliere*. Rossi explica:

> Por ordem do departamento internacional, pude examinar a contabilidade da Silvio Berlusconi Financeira SA de Luxemburgo, que agia como holding financeira de participação e de tesouraria, e de suas participações (por exemplo, SIL, Principal, Libra UK, Leopard, Nst e outras que agora não lembro). No âmbito de tal atividade, constatamos que um grande número de recursos foi veiculado para algumas offshore e, portanto, pedimos as contas de tais relações à gerência do grupo. As sociedades externas das quais a Silvio Berlusconi Financeira SA ou suas participações valiam-se das relações de crédito/débito que lembro são All Iberian, Catwell, Century One, Electro Appliance, Hunter, Natoma, Universal One. No total, o grupo se valia de créditos para essas sociedades

de aproximadamente 500 a 600 bilhões [...]. Realmente, ao menos na certificação do balanço, em 31 de dezembro de 1994, mencionou tais valores como créditos de realização incerta. Obviamente, tais valores têm influência direta no balanço consolidado, no sentido que a falta desse dinheiro significa perda direta para o balanço consolidado da Fininvest SPA.

Seiscentos bilhões fora do grupo oficial, recolocados em um tipo de sombra-Fininvest. A enorme cifra, especialmente se se levar em consideração que – como afirma com segurança Rossi – "tais créditos não eram feitos com garantia" e que "a explosão" do fenômeno offshore era uma aventura repentina. Até 1990, na verdade – lembram os auditores – no balanço acabavam como valores ativos desse gênero somente 100 bilhões. Depois as coisas mudam. Por isso, em 1991, a Arthur Andersen também começa a se preocupar. O sistema corre sérios riscos de furar. É necessário correr com os reparos. E a Fininvest, para tranquilizar a sociedade de auditoria, começa a manipular os documentos. Diz Arnaldo Del Bo:

Relativo aos anos de 1990 e 1991, no que diz respeito a All Iberian, nós mesmos pedimos um fiador que é dado pelo Banco de Roma. Afirmo que nos foi ocultado o fato de que tal fiança havia sido paga pelo grupo Fininvest e que, além disso, tinha sido garantida diretamente pela Fininvest. Sabia que a fiança tinha um prazo, mas (não pensei) que fosse tão breve, de três meses. Eu imaginava que o prazo acabasse depois do encerramento do exercício sucessivo ao que estava sendo certificado. Havia pedido tais garantias diretamente a Cesare Zuccotti e a Giorgio Vanoni [diretor administrativo da Fininvest e responsável pelo departamento internacional, respectivamente].

Ninguém, obviamente, explica a Del Bo que a All Iberian é de Giancarlo Foscale, vice-presidente da Fininvest e primo de Silvio Berlusconi. Interrogado pelo promotor Greco, o sócio da Arthur Andersen é categórico: "Tomo conhecimento com surpresa... de que o proprietário único da All Iberian era Foscale, na época administrador delegado da Fininvest, e que também foram lançadas procurações em favor de Livio Gironi [diretor financeiro do grupo] e Candia Camaggi. Tais circunstâncias sempre me foram negadas pelos dirigentes da Fininvest". O porquê dessa mentira é evidente: a holding de Segrate não pode, claramente, admitir valer-se de créditos em relação a si mesma, nem mesmo de tê-lo feito para a conclusão de negócios em detrimento das normas antitruste de metade da Europa, ou para guardar fundos irregulares e ocultar passivos irrecuperáveis.

Em 1992, a situação piora. O crédito para a misteriosa offshore aumenta "notadamente". Os dirigentes da Fininvest mostram ao homem da Arthur Andersen, para assegurá-lo, "uma penhora notarial com a qual a All Iberian garantia a própria exposição com títulos mobiliários possuídos pelas sociedades

OPERAÇÃO MÃOS LIMPAS

Antares, Crescent, Cedar Vale Investment e Marble", outras quatro offshores de propriedade da Fininvest e utilizadas por Berlusconi e suas escaladas. De fato, os títulos dados em garantia são ações da Standa e da Mondadori, depositados na Fiduciaria Orefici.

"Além disso", acrescenta Del Bo, "me foi referido que a garantia era relativa a um financiamento do exterior para o exterior em favor de Malgara, mas não me foi dito por qual sociedade Malgara foi financiado". Giulio Malgara, presidente da UPA (associação que reúne as empresas que investem em publicidade) e da Auditel (sociedade que registra a audiência televisiva), sempre foi para Berlusconi um ponto de referência essencial: "bendisse" a passagem da imprensa para a televisão, e em especial para as televisões de Berlusconi, de importantes cotas dos investimentos publicitários. Em seguida se descobrirá que Malgara recebeu do amigo Berlusconi financiamento de 15 bilhões, 5 dos quais não restituídos (pelo menos até o final de fevereiro de 2001).

Incursão na Espanha

O pilar do sistema internacional permanece sendo a All Iberian. As explicações dos dirigentes do Biscione convencem pouco Del Bo. E assim, Alfredo Messina, diretor geral dos serviços Fininvest, e Giorgio Vanoni, responsável pelo departamento internacional, fazem para a Arthur Andersen as primeiras confissões: dizem que All Iberian e a irmã gêmea Catwell

> foram financiadas enquanto operavam para a aquisição da Telecinco [...]. A All Iberian, em especial, havia financiado a sociedade Solidal de Luxemburgo, tendo como chefe Livio Gironi. E a Solidal havia, por um lado, estipulado um *put-&-call* [direito de vender e de comprar] com uma sociedade que me foi referida ser do grupo Kirch. Em seguida, o grupo alemão teria um retrocesso nas ações de uma sociedade que detinha uma cota da Telecinco se não restituísse um financiamento recebido da Solidal. Por outro lado, a Solidal pegava diretamente das sociedades, também proprietárias de ações da Telecinco.

Um giro complicado, mas com um resultado extraordinariamente simples: Berlusconi, por meio da All Iberian (sociedade cujo nome evoca a Espanha), chega a controlar a maioria da tevê ibérica Telecinco, contornando as leis espanholas que na época proibiam um único sujeito de possuir mais de 25% de uma rede. "A Fininvest, em 1993, havia financiado a aquisição de mais de 50% da Telecinco, e tal cota garantia a exposição da All Iberian", continua Del Bo. Messina "foi explícito sobre esse ponto: a Fininvest controlava a Telecinco, dispondo de cerca de 80% da televisão. Acrescentou que estavam tranquilos, apesar da violação da lei sobre as concentrações televisivas espanholas, pois existia um interesse geral na Espanha no desenvolvimento da televisão comercial". O quanto esse "interesse geral" coincide com o do Partido Socialista espanhol – partido "irmão" do PSI de Bettino Craxi – é possível somente intuir. Disso, Del Bo não sabe e não diz nada, mas o negócio da Telecinco é incandescente: tanto que a magistratura espanhola tomará os depoimentos dos dois homens da Arthur Andersen e abrirá uma investigação.

Na contabilidade internacional do Biscione, encontra-se rastro de uma confusão ainda pior do que a da Telecinco. Pressionado pelo promotor Greco, Alfredo Messina chega a admitir que os aumentos de capital da Telepiù – assinados pelo BIL por meio da CIT, por Leo Kirch e Renato Della Valle – que foram secretamente financiados pelo Biscione (grupo Fininvest) com retiradas de mais de 500 bilhões de liras (respectivamente: 126, 220 e 200 bilhões). Dinheiro que, ainda em 1996, em boa parte não havia sido restituído. É a prova mais evidente, mesmo que Messina não reconheça explicitamente, de que a Telepiù era controlada por Berlusconi, apesar da lei Mammì.

O último mistério que para a Procuradoria cheira a fundos irregulares é aquele que gira em torno da compra e venda dos direitos cinematográficos e televisivos feitos diretamente nos Estados Unidos. Até 1991, lembra Rossi aos magistrados, a situação era bastante clara: quem fazia aquisições eram as sociedades offshore regularmente presentes nos balanços, como Principal ou Reteuropa Ltda. Depois, de repente, o percurso se complica e, por ao menos dois anos, aparecem outras duas empresas de fachada, Century e Universal, de propriedade da Fininvest, mas desconhecidas do balanço consolidado, que compram do outro lado do oceano 90% dos programas televisivos e depois os repassam, a preços maiores, para o grupo de Berlusconi. Uma dupla passagem com a mesma produção de dinheiro extrabalanço. Rossi conta:

> Logo nos demos conta e pedimos ao setor internacional (Camaggi e Vanoni) um certificado da parte das *majors* americanas sobre o custo efetivo dos direitos adquiridos e sobre a efetiva duração. Me lembro que Camaggi nos disse que se tratavam de duas sociedades de um ex-gerente das *majors* e que antes de sair tinham conseguido adquirir um importante pacote de direitos por um bom preço. A explicação não nos convenceu. Pedimos o certificado e uma carta de atestação de que Century e Universal eram efetivamente terceirizadas [isto é, estranhas ao grupo Fininvest]. Mas os atestados das *majors* foram poucos e, sobretudo, suas autenticidades não eram certas (meros carimbos com assinaturas incompreensíveis). Além disso, nos é assegurado – mediante carta de atestação com assinatura de Silvio Berlusconi, de Foscale e depois de outros representantes legais – que as duas sociedades não eram da Fininvest.

Se é verdade o contrário, Berlusconi mentiu. Por escrito.

Captura na casa Fininvest

Junto à investigação sobre os balanços, os magistrados milaneses dispõem de outra. A DIGOS de Milão, coordenada pelo vice-delegado Mario Pietrantozzi, grampeia os telefones de Moranzoni e Gironi, que prudencialmente se transferiram para Monte Carlo. Assim, acompanha ao vivo as reuniões organizadas no principado pelos gestores do grupo para tentar tramar alguma explicação plausível sobre as operações do balanço. Em Segrate, teme-se o pior. Por isso, terça-feira, dia 14 de maio de 1996, Fedele Confalonieri aceita ser interrogado, mostrando para a imprensa a versão de despreocupação com relação ao *pool*.

Na realidade, a investigação sobre o dinheiro depositado para Craxi e sobre os balanços falsos do grupo chegou longe demais para conseguir pará-la. Quarta-feira, dia 15 de maio, ocorrem cinco prisões. Acabam presos Livio Gironi e Mario Moranzoni em Monte Carlo; Giuseppino Scabini, Raffaele Zenoni e Alfredo Zuccotti (já detido pela Guarda de Finanças) em Milão. Giorgio Vanoni e Candia Camaggi, ao contrário, são fugitivos no exterior. Todos são notificados pelo crime de balanço falso em colaboração com Silvio Berlusconi, com a finalidade de criar fundos irregulares para "colocar em ação condutas de delito e/ou contrárias à lei sobre a concentração televisiva". Nas 25 páginas da ordem de prisão cautelar, são citadas as operações ilustradas pelos auditores da Arthur Andersen e também o giro de faturas falsas para 55 bilhões que em 1992 teria permitido que se transferisse o dinheiro do departamento internacional para a conta do *Cavaliere* ("Valor utilizado para a separação dos patrimônios entre os irmãos Berlusconi, necessária por causa da lei Mammì").

Obviamente, na mesa, encontram-se ainda a questão do financiamento ilícito a Bettino Craxi por meio da All Iberian e o misterioso caso dos 91 bilhões em créditos do tesouro destinados ao "financiamento da política" depois da lei Mammì. Da ordem do magistrado desponta depois um episódio inédito. Ulderico Console, dirigente do ISVEIMER (Instituto para o Desenvolvimento Econômico da Itália Meridional, controlado pelo ministério do Tesouro e pelo Banco de Nápoles), teria – segundo a acusação – embolsado 1,3 bilhão proveniente de fundos irregulares da Fininvest. Em troca, o ISVEIMER concedeu 450 bilhões de financiamentos ao grupo de Berlusconi.

Impressionante o quadro que surge das interceptações telefônicas. Moranzoni é obcecado pelo temor de ficar com "as provas na mão". Para a esposa e para os amigos admite: "Existem coisas gravíssimas. Coisas muito sérias.... Eu tenho um livro aberto e, algum dia, se tivesse de falar, colocaria todos na roda. Me basta só dizer um nome; depois, serão problemas deles...". Quando os promotores vão a Lugano para interrogar Giorgio Ferrecchi, o advogado a quem tinha sido confiada por um tempo a All Iberian, um dos gestores procura Moranzoni lá de Segrate: "Pegaram o formulário A da All Iberian onde está escrito Fininvest". "Droga! Não esperava por isso..." "Imagina: repetiram três vezes." "Bem... sim... Em resumo: desmontar uma coisa parecida não é fácil. Não gostaria, realmente, de ser um dos advogados. Se leu também Farrecchi..." "Mas aquele lá recebia ordens de quem? Daquele senhor que agora é fugitivo [Vanoni]? E aquele senhor ali era, por acaso, empregado da FIAT!"

Um processo por dois

Em 1º de fevereiro de 1996, a Procuradoria encerra a primeira parte das investigações sobre a All Iberian. E, com as acusações que vão de financiamento ilícito a balanço falso, de receptação a lavagem de dinheiro, pede que sejam processados Craxi, Berlusconi e outras 19 pessoas. Entre elas, despontam os nomes de Giancarlo Foscale, Ubaldo Livolsi (diretor financeiro da Fininvest), Alfredo Zuccotti (diretor administrativo) e Giorgio Vanoni (responsável pelas finanças coassociadas no exterior). Abundante é também o elenco de homens e mulheres ligados ao ex-líder do PSI, todos acusados de terem feito desaparecer o "tesouro" de Craxi: além de Tradati e Cimenti, há Maurizio Raggio, sua companheira Francesca Vacca Agusta, os mexicanos ligados a eles, Miguel Vallado e Arturo Aguilar Martinez; e também Gianfranco Troielli, Agostino Ruju e Mauro Giallombardo, mais uma série de outros amigos e parentes de Craxi, como o irmão Antônio, o ex-secretário Cornelio Brandini, a amiga Anja Pieroni. A instauração do processo ordenado pelo juiz de audiência preliminar Maurizio Grigo chega em 12 de julho. Forma -se de novo a dupla Berlusconi–Craxi, dessa vez no tribunal: o processo se iniciará dia 21 de novembro de 1996. Comenta o chefe dos senadores do Força Itália, Enrico La Loggia:

> Terá, enfim, um juiz em Berlim? Até quando será possível utilizar medidas penais para atacar o líder da oposição em um sistema democrático e em um Estado de direito como o nosso? Que os cidadãos italianos sejam avisados, assim inicia o caminho da ditadura. Já aconteceu. Acontecerá aqui também?

Na realidade, na investigação sobre as contas estrangeiras da Fininvest, de político tem bem pouco. Dizem isso não só os juízes italianos (que condenarão Craxi e Berlusconi em primeira instância e depois declararão prescritos, mas acertado o crime). Repete isso também o Lord Justice Simon Brown, a alta autoridade judiciária britânica que, em 23 de outubro de 1996, recusa o último recurso apresentado pelos advogados de Berlusconi contra as cartas rogatórias do *pool* de Milão e dispõe o envio para a Itália das 15 caixas de documentos sequestrados em Londres do advogado Mills. Diante da defesa da Fininvest que fala de "ataque político", Lord Justice, debaixo de sua peruca branca, sentencia:

> Se bem entendo a argumentação dos requerentes [a Fininvest], esses sustentam que uma das duas séries de ações judiciárias atualmente em curso na Itália – pelas doações ilícitas de 10 bilhões ao senhor Craxi –

é política [...]. As doações políticas ilegais são um crime político? [...]. Não estou de acordo. Me parece mais um crime contra a lei ordinária promulgada para garantir um ordenamento correto do processo democrático na Itália – crime nada diferente, digamos, de votar duas vezes nas eleições. Certamente, é um crime cometido em contexto político. Ao meu ver, porém, isso não se constitui crime político [...]. O crime em questão foi cometido para influenciar a política do governo: não se pagam clandestinamente grandes quantias de dinheiro a um partido político sem um objetivo [...]. Não aceito de forma alguma que o desejo da magistratura italiana de desmascarar e punir a corrupção na vida pública e política, e o conflito que isso criou entre os juízes e os políticos daquele país, opere de tal modo a transformar os crimes em questão em crimes políticos. É um uso incorreto de linguagem definir a campanha dos magistrados como atitude para "fins políticos", ou as suas ações com relação ao senhor Berlusconi como perseguição política. Ao contrário [...], a magistratura está demonstrando, ao mesmo tempo, uma justa independência política do Executivo e equanimidade ao tratar de modo igual os políticos de todos os partidos [...]. É, para dizer a verdade, uma ironia que os requerentes neste caso falem ser considerados como autores de crimes políticos cometidos em parte quando o senhor Berlusconi era primeiro-ministro. [...o crime] não é intrinsecamente político, nem se torna político no caso de o autor do crime esperar mudar a política do governo comprando a influência política, nem se o Poder Judiciário, o perseguindo, espere limpar a política. Nenhum dos argumentos dos requerentes consegue me persuadir em nada de que os crimes em questão sejam políticos. Não consigo, realmente, ver os pagadores corruptos da política como "os Garibaldi de hoje", os procuradores de "liberdade", ou "presos políticos".

Assim, as famosas 15 caixas de "documentos ingleses", depois de uma longa batalha legal, chegam à Itália. O que têm dentro? E por que foram necessários nove meses de recursos antes que fossem expedidos para a Itália? A resposta está toda no elenco de sociedades gerenciadas por David McKenzie Mills. O advogado não se ocupava somente das 15 offshores regularmente indicadas nos balanços da Fininvest e consideradas, segundo uma anotação sequestrada justo de Mills, parte do chamado "grupo A" (oficial). Nos arquivos de Mills, ao lado de "grupo A", tinha de fato um "grupo B" indicado como "very discreet", isto é, muito reservado. Nessa lista, aparecem umas trinta empresas de fachada, inexistentes para a contabilidade oficial da Fininvest, mas gerenciadas por Mills em nome da Fininvest. Naquelas sociedades – como os documentos enviados à Itália demonstram – a Fininvest fez girar mais de 1 trilhão em fundos irregulares. No fim, no início de dezembro de 1996, será o próprio Mills a explicá-lo aos promotores Greco e Taddei.

Mills, quem era ele?

"Comecei ter as relações com a Fininvest SPA no início dos anos 1980. A primeira pessoa que entrou em contato comigo foi o advogado Massimo Maria Berruti, que pedia informações e consultoria." Inicia assim, o advogado inglês, antes de ilustrar para os magistrados os segredos escondidos nos documentos da Fininvest mantidos em seus escritórios londrinos. A sua fala logo se transforma em um elenco de leis televisivas em giro na Itália, na Alemanha e na Espanha; uma lista de perdas e ganhos ocultados nos balanços do grupo; um índice de contratos retroativos e a assinatura falsa para não causar suspeita nos auditores das contas.

Berruti – conta Mills – "me explicou que [para a Fininvest] queriam usar a Inglaterra como lugar de trânsito dos direitos [cinematográficos] que compravam no mercado americano". Um trânsito que, porém, acontece por meio de uma ciranda de passagens da sociedade oficial da Fininvest a outras ocultas, gerando o trajeto de bilhões de fundos irregulares. Depois de Berruti, Mills cita outros gestores e até mesmo o *Cavaliere*: "Tive relações com Vanoni, Romagnoni, Livolsi e Messina [...]. Conheço também Silvio Berlusconi, que encontrei por motivos profissionais ligados à assessoria jurídica para sua família e para ele próprio". Entre as assessorias, está aquela para a offshore Bridgestone Properties, dona de uma mansão e de um iate do líder do Força Itália nas Bermudas.

Depois uma confirmação posterior: a All Iberian é mesmo da Fininvest. Mills lembra como e de quem veio a ideia de criá-la: "Foi Candia Camaggi que pediu a constituição da empresa". Mills acrescenta outros detalhes legais sobre os paraísos fiscais do outro lado do Canal da Mancha:

> Em Jersey, as ações são nominativas e geralmente atribuídas a fiduciários. Além disso, é necessário declarar o chamado beneficiário econômico (*beneficial owner*), isto é, o verdadeiro proprietário-titular [...]. Não era possível indicar a Fininvest SPA e, de acordo com a Camaggi, nomeamos Foscale como *beneficial owner*, como "símbolo" da Fininvest [...]. Em nome da Fininvest agiam os dirigentes credenciados, isto é, Messina, Vanoni e Camaggi. E eram eles que decidiam as operações, a abertura das contas bancárias, o envio de procurações.

A All Iberian, lembra Mills, age "cem por centro a favor dos interesses da Fininvest SPA". Comentará o tenente-coronel da Guarda de Finanças, D'Andrea, em um relatório de 21 de dezembro de 1996: "A All Iberian desenvolve a função de caixa de reserva para o departamento internacional. Não apresenta requisitos, nem que sejam mínimos, para subir de posição como uma nova sociedade, não tem pessoal nas suas dependências, nem uma sede própria, não tem documentados ou contabilizados custos para a manutenção de qualquer estrutura. Aparece como uma sigla, um endereço". Uma sigla que opera 360 graus, mas segundo regras de irregularidade. Testemunha isso o próprio advogado Mills: "Vanoni me disse que teria utilizado a All Iberian para comprar ações da Rinascente e que tal atividade teria sido financiada com empréstimos retirados de uma sociedade do grupo Fininvest. O motivo pelo qual precisava fazer isso era para contornar a normativa Consob (Comissão Nacional para as Sociedades e para Bolsa): para tais fatos, as sanções eram só administrativas". Rinascente, mas não só isso. As escaladas da Standa e da Mondadori acontecem por meio de uma dezena de offshores cuja chefe é a All Iberian, como New Manhattan, Antares, Cedar Vale, Marble, todas com sede nas Ilhas Virgens.

Com que dinheiro? Entre 1990 e 1994, a All Iberian recebe uma grande quantidade de dinheiro (e, em seguida, se endivida): até 670 bilhões de liras, dos quais mais de 300 da Silvio Berlusconi Financeira de Luxemburgo e pouco menos de 100 da Principal Finance, ambas sociedades oficiais do grupo Fininvest. Chegando a sociedades que não são oficialmente da Fininvest, o dinheiro é empregado em operações inconfessáveis: "Messina e Vanoni", confirma Mills, "deram a entender que certas operações tinham sido estudadas para contornar a lei Mammì". Aquele dinheiro servia, na realidade, para controlar ocultamente a Telepiù; para obter (enganando as leis espanholas) a propriedade de Telecinco; para favorecer (contra as leis alemãs) o grupo Kirch.

Este último caso envolve a Persimon, uma sociedade de Vaduz pertencente a Leo Kirch. O magnata alemão da mídia tem três sócios minoritários na sua pay-tv KMP (depois DSF, Deutsche Sportfersehen), uma sociedade da Fininvest, Rede Invest. Aqui as partes se invertem: não é mais Berlusconi a dar dinheiro, mas a receber da Persimon. Não é mais o grupo Fininvest que usa amigos como tela para esconder os abusos das cotas permitidas pela lei; ao contrário – segundo a hipótese dos magistrados –, recebe dinheiro da Kirch para aparecer titular das cotas que são, na realidade, do alemão, mas que não podem ser declaradas porque violam as leis da Alemanha. O *Cavaliere*, em suma, teria sido financiado para adquirir ficticiamente, por conta do amigo alemão, ações da KMP que Kirch não pode deter sem violar a lei antitruste de seu país: uma troca de favores e de ilegalidades, visto que – por um certo período – Kirch faz o mesmo na Itália para a Telepiù.

As operações à sombra do departamento "very discreet" fazem girar centenas de bilhões, mas, se é verdade que aquelas sociedades "muito reservadas" são da Fininvest, então os balanços do grupo, principalmente os de 1991 e de 1992, são falsos, porque não as levam em conta. Se dá conta disso o advogado Mills:

> Vanoni me disse que a sociedade de auditoria Arthur Andersen estava preocupada pela exposição dessas sociedades com relação a Principal Finance, por sua vez controlada pela Fininvest SPA [...]. Quando comecei a saber sobre as investigações sobre as offshores, me surpreendi que os responsáveis da Arthur Andersen não tenham me perguntado sobre a propriedade dessas sociedades e que tivessem se contentado com o que foi dito pelos dirigentes da Fininvest SPA.

1995. MÃOS BAIXAS 501

Depois que as investigações violaram a "discrição" do departamento "Fininvest B", se faz necessária uma manobra para ajustar as contas. É a história de um depósito, chamado "Fundo comum H", gerido pelo Citybank de Jersey com a intervenção da enésima sociedade fantasma berlusconiana, a Natoma: essa tem a tarefa de fazer a intermediação na compra e venda dos direitos de TV e de criar lucros de milhões de dólares na transmigração de uma sociedade para outra. Um grande jogo "Monopólio", que Mills reconstrói assim:

> Tal operação tem início em 24 de dezembro de 1991, quando Romagnoni vem me encontrar em Londres. Com o Citybank, haviam tratado diretamente a questão Livolsi e o próprio Romagnoni. Eram duas as finalidades das operações: movimentar um pacote de direitos [de TV] espanhóis e aliviar o débito da All Iberian para a Fininvest [...]. Perto do final de julho de 1995, Vanoni vem até o meu escritório: me pede para fazer três contratos concernentes à concessão de todas as ações das sociedades Principal Communications, Principal Network Communications e SII (Sport International Image) para a sociedade Lainden das Bahamas.

É um duplo objetivo: evitar que as sociedades possam ser relacionadas à All Iberian e excluir as contas do balanço consolidado da Fininvest. Porém, faltam os contratos dos quais Mills, antes de entrar em férias, fez os rascunhos. Quando volta, o advogado encontra uma surpresa: "Os rascunhos, nesse meio-tempo, tornaram-se contratos definitivos com data retroativa a 1994". Alguém os falsificou; Mills não pediu explicações: "A omelete já está feita", explica. Falsa é também a carta que acompanha os contratos: "A assinatura não é minha, e o timbre é antigo", se irrita Mills.

Tanta desenvoltura encontrará uma explicação quatro anos depois: era necessário camuflar para "terceiros" algumas sociedades que tratavam dos direitos cinematográficos para poder usufruir dos atenuantes fiscais previstos pela lei Tremonti de 1994. Em suma, são inúmeros os motivos que levaram Berlusconi e os seus a negarem até a inverossímil propriedade da All Iberian. Da conta corrente da All Iberian aberta na SBS partem também, como veremos, os fundos destinados a corromper alguns juízes de Roma. Por isso, a Fininvest sempre se opôs às cartas rogatórias – na Suíça, na Inglaterra e em qualquer lugar do mundo que se fosse necessário – que miravam esclarecer seu departamento internacional.

Não por nada, entre os milhares de documentos sequestrados pela Procuradoria, está também uma carta que o advogado de Lugano, Giorgio Cattaneo, procurador da offshore, escreveu na primavera de 1995 a Vanoni, depois de ter descoberto que o *pool* de Milão estava investigando a All Iberian: "Me foi garantido", lembra irritado o advogado, "que eram lícitos os fundos geridos pelas sociedades [estrangeiras da Fininvest] provenientes das atividades empresariais do grupo". Depois de ter lamentado "o abuso da boa-fé", Cattaneo pede ao gestor da Fininvest para ser colocado a par de todas as operações estranhas às atividades empresariais do grupo na qual havia entrado a All Iberian; quer uma "declaração de ratificação e garantia para todas as operações executadas pela All Iberian por meio da SBS" e, enfim, quer "um fundo de garantia". Livio Gironi, diretor financeiro da Fininvest, lhe responde que garante a máxima assistência em caso de eventuais medidas iniciadas na Suíça pelos magistrados italianos, mas com uma condição: que seja protegido a todo custo o mistério da All Iberian. "Ele oporá", escreve Gironi, "em todas as sedes judiciárias o 'segredo profissional' que preside a sua atividade, exceto por uma ordem que não o tenha removido legalmente".

A lista de compras

Quando, no outono de 1995, o *pool* descobre a propina de 10 bilhões dada a Craxi por meio da All Iberian, a imprensa faz um cálculo rápido e fala-se na maior propina jamais dada a um único político. Mais além, as cartas rogatórias demonstrarão que a propina corresponde a mais do que o dobro. Entre janeiro de 1991 e novembro de 1992, a propósito, Berlusconi presenteou o amigo Bettino com mais de 21 bilhões. Os magistrados descobrem isso examinando depósitos efetuados pela All Iberian nas contas Polifemo, Ferrido e Ampio, realizados na Suíça por Giuseppino Scabini.

Em 31 de maio de 1991, a All Iberian credita 1,781 milhão de dólares na conta Polifemo. A mesma cifra passa, no dia 7 de fevereiro, da Polifemo à Constellation Financière – conta referida a Craxi, aberta na SBS de Lugano. Dia 21 de fevereiro a cena se repete: a Polifemo financia Craxi com 1,821 milhão de dólares seguidos de mais 2 bilhões no dia 7 de março diretamente para a Constellation. No dia 25 de março, os últimos 4 bilhões percorrem a mesma estrada. A conta Ampio engorda mais um pouco com outro depósito ao ex-secretário do PSI: no dia 23 de outubro, são creditados 2 bilhões na conta Northern Holding. Por que Berlusconi daria 21 bilhões a Craxi? A cifra parece alta demais para representar uma simples propina. Em troca de que, então, foi depositada? Os magistrados não encontrarão uma resposta. As investigações estabelecerão, porém, que a All Iberian e a gêmea Catwell serviram também para outras operações. Juntamente com os financiamentos feitos a Craxi, a Giulio Malgara e aos sócios da Telepiù e da Telecinco, aparecerão mais 16 bilhões dados ao advogado Cesare Previti. Será ele a usar uma parte desse dinheiro para corromper alguns juízes romanos.

Traz luz para esse poço profundo do departamento internacional da Fininvest, por conta da Procuradoria de Milão, a KPMG, uma das sociedades de auditoria com mais prestígio do mundo: 800 páginas de análise técnica – contabilidade de 7 anos do grupo (1989–1996), nas quais se explica como podem existir duas Fininvest. A Fininvest oficial ("Grupo A"), aquela que aparece nos livros contábeis; e a Fininvest submersa, oculta, escondida no exterior, o "Grupo B" formado por 64 sociedades "very discreet", muito reservadas e espalhadas nos paraísos fiscais de meio mundo (Ilhas Virgens, Caribe, Suíça, Malta, Luxemburgo), capaz de movimentar, nos setes anos examinados, algo em torno de 3,5 trilhões entre entradas e retiradas, com um valor líquido de 884,5 bilhões de fluxo. O que significa que, em sete anos, por meio do "Grupo B", foram desviados 884,5 bilhões dos balanços da Fininvest. Essa cifra é parcial, arredondada para baixo, visto que a documentação recolhida na KPMG é bastante incompleta. Aquele complicado e muito reservado sistema servia – escrevem os especialistas da KPMG – para "alterar a representação da situação econômica, financeira e patrimonial no balanço consolidado da Fininvest". Servia também para que fosse realizada sem problemas uma série impressionante de "operações reservadas", possíveis somente se "a relação com a Fininvest permanecesse secreta".

A KPMG divide as 64 sociedades offshore em três níveis: 29 no primeiro, que compreende a All Iberian; 13 no segundo, composto por sociedades controladas por aquelas de primeiro nível; 22 no terceiro. Todo o sistema é coordenado pela financeira CMM (Carnelutti Mackenzie Mills), "constituída em Londres, em 1982, pelo escritório Carnelutti" e custodiada pelo advogado Mills. Todas as sociedades são "livres de organização própria e de empregados", e isso porque "os órgãos administrativos são formais, e a gestão administrativa pertence a outros e não a quem aparece nos registros oficiais". Para quem? "Para administradores e funcionários do grupo Fininvest." E os beneficiários das 64 sociedades estão entre os "administradores, dirigentes, consultores ou sociedades Fininvest". Além disso, é da Fininvest que "depende quase todo o financiamento delas, que acontece por meio dos mesmos bancos".

Que tipo de operações efetuavam as 64 sociedades fantasmas? Transações – afirma a KPMG – "de importância estratégica e econômica", obviamente secretas e inconfessáveis: "A função do setor privado era: 1) Exercitar um controle por meio de pessoa ou sociedade fiduciária sobre as cotas de participação nas emissoras de tevê que as normas italianas e estrangeiras não teriam permitido. 2) Alterar a representação do balanço consolidado da Fininvest. 3) Deter cotas de participação nas sociedades cotadas sem informar a CONSOB (Comissão Nacional para as Sociedades e a Bolsa de Valores) e as sociedades participadas. 4) Deter cotas de participação nas sociedades italianas não cotadas por meio de uma pessoa nomeada. 5) Conseguir financiamentos por meio de terceiros. 6) Efetuar pagamentos reservados a terceiros. 7) Intermediar entre as sociedades do grupo Fininvest a aquisição dos direitos televisivos e nomear-se como fornecedor de direitos televisivos. 8) Receber fundos de terceiros para o financiamento de operações efetuadas pela Fininvest em nome de terceiros".

Berlusconi sabia disso tudo? O bom senso faria crer que sim. Alguns rastros documentais parecem demonstrar isso.

Primeiro: em 1991–1992, a All Iberian recebe na Suíça um depósito de 74,4 bilhões para imprecisas "operações reservadas". A transferência tem um ponto de partida bem definido: "O mandado de gestão é o número 500, aberto por Silvio

Berlusconi junto à sociedade Fiduciária Orefici [o famoso "Mandato 500"], embora a operação na sua totalidade seja relativa a outros mandados de gestão conferidos por Silvio Berlusconi a vários intermediários". O dinheiro, como sabemos, chegou à Suíça em dinheiro vivo, "com operações de contrabando e de compensação na conta da All Iberian".

Segundo: no dia 1º de dezembro de 1994, quando Berlusconi é presidente do Conselho (por pouco tempo), quatro sociedades ocultas do "Grupo B" com sede na Grã-Bretanha trocam de mãos: trata-se de "News & Sport Television Ltda, Libra Communications Ltda, Silvio Berlusconi Entertainment e Reteitalia Ltda, pertencentes ao grupo Fininvest", que "são cedidas a B. Sheibani". De acordo com a KPMG, a operação é falsa: "A venda de ações parece fictícia". Com qual objetivo? Esconder também essas sociedades do balanço consolidado da Fininvest de 1994.

Terceiro: no mesmo ano, 1994, diminui progressivamente o fluxo financeiro entre o setor societário oficial e o reservado da Fininvest. Não passa despercebida a coincidência de que justamente naquele período, "no mês de julho" (no auge do governo Berlusconi), são abertas novas contas correntes junto ao banco Finter de Nassau. A KPMG tem como hipótese a fuga do tesouro oculto da Fininvest dos perigosos bancos da Suíça e de Luxemburgo, para ser colocado a salvo no mais impenetrável dos paraísos fiscais: as Bahamas. Quanto dinheiro chegou efetivamente a Nassau não se sabe: a documentação bancária é muito escassa, mas é certo que foram, pelo menos, "103 bilhões, retirados em dinheiro da Suíça".

Feliz Natal, Di Pietro

As acrobáticas aventuras contábeis do grupo Berlusconi, afloradas com a superpropina para Craxi no final de 1995, não interessarão mais tanto assim a mídia. Difícil de ilustrar, encontra pouco espaço no principal meio de informação dos italianos: a televisão (que, além do mais, pertence metade ao *Cavaliere*). Muito mais burburinho causam a enxurrada de investigações sobre Di Pietro, mesmo que depois, diferentemente daquelas sobre a All Iberian, se concluam com a total inocência do acusado.

No dia 20 de dezembro, Fabio Salamone encerra três investigações principais sobre o ex-promotor e pede seu julgamento por sete crimes de que foi acusado: cinco por extorsão e dois por abuso de poder. Dois dias depois, o *Giornale* publica na primeira página a entrevista com Maurizio Raggio sobre a "bolada" bilionária de Di Pietro, mantida no freezer desde o verão e agora "descongelada" no momento mais oportuno. Demonstra isso a ligação interceptada em Bréscia, na qual Feltri e seu editor Paolo Berlusconi falam da entrevista e decidem suspendê-la à espera de tempos melhores. Como vimos, Di Pietro vem a saber disso e, no dia 2 de julho avisa os promotores de Bréscia. Eles, por sua vez, abrem o enésimo caso contra desconhecidos, interrogam o entrevistador Pasqualetto e no dia 31 de outubro ouvem Pacini Battaglia. No dia 22 de dezembro, Feltri muda de ideia e publica a entrevista, para a felicidade de Bettino Craxi (que, desde a fuga, reclamava da excessiva morosidade da mídia Fininvest em relação ao seu pior inimigo).

No mesmo dia 22 de dezembro, as crônicas judiciais de Milão dão outra notícia: a primeira condenação de Paolo Berlusconi, a 1 ano e 4 meses, por ter corrompido alguns políticos (do PCI–PDS) da cidade de Pieve Emanuele que o haviam favorecido para a construção de um campo de golfe e para a reforma do castelo de Tolcinasco. No entanto, a primeira página do *Giornale* é toda ocupada pelas "revelações" de Raggio sobre Di Pietro. Assim, não há espaço para a condenação do editor.

"Do México, novas acusações a Di Pietro", é o título. O ex-fugitivo, da sua cela na prisão de Cuernavaca, dispara duras críticas a Di Pietro com a história dos 5,2 bilhões que Pacini Battaglia teria depositado em uma conta austríaca do ex-promotor por meio do advogado Lucibello, em troca de um suposto favorecimento na investigação da Mãos Limpas. No dia seguinte, chovem desmentidos: de Dinoia, de Lucibello, de Pacini. Até mesmo de Raggio que, por meio do seu advogado Gaetano Pecorella, tenta diminuir o fato:

> As acusações feitas a Di Pietro eram só vozes que chegaram aos meus ouvidos, certamente não eram notícias que ouvi diretamente ou que eu tenha como provar. Aceitei depois de muita insistência encontrar o jornalista Pasqualetto, mas só para uma conversa informal, não para registrar ou transformar em entrevista [...]. Me dissocio de notícias que, na falta de provas, se reduzem a meras insinuações.

Di Pietro, naquela noite, participaria de um debate sobre o último livro de Andreotti, mas desmarca o compromisso: "A certeza da legitimidade dos meus comportamentos", faz saber, "não consegue atenuar a angústia que essa situação absurda me provoca. Não consigo enfrentar o público com serenidade". E cai no silêncio, fechado na fazenda de Montenero, enterrado por uma montanha de papéis, grudado no computador para verificar centenas de documentos para rebater as acusações que chovem de Bréscia, do México e de Milão.

No fim, a Procuradoria de Bréscia abrirá por sua conta 54 diferentes medidas penais, que resultaram em pedido de julgamento para 27 crimes. Todos serão arquivados pelos magistrados, com sucessivas impugnações da Procuradoria, regularmente negadas pela Corte de Apelação e pela Corte de Cassação. Tudo isso durará de 1995 a 1999. "Para fazer a Mãos Limpas", diz hoje em dia Di Pietro, "me bastaram mil dias. Para me defender das acusações que sofri por ter feito essa operação, não me bastaram dois mil".

1996.
MÃOS GRANDES

No domingo, dia 21 de janeiro de 1996, às 10h50min, o chefe dos magistrados de Roma Renato Squillante entra no bar Tombini, na Via Ferrari, 6, perto do tribunal. Senta-se na mesa de sempre e espera os amigos de sempre para o cappuccino durante o feriado. Poucos minutos depois, chegam juntos a juíza das audiências preliminares Augusta Iannini e o promotor Roberto Napolitano. Depois, chega o advogado Vittorio Virga. Os quatro começam a bater papo. Não sabem que, dentro do cinzeiro de pé, colocado ao lado da cadeira da Iannini, está escondida a escuta.

Perto daquela mesa não tem ninguém. Squillante, napolitano de 71 anos, casado, com três filhos (Maurizio, músico; Mariano e Fabio, jornalistas), 43 anos de serviço como juiz sem nunca sair de Roma, foi, na ordem: juiz instrutor, presidente de seção no Tribunal; depois, em 1976, conselheiro da CONSOB; em 1981, voltou ao Tribunal como presidente adjunto da Instrução; foi conselheiro jurídico antes de Craxi no Palácio Chigi e depois do presidente da República Francesco Cossiga; enfim, depois da reforma do código de 1989, foi promovido a presidente dos magistrados. Depois de uma longa aproximação junto ao PSI, é considerado próximo ao Força Itália e amigo de Previti e de Letta. Em 1994, Silvio Berlusconi havia pensado no seu nome para ministro da Justiça, e agora lhe ofereceu um colégio eleitoral seguro para o Força Itália. É o juiz mais poderoso de Roma, e não só pelas relações com os órgãos importantes: na sua mesa, chegam todos os pedidos de prisão preventiva, julgamento e arquivamento da capital. Sem a sua permissão, não se prende, não se processa e não se absolve ninguém. Squillante também é um dos juízes mais falados da Itália: apesar disso (ou talvez justamente por isso), nenhum ministro nunca enviou nenhum inspetor ao seu escritório.

Roberto Napolitano, depois de uma longa carreira na magistratura de Roma, é procurador-chefe em Grosseto. Augusta Iannini é uma das juízas mais conhecidas da capital: é esposa de Bruno Vespa e, pelas suas mãos, passaram investigações cruciais como aquelas sobre a alta velocidade, sobre a Safim-Italsanità, sobre as propinas aos correios para a telefrequência e para a telefonia. Nesta última, em novembro de 1993, prendeu Carlo De Benedetti, abstendo-se nos outros dois pedidos de prisão, de Gianni Letta e Adriano Galliani: "São amigos de família", justificou-se. Assim, seu chefe, Squillante, passou a bola para outro fiel colega, Raffaele De Luca Comandini, juiz de esquerda com fama de "garantista", que disse não às algemas. De Luca, o reencontraremos logo entre os homens mais próximos a Squillante. O quarto amigo do bar, o advogado Vittorio Virga, é o defensor de Paolo Berlusconi, de Gianni Letta e de Davide Giacalone, todos envolvidos nas investigações romanas (os últimos dois, justamente sobre aquela da telefrequência que é acompanhada pela juíza Iannini): e eis ali, no bar Tombini, ele também, na mesma mesa de Squillante e Iannini.

Os quatro, naquele domingo ameno de inverno, discorrem livremente sobre vários assuntos. Iannini e Virga, como veremos, discutem sobre uma investigação: quase certamente sobre aquela da alta velocidade. Squillante fala de dinheiro: "Estamos falando de fundos irregulares... ele embolsou os 100 bilhões... que ele tenha lavado o dinheiro... não [...] podia não saber... porque estava no lugar". Napolitano intervém: "Berlusconi!... Não!". Depois menciona 400 milhões para uma imprecisa "operação" e para uma certa prisão. Depois de vinte minutos de conversa, uma garçonete, esvaziando o cinzeiro, pergunta: "E isso, o que é? ". É uma escuta. O proprietário do local vai diretamente informar Squillante; depois chama a polícia. A garçonete, instruída pelos quatro, apresenta uma denúncia. O quarteto se levanta da mesa, sai do bar, examina o aparelho eletrônico à luz do sol, procura saber a origem. Nesse meio-tempo chegam outros dois amigos de domingo: Orazio Savia, procurador de Cassino, e o advogado Attilio Pacifico, que tem um escritório próximo ao bar. Todos se perguntam para quem era destinada a escuta, quem dos quatro era espionado, por quem e por quê.

O mais preocupado é Squillante, que logo entende ser o homem que está na mira. Perde a cabeça e começa a encher os amigos e colegas de visitas e telefonemas, sejam eles mais ou menos poderosos, devorado pela ânsia de saber de onde vinha aquela ameaça. A caça ao mandante da escuta prossegue, nos dias seguintes, nos jornais: a Procuradoria de Milão? Perúgia? Palermo? Nápoles? Bolonha? Bréscia? Ou talvez algum desvio de função? E contra quem é? Contra qual juiz? Ou contra Virga e, portanto, contra a família Berlusconi? As linhas telefônicas de Roma que interessam são percorridas por uma teia de chamadas frenéticas.

Somente 50 dias depois, em 12 de março, se saberá com certeza a verdade. A escuta no cinzeiro e mais outras dezenas, quem as colocou, todas em torno de Squillante e dos seus caros, foi o SCO, o Serviço Central Operativo da Polícia, por ordem da promotora milanesa Ilda Boccassini, que investiga o juiz e seu séquito por corrupção. A investigação nasceu de revelações feitas por uma supertestemunha indicada por um codinome para proteger a identidade, como se faz para as testemunhas da Máfia: a "testemunha Ômega". É a condessa Stefania Ariosto, uma bela, loira e nobre mulher milanesa, descendente distante de Ludovico Ariosto, autor de *Orlando Furioso*, companheira do presidente dos deputados do Força Itália, o advogado Vittorio Dotti.

1. TOGAS SUJAS

Como Stefania Ariosto chegou a Ilda Boccassini e aos seus colegas do *pool?* Se discutirá bastante sobre a origem do seu testemunho, até porque, na época, a mulher tem um vício em jogos de cassino e é procurada pelos credores. São os investigadores da Guarda de Finanças os primeiros a ouvi-la, em fevereiro de 1995, sobre a investigação das cadernetas de poupança do *Cavaliere* conduzidas por Margherita Taddei. Uma dessas tem registrada uma saída de 200 milhões para o advogado Dotti, que é também o advogado civil milanês da Fininvest. Um pagamento insólito, visto que normalmente os honorários são liquidados no fim do ano, e aquele era de uns meses antes. "Chamado pela Guarda de Finanças para justificar a circunstância", lembra Dotti, "expliquei que se tratava de uma antecipação de um honorário por uma imprevista exigência de Stefania. Berlusconi havia me emprestado dinheiro de uma caderneta pessoal e, no final do ano o havia restituído, quando a empresa liquidou o total dos honorários. "

Ariosto é convocada para confirmar aquela versão. E explica: "Vittorio adquiriu dois aparadores Maggiolini iguais e seis cadeiras na minha galeria de arte e os pagou com aquele dinheiro", mas, a partir de seus discursos, no início um pouco nebulosos e reticentes, depois cada vez mais explícitos, os fiscais se dão conta de que esta mulher tem bem mais para contar. Stefania Ariosto revela o seu desgosto por causa do ambiente romano de poder e de negócios escusos dos quais ela quer se desligar. Fala de advogados, de juízes, dá a entender o que tem de podre, mas gostaria de se limitar a dar apenas dicas, sem aparecer como "fonte confidencial". O coronel Alessandro Falorni e o capitão Antonio Martino, por algum tempo, ouvem e fazem anotações, registrando com o código de "fonte Olbia" e enviam à Taddei um relatório que a promotora recusa, dizendo que não poderia recebê-lo: as acusações são graves, mas vagas e, sobretudo, anônimas. Só em julho de 1995 Ariosto aceitará assinar os depoimentos.

"Naquele ano", lembrará Greco, "havia finalmente conseguido sair de férias, depois de dois verões de trabalho. Em 1993, me fizeram voltar por causa do caso Enimont e, em 1994, por causa do caso Berruti. Em 1995, estava na Sardenha com a família. Gherardo Colombo estava também com a sua família. Eu estava na balsa que leva de Maddalena e Palau, quando o capitão Martino me ligou: "Está aqui uma senhora que quer relatar umas coisas graves, delicadas, mas pede que seja a um magistrado. É a esposa de Dotti". "Ao menos", me disse, "será uma coisa interna do Força Itália; pelo menos dessa vez, eles não vão nos incomodar". Decidi voltar logo para Milão. Cheguei na quinta-feira, dia 20 de julho, e a interroguei, se não me engano, na manhã seguinte. Encontrei uma mulher aterrorizada".

Stefania Ariosto hesita, treme, fuma um cigarro atrás do outro. "Não sei se faço bem em falar... Soube e vi fatos graves, com implicações políticas gravíssimas... Dizem respeito às pessoas importantes da Fininvest..., mas não sei; se falo o que me acontece? E ao meu companheiro?". Greco perde a paciência: "Veja, senhora, eu estava na Sardenha e voltei somente por sua causa. Decida-se". "Deixe-me pensar por alguns dias". "Está bem, nos vemos depois do fim de semana." No momento, Greco suspeita que a mulher esteja a mando do marido Dotti. "Contudo, depois entendi que havia feito tudo sozinha: era ela que queria forçar Dotti, puxando-o também para longe desse mundo". Hoje Stefania Ariosto confirma:

> Pelo menos desde de 1993 eu queria ir até Di Pietro e Colombo para denunciar tudo. Às vezes, eu anotava os nomes deles em uma agenda para ligar, mas depois não me decidia nunca. Sem a ocasião das cadernetas de poupança, talvez eu nunca tivesse tido coragem. Vittorio sabia desse meu desejo iminente de desabafar, de cuspir toda a podridão que eu havia visto e por isso sempre pensei que ele tivesse feito de propósito, criado condições para fazer com que eu me encontrasse diante da Guarda de Finanças. Sabia que, uma vez no quartel, eu não teria me segurado. Pensando bem, me senti usada, mas eu disse a pura e simples verdade.

Dotti, porém, desmentirá várias vezes as suspeitas da ex-namorada.

A testemunha Ômega

O primeiro interrogatório acontece na sexta-feira, 21 de julho, no quartel da Via Fabio Filzi, com Greco, e não dura mais de quinze minutos. "Uma vez que", dito por Ariosto em depoimento, "algumas informações que possuo poderiam acarretar vários prejuízos às minhas relações sociais, peço um deferimento do meu testemunho, enquanto ainda preciso amadurecer minha escolha".

Terça-feira, 25 de julho, segundo round. Ao lado de Greco, por alguns minutos, está também Margherita Taddei, que investiga as cadernetas do *Cavaliere*, mas a situação não se destrava. "Pensei durante todo o fim de semana", diz Ariosto, "e decidi falar, mas as coisas que vou contar mudarão minha vida. Aqueles lá me farão pagar... são capazes de tudo... eles me matam. E quem me protege?".

Greco, encharcado de suor, perde novamente a paciência: "Senhora, se decida, não desisti das férias para brincar com você". E ela: "Eu vou lhe contar coisas que não dizem respeito só a mim, mas que podem comprometer a carreira de Vittorio Dotti. Estou falando de Berlusconi, de Previti; ele tem o direito de saber disso". Greco pede ajuda a Davigo, que naquele dia se encontrava em outra sala do quartel para fazer outra investigação. A testemunha pede para se aconselhar com Dotti, que veio buscá-la e espera no corredor. Permissão dada. Os dois discutem um pouco, depois ela acaba com a última hesitação: "Basta, vou contar o que sei". Já é quase noite. Tudo é adiado para o dia 28 de julho, dia do interrogatório propriamente dito.

Dotti troca algumas palavras com Davigo: "Sou o chefe do Força Itália e o advogado civil da Fininvest, e aqui se fala de Berlusconi e de Previti [coordenador nacional do Força Itália], como faço para calar-me? Tenho o dever moral de avisar, pelo menos, o *Cavaliere*". Davigo o fulmina: "Você não dirá uma palavra; as investigações estão sob sigilo, qualquer um que abrir a boca estará cometendo favorecimento".

Dia 28 de julho, no terceiro encontro com Greco, Stefania Ariosto começa finalmente a falar. E dessa vez o faz durante dois dias, um depois do outro, tudo de uma vez só: "Conheci Previti no início dos anos 1980, encontrando os amigos de Giorgio Casoli, amigo da minha família". Magistrado em Milão e depois na Corte de Cassação, depois prefeito de Perúgia e, enfim, deputado do PSI e subsecretário do Ministério dos Correios e das Telecomunicações no primeiro governo Amato em 1992, Casoli é um bom amigo do socialista Enrico Manca, que, por sua vez, é amigo íntimo de Previti. Além disso – acrescenta Ariosto –, "Previti era muito amigo da minha irmã Carla, que mora em Roma". Naquele momento, a condessa desenrola uma lista de magistrados que diz ter visto e encontrado na sala da casa de Previti: "Squillante, sempre presente. Sammarco, sempre presente. Verde, sempre presente. Brancaccio, sempre presente". Mais um magistrado do qual não se recorda o nome, mas que indica em uma das tantas fotos que entrega ao *pool*: trata-se de Antonio Vinci.

> Além disso, encontrei na mesma sala Carnevale, Mancuso, Valente, Vitalone, Izzo e Napolitano. No escritório de Previti, entre 1987 e 1989, encontrei também Mele [...]. Os encontros com Previti e os magistrados supracitados aconteciam também em outras ocasiões, como, por exemplo, durante as partidas de futebol de salão no Circolo Canottieri Lazio [perto do Lungotevere Flaminio], do qual Previti é presidente. Em particular, frequentava assiduamente o tal círculo Renato Squillante.

Algumas fotografias do alegre grupo de advogados, magistrados e juristas – explica Ariosto – foram tiradas "em 1988, por ocasião de uma viagem aos Estados Unidos financiada por Cesare Previti, para assistir à premiação de Bettino Craxi, nomeado pela NIAF [poderosa organização ítalo-americana de Washington] "homem do ano". As reservas foram efetuadas por minha irmã, que trabalhava na Alitalia".

Os nomes citados são todos de primeira ordem. Corrado Carnevale é o presidente da primeira seção penal da Corte de Cassação, naquele momento investigado em Palermo por envolvimento com a Máfia (será absolvido na Corte de Cassação). Filippo Mancuso é ministro da Justiça em atividade e Antonio Brancaccio (já primeiro presidente da Suprema Corte), ministro do Interior. Arnaldo Valente é o juiz da Corte de Cassação (agora demissionário) que, em 1994, transferiu o processo Cerciello de Milão para Bréscia. Cláudio Vitalone é o magistrado romano, além de ex-parlamentar e ex-ministro andreottiano, que foi acusado em Perúgia (e depois absolvido) pelo delito Pecorelli. Roberto Napolitano é o mesmo promotor que estava presente no bar Tombini. Carlo Guglielmo Izzo é juiz da Corte de Apelação de Roma. Antonio Vinci é um dos promotores mais

OPERAÇÃO MÃOS LIMPAS

importantes da Procuradoria de Roma. Filippo Verde, ex-presidente de seção no Tribunal Civil, foi chefe de gabinete do ministro Vassalli e depois, por muitos anos, diretor-geral do ministério. Carlo Sammarco é ex-presidente da Corte de Apelação de Roma, e Vittorio Mele era juiz da Corte de Cassação posteriormente promovido a procurador chefe de Roma, a diretor-geral do ministério e, enfim, procurador-geral da capital.

"Ei Rena', você está esquecendo esse!"

"Assisti", revela Ariosto, "à entrega de dinheiro a Squillante em duas ocasiões: uma na casa do advogado Previti, na Via Cicerone, e outra no Circolo Canottieri Lazio, depois de uma partida de futebol". A sua história emudece, quase incrédulo, até mesmo o matreiro Francesco Greco:

> Na ocasião de uma reunião informal na casa de Previti, à base de champanhe e lagostas, no fim de 1988 ou início de 1989, a um certo ponto, se afastaram Previti, Squillante e o advogado Pacifico (íntimo colaborador de Previti) [...]. Passei perto do trio, que havia se acomodado perto de uma mesinha com telefone. Sobre a dita mesa, havia maços de dinheiro e os três, em pé, ali perto, falando entre eles [...]. Squillante dizia: "Sim, deixa comigo...". Eu, assim que me dei conta de que estava acontecendo uma passagem ilícita de dinheiro, imediatamente pedi desculpas. Previti então me disse: "Stefania, não tem problema, não se preocupe". Voltei imediatamente à mesa, onde, pelo que me lembre, estavam também Sammarco, Letta e outros convidados. O motivo dessa reunião informal era [...]festejar uma importante decisão jurisdicional que havia sido tomada [...]. Em determinado momento, ligaram para Berlusconi para lhe contar da alegria que sentiam pela vitória. A tal felicidade era compartilhada com os magistrados presentes.

Segundo episódio ainda mais desconcertante:

> No mesmo ano, depois de uma partida de futebol no Circolo Canottieri Lazio, ao final do jantar [...], no estacionamento, vi Previti, enquanto eu entrava no meu carro, entregar um grande envelope amarelo para Squillante e dizer: "Ei Rena', você tá esquecendo esse...". Visto que o envelope não estava fechado, pude constatar que estava cheio de dinheiro. Squillante pegou e entregou a uma outra pessoa que já estava no seu carro. Gostaria de precisar que eu me encontrava com o carro bem atrás do carro de Squillante, que, por sua vez, estava estacionado atrás do carro de Previti. Depois desses acontecimentos, principalmente depois de 1989, diminuí os encontros na casa de Previti a partir do momento que havia me transformado oficialmente na companheira de Dotti. E, além disso,

o que eu havia visto e o que havia dito sobre Previti me convenceram a me afastar dele.

Em outro interrogatório, Stefania Ariosto lembra o que tinha acontecido pouco antes do suborno no estacionamento: durante a partida de futebol, a esposa de Previti, Silvana Pompili (que compreensivelmente prefere ser chamada de "Panfili"), estava sentada ao seu lado:

> Silvana demonstrou uma apreensão durante toda a partida, porque me disse que precisavam entregar dinheiro para Squillante; contou, inclusive, que era comum que os magistrados também fossem pagos. Não deve parecer estranho que a senhora Previti me fizesse essas confissões, porque naquele ambiente, durante o período que eu frequentei, principalmente no grupo de Previti, era de praxe que tivessem de pagar os magistrados para obter favores.

No fim da noite, a continuação com o imortal "Ei Rena'...". Depois, Stefania Ariosto conta o que acontece quando Casoli, em 1992, torna-se deputado e subsecretário do Ministério do Correios e das Telecomunicações no governo de Amato:

> O interesse de Previti em relação a ele aumentou consideravelmente, pois estava sendo decidido o plano nacional de frequência televisiva. O ministro era Pagano [Pagani, na época PSDI, mas depois passa para o Força Itália e será eleito prefeito de Novara]. Previti me procurava porque não conseguia ter um contato direto com Casoli, que havia sumido porque [...] não queria ser condicionado durante o seu mandato e me fazia confidências, pensando que eu depois contaria a Casoli, de modo a convencê-lo a integrar sua comitiva. Em especial, contou que havia muitos magistrados na sua folha de pagamento, que era capaz de comprar o terceiro poder do Estado e até o quarto, querendo dar a entender que pagava muitos jornalistas. Além disso, acrescentava que ele comprava mulheres também. Muitas vezes, Previti se gabou, na presença de muitas outras pessoas além de mim, que a guerra de Segrate [entre Berlusconi e De Benedetti pelo controle da Mondadori] não foi vencida por Dotti, mas por ele, comprando os magistrados. Frequentemente, fez tais afirmações, que, para ele, eram motivo de orgulho. Parecia dispor de recursos ilimitados, que eram alimentados, de acordo com ele, com dinheiro colocado à sua disposição pelo doutor Silvio Berlusconi [...]. Além do mais, lembro que Previti tinha uma conta na Suíça [...] alimentada com dinheiro da Fininvest: ouvi falar disso algumas vezes por meio de Previti com Pacifico [...]. Pacifico é praticamente um anjo da guarda de Previti, o seu alter ego, é uma pessoa extremamente reservada que, ademais, está a par de todos os segredos de Previti [...]. Previti me disse, muitas vezes,

que Pacifico era o seu homem de confiança até mesmo nas relações com os magistrados. Lembro-me, também, que tinha crédito ilimitado em muitos cassinos e, especialmente, no cassino Campione, onde eu o encontrei várias vezes.

Em sua autobiografia, *La gazzella e il leone* (A gazela e o leão), Stefania Ariosto escreve que, nos primeiros dias, quando ainda hesitava em verbalizar as suas acusações, o promotor Davigo lhe prometeu uma "operação de engenharia judiciária para dar a máxima discrição ao projeto" e esconder a presença de Dotti ao seu lado no dia anterior ao interrogatório propriamente dito. Hoje, Davigo afirma que entendeu mal:

> Disse-lhe exatamente o contrário: isto é, que conseguiríamos manter escondida a sua identidade de testemunha só por algum tempo. Não para sempre. Cedo ou tarde, seu nome teria vindo à tona, e ela teria sido chamada a testemunhar. E, além disso, naquela fase, nós caminhávamos pisando em ovos. Ela continuava sendo a companheira de Dotti, e temíamos que fosse uma grande armadilha para nos desacreditar ou para nos usar. Sabia-se, pelos jornais, que Dotti e Previti eram rivais e não queríamos nos prestar a jogos políticos. Começamos a confiar em Ariosto somente quando soubemos que ela havia dito as mesmas coisas a outros [Dotti e Casoli] e, sobretudo, quando vieram à tona as contas bilionárias de Squillante na Suíça e o papel de outros personagens-chave dos quais a senhora havia nos falado. Personagens, para nós, completamente desconhecidos, contra os quais não havia sentido fazer hipóteses sobre vinganças políticas.

Até Greco confessa ter menosprezado, no início, a importância daquelas primeiras confissões: "A primeira impressão foi de que se tratava de fatos muito antigos; além disso, eram muito difíceis de serem demonstrados, tanto que cheguei a lembrá-la, como faço sempre com todas as testemunhas, que existe o crime de calúnia". Aquela mulher excêntrica e emotiva, corajosa, mas frágil, com uma eloquência entre o onírico e o imaginativo, não parecia, realmente, a testemunha ideal para os homens do *pool*. "No início", acrescenta Greco", a melhor garantia para nós que não a conhecíamos era a sua ligação com Dotti e, portanto, o fato de que ela conhecia com certeza os personagens dos quais falava. De fato, na terceira vez, chegou com duas bolsas grandes cheias de fotos da sua vida mundana, dos seus encontros com advogados, políticos e magistrados. Justamente aqueles dos quais estava falando."

A Procuradoria, naqueles dias de verão, está semideserta. Borrelli, D'Ambrosio, Colombo e Ielo estão de férias. O que fazer? Greco decide manter sob sigilo os depoimentos, registrar as primeiras revelações sob forma do "modelo 44", modelo sobre notícias de crimes a cargo de pessoas desconhecidas, com o número de série 2915, e de sigilar um envelope que depois é mantido fechado no cofre de Davigo. A seguir, parte novamente para as férias: "Falamos novamente sobre isso em setembro, quando os outros voltarem". Chegando à ilha Maddalena, Greco se encontra com Colombo, que também está de férias por lá e, passeando ao longo do pequeno porto da ilha, lhe conta sobre aquela fascinante mulher que diz coisas terríveis. As dúvidas e as preocupações superam, em muito, o entusiasmo por essa nova investigação.

Stefania Ariosto também veleja, nos mesmos dias, no barco de Dotti pela Sardenha e pela Córsega. Férias pouco íntimas: antes de partir, a prefeitura de Milão lhe designou uma escolta com muitos homens, os "boinas verdes" do departamento antiterrorismo da Guarda de Finanças que a seguem até mesmo no mar. Inicialmente, a Guarda de Finanças pediu proteção pelas contínuas ameaças anônimas que recebe, talvez agiotas dos cassinos (ela também sofre um estranho acidente de carro); depois, pelas revelações que está fazendo na Procuradoria. Berlusconi, informado em tempo real, liga para Dotti, no barco: "Por que Stefania está sendo escoltada? É verdade que ela está dando declarações contra o nosso grupo?". Dotti, sem jeito, tenta segurar o rojão: "Claro que não. É por causa das ameaças anônimas que está recebendo dos cambistas". Não acreditarão nele. Berlusconi e Previti pressentem algo desde as primeiras semanas. A certeza do que está acontecendo eles terão somente cinco meses mais tarde, depois da casual descoberta das escutas no bar Tombini.

Ilda, "a chata"

Na volta das férias, Greco conta tudo a Borrello, que convoca uma reunião com todo o *pool*. Para começar, se decide por uma investigação "dinâmica": emboscadas e interceptações para colocar em evidência, principalmente, a figura de Attilio Pacifico, o semidesconhecido advogado civil nascido em 1933 em Avellino e que, de acordo com Ariosto, é o elo entre Previti e os juízes da capital. Porém, é uma tarefa árdua, no limite do impossível; trata-se de reconstruir em 1995 fatos de 10 a 15 anos atrás. Assim, entra em cena a mais "policial" de todos os magistrados do *pool*: Ilda Boccassini.

Napolitana, turma de 1949, mulher impetuosa e teimosa, Ilda Boccassini veste a toga desde 1977. No final dos anos 1980, investiga sobre a "Duomo connection" e, ocupando-se da Máfia, torna-se amiga inseparável de Giovanni Falcone e Carla Del Ponte. Em 1992, depois de Capaci e Via d'Amelio, parte voluntariamente para Caltanissetta, onde vai à caça dos assassinos de Falcone e onde as suas investigações se mostrarão fundamentais para descobri-los e condená-los. No início de 1995, passa para a Procuradoria de Palermo, mas a convivência com alguns colegas que não haviam gostado das últimas escolhas "governistas" de Falcone provoca desconfianças e incompreensões. Caselli, que gostava muito dela, tenta uma mediação entre ela e os promotores, mas sem sucesso. Ilda decide voltar para

Milão, onde moram os seus dois filhos e, desde 1º de outubro, retoma o serviço no seu escritório, no quarto andar do Palácio da Justiça. "Volto como uma veterana do Vietnã", diz. Greco lembra:

> Havia recém-voltado quando lhe contei sobre Stefania Ariosto, e ela se apaixonou. A sua chegada foi fundamental. Os métodos de trabalho típicos das investigações antimáfia aplicados nesses casos de corrupção em um ambiente penetrante como o de Roma revelaram-se acertadíssimos. Di Pietro era imbatível em obter as confissões e em cruzar as declarações, mas, nessa investigação, era necessário um outro método, feito de emboscadas, câmeras e, principalmente, escutas. Nós, de 1992 a 1995, para a Mãos Limpas, havíamos interceptado, sim e não, três acusados: Chiesa, Pacini e poucos outros. Pessoalmente, não sabia nem mesmo por onde começar. Fui muito feliz ao ceder a vez e voltar para os documentos.

Falta superar um obstáculo: as difíceis relações entre Boccassini e alguns colegas de Milão: Borrelli, Spataro e Colombo. Com Armando Spataro tem um ressentimento, nunca sanado, desde o final dos anos 1980, por causa de desacordos nas investigações sobre as famílias mafiosas do Norte. Borrelli, naquela ocasião, havia se posicionado em favor de Spataro e enviado um parecer ao Conselho Superior da Magistratura pouco lisonjeiro sobre ela; depois, porém, fizeram as pazes. Com Colombo, a coisa parece mais complicada: têm palavras, duras como pedra, ditadas pela dor pela morte de Falcone, pronunciadas por Ilda em 1992, em Milão, em frente a dezenas de colegas: "Vocês fizeram Giovanni morrer, com a indiferença e com as críticas de vocês. Vocês desconfiavam dele [...]. Gherardo Colombo, você também desconfiava de Giovanni, por que foi ao seu funeral?". Colombo, homem de esquecimento proverbial, é incapaz de guardar rancor. E em 1995, na primeira vez que revê Ilda em um elevador do Palácio da Justiça, a cumprimenta como se nada tivesse acontecido. Ela, surpresa, cai no choro: "Como você me cumprimenta? Depois do que eu falei para você?", e o abraça. Trabalharão juntos na investigação sobre as "togas sujas" e sustentarão juntos a acusação no tribunal.

O quarto interrogatório de Stefania Ariosto, com data em 20 de setembro, ainda é assinado por Greco: novos esclarecimentos sobre o voo oceânico de Craxi e os jantares na casa de Previti. Depois, a testemunha diz ter recebido, justamente naquele dia, uma estranha ligação com uma voz gravada: "Mensagem inteligente: minha amiga, a força vencerá a sua razão". Uma ameaça. A primeira de muitas.

A partir de 10 de outubro, com Greco, entra também Boccassini. No entanto, o procedimento passa do modelo 44 para o 21, que se refere aos investigados conhecidos (número de série 9132/95): Squillante, Pacifico, Previti e Berlusconi são indiciados, a partir de setembro, por corrupção contínua e agravada.

Ilda e Stefania logo entram em sintonia. Stefania se sente protegida, Ilda intui que ela está dizendo a verdade. Elas se veem com frequência para especificar,

1996. MÃOS GRANDES   517

corrigir e integrar. A testemunha Ômega alarga cada vez mais o que tem na sua memória, revelando novos detalhes sobre a corrupção no Palácio da Justiça. Lembra, por exemplo, o que lhe disseram os irmãos Carlo e Egidio Eleuteri: Previti e Berlusconi adquiriam joias nas lojas deles para presentear as mulheres dos magistrados amigos, aqueles "da folha de pagamento". Depois, aquilo que Previti lhe revelou sobre o fornecimento de propinas: Berlusconi havia colocado à disposição um fundo permanente junto ao Efibanco. Acrescenta ainda que Previti também hospedava os magistrados na sua casa de Porto Ercole, em Argentario, e no seu célebre barco, o *Barbarossa*:

> Previti se gabava para mim de ter corrompido alguns magistrados [...]. Eu vi alguns deles enquanto recebiam o dinheiro diretamente, em espécie, de Previti e do seu colaborador Pacifico; outros tinham relações diretas com o Efibanco. Previti, por mais de uma vez, veio me dizer que tal situação havia começado no início dos anos 1980 e que Squillante era o coletor do dinheiro fruto da corrupção, recebendo-o tanto para si quanto para distribuí-lo aos outros colegas.

Depois acrescenta novos detalhes sobre os jantares na casa de Previti ("falavam sobre as estratégias judiciais não só do grupo Berlusconi, mas também de outros grupos como Mezzaroma e Gaetano Caltagirone") e sobre a peregrinação aérea de Craxi para a América:

> Nas minhas agendas, há referências precisas (20 e 21 de outubro de 1988) sobre os nossos deslocamentos nos hotéis utilizados. No dia 21, partimos, e, como pode-se verificar na agenda, estava acompanhada de Cesare Previti, Enrico Manca [estes afirmam, porém, terem se encontrado já nos Estados Unidos para compromissos pessoais] e Bettino Craxi. No avião, viajavam alguns magistrados convidados por Previti, enquanto os outros partiram em outro voo. A viagem, organizada por Previti, foi gratuita para todos. Também estava presente Antonio Baldassarre, depois eleito para a Corte Constitucional, como está nas fotos que eu já trouxe: me lembro que fazia insistentes pedidos a Previti, até porque queria ser apresentado a Craxi e, por isso, conseguiu ser convidado para ir aos Estados Unidos. Em Nova York, nos hospedamos no Hotel Plaza (todos, inclusive os magistrados e Baldassarre). Na noite de 21, fomos convidados para ir à casa de Previti [que inclusive tem também um escritório em Nova York], que ofereceu um jantar [...]. Na casa de Previti, estavam presentes todos os magistrados das fotos que eu já entreguei, Baldassarre também. No dia seguinte, fomos à capital e, durante a noite, à premiação e ao jantar da dita fotografia. Os magistrados tinham sido convidados, pois existia um projeto elaborado por Craxi e Previti de criar um lobby dos juízes com os quais pudessem contar para o controle

OPERAÇÃO MÃOS LIMPAS

da magistratura. Tratava-se de criar as condições para uma relação mais direta. A postura dos magistrados convidados e de Baldassarre era servil, pois estava clara a submissão deles perante Craxi. Em Washington, estava também Silvano Larini.

Quem financiou a viagem?

Previti deveria ter pago a viagem [mas Squillante produzirá documentos que desmentem o pagamento para ele, e Previti afirmará ter usado recursos do PSI]. Ao contrário, a permanência nos Estados Unidos deveria ter sido financiada pela NIAF. Em Nova York, acontece uma festa na casa de Previti por ocasião do seu aniversário. Há fotos dessa festa.

A expedição transoceânica com recepção era enobrecida pela presença de outros juízes: além de Verde, Napolitano e Vinci – assegura a testemunha –, estavam também Carlo Guglielmo Izzo, Orazio Savia, Giorgio Santacroce (procurador--geral substituto em Roma), Mario Marvasi (magistrado aposentado, pai do juiz civil Tommaso que, em 1991, dará razão para a Fininvest em um processo de 200 bilhões contra a SIAE) e Rosario Priore (aquela da investigação sobre o avião que caiu entre as ilhas de Ustica e Ponza, matando os 81 ocupantes), que, porém, dirá ter ido aos Estados Unidos com recursos próprios. Seguem os últimos esclarecimetos sobre preciosos presentes para as esposas dos magistrados, dos quais lhe contaram os joalheiros Eleuteri:

No que diz respeito aos magistrados, existia o hábito de dar presentes de valor, em alguns casos, de grande valor [...] no período de Natal e, esporadicamente, por ocasião da Páscoa: grandes objetos de antiquários, joias ou peças de prata e micromosaicos [...]. As joias eram escolhidas por Previti e Berlusconi. De 1984 a 1986–87, Egidio Eleuteri dirigia--se à casa de Berlusconi com joias para serem mostradas a Berlusconi e Previti, que escolhiam. Cada joia pré-escolhida era atribuída à esposa de um magistrado, o que era informado aos joalheiros. Estes providenciavam os pacotes individuais, escrevendo a lápis em cada um o nome do seu destinatário. Depois disso, tudo era levado à senhora Marinella Brambilla, secretária de Berlusconi, que providenciava a entrega de cada pacote. De 1987 em diante, uniu-se a essa prática Carlo Eleuteri. Essas circunstâncias foram contadas pelos irmãos Eleuteri e lembro que eles mesmos me mostraram, dentro da loja deles, uma bandeja cheia de pacotes embrulhados em papel prateado nos quais estavam escritos os nomes dos magistrados. Esse episódio foi em 1987.

1996. MÃOS GRANDES   519

Ilda Boccassini escreve as primeiras investigações nos depoimentos da Ariosto (que, no final, superam 20, de julho de 1995 a fevereiro de 1996). O seu método de investigação se aproxima do da antimáfia: é minucioso, incontestável e quase maníaco. Junto com as declarações das testemunhas, estão anexadas as gravações de entrevistas interceptadas, resumos das perseguições, documentação do volume de ligações, documentos bancários. Antes de tudo, se dirige aos Carabinieri do ROS, comandados pelo general Mario Mori, com o qual tem excelentes relações. Gostaria de trabalhar com Ultimo, o oficial que colocou as algemas em Totò Riina. Mori, porém, prefere manter seus homens protegidos: uma outra seção do ROS, dirigida pelo coronel Enrico Cataldi, está em Roma investigando corrupção (também dos magistrados, como veremos). A investigação é então confiada ao detetive do SCO (Serviço Central Operativo da Polícia), dirigido por Alessandro Pansa, sob a supervisão do chefe da Criminalpol Gianni De Gennaro. "Coloquem Squillante e Pacifico nas escutas", ordena Boccassini. Em 23 de novembro de 1995, começa: escutas, microfones, câmeras, emboscadas e vigilância em toda a parte, até no jardim da casa de Squillante e no hall do prédio da frente, onde o juiz comumente se encontrava de madrugada com Pacifico e outros poucos visitantes importantes.

Assim, os investigadores veem acontecer, dia após dia, ao vivo, a incrível história de Ômega. A testemunha conta fatos dos anos 1980, mas o tempo parece ter parado. No velho "porto nebuloso" e nas suas mais improváveis sucursais, tudo parece ter permanecido como nos anos 1980 descritos por Ariosto. Squillante e Pacifico se falam e se encontram frequentemente, às escondidas, como uma história de 007. Se veem também de madrugada, na chuva, fechados dentro de um carro ou a céu aberto; às vezes, durante o jantar ou no bar Tombini. Previti, ao contrário (como disse a Ariosto), mantém-se mais escondido. Squillante empresta para Pacifico o seu carro azul com motorista e está entre os poucos privilegiados a ter acesso ao seu número privado do escritório, o "telefone escondido", habilitado somente para receber ligações e que até as secretárias são proibidas de responder, mesmo na sua ausência. Se alguém liga, Pacifico coloca novamente no gancho e liga de um celular com chip comprado em Montecarlo: impossível interceptá-lo, nem ao menos se documenta o trânsito de ligações, senão somente depois de uma longa carta rogatória internacional. Às vezes, os dois trocam envelopes com conteúdo misterioso. "Entregou o envelope?", Pacifico pergunta dia 5 de dezembro para a secretária de Squillante. E ela: "Sim, sim, espera que está na outra linha". Pacifico liga em seguida e encontra Squillante: "Deixei uma mensagem". Squillante: "Sim, eu vi". Pacifico: "É, muito obrigado, fique bem...".

Em 23 de dezembro de 1995 um entregador toca na campainha da casa de Stefania Ariosto em Milão: "Senhora, um pacote para você". Stefania abre: uma caixa. Abre: um coelho sem a pele e sem a cabeça, boiando em sangue e um bilhete de felicitações: "Feliz Natal".

O dia a dia de um toga suja

Na noite de 31 de dezembro, Renato Squillante está em casa com a esposa e, antes do brinde de Ano-novo, telefona aos caros amigos para as felicitações. Às 23h42min, liga para a portaria da mansão de Silvio Berlusconi em Arcore e pergunta pelo "honrado presidente", que está fora. Às 23h43min, liga para Paolo Berlusconi no celular: desligado. Em seguida, liga para Gianni Letta, também para o celular: esse também está desligado. Às 23h44min, tenta a casa de Letta: mas chama até cair no vazio. Às 23h45min, tenta Previti, na mansão de Argentario. E aqui, finalmente, respondem, primeiro Silvana e depois Cesare, que prometem ligar depois do brinde. De fato, à meia-noite e 16 minutos, as famílias Previti e Squillante trocam afetuosas felicitações à distância. O juiz mais poderoso de Roma, em San Silvestro, liga para quatro homens da Fininvest em quatro minutos (todos investigados em Roma, além de Letta). "Aos da Pirelli, para se dizer, nem uma lembrança", ironizará Claudio Rinaldi na revista *Espresso*.

No dia 5 de janeiro de 1996, Gianmarco Moratti, marido de Letizia, a presidente da RAI, liga para Squillante para informá-lo que o advogado Virga decidiu não acompanhar mais o caso "Letizia RAI arquivamento CIP (Comitê Italiano Paralímpico)" (provavelmente uma das tantas investigações abertas em Roma sobre a RAI), justamente agora que o processo deve ser decidido na Corte de Cassação. Squillante, não se sabe o porquê, promete falar sobre isso pessoalmente com Virga no habitual encontro semanal no bar Tombini, encontro esse que acontece exatamente dois dias depois, em 7 de janeiro. Virga se deixa convencer a não deixar o caso, mas, em troca, lhe pede um favor, como aparecerá na chamada feita entre os dois na noite seguinte: quer saber se um tal "Gianni" (entre os seus clientes está Gianni Letta) está sendo investigado por balanço falso. Squillante responde: "Olha, não tem nada, eu me informei... tem só um nome [no registro dos investigados]. De qualquer forma, amanhã, se passar...". Virga: "Diga, tem o nome do Gianni?". Squillante: "Não, não..., mas na investigação, sim." Virga: "É 2621? [Artigo do Código Civil que disciplina o falso balanço]". Squillante: "É, sim, tudo bem? ". Virga: "Nos falamos amanhã".

No dia 9 de janeiro, Squillante participa de um almoço do Rotary com Letizia Moratti. Depois, à noite, recebe a visita de um alto dirigente da RAI, Gianfranco Comanducci e, no dia 10, vai jantar com a esposa na casa de Gianmarco e Letizia Moratti. No dia 12, o casal Squillante é enviado a uma grande festa na casa de Franco e Sandra Carraro, na presença de empresários, diretores e atores.

No dia 13, Squillante voa para Milão com o filho Mariano. Para alguns amigos, disse ter ido a Milão a trabalho; para outros, diz que foi para uma visita médica. Somente Pacifico sabe onde encontrá-lo ("Me encontre no hotel de sempre"). De Milão, os dois Squillante vão para Zurique em um trem noturno (sempre com os agentes do SCO no calcanhar). No dia seguinte, se ocupam das contas bancárias. Depois, dia 15, vão a Vaduz, em Liechtenstein, para encontrar a advogada deles e fiduciária Cornelia Ritter. Para conhecer o escopo da missão, o *pool* envia

1996. MÃOS GRANDES 521

logo uma série de pedidos de cartas rogatórias aos juízes de Vaduz, que responderão, durante quatro anos, de maneira evasiva, até que o irmão advogado do juiz encarregado daquelas práticas, em maio de 2000, será preso no grande escândalo que explodiu em Liechtenstein sobre as fiduciárias ligadas à lavagem de dinheiro do narcotráfico internacional. Nesse momento, o pequeno paraíso fiscal mudará de registro e abrirá, até mesmo, uma investigação sobre os tesouros depositados nos seus cofres por personagens acusados de crimes graves, incluindo Previti, Pacifico e Squillante. Como veremos, Vaduz começará a colaborar com a Procuradoria de Milão, respondendo às investigações do *pool* e enviando, por sua vez, uma carta rogatória para ter informações sobre três sujeitos.

No dia 16 de janeiro de 1996, ao voltar para Roma, Squillante é procurado por Lorenzo Necci, presidente das Ferrovias, que irá encontrá-lo dentro de dois dias "para fazer algumas considerações". Provavelmente, a propósito da investigação romana sobre o caso TAV (a sociedade dos trens de alta velocidade), que os magistrados recusam arquivar, inexplicavelmente. Depois, de noite, faz uma visita à casa de Sandra Carraro, ansiosa para contar ao juiz "coisas muito importantes, que é melhor não contar por telefone".

No dia 21, vem à tona a escuta do bar Tombini. A partir daquele momento, nada mais será como antes. Squillante perde a calma e a cabeça. No dia 22, não sabendo mais para que santo rezar, envolve o amigo Necci, para que este se informe junto aos seus amigos com cargos importantes na polícia, nos Carabinieri e na Guarda de Finanças sobre o que está acontecendo. Necci, no início, hesita, mas depois, atormentado por Squillante com ligações diárias, acaba cedendo e encarrega Laura Pellegrini, uma dirigente das Ferrovias, sua colaboradora, de pedir notícias a Fernando Masone, chefe de polícia. Ela, porém, se recusa, ou, pelo menos, é o que dirá aos magistrados.

No dia 1º de fevereiro, de qualquer maneira, a mulher entra na casa de Squillante às 16h50min ("Eu a tinha mandado até Renato, para pedir para parar de encher o saco", dirá Necci). O juiz não se dá por vencido e coloca sob pressão outro velho amigo, o advogado Marcello Petrelli, assessor jurídico da TAV. É uma técnica já experimentada, aquela de "Rena'", mesmo em troca de favores bem mais modestos. Necci contará que dois anos antes, Squillante o pressionava para que admitisse nas Ferrovias o filho de um amigo: chegou a lhe enviar um bilhete para lembrá-lo, alegando elegantemente uma medida de arquivamento emitida em 1992, em favor de Necci. Como se dissesse: eu fiz um favor, agora você me faz um também.

No mesmo dia, 1º de fevereiro, às 19h45min, na casa de Squillante, chega também Pacifico. Espera em frente da casa, e o juiz desce. Os dois se afastam por 45 minutos no jardim do condomínio, no frio, debaixo de chuva forte, para examinar uma série de documentos. Às 21h49min, liga de novo para Pacifico para um número "desconhecido", com um nome falso: "Sou eu, Lauro". Fala em código: "Fiz a comunicação, ele disse não". Dia seguinte, novo *tête-à-tête* entre os dois, dessa vez, numa área coberta, no hall de entrada. Ainda dia 1º de fevereiro, outro telefonema interessante, outra confirmação das acusações de Stefania Ariosto: um certo Michele Morici liga para Pacifico, mostrando saber muito bem onde pode chegar a dupla Squillante-Pacifico.

> *Morici*: "Escuta, eu, no dia 7 de fevereiro, semana que vem, tenho a apelação de um processo contra... e descobri que vão jogar todas as cartas nessa manhã".
>
> *Pacifico*: "Um outro processo trabalhista?".
>
> *Morici*: "Sim".
>
> *Pacifico*: "E o que eu tenho que fazer?".
>
> *Morici*: "Então, eu queria saber, queria tentar tudo... mas não é possível que se possa, talvez... por meio de... sei lá... qualquer um... por meio de...".
>
> *Pacifico*: "Mas por meio do que, o que que você quer fazer?"
>
> *Morici*: "Sei lá, Rena'...".
>
> *Pacifico*: "Não entendi, mas como você pode ter uma ideia dessa... Depois pelo telefone [ri]... mas vocês enlouqueceram em todos esses dias?".

Pacifico apressa-se em dizer-lhe para falar com o seu advogado, "bravíssimo" e, eventualmente, recorrer na Corte de Cassação. Como Morici se dá o direito de tocar no nome de "Rena'", depois do que recém havia acontecido no bar Tombini? Se isso são coisas para se dizer ao telefone? Como escreverá o magistrado Alessandro Rossato no mandado de prisão, o telefonema demonstra que

> Pacifico é a pessoa capaz de aproximar magistrados, qualquer que seja a seção a que eles pertençam. Se entende nesse caso que o relator daquele processo é considerado um juiz incorruptível, por isso que com ele não dá para "tentar" [...]. Pacifico não encerra o discurso: pergunta como será formada a turma de juízes e convida outra pessoa para se informar.

No dia 4, Pacifico e Squillante se reveem novamente no jardim de "Rena'".

> *Pacifico*: "Encontrei todos os documentos oficiais".
>
> *Squillante*: "Os documentos de todos os fundos irregulares".
>
> *Pacifico*: "Vamos ficar unidos e não vamos cometer erros, ainda estamos de pé... Em Montecarlo, está tudo sob controle".
>
> *Squillante*: "Você os pagou? ".
>
> *Pacifico*: "Não cite nomes!".
>
> *Squillante*: "Porém, de fato, para conseguir levar aqueles 24... de liras".

Pacifico: "Scarpa tem de levá-los... depois, quarta eu levo para Montecarlo".

Pacifico dá disposições sobre uma certa missão para ser confiada ao filho do juiz, Mariano (correspondente da RAI em Londres). Squillante diz que também falará com Fabia (correspondente do *Stampa* em Bruxelas). E Pacifico, de saco cheio: "Preciso primeiro falar com Mariano, é ele que tem de me ligar". Squillante, alterado, responde que não. Depois, os dois se fecham dentro do carro do advogado para lerem alguns documentos.

Em 5 de fevereiro, Renato e Fabio Squillante vão encontrar um dirigente da polícia na sua casa. Depois se dirigem ao aeroporto de Fiumicino, onde Fabio embarca para Bruxelas, enquanto o juiz volta para Roma para receber uma visita de Pacifico. Três dias depois, Fabio e a esposa vão para a Suíça, para Belinzona, munidos de malas grandes, para esvaziar as contas abertas junto à Sociedade Bancária Ticinense. Retiram tudo: 6 milhões e 800.000 mil francos, cerca de 9 bilhões de liras. A partir daquele momento, o percurso do dinheiro permanece um mistério: Fabio dirá que dia 9 de fevereiro o pai o encontrará em Bruxelas para sacar tudo e levar para algum lugar. Tudo será encontrado (9 bilhões) em Vaduz, nas contas de uma nova sociedade criada propositadamente pelo juiz.

Todos os homens do presidente (dos juízes de investigações preliminares)

Cruzando os dados telefônicos nos registros das quatro linhas telefônicas de Squillante sob controle desde novembro de 1995 (as duas linhas de casa, a do tribunal e a de um celular), os homens do SCO preenchem uma lista com os seus amigos mais íntimos: Silvio e Paolo Berlusconi, Cesare Previti, Giacomo Macini, o alto executivo Franco Carraro e a esposa Sandra, os jornalistas Giuliano Ferrara, Lino Jannuzzi, Ruggero Guarini, Arturo Gismondi e Livio Zanetti. Depois, os diretores Lina Wertmuller e Francesco Rosi, a atriz *soubrette* Marisa Laurito, a atriz Piera Degli Esposti, os escritores Rafaelle La Capria e Luciano De Crescenzo, a editora da *Playman* Adelina Tattilo, Gianmarco Moratti e a esposa Letizia (então presidente da RAI), o construtor Franco Pesci (marido da atriz Virna Lisi), o editor Angelo Rozzoli, da P2, e a esposa Melania.

Salvo raras exceções, é uma divisão da velha corte de Craxi, quase toda passada para a insígnia do Força Itália. Aparecem, também, uns telefonemas para Giuliano Amato. No dia 5 de março, por exemplo, Amato liga para Squillante para falar – anota o SCO – "sobre uma pessoa que estão empurrando para fazer parte de uma Corte que julgará os crimes na Bósnia. Depois, falam de política, e Renato diz que recebeu umas ofertas" do Força Itália, que o quer como candidato em 21 de abril. O chefe dos juízes de investigações preliminares, antes de decidir sobre a proposta de Berlusconi, se consulta também com Antonio Maccanico.

Liga, também, para Paolo Berlusconi e depois para Gianmarco Moratti: quer um conselho sobre quem nomear advogado de San Patrignano.

No dia 1º de fevereiro, visto que as ligações não bastam, Squillante vai até a casa de Lorenzo Necci, o espera até a sua chegada e lhe implora ajuda. O desespero o leva a uma sutil forma de chantagem. O juiz fala do fantasma da investigação sobre a TAV do promotor Giorgio Castellucci (que logo resultará na prisão por corrupção em Perúgia, com a acusação de abrir uma enxurrada de investigações para depois arquivá-las em troca de dinheiro ou de favores, mas, no fim, se livrará por prescrição): aquele dia no bar Tombini – diz a Necci – ele, Augusta Iannini e os outros falaram também daquela investigação, e "alguém" os escutava. Tem bastante motivo para colocar em alerta o presidente das Ferrovias.

Castellucci realmente investiga a TAV a partir de 1993, mas sempre os desconhecidos. Até a juíza de investigações preliminares Iannini, dia 29 de janeiro de 1994, lhe ordenou que se inscrevesse no registro, se não Necci, ao menos os administradores da Italferr SPA, Emilia Maraini, e da TAV SPA, Ercole Incalza. Castellucci não fez isso; aliás, pediu o arquivamento. Iannini recusou e ordenou o prosseguimento. Depois, se livrou desse arquivo com um pouco de polêmica com o promotor, um pouco – explicará o procurador de Roma, Michele Coiro – por causa de "alguns investimentos feitos por intermédio de um agente da Bolsa pelo marido Bruno Vespa, que apareceram em uma medida penal de Castellucci". Ao novo juiz de investigações preliminares, Carlo Sarzana, Castellucci volta a pedir o arquivamento, mas Sarzana, em 23 de dezembro de 1995, também recusa e renova a ordem para inscrever Incalza e Maraini. Castellucci voltará a fazê-lo só dia 17 de fevereiro de 1996, pois pedirá novamente o arquivamento e, pela terceira vez, será negado. Em uma confusão parecida, a função do presidente dos juízes de investigações preliminares é fundamental. A mensagem de Squillante a Necci, portanto, está bem clara: basta uma palavra sua, e a investigação pode acabar arquivada, ou encher-se com novos investigados, por exemplo, Necci.

A fase política no início de 1996 é muito complicada. Antonio Maccanico, o premier encarregado da "grande coalizão do governo" entre centro-direita e centro-esquerda, prometeu a Necci um Ministério importante: fala-se do Ministério das Obras Públicas e Infraestrutura. Pacini Battaglia, seu grande protetor e financiador (lhe repassa um salário oculto de 20 milhões por mês), está preocupado. Assim, de um lado, faz de tudo para se livrar das chantagens de Squillante e, de outro, coloca-se a indagar, ele mesmo, sobre as escutas do bar Tombini, com ótimos resultados. Já no dia 1º de fevereiro – como será demonstrado pela investigação do GICO da Guarda de Finanças – sabe que as escutas foram colocadas pela polícia e, três semanas depois, já está por dentro de todos os desdobramentos, até os mais secretos, da investigação "togas sujas": dos interrogatórios de Stefania Ariosto diante de Ilda Boccassini à caça das contas suíças do chefe dos juízes de investigações preliminares.

1996. MÃOS GRANDES

Em 2 de fevereiro, dia posterior à visita de Squillante à casa de Necci, Pacini conversa no seu escritório com o advogado Marcello Petrelli (até ele acabará na prisão em Perúgia) e com Rocco Trane (o ex-secretário macônico P2 de Claudio Signorile, já envolvido, nos anos 1980, nos escândalos das Ferrovias do Estado). Toda a conversa é gravada pelos microfones da Guarda de Finanças, que, desde o final de 1995, como veremos mais adiante, colocou Pacini novamente sob investigação. "Você", diz o banqueiro a Petrelli, "tem de dizer ao senhor Squillante que ele precisa parar de encher o saco na casa de Necci... Já foi lá seis vezes... Renato, com essa outra operação, nos faz mais uma chantagenzinha... Na sua cabeça doente, diz [a Necci]: 'Aquela escuta pode ter me gravado falando com Iannini sobre o problema Castellucci'". No entanto, a arma de Squillante – acrescenta o banqueiro – está descarregada, porque Necci não está sendo investigado: "Não se perguntou nada ao senhor Squillante que diga respeito a Necci; no máximo, foi pedido que encerrasse a tutela de Maraini e Incalza".

A investigação sobre a alta velocidade é, de toda forma, um fuzil apontado contra o lobby. É preciso fechá-la, pagando o justo. No dia 11 de janeiro, Pacini diz a Petrelli: "Eu disse para colocar dinheiro para acabar com essa história, mas o nosso Squillante é muito ágil, e assim não dá". Petrelli defende o amigo juiz: "Fez tanto e continuará fazendo". E Pacini: "Assim que encerrar, se paga, mas tem de encerrar". Depois, porém, admite que a culpa maior é do promotor: "Castelluci faz a sujeirada toda... e rouba dinheiro".

No dia 22 de janeiro, Pacini comenta o episódio do dia anterior no bar Tombini com Emo Danesi, ex-parlamentar da DC cujo nome estava nas listas do P2. Os dois se perguntam sobre o que podem ter escutado os misteriosos "ouvintes" das escutas. Danesi revela que "Orazio" [Savia] lhe confidenciou que os quatro falavam também sobre a alta velocidade: Iannini teria dito que "ali [talvez no Tribunal de Roma] quisessem proteger Prodi [...] porque deram à Nomisma [sociedade de assessoria de Bolonha da qual Prodi é intermediador] 1,6 bilhão". Pacini o corrige: "Foram 3,8 bilhões". E Danesi: "Quem colocou as escutas ouviu tudo, como ouviu também que Carraro ligou para Squillante para fazê-lo intervir em favor de Pescante". Danesi acrescenta que no bar estava, também, o advogado Virga, defensor de Paolo Berlusconi. Pacini pergunta (talvez errando de pessoa) se era "esse o advogado que pega o dinheiro e divide com Squillante". Mario Pescante, presidente do CONI (Comitê Olímpico Nacional Italiano) e futuro membro do CIO (Comitê Olímpico Internacional), é investigado na época, em Roma, por alguns escândalos do esporte (depois arquivados). Franco Carraro não é somente ex-presidente do CONI e futuro presidente da Liga de Futebol e da Federação de Futebol, mas é também um dos protagonistas do negócio TAV: preside o colosso das contruções Impregilo e dois superconsórcios de trens de alta velocidade para a linha Emília–Toscana (CAVET) e para a Turim–Milão (COVTOMI). Os contatos gravados entre Squillante e os cônjuges Carraro são muito frequentes: doze ligações somente de 2 de janeiro a 15 de abril, além de visitas, encontros, jantares e festas mundanas.

O caso TAV deixará um rastro desagradável até para a juíza das investigações preliminares Iannini. Interceptado em 9 de fevereiro, Pacini diz a Trane ter encontrado com ela e com o promotor Roberto Napolitano, e que os dois magistrados lhe teriam assegurado que, graças a Squillante, a investigação TAV seria logo encerrada com a absolvição total. Iannini será investigada em La Spezia e depois em Perúgia, por abuso de poder e revelação de segredos profissionais, mas será o próprio Pacini a livrá-la: "Nunca a encontrei nem a conheci". Será absolvida a pedido da própria Procuradoria. Pacini dirá, inclusive, nunca ter conhecido pessoalmente Squillante, mas – acrescentará – em Roma todos sabiam que era um juiz corrupto. Falta entender por que, nas conversas interceptadas pelas escutas, o chamava de "aquele que eu paguei", "aqueles que pegou os 100 milhões".

Um informante para Previti

No dia 19 de fevereiro, os homens do SCO que há três meses interceptam Squillante ouvem, pela primeira vez, a voz de Cesare Previti. Às 8h42min, Pacifico liga para ele, mas Previti não está em Roma, e se encontrarão quando ele voltar. Às 13h38min, Previti liga para Pacifico: voltou, podem se encontrar. Pacifico vai encontrá-lo no seu escritório, na Via Cicerone, 60. Deveria estar, também, Squillante, mas ele não vai. Pacifico volta para o seu escritório, e "Rena'" dá sinal de vida às 17h50min, com o "telefone oculto", para dizer que seu avião aterrissou em Nápoles ao invés de Roma por causa do mau tempo. Deve voltar de trem e, por isso, chegará tarde. Pacifico, enigmático, lhe faz um anúncio de que "a prática da qual falamos começou em janeiro". Squillante liga novamente, sempre do número oculto, oito minutos depois: "Desculpa, pode perguntar a especificação deste de janeiro?". Pacifico: "Não é possível; depois explico para você". Um minuto depois, Pacifico liga para Previti. Depois entra em casa e espera Squillante. Esse, assim que chega à estação, vai ao seu encontro. E fica ali por uma hora e meia.

O assunto é importantíssimo. É justamente naquele dia, de acordo com os investigadores, que Previti comunica a Pacifico (e Pacifico a Squillante) tudo o que soube sobre a infame escuta e a investigação. Pacifico contará aos promotores de Perúgia: "Previti me disse: 'Soube que desde janeiro tem essa investigação que diz respeito a Squillante e, portanto, gostaria de falar com ele'". Mas "Rena'" está trancado por causa do mau tempo, e assim é Pacifico que tem de dar a notícia a ele. Eis o sentido da frase "a prática da qual falamos começou em janeiro", que Attilio lhe antecipou ao telefone. É sobre o que mais conversam naquela noite, pessoalmente, os dois, em uma hora e meia. Seguramente, a investigação vem de Milão. Pacini Battaglia, uns dias antes, disse ao advogado Petrelli ter dúvidas sobre isso, mas que "quem está por dentro disso é o seu amigo". E o amigo – de acordo com os promotores de Perúgia – "deveria ser Cesare Previti". Previti porém, sabe muito mais: é quase certo que já naquele dia ele saiba o nome do "dedo-duro" ao *pool*: Stefania Ariosto.

"Soube por Giorgio Casoli", Previti contará aos promotores de Milão, mas Casoli irá desmenti-lo: "É totalmente falso. Reafirmo ter sabido que Stefania Ariosto estava dando declarações em Milão só ao final de janeiro. Ela me falou sobre isso de maneira geral, e a escuta já havia sido descoberta. Não sei por que Previti me colocou nessa história; não posso fazer nada além de desmentir as suas declarações". Portanto, uma prodigiosa dedução do advogado romano, talvez juntando as escutas do bar Tombini e as suspeitas do *Cavaliere* sobre a escolta armada de Stefania Ariosto? Ou existe um informante no Palácio da Justiça de Milão? Nem Milão, nem Perúgia conseguirão descobrir.

A essa altura, resta a Squillante descobrir dois detalhes importantes: quem é o promotor milanês que investiga sobre ele e de quais crimes o acusa. Descobrirá isso no decorrer de dez dias; o juiz moveu todas as suas peças desde o início, também e principalmente, no Palácio da Justiça de Roma, onde reina e governa há uma vida inteira.

A toga suja e as togas vermelhas

No dia 21 de janeiro, o domingo das escutas, logo que sai do bar Tombini, Squillante vai atrás do procurador da República em Roma, Michele Coiro. Homem considerado exemplar, juiz de esquerda, figura histórica da Magistratura Democrática, Coiro alcançou um lugar importante na Procuradoria depois de ter vencido o recurso junto ao TAR (Tribunal Administrativo Regional) contra a nomeação de Vittorio Mele (que logo em seguida foi recompensado com a promoção a diretor-geral do Ministério da Justiça). Naquele dia, está no pronto-socorro para ser medicado depois de ter sido mordido pelo seu cão e volta para a casa só no fim da tarde. Squillante consegue falar com ele às 19h12min.

"Meu cão me massacrou", explica-se o procurador, mas Squillante tem mais coisas para pensar: "Esta manhã, aconteceu uma coisa muito estranha... eu diria até preocupante". E lhe conta sobre as escutas. Depois, pede "o favor de que você se ocupe disso... para entender do que se trata... enfim, ver o que é... porque por aqui cada um tem a sua teoria... quem são os magistrados? E por quê? Vêm de Perúgia? Ou de onde vêm? Quem são, os serviços? E por que? O que querem de nós? É por causa de Vittorio Virga, que está fazendo confusão nos processos de Berlusconi? Ou é por mim? Ou por Augusta? Ou por quem mais? Enfim, o que posso dizer para você... estamos confusos". Coiro lhe diz para falar logo com o seu adjunto, Vittorio De Cesare e para "ficar tranquilo": qualquer um que tenha colocado as escutas, trata-se de "canalha" e se prolonga em uma consideração significativa sobre a brigada dominical do bar Tombini: "É claro que queriam atingir o grupo". Squillante pede: "Gostaria que fosse feita uma investigação". E Coiro: "Sim, depois fazemos juntos".

Às 19h24min Squillante liga para Savia: este acredita que quem está sendo espiado seja Virga; "Rena'" o informa ter "falado já com Michele", mas "é melhor que isso fique entre nós... máximo cuidado". Às 19h29min, Squillante liga para De Cesare, que não está em casa. Às 19h41min liga para Augusta Iannini: "Descobriu alguma coisa? ". E ela: "Não... posso dizer somente isso – o tanto que acho que podemos falar livremente ao telefone [*sic*] – o que me disse o nosso amigo Roberto [Napolitano]: a sua irmã que saiu antes de nós... viu que estavam nos filmando... e não entendi que porra ela tem a ver com isso". A juíza das investigações preliminares não está nem um pouco preocupada e cai na risada: "Vão te espiar... eu sou uma pobre juíza que não importa nada... você, meu querido, é importante... é uma autoridade".

Assediado por Squillante, Coiro cede. Abre um processo com a hipótese de interceptação não autorizada e, com a justificativa, começa a pedir informações e a perícia das escutas, mas não chega a nada. Squillante liga para ele, novamente, dia 29, irritado: "Ouviu que duas procuradorias retiraram? Roma e Perúgia retiraram". Coiro: "Bem, Roma, he, he, he". Squillante: "Porém, Milão não retirou... Como se sai desse impasse... aqui se segue no escuro". Coiro: "Tem de ter um pouco de paciência, Rena'; espero que amanhã demos um passo à frente". Squillante: "Tudo bem, então liga-se para o chefe da polícia, o chefe dos Carabinieri, o chefe da Guarda de Finanças... porque algum deles diz que era regular, não? E então quer dizer que eles sabem... Nossa Senhora!". Cansado de esperar, apela à velha "amizade" de Coiro, lhe pede "um pouco de tranquilidade" e depois lhe dá as instruções: "É necessário se aproximar dos que fazem essas operações... você não poderia fazer outras ligações, ou um fax, respondem, diga alguma coisa, sei lá". E Coiro: "Vamos por instâncias; fique tranquilo, ali nós conseguimos".

No dia 2 de fevereiro, Coiro anuncia a Squillante a solução: "Agora faremos uma interpelação, mas guarde isso para você, não conte a ninguém... Aqueles papagaios dos seus amigos, eles contam tudo para os jornais, inclusive Iannini... Napolitano... uma coisa típica dos bobos da corte". Squillante: "É, eu sei, mas não vi nenhum jornalista, e eu me cuidei, imagina". Coiro: "Não diga a ninguém, mas amanhã peço a interpelação". De fato, no dia 5 de fevereiro, o procurador pergunta ao chefe da Criminalpol Gianni De Gennaro se a polícia tem algo a ver com a história.

No dia 4 de fevereiro, falando com o promotor Antonio Vinci, titular de todas as investigações mais delicadas da Tangentopoli romana, Squillante desabafa. Desde aquele maldito domingo, todos no trabalho fazem de conta que não o conhecem no escritório: "Napolitano fez uma declaração na qual diz que quem estava sempre ali [no bar Tombini] era eu... como se dissesse: engulam essa... coisa de louco... evidentemente, está se borrando de medo... Sim, não havia ninguém, agora é como se eu me encontrasse praticamente com fantasmas lá dentro [do bar Tombini]". Vinci: "As pessoas não têm colhões". Squillante: "Nem digo colhões, meio colhão".

No dia 19 De Gennaro leva a Coiro uma nota oficial da Criminalpol: "A escuta em questão foi utilizada legitimamente por essa instituição. Com relação a isso, não é possível fornecer mais informações a fim de evitar a violação do segredo de justiça". Adianta que a interceptação naquele ambiente era legítima, isto é, regularmente autorizada por um magistrado; a investigação de Coiro deveria ser encerrada naquele instante, mas Squillante pressiona, e Coiro prossegue. Pede (secretamente) cópia da medida de autorização da Procuradoria "mandante". No dia 26 de fevereiro, a polícia responde que não pode por "exigências ligadas ao segredo de justiça", enquanto todas as procuradorias "indiciadas" retiram. Todas, exceto uma: Milão.

Coiro então liga para Borrelli, pedindo notícias corretas. Borrelli responde com uma mentira necessária: "Nenhuma investigação sobre juízes romanos; nós não temos nada a ver com as escutas". "Coiro", lembra hoje o procurador de Milão, "não me perdoou e isso ainda me dói. Entendeu aquela minha resposta como uma falta de confiança, mas, para nós, era muito importante manter segredo e, a partir da leitura das interceptações entre ele e Squillante, acredito ter feito bem em não lhe dizer nada. Coiro foi a cara da Magistratura Democrática, mas, nos últimos anos, tínhamos a impressão de que ele estava mudado. Talvez estivesse cansado de lutar". O *pool* "escuta" ao vivo as afetuosas ligações entre "Miche'" e "Rena'" e decide não arriscar.

No dia 27 de fevereiro, às 18h57min, Squillante liga para o amigo promotor Francesco Misiani, chamado de Ciccio, outro magistrado da Magistratura Democrática que vem da extrema-esquerda: "Novidades? ". Ciccio tem notícias decepcionantes: "Michele me disse que, na prática, deve saber da história". Em 27 e 28 de fevereiro, Squillante fala com o magistrado De Luca Comandini (também da MD). Principalmente, no dia 28, recebe uma ligação de Silvio Berlusconi, que quer uma resposta para a oferta de candidatar-se pelo Força Itália. Squillante responde não: foi o filho Fabio a desaconselhar, para evitar se expor demais. O mesmo Fabio – conta a mãe a uma amiga dia 8 de janeiro – "se afastou por um período porque não compartilhava que os pais se dessem com Paolo e Silvio Berlusconi". Enfim, não se faz nada.

No dia 29 de fevereiro, a esposa de Squillante, Liliana Franco, fala com outra amiga e se irrita com Coiro: "Não quer fazer as investigações... Não é devagar, é um cretino". Não sabe que, naquele momento, o procurador está colocando, definitivamente, a sua carreira em perigo, aproximando-se – durante um congresso na sala do Cenacolo de Montecitorio - do colega milanês Francesco Greco. O que fizeram, poucos minutos antes, Misiani e De Luca Comandini, esperando arrancar-lhe alguma notícia sobre as escutas, em nome de um mal-entendido conceito de amizade.

Três juízes curiosos demais

Misiani e Greco se conhecem de longa data: Greco iniciou a sua carreira em 1978 como auditor judicial justamente no seu escritório. Comandini e Greco são colegas de curso. Todos os três estão inscritos na Magistratura Democrática, assim como Coiro, mas quando, um por vez, se aproximam para "sondá-lo" sobre as escutas, Greco se torna uma esfinge. Não trai emoções, nega tudo e se afasta. No dia 1º de março, quando volta para Milão, os colegas do *pool* já sabem de tudo: poucas horas depois do congresso em Roma, puderam seguir, ao vivo, uma ligação conjunta de Misiani e Comandini para Squillante, mas Greco não sabe que os colegas sabem. Eles fazem uma armadilha engraçada. Convocam-no para comparecer no escritório de Colombo, presentes também Davigo e Boccassini. "Francesco", ataca Davigo, "o que disse a Misiani?". "Nada." "Tem certeza? Me parece que você falou." "Não, me perguntaram muitas coisas, mas eu não disse uma palavra." "Nós já sabemos disso. Os teus amigos Misiani e Comandini ligaram para Squillante para dizer que você tinha ficado mudo e ainda chamaram você de idiota, besta". O "processo" Greco termina com uma grande risada.

Para sua segurança, Greco coloca por escrito o que aconteceu durante o congresso em um relatório de serviço enviado a Borrelli:

> Durante o coffee break, se aproximaram de mim os colegas Misiani [...] e De Luca Comandini [...] os quais, depois de terem me cumprimentado, me fizeram, insistentemente, perguntas sobre a investigação das escutas feitas em um bar de Roma [...]. Misiani me disse que Coiro estava "muito irritado" com Vossa Senhoria [Borrelli] porque, sabendo das fontes confidenciais (Misiani me falou sobre "a polícia e os jornalistas") que a investigação sobre a interceptação era de Milão, não entendia a resposta negativa recebida [...]. Feita essa premissa, Misiani e Comandini me perguntaram sobre o nosso comportamento e sobre os motivos pelos quais, como um escritório, estávamos nos negando a reponder aquilo que para eles era já um fato concreto. Por vezes, demonstrei ignorância sobre o acontecido e, superficialmente, sobre a existência da investigação, procurando em vão mudar de assunto.

Greco não consegue entender por que Misiani e Comandini se preocupam tanto, visto que sobre eles não havia nada. De fato, lhes responde com uma pergunta ingênua: "Por que em Roma vocês se preocupam tanto com essa história? Todos os que vêm de Roma não fazem nada além de perguntar sobre a interceptação!". Nos dias seguintes – revela Greco – "em Milão, me fizeram perguntas análogas, seja o professor Flick, seja a advogada Volo, recebendo a mesma resposta negativa". Flick se tornará defensor de Misiani e Grazia Volo de Previti. Prossegue Greco no seu relatório:

> Quando retomei o trabalho, veio até mim o doutor Coiro, que me fez as mesmas perguntas, acrescentando que podia compreender a resposta negativa de V.S. só se ele próprio fosse investigado. Respondi, como sempre, não saber nada sobre a investigação e ser completamente ignorante

a conversa telefônica. Depois Coiro deixou a mesa dos relatores para se sentar perto dos colegas Misiani e De Luca, com os quais, por aproximadamente meia hora, discutiu animadamente.

"Por sorte, naquele dia, em Roma, não deixei escapar nada", considera hoje Greco: "Conheço os meus colegas do *pool*. Uma palavra a mais e teria sido interrogado por favorecimento; em Milão, com essas coisas não se brinca". De fato, Misiani e Comandini serão inscritos no registro dos investigados por favorecimento pessoal em favor de Squillante (o primeiro será mandado a julgamento e depois absolvido; o segundo, absolvido logo depois a pedido do próprio *pool*). Coiro, não. Não ligou imediatamente para Squillante naquela mesma noite como haviam feito os outros dois.

São 20h33min do dia 29 de fevereiro, e o congresso acabou há algumas horas: Misiani e Comandini ligam juntos para Squillante.

> *Comandini*: "Veio o Greco... que praticamente ficou na defensiva... Passa o Ciccio, rapidinho".
>
> *Squillante*: "Cicciuccio!".
>
> *Misiani*: "É, Renato! Eu disse... é um idiota, ficou nessa... nada é verdade, não sei de nada... negando tudo, na defensiva... [Coiro] estava irritadíssimo, e lhe disse: 'Veja bem, lhe falo como procurador da República, não precisava me dizer', mas Greco respondeu: 'Eu não sei nada, não sei nada, não sei nada e não acredito que seja Milão, porém não sei de nada'".
>
> *Comandini*: "Não, não, é que esse [Greco] é uma espécie de animal".

Outro bar, outra escuta

Nos dias seguintes, Misiani parece ter obtido informações muito precisas de uma fonte (que permaneceu misteriosa) capaz de – de acordo com o *pool* – acessar o registro secreto das investigações da Procuradoria de Milão. Depois, no dia 2 de março, ao meio-dia, "Ciccio" encontra Squillante no bar Mandara na Via San Tommaso d'Aquino, a 500 metros do tribunal. Não sabem, nenhum dos dois, que o homem sentado à mesa atrás deles é um vice-inspetor do SCO, Dario Vardeu, que ouve tudo, armado de microgravadores e descobre, entre outras coisas, ao vivo, que Squillante sabe quem é a promotora da investigação Ilda Boccassini; que pensa em se apresentar esponamente a ela; que teme até uma incriminação por associação criminosa (artigo 416 do Código Penal) e lavagem de dinheiro sujo. Misiani parece ainda mais informado do que ele e o tranquiliza: nada de 416, nada de lavagem, a acusação é "só" corrupção (artigo 319). Eis os passos salientes da conversa entre Misiani e Squillante como transcreveram os homens do SCO.

Misiani: "...Ali tinha também um crime menor."

Squillante: "Mas você viu no registro dos investigados? Tinha algo escrito?".

Misiani: "Não, sim, é um fato de corrupção e basta!!".

Squillante: "... tenho medo pelos filhos".

Misiani: "Veja que a única coisa que pode vir à tona é um... bilhão".

Squillante: "Sim, se vou, digo que joguei algumas vezes [na Bolsa] e depois não tenho mais o que dizer".

Misiani: "Sim, é assim que se deve fazer".

Squillante: "Depois eu, para o ato do IRI (Instituto pela Recontrução Industrial), telefonei por meio do irmão do *Cavaliere* para um encontro com ele... às 2h eu fui... e me disse: 'Ah, como vai?... Pensou bem sobre aquilo?'. Eu queria lhe falar sobre o IRI e lhe disse: 'De acordo com Previti, a coisa não é bem assim'... Não me interessa o que ele diz'... Sobre o ato IRI, havia falado com Maccanico e Amato... até Dini nunca mais... quem vai até ele? Pensei em falar com Buttiglione".

Misiani: "É, sim, é uma pessoa sem interesses".

Squillante: "Vou [talvez até Boccassini] e ouço o que me diz... não poderá negar isso a um presidente dos magistrados".

Misiani: "Acho que é melhor esperar... Boccassini tem orgulho de fazer assim".

Squillante: "O fato que os meus filhos podem ser chamados me faz enlouquecer".

Misiani: "Ele nem têm como dizer que pegaram dinheiro".

Squillante: "Eu que dei para eles o dinheiro".

Misiani: "E sobre a conta?".

Squillante: "Devem estar procurando... mas não acham".

Misiani: "O advogado tem de dizer quanto tem, como dividiu".

Squillante: "Tem quatro assinaturas".

Misiani: "Entre as quais a de Pacifico... e até a da sua esposa... e quem operou aquela conta, você?".

Squillante: "Não, no início, depois eram eles por conta própria... Aquela do exterior me dizia 'manda isso'... depois não lembro de mais nada porque já faz três, quatro ou cinco anos que não opero mais".

Misiani – sempre de acordo com a transcrição do SCO, depois contestada pelos interessados – parece muito informado também sobre uma conta de Squillante no exterior, na qual acredita ter, no máximo, "um bilhão". Sobretudo, sabe que quem

1996. MÃOS GRANDES   533

opera é o advogado Pacifico (mesmo se depois afirmará que "Pacifico" tem de ser lido com a inicial minúscula, "pacífico", como uma coisa natural, óbvia, clara). O diálogo prossegue com uma discussão sobre o nome do crime e os "prazos" máximos das investigações que, iniciadas oficialmente no final de setembro de 1995, terminam depois de seis meses, ou seja, no final de março de 1996 (inútil prorrogar, agora que o investigado sabe que está sendo interceptado).

> *Misiani*: "Agora acabam os termos".
>
> *Squillante*: "Não, tem um 416, né?".
>
> Misiani: "Não, não tem, é só um 319".
>
> *Squillante*: "Agora é só corrupção [sic]!".
>
> *Misiani*: "Os prazos acabariam em março... não convém que peçam a prorrogação [ainda mais agora que o investigado sabe que está sendo interceptado]".
>
> *Squillante*: "E se não acontece nada eu vou me foder... se a coisa é grave, eu pego a minha família e vou para os trópicos... dou tchau para todos... Berlusconi... e...".

De acordo com a Procuradoria, Misiani sabia até que a investigação tinha sido destinada, além de para Boccassini, para outros quatro magistrados e sabia, sobretudo, da fonte Ariosto. Revela isso uma outra frase: "A que ponto está Stefania...". A essa altura, a investigação secreta está comprometida. O efeito-surpresa caiu por terra, inútil esperar que os investigados deem outros passos falsos. O risco, em vez disso, é que alterem as provas, ou até mesmo que fujam. Os investigadores viram e ouviram o suficiente para comprovar a história de Stefania Ariosto. No bar Mandara – escreverá o magistrado Alessandro Rossato – obtiveram de Squillante, por meio de Misiani, "um tipo de confissão mediada por amplo conteúdo".

Justamente sobre aquela conversa no bar surgiram polêmicas que não acabavam mais. O gravador do vice-inspetor Vardeu chega a estragar. Funciona só por partes, obrigando o investigador a escrever as partes não registradas da conversa em guardanapos de papel. As anotações são feitas junto com transcrições das bobinas, em um relatório de serviço. As partes escritas correspondem a uns dez minutos de conversa, as gravadas correspondem a uns vinte minutos, mas, por um certo tempo, os investigados acreditam que toda a conversa havia sido gravada e só depois descobrirão que não foi bem assim. Afirmarão terem sido enganados. Denunciarão, em Perúgia, o vice-inspetor e o seu colega Stefano Ragone (posto do lado de fora do bar naquele dia) por falsidade em ato público, produzindo uma consultoria técnica para demonstrar que o "som" impresso nas bobinas não correspondem às transcrições. O magistrado determinará uma perícia, que definirá a gravação como "manipulada". Depois, os dois inspetores serão totalmente absolvidos. Colombo e Boccassini serão acusados perante ao Conselho Superior de Magistratura por terem se gabado de terem feito uma interceptação inexistente, mas serão absolvidos.

Conclusão: Vardeu, no bar Mandara, fez o que deveria fazer um oficial da polícia judiciária que, seguindo um investigado, ouve organizar um delito com outra pessoa. Se não funciona o gravador, ouve e anota. "Aquele vice-inspetor", explica Davigo", não fez nada além do seu dever. Aquelas anotações foram inseridas em um relatório da polícia totalmente regular. Aqui, de falso, existe só a acusação que foi movida contra nós".

Assalto na Piazza Clodio

Entre sexta, dia 8, e domingo, dia 10 de março, Pacifico voa para a Suíça, sempre seguido pelos investigadores do SCO à paisana. Primeira etapa, Lugano: às 11h14min, entra na sede da Sociedade do Banco Suíço, se fecha nos escritórios dos andares superiores e sai de lá às 12h10min. Depois, parte para Bellinzona, com destino à agência da Sociedade de Bancos do Ticino (onde serão descobertas as contas de Squillante). Dois dias de muitos compromissos depois, domingo, retorna a Milão e dali pega o voo para Roma. É 10 de março, 22h. Pacifico liga para Squillante.

> *Pacifico*: "Sou eu, como vai? ".
>
> *Squillante*: "Nada mal, e você? ".
>
> *Pacifico*: "Cheguei agora".
>
> *Squillante*: "Ah, sim? ".
>
> Pacifico: "É... nada... tudo bem... fiz tudo. Soube de coisas muito interessantes para... o desenrolar e diria que... muito boas... nas... porém agora, a esta hora, é muito tarde e... amanhã de manhã podemos nos ver?".
>
> *Squillante*: "... Um pouco mais tarde porque eu preciso fazer umas coisas... tenho de ir ao dentista".

É evidente, a essa altura, que o dinheiro dos bancos suíços está voando. É necessário intervir logo. O *pool* pede ao juiz de investigações preliminares Alessandro Rossato a prisão de Squillante e de Pacifico. Rossato assina os mandados no dia 11 de março. Na mesma noite, Boccassini e Colombo partem para Roma: a *blitz* na praça Clodio está marcada para a manhã do dia seguinte.

Ao amanhecer do dia 12, os homens do SCO entram na casa de Squillante. São aproximadamente 7h. Pouco depois, às 8h inicia-se a busca, na presença do advogado Oreste Flamminii Minuto. Depois, todos vão ao Palácio da Justiça, no sexto andar, no escritório do chefe dos juízes de investigações preliminares, enquanto a esposa do juiz responde às primeiras ligações dos amigos atônitos. Às

1996. MÃOS GRANDES

10h49min, liga "Giuliano", isto é, Ferrara; às 10h52min, "Lino", isto é, Jannuzzi; até "Cesare", que dá sinal de vida só às 22h17min para assegurá-la: "Renato é uma boa pessoa".

No entanto, outros investigadores vão prender o advogado Pacifico e fazer buscas na sua casa e no seu escritório. Misiani e Comandini logo são avisados sobre investigação de que cometeram favorecimento e se apresentam espontaneamente aos promotores sem esperar a convocação oficial. Uma hora de interrogatório para cada um com Colombo e Boccassini. Depois, para Comandini, o imediato pedido de arquivamento. Para Misiani, ao contrário, a investigação continua. Da Piazza Clodio saltam negações indignadas de outros juízes que foram citados por Stefania Ariosto (ainda não sabem do álbum de fotos onde eles se encontram imortalizados em alegre companhia). O *pool* esclarece que alguns não foram nem mesmo investigados e para aqueles investigados (Verde, Mele, Valente, Vinci e Sammarco) já havia sido pedido o arquivamento.

Squillante, em um carro da polícia, é levado para a prisão Opera, na saída de Milão. O mandado de prisão do magistrado Rossato impressiona:

> Na qualidade de oficial público, Squillante recebia somas de dinheiro vivo de sociedade com sede em Milão (que no momento não parecia oportuno indicar) por meio de Cesare Previti e Attilio Pacifico, com o objetivo de realizar uma indeterminada série de atos contrários aos seus deveres de ofício enquanto era regularmente retribuído para que colocasse as suas funções a serviço dos interesses dos distribuidores, em violação dos deveres de imparcialidade, probidade e independência típicas da função judiciária, em todos os procedimentos e em cada outra atividade que fosse pedida, violando além do segredo de justiça, fornecendo as informações que lhe eram pedidas e empenhando-se em intervir junto a escritórios jurídicos com a finalidade de induzi-los a realizar atos contrários aos deveres desses escritórios, de modo a favorecer as sociedades supracitadas, além dos fornecedores.

As "sociedades com sede em Milão que no momento não parece oportuno indicar" são aquelas do grupo Fininvest: ou seja, pertencentes a um dos candidatos à presidência do Conselho nas eleições que acontecerão em 21 de abril, cinco semanas depois das prisões. Por isso, o juiz não revela os nomes, assim como não cita nunca Silvio Berlusconi, mas só "um empresário milanês" que "em torno da metade dos anos 1980 tinha à disposição somas (necessariamente constituídas de fundos extracontábeis) para serem destinadas à corrupção de funcionários públicos, principalmente magistrados", com a colaboração de dois advogados": Pacifico e Previti. Que Berlusconi também seja investigado por corrupção e falso balanço, entendem e escrevem todos os jornalistas.

Dotti, carreira (e história de amor) acabada

A pouco mais de um mês das eleições, a Itália é abalada por uma nova Tangentopoli, que envolve um dos magistrados mais poderosos do país e vê um dos dois candidatos a premier acusado de um crime gravíssimo: a corrupção de juízes para compra de sentenças. O restante fica por conta das atas e das interceptações contidas no mandado de captura e, portanto, imediatamente tornadas públicas. A frase dialetal "Ei Rena', você está esquecendo esse", traz logo à memória a frase "Francesco, do que você precisa?", dita por Franco Evangelisti aos generosíssimos irmãos Caltagirone em uma famosa entrevista a Paolo Guzzanti. No entanto, nos prédios da política, como sempre, não se discute sobre o impressionante quadro de corrupção que emerge dos documentos, mas sobre o *cui prodest* eleitoral, e muitos acham cômodo apresentar a coisa como uma "guerra entre procuradorias" (após terem repetido por anos que "os magistrados se protegem entre si"), inclusive na centro-esquerda, onde as reações orientaram-se por um misto de prudência e embaraço. Folema teme "uma nova campanha eleitoral com interferências da instrumentalização de atos judiciários". Flick, aspirante a ministro da Justiça e defensor de Misiani, lamenta "a justiça-espetáculo e o excesso de interceptações". Emanuele Macaluso está preocupado, mas pelas próprias razões: "Vejo uma situação ruim. D'Alema tenta sair desse embate, mas, infelizmente, já é tarde. Agora, aquela parte da sociedade que queríamos trazer para o nosso lado, aquele burguês disposto a vir até nós, diante do que está acontecendo, desaparecerá" (*La Stampa*, 16 de março).

O Polo, por sua vez, parte com unanimidade para o enésimo ataque aos magistrados (de Milão, naturalmente): "Prisões políticas", "Começou a campanha eleitoral", "O *pool* vota contra o Polo". Para Filippo Mancuso, "Squillante é um juiz honesto, íntegro". Berlusconi compara o *pool* ao bando dos assassinos do "Uno branco": "Aquele caso mostra que, na polícia, assim como na magistratura, há cadáveres debaixo do tapete" (14 de março). Fini logo se afasta dele: "Aquela frase não me agradou". Um minuto depois, como se nada tivesse acontecido, o *Cavaliere* apresenta à imprensa as últimas aquisições da "equipe" azul: um robusto grupo de intelectuais "liberais" que decidiu "entrar em campo" para incrementar o prestígio do partido que candidata novamente Previti e estava prestes a candidatar Squillante. "É um fato histórico", exalta Berlusconi, circundado pelos seus "professores": Pietro Melograni, Vittorio Mathieu, Giorgio Rebuffa, Renato Brunetta, Lucio Colletti e Marcello Pera. Nenhum dos "liberais" tem nada a dizer sobre a operação policial do dia anterior. Em compensação, Pera tem palavras duras contra "a cultura liberal falsa e vil encarnada pelo senador vitalício Norberto Bobbio".

Dentre os nomes omitidos no mandato de Rossato, além da testemunha Ômega, há também uma "testemunha Sigma". Não é difícil entender que se trata de Vittorio Dotti. No dia 8 de março, quatro dias antes da blitz, Davigo e Boccassini pediram-lhe para confirmar ou desmentir o que afirmava Stefania: que ela lhe havia confidenciado ter presenciado a entrega de dinheiro de Previti aos juízes

1996. MÃOS GRANDES 537

romanos. Dotti-Sigma confirma: "Ariosto havia mencionado isso havia alguns anos, em um contexto coloquial e de natureza confidencial [...], citando o nome de alguns magistrados envolvidos naquelas relações com Previti", começando por Squillante. Todos são fatos, de qualquer forma, de que "não tenho conhecimento diretamente": quando eles ocorreram, Dotti não estava presente. Casoli também confirmará que Stefania havia-lhe contado tudo desde o fim dos anos 1980, na época em que ainda não havia suspeitas.

Dotti é, hierarquicamente, o número dois do Força Itália: desde sempre liberal (mas votava como republicano), é chefe de grupo na Câmara e candidato com ótimas chances (patrocinado pelas "pombas" [os conciliadores], em oposição aos "falcões" [os radicais] de Previti) para o cargo de coordenador nacional, que corresponde ao papel desenvolvido nos outros partidos pelo secretário e que, atualmente, está nas mãos de Previti. Berlusconi conhece-o há 16 anos. Dotti conta:

> Em 1980, o *Cavaliere* construía edifícios, e eu era um advogado especialista em direito de falência. Havíamos sido apresentados por Dell'Utri, meu ex-colega da faculdade. Berlusconi pediu-me para dar uma olhada na questão da falência do grupo Caltagirone: queria comprar seus imóveis para expandir-se na capital. Desde então, acompanhei todos os negócios mais importantes do grupo Fininvest: La Cinq, na França; Telecinco, na Espanha; e também Rete 4, Italia 1, Standa, Mediaset, Mondadori. Acompanhei nos jornais apenas a batalha judiciária sobre o "laudo" Mondadori: aquela aconteceu em Roma, então suponho que tenha sido Previti quem se ocupou dela.

São dias difíceis para Dotti. No dia 14 de março, entrevistado por Biagi para a RAI Uno, dispensa Stefania Ariosto ao vivo na TV: "A nossa história já acabou". Ela nunca o perdoará por isso. Previti, por sua vez, pede a sua cabeça com palavras fortes: "Comportamento inexprimível, no mínimo; Dotti que saia de cena". Depois anuncia o programa do Polo em caso de vitória: "Desta vez, não faremos prisioneiros". Berlusconi convoca Dotti à sua residência na Via dell'Anima: "Vittorio, agora você sabe o que fazer". Demitir-se? Não, pior: escrever uma declaração de total dissociação de Ariosto, para jurar que suas declarações "são fantasias, calúnias, mentiras". Dotti responde que não pode "nem confirmá-las, nem desmenti-las". E despede-se do *Cavaliere*: "Decida você". Não tendo coragem de expulsá-lo, Berlusconi anula no último momento a sua candidatura: "Decisão imprescindível", explica, "nossa relação estava deteriorada". Em seguida, Lamberto Dini propõe a Dotti que se candidate pelo seu "novo" partido, Renovação Italiano, aliado do Ulivo. No entanto, as objeções feitas por Prodi e D'Alema acabam com seus planos. Para o grande advogado, é o fim da carreira política, mas também uma perda profissional e econômica enorme: a Fininvest retira-lhe todas as atividades legais, que compunham três quartos de suas funções.

Como se desmoraliza uma senhora

Stefania Ariosto passa por uma situação ainda pior: será, durante meses, até anos, alvo de ameaças pessoais e de desmoralizações públicas como jamais visto. Uma pequena antologia dos epítetos que lhe atribuíam o assim chamado Polo das Liberdades e seus relacionados: "Pompadour" (Piero di Muccio), "mitomaníaca" (Berlusconi), "exaltada" (Biondi), "boquinha de rosa e também Sra. golpe" (Pisanu), "informante da polícia" (Mariano Squillante), "cortesã" (*Il Foglio* e Ombretta Colli), "mulher excêntrica, com síndrome de protagonista e complexo de Erostrato" (Luciano de Crescenzo), "serial killer e aventureira" (Silvana Pompili, esposa de Previti). A esposa de Cesare jura que Stefania jamais pôs seus pés no Circolo Canottieri Lazio; então, não pode ter visto nada e, de qualquer forma, "é muito míope" (denunciada por calúnia, a testemunha Ômega será absolvida: conforme os juízes, está provado que frequentava o Circolo). Memmo Contestabile põe mais lenha na fogueira: "Ariosto é uma mitomaníaca, diz ter tido três filhos mortos, mas nada disso é verdade". (No entanto, é verdade: Stefania perdeu os três filhos por fibrose cística; chamavam-se Alfonso, Fabio e Domizia; Contestabile será condenado no tribunal a ressarci-la pelos danos.) E por fim um elegante *calembour* de Giulio Maceratini di An: "Dotti é um cavalo de tróia, e a senhora Ariosto não entra". Sgarbi ataca-a todas as noites na TV, seguido por Fede e Paolo Liguori (companheiro da advogada Grazia Volo, que defende Previti). Ferrara e Jannuzzi, íntimos de Squillante, insultam-na nas revistas *Foglio* e *Panorama*.

Os agentes de mídia da Fininvest encontram logo um modo de desviar o tiro e, novamente, fazer o primeiro movimento no jogo. No dia 15 de março, *Il Foglio* e o TG5 anunciam juntos que, em Palermo, os nomes de Berlusconi e de Dell'Utri constam no registro de investigados, mesmo que com a identidade preservada (referidos como XXXXX e YYYYY), por concurso externo em associação mafiosa e lavagem de dinheiro. A notícia é verdadeira: o vazamento das informações da Procuradoria em benefício de dois jornalistas da Fininvest é preciso. De nada serve a tentativa de desmentir a notícia do procurador Caselli, que tinha decidido dar a máxima reserva ao caso (tendo, até mesmo, omitido os nomes dos dois investigados nos registros), justamente para evitar especulações pré-eleitorais. Berlusconi logo vocifera sua resposta: "A enésima interferência judiciária programada na campanha eleitoral, uma manobra articulada que, de norte a sul, tenta destruir a minha imagem. É mais do que um conflito de interesses: seria necessária uma lei para proteger a Fininvest de todos os prejuízos que sofreu desde que eu entrei na política".

No entanto, Stefania Ariosto não está disposta a passar por louca visionária. Dessa forma, apresenta-se à redação do *l'Espresso* com seus álbuns de fotografias e entrega-os à vice-diretora Chiara Beria di Argentine. O jornal publica-os em quatro partes e vende como água: aquelas fotos dizem mais do que muitas declarações. A visão daquele bando de gente que fazia negócios escuros, políticos, empresários, advogados, juízes e juristas com companhias femininas, imortalizados ora em smoking nas festas para Craxi, ora em camiseta de remador e boné branco sobre os barcos, ora nos salões, ora nas reuniões de partido, ora nas estreias do Scala, tudo isso dá bem a ideia do mundo do qual Stefania fugiu.

No dia 23 de maio, um mês após as notícias do *l'Espresso*, um incêndio criminoso destrói a casa de Chiara Beria, na colina de Camaiore. Naquele mesmo dia, o jornal foi às bancas com o título "Força, Ilda" e a fotografia da promotora Boccassini na capa. A Liga Norte, com o ex-subsecretário Borghezio, fala de "atentado de cunho mafioso" e intima o governo a verificar se "teria relação com a recente investigação sobre os negócios suspeitos de um *pool* de magistrados e advogados romanos junto com notórios expoentes políticos e empresariais". As investigações da Procuradoria de Luca chegam rapidamente à pista de que se trataria de retaliação pela atividade da jornalista. Essa, saindo do interrogatório, declara: "Eu teria muito para contar sobre o que eu e minha família temos passado nestes meses, mas, por respeito aos magistrados, prefiro dizer apenas a eles". Não se conseguirá descobrir nada sobre aquele atentado.

Roma contra Milão

Como Previti se defende? Jogando a coisa na política. Acusando o *pool*. Dizendo que "Renato Squillante é um cavalheiro que está preso culpado apenas de ser meu amigo" e prometendo até mesmo mandar para a cadeia "quem o tratou assim". Ariosto seria uma "caluniadora manipulada", uma "testemunha combinada" pela Procuradoria de Milão, uma "mitomaníaca" que, ainda por cima, "sofre de uma forte miopia" e, portanto, não pode ter visto aquilo que afirma. Com ela – jura Previti – nunca houve uma "relação estreita"; aliás, a relação entre eles era quase inexistente. No entanto, ela, além das fotos, revela uma carta:

> Carissima Stefania, agradeço de coração pelo presente [uma bandeja de prata], que é realmente fantástico. Você exagerou mesmo, considerando que o pouco que posso fazer por você se dá por laços de afeto que independem de qualquer ato material. Obrigado novamente. Um caloroso abraço, Cesare.

Está datada do dia 3 de abril de 1987, sem dúvida assinada por Previti e endereçada a Stefania Ariosto.

Previti afirma que a mulher "nunca pôs os pés na minha casa na Via Cicerone, 60, nem no Circolo Canottieri Lazio", mas, no Circolo, sua versão é desmentida por vários relatos e por um sócio do clube, entrevistado em 2002 por Michele Santoro no programa Sciuscià e, na Via Cicerone, é desmentido por Giorgio Casoli, que lembra: "Fui algumas vezes com Stefania à casa do advogado Previti, na Via Cicerone, em cima do seu escritório". Previti nega ter tido um relacionamento com Carla Ariosto, irmã de Stefania, mas Stefania, revirando novamente seus álbuns, encontra fotografias dos dois juntos. Carla Ariosto confirmará ter tido uma relação com Previti.

Por fim, Previti nega categoricamente possuir contas no exterior, mas logo encontrarão uma. Conta essa, além do mais, que fazia transações com uma conta da Fininvest e uma de Squillante.

As polêmicas sobre a enésima "invasão de campo" do *pool* no território da política parecem um pouco destoantes, logo que surgem os nomes dos defensores dos vários investigados. O advogado-deputado-investigado Previti é defendido pelos advogados-deputados do Força Itália Michele Saponara e da Aliança Nacional Ignazio La Russa (este último logo será eleito presidente da comissão das autorizações para proceder do Montecitorio, em que deverá se pronunciar sobre um pedido de prisão para seu cliente). Squillante é defendido pelo advogado-deputado Gaetano Pecorella (Força Itália), ex-presidente das Câmaras Penais, que depois passará a defender, neste e em outros processos, Silvio Berlusconi.

A transversalidade dos personagens envolvidos no escândalo das "togas sujas" desorienta os esquemas consolidados também na sociedade civil, na informação e na própria magistratura. Rena' é defendido não apenas pelos velhos craxianos, mas também por progressistas, como Francesco Rosi. Nesse meio-tempo, os magistrados de esquerda "Ciccio" Misiani e "Miche'" Coiro são adotados como mascotes tanto pelo jornal *Foglio* (normalmente alérgico às "togas vermelhas") quanto por *Il Manifesto* (que publica os textos dos dois desde os anos 1970). Naqueles dias, justamente em *Il Manifesto*, Rossana Rossanda ataca Borrelli, acusado de ter mencionado Michele Coiro nas investigações. O escritor Luciano De Crescenzo está tão convencido da inocência de Rena', que chega a passar dos limites em declarações imprudentes, do tipo:

> Vive em um apartamento alugado. Não tem barcos, não tem luxo, nem ao menos de longe tem a vida de alguém que recebe propinas [...]. Há quem diga que Squillante não sairá vivo de lá. Perdeu sete quilos. Imaginem o que é ser acusado injustamente após quarenta anos a serviço do Estado. Dizem que é corrupto, mas não dizem quem o corrompeu... Os erros judiciários estão na ordem do dia: lembram-se de Gabriele Cagliari, que foi preso mesmo sendo inocente e se suicidou na cadeia? [...] A prisão de Renato é uma grave injustiça. Apenas uns juízes de Milão acreditariam nessa história. As mãos até podem ser limpas, mas os métodos são sujos!

Menos de um mês depois, esse retrato se revela definitivamente minimalista. Eis uma crônica do *Il Messaggero*:

> Vinte anos atrás, Renato Squillante já possuía um barco, e não era um barquinho qualquer. Estamos falando de um *ketch* oceânico *old style*, de fina confecção inglesa, todo em mogno e teca, de nome misterioso e exótico *Rauma*: um motor bicilíndrico de 19 metros, 30–40 milhões da época, hoje ao menos 250 milhões [...]. O titular do luxuoso barco era

seu filho, Mariano, na época um jovem estudante, supostamente sem renda que justificasse a posse de uma embarcação desse valor.

O juiz havia até mesmo emprestado o barco à cineasta Lina Wertmuller para a gravação de um filme. Após algumas semanas, serão tornados públicos os extratos das suas contas na Suíça: um rio de milhões.

Tudo começou em Turim

Quando fazem uma busca no apartamento de Squillante, os homens do SCO encontram um envelope marrom exposto sobre a prateleira de uma estante de livros: tem toda a cara de estar ali de propósito para ser encontrado. Contém a papelada de uma investigação sobre o escândalo Safim Leasing que mencionou Squillante e que ficou por alguns anos transitando entre Turim e Perúgia. No verso do envelope, o chefe dos juízes das investigações preliminares escreveu com caneta os pontos mais importantes do arquivo e anotações sobre uma visita secreta, aquela feita no dia 26 de abril de 1995, junto com Michele Coiro, ao escritório do comandante geral dos Carabinieri Luigi Federici, para pedir-lhe que afastasse da Procuradoria de Roma o tenente-coronel do ROS Enrico Cataldi, que tinha realizado investigações nos bastidores do caso Safim Leasing. "Com o doutor Coiro", diz o apontamento, "fui até o comandante geral da Arma dos Carabinieri para protestar quanto à ação do major Cataldi, dizendo que seu comportamento deveria ser avaliado após o fim das investigações".

Cataldi, em quase vinte anos de atividade, acompanhou quase todas as investigações mais delicadas na capital: das Brigadas Vermelhas ao delito Pecorelli, das propinas da ACEA às do Oltrepò pavese, dos fundos irregulares do SISDE aos do IRI, dos "prédios de ouro" ao emaranhado Italsanità–Efim–Safim, até os tráficos do corretor da bolsa Giancarlo Rossi (amigo de Previti, Dini e muitos outros). É considerado um detetive hábil e determinado que, durante sua carreira, pisou nos calos de muitos poderosos, mas há uma coisa específica pela qual muitos não o perdoam: ter sido o primeiro a juntar acusações precisas sobre a corrupção no Palácio da Justiça de Roma, e isso em um tempo em que não havia suspeitas. Desde fevereiro de 1993, quando Berlusconi era apenas um empresário, o Força Itália ainda não passava de um plano dele e de mais alguns e até mesmo no "porto das neblinas", havia alguém que "brincava de Di Pietro".

Tudo começa em outubro de 1992, quando Cataldi dá uma mão aos colegas do departamento anticrimes dos Carabinieri de Turim, que investigam as relações entre alguns clãs criminosos e duas sociedades do grupo Efim (a "instituição parasita" das participações estatais, conhecido feudo andreottiano): a Safim Leasing e a Safim Factor. Nesse meio-tempo, também em Roma são conduzidas investigações sobre essas duas sociedades. Partindo do escândalo Italsanità (a sociedade IRI que alugava residências para idosos a preços inflados), a Guarda de Finanças e a Procuradoria se enfrentam no gigantesco buraco da Efim. Descobrem notas frias que encobrem centenas de bilhões, emitidas – para criar fundos irregulares e pagar propinas – justamente pela Safim Leasign e pela Safim Factor.

Dentre os personagens envolvidos no escândalo, destacam-se o vice-presidente da Efim, Mauro Leone (filho do ex-chefe de Estado), seu amigo Guiseppe Ciarrapico (então presidente da A.S. Roma), o ambicioso especialista em finanças Marco Squatriti (dito "Squatriarcos", primeiro marido de Afef, a futura esposa de Tronchetti Provera), Dario Barbato (administrador responsável da Safim Leasing e diretor-geral da Safim Factor) e o contador Paolo Domenico Mercogliano (diretor comercial da Safim Leasing). O caso é seguido pela juíza das investigações preliminares Iannini e pelo promotor Vinci. Este último adora que o chamem de o "Di Pietro de Roma", talvez para squecerem seu passado. Foi ele, em 1985, que arquivou a investigação sobre os fundos irregulares do IRI, roubando-a da Corte de Cassação em Milão. E foi ele novamente, em dezembro de 1992, na investigação sobre os fundos irregulares do SISDE, que restituiu repentinamente ao então diretor Angelo Finocchiaro os 14 bilhões apreendidos das cadernetas de poupança de cinco funcionários infiéis.

No caso Efim–Safim, Vinci também se comporta de modo estranho: das notícias publicadas nos jornais, surge um grande volume de provas de crimes gravíssimos, de fazer imaginar iminentes operações policiais de níveis extremos. No entanto, nada acontece: o promotor, no final de setembro, limita-se a prender Barbato e Mercogliano, os peixes pequenos. Até que, um belo dia, o coronel Cataldi descobre, ou acredita ter descoberto, o motivo.

"Antonino, você acha que é Di Pietro?"

Eis o que conta Cataldi:

> Entre os dias 4 e 5 de novembro de 1992, vêm a mim duas fontes cuja identidade nunca poderei revelar: a primeira, que chamarei de Alfa, eu definiria como muito confiável; a segunda, Beta, muito respeitável. Alfa revela-me que alguns dias antes, em 31 de outubro, encontrava-se no Palácio da Justiça de Roma, na pequena antessala que separa o corredor do escritório do promotor Vinci e onde há a máquina fotocopiadora. Dali, sem ser visto, presenciou casualmente uma conversa no corredor entre três importantes magistrados da Capital: o próprio Vinci, Squillante e Savia.

Squillante chama Vinci fora do escritório para dizer-lhe uma coisa importante. Depois dirige a ele palavras duras acerca de uma investigação (Safim ou "prédios de ouro", que inclusive tem dominado os jornais naqueles dias): "Mas como!? Você não fez porcaria nenhuma por sete anos e agora colocou isso na cabeça! Prender todo mundo! Quem você acha que é? Di Pietro? Aqui você está no meio de um problema institucional. Não vai prender um, mas cem, mil". Vinci defende-se:

1996. MÃOS GRANDES
543

"O quer que eu faça? Aqui, se você prende um, ele abre a boca logo". Squillante: "Daí você o solta". Vinci: "Mas tem a Guarda de Finanças, que fez a averiguação e encontrou todas as evidências". Squillante: "OK, a Guarda de Finanças fica para Orazio". Ou seja, Savia, que se ocupou muitas vezes de crimes fiscais e financeiros e tem ótimos contatos na Guarda de Finanças. O sentido do discurso de Vinci é claro: ele não quer descobrir nenhum crime, mas o efeito Mão Limpas é tamanho que os investigados logo confessam. "Squillante", explica Cataldi, "pedia, em resumo, que, com uma atividade de prorrogação, atrasasse uma certa investigação, prometendo ocupar-se dela no escritório dos juízes das investigações preliminares. O meu informante ficou consternado, incrédulo: 'Se pode ir para frente assim, Cataldi? No que devemos acreditar? O que devemos fazer?'".

Logo depois da fonte "confiável" (provavelmente um oficial da polícia judiciária), apresenta-se a Cataldi a fonte "respeitável" (provavelmente um magistrado). Esta última também pede anonimato absoluto:

> Beta disse-me que Augusta Iannini havia reclamado de Vinci pela sua inércia investigativa no caso Safim: com todas as provas que haviam sido coletadas, Vinci deveria ter pedido a prisão de Leone, Ciarrapico, Squatriti, mas não o fez. Além disso, Iannini denunciava os contínuos, sistemáticos e criminosos vazamentos de informações: os advogados e os jornais sabiam demais, e as indiscrições pareciam feitas de propósito para alertar os investigados. Ainda conforme Beta, a juíza suspeitava de manipulações para alterar as provas e torná-las mais favoráveis aos investigados. Tanto é que, junto à colega juíza das investigações preliminares Adele Rando, havia escrito uma carta para enviar ao chefe, Squillante, para denunciar a situação.

Ninguém sabe que fim teve aquela carta. A fonte Beta, então, conta a Cataldi as consequências do que a fonte Alfa viu: as manipulações entre Squillante e Vinci para encobrir ou ao menos obstruir as investigações mais graves. De fato, no início de novembro, Vinci pede e obtém a prisão domiciliar de Barbato e Mercogliano e, logo em seguida, surge uma nova e forte confirmação sobre as suspeitas das duas fontes: uma conversa interceptada entre dois personagens investigados exatamente por aquele caso. O próprio Cataldi se ocupará disso.

O oficial não confia nos chefes dos escritórios judiciários romanos; portanto, relata tudo ao seu superior, o general Mori. Depois, no dia 13 de novembro, encontra o procurador adjunto de Turim, Marcello Maddalena, que veio a Roma para outras investigações, conta-lhe o que descobriu na semana anterior e propõe-lhe seguir mais de perto as investigações de Turim sobre a Safim Leasing. Maddalena aceita. O juiz de investigações preliminares de Turim, sob pedido da Procuradoria local, autoriza o oficial a interceptar chamadas dos celulares de Barbato e Marcogliano; depois, no dia 17 de fevereiro de 1993, manda-o prendê-los novamente. Barbato, algemado, começa a aludir às coberturas político-judiciárias que impedem que a investigação sobre a Efim em Roma alcance os níveis superiores. Em 20 de fevereiro, interrogado pelos promotores de Turim, declara: "Eu soube de Giovanni Lombardi Stronati, braço direito do advogado Marco Squatriti, que este último teria pago 400 milhões de liras ao promotor de Roma Antonino Vinci".

Em meados de março, a fonte Beta volta a se pronunciar: adverte Cataldi de que, pressionado pelos atos dos "turineses", Vinci havia decidido pedir a prisão de Ciarrapico, Leone e outros, inclusive Barbato; o juiz de investigações preliminares aceitou, mas Squillante fez com que a Guarda de Finanças adiasse em um dia as prisões, para que aqueles que tinham fugido pudessem voltar e entregar-se voluntariamente. No dia 15 de março, Barbato, que colabora com os investigadores turineses, liga para Cataldi: "Depois de amanhã, Lombardi Stronati vem me encontrar. O que devo fazer?". Ótima ocasião para fazê-lo falar da suposta propina a Vinci. Cataldi, por ordem da Procuradoria de Turim, espalha várias escutas pela casa de Barbato, um ático de duzentos metros quadrados no bairro romano Vigna Clara e coloca a central de escuta no banheiro da suíte: dali, sentado sobre a banheira, no dia 17 de março, o oficial escuta a conversa ao vivo.

Barbato é muito habilidoso: faz a Squatrini um discurso sobre um Vinci corruptível ou, ao menos, acessível ("Uma pessoa que dava para alcançar"), mas o colaborador de Squatriti corrige-o: "Não, era por meio do juiz de investigações preliminares... devo ter-lhe dito 'não se preocupe com Vinci, porque tem o chefe dos juízes das investigações preliminares, Squillante, que o conhece bem'". A "amizade" de Squillane é fundamental, pois, explica Stronati, "se Vini propuser a prisão, e o juiz disser: 'Não, não faça isso, não vou aceitar, de qualquer forma', não haverá excessos". Portanto, Barbato havia entendido mal quem era o destinatário da eventual propina: se houve corrupção, teve relação com Squillante, que então se ocupou de calar Vinci. Qual foi o meio de comunicação? Conforme Stronati, havia um "advogado que fazia o papel de intermediário". Quem? Barbato revela-o em um interrogatório posterior:

> Agora declaro que o intermediário da entrega do dinheiro foi o advogado, o que se evidencia pelas alusões de Stronati: são dois os advogados de Squatriti: *Striani* [provavelmente Carlo Striano, conhecido advogado da área social] e *Previdi* [Previti]. Tenho certeza de que as alusões de Lombardi Stronati eram no sentido de que o intermediário no pagamento ao juiz foi o advogado deles [...]. Quando as vozes se sobrepõem e cito o intermediário, Stronati diz-me com todas as letras que o advogado havia feito o papel de intermediário com os juízes.

Qual era o objetivo da propina? Quem o explica é Tommaso Olivieri, colaborador muito próximo de Barbato:

Em setembro de 1991, Squatriti convocou-me – provavelmente havia também Lombardi Stronati – [...] e disse que havia conseguido bloquear a emissão de uma ordem de prisão cautelar. Sei que Squatriti tinha relações muito estreitas com os seus advogados Previdi e Striano. Soube que estes haviam interpelado Squillante para que essas ordens de prisão não fossem emitidas. Os discursos de Squatriti e de Lombardi indicavam que aquelas intervenções junto ao juiz Squillante haviam acontecido por aquela época, no início do outono de 1991. Falavam de intervenções duras, ou seja, de dinheiro. Falava-se de centenas de milhões [...]. A intervenção era junto a Squillante [...]. A soma havia sido dada pelos advogados [...]. Barbato contou-me que o dinheiro chegava também ao Dr. Vinci; Lombardi Stronati havia-lhe dito isso. Falou de uma cifra de cerca de 400 milhões [...]. Logo após aqueles discursos, chegaram as intimações judiciais.

Não as prisões, que foram adiadas por vários meses. Muitos louvores ao efeito surpresa. Sobre esses e outros mistérios, em 1993, a Procuradoria de Turim envia os atos à Procuradoria de Perúgia, que não consegue resolvê-los. Antes de investigar Vinci por corrupção, a Procuradoria convoca-o como testemunha e lhe informa sobre a interceptação que o acusa. Depois, investiga Barbato por calúnia, pois, nesse meio-tempo, Vinci o denunciou, mas a Procuradoria competente nesse caso é a de Turim (se houve calúnia, ocorreu lá), que pede de volta os atos. Perúgia, em vez de enviar uma cópia e prosseguir as investigações sobre a hipótese de corrupção, envia o arquivo inteiro e fica à espera. Em 1995, Barbato é absolvido em Turim: não caluniou Vinci, mas limitou-se a relatar de boa-fé informações que soube por meio de outros (Stronati). Por sua vez, não acontece nada em Perúgia sobre as supostas propinas. Tanto é que, no outono de 1995, no auge das revelações de Stefania Ariosto, Ilda Boccassini vai sem que ninguém saiba a Turim para encontrar Maddalena. Volta para Milão com a cópia da papelada de Turim sobre o processo Safim, no qual, pela primeira vez, surgem os nomes de Previti e Squillante: dois anos antes da declaração da testemunha Ômega. Depois, em Perúgia, chegarão novos promotores e novos elementos de acusação. Os três magistrados ouvidos pela fonte Alfa – isto é, Vinci, Savia e Squillante – acabarão sob investigação, como veremos, por uma longa lista de episódios suspeitos. No final das contas, o primeiro morrerá antes do processo, e os outros dois se salvarão por prescrição.

Michele e Renato contra Cataldi

A anotação encontrada no dia 12 de março de 1996 pelos investigadores do SCO durante a blitz na casa de Squillante é clara. Squillante e Coiro pediram juntos a cabeça de Cataldi ao chefe da Arma dos Carabinieri, mas é possível que um homem como Coiro tenha-se prestado a uma operação suja para tirar do seu cargo um investigador inconveniente que apenas cumpre com o seu dever? Em resumo:

Squillante está exagerando ou diz a verdade? Os amigos do procurador, já conturbados pelas interceptações e pela reação de Francesco Greco, esperam a resposta negativa. No entanto, é tudo verdade. Quem confirma são o próprio Coiro e o general Federici para a Procuradoria de Perúgia, em 1996. Os dois, porém, no relato do ocorrido, fornecem versões opostas. Na prática, concordam apenas quanto à data do encontro (26 de abril de 1995) e algumas outras coisas. Conforme o comandante-geral dos Carabinieri, quem solicitou o encontro foi Coiro, anunciando também a presença de Squillante e, durante o encontro a três, apenas o procurador falou, demonstrando "perplexidade" quanto à permanência de Cataldi no departamento anticrimes do ROS de Roma, que trabalhava para a Procuradoria. Squillante não abriu a boca, limitando-se a anuir. Coiro, por sua vez, jura que a iniciativa de ir até Federici foi de Squillante, que pediu-lhe apenas que o acompanhasse. De fato, durante o encontro, falou apenas o chefe dos juízes das investigações preliminares, expondo pessoalmente as reclamações sobre supostas "injustiças" do coronel, enquanto ele, Coiro, mantinha-se calado e afastado. Das duas, uma: ou mente Coiro, ou mente Federici. No fim – e aqui as versões dos dois voltam a coincidir –, o comandante anunciou que, em setembro, Cataldi seria transferido para outro cargo: isso já havia sido previamente decidido. Portanto, a visita dos dois magistrados, na prática, não surtiu qualquer efeito, mas isso também – como descobrirá a Procuradoria de Perúgia – é uma mentira: no dia 18 de abril, oito dias antes da visita de Coiro e Squillante, Cataldi havia sido avisado de sua iminente nomeação como comandante do departamento anticrimes de Roma. No entanto, no dia 13 de julho, dois meses e meio após a visita dos dois juízes ao seu comandante geral, é designado para o comando do segundo departamento de investigação, que não se ocupa das investigações no território de Roma. Coiro e Squillante contentam-se. O carabiniere inconveniente finalmente larga o pé deles e se vai. Chamado pelo Conselho Superior da Magistratura a explicar essa incrível missão, Coiro defende-se misturando mentiras e meias verdades. Diz ter aceitado acompanhar Squillante porque ele também tinha perdido a confiança em Cataldi, que, no passado, teria tentado "prendê-lo" com um "falso arrependido". Quando? No distante ano de 1985, quando o oficial foi mandado por seus superiores e por um magistrado para coletar as confissões de um colaborador de justiça, que mencionava um rumor sobre a conta do então procurador adjunto Coiro, que teria embolsado 50 milhões para encobrir uma investigação sobre drogas. Rumor completamente infundado, visto que o delator, mais tarde, foi condenado por calúnia. Quem desmascarou a mentira foi o próprio Cataldi. Nada que pudesse tirar a confiança que o magistrado tinha nele; muito pelo contrário. Falta ainda entender como foi que Coiro esperou dez anos, até 1995, para fazê-lo pagar. Dez anos durante os quais a Procuradoria de Roma (da qual Coiro tornou-se chefe) continuou ininterruptamente a valer-se de sua colaboração.

Por que, então, Coiro detesta Cataldi? Uma possível explicação será encontrada pelos investigadores do SCO. Quem a entregará involuntariamente a eles será o corretor da bolsa Giancarlo Rossi, preso em 1994 pela maxipropina da Enimont. Rossi também odeia de morte Cataldi; é muito amigo de Previti; conhece bem o procurador-geral Vittorio Mele, que também recebeu dinheiro. O SCO esconde uma escuta no seu automóvel. No dia 3 de março de 1997, ouve-o enquanto conta a um amigo que foi Coiro quem pediu a transferência de Cataldi para fazer um favor a Previti, que havia patrocinado a sua nomeação como procurador de Roma. Verdade? Mentira? Coiro, morto três meses depois, nunca poderá dizê-lo.

Comandini e Misiani, como Coiro, nunca foram alvo de fofocas na vida. O primeiro – como vimos – é o juiz de investigações preliminares que herdou os pedidos de prisão de Letta e Galliani (depois que Iannini livrou-se deles) e recusou ambos. Alguém que não o conhecesse poderia suspeitar de alguma pressão por parte de Squillante, dada a intimidade que liga os dois e a que liga Squillante ao grupo Fininvest, mas ninguém pensa nisso. Comandini é um hipergarantista, e isso basta. Misiani, por sua vez, é namorador, hedonista, não faz segredo de detestar "a tenebrosidade" dos juízes austeros, adora jogos de cartas e a boa vida; é considerado um espírito livre, mas não um grande investigador. Após uma passagem inútil pelo Alto Comissariado Antimáfia liderado por Domenico Sica, faz, a partir de 1992, parceria com Vinci nas investigações mais delicadas da Tangentopoli romana (todas acabadas em nada). Justamente por aqueles dias de março de 1996, esperava tornar-se procurador adjunto em Milão. A decisão do Conselho Superior da Magistratura é aguardada para o dia 13, mas, no dia 12, inicia-se a blitz, e o nome de Ciccio, investigado por favorecimento pessoal, logo é colocado de lado. Isso faz seus velhos e novos apoiadores – de Ferrara a Maiolo – gritarem "prisão programada" para prender não Squillante, mas justamente ele, Misiani, e impedir sua nomeação como vice de Borrelli. Na verdade, como vimos, a blitz era praticamente compulsória, pelo incidente da escuta, pelo vazamento de informações e pela viagem de Pacifico à Suíça.

O estranho caso de Ciccio "toga vermelha"

Misiani está fortemente ligado a Squillante. A partir de sucessivas verificações bancárias, surgirão quatro cheques emitidos por Squillante a favor de "Ciccio": 10 mais 15 milhões em 1993, 15 em 1994, 10 em 1995. Empréstimos para cobrir dívidas de jogo, que, de vez em quando, "Rena'" aumentava, compensando cheques na agência bancária do largo Clodio, ali no corredor onde todos passavam. Misiani admitirá, ao contrário de De Crescenzo, saber que Squillante era rico. Havia-o dito inclusive no bar Mandara, com certo otimismo ("No máximo, encontram um bilhão..."). Ele sabe quando ganha um magistrado; teria alguma vez se perguntado de onde vinha todo aquele dinheiro?

"Eu não achava", dirá depois Misiani na sua autobiografia, *La toga rossa* ("A toga vermelha"), que aqueles bilhões fossem fruto de crimes [...]; no máximo, um pouco de insider trading [que, de qualquer forma, é um crime] ou uma evasão fiscal [outro crime]." E mais: Squillante, como chefe dos juízes das investigações preliminares, tinha a tarefa, conforme o Código Civil, de ordenar a prisão e o julgamento de quem merecesse. No entanto – explica Misiani –, "seu código profissional era o garantismo: odiava a cadeia". E ainda:

> Squillante era tão parte integrante de um sistema do qual havia tirado consideráveis vantagens que, todas as vezes que um homem de poder entrava no circuito da jurisdição, sua reação era imediata: seus julgamentos tornavam-se mordazes. Acusava os juízes que haviam quebrado aquela ordem que ele fazia e desfazia sem preocupar-se com nada.

Em 1995, Misiani pede várias vezes uma ordem de prisão para Craxi, investigado por causa da Intermetro. O escritório do juiz de investigações preliminares recusa-o várias vezes. Será que Misiani alguma vez se perguntou por qual razão?

"Nós não fazemos operações policiais, fazemos prisões apenas em casos excepcionais." É o primeiro comentário de Coiro sobre a operação policial do *pool* no "seu" edifício. Boccassini e Colombo nem ao menos passaram para cumprimentá-lo; memórias do incidente com Greco e de algumas interceptações ("São uns canalhas"). Foram até o presidente da Corte de Apelação e o procurador-geral de Roma, mas não até ele, que continua se lamentando por não ter sido avisado antes da blitz: "Eu, se fosse o contrário, teria avisado". Borrelli responde com uma entrevista ao *Corriere*: por um lado, reconhece que "Roma não é mais o porto das neblinas", mas, por outro, adiciona que "os magistrados romanos sofrem uma pressão atmosférica que, às vezes, pode ser inconscientemente sentida e, outras vezes, pode levar a convivência ou cumplicidade". Coiro rebate: "As palavras de Borrelli são de excepcional gravidade. Na prática, diz que ou somos idiotas, ou somos corruptos. Fomos ofendidos, eu e todo o escritório por um clima e por modos que demonstraram desconfiança em relação à nossa independência e ao nosso trabalho".

Tempestade sobre a corrente

A magistratura, ao menos publicamente, une-se ao redor de Coiro e Misiani (quase ninguém ousa defender Squillante). Apenas o juiz Mario Almerighi – que sofre com os "portos das neblinas" desde a época do escândalo do petróleo em Gênova, em 1973 – destoa dos demais e publica uma carta aberta de gratidão e solidariedade a Borrelli e ao *pool*. A magistratura italiana divide-se transversalmente entre "filoromani" e "filomilanesi". E, dessa forma, também a Magistratura Democrática, corrente à qual se atrelam três dos cinco promotores da investigação (Colombo, D'Ambrosio e Greco), e também Coiro, Misiani e Comandini: o secretário nacional, o turinês Livio Pepino, refuta os pedidos dos romanos de uma prova de solidariedade a Coiro e Misiani. "Nenhuma condenação preventiva, mas nenhuma solidariedade", diz Pepino, "aliás, um explícito distanciamento, comportamento completamente diverso da cultura e dos princípios da Magistratura Democrática".

1996. MÃOS GRANDES

Pepino fala sobretudo de Misiani. Resultado: uma assembleia acalorada em Roma e quatro cartas de desligamento da corrente de inscritos romanos, liderados por Gabriele Cerminara e Gloria Attanasio. Esta última, no fim, irrompe em lágrimas e fala de "assembleia de psicodrama, coisa de Dostoiévski". Maria Cordova, que também está furiosa com Milão, responde a Borrelli anunciando que a grande investigação sobre a informática e as frequências de TV (acusados De Benedetti, Letta e Gallini) está finalmente concluída. "Assim não dirão mais que estamos escondendo-a", protesta Coiro. Os pedidos de julgamento são apresentados no dia 22 de julho de 1996, mas as audiências preliminares serão concluídas apenas no dia 3 de abril de 2001 para as investigações de frequências-Fininvest e no dia 27 de março de 2003 para a investigação Olivetti. Quase todos os acusados serão absolvidos, seja por decisão judicial ou por prescrição.

A ala romana da Magistratura Democrática, ou ao menos a parte mais visível dela, assume uma postura de defesa. No resto da Itália, por sua vez, e não apenas em Turim e Milão, mas também no Sul, a corrente não tem dúvidas e posiciona-se pela "limpeza" iniciada pelo *pool*. Produz-se, assim, um esquema geográfico meio brutal que, nos anos 1970, dividia os magistrados progressistas na luta contra o terrorismo entre "garantistas" e "substancialistas", com a prevalência dos primeiros na capital e dos outros no restante do país. Enquanto os Misiani frequentavam ambientes extraparlamentares e visitavam a China de Mao inebriados pela "revolução cultural", e enquanto os Coiro pregavam a "justiça alternativa" contra a "justiça burguesa" e organizavam a "contrainauguração do ano judiciário", em Turim, os Caselli, os Laudi e os Bernardi; em Milão, os Alessandrini, os Galli, os D'Ambrosio e os Colombo; em Padova, os Calogero enfrentavam abertamente as Brigadas Vermelhas e a Primeira Linha, as tramas obscuras e os poderes ocultos.

Uma coisa, tanto então como agora, é clara: a falta de homogeneidade de uma corrente e de uma corporação que uma certa teoria declarava compacta como uma falange e que, no entanto, demonstra-se também, nesse caso, uma agregação de homens livres, não todos impecáveis, que sabem se dividir sobre as questões fortes, substanciais. Se Pepino enfrenta os romanos, seu amigo e conterrâneo Caselli causa confusão e vai a Roma defender Coiro perante o Conselho Superior da Magistratura.

Para compreender essa mistura de honestidade e inércia, de boas intenções e de mal-compreendido garantismo que caracteriza muitos magistrados da capital, é esclarecedor outro episódio daquele tempo. Quem lembra, consternado, é um promotor do *pool* de Milão. No dia 4 de julho de 1996, acaba na cadeia o juiz Antonio Pelaggi, presidente da oitava seção do Tribunal de Roma, junto com o advogado Giovanni Acampora e o consultor empresarial Sergio Melpignano, por propinas em troca de ajustes de um processo contra o construtor Renato Armellini: "Estávamos em Roma para a prisão de Pelaggi", lembra o magistrado de Milão. "Durante as operações, fui informar Coiro sobre isso. Recebeu-me com um sorriso animado e disse: 'Ainda bem que o prenderam, já roubava havia vinte anos'!

Fiquei chocado. Coiro era o titular da ação penal, tinha o dever de transmitir a notícia-crime contra os colegas à Procuradoria de Perúgia. Evidentemente, ele não o havia feito."

Submetido pelo Conselho Superior da Magistratura a um procedimento para transferência de escritório por conflito de interesses, Coiro rebela-se contra o órgão de autogoverno, justamente ele, que havia feito parte desse órgão como membro de toga. "Poderia ir embora batendo a porta", anuncia, "não deixarei que me processem". Depois, compara seu caso à "caça às bruxas do século 17". Pouco tempo depois, com a permissão do Quirinale, o ministro Flick joga-lhe uma boia salva-vidas: a nomeação como diretor do Departamento de Administração Penitenciária (DAP) poucos dias antes que o Conselho Superior da Magistratura votasse sua transferência de Roma. Embora muitos colegas que o apoiam digam-lhe para não fugir daquele modo, Coiro aceita o salvo-conduto, parando, assim, o procedimento no Conselho. Mais tarde, em um artigo no *la Repubblica*, explica que o fez para "evitar uma resolução traumática do caso" e "facilitar, no Conselho e na Magistratura Associada, uma reflexão aprofundada, rigorosa e pacata sobre os problemas de regulamentação, de prática e de posturas culturais que esse caso evidenciou".

Alguns meses depois, Coiro e Flick tentarão levar também Misiani para o DAP, pois este também se encontra sob procedimento no Conselho Superior da Magistratura, bem como sob investigação em Milão, mas um jornal revelará a notícia, e a operação irá por água abaixo. Misiani será transferido para o Tribunal de Vigilância de Nápoles, recebendo mais tarde do Tribunal Administrativo Regional a revogação da medida. No entanto, de volta a Roma, deixará de lado a toga para dedicar-se a seu livro de memórias, seu processo por favorecimento e então à advocacia no escritório de Giuseppe Valentino, deputado da Aliança Nacional. Coiro morrerá no dia 23 de junho de 1997, aos 71 anos, após um derrame.

O juiz com contas na Suíça

Squillante, nos primeiros dias na cadeia, recusa-se a responder ao *pool*, faz greve de fome. Então, envia uma carta ao Conselho Superior da Magistratura para pedir demissão e protestar contra "um certo tipo de justiça". Previti, de sua casa, escreve uma carta para demitir-se do cargo de presidente do Circolo Canottieri Lazio. No dia 30 de março, por motivos de saúde, o ex-chefe dos juízes das investigações preliminares consegue as prisões domiciliares e é recebido em frente à sua casa como um vencedor por uma pequena multidão de amigos VIP. De Crescenzo, sob o balcão, aproveita a oportunidade para um novo ataque ao *pool* e à polícia ("Coisa de ditadura, métodos dignos de Mario Scelba"). Pacifico, no entanto, continua na cadeia: tanto o Tribunal da Liberdade quanto a Corte de Cassação confirmam a hipótese da acusação, rejeitando os novos pedidos de revogação da prisão preventiva. O *pool* já colocou as mãos nas contas suíças de Squillante,

1996. MÃOS GRANDES

após ter interrogado o corretor milanês da Bolsa Giorgio Aloisio De Gaspari, que operava sua conta junto à Sociedade Bancário Ticinesa de Bellinzona (SBT). Aqui, ao menos no último período, o juiz tinha "estacionados" 9 bilhões. Para ser mais preciso: 8.918.799.754 de liras.

Agora – escrevem os promotores, autorizando as prisões domiciliares – há a prova de que "Squillante é o titular de uma ou mais contas no exterior, a partir da qual fez entrar em vários ocasiões dinheiro na Itália, mascarando as operações por meio de contratos falsos da Bolsa". Dentre os papéis apreendidos na casa de Squillante, há uma tabela datilografada com o título "Resumo das nossas transferências imobiliárias". Evidencia-se que Renato e o filho Fabio compraram, além de tudo, dois apartamentos da Edilnord na região do castelo de Tolcinasco, o pequeno reino de Paolo Berlusconi. Seguem as indicações das várias contas correntes da família, de algumas centenas de milhões. Sobre os apartamentos na América e sobretudo o "tesouro" suíço, nem ao menos uma palavra.

Se Squillante continua negando ("Não tenho contas no exterior, nem diretamente nem por meio de terceiros"), Pacifico, por sua vez, fala: "Squillante dispõe de fundos em um banco estrangeiro sob o nome da nora, Olga. Um dia [pouco antes da prisão], perguntou-me se era possível pré-datar a titularidade da conta no exterior para tornar a nora sua titular". Trata-se de Olga Savtchenko, a garota russa esposa de seu filho, Fabio. A conta do juiz em Bellinzona, no nome da nora, é ativada por Aloisio De Gaspari, que – explica ao *pool* no dia 17 de março –, para os negócios suíços, vale-se da ajuda de Dionigi Resinelli, chamado de "Didi", diretor da SBT. Um triângulo perfeito. Squillante, no início dos anos 1980, abre a primeira conta na SBT de Bellinzona, depositando suas economias multibilionárias. Depois, a cada vez que precisa de dinheiro, dirige-se a Giorgio e a Didi, que o transfere para a Itália, usando o verificado sistema das "compensações".

Funciona assim: Squillante pede a Aloisio que transfira da conta na Sociedade Bancária Ticinesa de Bellinzona a uma conta na Itália a soma de que necessita. Ao mesmo tempo, tira de suas contas suíças uma soma equivalente e a transfere para uma conta de Aloisio. No entanto, o sistema, para ser perfeito, precisa de uma justificativa para o dinheiro ser creditado nas contas italianas: o ideal é inventar ganhos falsos na Bolsa. "Aloisio", escreve o juiz de investigações preliminares Rossato, "diz ter efetuado uma dezena de operações do tipo, depositando nas contas correntes da família Squillante algumas centenas de milhões [...]. Aloisio arquitetou operações na Bolsa por meio das quais perdia, favorecendo Squillante, no correspondente às somas que Squillante colocava-lhe à disposição por meio de Resinelli na Suíça e depois depositava esse falso dinheiro da Bolsa nas contas correntes da família Squillante". O "truque" é explicado no mandato de prisão por lavagem de dinheiro emitido em junho de 1996 para Mariano, Fabio e Olga Squillante (que permanecerão foragidos até outubro de 1997).

O que faz com que Mariano seja preso são as investigações sobre a compra de um apartamento de 200 metros quadrados em Roma, por um bilhão e 300 milhões de liras, parte (455 milhões) paga em dinheiro vivo e irregular. Depois, Resinelli fala como a conta suíça do juiz foi esvaziada vinte dias depois da descoberta da escuta no bar Tombini: "Os filhos de Squillante vinham com frequência à SBT. O mais assíduo era Mariano; eu o via em média a cada 3 ou 4 meses. Cuidava das relações dos vários membros da família, organizava os investimentos de todos. Um mês antes da prisão do juiz, Fabio e Olga se apresentaram à agência bancária com uma mala de viagem, muito maior do que uma mala de mão e encheram-na com o dinheiro de todas as contas esvaziadas". É 8 de fevereiro de 1996.

Cinco dias depois, no dia 13, Fabio apresenta-se a Vaduz, no escritório da advogada constituída da família, Cornelia Ritter, carregando algumas malas. "O senhor Squillante leva dinheiro vivo, tudo em francos suíços", escreve a advogada nos seus diários. O jornalista depois deposita a soma, em quatro parcelas, em uma conta do Liechtenstein Landesbank, pertencente a outra sociedade familiar apenas constituída *in loco*, a Telino Stiftung. Três semanas depois, no dia 2 de março (o mesmo dia do encontro com Misiani no bar Mandara), Renato Squillante nomeia Fabio e Mariano beneficiários da Telino e afasta-se. Depois, no dia 12, é preso. No dia 20, Fabio volta a Vaduz e tenta de todos os modos convencer a consultora a devolver-lhe toda a soma em dinheiro vivo. No entanto, a mulher leu as crônicas judiciais da Itália e recusa. Será afastada pouco depois e substituída por outro advogado de Vaduz, Mario Zindel, investigado mais tarde, em 2001, por lavagem de dinheiro.

Renato Squillante ativou a primeira conta em 1982 junto à SBT de Bellinzona. Desde então, negócios a pleno vapor: a família do juiz transforma-se em uma holding, proprietária de pelo menos três sociedades panamenhas. As duas principais são a Rowena Finance SA, diretamente relacionada ao chefe dos juízes das investigações preliminares de Roma, e a Forelia SA, gerida pelo advogado suíço Nello Bernasconi e passadas para o nome de Olga Savtchenko como "beneficiária econômica". As duas sociedades possuem 14 contas correntes, uma conta de títulos e um cofre de segurança na SBT de Bellinzona. A terceira sociedade offshore é a Iberica Development Co, também com sede no Panamá, relacionada ao juiz e ligada a uma conta junto ao Banco Comercial de Lugano.

A emboscada, o advogado e a diva sexy

Em abril, o juiz das investigações preliminares Rossato, de acordo com o *pool* e as defesas, decide "colocar em segurança" as declarações de Stefania Ariosto, tornando-as utilizáveis nos futuros processos com um "incidente probatório": a testemunha Ômega é interrogada diante dele pelos advogados dos vários investigados. A audição está marcada para o final de maio, um mês após as eleições políticas. Nesse meio-tempo, os defensores de Berlusconi pedem a transferência do processo para Perúgia, onde devem ser julgados os crimes cometidos pelos juízes de Roma, mas a Suprema Corte refuta: o crime mais grave é o balanço falso (punido, na época,

1996. MÃOS GRANDES

com penas mais severas do que caberia ao crime), que é notificado aos homens da Fininvest, sociedade com sede em Milão. Essa, no entanto, é a primeira de uma longa série de obstruções ao processo feitas pelos defensores do *Cavaliere* e de Previti.

De fato, logo surge uma segunda manobra, feita não se sabe exatamente por quem. No cenário da investigação aparece, repentinamente, um estranho casal. Ele é um advogado civil romano multibilionário, Vittore Pascucci, várias vezes investigado, preso e condenado, com uma mansão na Ápia Antiga e muitos amigos na magistratura romana e na política da Primeira República. Ela é uma improvável diva sexy, de nome artístico Yurika Rotschild, nome de batismo prosaico, Immacolata Gargiulo, que se apresenta como "consultora técnica do Tribunal de Roma para a tradução dos interrogatórios do nigeriano", mesmo não sabendo nenhuma língua estrangeira. No início de maio, bem a tempo do incidente probatório, Pascucci e Yurika–Immacolata começam uma peregrinação entre quartéis, procuradorias e salas de programas de televisão, anunciando perturbadoras "revelações" contra a testemunha Ômega. Afirmam ter-se conhecido "casualmente" em um centro comercial de Cinecittà e, então, começam a espalhar uma nebulosa história de cheques sem fundos e títulos falsos, que teria como cenário os campos de golfe de Tolcinasco e como única culpada Stefania Ariosto. O caso tem toda a cara de golpe para desviar a atenção, e dos bem pouco profissionais, para criar confusão. Contudo, nesse meio-tempo, por alguns dias, os jornais e a televisão se enchem de fotos e títulos colossais sobre as "supertestemunhas" e sobre a iminente "queda" da testemunha Ômega.

Stefania Ariosto não cai nem ao menos nas duas audiências do incidente probatório, nos dias 25 de maio e 1º de junho, quando os advogados dos investigados a alvejam com perguntas e insinuações sobre suas dívidas e sua vida privada. A violência dos interrogadores é tanta (sobretudo por parte de Ignazio La Russa e Gaetano Pecorella), que a mulher sai da sala com falta de ar e desmaia nos braços de um jornalista do TG5. "É uma vergonha", contesta Davigo, "nunca vi tratarem assim uma testemunha, sobretudo uma mulher". No fim, embora com muitos "não lembro" quanto às datas exatas dos episódios relatados (que aconteceram quase dez anos antes), a testemunha Ômega resiste ao choque do primeiro exame em campo aberto. No outono de 1997, logo que o *pool* pede a prisão de Previti pelo escândalo IMI–SIR, a revista *Panorama*, dirigida por Giuliano Ferrara, desafia a proibição do Tribunal e divulga centenas de milhares de cópias de uma breve montagem daquele longo interrogatório, com um hábil trabalho de corte e costura de cenas "de efeito" para demolir a credibilidade da testemunha. "Agora", dirá Davigo naquele momento, "Ariosto já é uma testemunha irrelevante", isso porque seu relato recebeu tais e tantas confirmações documentais que podem se sustentar por si só no tribunal.

Ômega tinha razão

As primeiras confirmações são de Dotti e Casoli. Stefania havia-os informado na época sobre os episódios de corrupção que havia presenciado. Dotti mais "genericamente", e Casoli mais detalhadamente. Dotti declara:

> Previti sempre foi o principal ponto de referência de Berlusconi nas questões judiciárias romanas [...]. No caso SME, não desempenhou nenhum papel formal, mas normalmente "acompanhava" os trâmites dos processos, dando sugestões e conselhos que demonstravam um bom conhecimento dos ambientes judiciários romanos.

E Casoli:

> Há alguns anos, quando eu era senador, Ariosto de fato falou-me sobre um ou mais pagamentos a Squillante feitos por Previti [...]. Conheci Previti em 1983–84 e fui convidado para sua casa na Via Cicerone, constatando que em diversas ocasiões era frequentada por magistrados, dentre os quais Squillante, Verde e outros.

Ariosto jura que Previti tinha pelo menos uma conta no exterior, alimentada inclusive pela Fininvest. Previti nega inicialmente. No entanto, a conta surge exatamente das investigações desenvolvidas na Suíça pela procuradora Carla del Ponte por pedido do *pool*. É a conta H8545 Mercier no banco Darier Hentsch de Genebra. No fim, o próprio Previti, em seu único interrogatório perante os promotores, admitirá ser o titular da conta, embora negue qualquer corrupção. Uma pena que daquela conta partam algumas transferências (diretas ou indiretas) para os juízes Squillante e Verde. E não é só isso. Francesco Greco, cruzando os dados da conta com os identificados na investigação sobre os balanços falsos da All Iberian, descobre que a conta Mercier, entre 1991 e 1993, recebe do mundo estrangeiro da Fininvest algo como 17 bilhões de liras.

Surge depois o papel-chave de um obscuro, porém muito íntimo, colaborador de Previti: o seu faz-tudo Mario Iannilli. É ele quem cuida das relações com as agências bancárias italianas, junto às quais o advogado berlusconiano ativou suas numerosas contas. Iannilli, desde 1977 chefe da secretaria do escritório de advocacia de Previti, entra com frequência em bancos de Roma carregando uma grande mala, da qual tira pacotes de cédulas de 50 a 100.000 liras e, às vezes, até cédulas de valores menores. Em sete anos e meio, com esse sistema, são depositados em três contas (abertas no Banco Nacional do Trabalho, no Rolo Banca e no Comit) quase 200.000 cédulas: mais de 17 bilhões e 804 milhões em dinheiro vivo, proveniente de fontes desconhecidas. Iannilli, a partir de 1990 (ano de entrada em vigor das normas contra lavagem de dinheiro, que impõem o registro de todas as operações superiores as 20 milhões), teve o cuidado de fazer depósitos de 19,9 milhões de liras por vez.

1996. MÃOS GRANDES

Frente a tal quantidade de dinheiro vivo, até os guardas fiscais do coronel Federico Maurizio D'Andrea ficam surpresos. Se da papelada vinda da Suíça apura-se que a conta Mercier era alimentada também pelo setor estrangeiro da Fininvest, permanece em total mistério a quantia de dinheiro líquido nas contas italianas, e há também uma avalanche de cheques de mais de 21 bilhões de fonte desconhecida. Em 1991, por exemplo, na conta corrente 30956, ativada por Previti no Rolo Banca de Roma, foram depositados mais de 291 milhões em títulos de crédito pelo joalheiro Carlo Eleuteri, o homem ao qual, conforme Ariosto, Berlusconi dirigia-se com frequência para adquirir joias e outros objetos de valor para presentear os amigos magistrados.

Dentre os cheques que saem, por sua vez, há um de 113 milhões que Previti emite da conta 9363 BNL para o tabelião Michele di Ciommo (profissional de confiança do caixa da Banda della Magliana Enrico Nicoletti). Nas agências do Banco Nacional do Trabalho, o fiel Mario Iannilli depositou, entre 1986 e 1991, mais de 6 bilhões em dinheiro vivo. Já um valor de 1.727.350.000 liras é depositado por desconhecidos. No mesmo período, Previti saca 3.382.000.000 por meio de cheques nominais a si mesmo, também esses de valor considerável. No fim, emitiu cheques que somam 31.823.000.000 e sacou 4,5 bilhões no intervalo de sete anos e meio. Pacotes de dinheiro, ou melhor, malas, como ressaltam os investigadores. Dinheiro ainda mais misterioso do que aquele que circula na Suíça.

Stefania Ariosto conta ainda que a Fininvest colocava à disposição "provisões" para Previti por meio do Efibanca e que havia uma "relação muito intensa entre Previti e o diretor-geral Aurelio Lai". O Efibanca é um instituto de crédito a médio prazo controlado pelo Banco Nacional do Trabalho com o qual, segundo a testemunha, mantinham "relações diretas" alguns juízes romanos na folha de pagamento de Previti. Previti nega. O Efibanca, no dia 2 de abril de 1996, faz um comunicado para declarar "não ter contas correntes" e ter sempre mantido com a Fininvest "relações normais em termos de crédito, regulamentadas pelos contratos usuais de financiamento". Contudo, as investigações da Guarda de Finanças e os interrogatórios dos gerentes evidenciam que o Efibanca emite certificados de depósito ao portador (logo, potencialmente anônimos) que, de fato, são algo muito semelhante a cadernetas de poupança. O ex-diretor Lai, agora aposentado, depois revela ao *pool* ter conhecido Previti em 1970 e que este se tornou logo um "consultor externo do Efibanca". Por volta de 1975, Previti apresentou-lhe Silvio Berlusconi e, desde então, o Efibanca é regularmente usado por Segrate para receber financiamentos, mas não é só isso. A Guarda de Finanças descobre que, de 1982 a 1995, oito sociedades do grupo Berlusconi obtiveram do Efibanca hipotecas de "cerca de 230 bilhões líquidos" e "os financiamentos concedidos independem da apresentação de garantias reais" e, às vezes, os empréstimos são como a fundo perdido: "O desembolso das sociedades beneficiárias dos financiamentos, na prática, foi limitado ao pagamento apenas dos juros".

Por fim, é justamente a testemunha Ômega a primeira a revelar a existência e o papel fundamental de Pacifico no sistema das "togas sujas". As confirmações, além de pelas investigações seguindo o suspeito e pelas interceptações, vêm pelas cartas rogatórias. Pacifico possui na Suíça ao menos duas contas: a Pavone junto à Sociedade Bancária Ticinesa de Bellinzona (o mesmo banco das contas de Squillante) e a Pavoncella junto ao Banco Sempione de Lugano. Ambas em contato, como veremos, com a conta Mercier de Previti e com as de pelo menos três juízes romanos.

O **início** das contas interligadas

Da primavera de 1996 até o verão de 1997, com considerável regularidade, a procuradora-geral suíça Carla Del Ponte transmite aos colegas do *pool* as respostas às cartas rogatórias sobre as contas de Previti e Pacífico: as provas documentais de toda uma vida passada negociando com a Fininvest, acumulando bilhões nos grandes e pequenos bancos de Genebra (da Sociedade dos bancos Suíços ao Darier Hentsch), inventando complicadas "compensações" entre as duas fronteiras. Previti faz depósitos para Pacifico na Suíça para receber o mesmo valor em dinheiro vivo na Itália, exatamente como faz Squillante com o seu banco. Em abril de 1994, após a vitória eleitoral do Força Itália e pouco antes de Previti assumir o cargo de ministro do governo Berlusconi, eis que 5 milhões e meio de francos suíços passam de uma mão para a outra entre os dois amigos advogados. E, até mesmo após o juramento de fidelidade à República, entrarão na conta do novo ministro da Defesa mais 1,6 bilhão de liras.

Por meses, Previti e Berlusconi desafiam o *pool* a encontrar um único depósito que os ligue diretamente a um juiz sem a mediação de Pacifico (que, de qualquer forma, afirmam jamais terem feito), bem como a encontrar um único processo "ajustado" que vá além da genérica acusação de "manter Squillante na folha de pagamento".

A resposta ao primeiro desafio vem do cruzamento minucioso, linha por linha, dos registros bancários. Em meio àquele turbilhão de cifras, é um depósito "menor" que suscita a curiosidade dos investigadores: uma transferência de 434.404 dólares, exatamente 500 milhões de liras, passados diretamente da conta Mercier de Previti à conta Rowena de Squillante no dia 6 de março de 1991. A curiosidade dos investigadores torna-se entusiasmo em julho de 1997, quando se descobre que a mesma cifra, nem um centavo a menos ou a mais, partiu naquele mesmo dia da conta Ferrido junto ao Credit Suisse de Chiasso. E de quem é a Ferrido? Quem fornece a Previti a soma a ser entregue a Squillante? A resposta, sem saber, foi dada, quatro meses antes, no dia 17 de fevereiro de 1997, por Giuseppino Scabini, caixa central da Fininvest, interrogado sobre o caso All Iberian pelo promotor Greco: "Efetivamente, as contas Ferrido e Polifemo foram abertas por mim a pedido de Livio Gironi, que era o meu chefe". Tradução: Ferrido é da

1996. MÃOS GRANDES 557

Fininvest. A sucessão dos eventos é clara. No dia 16 de março de 1991, a Fininvest transfere 434.404 dólares da conta Ferrido a Cesare Previti, na conta Mercier de Genebra. Poucas horas depois, a mesma cifra saiu da Mercier e chega à Rowena, de Squillante (nome da operação: Relógio).

No dia 7 de março, um certo senhor "Sq" (Squillante) telefona para a SBT para pedir que fracionem imediatamente aquela soma e interrompam o esquema. O telefonema é regularmente registrado pelo funcionário do banco no devido formulário: "Telefonema 7-3-91, horário 9h25min. Rowena (Sq). Dividir soma recebida $ 434.404". Seguem as instruções práticas do fracionamento: em 7 de março, 173.761,60 dólares na conta Rowena, para serem investidos em um depósito fiduciário; ainda em 7 de março, 86.880,80 dólares a Fabio Squillante em outra conta da SBT; no dia 20 de março, 173.761,60 dólares para a conta Roby do agente Aloisio.

A Fininvest paga Previti, que simultaneamente paga Squillante: uma sequência perfeita, imediata, ininterrupta. Ou alguém consegue encontrar um motivo lícito pelo qual um grupo empresarial financia um magistrado por intermédio de um advogado, ou isso se chama corrupção em atos judiciários (artigo 319-ter do Código Penal). Previti, em seu único interrogatório perante o *pool*, afirma que aquilo se trata de um infeliz erro do seu banco. Naquele período, afirma, ele depositou diversas somas na conta de Pacifico, que tinha relações "pessoais" com Squillante. Por isso, o banco deve ter se enganado no registro das transferências. Contudo, as contabilidades suíças não parecem permitir erros, mesmo porque a cena repete-se mais algumas vezes no mês posterior, em abril de 1991.

Desta vez, o destinatário final é outro juiz: Filippo Verde. O ponto de partida é a conta Q-5. 772.077 da All Iberian (Fininvest), aberta junto à Sociedade de Bancos Suíços. No dia 12 de abril de 1991, a All Iberian manda transferir um bilhão e 800 milhões de liras para a conta Polifemo aberta por Scabini, o tesoureiro da Fininvest (conforme ele próprio admitiu). O depósito depois é "devolvido" à All Iberian pela Silvio Berlusconi Financeira de Luxemburgo. Em 15 de abril, o 1,8 bilhão entra na conta Polifemo, e logo sai novamente em uma transferência para a usual conta Mercier de Previti. O montante é fracionado em três partes. Duas parcelas de 500 e 250 milhões são depositadas de Previti para Pacifico na conta Pavoncella, nos dias 23 de abril e 8 de maio, mas a mais interessante é uma terceira soma: 500 milhões, transferidos no dia 19 de abril da Mercier de Previti para a Pavone de Pacifico. No dia 30 de abril, o meio bilhão decola de Pavone e voa até a 811 Master, junto à Sociedade de Bancos Suíços, na qual aterrissa no dia 2 de maio. De quem é a Master? Do juiz Filippo Verde, autor, dentre outras, da discutida sentença da Sociedade Meridional de Eletricidade (uma das que o *pool* afirmará ter sido comprada por Berlusconi e Previti, sem, no entanto, ter sucesso em convencer os juízes). Quem abriu a conta foi Pacifico (que colocou Verde como seu titular), naquele mesmo dia, "inaugurando-a" justamente com aquele depósito da All Iberian que foi "reembolsado" pela Silvio Berlusconi Financeira.

No final do processo em Milão, Verde será absolvido: ninguém conseguirá provar a ligação entre aquele depósito e uma de suas sentenças.

Safári na areia

"Onde está a corrupção, se não nos dizem quais processos teríamos alterado?", protestam os investigados. O *pool*, inicialmente, mantém-se em argumentos gerais. E então, investigando por quase dois anos naquele ponto, demonstra com gosto que Squillante e outros juízes eram "fixamente" pagos por Previti, diretamente ou (mais comumente) por meio de Pacifico, para que estivessem sempre à disposição para qualquer eventualidade. Tanto o juiz Rossato como a Corte de Cassação aceitam seus argumentos, ao menos em relação a Squillante, e deferem as várias medidas requeridas pelo *pool*. A Suprema Corte escreve o seguinte sobre Squillante:

> A conjecturada conduta indevida foi identificada na utilização da organização do escritório e de sua gestão para favorecer um grupo econômico [...], de modo a levar o próprio escritório a estabelecer uma relação instrumental no que diz respeito a interessados externos à administração da justiça e a identificar o seu próprio papel e o de alguns componentes da organização judiciária estreitamente ligados com grandes exponentes do grupo empresarial.

No dia 23 de maio de 1996, a Corte de Cassação completa:

> Consta que a atividade criminosa da qual é acusado o advogado Previti trata-se de uma atividade de "contaminação de uma organização como a judiciária, de natureza profissional", manifestada "em um lento e progressivo condicionamento de suas escolhas em relação a grupos econômicos" por meio da criação de ligações anômalas com seus componentes, com os quais vem a estabelecer uma relação de "simpatia", ou seja, de partilha dos subvalores a essas relativas, com base em deliberadas ocasiões de encontros, de regalias, de mundanismos, de concessão de gratificação individual de todos os tipos [...]. Com o supracitado, impõe-se uma releitura normativa da conjectura de crime de corrupção sempre que temos como referência fatos não apenas de comércio ilícito dos deveres do escritório em relação a atos tipicamente formais, mas que envolvem a conduta geral de favoritismo e, portanto, indébita de oficial público [...]; isso sobretudo quando, como no caso sendo examinado, a corrupção que se utiliza dos deveres de base de uma organização [a judiciária] [...] comporta a sistemática abdicação de suas finalidades legais.

1996. MÃOS GRANDES

A partir de 20 de março de 1996, Paolo Ielo sepulta-se vivo nos cofres do Palácio da Justiça de Roma, examinando milhares de procedimentos arquivados à procura daqueles que poderiam ter relação com a Fininvest e com Previti (além disso, entende-se, com o que foi dito por Ariosto sobre o laudo Mondadori). Ao menos dois episódios significativos surgem daqueles velhos papéis cobertos de poeira.

Primeiro: em 1985, o presidente socialista da RAI, Enrico Manca, cujo nome constava nas listas da loja P2, move uma causa civil contra Ernesto Galli della Loggia, que lembrou a constrangedora circunstância no *Corriere*. A causa acaba na seção presidida pelo juiz Verde, que, no fim, desmente as listas de Gelli e garante que Manca não pertence à P2. Verde também condena Galli della Loggia a pagar 50 milhões por danos ao ex-presidente da RAI. O advogado de Manca na afortunada causa é Cesare Previti. Tanto Manca como Verde frequentam a casa de Previti e têm relações bancárias comuns com Pacifico na Suíça. E não apenas isso. Investigando-se as "togas sujas", surge também uma estranha relação financeira entre Manca e Preiviti. O advogado da Fininvest geria um pequeno tesouro bilionário na Suíça para o presidente da RAI: justamente nos anos em que a RAI, após uma dura batalha de mercado com as redes de Berlusconi, decidiu baixar o nível da batalha e diminuir a concorrência, institucionalizando o duopólio RAI–Fininvest naquela que foi chamada de paz televisiva e que lançou as bases para a lei Mammì. A conta Previti–Manca será fechada no dia 18 de março de 1996, cinco dias após a prisão de Squillante.

Segundo episódio, ainda a propósito de antenas e televisão: em 1985, o juiz Squillante interroga Silvio Berlusconi, que acabou sob investigação em Roma por instalação abusiva de repetidores de sinal de televisão. O defensor, naturalmente, é Previti. O *Cavaliere* coloca toda a responsabilidade em uma sociedade administrada por Umberto Previti, pai de Cesare. Tanto Berlusconi como Previti sênior são absolvidos em tempo recorde, ao passo que os outros cem acusados (dirigentes de várias emissoras locais) ficarão tomando chá de cadeira de Squillante por mais sete anos, até 1992, e apenas se livrarão disso graças à anistia. Não podiam saber que Squillante e Previti tinham contas em contato na Suíça.

Os processos que – segundo a acusação – teriam sido comprados, de qualquer forma, são outros. Aqueles que, entre os anos 1980 e 1990, resolveram três controvérsias multibilionárias: o caso IMI–SIR, o caso Mondadori e o caso Sociedade Meridional de Eletricidade.

O caso IMI-SIR

"Jamais vou destacar aquele cheque", repetia obsessivamente Luigi Arcuti, presidente do IMI (Instituto de Valores Mobiliários Italiano), um banco público, durante o longo processo contencioso que por doze anos ocupou-o contra a SIR (Sociedade Italiana de Resinas), a colossal química do petroleiro andreottiano Nino Rovelli, chamado de o "Clark Gable da Brianza", mas, em 1993, a telenovela acaba mal para ele, com uma sentença estranha da Corte de Cassação. Assim, no início de 1994, é obrigado a destacar aquele cheque, após ter escrito nele a cifra de 972 bilhões de liras (678 líquidos, mais 294 de taxas): o mais alto ressarcimento pago pelo Estado italiano a um ente privado. "A história não acaba por aqui", vocifera Arcuti naquele ponto. E ao menos essa profecia ele acerta: em relação àquele maxirressarcimento e à anterior maxipropina, será conduzido de 2000 a 2006 um processo em Milão: o processo dos advogados Previti, Pacifico e Giovanni Acampora, dos ex-juízes romanos Squillante, Verde e Metta, mas também de Primarosa Battistella, viúva de Rovelli, e do filho primogênito, Felice, todos acusados de corrupção em atos judiciários. Alguns por terem pago, alguns por terem recebido propinas em troca de sentenças "ajustadas".

O caso IMI–SIR, que parecia fechado e sepultado debaixo daquela cascata de bilhões do dinheiro público que verte sobre a família Rovelli, é repentinamente reaberto em 1996, quando, fazendo uma busca no escritório de Pacifico, os investigadores econtram uma folha com os dados de uma transferência bancária de pouco mais de 240 milhões feita em 1994 por Felice Rovelli. Constam nos registros telefônicos chamadas misteriosas ao número suíço do próprio Rovelli Júnior, filho do financista desaparecido. Interrogados por carta rogatória a pedido do *pool*, tanto Felice como sua mãe, Primarosa Battistella, admitem ter pago – respeitando as últimas vontades do pai e marido moribundo – 67 bilhões de liras a três advogados romanos: Previti (21 bilhões), Pacifico (33) e Giovanni Acampora (13). Em dezembro de 1990 – contam os dois Rovelli –, antes de submeter-se a uma intervenção cirúrgica, o velho Nino informa à mulher ter uma dívida com Pacifico e lhe pede "que forneça o pagamento caso ele não sobreviva à cirurgia". O que, de fato, acontece. Rovelli morre no dia 30 de dezembro de 1990, e, um mês depois, Pacifico apresenta-se a Felice, pedindo 30 bilhões. Diz que os amigos e colegas Previti e Acampora também "têm em haver" vários bilhões com o petroleiro. Os herdeiros vacilam, explicando não terem disponibilidades imediatas, e pedem tempo até a definição da causa com o IMI. Então, no início de 1994, depositam 67 bilhões nas contas suíças de Previti, Acampora e Pacifico. Examinando os registros telefônicos de Felice Rovelli, consta que, entre janeiro e fevereiro de 1992, Rovelli Júnior falou várias vezes com os três advogados em datas que coincidiam justamente com algumas audiências cruciais do processo IMI–SIR na Corte de Cassação. E, após a sentença definitiva e o pagamento por parte do IMI, do dia 21 de março ao 24 de junho de 1994, partem as transferências, no período entre as eleições políticas e a nomeação de Previti como ministro da Defesa. Os advogados da SIR eram Mario Are e Michele Giogianni; nem Previti, nem Acampora, nem Pacifico jamais auxiliaram Rovelli naquela causa. Daí, a forte suspeita de uma maxipropina igual a 10% do ressarcimento, até porque os trâmites do processo apresentam muitos pontos obscuros.

1) Tudo começa no início da década de 1980, com a queda do império da SIR, abatido por uma dívida de pelo menos 3 trilhões. Em 1982, Rovelli cita em

1996. MÃOS GRANDES   561

juízo o IMI, acusando-o de ter afundado seu grupo, primeiro comprometendo-se a conceder linhas de crédito, depois violando as obrigações contratuais e fechando as portas dos cofres. Em 1986, o Tribunal Civil de Roma (presidido por Filippo Verde) acolhe a tese de Rovelli sobre o fato de que a SIR deve ao IMI, condena o banco a ressarcir Rovelli e destina o cálculo do valor a um julgamento à parte.

Isso é discutido em outra seção do Tribunal na primavera de 1989, mas ocorre um fato singular. O presidente designado Carlo Minniti, que acabou de estudar a enorme papelada processual, tenciona realizar uma nova perícia sobre a cifra. Disse-o em uma descuidada confidência a Carlo Sammarco, presidente da Corte de Apelação e amigo de Previti. A audiência está marcada para 4 de abril, mas, justamente naquela manhã, Minniti é chamado com urgência ao Ministério da Justiça (onde Filippo Verde é chefe de gabinete do ministro da Justiça Giuliano Vassalli) para uma reunião "improrrogável" sobre os problemas da estrutura judiciária.

Tenta adiá-la, mas lhe respondem que é impossível. Dessa forma, delega à colega Aida Campolongo provisoriamente a audiência IMI–SIR, pedindo-lhe que a atrase e espere seu retorno. A reunião no Ministério revela-se uma perda de tempo: dura uma hora, não resulta em nada de concreto e não é nem ao menos colocada nos autos. Minniti volta para o Tribunal e descobre, com grande surpresa, que a colega – por insistência dos advogados – conduziu regularmente a audiência, decidindo até mesmo, na sua ausência, a cifra que o IMI deve a Rovelli: 670 bilhões.

2) Em novembro de 1990, a Corte de Apelação confirma a sentença IMI–SIR. A conta é de cerca de 1 trilhão, incluindo juros e despesas. O relator da sentença é Vittorio Metta, que dois meses mais tarde assinará a sentença Mondadori a favor de Berlusconi e então jogará a toga pela janela para trabalhar com a filha no escritório de Previti.

3) O IMI recorre na Corte de Cassação. Os advogados de Rovelli, no entanto, levantam contra o recurso IMI uma exceção de improcedibilidade, pois milagrosamente descobriram que a "procuração especial *ad litem*" dos defensores do IMI desapareceu do arquivo (sem a qual o recurso na Corte de Cassação é nulo). O banco apresenta uma petição à Procuradoria de Roma, que abre uma investigação sobre o incrível desaparecimento do documento (investigação que será arquivada por duas vezes pelo escritório dos juízes das investigações preliminares chefiado por Squillante).

4) No dia 29 de janeiro de 1992, a Corte de Cassação deve decidir o que fazer. Quem se ocupa disso é a primeira seção civil, presidida por um juiz à moda antiga, coerente: Giancarlo Montanari Visco. Esse, no entanto, é vítima de uma carta anônima, que indica falsamente que ele teria participado do casamento de colegas em companhia de personagens ligados à família Rovelli. É o quarto "incidente". Montanari Visco não admite nem mesmo uma sombra de suspeita e afasta-se, nomeando como presidente o colega Giuseppe Scanzano, também este com fama de muito íntegro; o relator será Giancarlo Bibolini, que, além de ser um ótimo juiz, também é estranho aos ambientes romanos (vive na Província de Milão).

5) De fato, em fevereiro de 1992, quando se descobre a ausência da procuração especial, a Corte de Cassação pede à Corte Constitucional para avaliar a possibilidade de examinar da mesma forma o recurso IMI. Porém, no dia 24 de novembro de 1992, o Palácio da Consulta, com uma sentença assinada por Antonio Baldassarre (outro amigo de Previti), indefere o pedido, dá razão à SIR e devolve os atos à Corte de Cassação. Esta declara não proceder o recurso do IMI e torna definitiva a sentença que condena o banco a pagar 1 trilhão à SIR. A IMI fará outra denúncia, afirmando que a procuração especial não estava realmente ausente: ela existia, mas alguém a havia feito desaparecer de propósito para levar à terceira e decisiva instância de julgamento. De fato, o documento original volta a aparecer no dia 31 de maio: tarde demais, visto que a Câmara do Conselho fechou no dia 27. Falta apenas a motivação da sentença, que será apresentada no dia 14 de julho de 1993.

O novo presidente, Vincenzo Salafia, opõe-se à reabertura do caso, à qual eram favoráveis dois dos outros quatro juízes, mesmo porque os trâmites da última fase do processo apresentam muitos pontos obscuros.

6) A decisão da Suprema Corte, de fato, é consequência de uma sexta "anomalia" grave.

Na audiência do dia 18 de março de 1993, o presidente designado, Mario Corda, após ter estudado toda a papelada do arquivo, prepara para os colegas um relatório escrito à mão no qual evidencia os pontos sobre os quais são chamados a pronunciar-se, prospectando a possibilidade de modificar a jurisprudência até então seguida e declarar admissível o recurso do IMI. O relatório, top secret, é copiado com a ajuda de uma secretária: as quatro cópias, em quatro envelopes lacrados, são depositadas nas caixas de correio dos outros quatro juízes do colégio. Entretanto, alguns dias depois, o presidente da Corte de Cassação e o próprio Corda recebem uma denúncia anônima: o "corvo" escreve que Corda antecipou o julgamento sobre a causa e afirma possuir uma cópia do manuscrito.

A manobra para desacreditá-lo é clara. Corda, por puro escrúpulo, prepara um rascunho de uma carta em que se diz disposto a abster-se da audiência, convencido de que sua proposta será refutada. No entanto, o primeiro presidente da Corte de Cassação, Antonio Brancaccio (assíduo frequentador, conforme Stefania Ariosto, da residência de Previti), aproveita a oportunidade e o substitui na hora por outro juiz. O anônimo "corvo" é o mesmo que escreveu a Brancaccio, ao procurador-geral da Corte de Cassação, Vittorio Sgroj, e ao próprio Corda a carta que contém o original da famosa procuração especial ("desprovido" da margem esquerda e do cabeçalho, onde normalmente são colocados os carimbos). Agora tudo parece claro: alguém do lado da SIR e que tem acesso a notícias e documentos em primeira mão dentro da Corte de Cassação fez com que a procuração especial não fosse apresentada, de modo a tornar definitiva a condenação da IMI, eliminando também o último obstáculo para a SIR: Corda.

Acaba aqui o incrível caso processual. Entre os resultados descobertos pelo *pool*, já uma série de telefonemas cruzados entre Previti, Pacifico, Squillante e Rovelli nos dias mais ativos (1992–93) da causa na Corte de Cassação. Dos registros, surgem também dezesseis telefonemas entre o advogado de assuntos comerciais Francesco Berlinguer e a dupla Squillante–Rovelli nos dias decisivos em fevereiro de 1992, quando a Corte de Cassação remete os atos à Corte Constitucional. Convocado para prestar esclarecimentos, Berlinguer admite que Squillante havia-lhe pedido que se encontrasse com Rovelli: os dois haviam se visto 2 ou 3 vezes no Hotel Hassler de Roma. Uma vez estava também Berlinguer, que conta:

> Rovelli perguntou se eu poderia aproximar-me de um membro do colégio da Suprema Corte – a Dra. Simonetta Sotgiu – para ter notícias sobre o andamento da causa, ou seja, quais decisões pretendiam tomar em relação ao recurso que havia sido apresentado. Tanto Squillante como Rovelli insistiram para que eu me aproximasse de Sotgiu [de quem Berlinguer era amigo]. Rovelli prometeu-me uma boa parcela [...], acredito que 500 milhões.

É apenas o caso de lembrar que Squillante deveria ocupar-se somente de causas penais, e somente das suas. De qualquer forma, do telefone de Berlinguer, constam também diversos telefonemas ao escritório de Previti naquele período. Para o *pool*, tudo isso

> confirma a confiabilidade das declarações de Ariosto na parte em que indica o alto magistrado [Squillante] como pessoa que, junto a Previti e a Pacifico, não por acaso envolvidos no caso sendo examinado, desempenha uma atividade corruptiva com intermediação, por interesse de entes privados, para outros magistrados do distrito romano.

Além disso, há as passagens de dinheiro. No dia 13 de janeiro de 1994, com o fim do último e desesperado recurso, o IMI paga 1 trilhão à SIR. Em 21 de março, Pacifico recebe a primeira transferência de 10 milhões de francos suíços, e Previti, naquele mesmo dia, a soma inteira de 18 milhões de francos (21 bilhões de liras). Entre os dias 31 de março e 23 de maio, Pacifico recebe outras três parcelas, formando um total de 18 milhões de francos. Por fim, no dia 24 de junho, a última parcela para Pacifico (850.000 francos) e a soma total que cabe a Acampora (10,5 milhões de francos). No total, ao longo de três meses, os herdeiros de Rovelli depositaram nas contas suíças de Previti, Acampora e Pacifico 67 bilhões de liras. Além disso, há depósitos mais antigos e mais confusos, na conta Master 811, aberta por Pacifico para Verde no dia 30 de abril de 1991 na SBT de Bellinzona (a mesma que comporta as contas de Squillante e Pacifico): a primeira transferência de 500 milhões, datada de 2 de maio de 1992, chega – como vimos – de uma conta de Pacifico alimentada por Previti com um "fornecimento" de 1,8 bilhão. É a prova – conforme o *pool* – das "ligações financeiras entre Previti e Verde", mas há mais. No dia 31 de maio de 1994, enquanto os três advogados recebem as transferências bancárias dos herdeiros de Rovelli, a conta de Verde cresce em 280 milhões de liras. Quem foi que lhe deu esse dinheiro?

E também há Squillante. Conforme o *pool*,

> a natureza geral das relações mantidas entre estes e os outros investigados não quer dizer que Squillante tenha sido especificamente pago pela atividade prestada para a família Rovelli. Se for verdadeira a afirmação de Ariosto, segundo a qual o advogado estava na folha de pagamento de quem influenciava, por meio de corrupção, decisões dos magistrados do distrito de Roma, o pagamento por sua colaboração não era necessariamente relacionado ao caso ocasionalmente objeto de sua atenção, mas tratava-se justamente de um pagamento por serviços, em remessas em certa medida continuadas. Está demonstrado que Squillante recebeu consideráveis somas de dinheiro.

E há também a outra conta de Squillante, aquela ativada em 1987 junto ao Banco Comercial de Lugano, no nome da Iberica Development e administrado por um advogado de sua confiança, Rubino Mensch. Mas, observa o *pool*,

> a família Rovelli é acionista do Banco Comercial de Lugano, e o advogado Mensch é aquele que, desde o início dos anos 1980, cuida dos interesses deles. Consta que, no período imediatamente sucessivo aos depósitos por parte dos Rovelli a Acampora, Pacifico e Previti de mais de 66 bilhões [...], Squillante recebeu transferências e depósitos em dinheiro de um total [...] de 920 milhões e alguns quebrados.

Assim, no dia 17 de maio de 1996, o *pool* volta a Roma, e Pacifico volta para a cadeia (desde a prisão domiciliar) pela maxipropina IMI–SIR. Acampora é preso em Milão, enquanto conversa na cadeia de Opera com um administrador da Fininvest que é seu cliente, Alfredo Zuccotti. O SCO coloca-lhe as algemas no locutório e o conduz diretamente à cela. Acampora é outro personagem de grande relevo, há pelos menos duas décadas no centro de negócios multibilionários e de investigações judiciais: 51 anos, já capitão da Guarda de Finanças no núcleo de verificações fiscais, deixou a instituição – como Berrutti – para tornar-se, no final dos anos 1970, advogado tributarista especialista em transações internacionais e também começou a trabalhar para a Fininvest. Na Guarda de Finanças, era o braço direito do general Donato Loprete, da loja P2, envolvido no escândalo do petróleo em Turim: Acampora também acabou na cadeia em 1983 por ordem do juiz Mario Vaudano. Absolvido por insuficiência de provas, foi denunciado pelo próprio Vaudano à Corte das Contas por danos ao erário: bilhões (da época) escondidos em contas de sociedades panamenhas e de Liechtenstein. Amigo de Previti e de

1996. MÃOS GRANDES

Pacifico, nos anos 1990 Acampora acompanha o negócio Telepiù e as questões da La Cinq e da Telecinco. Depois volta para trás das grades.

Previti, sendo um parlamentar, não pode ser preso sem a autorização da Câmara. No momento, também é investigado pelo caso IMI–SIR, mas segue evitando a cadeia sob a acusação de corrupção em atos judiciários. O testemunho dos Rovelli e os documentos bancários mostram que recebeu na Suíça 21 bilhões, mas ele tenta justificar, mudando várias vezes de versão. A primeira: aqueles 21 bilhões são "as economias de uma vida", pois

> a minha relação profissional e de amizade com Rovelli vinha desde o início dos anos 1970 e se desenvolveu em uma longa tradição de colaboração, especialmente no exterior [...]. As relações econômicas relativas a essa colaboração de duas décadas foram definidas em medida correspondente à duração e à complexidade da atividade desenvolvida (17 de maio de 1996).

A segunda versão chega durante o interrogatório na Procuradoria no dia 23 de setembro de 1997:

> Conheci o engenheiro Rovelli nos anos 1970. Como advogado, cuidei da defesa do Efibanca acompanhando os trâmites de um financiamento à SIR. Em 1990, recebi de Nino Rovelli um mandado profissional para realizar uma série de pagamentos por ele. Ficou combinado que eu reteria a soma de um pagamento devido a mim por prestações de serviços precedentes.

Porém – perguntam-lhe naquele ponto os promotores – quem é que Rovelli tinha de pagar? Previti fica de boca fechada: "Eu sabia apenas que não eram oficiais públicos nem magistrados; tratava-se de somas que Rovelli devia por motivos pessoais a pessoas não apenas da Itália". A Procuradoria insiste para conhecer os nomes dos destinatários, mas ele responde constrangido: "Sim... mas... veja... acredito que os investigadores possam descobrir os nomes a partir dos documentos que eles possuem". Porém, os nomes não constam nesses papéis, salvo pouquíssimas exceções, que, no entanto, desmentem o ex-ministro da Defesa como, por exemplo, os 5 milhões e meio de francos suíços que foram parar na conta Codava Anstalt aberta no Verwaltungs & Privat Bank de Vaduz. A Codava é uma sociedade de fachada de Pacifico, constituída em 1994. Nino Rovelli morreu em 1990: seria difícil que ele a conhecesse quatro anos antes do seu nascimento e pudesse encarregar Previti de fazer depósitos para ela. Além disso, qual é o sentido – pergunta a acusação – de depositar de forma tão confusa 5 milhões e meio de francos para Pacifico, quando os herdeiros Rovelli já tinham liquidado diretamente os "seus" 33 bilhões? Talvez também por isso, no dia 8 de janeiro de 1998, Previti tentará defender-se com uma terceira versão:

> Eu nunca disse ter recebido pagamentos por atividades profissionais desempenhadas para Nino Rovelli a partir dos anos 1970 [...]. Nunca declarei que a soma que recebi fosse fruto de pagamentos profissionais, da qual eu deveria distribuir 90% a outros profissionais que tinham trabalhado para Rovelli.

Conforme o juiz das audiências preliminares Rossato, que em 1999 mandará a julgamento por corrupção todos os acusados, a verdade é muito mais simples: a maxipropina de 67 bilhões e alguns quebrados serviu primeiro para direcionar as sentenças de primeira e segunda instâncias, depois para "não depositar ou fazer desaparecer procuração especial relativa ao recurso para a Corte de Cassação emitida pelo IMI".

Porém, no verão de 1996, quando explode o caso IMI–SIR, há quem não precise aguardar o processo para conseguir explicar como funcionava a justiça na capital, como o advogado Carlo Taormina, candidato (não eleito) do Força Itália ao Parlamento, que, no dia 7 de junho, declara:

> Squillante manipulava a justiça a favor dos poderosos. Quanto a Previti, sua posição é indefensável no plano político: não há advogado no mundo que já tenha visto na vida uma parcela daquelas dimensões. Deveria demitir-se do seu cargo parlamentar para enfrentar o caso que lhe diz respeito como um cidadão comum. Aquilo que está vindo à tona é apenas uma mínima parte da podridão que se sedimentou passando de todos os limites em Roma.

Logo mudará de ideia, mas os fatos lhe darão a razão. Há ao menos outras duas causas suspeitas em Roma: as que, nos anos 1980, viram duelar, um contra o outro e armados, Berlusconi e De Benedetti.

O caso Mondadori

O escândalo Mondadori diz respeito à segunda batalha judiciária – conforme a acusação, também essa direcionada por uma sentença comprada – que opôs o *Cavaliere* e o Engenheiro após o negócio SME (que veremos em breve): aquela para o controle do primeiro grupo editorial italiano, que compreendia, além do setor de livros, o maior conjunto de títulos de periódicos, dentre os quais *Panorama*, *Epoca*, muitas revistas femininas, e o grupo L'Espresso, com o jornal homônimo, o *la Repubblica* e uma dúzia de ricos jornais locais (Finegil). Em 1988, Berlusconi, que já há tempo colocou um pé na Mondadori, revelando as ações do seu aliado Leonardo Mondadori, tenta a escalada: "Não quero ficar no banco de trás", anuncia. Quer levar tudo para casa. De Benedetti, que é o acionista majoritário, opõe-se e, no dia 21 de dezembro de 1988, firma um acordo com Cristina Formenton Mondadori (filha de Arnoldo Mondadori e viúva de Mario

1996. MÃOS GRANDES

Formenton) e os filhos Luca, Pietro, Silvia e Mattia. Os Mondadori–Formenton comprometem-se a vender para De Benedetti, até o dia 30 de janeiro de 1991, a sua parcela das ações.

Entretanto, menos de um ano depois, na metade de novembro de 1989, decidem alterar as alianças e juntam-se a Berlusconi, que, no dia 25 de janeiro de 1990, consegue chegar à presidência da editora.

Segue uma dura guerra a golpes de documentos, a "guerra de Segrate", que gira em torno de um ponto central: a convenção de 21 de dezembro de 1998 ainda é válida ou não? Quem decidirá será um colégio de três árbitros: o professor Pietro Rescigno, designado por Benedetti, o professor Natalino Irti, pelos Formenton, e o doutor Carlo Maria Pratis, com funções de presidente do colégio eleitoral, de posição neutra, designado no dia 28 de fevereiro de 1990 pelo primeiro presidente da Corte de Cassação.

A decisão é comunicada no dia 20 de junho de 1990. Tem razão De Benedetti: as ações da Mondadori devem voltar para ele. Berlusconi perde a presidência e, no dia 10 de julho, o equilíbrio da cúpula da editora sofre uma virada, com a entrada de dois novos administradores delegados, Corrado Passera, administrador das Companhias Industriais Reunidas (CIR, a financeira do Engenheiro), mas o *Cavaliere* não aceita a derrota e vira a mesa. No dia 10 de julho, seus aliados Formenton abrem um recurso contra o laudo na Corte de Apelação de Roma, auxiliados por um grupo de advogados: Agostino Gambino, Romano Vaccarella e Carlo Mezzanotte. O caso acaba na primeira seção civil, presidida por Antônio Valente, o juiz com a gravata borboleta (indicado pela Ariosto como um frequentador da casa de Previti). Como juiz assistente relator (portanto redator da futura sentença), é designado Vittorio Metta, também íntimo de Previti.

A sentença é aguardada para o final de janeiro de 1991 (até o dia 30 de janeiro, os Mondadori–Formenton têm de vender as ações a De Benedetti), mas já várias semanas antes os rumores sobre o êxito da causa espalham-se cada vez mais, causando flutuações na Bolsa. Os jornais mais importantes preveem um veredito favorável ao *Cavaliere*. E acertam. Os juízes saem da Câmara do Conselho no dia 14 de janeiro. Dez dias depois, no dia 24, a sentença é tornada pública: a decisão anterior foi anulada, e a Mondadori passa para Berlusconi. "Com uma sentença muito 'anunciada'", escreve no dia seguinte o *Il Sole 24 Ore*, "já que havia meses ouviam-se rumores sobre o acolhimento do recurso dos Formenton, os magistrados romanos anularam o laudo arbitral". Um mês antes, o presidente da Comissão Nacional das Sociedades e da Bolsa (CONSOB), Bruno Pazzi, andreottiano, anunciou tudo ao advogado das Companhias Industriais Reunidas, Vittorio Ripa di Meana. Ao menos assim contará o advogado ao *pool*:

> Eu havia falado ao presidente da CONSOB sobre minha tranquilidade quanto ao êxito do recurso que a Fininvest tinha feito contra o laudo arbitral que nos dava razão, mas Pazzi respondeu-me que eu não deveria

estar tranquilo, pois a sentença seria desfavorável para nós. Fiquei chocado.

De Benedetti confirmará em depoimento:

> Naquele período, no ambiente dos advogados, dizia-se que a sentença sobre o laudo da Mondadori havia sido escrita à máquina de escrever no escritório do advogado Acampora. Dizia-se também que a sentença havia custado 10 bilhões, mais a promessa da presidência da CONSOB ao juiz Carlo Sammarco [presidente da Corte de Apelação, amigo de Previti, perto da aposentadoria; Sammarco sempre negou tudo]. Além do nome de Acampora, ouvi, pela primeira vez, justamente em relação ao caso Mondadori, também o nome de Cesare Previti como pessoa próxima a Berlusconi e notoriamente muito inserida nos escritórios judiciais romanos [...]. Já faz um tempo que tenho a convicção de que aquela sentença foi comprada.

Apesar do triunfo, Berlusconi não consegue levar para casa o bolo inteiro. Os diretores e muitos jornalistas do *la Repubblica*, do *l'Espresso* e da *Panorama* rebelam-se contra os novos chefes.

Giulio Andreotti, que teme ver crescer demais o poder de Craxi no mundo editorial (por meio de Berlusconi), impõe uma transação para que os duelistas dividam o bolo e coloca à disposição, pela necessidade, um mediador: seu amigo Giuseppe Ciarrapico. A mediação deixará *la Repubblica*, *l'Espresso* e a cadeia dos jornais locais (Finegil) ao grupo Caracciolo–De Benedetti; *Panorama*, *Epoca* e o resto da Mondadori, por sua vez, ficam para o grupo Fininvest. O *pool* escreverá, em novembro de 1999, no pedido de julgamento:

> Com diversas ações executivas do mesmo formato criminoso, Berlusconi, Previti, Acampora e Pacifico, agindo em concordância entre si, prometiam e pagavam somas de dinheiro a Vittorio Metta [...] para que ele violasse os próprios deveres de imparcialidade, sigilo, independência e probidade na execução da própria função, com o objetivo de favorecer a família Mondadori–Formenton (e, por conseguinte, Silvio Berlusconi) no julgamento em que ela se opunha à CIR, sociedade atribuída ao grupo De Benedetti.

Em resumo, conforme a acusação, o *Cavaliere* teria comprado, por 400 milhões pagos a Metta, a sentença que o fez vencer a guerra de Segrate. O mesmo "teorema judiciário"? Nada disso. Nas rogatórias bancárias, consta que, desde um mês após a sentença Metta, isto é, fevereiro de 1991, começou a cair nas contas correntes de alguns investigados um habitual rio de dinheiro. No dia 14 de fevereiro, sempre da All Iberian, parte uma transferência de 3 bilhões e 36 milhões de liras que atraca na conta Mercier de Previti. Desta, no dia 26 de fevereiro, saiu outra transferência de um bilhão e meio destinado à conta Careliza Trade de Acampora. Este, no dia 1º de outubro, transfere 425 milhões a Previti, que os divide em duas parcelas (11 e 16 de outubro) para a conta Pavoncella de Pacifico. Por sua vez, Pacifico saca 400 milhões em dinheiro vivo e, em 15 e 17 de outubro, faz com que entrem na Itália para um destinatário misterioso: conforme a acusação, é Vittorio Metta. Esse, nos meses sucessivos, faz diversos gastos (dentre os quais a reforma de um apartamento para sua filha Sabrina e a compra de um novo carro BMW), utilizando sobretudo dinheiro vivo de proveniência não declarada (cerca de 400 milhões). Depois, como vimos, demite-se e vai trabalhar com a filha Sabrina no escritório de Previti.

Da última passagem de dinheiro – de Pacifico a Metta –, não há, nem poderia haver, provas documentais: a operação é em dinheiro vivo. O *pool* demonstrará que toda justificativa legal fornecida pelo ex-juiz sobre a proveniência da súbita e abundante liquidez é desmentida pelos fatos. Além disso, Metta jura ter estabelecido relações com Previti somente em 1994, após aposentar-se. Contudo, o promotor Boccassini apresenta uma série de telefonemas no período de 1992–93 que revelam uma grande proximidade entre os dois.

Metta até afirma que recebeu, naquele período, 400 milhões do exterior, fruto de uma herança: um amigo magistrado, Orlando Falco, teria lhe deixado a soma antes de morrer, mas não existe documentação que prove a suposta herança. Em junho de 1999, Carla Del Ponte interroga o advogado e especialista em finanças suíço Charles Poncet, que, após a morte do juiz Falco, havia gerido a passagem de seu patrimônio das contas suíças às dos supostos herdeiros: o juiz Metta e o advogado romano Carlo Sanvitale. Metta e Sanvitale eram assistidos, para a recuperação do dinheiro, por outro advogado romano: Giovani Acampora, o mesmo em cujas contas suíças transita – conforme os promotores – uma parte do dinheiro enviado por Berlusconi a Metta para a sentença Mondadori. Poncet conta ter depositado nas contas de Sanvitale 2 milhões e meio de dólares e a mesma quantia na conta de Metta. Estranho – contesta Del Ponte –, visto que, na documentação bancária da conta de Metta, a Palomar, consta terem chegado apenas 240.000, bem como a mesma quantia na conta de Sanviale, a Financiera Amiata. Poncet fica desnorteado: "Não sei explicar". Em resumo: faltam 2.300.000 dólares, que saíram da conta do juiz morto e nunca chegaram ao destino "oficial".

E ainda não basta. Do registro do ano de 1991 da primeira Corte de Apelação de Roma, surge o fato de que Metta redigiu a motivação manuscrita da sentença Mondadori (168 páginas) em tempo recorde: não no dia 24 de janeiro de 1991, como consta oficialmente – ou seja, 10 dias após o fim da Câmara do Conselho do dia 14 de janeiro –, mas no dia 15, apenas um dia após a decisão: 168 páginas escritas a mão em menos de 24 horas (o juiz assistente, que acompanhava a causa Mondadori com Metta, lembra que, antes da decisão, não havia nem ao menos um rascunho da sentença), um feito nunca antes alcançado por um juiz. Muito menos por Metta, que, normalmente, levava 2 ou 3 meses, mesmo para sentenças muito mais breves e menos complexas: segundo consta, apenas em poucos casos (9 de 56) ele havia liberado a sentença em menos de um mês, mas tratavam-se de motivações de 8 ou 9 páginas, certamente não de 168. Isso aumenta a suspeita de que aquela sentença tivesse sido redigida antes e em outro lugar, mesmo porque nenhuma secretária se lembra de ter batido à máquina uma sentença naqueles dias de meados de janeiro de 1991.

As declarações de Metta ao *pool* são assim desmentidas em 26 de maio de 1998: "A sentença foi datilografada na secretaria da Corte de Apelação pela datilógrafa Gabriella B. Ao passo que eu avançava na escrita da motivação, entregava a ela parte do manuscrito, que era batido em um processador de texto". Nenhuma secretária confirmou isto. E, no registro da Corte, na coluna "Passado ao presidente" lê-se "15 de janeiro", enquanto na coluna "Restituído pelo presidente" está "21 de janeiro". Um ou dois dias depois, Metta chegou com o texto definitivo datilografado. Talvez Metta tivesse levado a sentença manuscrita para fora do palácio, para devolvê-la seis dias depois? E, em caso positivo, onde e com quem havia feito a datilografia?

Por isso, em 1999, o *pool* pede o julgamento para todos investigados: Berlusconi, Previti, Metta, Acampora, Pacifico. O *Cavaliere*, conforme a acusação, teria realizado "operações financeira articuladas", por meio de "sociedades e/ou contas bancárias ligadas ao assim chamado 'setor estrangeiro' do grupo Fininvest" para alimentar a conta suíça de Previti (com os 3 milhões e alguns quebrados transferidos no dia 14 de fevereiro de 1991), que depois teria creditado, por meio de passagens e idas e vindas confusas, os 400 milhões para Metta.

O juiz das audiências preliminares Rosario Lupo, no dia 19 de junho de 2000, absolve todos os investigados com base na alínea 2 do artigo 530 (as motivações indicam claramente "insuficiência e contraditoriedade das provas"). A sentença também é fruto de duas reformas legislativas aprovadas pela centro-esquerda em meio aos aplausos do Polo berlusconiano: a que estabelece a incompatibilidade entre o juiz de investigações preliminares e o juiz de audiências preliminares, que obrigou o juiz de investigações preliminares "pai" da investigação "togas sujas", Alessandro Rossato, grande conhecedor do arquivo que acompanhou desde o início, a afastar-se para dar lugar ao colega Lupo. A outra reforma diz respeito ao combinado estabelecido para as reformas do "juiz único" e do "julgamento justo", que ampliam os poderes do juiz das audiências preliminares de modo a consentir-lhe a absolvição não apenas quando as acusações são claramente infundadas, mas também quando não são suficientes para prever uma condenação segura. Até aquele dia, Lupo era o tormento dos advogados berlusconianos Gaetano Pecorella e Noccolò Ghedini, que há pouco tinham ameaçado denunciá-lo ao Tribunal Europeu dos Direitos Humanos (por não ter interrogado algumas testemunhas propostas por eles, "negando ao Dr. Berlusconi o direito de defender-se"). Agora agarram-se nele, exaltando-o como um "verdadeiro juiz", "finalmente um terceiro", tendo "desmantelado a maquinação político-judiciária do *pool*".

1996. MÃOS GRANDES

A Procuradoria recorre à Corte de Apelação que, no dia 25 de junho de 2001, vai a favor e contra o juiz Lupo, mandando a julgamento todos os acusados, exceto um: Berlusconi, recém de volta à presidência do Conselho. O que o salva é a prescrição. Por que ele sim, e os outros (Pacifico, Acampora, Metta e Previti) não? Graças a uma interpretação do Código Penal muito discutida e criticada por distintos juristas. Em resumo, todos – supostos corrompidos e supostos corruptores – respondem por corrupção em atos judiciários (artigo 319-ter do Código Penal). Todos exceto um: Berlusconi. Motivo: entre 26 de abril de 1990 e 7 de fevereiro de 1992, o Código Penal previa expressamente o agravante da corrupção em atos judiciários apenas para o "magistrado corrompido", e não para "a parte corruptora".

Portanto, Berlusconi deve responder por corrupção simples. Previti, por sua vez, mediador de Berlusconi ("parte corruptora", para dizer como os juízes) e Metta (suposto "magistrado corrompido") respondem pela hipótese mais grave: corrupção em atos judiciários (pena mais alta e prescrição após 15 anos, isto é, em 2006, com ou sem as atenuantes genéricas). A corrupção simples, por sua vez, com as atenuantes genéricas, prescreve após 7 anos e meio (em 1998). Conforme os juízes, o *Cavaliere* merece aquelas atenuantes por três motivos.

1) Já é "evidente um sistema de comércio ilícito de sentenças judiciárias na área de Roma"; assim, se Berlusconi também seguiu por esse caminho, merece "uma avaliação favorável em termos da gravidade do fato e da capacidade criminal". Ele "escolhe um profissional (Previti) para obter uma sentença favorável", gasta "grandes somas de dinheiro", "paga honorários consideráveis" e então deixa seu advogado trabalhar, talvez sem informar-se sobre "os sistemas reais da atividade profissional usados" para vencer a causa. Portanto, "a intensidade do dolo deve ser considerada pequena devido à preexistente e perigosa corruptibilidade do ambiente judiciário competente". Além disso, adicionam os juízes, passou muito pouco tempo desde aqueles anos escuros. O "todo mundo faz isso", em vez de agravante, torna-se atenuante.

2) "O investigado [Berlusconi], na época do caso e após a sentença incriminada, favoreceu o acordo sobre os interesses patrimoniais que derivam do laudo que originou a disputa judicial, levando a um acordo com a parte ofendida [De Benedetti]." É mais ou menos – comentará alguém – como premiar o ladrão de carros que, após roubar um veículo, gentilmente devolve às vítimas o volante, o câmbio, um assento...

3) "A parte corruptora [Berlusconi] agiu no âmbito de uma atividade econômica e empresarial de importância nacional, cujas zonas desconhecidas não podem conduzir a uma pré-concebida avaliação impeditiva à concessão das atenuantes genéricas", especialmente "pelas atuais condições de vida individual e social cuja objetiva importância por si só justifica a aplicação" das atenuantes. Em resumo: o presidente do Conselho, parece-lhe entender, merece um tratamento especial. "Por si só."

Berlusconi (como também, com finalidades opostas, a Procuradoria Geral) recorre na Corte de Cassação: ser definido como "parte corruptora", mesmo que prescrito, não lhe agrada. Contudo, no dia 16 de novembro de 2001, a Suprema Corte refuta seu recurso, bem como o de Previti, que pedia a revogação do julgamento. Ele é condenado a pagar um bilhão de reparação. A Corte de Cassação refuta também o recurso dos magistrados, que contestavam as atenuantes genéricas e a exclusão do 319-ter para o *Cavaliere*. Prescrição, sim; absolvição, não. Os juízes não o consideram isento; aliás, consideram "razoável" e "lógica" a acusação de que o mandante da propina ao juiz Metta para a compra da sentença Mondadori fosse justamente ele: assim, a Corte de Apelação mandou a julgamento Previti, Metta e companhia, visto que a hipótese da culpa é "mais provável do que a da inocência". Os juízes de segunda instância, "após tomar em consideração as hipóteses reconstrutivas dos fatos favoráveis à defesa, consideraram que a perspectiva acusatória era a que tinha o maior grau de probabilidade lógica". De fato, a sentença de mandar a julgamento "não apresenta qualquer falha lógica".

Em resumo, se não fosse por um fato puramente técnico como as atenuantes genéricas, Berlusconi também deveria sentar-se junto aos outros no banco dos réus. Conforme a Corte de Cassação, o *Cavaliere* merece as atenuantes genéricas não porque naquela época, em Roma, fosse costume comprar os juízes ("a suposta corruptibilidade do ambiente judiciário não poderia atenuar as responsabilidades do corruptor, o qual, aliás, teria se aproveitado dela colocando a seu favor o resultado do julgamento de primeira instância", isto é, o laudo arbitral), tampouco porque, desde então, já passou muito tempo ("elemento neutro para a avaliação da gravidade do fato e da capacidade de delinquir do sujeito"), mas porque o acordo particular entre Berlusconi e De Benedetti "resultou em uma redução do hipotético dano sofrido" pelo segundo. E porque, em seguida, Berlusconi teria se comportado bem, como demonstrariam "as atuais condições de vida individual e social do sujeito". Não pelos "encargos institucionais" possuídos, mas "simplesmente pela conduta de vida sucessiva ao suposto delito". Atenuantes, em resumo, por boa conduta. E, ao menos para ele, o crime prescreve. "Há pouco a se comemorar, de qualquer forma", comenta Giuliano Pisapia, deputado da Refundação Comunista e advogado da parte civil no processo para De Benedetti. "Considerados o seu papel institucional e as contínuas proclamações de inocência, Berlusconi teria tido a possibilidade, além talvez do dever moral, de renunciar à prescrição para tentar obter, no processo, a absolvição por mérito".

O processo Mondadori terá início no dia 7 de outubro de 2001 e será logo reunido àquele sobre o caso IMI–SIR na quarta seção do Tribunal de Milão, presidida por Paolo Carfi. Em 29 de abril de 2003, são condenados tanto pelo IMI–SIR quanto pela Mondadori todos os acusados, exceto um: Filippo Verde. Para Previti e Pacifico, 11 anos de reclusão; para Metta, 13; para Squillante, 8 anos e 6 meses; para Acampora, 5 anos e 6 meses (mais os 6 anos já determinados com o rito abreviado apenas para o caso IMI–SIR); para Felice Rovelli, 6 anos; e, para a mãe, Primarosa Battistella, 4 anos e 6 meses.

1996. MÃOS GRANDES   573

No dia 23 de maio de 2004, a segunda seção da Corte de Apelação, presidida por Roberto Pallini, confirma as condenações pelo caso IMI–SIR, mas absolve todos os acusados do caso Mondadori por insuficiência de provas (subparágrafo 2, art. 530 CPP). Assim, as penas de Previti e Pacifico reduzem-se a 7 anos de reclusão; Metta, a 6; Squillante, a 5; Felice Rovelli, a 3; e a Battistella, a 2. Acampora, julgado separadamente com o rito abreviado, teve em apelação 5 anos e 4 meses.

No dia 5 de maio de 2006, chega a sentença da Corte de Cassação (quarta seção, presidente Giangiulio Ambrosini), que anula as absolvições para o caso Mondadori, ordenando um novo processo de apelação; e confirma, com um leve desconto, as condenações pelo caso IMI–SIR, exceto duas: as do juiz Squillante (considerado um simples mediador privado, não um corrupto) e de Primarosa Battistella, anuladas sem julgamento; seu filho, Felice Rovelli, por sua vez, salva-se apenas graças à prescrição. Previti e Pacifico são definitivamente condenados a 6 anos (no lugar dos 7, redefinidos em apelação), e Acampora passa de 5 anos a 3 anos e 8 meses; os 6 anos do juiz Metta, por sua vez, permanecem intactos. Previti acabará na cadeia por cinco dias, depois obterá a prisão domiciliar pelo limite de idade, mas logo voltará à liberdade graças à anistia Mastella, que lhe consentirá sair prestando serviços sociais junto a uma comunidade antidrogas.

No novo processo de apelação sobre o caso Mondadori, em 23 de fevereiro de 2007, a Corte de Milão (presidida por Sergio Silocchi) condena todos os acusados "em continuação" às penas já definidas na Corte de Cassação pelo caso IMI–SIR: Previti, Pacifico e Acampora veem suas penas aumentarem em 1 ano e 6 meses para cada um (corrupção simples), e o juiz Metta, 1 ano e 9 meses (corrupção judiciária). Sentença definitiva confirmada no dia 13 de julho de 2007 pela segunda seção penal da Cassação, que coloca o carimbo final no caso Mondadori: a sentença que entregou o primeiro grupo editorial a Berlusconi foi comprada. É claro – escrevem os juízes – que o veredito assinado por Metta para anular o laudo foi escrito antes do processo e em outro lugar, "datilografado junto a terceiros desconhecidos" e fora "dos ambientes institucionais", tanto é que, no processo, surgiram "cópias diferentes do original". A Suprema Corte, além das penas de detenção aos condenados, estabelece também o direito de as Companhias Industriais Reunidas de De Benedetti serem ressarcidas pela Fininvest em âmbito civil à parte pelo "lucro interrompido" e pelo "dano emergente" do roubo da Mondadori. A Corte de Cassação, embora ciente da prescrição para Berlusconi, afirma ser "razoável" e "lógico" que o mandante da propina para Metta tenha sido ele: "O pagamento do juiz corrompido é feito por interesse e por conta do corruptor", isto é, do futuro presidente do Conselho, que tinha "total consciência de que a sentença havia sido alvo de comércio ilícito". De resto, "o episódio criminoso desenrolou-se dentro da 'guerra de Segrate', combatida pelo controle de conhecidos e influentes meios de informação". Assim, em 2010, a empresa Fininvest será condenada em âmbito civil pelo Tribunal a ressarcir as Companhias Industriais Reunidas em 750 milhões de euros, cifra mais tarde reduzida em apelação a 560 milhões.

O caso SME-Ariosto

O segundo processo das "togas sujas", denominado SME–Ariosto, diz respeito a um episódio específico – a pendência judiciária com as sentenças do caso da SME (Sociedade Meridional de Eletricidade), também essas "compradas", conforme a acusação – e uma prática bastante difundida: a sistemática corrupção do juiz Squillante e de alguns colegas por parte da Fininvest para as mais diversas exigências do grupo Berlusconi e de seus amigos. Squillante teria sido "frequentemente retribuído" com depósitos periódicos efetuados por Previti e Pacifico, geralmente não relacionados a este ou aquele favor processual específico. Sempre à disposição.

O escândalo SME não nasce de Stefania Ariosto, que de nada sabe e nunca disse uma palavra sobre aquele negócio, mas das investigações autônomas do *pool* de Milão. Investigações que partem de longe: dos anos de ouro da Mãos Limpas. Para ser exato, das contas bancárias do especialista em finanças napolitano Franco Ambrosio, o "rei do trigo", várias vezes investigado e preso entre os anos de 1993 e 1994. Disso, os magistrados milaneses encontram os depósitos de um empresário que negocia com ele, o velho Pietro Barilla, "o rei da massa". Barilla possuía uma conta em Zurique, no Inter Allianz Bank, que utilizava para prover clandestinamente a Democracia Cristã e o Partido Socialista Italiano com propinas.

Daquela conta, nos dias 2 de maio e 26 de julho de 1988, partem duas transferências misteriosas: a primeira de 750 milhões e a segunda de um bilhão de liras, ambas diretamente para a conta Qasar Business, aberta na SBT de Bellinzona pelo advogado romano Attilio Pacifico, braço direito de Previti. Os 750 milhões são sacados em dinheiro vivo por Pacifico, levados para a Itália e – conforme a acusação – entregues em parte (pelo menos 200 milhões) diretamente em mãos ao juiz Filippo Verde, que os deposita em parcelas, sempre em dinheiro vivo, na sua conta corrente 5335 no Banco de Roma. O bilhão, por sua vez, deixa rastros documentais até o fim de seu percurso: em 29 de julho de 1988, Pacifico transfere 850 milhões para a conta Mercier de Previti e 100 milhões para a conta Rowena de Squillante. Por que todo aquele dinheiro de Barilla chega às contas de dois magistrados e de dois advogados que o empresário de Parma não conhece e que nunca trabalharam para ele? Barilla morre antes de poder explicar. Seu filho, Guido, convocado pelo *pool*, diz não saber, mas os investigadores, dando uma olhada no calendário, descobrem que as datas dos dois depósitos coincidem com as etapas decisivas da acalorada batalha judiciária sobre a SME em que, coincidentemente, estiveram envolvidos de diferentes formas Previti, Pacifico e o juiz Verde.

O que aconteceu? E que relação tem o advogado da Fininvest – empresa que, na época, ocupa-se de construção e de emissoras de TV – com um negócio no setor alimentício? O processo de Milão revelará o retrospecto do súbito interesse de Berlusconi naquela estranha disputa.

Em 1985, o IRI (Instituto para a Reconstrução Industrial), presidido por Romano Prodi, decide privatizar a colossal empresa alimentícia pública SME (que controla marcas históricos, como Motta, Alemagna, Cirio, De Rica, Pavesi, Pai,

Bertolli, além da endividada Sidalm) e a coloca em leilão. O único comprador aspirante de todo o bloco é a Buitoni de Carlo De Benedetti. Assim, no dia 29 de abril, o Engenheiro assina com o professor um contrato preliminar para adquirir a parcela de 51% da sociedade ao preço de 397 bilhões, fixado por duas avaliações dos professores bocconianos Roberto Poli e Luigi Guatri; outros 13,36% serão cedidos por 100 bilhões ao Mediobanca e ao IMI, associados à Buitoni como fiadores. O governo Craxi, por meio dos ministros Spadolini, Darida, Altissimo e De Michelis, aprova publicamente a operação. Críticas apenas por parte da esquerda. No dia 7 de maio, o conselho de administração do IRI ratifica unanimemente o acordo, mas, no dia 9 de maio, na véspera de o contrato entrar em vigor, Craxi intervém. Detesta De Benedetti, amigo dos seus inimigos e acionista (naquele tempo, minoritário) do grupo Repubblica–L'Espresso (únicos jornais de oposição independente do seu governo), e ordena ao ministro das Participações Estatais, o democrata-cristão andreottiano Clelio Darida, que consiga mais tempo.

Darida obtém de Prodi e de De Benedetti uma prorrogação do prazo do pré-contrato até o dia 28 de maio, no aguardo do seu parecer definitivo e também do da CIPI (Comissão Interministerial de Política Industrial). No dia 15 de maio, Darida autoriza o prosseguimento, definindo o acordo como "congruente" e "totalmente idôneo". A Comissão de Balanço da Câmara também o aprova, e da mesma forma fará unanimemente a CIPI no dia 27. *La Stampa*, citando fontes da Fininvest, revela que os socialistas pediram a Berlusconi que participasse do leilão, mas o *Cavaliere* logo desvencilhou-se, pois a SME "é cara demais" (18 anos depois, acusará Prodi de ter tentado vender a SME a De Benedetti por um valor reduzido). Ele inclusive telefonou a De Benedetti para felicitá-lo. Em resumo, tudo é regular, e não há alternativas para a Buitoni, mas Craxi, sem ter qualquer título e desprezando todas as autoridades institucionais, decide igualmente boicotar a operação com uma manobra imprudente. Por meio de dois "capangas" muito fiéis, o consultor empresarial Pompeo Locatelli e o arquiteto Silvano Larini (mais tarde, ambos envolvidos na Tangentopoli), ordena que Berlusconi obstrua tudo com um plano alternativo, colocado em ação em um piscar de olhos, que reabra o leilão apenas no último momento.

O *Cavaliere* não está em condições de recusar. Acabou de engavetar os dois decretos de título pessoal assinados justamente pelo amigo Bettino para neutralizar a intervenção dos pretores e legalizar as transmissões ilegais em escala nacional das suas três redes de TV, e os efeitos do segundo decreto, do dia 6 de dezembro de 1984, vencem no dia 6 de junho de 1985. Em resumo, com certeza não pode dizer não ao seu santo protetor; então obedece. Para tornar minimamente acreditável o seu interesse no negócio, decide associar-se com algum empresário do ramo, mas o prazo final dos termos para a contraoferta é iminente. É necessário ganhar tempo, esperando que se forme a equipe alternativa.

Por volta do dia 20 de maio, querendo agir nos bastidores, o *Cavaliere* telefona a Previti em busca de um "fantoche". Previti indica-lhe um consultor comercial

OPERAÇÃO MÃOS LIMPAS

amigo seu e ex-colega de escola: Italo Scalera. Este último, no dia 24 de maio, aos 45 minutos do segundo tempo, envia uma carta ao IRI com uma nova oferta pela SME em nome de "um empresário que opera em diversos setores da indústria nacional". O aumento da aposta prevê uma proposta de 550 bilhões, 50 a mais do que havia sido estabelecido pelo grupo Buitoni–Mediobanca (10% a mais), totalmente sem garantias de fiador. Somente doze anos depois, interrogado pelo *pool* milanês, Scalera revelará a identidade do misterioso mandante:

> O famoso empresário de quem falei era Silvio Berlusconi, que me telefonou para pedir que mandasse ao IRI uma oferta em nome de operadores financeiros que não deviam ser nomeados [...] e disse que estava pessoalmente interessado na compra da SME junto com outros empresários.

Dessa forma, o *Cavaliere* tem mais quatro dias para recrutar os aliados certos antes do dia 28 de maio, quando o pré-contrato Prodi–De Benedetti será efetivado. Convida para jantar, em um restaurante de Broni (perto de Stradella), dois dos clientes de publicidade de suas emissoras de televisão mais próximos: Pietro Barilla e o "rei do chocolate", o piemontês Michele Ferrero. No fim, após alguns outros encontros, apoiado por fortíssimas pressões políticas (PSI), convence-os a constituir junto com ele uma nova sociedade, a IAR (Indústrias Alimentícias Reunidas), que oferece pela SME 10% a mais do que Scalera (isto é, do que o próprio Berlusconi): 600 bilhões. A nova proposta é oficializada com um fax enviado ao IRI por Pomeo Locatelli da sede de Turim da Ferrero na última hora: alguns minutos antes da meia-noite do dia 27 de maio. A de Scalera, por sua vez, é ignorada, visto que o consultor empresarial se recusa a revelar o nome de seus mandantes.

Em um intervalo de 4 dias, então, Berlusconi apresenta duas contraofertas diferentes, um pouco superiores à de De Benedetti. A primeira, fictícia e mascarada (atrás da figura de Scalera), tem o único objetivo de recolocar em discussão o trato IRI–Buitoni, de conseguir tempo até o sim de Barilla e de Ferrero. A segunda, de cara limpa e em sociedade com os dois aliados, serve para impedir que De Benedetti conclua o negócio em que, anteriormente, os três sócios das IAR tinham declarado não possuir interesse. Agora, no entanto, perante a determinação de Craxi, precipitam-se. No fim, a manobra terá sucesso: a SME não irá nem para a Buitoni nem para as IAR, e ficará na garupa do IRI por mais dez anos, com custos assustadores para a colossal empresa pública, isto é, para os contribuintes.

Com o pré-contrato entre Prodi e De Benedetti bloqueado pelo governo, de fato, a batalha transfere-se para o Tribunal de Roma. O Engenheiro pede a apreensão judiciária das ações da SME, contando que os juízes declararão válido o seu pré-contrato de compra firmado com o IRI e aprovado por todas as autoridades competentes. Porém, no dia 25 de junho de 1985, o Tribunal de Roma (presidido por Carlo Guglielmo Izzo) refuta seu pedido. No dia 17 de janeiro de 1986, o IRI volta atrás na decisão pró-Buitoni e declara válida apenas a oferta da IAR. O restante faz outra seção civil do Tribunal romano (Filippo Verde como presidente e relator da sentença; juízes assistentes Paolo Zucchini e Secondo Carmenini), que, no verão de 1986, anula o negócio. Motivo: o protocolo Prodi–De Benedetti "não indicava a execução de um contrato".

A decisão na câmara do conselho – que a lei mantém em segredo absoluto – é do dia 23 de junho, mas a motivação é levada ao cartório e, portanto oficializada, somente no dia 19 de julho.

Antes dessa data, obviamente, ninguém sabe o que decidiram os juízes, ou, ao menos, ninguém deveria saber, exceto os próprios juízes. Conforme a acusação, no entanto, ao menos uma pessoa já sabia de tudo: Attilio Pacifico. Ele – como contará o agente da Bolsa Giorgio Aloisio di Gaspari aos magistrados –, após aquele fatídico 23 de junho e antes de 19 de julho, ordenou-lhe uma especulação sobre as ações SME que lhe custou 349 milhões e rendeu 407. Pacifico, então, ganhou 58 milhões nisso. Conforme a acusação, somente quem sabia antecipadamente a sentença (escrita por Verde, íntimo de Pacifico) poderia prever aqueles andamentos da Bolsa e acertar uma operação daquele tipo, totalmente contra a tendência dos investimentos institucionais sobre o título SME no mesmo período.

A Corte de Apelação de Roma e a Corte de Cassação confirmarão mais tarde o conteúdo da decisão de Verde (embora destruindo as motivações): o acordo IRI–Buitoni, sem a aprovação preventiva do conselho de administração do IRI e do ministro Darida (que, na realidade, estava informado de tudo), não era válido. Para a dupla Berlusconi–Craxi, missão cumprida.

Agora, consta que Izzo, Verde e Zucchini estavam ligados de várias formas a Previti, Pacifico e seus "entornos". Izzo – segundo Ariosto – participou, junto com o advogado, da famosa viagem a Washington em homenagem a Craxi. Zucchini, inscrito na P2 junto a Berlusconi, embora tenha assumido nos anos 1980 a presidência do Tribunal dos Ministros de Roma, é descrito por diversas testemunhas como um frequentador assíduo das festas na casa de Previti e do seu iate, o *Barbarossa*; nos papéis bancários, consta como titular de uma conta numerada em Montecarlo, na qual, em 1993, entraram 200 milhões em um depósito suíço do próprio Pacifico (dinheiro, de qualquer forma, sem relação com aquela sentença: de fato, quando Zucchini for investigado em Milão, o fato será arquivado). Verde também é amigo de Previti e Pacifico, tanto que este último havia aberto para ele uma conta na Suíça, a Master 811, na qual havia logo depositado, como uma "lembrancinha", 500 milhões, e de vez em quando depositava mais um pouco.

Atenção às datas. No dia 19 de abril de 1998, a Corte de Cassação realiza a audiência para discutir o recurso Buitoni contra o IRI pela SME. No dia 2 de maio, Barilla transfere 750 milhões a Pacifico, que os saca em dinheiro vivo e leva para a Itália. Enquanto a Corte de Cassação libera a sentença definitiva, registrada no dia 11 de julho, Verde começa a depositar dezenas de milhões em dinheiro vivo na sua conta italiana no Banco de Roma. No dia 26 de julho, duas semanas após o veredito da Corte de Cassação, Barilla – chefe do grupo IAR – reabre a torneira

OPERAÇÃO MÃOS LIMPAS

suíça e credita outra provisão, desta vez de um bilhão, para Pacifico, que a divide entre Previti (850 milhões) e Squillante (100 milhões), desta vez por transferência bancária, reservando para si próprio apenas 50 milhões. Por que o sócio de Berlusconi no negócio da SME deveria pagar um bilhão e 750 milhões a dois advogados de Berlusconi que nem ao menos conhece e a um juiz de Roma, também desconhecido, se estivesse tudo regular na causa SME?

Os protagonistas juram que é tudo uma coincidência e falam de operações financeiras, investimentos, empréstimos restituídos e coisas do tipo. A Procuradoria de Milão, por sua vez, não tem dúvidas: corrupção em atos judiciários, por negociação da sentença da SME que permitiu a Berlusconi derrotar De Benedetti, exatamente como aconteceria mais tarde, em 1991, com a sentença da Mondadori.

O processo iniciado pelo *pool* chama-se "SME–Ariosto", pois diz respeito também às acusações da "testemunha Ômega" a Renato Squillante, considerado "na folha de pagamento" do grupo Fininvest para todas as exigências judiciárias do grupo. O chefe dos juízes das investigações preliminares romano, na prática, teria tanto vendido decisões que competiam ao seu ofício quanto se aproximado de colegas e outros protagonistas do Palácio da Justiça da capital que de tempos em tempos ocupavam-se de processos "interessantes" para Berlusconi e para Previti (como também o caso IMI–SIR, de competência do Tribunal Civil e depois das seções civis da Corte de Apelação e da Corte de Cassação). A testemunha – como vimos – jura ter visto Previti entregar a Squillante propinas em dinheiro vivo em ao menos duas ocasiões, no fim dos anos 1980: a primeira, na garagem do Circolo Canottieri Lazio; a segunda, durante uma festa na casa de Previti.

O caso Ariosto engloba o que o *pool* de Milão considera a "prova rainha", a prova irrefutável da corrupção do juiz por parte do grupo Fininvest e da relação direta entre Berlusconi, Previti e Squillante, isto é, a sequência de documentos bancários suíços que demonstram a passagem de 434.404 dólares (500 milhões de liras) da conta Ferrido (All Iberian, ou seja, Fininvest, ou seja, Berlusconi) para a conta Mercier (Previti), para a conta Rowena (Squillante) no dia 6 de março de 1999. Dois depósitos diretos, de valor idêntico, no intervalo de uma hora e meia, assinados com a identificação em código Relógio. Previti, inicialmente, fala de um erro do banco. Mais tarde, mudará de versão várias vezes quanto ao assunto.

E Berlusconi? Não é verdade que seja acusado com base no teorema "não tinha como não saber". A Procuradoria considera que não apenas sabia, como também o dinheiro das supostas propinas era seu. As provas? Eis um resumo:

1) Conforme Stefania Ariosto, Previti contou-lhe várias vezes que Berlusconi colocava à disposição "fundos ilimitados" para corromper os magistrados.

2) O dinheiro estrangeiro depositado em contas estrangeiras para os magistrados vinha das contas da Fininvest não declaradas ao fisco. Esse sistema de contas era alimentado por aquela que a acusação e a sentença definitiva da All Iberian (acertado, porém prescrito, o financiamento ilícito de 23 bilhões de liras de Berlusconi a Craxi) definem como "a tesouraria oculta do grupo": é a All Iberian que

depositou dezenas de bilhões de liras nas contas suíças Polifemo e Ferrido, geridas pelo caixa central da Fininvest, Giuseppino Scabini.

3) A All Iberian era alimentada, principalmente, por meio de três sistemas. Em primeiro lugar, as transferências da Silvio Berlusconi Financeira de Luxemburgo. Depois, de abril de 1991, com depósitos da Diba Câmbios de Lugano, cujo dinheiro provinha de duas operações diferentes realizadas graças à Fiduciária Orefici de Milão. A primeira é a operação Bica–Rovares, realizada pelo grupo Berlusconi com o agente imobiliário Renato Della Valle, com rendimento de vinte bilhões; a segunda é estreitamente ligada ao "mandado 500": um mandado pessoal de Silvio Berlusconi aberto junto à Fiduciária Orefici e utilizado para adquirir certificados de crédito do tesouro por 91 bilhões. Esses títulos do Estado são mais tarde monetizados em San Marino, e o dinheiro vivo é entregue em Milano 2 a Scabini. Parte desse dinheiro (cerca de 18 milhões) acaba nas contas estrangeiras do grupo. Quem o leva à Suíça é um "atravessador", Alfredo Bossert, que o entrega à Diba Câmbios de Lugano. Em resumo, as contas estrangeiras da All Iberian das quais partem os depósitos aos juízes (mas também os 23 bilhões para Craxi) são alimentadas por dinheiro da Fininvest e por fundos pessoais de Silvio Berlusconi. Isso é confirmado até mesmo pelos advogados do *Cavaliere*, para defendê-lo da acusação de financiamento ilícito a Craxi no processo de apelação da All Iberian: aqueles fundos "provêm do patrimônio pessoal de Silvio Berlusconi". Um gol contra clamoroso, tendo em vista o processo por corrupção. Se o dinheiro passado de Previti a Squillante provém do "patrimônio pessoal" do *Cavaliere*, como poderia ser que o *Cavaliere* não soubesse de nada?

4) O montante da transferência Relógio, que, em 1991, corre entre o triângulo Ferrido (Fininvest)–Mercier (Previti)– Rowena (Squillante) provém de outra conta do grupo Berlusconi: a Polifemo, gerida por Scabini. No dia 1º de março de 1991, uma sexta-feira, a Polifemo recebe da Diba Câmbios um depósito de 316.800.000 liras. O montante chega à Suíça em dinheiro vivo quatro dias antes, 26 de fevereiro, diretamente do Edifício Donatello em Milano 2 (sede da Fininvest), transportado pelos homens de Bossert (a soma não faz parte da provisão criada com o "mandado 500", que estará em operação apenas a partir de julho de 1991). Na segunda-feira sucessiva, 4 de março, aqueles 316 milhões e alguns quebrados permitem à Polifemo (All Iberian) realizar a transferência de meio bilhão (434.404 dólares) para Ferrido (também All Iberian), dando assim segmento ao percurso que, por meio de Previti, faz o dinheiro atracar no destino final: a Rowena, de Squillante. Na agenda em liras da conta Polifemo, de fato, no dia 1º de março de 1991, não há fundos. É apenas graças ao dinheiro fresco que chega de Milano 2 que se pode dar continuidade à operação. A transferência de meio bilhão, no entanto, deixa momentaneamente a Polifemo no vermelho em 183.203.000 liras. O buraco é preenchido dois dias depois graças a uma transferência, bem superior a ele, proveniente da All Iberian: 6 bilhões e 100 milhões. A Polifemo repassa 2 bilhões a Previti (de 8 de fevereiro a 25 de março de 1991) e 10 bilhões a Craxi.

No mesmo período, Previti recebe outra provisão (2,7 bilhões) que utiliza em parte – conforme a acusação – para repassar a Pacifico o dinheiro necessário (425 milhões) para comprar a sentença do juiz Vittorio Metta que anula o laudo Mondadori e entrega a editora a Berlusconi, outro negócio que muito interessa a Craxi. Na primavera de 1991, então, a Fininvest de Berlusconi completa a ocupação da empresa e paga o político, os advogados e o juiz que ajudaram. A sequência dos eventos reconstruída pela acusação é de tirar o fôlego. No dia 14 de fevereiro de 1991, Previti deposita 425 milhões para o juiz Metta por meio de Pacifico. Em 6 de março de 1991, transfere 500 milhões a Squillante. No dia 16 de abril de 1991, novamente por meio de Pacifico, manda 500 milhões para a conta Master 811 de Filippo Verde (mais tarde absolvido). Sempre com os fundos da Fininvest.

5) Berlusconi diz não ter tido qualquer motivo para corromper Squillante, visto que o juiz não havia jamais se ocupado dele ou da Fininvest, mas é mentira. Em 1984 – como vimos –, Squillante, juiz em Roma, interroga e depois absolve Berlusconi e Umberto Previti, pai de Cesare, que defende ambos, em uma investigação sobre uma selva de antenas abusivas espalhadas por Lazio pela Fininvest e por outras emissoras comerciais. É documentalmente comprovado que Silvio Berlusconi e Squillante mantêm ótimas relações. O *Cavaliere* oferece-lhe um colégio senatorial para as eleições de 1996 e telefona-lhe para concluir a operação em fevereiro de 1996. E Squillante, no Ano-novo de 1996, liga para Berlusconi em Arcore para as felicitações. No processo IMI–SIR/Mondadori, Squillante explicou ser amigo de Paolo Berlusconi que, na época dos fatos, era conselheiro delegado da Fininvest com o irmão Silvio e Giancarlo Foscale.

6) Não podendo negar o depósito multibilionário a Previti na cara do fisco, Berlusconi explica da seguinte forma: "São pagamentos profissionais totalmente normais. Previti registrou uma considerável documentação testemunhando a grande atividade desenvolvida pela Fininvest na França, na Espanha e na Alemanha". Uma pena que aquela "considerável documentação" nunca tenha sido entregue ao tribunal, nem ao menos um pedaço de papel que demonstre a "intensíssima atividade profissional" do advogado no exterior. Ouvidos sobre essa questão, os dirigentes da Fininvest gaguejam e atrapalham-se, citando sempre controvérsias legais estrangeiras na França, na Espanha e na Suíça (da Alemanha, sobre a qual fantasia o *Cavaliere*, nenhum rastro) de meses ou anos a partir de março de 1991. Datadas de outubro de 1991 na França, verão de 1991 na Espanha, até 1992 na Suíça, mas Previti recebe aquele dinheiro em março–abril de 1991: muito tempo antes. Portanto, não eram pagamentos de honorários. E mais: se aquele dinheiro – como afirma a defesa berlusconiana – era "patrimônio pessoal de Berlusconi", o que tem a ver com os pagamentos? Berlusconi pagava advogados do grupo, para assuntos internacionais do grupo, do próprio bolso? Ridículo. O *Cavaliere* afirma que aquelas contas (pelas quais passavam seus fundos pessoais) não tinham relação com ele: quem as geria eram os administradores financeiros do grupo, dos quais

1996. MÃOS GRANDES   581

Livio Gironi era o chefe. Estranho: em 1995, quando o advogado Dotti pede um adiantamento de pagamento de apenas 500 milhões, Gironi chama Berlusconi para pedir autorização, mas para os bilhões a Previti e Craxi não? Absurdo. Última pérola: Berlusconi diz que "de uma daquelas contas são efetuadas pela Fininvest uma série de pagamentos aos diversos escritórios de advocacia do grupo, dentre os quais o escritório de Previti". No entanto, não constam outros escritórios: a conta Polifemo financia apenas o advogado Previti e também Craxi. Craxi também era um advogado do grupo Fininvest?

Esse – o preço dos juízes, não o da SME – é o objeto do processo SME–Ariosto, iniciado no dia 9 de março de 2000 perante o Tribunal de Milão, contra todos os acusados julgados em 1999: Berlusconi, Previti, Pacifico, Verde e Squillante acusados de corrupção; Misiani, Fabio e Mariano Squillante e Olga Savtchenko acusados de favorecimento. A sentença de primeiro grau, assinada pela presidente da primeira seção do Tribunal, Luisa Ponti, chega quase quatro anos depois, no dia 22 de novembro de 2003, quando Berlusconi escapa do processo graças ao laudo de Schifani, passando para um processo à parte. Dessa forma, são condenados Previti (5 anos), Squillante (8 anos), Pacifico (4 anos); absolvidos Verde e Misiani; salvos por prescrição os filhos de Squillante e Savtchenko. Na prática, a primeira seção do tribunal considerou provada a corrupção de Squillante como juiz "na folha de pagamento" da Fininvest por meio de Previti e Pacifico: um episódio considerado grave a ponto de induzir os juízes a negarem aos acusados as atenuantes genéricas (exceto para o filho do magistrado), evitando assim o risco de prescrição. Não é provada compra e venda da sentença SME, mesmo que as condenações digam respeito também a dois estranhos pagamentos de Barilla a Squillante, este último relacionado à causa SME.

No dia 2 de dezembro de 2005, a segunda seção da Corte de Apelação (presidida por Erminia La Bruna) confirma substancialmente a sentença de primeira instância: 5 anos para Previti, 4 anos para Pacifico; Squillante passa de 8 para 7 anos; Verde é absolvido; prescrição para os familiares de Squillante. Porém, no dia 30 de novembro de 2006, com uma sentença que excede os limites do incrível, a sexta seção da Suprema Corte anula tudo. Não porque os acusados sejam inocentes, mas pela "incompetência territorial do Tribunal de Milão" (competência que a Corte de Cassação havia mais de uma vez atribuído justamente a Milão). O arquivo é transferido à Procuradoria de Perúgia por não ter havido audiência preliminar, ou seja, recomeça do zero, mas apenas em teoria, visto que a prescrição aguarda na próxima esquina (graças à lei ex-Cirielli, lançada em 2005 pelo governo Berlusconi, que reduz o tempo para a prescrição).

No dia 1º de outubro de 2007, Claudio Matteini, juiz de investigações preliminares de Perúgia, acolhe o pedido de arquivamento feito pela Procuradoria, mas apenas para a prescrição, não porque Previti, Pacifico e Squillante sejam inocentes. Eles com certeza cometeram o crime de corrupção. O juiz escreve:

Um arquivamento por mérito certamente não é possível, tendo os numerosos, precisos, verificados e incontestáveis elementos de prova sido recolhidos ao longo da investigação. [Portanto,] não se pode fazer nada além de constatar a prescrição de todos os crimes.

O que teria acontecido se a Corte de Cassação, um ano antes, não tivesse inventado na última hora a competência de Perúgia para o caso e tivesse confirmado as condenações da apelação? Em 2006, de fato, os crimes ainda não estavam prescritos (a lei ex-Cirielli não funciona para os processos já em fase de discussão). Agora, no entanto, eles prescreveram porque o arquivo retrocedeu à audiência preliminar e, portanto, a lei salva-Previti faz com que o crime seja extinto a partir de 2002. Assim, Previti e Pacifico evitam voltar à prisão domiciliar por 5 anos (e já aproveitaram o indulto extra para a condenação IMI–SIR). Squillante, especialmente, não recebe qualquer condenação. No processo IMI–SIR, era acusado de corrupção judiciária por ter recebido 133 milhões de liras em 1991 da família Rovelli em troca da "aproximação" com um juiz da Corte de Cassação que deveria decidir sobre a causa, mas a Suprema Corte absolveu-o, reconhecendo que o dinheiro e o fato estavam demonstrados, mas considerando-o um simples mediador privado: para a lei italiana, o "tráfico de influência ilícitas" não é um crime. Aqui, conforme o juiz de investigações preliminares de Perúgia, "não pode haver qualquer dúvida sobre a qualificação judiciária dos fatos", isto é, sobre a corrupção do juiz com o dinheiro da Fininvest. Sem a prescrição, haveria certamente uma condenação. A "prova rainha" do comércio ilícito é a famosa transferência Relógio. Além disso, há o testemunho, aqui considerado confiável, de Stefania Ariosto sobre os depósitos em dinheiro vivo de Previti a Squillante com dinheiro de Berlusconi. O juiz Matteini ainda escreve:

> Foi documentalmente reconstruído o percurso do dinheiro que chegou às contas estrangeiras ligadas a Squillante e, além disso, foram apurados e verificados os fornecimentos de dinheiro vivo de Previti a Squillante.

E – lembra – foi justamente a Corte de Cassação, na sentença sobre a incompetência de Milão, que

> identificou em Roma o lugar das distribuições de dinheiro e indicou-as como componentes essenciais da "reiteração" remunerativa ao magistrado considerado "na folha de pagamento" [da Fininvest], com isso dando mérito e tornando crível Stefania Ariosto, testemunha ocular de tais pagamentos.

E Berlusconi? Após ter seu processo separado em 2003, é processado por outra turma do Tribunal de Milão, presidido por Francesco Castellano, que, no dia 10 de dezembro de 2004, absolve-o pelo caso SME (as supostas propinas a Verde) e também pelos dois pagamentos em mãos de Previti a Squillante testemunhados por Ariosto. Quanto à transferência Relógio de 1991 para Squillante, o *Cavaliere* se salva somente graças à enésima generosa concessão das atenuantes genéricas (pela sexta vez em poucos anos) e à consequente prescrição do crime, embora esse tenha sido verificado. Por fim, quanto à transferência Barilla–Pacifico–Squillante de 100 milhões, também verificada e ligada à causa SME, a absolvição se dá apenas por insuficiência de provas (artigo 530, inciso 2).

A Procuradoria recorre em apelação, e, no dia 27 de abril de 2007, esbanjando generosidade até o tribunal, a segunda seção da Corte (presidida por Francesco Nesse) absolve Berlusconi de todas as acusações. Inclusive a relacionada à transferência Relógio, considerada provada, mas prescrita pelos juízes de primeira instância. Quanto àquele episódio, surge o mesmo inciso 2 do artigo 530: insuficiência de provas. As motivações, registradas após somente cinco dias, são, para dizer o mínimo, surpreendentes, ao menos para quem conhece os atos. Tanto pelas frágeis argumentações adotadas quanto pela grande pressa com que são argumentadas, liquidando em quinze páginas 12 anos de processo, 200 fichários de atos e centenas de páginas de recursos da acusação e das partes civis. Deixando à parte o capítulo SME, considerado não provado por todos os juízes dos dois processos separados, restava julgar os depósitos em dinheiro vivo de Previti a Squillante relatados por Stefania Ariosto e a transferência Relógio testemunhada pelos registros bancários de contabilidade.

1) Quanto à transferência, escrevem os juízes, não há dúvidas de que tenha ocorrido, mas eles se perguntam:

> por que um empresário atilado como Berlusconi, dotado de imensas disponibilidades financeiras, teria tido de efetuar (ou melhor, fazer efetuarem) um pagamento corruptivo por meio de uma modalidade (transferência bancária) destinada a deixar rastros, em vez de utilizar dinheiro vivo?

> E por que motivo o pagamento teria de ter sido realizado por meio da conta de Previti, e não diretamente ao destinatário? [...]. O mesmo resultado prático teria sido atingido de forma mais prudente com depósitos, mesmo que no exterior, em dinheiro vivo.

Em resumo, é "razoável" que o pagamento "tivesse função corruptiva". A versão de Previti é pura "fantasia", e é

> evidente a inverossimilhança de que Berlusconi não tivesse conhecimento dos pagamentos no exterior realizados por seus funcionários e sobretudo de que eles tivessem carta branca para realizar movimentações bancárias certamente ilícitas (para dizer o mínimo, visto que foram efetuadas ilegalmente em contas estrangeiras).

No entanto – surpreendentemente acrescentam os juízes –, pagar um juiz não equivale a corrompê-lo, mesmo porque, no fim das contas, Squillante não fez nada para favorecer Berlusconi: "Nenhum procedimento no qual Squillante teria podido influenciar revelou aspectos irregulares ou discutíveis". Logo,

> esse complexo de elementos circunstanciais, contrastantes entre si, não permite sustentar a firme convicção da Corte de que Silvio Berlusconi, além de qualquer dúvida razoável [...], seja culpado pelo crime a ele atribuído [...]: independentemente da consistência que as provas contra ele possam assumir em relação a terceiros.

Isto é, de Previti. Em resumo: Squillante estava na folha de pagamento de Previti ("propenso a práticas corruptivas em relação a magistrados"), mas não está suficientemente comprovado que ele agisse em nome do *Cavaliere*.

Nasce assim, no processo penal, a "prova impossível": se o acusado não deixa rastros, é inocente porque faltam provas; se, por outro lado, deixa rastros, diz-se que é impossível que ele os tenha deixado, então a prova contra ele vira uma prova em sua defesa, e ele é, da mesma forma, inocente. Independentemente dos rastros. Os juízes não devem acreditar nem nos próprios olhos.

2) Quanto às acusações da Ariosto, já consideradas completamente confiáveis por cinco promotores, um juiz de investigações preliminares e uns 30 juízes divididos entre o Tribunal de Revisão, o Tribunal, a Corte de Apelação e a Corte de Cassação, para a Corte são meio confiáveis e meio inconfiáveis. O relato da testemunha Ômega

> suscita óbvias perplexidades quando confere crédito à tese, desviante em relação às máximas de experiência, de que pessoas capazes e profissionalmente qualificadas como Previti e Squillante dividissem propinas em público.

Porém, fora o fato de que Ariosto nunca tenha dito que eles dividiam propinas na frente de todos (uma vez viu-os fazendo-o na garagem do círculo esportivo, enquanto ela, sem ser vista por eles, estava dentro de seu carro; na outra ocasião, ela passava pelo corredor da casa de Previti e viu, pela porta entreaberta de uma salinha, os dois trocando dinheiro entre si), aqui estamos com a prova impossível invertida. Um triplo salto mortal carpado da lógica, que se explicaria somente se a sentença sobre o caso 1 tivesse sido escrita por juízes diferentes dos que escreveram a sentença sobre o caso 2, porque o estabelecido entre 1 e 2 é o seguinte: se Berlusconi deixa rastros sobre uma transferência na Suíça, é impossível que tenha deixado rastros sobre uma transferência, pois é mais provável que pagasse em dinheiro vivo. Se Previti é visto pagando em dinheiro vivo, é impossível que tenha sido visto pagando em dinheiro vivo, pois é mais provável que use sistemas mais reservados (por exemplo, as transferências na Suíça?). Disso, deduz-se que a corrupção existe somente quando não é descoberta. Porém, se não é descoberta, jamais é punível.

Vem à mente o paradoxo de *Ardil 22*, romance de Joseph Heller: o regulamento militar manda dispensar dos voos de guerra apenas os pilotos loucos; porém, com base no ardil 22, quem pede para ser dispensado dos voos de guerra não é louco; louco é quem não pede a dispensa; no entanto, se alguém a pede, não pode ser louco; portanto, é impossível ser dispensado dos voos de guerra. Agora, o ardil 22 entra no direito italiano.

Muito perplexa pelas motivações consideradas irracionais e infundadas, a Procuradoria Geral de Milão recorre na Corte de Cassação, contestando a sentença de apelação tanto em questão de direito quando de fatos. No direito, a tese da Corte é desmentida pela sentença da Corte de Cassação sobre o caso IMI–SIR: a "corrupção própria antecedente", isto é, as propinas ao juiz para que definitivamente "vendesse a sua função" e estivesse à disposição do corruptor para qualquer exigência futura, não requer a prova da sucessiva contraprestação: basta o pagamento adiantado. Além disso, a sentença contém um erro jurídico bastante grosseiro: a corrupção judiciária pune o pagamento ao juiz tanto para que cumpra atos contrários aos deveres do seu ofício (sentenças injustas ou maculadas) quanto para que cumpra atos que dizem respeito a seu ofício (sentença justas e irrepreensíveis). É simplesmente proibido pagar a juízes em troca de suas sentenças, seja para ter razão quando se tem razão, seja para não ter razão quando se tem razão. Assim, para o Código Penal, é completamente irrelevante se as decisões tomadas por Squillante após os pagamentos na Suíça apresentam ou não "aspectos irregulares ou discutíveis".

Quanto aos fatos, segundo o procurador-geral, a Corte de Apelação ignorou muitos deles. Por exemplo, quando pergunta por que Berlusconi deveria pagar Squillante por transferência bancária por meio de Previti, quando poderia entregar as propinas em dinheiro vivo sem deixar rastros? Está documentalmente provado que, nos mesmos meses de 1991, Berlusconi transferiu na Suíça 23 bilhões de liras para Craxi (sentença definitiva da All Iberian) e um bilhão e meio a Previti para recompensar a ele e ao juiz Metta pela anulação do laudo Mondadori (condenação em apelação de Previti e Metta, no processo Mondadori, em que o *Cavaliere* salvou-se por prescrição). Pode ser realmente estranho que Berlusconi utilize as transferências, mas aquelas transferências constam nos papéis. Porém, não seria mais estranho imaginá-lo atravessando a fronteira de Chiasso com uma bolsa cheia de dinheiro vivo, para entregar nas mãos de juízes amigos? O que deveria fazer um magnata titular de 64 sociedades offshore, com uma enorme quantidade de contas estrangeiras, se não pudesse utilizá-las para os pagamentos reservados aos juízes, sendo estes últimos também munidos de contas estrangeiras, e com a mediação dos advogados Previti, Pacifico e Acampora, os três também munidos de contas estrangeiras? Se essas pessoas não as usassem, por que as teriam aberto?

Hoje aquelas contas são (em parte) conhecidas graças às cartas rogatórias. Porém, nos anos 1980 e no início dos anos 1990, quando eram usadas, ninguém imaginava que teriam sido descobertas graças às cartas rogatórias: se Ariosto não tivesse falado, ninguém teria ido procurá-las. Tanto as propinas para Craxi quanto as para os juízes passaram regularmente pela Suíça, bem como aquelas do caso IMI–SIR, que seguem o mesmo percurso das de Berlusconi: os herdeiros de Rovelli transferem na Suíça 67 bilhões de liras para três advogados, que repassam uma parte aos juízes comprados. A pergunta da Corte deve, então, ser invertida: por que Berlusconi *não* deveria pagar com transferências suíças? E ainda: os próprios defensores do *Cavaliere* dizem no processo de apelação da All Iberian que o dinheiro usado por Previti para pagar Squillante vinha "do patrimônio pessoal de Berlusconi". Além disso, consta que a provisão com a qual eram alimentadas as contas estrangeiras utilizadas em 1991 para pagar Squillante havia sido criada na Itália, inclusive, com fundos provenientes de um "mandado" pessoal do *Cavaliere* aberto junto à Fiduciária Orefici de Milão. Berlusconi, no entanto, para a Corte de Apelação, não sabe nada sobre isso.

Todos os argumentos são ignorados pela sexta seção da Corte de Cassação (presidida por Giorgio Lattanzi) que, no dia 26 de outubro de 2007, confirma a sentença de apelação e coloca uma pedra definitiva sobre as acusações contra Berlusconi no caso SME–Ariosto. O próprio procurador-geral Oscar Cedrangolo, no seu parecer, pediu que seja rejeitado o recurso da Procuradoria Geral de Milão e que o absolva para sempre: se – argumenta – não se consegue demonstrar que o juiz (Squillante) submetido aos interesses de um grupo privado tenha realizado um ato contrário aos deveres do seu ofício "no âmbito da esfera de influência de suas funções", isto é, que interveio para alterar um processo, mesmo que tenha recebido dinheiro, não pode ser condenado, e o mesmo serve para quem fez o pagamento. Curiosa interpretação, que parece contrastar com o que é estabelecido pela própria Corte de Cassação no dia 23 de maio de 1996 quanto a Squillante:

> O lento e progressivo condicionamento de suas escolhas [de Squillante por parte de Previti] em relação a grupos econômicos [...] com base em deliberadas ocasiões de encontros, de regalias, de mundanismos, de concessão de gratificação individual de todos os tipos [...], impõe uma releitura normativa da conjectura de crime de corrupção sempre que temos como referência fatos não apenas de comércio ilícito dos deveres do escritório em relação a atos tipicamente formais, mas que envolvem a conduta geral de favoritismo e, portanto, indébita de oficial público [...]; isso sobretudo quando, como no caso sendo examinado, a corrupção que se utiliza dos deveres de base de uma organização [a judiciária] [...] comporta a sistemática abdicação de suas finalidades legais.

Em resumo, se um grupo paga a um juiz para que esteja sempre disponível para suas exigências processuais mesmo antes que esse intervenha a seu favor, essa é igualmente uma corrupção, mesmo que não se consiga ligar os pagamentos a este

1996. MÃOS GRANDES

ou aquele ato específico. Agora, porém, o procurador-geral – e a sexta seção, que o segue – estabelece que, sim, é incontestável que os 434.000 dólares da transferência Relógio a Squillante provinham da Fininvest, ou melhor, de Berlusconi. No entanto, ninguém conseguiu demonstrar uma intervenção de Squillante para alterar o curso do caso SME. Ao menos é isso que escreve a ANSA, resumindo as razões finais do procurador-geral:

> Na prática, a "disponibilidade genérica" do chefe dos juízes das investigações preliminares da capital e o fato de ter recebido dinheiro de fundos irregulares ligados a Silvio Berlusconi não fazem deste último um corruptor, pois faltou uma contraparte à "propina". Somente a "potencial subordinação" do magistrado, a despeito da tese contrária defendida por De Petris, não apresenta "relevância penal", concluiu Cedrangolo.

Entretanto, aqui há um enorme equívoco: ninguém jamais defendeu que a transferência Relógio (de 1991) fosse ligada à sentença SME (de 1986). Era a acusação que dizia que Squillante estava "fixamente na folha de pagamento" da Fininvest. Conforme a acusação, era ligado ao caso SME o depósito de 100 milhões que Barilla, por meio de Previti, fez a Squillante após o êxito do caso SME na Corte de Cassação. O fato mais paradoxal é que esse erro é igualmente repetido pelo advogado Pecorella, que, querendo defender seu ilustre cliente, nada faz além de repetir que Berlusconi pagava Squillante, declarando textualmente:

> Squillante, pelas suas funções, não era capaz de intervir no caso SME. Já para a Corte de Apelação não há dúvidas de que a transferência Relógio esteja ligada a Berlusconi, mas, como não houve qualquer intervenção de Squillante, aquele pagamento não prova o registro do magistrado na folha de pagamento.

Isto é, Berlusconi, conforme seu próprio defensor, pagou um juiz por meio de Previti, mas isso não é crime, ao menos quando faz isso é Berlusconi. Os juízes do Supremo, nas 41 páginas de motivações, não chegam a tanto, mas quase. Eles explicam que, "com uma motivação exaustiva", a Corte de Apelação "considerou não poder resolver as próprias dúvidas sobre a participação criminosa do acusado (Berlusconi) com as provas recolhidas, impedindo de dissipar 'qualquer dúvida razoável' da sua culpabilidade". Quanto à transferência Barilla de 1988 e à transferência Relógio de 1991 ao juiz Squillante, os últimos juízes não deduziram "a inconsistência ou a inapreciabilidade como fatos que comprovem uma corrupção do magistrado", mas constataram "uma efetiva quantia não adequada (transferência Barilla) ou não completa (transferência Relógio) que sustenta (além de qualquer dúvida razoável limitada à disposição do atual acusado) a solidez do paradigma acusatório, que considera Silvio Berlusconi responsável por aqueles verossímeis fatos corruptivos". Justamente este "quadro de contraditoriedade probatória", no qual a Corte de Apelação de Milão deu "maior importância à transferência Reló-gio, por sua ligação com a Fininvest e com Berlusconi", determinou "a tipologia da fórmula liberatória adotada em relação ao acusado, absolvido conforme o artigo 530, inciso 2, do CPP: uma situação processual que ratifica a indicada insuficiên-cia e contraditoriedade das fontes de prova sobre as quais se articulou a acusação".

Em resumo, as provas recolhidas contra Berlusconi não são tão convincentes a ponto de superarem "qualquer dúvida razoável" sobre sua culpabilidade. As transferências dos fundos da Fininvest para as contas estrangeiras de Squillante são, sim, um elemento "afirmativo" da corrupção, mas, se são "ligadas em primeiro lugar a Previti e também aos outros acusados", não é totalmente certo que sejam também a Berlusconi. Em resumo, Previti e companhia agiam sem seu conhecimento, e ele, embora ignorando o fato, aproveitava-se dele, como mero usuário final.

2. O CONVIDADO DE DI PIETRO

Voltemos ao início de 1996, quando, no dia 21 de janeiro, a descoberta da escuta no bar Tombini dá início ao escândalo das "togas sujas". A política italiana é um grande canteiro de "grandes acordos" entre os dois polos. A ânsia por eleições antecipadas, após os gritos e o barulho de 1995, parece repentinamente enfraque-cida. Agora estão na moda as "grandes reformas" e – escrevem os jornais – "desde que estourou a crise do governo Dini, o *Cavaliere* ficou 'encantado' por D'Alema e o chama até duas ou três vezes por dia para convencê-lo de que 'se pode fazer o grande acordo', de que 'se formos votar, não vencemos nem nós, nem vocês' e de que 'no final, Fini se convencerá'" (*La Stampa*, 16 de janeiro). Seguindo a mes-ma frequência de onda encontra-se o presidente da República, Scalfaro, que, na mensagem televisiva de Ano-novo, exprime toda a sua "gratidão" a Berlusconi pela repentina abertura ao diálogo.

O objetivo é um "governíssimo" que coloque em volta de uma mesa os dois grandes poderes que se reduziram após a Mãos Limpas: políticos e empresários. Não é por nada que se volta a falar da anistia, que, no fundo, é conveniente para todos: para Berlusconi, para a Confindustria (Confederação Geral da Indústria Italiana) e talvez também para D'Alema, investigado há alguns meses em Veneza. Porém, apenas o *Cavaliere* fala disso publicamente. Para não ficar com a bomba em mãos, os líderes de centro-direita designam as negociações a quatro "técnicos": Giuliano Urbani, do Força Itália; Domenico Fisichella, da Aliança Nacional; e Cesare Salvi e Franco Bassanini, do PDS. Cada um encarrega-se de estudar um rascunho de acordo para as reformas: respectivamente sobre o federalismo, sobre a forma de governo, sobre novas funções do Parlamento e sobre a justiça. O trabalho começa na metade de janeiro. No dia 23, os quatro exploradores estão a um passo do acordo; porém, uma parte do Polo rema no sentido contrário: é aquela guiada pelos "falcões" [os radicais] da Aliança Nacional e do Força Itália, que se reconhecem nas posições radicais de Previti e Ferrara (este último, nesse meio-tempo, assume a diretoria de um novo jornal, *Il Flogio*, publicado oficialmente pela esposa de Berlusconi, Veronica Lario).

Provas técnicas de "governíssimo"

No dia 25 de janeiro, na casa de Vespa, Berlusconi e D'Alema aparecem juntos na TV pela primeira vez. O *Cavaliere* anuncia que não há mais conflito de interesses, pois "o Parlamento está examinando a proposta dos três técnicos" (nomeados dois anos antes pelo seu governo). Então, propõe cancelar a Mãos Limpas, pois "distrai os empresários de sua missão de criar novas vagas de trabalho". Quanto ao resto das reformas, é bastante vago, mas assegura: "Conheço bem o modelo francês, pois trabalhei na França". Por fim, tenta tranquilizar quem teme o acordo entre adversários: "Visto que não nos entregam as eleições, vale a pena fazer o acordo". Mas D'Alema rebate: "Olhe, se realmente quiser as eleições, podemos fazê-las depois de amanhã, mas eu tinha entendido que você não as queria mais".

No dia 30 de janeiro, o acordo está feito: semipresidencialismo à moda francesa, com algumas alterações, lei eleitoral majoritária com dois turnos e cota proporcional de 15–20%. A Liga e o PPI não gostam nem um pouco. D'Alema aposta em uma repetição do governo Dini, mas depois, com o não de Fini, debruça-se sobre outros nomes: Amato, Ciampi, Maccanico. Quanto aos dois primeiros, a AN diz novamente não. Assim, no dia 1º de fevereiro, o presidente Scalfaro encarrega Antonio Maccanico de formar o novo governo. O velho grande funcionário do Estado, de escola social-republicana, bem-visto nos círculos financeiros relevantes (foi vice-presidente da Mediobanca com Enrico Cuccia, que diz dele: "Seria capaz de fazer um acordo entre duas cadeiras vazias"), é o homem certo para colocar em pé aquilo que, em um ato falho, Dini chamou no seu discurso de afastamento, de "um governo de empresas".

Para um futuro cargo ministerial, assume Lorenzo Necci, candidato a dirigir o Superministério das Infraestruturas (Áreas Urbanas, Transportes e Obras Públicas), que deve gerir dezenas de milhares de bilhões. Advogado, 58 anos, propiciador dos últimos e decisivos encontros entre D'Alema, Berlusconi e Fini em sua casa na Via Donizetti, em Roma, o ex-presidente da Enimont e agora das Ferrovias do Estado navega há muitos anos nas águas da política: antes republicano, depois socialista próximo de De Michelis, depois andreottiano, depois berlusconiano e agora convicto apoiador dos "grandes acordos", tem como colaboradores de confiança dois grandes protagonistas da Tangentopoli: Mario Alberto Zamorani e os ex-membro da P2 Luigi Bisignani. Porém, na sua elegante casa, encontram-se também o banqueiro Pacini Battaglia e o anteriormente democrata-cristão Emo Danesi (também ele nas listas da P2).

No dia 2 de fevereiro, Berlusconi anuncia: "O acordo está feito, eu confio em D'Alema". Depois, proíbe por escrito que todos os clubes do Força Itália falem de acordo entre adversários, recomendando a definição "governo dos melhores". No dia 9, janta com D'Alema na casa de Letta. Porém, a AN é obstinada, e a situação piora. Gasparri faz uma dura declaração contra Berlusconi: "Somos contrários aos conflitos de interesses, e quem tiver de ir para a cadeia, que vá". No dia 14 de fevereiro, Maccanico vai ao Quirinale para comunicar sua renúncia ao cargo, mas não antes de acusar o Polo: "Queriam que eu transgredisse a Constituição". No dia 21 de abril, os italianos vão às urnas.

Mais tarde, será descoberto que um dos pomos da discórdia era, como sempre, o Ministério da Justiça. Berlusconi insistia em entregá-lo a Antonio Baldassarre, ex-presidente da Corte Constitucional, futuro presidente da RAI, mas também amigo de Previti. Scalfaro, por sua vez, queria a reconfirmação de Caianiello. No entanto, o *Cavaliere* não havia aceitado: Baldassarre era, para ele, uma garantia. Não apenas pelos seus encontros regulares, mas também pela sintonia em matéria de justiça, que o jurista havia demonstrado, inclusive, no seu último dia na presidência da Corte Constitucional, no dia 7 de setembro de 1995, quando, surpreendentemente, anunciou uma sentença que, segundo ele, "abria" a separação das carreiras dos magistrados, sem nem ao menos ser necessário modificar a Constituição. Baldassarre havia citado um misterioso "vínculo constitucional" que imporia a "distinção entre as duas funções", atribuindo um grau distinto de independência, maior para os judicantes, menor para os requerentes. Na prática, apenas os juízes seriam "sujeitos apenas à lei"; os promotores não mais. Por isso – havia concluído Baldassarre –, "nada mais impede a separação das carreiras por parte do Parlamento, pois promotores e juízes estão em dois níveis diferentes". Nada disso era verdade. Bastou aguardar 48 horas para descobri-lo: a sentença não continha qualquer menção à separação das carreiras. A Corte – explicou depois um comunicado do novo presidente, Caianiello – "confirma a sua estável jurisprudência": todos os magistrados fazem parte de uma única ordem judiciária independente de qualquer outro poder. O novo presidente havia também convidado os colegas, após o caso Baldassarre, a ter uma maior "sobriedade e manter silêncio sobre os casos da atualidade".

Bréscia absolve, mas tarde demais

Quanto mais se aproximam as eleições, mais se fala do "convidado Di Pietro". "Até que eu seja absolvido, nada de política", repete. Em Bréscia, a Procuradoria pede sua prisão pelo caso Gorrini–Rea e pelos casos sobre a informatização do Ministério e do Tribunal de Milão. Ele a desafia a processá-lo com o rito abreviado, isto é, imediatamente, com base nos documentos recolhidos até aquele momento pelos promotores, mas o promotor Fabio Salamone refuta e pede o debate público em tribunal, com uma motivação bizarra: "Considerando-se a importância dos personagens envolvidos...". Dessa forma, vai-se às audiências preliminares e, nos dias 22 de fevereiro e 6 de março, a Procuradoria acaba com duas duras derrotas: nenhum processo para ambas as questões ligadas à informatização. Di Pietro é

1996. MÃOS GRANDES 591

absolvido. "Os fatos não são válidos", escreve o juiz das audiências preliminares Roberto Spanò.

Resta a terceira audiência. É a mais traiçoeira, pois diz respeito aos fatos em parte verdadeiros, mas sujeitos à interpretação: o caso Gorrini e o caso Rea. Inicialmente, é marcada para o dia 26 de fevereiro, mas, no último momento, a juíza das audiências preliminares Anna Di Martino remarca o julgamento para o dia 18 de março, por um banal atraso na transcrição das interceptações telefônicas (mais de 200). O dia 18 de março é o último dia para apresentar as candidaturas às eleições de 21 de abril. Caso fosse absolvido desta vez também, Di Pietro não teria, de qualquer forma, tempo hábil para reunir uma equipe de candidatos. Assim, declara: "Não me coligo a ninguém e não patrocino nem um polo nem o outro". Mais tarde, no dia 29 de março (é adiada também a audiência do dia 18), recebe a última absolvição dupla. Não cometeu abuso de poder, pois não articulou a nomeação de Rea a chefe dos guardas de trânsito de Milão. E, quanto aos empréstimos recebidos da MAA de Gorrini, não é responsável por extorsão: neste caso também, para o juiz, impõe-se o "não lugar a proceder" pois "os fatos não são válidos". No mesmo dia, a própria juíza da audiência preliminar Anna Di Martino manda a julgamento Previti, Paolo Berlusconi, Dinacci e De Biase pela suposta chantagem que provocou a demissão de Di Pietro. Esse processo também acabará em absolvição geral, mas ao final do julgamento.

As motivações das três sentenças de fevereiro e março, assinadas por Spanò e Di Martino, destroem definitivamente as investigações de Salamone, usando até mesmo palavras constrangedoras que colocam em xeque sua capacidade profissional e sua imparcialidade. Di Martino fala de "improcedências das hipóteses de acusação por razões de fato e de direito [...], sendo evidente a partir do exame dos atos que os supostos fatos não procedem", e isso para a "identificada falta, em todos os casos examinados, dos elementos estruturais e dos pressupostos das acusações formuladas". Spanò evidencia "as lacunas e incongruências estruturais das acusações por problemas de conexão entre os fatos, por omissão de componentes essenciais e de apoio, por forçamento das engrenagens para articular as supostas condutas ilícitas", e denuncia a "unilateralidade" das investigações de Salamone, afetadas por uma "visão monocromática" dos fatos, o que o levou a confundir com provas um "absoluto deserto probatório".

Ao final de março de 1996, logo após a última absolvição relacionada ao caso Gorrini–Rea, intervém o procurador-geral de Bréscia, Marcello Torregrossa. Ele escreve uma carta de cinco linhas a Salamone, convidando-o a deixar Di Pietro de lado e a ocupar-se de outras coisas, dado também o caso do seu irmão, mas Salamone protesta: "Fui parado, fui impedido de esclarecer as coisas; recorreram a um assunto pessoal que foi instrumentalizado". O "assunto pessoal" diz respeito a seu irmão, o construtor Filippo, que – como vimos – se sentava à mesa dos acordos de contratos de construção na Sicília como "juiz" do pacto entre os mafiosos, políticos e empresários: Di Pietro havia-o investigado em 1993, passando depois seu arquivo a Palermo (onde Filippo Salamone negociará 13 meses de reclusão e sofrerá diversos processos, inclusive por concurso externo em associação mafiosa).

Com as mesmas motivações de incompatibilidade, a partir de junho, o prudente procurador da República de Bréscia Giancarlo Tarquini, pedirá ao seu promotor que se abstenha das investigações ainda abertas sobre Di Pietro, mas é em vão: Salamone continuará obstinado, voltando a colocar o ex-promotor no registro dos investigados por extorsão e corrupção, em setembro, pelo caso Pacini–D'Adamo que surgiu em La Spezia. Naquele ponto, no dia 17 de outubro, Torregrossa o substituirá por outro colega, acusando-o de deixar-se levar por "uma forte inimizade e um inexorável ódio particular" em relação a Di Pietro. Inevitável, portanto, também o procedimento disciplinar perante o Conselho Superior da Magistratura, que, no dia 17 de janeiro de 1998, imporá a Salamone a sanção de advertência disciplinar por ter "violado o dever de honestidade e ter prejudicado a ordem judiciária", investigando por dois anos o ex-acusador do seu irmão "em uma situação objetiva", palavras do procurador-geral junto à Corte de Cassação, Mario Persiani, "de clara incompatibilidade". E o Conselho Superior da Magistratura, motivando a medida, escreverá que a abstenção de Salamone teria sido "necessária para eliminar qualquer suspeita de conotação pessoal da acusação pública".

"Tonino, venha conosco"

A notícia de que Di Pietro é inocente modifica mais uma vez a abordagem dos líderes políticos; agora todos exultam, mesmo aqueles que o haviam atacado e dado por acabado. Recomeçam os galanteios na esperança de arrancar dele ao menos um apelo ao voto. Prodi telefona-lhe já na noite da primeira absolvição: "Parabéns, estou com você". No dia 6 de março, Veltroni exulta com a "derrota de quem queria destruir Di Pietro como magistrado e como pessoa". Tremaglia prevê que "Di Pietro não irá para a esquerda", enquanto "em meados de março, Berlusconi será julgado pelos pagamentos irregulares a Craxi". Casini declara: "Estou contente pelas nuvens judiciárias sobre Di Pietro estarem se dissipando". Gustavo Selva: "Uma ótima notícia para todos aqueles que acreditam que a justiça deve ser vingativa, mas serena". Cesare Previti declara: "O castelo acusatório contra Di Pietro, inclusive pela parte que me diz respeito, revelou-se uma prática fantasiosa" (na verdade, Previti acabou de ser julgado justamente por extorsão contra Di Pietro). Por fim, Silvio Berlusconi: "Eu não temo Di Pietro. Ele sempre disse que seu coração bate à direita, que é um moderado".

Dado o percentual de consenso que o ex-promotor continua recebendo nas sondagens, ninguém pode dar-se ao luxo de contrariá-lo. No quarto aniversário da Mãos Limpas, 70% dos italianos estão do lado *pool*, conforme o instituto de pesquisas Directa e, conforme o Abacus, seriam 79%. Além disso, mais de 75% seriam favoráveis a Di Pietro. "Oito a cada dez estão com ele", comenta Nicola Piepoli, do Centro Internacional de Pesquisas de Mercado: "Superou a 'linha do herói', é como Garibaldi". Falando em público, consegue atrair milhões de votos.

Di Pietro, por sua vez, mantém-se calado. No entanto, manda um sinal: Elio Veltri, seu amigo e porta-voz, candidata-se pelo Ulivo no colégio de Carrara. Calabrês de nascimento e padovano de adoção, prefeito socialista de Padova nos anos 1970, Veltri abandonou Craxi em 1981, no momento de maior fulgor, e foi eleito conselheiro regional junto ao Partido de Unidade Proletária (PDUP). Conhece Di Pietro desde o final dos anos 1980, tempos das primeiras investigações sobre a fraude em Milão, algumas nascidas justamente de denúncias de Veltri e do seu colega na região, Emilio Molinari, outro extraordinário antecipador das investigações da operação Mãos Limpas. Agora, Veltri é mais do que um porta-voz: é o plenipotenciário encarregado por Di Pietro de tratar com os chefes do Ulivo, isto é, basicamente, com D'Alema. Os dois se falam com frequência e, às vezes, encontram-se no escritório do secretário do PDS: "D'Alema", lembra Veltri, "foi logo muito claro, quase brutal: 'Dou para você os meus números particulares, pode me telefonar a qualquer hora do dia e da noite, deve falar apenas comigo. Diga a Di Pietro: o verdadeiro chefe do Ulivo não é Prodi, sou eu, porque eu tenho junto comigo as seções, os associados e as cooperativas. Prodi não tem nada'".

A outra frente, a do Polo, consola-se com a candidatura de Gabriele Cimadoro, cunhado de Di Pietro, que será eleito junto ao Centro Cristão Democrático (CCD) de Casini. Na campanha eleitoral, os blocos contrapõem-se com tons muito ásperos e, quase sempre, no centro das discussões, está o mesmo fator: a justiça, basicamente para ambos os candidatos ao Palácio Chigi. De um lado, Berlusconi dá um amplo espaço ao ex-ministro Filippo Mancuso, que chama os juízes de "torturadores" e define os mais altos funcionários do Estado como "colegas de merenda" (como os amigos do "monstro" de Florença). O programa do Polo promete oficialmente a separação das carreiras dos magistrados, a submissão do Conselho Superior da Magistratura à maioria do governo, a restrição das competências do Ministério Público. Do outro lado, há o prefeito de Nápoles, Antonio Bassolino (PDS) que pede que o próximo Parlamento "reveja o crime de abuso de poder" (pelo qual o próprio Bassolino é investigado), e ele será prontamente satisfeito.

Quando, a cinco semanas das votações, estoura o escândalo Previti–Squillante, o ataque da centro-direita às procuradorias torna-se diário. As sondagens sustentarão que aquele caso tirou do Polo pelo menos 600.000 votos, quantidade decisiva em uma eleição acirrada, em uma batalha até o último voto, colégio por colégio.

Ninguém relembra, no entanto, o que acontece, na mesma semana, ao adversário de Silvio Berlusconi: Romano Prodi, no dia 24 de fevereiro de 1996, recebe uma intimação expedida pela Procuradoria de Roma, com a acusação de abuso de poder na venda da Cirio. Parece uma repetição do que havia acontecido no início de 1994, quando Occhetto e D'Alema haviam acabado no registro dos investigados de Procuradoria de Roma por financiamento ilícito dos partidos, enquanto Berlusconi havia se apresentado aos italianos como o "homem novo", isento de problemas judiciários.

Prodi e o caso Cirio

Em 1993, quando Romano Prodi é presidente do IRI, é privatizada a SME, a velha colossal empresa alimentícia pública do IRI. Fracassando em 1985 o acordo com as CIR de De Benedetti para a cessão de toda a empresa, esta é mais tarde vendida por partes. Uma parte, a financeira CBD (o grupo Cirio–De Rica–Bertoli) passa por 310 bilhões à FISVI, a sociedade de um empresário semidesconhecido de nome Carlo Lamiranda, que depois a revende a um preço maior. Operação suspeita, conforme a Procuradoria de Roma, porque Lamiranda, mais do que de dinheiro, era rico de apoios da Democracia Cristã do Sul e teria obtido as empresas abaixo do custo, com prejuízo para o IRI. Além disso, conforme a acusação, estaria claro desde o início que Lamiranda seria apenas um intermediário, para logo revender a Bertolli à multinacional anglo-holandesa Unilever, da qual Prodi havia sido consultor até o dia anterior à sua nomeação ao IRI. Portanto, segundo a Procuradoria de Roma, Prodi deve ser processado por ter arranjado "uma injusta vantagem patrimonial" à FISVI e "uma injusta vantagem patrimonial e não patrimonial" à Unilever.

No dia 26 de novembro de 1996, a promotora Giuseppa Geremia pedirá o julgamento de Prodi, Lamiranda e os outros cinco conselheiros da administração do IRI. Prodi, desde o primeiro dia da investigação, nega todas as acusações. Afirma que a oferta da FISVI era a mais alta dentre as que chegaram ao IRI, como garantido pelo banco de investimento inglês Wasserstein Perella, e que ele não sabia de nada sobre acordos entre a FISVI e a Unilever. De qualquer forma, apressa-se para fazer a campanha eleitoral como candidato a premier na incômoda posição de investigado por abuso de poder. Será absolvido no dia 22 de dezembro de 1997. O juiz das audiências preliminares Eduardo Landi refuta o requerimento de julgamento da promotora Geremia aludindo à reforma do crime de abuso de poder definida há pouco (no dia 10 de julho de 1997) pelo Parlamento por iniciativa do Ulivo (mas também votada pelo Polo). "Da comparação entre as duas disposições que se sucederam em tema de crime de abuso de poder", escreve o juiz, "em pendência da presente decisão, tem-se mais favorável ao acusado a introduzida pelo artigo 1º da lei 234/1997". Prodi será absolvido também por aquela "reforma" há pouco determinada, ao menos, para parte das acusações.

O resultado desse multiplicar-se de investigações em cima das eleições, de qualquer forma, é apenas um. Aguardando o fechamento das investigações, tampouco o Ulivo pode afundar demais o pé no acelerador da questão moral. Diferentemente de 1994, dentre os candidatos do Polo e, em menor quantidade, os da centro-esquerda, há muitos investigados e até mesmo alguns condenados. O Ulivo está do lado de Prodi, D'Alema, Occhetto e De Mita (que depois serão absolvidos), além de Giorgio La Malfa (condenado pelo caso Enimont, bem como Bossi, líder da Liga). A centro-direita está do lado de um condenado, Vittorio Sgarbi (por fraude) e de um pelotão de investigados de grande respeito: Berlusconi, Previti, Luigi Grillo e duas "estreias": Marcello Dell'Utri (acusado em Turim e em

Milão) e Massimo Maria Berruti (sob processo pela Guarda de Finanças). "Decidi candidatar Berruti para salvá-lo da perseguição dos juízes", anuncia Berlusconi. Em Milão, a Liga espalha cartazes com o rosto de Dell'Utri e Berruti e a escrita: "Votem em mim, ou vão me prender".

O Ulivo: cinco anos, quatro governos

O Ulivo vence as eleições do dia 21 de abril. Na realidade, ambos os lados atingem entre 43% e 44% de consenso. Aliás, a centro-direita obtém mais votos do que a centro-esquerda (50.000 a mais na cota majoritária, 210.000 a mais na proporcional), mas, pelos mecanismos da lei eleitoral, o número de cadeiras conquistadas pelo Ulivo é maior tanto no Senado 157 a 116) quanto na Câmara (284 a 246), onde, no entanto, são determinantes para atingir a maioria as 35 cadeiras da Refundação Comunista. A Liga, que competiu sozinha contra "Roma Polo e Roma Ulivo", atinge belos 10%. O PDS, com 21,1%, é o primeiro partido, ao passo que o Força Itália obtém 20,6%.

Romano Prodi chama Di Pietro como ministro "técnico" das Obras Públicas. Para a justiça, como previsto, o advogado do premier, Giovanni Maria Flick, autor de um programa que prevê processos mais eficientes e mais rápidos, normas anticorrupção para impedir o retorno da Tangentopoli, reequilíbrio dos poderes entre acusação e defesa na máxima independência da magistratura em relação ao poder político. Flick tem boas relações com a Procuradoria de Milão e conhece bem Borrelli, inclusive pelos passeios comuns em Courmayeur, no Vale de Aosta, durante as férias de verão. Alguns magistrados, como Marcello Maddalena e Piercamillo Davigo, preveem, no entanto, que o programa sobre a justiça não será respeitado, ou melhor: "Os progressistas nos destruirão", profetiza Davigo, falando com um colega, "e o farão com mais astúcia do que os da centro-direita: sem serem percebidos, sem barulho e, desta vez, sem nem ao menos encontrar obstáculos do outro lado. Estarão todos de acordo quando se tratar de desarmar-nos e, do outro lado, sempre foi assim: fácil estar do lado dos magistrados quando se é da oposição, mas basta que um partido se aproxime da área do governo e, automaticamente, vê os poderes de controle independentes – da magistratura à imprensa – como uma ameaça. É um processo que já se iniciou com o governo Dini e que prosseguirá agora que um governo político entrou no lugar do governo técnico. Teremos muito pouco para comemorar nos próximos anos". Previsões essas que se revelam, em boa parte, acertadas.

As secretarias dos partidos, tanto à esquerda como à direita, estão ansiosas para reafirmar o "primado da política" e de colocar fim no que chamam de "ação suplementar da magistratura". É como se dissessem: a brincadeira acabou, é hora de entrar na linha. Assim, o programa do Ulivo ficará, em grande parte, só no papel, sendo substituído, com o passar do tempo, por reformas de caráter oposto. Paralelamente, o ministro Flick sofrerá um grande desgaste por parte dos responsáveis pela justiça dos partidos da coalizão: Folena, Salvi, Soda, Pellegrino, Calvi pelo PDS; Gargani e Pinto pelo PPI; Manconi, Centro e Boato pelos Verdes. Além, é claro, dos socialistas do SDI: Boselli, Del Turco, Intini. Ministro "técnico" assediado por políticos, Flick não terá forças para colocar em ação o seu programa.

Fora os dois terrenos de caça do *Cavaliere* (justiça e TV), o governo Prodi faz coisas excepcionais. Também graças ao ministro da Economia Ciampi, recompõe em pouco tempo as finanças públicas devastadas por Berlusconi e, em 1998, junta-se milagrosamente ao trem da União Europeia, contra as previsões de todos e, graças à ministra Rosy Bindi, faz nascer uma reforma sanitária decorativa, combatida pelos barões da medicina e da universidade, que depois será, em parte, alterada pelo governo Amato e por seu novo ministro, Umberto Veronesi. Por dois anos, o secretário do DS Massimo D'Alema dificulta a vida de Prodi, fazendo todo o tipo de combinação com o *Cavaliere*, culminando no sistema parlamentar bicameral, fracasso que se prepara para suceder o Professor, visto desde sempre como um intruso sem partidos que o apoiam. No dia 9 de outubro de 1998, após dois anos no governo, Prodi cai por apenas um voto na Câmara, abatido pela Refundação Comunista pela absurda reivindicação de Fausto Bertinotti de reduzir por lei o número de horas de trabalho para 35 horas. O Professor demite-se e declara-se indisponível a novas maiorias diferentes daquela que saiu das urnas (poucos meses depois, será nomeado presidente da Comissão Europeia).

D'Alema, que até o dia anterior jurava "ou Prodi, ou eleições", aceita, no dia 13 de outubro, o cargo oferecido por Scalfaro, tendo já pronta uma maioria alternativa: sai a Refundação, entra um pelotão de parlamentares eleitos com a centro-direita que passam à centro-esquerda no novo partido União Democrática pela República (UDR), fundado por Cossiga, Mastella e Buttiglione. Estes, para apoiar o governo D'Alema, exigem do premier uma declaração de morte do Ulivo, ao passo que os socialistas de Boselli arrancam a promessa de uma Comissão Parlamentar de Inquérito sobre a Tangentopoli, isto é, contra a Mãos Limpas. O novo ministro da Justiça é Oliviero Diliberto, dos comunistas italianos; o das Telecomunicações é Salvatore Cardinale, um democrata-cristão siciliano aluno de Mannino, que acaba de passar da direita para a esquerda pela jogada do UDR. Nascido sob os piores auspícios, o governo D'Alema será marcado sobretudo por duas escolhas infelizes: os bombardeios contra a Sérvia na Guerra do Kosovo, operação da OTAN não apoiada pela ONU e a entrega de uma companhia saudável e estratégica como a Telecom àqueles que o premier chama de "capitães corajosos" – o trio Roberto Colaninno, Emilio Gnutti e Giovanni Consorte –, que a compram com um enorme empréstimo dos bancos e a endividam irremediavelmente. Resultado: após um ano e meio de mau governo, agravado pelo caso de Abdullah Ocalan (o terrorista curdo recebido pela Itália), pelo escândalo da Missão Arco-Íris (subtrações dos auxílios para a Albânia) e pelo caso Mitrokhin (nome do russo que copiou os relatórios da KGB sobre as personalidades ocidentais envolvidas com a espionagem soviética), a centro-esquerda sofre sua maior queda. Em 1999, perde o município vermelho de Bolonha, ao passo que Ciampi torna-se presidente da

República com os votos da centro-direita e da centro-esquerda (contrária apenas a Liga). Nas eleições regionais de 16 de abril de 2000, D'Alema compromete-se pessoalmente, como se se tratasse de um teste sobre o governo nacional, convencido de ter a vitória na palma da mão: "Ganhamos de 10 a 5 e, se tivermos sorte, de 11 a 4". No entanto, acaba em 8 a 7 para o centro-direita.

D'Alema demite-se e é substituído pelo ex-ministro da Economia Giuliano Amato que, pela sua proveniência socialista e as suas polêmicas contra a Mãos Limpas, não obtém a confiança de Di Pietro. O ex-promotor é expulso do novo partido – os Democratas, cujo símbolo é um burro –, que ajudou a fundar com a Itália de Valores junto com os amigos de Prodi e alguns prefeitos. O novo ministro da Justiça é Piero Fassino, enquanto para as Comunicações está confirmado o inexpressivo Cardinale. Nas Finanças, após quatro anos de péssima condução do Antimáfia, assume Ottaviano Del Turco, que depois será preso, em 2008, por supostas propinas. Em resumo, o governo Amato enterra o que resta do Ulivo e devolve o país ao seu legítimo proprietário, isto é, a Berlusconi, que, em 1996, parecia politicamente morto e, em 2001, graças aos gols contra da centro-esquerda, ressurge novo em folha.

Jantar na casa de Flores, menu Mãos Limpas

Um dos primeiros a perceber o que Massimo D'Alema realmente pensa sobre a Mãos Limpas é o diretor da revista *Micromega*, Paolo Flores d'Arcais, que acaba de recusar a oferta de Prodi de uma candidatura em um colégio seguro. Três meses após as eleições, Flores convida D'Alema para jantar. Hoje ele lembra:

> Era 8 de julho de 1996. Massimo, minha esposa e eu estávamos no terraço da minha casa. O governo Prodi era recém-nascido. Começou-se logo a falar de Di Pietro, novo ministro das Obras Públicas, e do *pool* de Milão. D'Alema, muito resoluto, sentenciou que a Mãos Limpas havia sido desde o início "um complô, uma espécie de golpe contra o PCI–PDS". Fiquei boquiaberto. "Como?", respondi. É verdade que se envolveram muitos dirigentes do seu partido, mas o que me diz de Craxi, de Forlani, dos socialistas, dos democratas-cristãos, do Pentapartido inteiro?" D'Alema insistia, não queria escutar. Seguimos nisso por uma boa meia hora, eu colocando todas as argumentações lógicas, ele repetindo a história do complô anticomunista. Eu lembrei a ele que, no *pool*, havia magistrados das mais diversas origens culturais: da direita, da esquerda, do centro. Por que é que aqueles "de esquerda" se prestariam a uma operação combinada contra a esquerda? Então, ele afirma que quem tinha organizado tudo haviam sido "aqueles reacionários do Davigo e do Di Pietro", os quais tinham subornado e arrastado os outros. Naquele ponto, Anna intervém para acabar com a discussão: "Paolo, não insista, evidentemente Massimo sabe de coisas que nós não sabemos", e mudamos

de assunto, mas, quando vi os movimentos sucessivos de D'Alema, do sistema bicameral aos acordos sobre as leis contra a justiça, lembrei-me daquela noite e não me surpreendi muito.

Já no dia 17 de julho de 1996, D'Alema e Berlusconi fazem um acordo para dar vida a uma Comissão Bicameral que reescrevesse a segunda parte da Constituição. A centro-esquerda parte para o abraço com Berlusconi, legitima-o no momento mais difícil para ele, consagra-o até mesmo como pai constituinte. O presidente do insigne sinédrio será o próprio D'Alema, que havia dito do *Cavaliere*: "É o compadre de Craxi" (24 de junho de 1994); "É como Ceausescu: ele também controlava todas as TVs" (2 de agosto de 1994); "Me lembra Kim Il Sung" (13 de julho de 1994); "É um palhaço, um grande mentiroso, um perigo para a Europa" (5 de março de 1995); também "um militante da TV" (6 de março de 1995) e "um bárbaro que não quer regras" (3 de maio de 1995). Agora, diz: "Com Berlusconi, devemos reescrever as regras do Estado democrático" (3 de junho de 1996); "A queda da sua liderança me preocupa; poderia bloquear o processo de construção de uma democracia de alternância na Itália" (31 de maio de 1996); "Como pessoa, Berlusconi me é simpático" (25 de julho de 1996); "Confio em Berlusconi: acredito mesmo que seja sincero quando diz querer as reformas" (23 de janeiro de 1996); "Não me interessa se Berlusconi quer o acordo sobre as reformas por interesses pessoais. Se os interesses da Mediaset coincidem com os do país, para mim, está bem da mesma forma" (31 de dezembro de 1996).

Di Pietro é empossado no Ministério das Obras Públicas lançando mensagens tranquilizadoras, mas inequívocas. Diz querer trabalhar "positivamente" para afirmar novas regras nos contratos de empreitar, após ter se destacado "negativamente" na luta contra a corrupção. No entanto, isso se mostrará um trabalho de Hércules, devido às resistências encontradas no próprio Ministério e a alguns erros graves, como a "demissão" do juiz Mario Cicala, que havia acabado de ser nomeado chefe do escritório legislativo para ordenar novas regras orientadas pela transparência. Além disso, há os ataques do Polo, especialmente dos seus ex-cortejadores da Aliança Nacional, que o chamam de traidor. Mirko Tremaglia diz, em lágrimas: "Di Pietro saltou subitamente para dentro do carro do vencedor, com a desenvoltura de antigamente e com o jogo duplo. A sua opinião pública retira seu crédito, as pessoas simples dizem: mudou de bandeira por causa de uma poltrona. Agora, encontra-se na companhia de De Mita, Refundação e outros 'reciclados'" (8 de maio). Maurizio Gasparri diz ao seu ex-ídolo: "Pensávamos que fosse o Zorro, mas Di Pietro era Bernardo, o servo mudo que segurava o cavalo" (4 de maio). Alguns meses depois, porém, Di Pietro começa a destoar do Ulivo, onde muitos se opõem a ele, e, então, a Aliança Nacional volta a ter um tom amigável. Tremaglia: "Quando duas pessoas têm uma convergência absoluta sobre a política para a Itália, sobre a moralização da vida pública, sobre as reformas institucionais, sobre a recusa de um retorno aos ritos e aos sistemas da Primeira República, quando duas

1996. MÃOS GRANDES   599

pessoas como eu e você, caro Tonino, encontram-se uma vez, tenho certeza de que se encontrarão novamente!" (28 de julho). E Fini: "Di Pietro é uma pessoa que raciocina com a sua cabeça, como demonstrou nos últimos casos do governo. Com ele, há um diálogo sob a luz do sol que continuará nos próximos meses e veremos aonde levará" (28 de julho). Gasparri também se retrata: "Ah, o servo mudo virou Zorro e agora fala. Agora tudo mudou! Ainda não está na nossa linha, mas já é uma boa coisa para o Ulivo!" (28 de julho).

De qualquer forma, a aventura do ministro Di Pietro está destinada a durar pouco. Apenas seis meses. O que o mandará embora, ao menos politicamente, será a enésima (e última) investigação judiciária, que se transformará, em questão de algumas semanas, em um duelo sem restrições com Berlusconi.

3. TANGENTOPOLI 2, A VINGANÇA

As algemas se fecham na tarde de domingo do dia 15 de setembro de 1996. Os militares do GICO da Guarda de Finanças de Florença prendem, por ordem dos magistrados das investigações preliminares de La Spezia, o presidente das Ferrovias do Estado, Lorenzo Necci, o ex-parlamentar democrata-cristão Emo Danesi e o banqueiro ítalo-suíço Pierfrancesco Pacini Battaglia, "o homem um degrau abaixo de Deus", que, por meio do banco Karfinco, havia geridos negócios lícitos e ilícitos da ENI. Necci e Pacini têm uma relação de muitos anos, nascida na casa de Susanna Agnelli. Já presidente da Enimont, tendo escapado da primeira fase da Mãos Limpas, "Lorenzo, o Magnífico" – como é apelidado pelos jornais –, há anos é candidato a importantes ministérios em governos de qualquer partido. O último, como vimos, foi o (abortado) de Maccanico. Porém, no dia 15 de setembro, uma ordem de prisão cautelar interrompe bruscamente a sua brilhante carreira.

Necci é levado para a cadeia em La Spezia. É acusado, junto a Pacini e Danesi, de peculato, falsificação de balanço, fraude, conspiração e corrupção. O caso causa uma enorme comoção na Itália. Os jornais falam de "Tangentopoli 2". Um ano depois daquelas graves acusações, restarão em pé "apenas" a conspiração e a corrupção, ao passo que a fraude se transformará em tentativa de fraude; serão anuladas também as acusações de tráfico de armas a Pier Francesco Guarguaglini, presidente da Oto Melara, e ao próprio Pacini Battaglia.

Sem ao menos dar tempo para absorver o choque, a Procuradoria de La Spezia realiza outras duas excelentes prisões: Roberto Napolitano e Orazio Savia, dois magistrados romanos estreitamente ligados a Renato Squillante. Ambos já protagonistas em Roma da estação do "porto das neblinas", tornaram-se procuradores, respectivamente, em Grosseto e em Cassino. Os dois estavam no bar Tombini com Squillante e Iannini no dia em que encontraram a famosa escuta. Agora são acusados de estar na folha de pagamento de Pacini. Isso é demonstrado por uma série de interceptações, que logo levam os jornais a falarem de uma "nova P2".

Necci, por sua vez, é acusado de ter "recebido instruções de Pacini Battaglia e de Danesi sobre a organização geral, e também futura, das Ferrovias do Estado e permitido a execução material de cada "episódio" criminoso. Em especial, conforme a Procuradoria, o número um das Ferrovias do Estado teria tentado adquirir uma empresa multinacional, a Contship, que queria conduzir no porto de Gioia Tauro o trânsito de navios porta-contêineres, que, normalmente, se dirigiriam aos grandes portos da Europa setentrional. Pacini tem relação com esse negócio e, visto que deposita a Necci 20 milhões irregularmente todo mês, logo se fala em corrupção. Os homens do GICO descobrem isso com as gravações das conversas de Pacini com sua secretária, Eliana Pensieroso.

Conforme a versão oficial, a investigação da Tangentopoli 2 nasce por acaso em Florença, onde os 007 da Guarda de Finanças estavam trabalhando em um caso de tráfico de carros roubados. Escutando os telefonemas dos investigados, os investigadores teriam se convencido da existência de um novo e ilegal comércio de armamentos, com a empresa Oto Melara, de La Spezia, no seu centro. Por isso, o GICO de Florença teria se dirigido aos magistrados de La Spezia, competentes pelo território. E, visto que entre os muitos personagens que têm relações com aquela empresa encontra-se também Pacini Battaglia, teriam solicitado que se escondessem algumas escutas nos escritórios romanos do banqueiro. Essa reconstrução, como veremos, deixa aberta a porta para muitas dúvidas. Mas, por ora, eis as conversas de Pacini, das quais surgem propinas uma atrás da outra. Alguns exemplos:

Pacini: "Vi Necci e dei-lhe 20... você tomou nota?".

Pensieroso: "Não! Eram aqueles fixos do mês... eu os tinha levado para casa, lembra-se?".

Pacini: "Precisamos de 300 para Mineni [Enrico Mineni, presidente da Empresa União SPA] no dia 10... comece a tomar nota".

Pensieroso: "Ainda tenho 30... Sernia [Antonio, ex-dirigente da ENI] quer para ele".

Pacini: "Danesi, 100, no dia 12... Trane [Rocco, ex-secretário do socialista Claudio Signorile] precisa de 300, não sei dizer quando, por janeiro. Anote, pois precisaremos disso para o dia 18 ou 19. Anote, que depois falamos disso com Trane".

Pensieroso: "Os 100 dados a Pio Pigorini [então presidente da SNAM, grupo ENI], quando vocês foram a Santo Stefano para caçar, o senhor os anotou?".

Pacini: "Você precisa anotar que tenho de dar para ele mais 100. Em janeiro, final de janeiro, no dia 26, anoto 100 Pio".

Pensieroso: "Queria perguntar-lhe... como o senhor pediu para escrever 40 Necci com um ponto de interrogação, quer que eu os deixe, caso precise ir amanhã ou depois de amanhã?".

Pacini: "Sim"! Você tem 40? Deixe-os separados... Caso Necci venha à minha casa com urgência... É melhor ficar com eles lá".

"Uma anistia total"

É janeiro de 1996, quinto ano da era Mãos Limpas. No Parlamento, discute-se sobre como sair dela. O governo Dini está com as suas horas contadas e há a disputa entre quem quer ir às eleições antecipadas e quem prefere o governíssimo Maccanico. Nesse meio-tempo, operando nas sombras, políticos, homens de negócios e altos funcionários continuam distribuindo propinas, controlando contratos de empreitadas, influenciando as decisões do governo, mas a primeira urgência é resolver os problemas judiciários causados pelas velhas investigações. E a solução finalmente parece próxima.

No dia 9 de fevereiro de 1996, Pacini Battaglia confidencia a Mario Maddaloni, o investigado patrão da TPL (uma empresa de projetos). As suas palavras parecem antecipar o que acontecerá cinco anos depois, com o retorno de Silvio Berlusconi ao governo:

> Preciso dizer... tenho uma amizade íntima e séria com o homem de confiança de Maccanico, o qual quis me ver esta manhã... perguntei-lhe sobre a minha justiça... ele disse que pensa em colocar Baldassarre lá... a primeira medida que parte dentro de um mês elimina o financiamento ilícito aos partidos... a segunda em que Maccanico empenhou-se foi a de remover o crime de falsificação de balanço com os crimes relacionados... é uma anistia total.

A mente política daquela poderosa comissão de negócios é o ex-integrante da P2 Emo Danesi. No dia 19 de janeiro de 1996, o banqueiro discute com ele o futuro de Necci:

> *Pacini*: "Se derem para ele o Ministério dos Transportes, tenha em mente que os meus amigos estão jogando sério. Se dão para ele os Transportes, as Infraestruturas Italianas, lembre-se muito bem, eles vão embora dos trabalhos públicos [...] quer dizer que você tem a Alitalia, as Ferrovias, por dois anos... é verdade que você diz que em seis anos ele não foi capaz nem de... em dois anos nos Transportes, não fará merda nenhuma, isso é verdade, concordo".
>
> *Danesi*: "A não ser que ele não aceite...".
>
> *Pacini*: "Mas se ele aceitar junto com consultores como o meu amigo Emo...".
>
> *Danesi*: "Não, mas é necessário que ele aceite. Um chefe de gabinete nos coloca lá para ele...".

Pacini: "Deve ser um burocrata perfeito, porque se não for...".

Danesi: "... Eu levo para ele o Mauro Salvatore [conselheiro do Estado, trabalhou com o democrata-cristão Antonio Bisaglia]".

Pacini: "... se leva um presidente para ele...".

Danesi: "Você entendeu... além disso, ele, que é ministro, que faz política, só faz discurso, não se interessa por coisas operativas... então, nos serve... mas, se começa a falar, deixe comigo, falo com todos, e ele não fica com merda nenhuma".

Pacini: "Não, estamos arruinados".

Danesi: "Pois é!".

Pacini: "Não, não... espera, porque agora eu lhe digo minha teoria, não, não diz mais nada, meu discurso não é tão simples... as escolhas são duas: ele fica onde está, nas Ferrovias... ele vira ministro... se ele ficar nas Ferrovias, nós fazemos esse organograma e fazemos passar...".

Pacini e Danesi parecem controlar cada movimento de Necci. Sabem o que faz, quem encontra e por que, como revela uma conversa gravada no dia 23 de fevereiro:

Pacini: "Tenho que dar para você 50 milhões".

Danesi: "Sim, espera, manda prepará-los".

Pacini: "Oh, amanhã, Silvio [é o nome pelo qual os dois chamam Necci] vai dizer outras coisas para você... que ele mandou chamar... ou que vai mandar chamar Fini [Gianfranco, presidente da AN]. Com Fini, ele acaba com a gente".

Danesi: "Não, ainda não... o Tatarella o viu".

Pacini: "Não, ele deve comer com Fini quinta à noite...".

Danesi: "Ah, não sei se ele fez ontem à noite... se ele viu o Fini... com certeza pediu dinheiro... que dinheiro é esse? É o dinheiro... que ele tinha prometido antes...".

O banqueiro e o membro da P2 estão sempre preocupados que Necci deixe as Ferrovias para entregar-se à política ativa:

Pacini: "Eu e você vamos convencê-lo a não se candidatar".

Danesi: "Eu disse para ele... mas você sabe com quem ele vai...".

Pacini: "Ele não sabe quem vai vencer".

Danesi: "Porque quem vence... convém a você ficar como técnico".

Pacini: "Seu grande sonho é... ele espera fazer o governíssimo, mas as minha informações me dizem..."

Danesi: "Eles não podem fazer o governíssimo. Olha, enquanto você estava do outro lado, ele chamou o Publio Fiori. Eu o verei esta tarde; de qualquer forma, eles vão pelo governíssimo".

Os dois compadres

Aquele reunido ao redor de Pacini Battaglia, segundo os magistrados, é um verdadeiro lobby. Um grupo de interesses que, por anos, ao menos em Roma, aproveitou-se da proteção de magistrados corruptos, como os procuradores Orazio Savia e Roberto Napolitano, que, após a constrangedora experiência do bar Tombini, têm de lidar com outras interceptações.

Pacini: "Vamos ver o que eu tenho, eles querem 20 para... mas o Roberto Napolitano?".

Pensieroso: "Ah, não mais do que 10!".

Pacini: "A que horas chega o Napolitano?".

Pensieroso: "Às nove e meia".

A microescuta também capta a sua chegada. E Pacini: "É o Napolitano? Eu sabia. Não coloque-o aqui, coloque-o no fundo, você não se importa, coloque-o no fundo, com o Greppi". Sobre Savia, tem ainda mais coisas e é pior. O seu amigo Danesi, no dia 5 de janeiro de 1996, conta como a investigação aberta em Roma na sua época sobre a Enimont ("A Montedison era minha"), durante a qual ocorreu o estranho suicídio de Sergio Castellari, servia apenas para evitar que se chegasse à verdade.

Danesi: "Savia, além do mais, está emputecido com o Cragnotti e o Bonifaci [dois protagonistas da maxipropina Enimont], que é seu amigo... Porque são imbecis, porque a Montedison era minha, quando eu mandei chamá-los, se tivessem me dito, em vez de me dizer 'não se deu uma lira', tivessem me dito que se pagaram 3 bilhões para subsidiar os partidos... eu teria fechado, teria achado o crime, o Cagliari estaria vivo, e aquele desgraçado do Di Pietro...".

Pacini: "... Não teria podido fazer o processo Enimont".

Danesi: "É por isso que estou emputecido que nem um animal... nesses dois anos que estive em Cassino, vi quem era amigo e quem não era amigo... quero ir para Roma... [Savia] está enfurecido de morte com o Caltagirone [Francesco Gaetano, editor do *Messaggero*]. Porque era um daqueles que...".

Pacini: "Que o pagavam".

Danesi: "Logo que foi para Cassino [risada], não ligou mais para ele, então está enfurecido...".

Pacini: "E dá para convencê-lo? É necessário levá-los a Roma, precisamos ter alguns, dois ou três [magistrados], em Roma, porque, senão, não se faz nada...".

Danesi: "Ele até já fez o pedido como vice em Roma, mas...".

Pacini: "Sim, no lugar do Volpari [um dos procuradores adjuntos]".

Danesi: "Ele diz que não... ele poderia ir para Milão no lugar do Colombo, porque o Colombo vai embora, mas ele diz... ali tem o problema da esposa, que não quer ir para Milão... no fim, ele diz que não se importa e que volta para Roma mesmo que seja como substituto...".

Pacini: "Por que não vai no lugar do Colombo em Milão?".

Danesi: "Se for conveniente, dá para convencer".

Pacini: "Não, se fala, se pegam dez pessoas e se diz: pessoal, vamos colocar aquele lá em Milão, se volta ao discurso Mãos Limpas e se discute quando surgirem problemas".

Porém, na dúvida entre Roma e Milão, Savia também pode ser útil aos amigos em Cassino. De fato – conforme a ordem de prisão cautelar do juiz de investigações preliminares de La Spezia – "o procedimento sobre a alta velocidade deve ser transferido de Roma a Cassino, onde, por intervenção do procurador da República Orazio Savia, será arquivado, talvez após algumas prisões clamorosas para desviar a atenção".

No dia 15 de janeiro, Danesi e Pacini Battaglia continuam falando do procurador de Cassino:

Danesi: "Podemos ter para Savia 250... não, o equivalente a 250 milhões em francos suíços, que ele vai nos dar".

Pacini: "Sim... onde lhe devo entregar? 250 milhões de francos suíços, onde você quer que eu ponha?".

Danesi: "Não, ele vendeu a casa de Punta Ala e recebeu 250 milhões irregularmente... Ele sabe onde pôr... então ele diz 'pego francos suíços e fico com francos suíços'... diz 'porque não posso depositar no banco, porque, de deposito...'."

Pacini: "Sem ser esta semana, na outra eu...".

Danesi: "Além disso... falei para ele da alta velocidade... da prática de Castellucci e Sarzana [o juiz da investigação]... ele diz 'este Castellucci é muito perigoso, porque... é ligado aos serviços', mas, fora isso, é burro"... diz que é burro... ou seja, a única coisa sobre Sarzana poderia ser... diz que lhe dá ouvidos... Squillante...".

Pacini: "E o que eu paguei...".

Objetivo Di Pietro

Os promotores de La Spezia titulares da investigação, Alberto Cardino e Silvio Fraz, mostram não confiar em ninguém, nem ao menos nos colegas do *pool* de Milão. No dia 22 de setembro, os jornalistas vindos de toda a Itália ao Palácio da Justiça da cidade lígure logo percebem o clima de frieza e tensão. Nos telefonemas interceptados, Pacini Battaglia vangloria-se: "Não fui mandado a julgamento em Milão". E mais: "Fiz arquivarem uma investigação sobre Necci". A essas duas frases, será adicionada uma terceira ("Eu paguei para sair da Mãos Limpas"), que, lida fora de contexto, leva às piores suspeitas. Por isso, uma primeira visita de Ilda Boccassini e Franceso Greco a La Spezia é recebida com frieza.

No entanto, a investigação aberta em Milão sobre Renato Squillante e os outros magistrados de Roma tem muitos pontos de contato com a de La Spezia, tanto pelos nomes dos personagens envolvidos quanto porque o banqueiro demonstra saber de muitas peculiaridades da investigação "togas sujas". Em uma sexta-feira, dia 23 de fevereiro, um mês após a descoberta da escuta e três semanas antes das prisões, quando a investigação de Milão ainda é segredo absoluto, Pacini revela a Rocca Trane que, em Milão, contestam

> o 416-bis, mas isso para colocar as interceptações, porque houve lavagem de dinheiro, a esposa de Dotti [Stefania Ariosto], interrogatórios de sete horas, três horas em que disse... Dotti... Squillante foi seguido até em Lugano e tal, então Marcello [o advogado Marcello Petrelli] alarmou-se e lhe deu um toque [...]. Fulano, diz, se me disser o que tem Previti... e Dotti, que interrogaram a esposa de Dotti, e esse dá para dizer que ele já pegou... porque o seguiram... Boccassini vai fazer o anúncio... eles esperam que isso o coloque nas eleições [Squillante, sobre candidatar-se com o Força Itália]... porque o destroem.

Pacini sabe muito. Demais. Em Milão, há um informante que lhe passa informações, e os promotores de La Spezia desconfiam de todos. Inclusive de seus colegas.

No momento, a tempestade deflagrada pelas prisões de La Spezia mantém-se, mais do que qualquer outra coisa, limitada ao mundo político, à ENI e às Ferrovias. Apenas *Il Foglio*, o jornal de Giuliano Ferrara, já no dia 20 se setembro muda repentinamente de tom e aposta convicto em Antonio Di Pietro, antes mesmo que surjam nos jornais as interceptações que lhe dizem respeito:

> Em 1993, quando Pacini Battaglia, embora não tivesse dito tudo, é liberado por Di Pietro em apenas dez horas, surgiram polêmicas por causa daquele tratamento que parecia privilegiado. Ontem, sempre por coincidência, os jornais publicaram alguns trechos de uma interceptação telefônica de Pacini Battaglia, o qual, falando no dia 11 de janeiro com um tal de Paolo Mineni, dizia: "... Eu saí da Mãos Limpas só porque

paguei... talvez, se eu tivesse estudado antes, não tivesse nem entrado na Mãos Limpas".

Aquele artigo é o início de uma longa campanha da imprensa. *Il Foglio* compreende (ou descobre?) antes dos outros onde irá parar a investigação. Nesse clima, no dia 18 de setembro, o promotor Alberto Cardino dá uma entrevista a Paolo Brosio, ainda junto ao TG4: menciona o fato de que, nas investigações, estão envolvidos "políticos" e, à pergunta sobre se estariam envolvidos "membros do governo", responde com um silêncio eloquente. Depois, frente ao pandemônio criado pelas declarações, volta atrás parcialmente. Nas ordens de prisão cautelar, de qualquer forma, constam os nomes de Gianfranco Fini, Publio Fiori, Clemente Mastella, do ministro dos Correios Antonio Maccanico e de Cesare Previti. O ex-ministro da Defesa também será acusado de ter recebido de Pacini um chip de telefone GSM suíço que torna impossíveis as interceptações.

Fini, quando lhe dizem que Danesi e Pacini denunciaram-no, responde secamente: "Estão delirando". Até Publio Fiori, o deputado da AN cujo nome constava nas listas da P2, é obrigado a desmentir. Nas interceptações, fala-se de seu suposto pedido de 5 bilhões em nome de Fini, mas ele assegura: "Eu nunca vi Pacini Battaglia e nunca peguei aquele dinheiro".

Dia após dia, os jornais se enchem de nomes, histórias e interceptações telefônicas vindas de La Spezia. A situação é constrangedora a ponto de, no dia 19 de fevereiro, às 13h30min, na biblioteca da Câmara de Luciano Violante, ocorrer uma reunião dos dirigentes dos partidos. Os parlamentares, por solicitação de Carlo Giovanardi (CCD), entram em acordo para requerer uma lei urgente de apenas dois artigos: 1) proibição aos promotores de fazer qualquer declaração sobre as investigações em andamento; 2) proibição de citar em documentos judiciais os acusados, os investigados e as testemunhas. Os dirigentes de todos os partidos, ao menos uma vez, estão de acordo. No entanto, aquela lei absurda nunca verá a luz.

Dentre os comentários, destaca-se o de Mario Tassone, do CDU, já membro da Comissão de Controle sobre SISMI e SISDE: "Poderia haver interceptações organizadas pelos serviços". O subsecretário no Ministério da Justiça, Giuseppe Ayala, rebate energicamente: "Besteira! As interceptações que podem ser utilizadas nos processos são apenas aquelas requeridas e autorizadas pela magistratura. Claro, o sigilo dos atos não deve ser violado, mas o verdadeiro problema é esta enorme corrupção".

E o melhor ainda está por vir. Nas interceptações, fala-se frequentemente de Federico Stella, "príncipe" do foro de Milão, histórico advogado da ENI. Pacini odeia-o. Considera-o responsável por muitas das suas desgraças (o escritório de Stella defendia Paolo Ciaccia, o administrador da ENI que foi o primeiro a acusar Pacini) e não gosta dele sobretudo porque seu cliente Franco Bernabè, número um da ENI, não foi tocado pela Mãos Limpas e agora impede Chicchi e seus amigos de trabalhar como gostariam. Nas fitas do GICO, acaba assim a história de um ataque organizado contra Stella. Se Bernabè for embora – diz Pacini a Emo –, "poderemos fazer 80.000 negócios".

> *Danesi*: "Você tem interesse em destruir Stella ou não?".
>
> *Pacini*: "Com certeza me interessa distruí-lo".
>
> *Danesi*: "Então, vou me ocupar disso. Esta manhã me telefonou Paolo Cirino Pomicino... Vou encontrá-lo e, quando eu chego, ele está saindo para acompanhar Bisignani, que eu não conheço, conheci esta manhã... Eu fico com Pomicino, e Pomicino diz: 'Tenho de contar algumas coisas para você, mas preciso pedir um favor. Estamos também com Bisignani para ver se conseguimos pegar os dados sobre esse Stella'... Nesse meio--tempo, ligam para mim: 'Aqui é o Publio Fiori!' Digo: 'Estou aqui com Paolo'. Diz: 'Vou aí tomar um café também!'. Fiori veio. Eu disse para ele [Pomicino]: 'Olha, era Publio. Disse que vem aqui também.' Diz: 'Melhor, assim faço ele dar as notícias exatas sobre Stella. Fiori fez um interrogatório contra Stella... Esse Stella veio a Roma, foi até Fiori e disse: 'Sim, de fato, eu peguei 5 bilhões da ENI, mas são'...".
>
> *Pacini*: "Faturados regularmente".
>
> *Danesi*: "Faturados regularmente, mas diz 'se o senhor continuar com esse interrogatório, vai me comprometer. Então, eu pediria'... Fiori diz: 'Eu, naquela altura, não pude fazer mais confusão, mas corri para dizê--lo'...".

Será o próprio Federico Stella que contará o que esconde essa conversa, apresentando uma denúncia por extorsão contra o parlamentar da AN. É o dia 20 de dezembro de 1995: Publio Fiori, Giulio Tremonti e Federico Stella estão no restaurante Da Fortunato, em Roma. Durante o almoço, Fiori, conforme Stella, faz pressão, ameaçando-o revelar a história de um pagamento de 5 bilhões que saiu da ENI e foi "repassado a Antonio Di Pietro". Fiori apresentou há pouco um interrogatório parlamentar para saber de quanto era o pagamento feito pela ENI ao seu advogado. Por isso, conta o advogado, "naquela ocasião, o parlamentar Fiori declarou que o interrogatório era um primeiro passo para agredir-me, já que eu era ligado ao Dr. Di Pietro e que o passo seguinte seria a divulgação da 'notícia' segundo a qual eu teria recebido de uma sociedade do grupo ENI 'encarregada desse tipo de operação' a soma de 5 bilhões, depois repassada ao Dr. Di Pietro".

Fiori – afirma o advogado –, no momento, frente a seus protestos, teria retrocedido. No entanto, as pressões seriam retomadas em março de 1996. Stella conta ter sabido que o parlamentar fazia de tudo para que as nomeações da ENI fossem adiadas para depois das eleições de 21 de abril; senão, "teria seguido com o plano ilustrado na conversa de dezembro em Roma". "Era uma mensagem de conteúdo chantagista", explica Stella, "queriam que eu colocasse pressão sobre Bernabè". E, de fato, quando as nomeações são adiadas, Fiori – assegura Stella – promete parar "a máquina da chantagem". Fiori responde: "Eu não posso acreditar, não é possível que Stella tenha me denunciado. Tremonti poderá testemunhar sobre o que falamos". Tremonti confirma e fala de um "almoço entre cavalheiros".

O caso, ao menos em La Spezia, não segue muito adiante. O GICO já decidiu que Di Pietro é um corrupto e direciona a maior parte da investigação para ele. Porém, antes mesmo de dizer nomes, pede à Procuradoria para avaliar eventuais responsabilidades de certos magistrados "em competição com o advogado Stella". Em 2000, a posição de Fiori será arquivada pelos juízes de Perúgia (para onde a investigação inteira passará). Os promotores da Úmbria, em sua solicitação, explicarão que o recurso a um interrogatório parlamentar "não parece censurável sob o perfil penal. Resta apenas verificar se as interpelações podem ser ligadas a saídas de dinheiro da parte de Pacini, e se essas são demonstráveis".

"Aqueles dois me arruinaram"

É *Il Foglio*, portanto, o primeiro a intuir (ou a saber) que a investigação de La Spezia acabará envolvendo Di Pietro. No dia 23 de setembro, após os primeiros ataques no jornal, o ministro das Obras Públicas presta queixa por difamação e concede uma entrevista ao TG1: "Se alguém diz que pegamos leve com Pacini Battaglia, engana-se enormemente". Borrelli entende que, se Di Pietro cair, toda a Mãos Limpas vai por água abaixo, então intervém: "Quem diz que houve pagamentos assume responsabilidades muito graves".

Agora, a semente da dúvida já está plantada. O advogado Gaetano Pecorella chega a pedir que se investigue sobre eventuais "contas estrangeiras dos magistrados de Milão". No dia 10 de outubro, *l'Espresso* antecipa às agências um artigo assinado por Rosanna Santoro no qual constam trechos do relatório do GICO que lançam – escreve a jornalista – "novas dúvidas sobre o *pool* Mãos Limpas. Novas suspeitas sobre Antonio di Pietro". A cronista escreve:

> Conversa do dia 11 de janeiro de 1996 entre Pacini e Marcello Petrelli. O advogado romano pergunta a Chicchi se teria vontade de dar uma mão ao cronista Roberto Chiodi, que, em julho de 1993, escreveu no *il Sabato* sobre supostas contas na Áustria pertencentes a Di Pietro e a Giuseppe Lucibello (o advogado milanês amigo do ex-promotor e defensor de Pacini, que também acabou na mira dos juízes de La Spezia). A notícia foi indiretamente confirmada pela entrevista de Maurizio Raggio, publicada em dezembro de 1995 no *Gionale* de Vittorio Feltri. "Se os prenderem, apenas ficarei feliz... porque Di Pietro e Lucibello me arruinaram. Eu conto isso para você porque sei que não vai contar para mais ninguém", conta Pacini a Petrelli, batendo a mão sobre a escrivaninha. Depois, adiciona que, se o jornalista Chiodi quer mesmo voltar a esse assunto, é necessário aconselhá-lo a procurar contas estrangeiras com o titular Mazzolenti, o sobrenome do sogro e da esposa do atual ministro

das Obras Públicas: "Eu faria isso. Acho que, se alguém tem uma conta, não está em nome de Di Pietro", diz Pacini a Petrelli. Ele também conta ao advogado que prestou queixa contra *il Giornale* por aquela entrevista de Raggio (que, além disso, depois foi parcialmente desmentida pelo próprio Raggio), na qual se falava de alguns bilhões pagos pelo próprio Pacini. Quem o teria convencido a prestar a queixa teria sido Fabio Salamone, o promotor de Bréscia, que, na época, investigava sobre a demissão de Di Pietro da magistratura (tendo como hipótese uma chantagem) e que o havia interrogado.

Essas notícias abrem as portas do inferno. O fato de que tenha sido justamente *l'Espresso* a tornar públicos aqueles trechos de conversa agrega credibilidade ao seu conteúdo. O semanário tradicionalmente está ao lado dos magistrados anticorrupção: se agora parece colocar Di Pietro em discussão – é a opinião generalizada –, isso quer dizer que alguma verdade há. Em realidade, a mão misteriosa que entregou à jornalista aqueles documentos parece não ter dado também a sequências das interceptações. Aqueles em que Pacini adiciona, por exemplo: "Eu não dei dinheiro a Di Pietro [...] estão fazendo uma sujeira para ele em Bréscia". Esses trechos apenas serão revelados depois, após o tempo limite.

O impacto midiático é muito forte. À notícia de *l'Espresso* segue aquela da *Panorama* que revelou que ao menos o advogado Lucibello já consta no registro dos investigados. Inutilmente, o ex-juiz de investigações preliminares Italo Ghitti, que em 1993 havia determinado a prisão e a imediata libertação de Pacini após dez horas de interrogatório, explica que o banqueiro "teve um tratamento igual ao dos outros acusados da Tangentopoli". No dia 10 de outubro, o promotor Silvio Franz assegura que o ministro das Obras Públicas não é investigado. O ex-ministro da Justiça Filippo Mancuso, no entanto, não tem dúvidas: "Estamos em 'algemas sujas'". E o "garantista" Sgarbi já tem a sentença pronta: "Se Necci deve permanecer na cadeia e o pobre Danesi também, não vejo por que Di Pietro também não deva ser preso".

Watergate à italiana

Nesse meio-tempo, prepara-se uma nova reviravolta, o enésimo "escândalo" que parece feito propositalmente para representar a Itália como um faroeste vítima de ataques de um bando de magistrados enlouquecidos. No dia 11 de outubro de 1996, Silvio Berlusconi convoca uma conferência de imprensa e mostra ao mundo uma "escuta" encontrada três dias antes atrás do transformador da sua residência em Roma, justamente no salão destinado às reuniões com os outros líderes do Polo. Dadas as dimensões e a tecnologia não muito atualizada do dispositivo, um jornal o rebatiza como "percevejo". Mas o *Cavaliere* jura que está em "perfeito funcionamento", capaz de transmitir "a até 300 metros de distância". Depois faz um alarde dramático sobre o fato de estar sendo espionado e fala de "procuradorias subversivas" que suplantam a imunidade parlamentar e ameaçam a democracia. Explica também que advertiu imediatamente, antes mesmo de falar com os Carabinieri, "o amigo Massimo": isto é, D'Alema, candidato à presidência bicameral. D'Alema assegura-lhe logo a sua solidariedade: "É um fato grave, que testemunha o clima encoberto de um país envolvido por intrigas, manobras, rancor e suspeitas. É necessário reagir com firmeza, com ímpeto, reescrevendo as regras de convivência civil e democrática". Quem coloca em xeque a seriedade do alarde é severamente repreendido pela imprensa da Fininvest, e não apenas pelos outros veículos de comunicação. "Somos sérios", declara a *Panorama* em um editorial. "O fato de que o chefe de um partido político – chame-se ele Berlusconi, Bianco ou D'Alema (deem uma olhada nos transformadores) – seja espionado é uma circunstância de excepcional gravidade que não pode ser arquivada com algumas piadas ou com a discussão parlamentar".

No dia 16 de outubro, Luciano Violante convoca a Câmara em reunião extraordinária. Berlusconi toma a palavra em uma sala absurdamente lotada. O momento é dramático, a atmosfera está carregada de tensão, o clima é de um pré-golpe que se encaminha. "Respeitáveis colegas", pronuncia-se o *Cavaliere* em meio ao silêncio generalizado, "o fato é realmente grave: uma atividade de espionagem contra o líder da oposição que, por quem quer que tenha sido ordenada, encaixa-se perfeitamente no panorama não límpido da vida nacional. Nunca, em qualquer período da história da República, pesaram sobre a livre atividade política tantas sombras e ameaças". Depois, alternam-se no microfone líderes da maioria e da oposição. Apenas Maroni e Veltri, desconfiados, especulam que o próprio *Cavaliere* tenha instalado o pequeno microfone. Maroni permite-se uma frase: "Mais do que um pequeno microfone, parece uma muçarela". Buttiglione, por sua vez, fala de "escândalo não inferior ao Watergate". Dini afirma que "estão em risco as liberdades fundamentais". Mussi reivindica uma imprescindível "reforma dos serviços secretos". Manconi chega até mesmo a propor a demissão imediata de "todos os chefes de todos os serviços de informação, da inteligência, de espionagem e contraespionagem". Previti logo defende: "Os serviços não têm nada a ver e não se toca neles." Os parlamentares da AN Presti, Fragalà, Simeone e Cola convocam uma comissão parlamentar de investigação. Craxi também se manifesta de Hammamet: "Uma ação de profissionais, uma operação suja e politicamente programada". Sgarbi aproveita a ocasião para pedir as demissões imediatas de Antonio Di Pietro do Ministério das Obras Públicas. Tiziana Maiolo fala de "relações ocultas e ilegais entre política, magistratura e criminalidade". Mancuso limita-se a um comentário lacônico: "Palhaços!". Pisanu e Taradash apontam para as "procuradorias desviantes".

Dentre os comentaristas, Vittorio Feltri sustenta: "Impressionar-nos por causa de dois pequenos microfones na casa de Berlusconi? Deveríamos nos impressionar é se não os tivessem jogado entre seus pés. [...] Estamos em pleno socialismo real". Saverio Vertone, do Força Itália, declara: "Temos um Estado Policial que supera todos os recordes do passado. A Inquisição não tinha os meios tecnológicos, mas quem plantou aquela escuta certamente superou Torquemada". O desdém é unânime, e a unidade do Parlamento na condenação do "pequeno microfone" contribui para acelerar o passo em direção à bicameral para reformar a Constituição, indicada como a panaceia de todos os males. Algumas semanas depois, as investigações da Procuradoria de Roma apurarão que a escuta era um ferro-velho que não funcionava havia anos. Também revelarão que não havia sido uma "procuradoria desviante" a plantá-la na casa de Berlusconi, mas um amigo do seu chefe de segurança, encarregado de "melhorar" a residência do *Cavaliere* em Roma. Arquivada com pesar a denúncia do líder do Força Itália, que especulava até mesmo os crimes de "espionagem política, invasão de domicílio, interceptação abusiva, abuso de poder e atentado contra os direitos constitucionais do chefe da oposição".

O **relatório** do GICO

Trinta de outubro é o grande dia do GICO de Florença, que entrega a La Spezia seu relatório sobre Di Pietro: mil páginas para acusá-lo de "atividade de favorecimento e/ou de concussão" em relação a Pacini e para mascarar as suspeitas de que todo o *pool* tenha feito pagamentos a ele. Pacini, nesse meio-tempo, já foi interrogado e disse não ter pago uma lira, mas não importa. Não importa tampouco que os promotores de Milão tenham se lembrado de tê-lo interrogado vinte vezes, de ter pedido o seu julgamento por 14 crimes diferentes e de ter requerido, por suas declarações, 187 cartas rogatórias do exterior.

Nesse meio-tempo, para corroborar a guerra ao *pool*, chegam também as revelações do procurador de Grosseto, Pietro Federico, amigo de Pacini Battaglia, que também acabou sob investigação (mais tarde arquivada). O magistrado (que tirará a toga e se tornará advogado de Marcello Dell'Utri e Silvio Berlusconi), conforme os jornais, recebeu já em 1994 as confidências do banqueiro. "Você não pode imaginar", teria dito Pacini, "quanto me custou sair da Tangentopoli e Milão. Você acha que o seu Colombo [Gherardo] se comportou de maneira diferente de Di Pietro?". Uma pesada conclusão, na qual o próprio Federico não havia acreditado, pois, para ele, Pacini era um "típico habitante de Pisa, dado às frases afiadas, às piadas e à profanação das instituições". Por esses mesmos dias, uma advogada apresenta-se a Borrelli para informar que, em Roma, alguém tentou abrir uma conta estrangeira como se fosse de Colombo.

No dia 5 de novembro, o "garantista" Berlusconi pergunta "por que Di Pietro ainda não está na cadeia". No dia seguinte, o chefe do GICO de Florença, coronel Giuseppe Autuori, anuncia em uma entrevista clamorosa e extrajudicial ao *la Repubblica*: "Temos provas irrefutáveis [sobre Di Pietro], a prova pode ser vista a olho nu, falta apenas o número da conta corrente. É uma questão de dias ou talvez de semanas, mas por que não assinam uma intimação para Di Pietro? Em Milão, por muito menos, colocavam os investigados na cadeia e até mesmo os levavam ao suicídio". Após a incrível entrevista, Autuori é transferido para Bolonha. Mas o chefe do SCICO (Serviço Central de Investigação do Crime Organizado), o general Mario Iannelli, minimiza o seu gesto: "Um erro devido ao estresse". Dois dias depois, Autuori declara ao *Corriere*: "Vocês acham mesmo que o único juiz corrupto de Milão era Curtò?".

A hipótese que o GICO apresenta no seu relatório é desconcertante. À procura de provas sobre as palavras de Pacini ("Aqueles dois me arruinaram"), os homens de Autuori descobriram alguns depósitos de dinheiro a dois amigos de Di Pietro: o empresário D'Adamo (marionete de Berlusconi) e o advogado Lucibello. Por isso, conforme o GICO, durante a Mãos Limpas, Di Pietro havia privilegiado Pacini, evitando investigações a fundo sobre ele.

De fato, Pacini depositou na conta do advogado 537 milhões; no entanto, Lucibello é seu advogado, e aquele depósito é o pagamento pelo seu longo e complexo trabalho de defesa. Mais intensas e suspeitas são as relações econômicas entre Pacini e D'Adamo. No dia 5 de maio de 1993, em pleno caso da Enimont, o banco Karfinco de Pacini faz um empréstimo de 2 bilhões à SII (Sociedade de Iniciativas Industriais), uma empresa de construção com contratos de empreitada inclusive na Líbia, que D'Adamo comprou há pouco. Mais tarde, entre 9 de junho de 1993 e 3 de janeiro de 1994, uma sociedade luxemburguesa de D'Adamo recebe um empréstimo de mais 9 bilhões. Todo esse dinheiro serve para várias operações para salvar da falência a holding do empresário: sob maior risco, encontra-se o Grupo D'Adamo Editor (GDE), uma editora especializada em livros escolares. Após um aumento do capital, o GDE emite um certificado de ações de 9 bilhões; na prática, 60% do capital, que, no dia 26 de janeiro de 1994, é cedido a Pacini. Desse modo, bem no meio das investigações da Mãos Limpas, o banqueiro investigado por Di Pietro torna-se proprietário de uma empresa de um amigo de Di Pietro. Entre 1º de fevereiro e 6 de abril de 1994, Pacini concede a D'Adamo mais um empréstimo de 3 bilhões. Naquele momento, quem comanda o GDE é um homem de Pacini: o antigo vice-prefeito de Milão Antonio Integlietta, e o dinheiro serve para cobrir as despesas da sociedade.

O aspecto mais peculiar do caso, no entanto, conforme a acusação, é outro: no dia 28 de abril de 1994, Pacini revende a D'Adamo os 60% do GDE, pelos quais foram pagos 9 bilhões, por apenas 4 bilhões e meio, um desconto de exatamente 50%. Portanto, D'Adamo ganha 4,5 bilhões nessa operação em nove meses. Visto que Pacini não é do tipo que dá presentes, conforme o GICO, isso é o suficiente para pensar em uma propina.

Na verdade, nem o dinheiro nem as ações se moverão. Pacini não entrega a D'Adamo o certificado de ações que atesta o controle do GDE, mas o coloca em uma sociedade fiduciária luxemburguesa, a Intercorp, com o acordo de que será devolvida no momento em que D'Adamo restituir o que deve.

Não é apenas isso. O GICO trabalha também sobre aquilo que *Il Foglio* define como o "clã Di Pietro": uma série de pessoas que, a partir de D'Adamo e

Lucibello, tem relações tanto com o ex-magistrado quanto com o banqueiro ítalo--suíço. Dentre eles, se destacam os nomes de dois investigadores: o ex-capitão da Guarda de Finanças Mauro Floriani, protagonista de uma parte das investigações da Enimont, deixando a Guarda após se casar com a parlamentar da AN Alessandra Mussolini e o major dos Carabinieri Francesco D'Agostino.

Floriani, quando deixou seu cargo, foi trabalhar na corte de Necci. Foi contratado pela Metropolis, a holding imobiliária do Ministério das Ferrovias. Em 1996, conforme a acusação, Floriani, já gerente das Ferrovias do Estado, recebe de Pacini 70 milhões, talvez utilizados para a campanha eleitoral da esposa. Chegava, porém, a 700 milhões o depósito que Pacini teria feito ao major D'Agostino, o investigador com quem Di Pietro se encontrava com frequência, pois era funcionário de sua segurança quando se transferiu para Roma. Investigações conduzidas juntos, no entanto, há poucas. A única de relevância é aquela sobre os fundos da cooperação internacional com o terceiro mundo, que passou da competência do *pool* de Milão ao promotor romano Vittorio Paraggio.

Bréscia, buscas na madrugada

Logo após a divulgação nos jornais das primeiras interceptações de Pacini, a Procuradoria de Bréscia abre um novo arquivo sobre Di Pietro. No início, seu nome é "criptografado" no registro dos investigados com um curioso nome de fachada: "Giacomo Antenna". Os promotores, no início, seguem duas possibilidades indicadas pelo GICO. Primeira: Di Pietro não queria comprometer judicialmente Lorenzo Necci quanto à suposta propina recebida quando era presidente da Enimont em troca dos contratos de empreiteiras da instalação da unidade de craker de Brindisi. Segunda: Di Pietro não teria investigado sobre Pacini pelo escândalo da cooperação.

A notícia da inscrição (secreta, em teoria) de Di Pietro no registro dos investigados de Bréscia logo se torna pública. O ministro descobre isso pelo TG5 no dia 13 de novembro, durante uma viagem a Istambul. Tranca-se no hotel e escreve imediatamente uma carta de demissão. "Basta", escreve, "dos caluniadores mercenários" e dos "magistrados invejosos." E deseja um "bom futuro" aos colegas do governo. Prodi tenta inutilmente impedi-lo, mas depois não lhe resta o que fazer além de aceitar a decisão "irrevogável". Boa parte do Parlamento, surpreendentemente, expressa solidariedade ao ex-promotor perante uma escolha tão incomum para um político italiano. Fini fala de "notável sensibilidade" e adiciona: "Qualquer um renuncia em caso de julgamento; entretanto, isso nem sempre é necessário por causa de uma intimação judicial" (contudo, o seu aliado Silvio Berlusconi, em 2001, chegará ao cargo de presidente do Conselho, mesmo tendo não uma intimação judicial, mas uma série de processos em andamento). La Russa reconhece que Di Pietro "é sempre coerente". Pisanu fala de "ato respeitável", mas o aparente fair play político está destinado a durar pouco.

No início de dezembro, os jornais descobrem que o juiz de investigações preliminares de Bréscia negou à Procuradoria outras interceptações dos telefones do ex-promotor, pois "não existem graves indícios de culpa". O clima fica cada vez mais tenso. No dia 4 de dezembro, Bruno Vespa fala de um trecho cortado da entrevista de Bettino Craxi que foi ao ar três semanas antes: aquele em que o famigerado foragido pedia que "se investigasse sobre o saque de Di Pietro".

Quarenta e oito horas depois, seu desejo é realizado. Na madrugada do dia 6 de dezembro, por ordem da Procuradoria de Bréscia, 256 homens do GICO vão atrás de Di Pietro. Fazem uma busca completa em todos os imóveis e os escritórios do ex-promotor e ex-ministro, averiguando até mesmo o poço da fazenda de Montenero di Bisaccia. Sessenta e oito buscas no total. Os militares procuram documentos também nos escritórios de Antonio D'Adamo, de Maurizio Prada, do advogado Giuseppe Lucibello, do marechal Salvatore Scaletta (famoso colaborador de Di Pietro e depois de Davigo, que, tornando-se próximo de Pacini, começou a utilizá-lo como informante). Dois dias depois, o *Corriere* publica quase integralmente o relatório do GICO, enquanto o jurista Vittorio Grevi pergunta-se no mesmo jornal para que serviu "a espetacularização ostentada" da busca.

Uma blitz ilegítima

Em Bréscia, a investigação é conduzida pelo procurador-chefe Giancarlo Tarquini e pelos substitutos Silvio Bonfigli, Antonio Chiappani e Francesco Piantoni. Fabio Salamone não comparece mais: no dia 17 de outubro, como sabemos, a Procuradoria Geral tirou dele todos os processos contra o ex-promotor por "grave inimizade", mas isso não é suficiente para acalmar o ambiente. Ao final do ano, o resto da Procuradoria também sofre a enésima derrota processual: no dia 27 de dezembro, o Tribunal da Liberdade anula os decretos de busca com os quais haviam sido apreendidos os documentos de Di Pietro e dos outros investigados, pois eram "privados de motivação; portanto, ilegítimos". E, ordenando que se devolvam os documentos, os disquetes e todos os computadores ao legítimo proprietário, critica fortemente o promotor e o GICO, explicando que o exame do material probatório permitiu detectar "anomalias significativas" no relatório redigido pela Guarda de Finanças, "que constitui praticamente a única fonte de provas" da investigação Pacini–Di Pietro. Para os juízes da Corte de Revisão, em resumo, "não existem indícios de relevância" contra Di Pietro. O relatório do GICO fala, de fato, que

> o conteúdo das interceptações telefônicas e de tais enumerações deve satisfazer o tribunal, visto que a transcrição das mesmas não consta ligada; não sem considerar que o resumo feito pelos relatores – além da temática, que aqui não se tem absolutamente a intenção de tratar, da boa-fé dos mesmos – pode revelar-se, na escolha dos telefonemas relatados, ou seja, da parte dos telefonemas transcritos literalmente – além disso, ricas de reticências incompreensíveis –, absolutamente insatisfatório.

1996. MÃOS GRANDES 615

O tribunal mais tarde explica que foi absolutamente normal a liberação de Pacini Battaglia após o interrogatório de 10 de março de 1993: Pacini havia colaborado e demonstrado ter cortado relações com seus cúmplices; então teria sido impossível e errado negar-lhe a liberdade. E mais: não é possível acusar Di Pietro, como faz o GICO, de não ter investigado sobre o papel de Pacini na divisão de fundos destinados à cooperação internacional. A investigação, na realidade, era conduzida pelo promotor romano Vittorio Paraggio. Di Pietro havia-lhe inclusive enviado atos, reforçando que Milão já estava procedendo sobre aquele tema. Foi Paraggio quem apagou, após dois interrogatórios, o nome de Pacini do registro dos investigados de Roma. E, se o nome de Pacini, em Milão, não havia sido novamente inscrito imediatamente pelo escândalo das cooperações, isso não basta para deduzir a vontade de Di Pietro de mantê-lo longe dos problemas. De fato, Pacini já estava na lista em Milão por múltiplos crimes, e a prática da Procuradoria era manter aberto um único arquivo (o "arquivo virtual" da Mãos Limpas) do qual retiravam pouco a pouco as muitas posições que compunham novas linhas de investigação.

Com que GICO estamos jogando?

O *pool* de Milão está indignado com o método de investigação do GICO. Até mesmo Francesco Greco, que nunca teve uma grande afeição por Di Pietro, defende abertamente o ex-colega. Piercamillo Davigo vai mais além e lembra que, na Guarda de Finanças, alguém pode ter motivo de rancor contra os magistrados milaneses. "Houve", declara Davigo ao *Corriere* no dia 13 de outubro, "graves desvios na Guarda de Finanças. O comando geral não pode fazer de conta que eles não existem. Precisa dar uma resposta". Depois, escancarando a relação da Comissão de Controle dos Serviços Secretos (na qual já sete meses antes eram requeridas iniciativas contra os "espiões" de uniforme que, desde 1992–93, haviam construído dossiês sobre o *pool*), pergunta-se por que os militares da Guarda de Finanças sob investigação e até mesmo aqueles condenados por corrupção não foram suspensos ou expulsos do serviço. Dentre eles, há também o brigadeiro Simonetti, que, pego recolhendo (inclusive entre os investigados) informações para usar contra os magistrados de Milão, em vez de ser punido, foi premiado com uma transferência para poucos quilômetros de sua casa.

Em Milão, a impressão que se tem é a de encontrar-se diante de uma vingança. O GICO de Florença, além de tudo, é o mesmo órgão investigativo que, em 1993, havia tentado levar um colaborador da justiça a sujar a imagem de Francesco Di Maggio, Antonio Di Pietro e outros promotores, acusados falsamente – conforme estabeleceram as sentenças – de ter acobertado os gestores do estacionamento da Máfia na Via Salomone. "Não estou preocupado nem indignado", adiciona Davigo. "A mentira tem pernas curtas. O que me surpreende é a total falta de capacidade crítica sobre qualquer mentira que seja difundida. Haja paciência! Será que conta alguma coisa o que a pessoa fez até o momento? Se tivéssemos recebido dinheiro, não seríamos loucos de nos opor a qualquer anistia".

Davigo ainda não sabe, mas o GICO, em sigilo absoluto, tentou investigar o *pool* de Milão ainda uma terceira vez (além dos casos do Estacionamento e Pacini–Battaglia). No dia 9 de fevereiro de 1995, tendo recém se tornado comandante do escritório de Florença, o tenente-coronel Giuseppe Autuori (mais tarde protagonista da investigação de La Spezia) entregou ao então chefe da Procuradoria de Florença, Piero Luigi Vigna, um novo relatório sobre o Estacionamento: 263 páginas definidas como "uma revista franca de fatos e situações já apresentados". No documento, redigido quando as sentenças já haviam livrado o promotor milanês de qualquer suspeita, Autuori reapresentava a velha tese dos acobertamentos feitos à base da Cosa Nostra em Milão. Dentre os culpados, eram citados quatro magistrados de Milão (dentre eles ainda Di Pietro e Di Maggio), mais uma sequência infinita de investigadores e políticos, a maioria ligada ao PSI.

Vigna, visto que oito páginas do relatório eram dedicadas a supostas cumplicidades no comando de polícia de Bolonha, havia enviado o documento ao procurador local, o qual, após uma atenta leitura, havia-o encaminhado a Milão. Dessa forma, a tentativa de colocar novamente no círculo os velhos rancores do Estacionamento havia falhado. Nove meses depois, o GICO tentou mais uma vez com um novo relatório, sobre Necci e Pacini, e com uma nova Procuradoria, a de La Spezia. Desta vez, o jogo funcionou. Após os primeiros clamores ao redor da assim chamada Tangentopoli 2, o cerco se fechou em volta de Di Pietro. Agora, para aumentar a confusão, Pacini também entra na história: embora continue negando ter pago o ex-promotor, o banqueiro se retorce em explicações improváveis para a frase "Aquele dois me arruinaram". Não é "arruinaram", é "arrumaram". Não é "arrumaram", é "arrulharam". Não é "arrulharam", é "arrepiaram".

Nesse clima, no dia 26 de outubro, a Procuradoria de La Spezia se libera da papelada que diz respeito a uma dezena de magistrados – incluindo Savia, Napolitano e Squillante – e a envia à Procuradoria de Perúgia, à qual compete investigar os colegas de Roma. E em Perúgia, como em Milão, os magistrados percebem que há algo errado naquelas investigações. No dia 7 de novembro, o promotor Fausto Cardella escuta o testemunho de dois capitães do GICO de Florença e lhes pergunta se os magistrados de La Spezia haviam sido informados de todos os nomes de oficiais dos Carabinieri, das Finanças e da Polícia gravados nas fitas de suas interceptações. Resposta: "Não, pois determinou-se que apenas seriam formuladas listas específicas ao fim da escuta e da transcrição". Os dois prometem entregar tudo até o dia 31 de dezembro. Porém, depois disso, não mandam mais notícias.

Assim, os promotores de Perúgia descobrem a história de uma instrução que nasceu incompleta. Tão incompleta que Perúgia decidirá atribuir sua continuação ao ROS dos Carabinieri. As primeiras interceptações (telefônicas ou ambientais), de fato, foram autorizadas no dia 14 de novembro de 1995 e concluídas no dia 27 de fevereiro de 1996, após a descoberta das escutas durante uma arrumação nos escritórios de Pacini. Depois, por cinco meses, não aconteceu mais nada até o dia 28 de julho de 1996, quando o coronel Autuori entrega seu primeiro relatório a

1996. MÃOS GRANDES 617

La Spezia, denunciando a existência de um "lobby de negócios e judiciário" ativo graças à proteção de alguns magistrados. Por que, entre o fim das interceptações e a entrega do relatório, passam-se tantos meses? Mistério, mas não para por aí: naquele momento, existem as transcrições de apenas 4 de 42 bobinas gravadas. Assim, as prisões do dia 15 de setembro são feitas apenas com base naquelas quatro fitas: um método de trabalho bastante discutível. No dia 30 de outubro, o GICO apresenta o primeiro relatório sobre Di Pietro, mais uma vez, sem anexar as transcrições completas das interceptações. Desse modo, por exemplo, fica fora da investigação o nome de um alto oficial da Guarda de Finanças com o qual Pacini Battaglia discutia como amenizar uma investigação aberta sobre um empresário de Perúgia.

A partir dos relatórios do GICO após investigações tão desengonçadas, nascem as investigações de Bréscia (sobre Di Pietro, ex-magistrado em Milão) e de Perúgia (sobre os magistrados romanos), que faz estremecer a política e as instituições. Depois, a Procuradoria de Perúgia troca rapidamente a Polícia Judiciária e confia no ROS dos Carabinieri. A Procuradoria de Bréscia, por sua vez, continua trabalhando com o GICO e, no dia 27 de dezembro, é clamorosamente renegada pelo Tribunal da Liberdade. A primeira renegação de uma nova e longa série.

"Caro Antonio, caro Cesare"

Entre as buscas do dia 6 de dezembro contra Di Pietro e a ordem da Corte de Revisão que as anula, passam-se três semanas e, naqueles 21 dias, a imagem do ex-promotor vai por água abaixo. Perante a nova tormenta desencadeada pelo caso La Spezia, o ex-ministro parece desorientado. Os jornais publicam notícias uma atrás da outra. Fala-se de um telefone celular GSM suíço de Pacini entregue a Di Pietro (na verdade, é um celular usado por Lucibello); inventam-se histórias sobre seus favoritismos, inclusive como ministro das Obras Públicas, por D'Adamo; especula-se o desaparecimento de importantes documentos da investigação.

Em Bréscia, nesse meio-tempo, realiza-se o processo pela sua suposta chantagem mandada por Cesare Previti e Paolo Berlusconi para obrigá-lo, em novembro de 1994, a pedir demissão. A discussão começou logo após a explosão da Tangentopoli 2 e, em dezembro, já está esgotada. Para o dia 16, está no calendário o interrogatório da parte lesada: o ex-símbolo da Mãos Limpas. Para Di Pietro, embora seja a vítima, a situação não é das mais fáceis. Reconhecer ter pendurado a toga no prego após a inspeção ministerial secreta sobre o caso Gorrini seria como admitir: sim, é verdade, eu não era um magistrado sem manchas e sem medo, tinha esqueletos no armário, que condicionaram a minha ação e, no final, obrigaram-me a ceder à chantagem.

Por outro lado, o compromisso do dia 16 de dezembro é uma grande ocasião para explicar publicamente, perante o juiz e as câmeras, as razões de sua saída do *pool*, a qual era um mistério para milhões de italianos, e para rebater os ataques vindos até mesmo de Borrelli, que o acusou de "deserção". Durante dias, Di Pietro repete aos amigos que se apresentará na sala para explicar que decidiu ir embora porque foi arruinado por uma manobra planejada que ele, em novembro de 1994, ainda atribuía ao grupo de Craxi. Uma manobra que depois, na primavera de 1995, deu início às investigações de Salamone. Ainda no dia 15 de dezembro, Di Pietro anunciou a Davigo que, no dia seguinte, em Bréscia, veriam e ouviriam boas notícias: "Vou até lá e arrebento com tudo", promete. Entretanto, não será assim. Luigi Corvi escreve no *Corriere della Sera*:

> 10h10min, o aguardado momento da verdade de Di Pietro naufraga na enésima virada radical da história. Um Tonino como nunca se viu, quase amedrontado e perdido perante o tribunal, no fim é obrigado a ir embora sem poder ler, como havia pedido, uma breve explicação do motivo para se valer – como fizeram dezenas dos seus investigados – do direito de não responder.

Os italianos ficam desconcertados enquanto assistem na televisão a Di Pietro gaguejando com cara de criança perdida perante o juiz: "Eu também sou uma pessoa". Enzo Biagi, que sempre o defendeu e continuará defendendo nos anos seguintess, considera:

> Talvez a abstenção também deva ser utilizada com moderação. Seria necessário que, uma ou outra vez (sem pressa) Antonio Di Pietro se decidisse: fale, por favor. Que diga por que se demitiu da magistratura, quem opera contra ele e por que se cansou até mesmo do Ministério.

São dúvidas que Di Pietro acredita ter sanado repetidas vezes, em dezenas de relatórios e nos três grandes interrogatórios de Bréscia, mas que, após aquela clamorosa e inesperada cena muda, voltam a ganhar atenção e a ser discutidas. Nem ao menos a "declaração espontânea" que pretendia ler no tribunal, se o presidente Francesco Maddalo não o tivesse impedido, é capaz de dissipar essas dúvidas. Duas páginas para explicar três coisas. A primeira: o papel de Craxi na produção das calúnias contra ele. A segunda: a inércia da Procuradoria de Bréscia, que nunca investigou sobre suas denúncias de calúnia contra seus acusadores. A terceira: pretende valer-se do direito de não responder, "única forma de protesto civilizada e silenciosa", porque, durante as buscas no dia 6 de dezembro, foi-lhe confiscada a documentação com a qual pretendia ilustrar as vinganças realizadas contra ele.

Na realidade, como veremos, por trás do seu silêncio naquele dia, danoso para sua imagem pública, há muito mais. Naquele momento, Di Pietro já suspeita de que, por trás das novas acusações do GICO sobre as relações com D'Adamo e Pacini, haja a mão de Berlusconi. O *Cavaliere*, como demonstrarão as investigações, fez uma grande pressão psicológica e econômica (bilhões de financiamentos concedidos por institutos de crédito de amigos) sobre D'Adamo para convencê-

-lo a acusar o ex-promotor. Di Pietro, em resumo, sente o cheiro de uma nova armadilha, mas não tem provas. Fora da sala do Tribunal de Bréscia, ocorre uma desconcertante troca de cumprimentos com Cesare Previti. O advogado do *Cavaliere*, após alguns minutos de silêncio, sorri para ele e diz: "Caro Antonio, não me levantei antes porque estou mal do joelho, mas agora o cumprimento como se deve". E ele: "Caro Cesare, este processo acabou naquele outro dia, quando veio testemunhar a minha mulher. Ela contou qual era, naqueles dias, o meu estado de ânimo".

A abordagem de Di Pietro, a longo prazo, revela-se processualmente vencedora (sairá inclusive do caso Pacini de cabeça erguida). Porém, do ponto de vista político e midiático, aquele caso deixará marcas permanentes na credibilidade do homem que, até alguns meses atrás, era o mais amado pelos italianos. Di Pietro parece ambíguo, vago, escorregadio. Um colosso de bases abaladas. E a mídia não pode deixar de destacá-lo.

Em 1996, mantém uma postura completamente diferente dessa o outro grande acusado, Silvio Berlusconi. Diferentemente de Di Pietro, ele tem de resolver-se com processos baseados sobre elementos fortes e até mesmo sobre provas documentais (por exemplo, no caso All Iberian). Não obstante sua situação, demonstra sempre uma garra inata e uma imprudente confiança de um célebre ator. Também percebem isso os juízes do Tribunal de Turim, onde, no outono, o *Cavaliere* testemunha a favor do recém-empossado deputado Marcello Dell'Utri, acusado pelas notas falsas da Publitalia.

4. FININVEST SOB JULGAMENTO

"Senhor juiz, com todos os ladrões e assassinos à solta, tinham de processar justamente um trabalhador honesto, muito religioso e de moral como Marcello Dell'Utri? Aqui se usam argumentos infundados, se joga fora o dinheiro do Estado, e também meu precioso tempo" É dia 15 de outubro quando Berlusconi recita, após duas horas e meia de testemunho perante o Tribunal de Turim, sua cena principal. O presidente do colégio, Costanzo Malchiodi, está consternado. Os promotores Luigi Marini e Cristina Bianconi não acreditam nos próprios ouvidos. Os advogados Oreste Dominione e Edda Gandossi, defensores de Dell'Utri, sorriem com satisfação. Dell'Utri está radiante: no início, o amigo Berlusconi não queria vir, mas ele estava obstinado, e ninguém, nem mesmo o líder do Força Itália, pode dizer não a ele. O *Cavaliere* deve jurar que os mais de 5 bilhões em receita não justificada ao amigo Marcello não são fundos irregulares da Publitalia, mas inocentes "doações" pessoais, fruto da notória generosidade berlusconiana.

Berlusconi chegou a Turim de helicóptero, escoltado por um pequeno exército de guarda-costas e agentes da DIGOS, mais sua assessora de imprensa e sua secretária particular. Falta a maquiadora, mas ele dá conta sozinho. "Um momento", diz aos câmeras na saída do tribunal. Tira do bolso um aplicador de pó de arroz e aplica na testa e nas bochechas, depois se disponibiliza: "Estou pronto: perguntas?". Na sala, no entanto, as coisas foram um pouco menos tranquilas.

"Dr. Berlusconi", pergunta-lhe o presidente, "o senhor sabe que Dell'Utri pagou os operários da sua mansão de Sala Comacina com cheques com nome fantasia provenientes de fundos irregulares, sem nem ao menos fazê-los circular antes?". Berlusconi responde:

> Mas o que o senhor esperava? É natural que Dell'Utri não assine; ele não cuida do dinheiro, ele vive de outras coisas: da família, dos livros. Digo sempre para ele: "Marcello, você é como George Washington, que cuidava demais dos interesses do Estado e deixava sua família se deteriorar". Um dia tive de colocá-lo na linha: "Você tem quatro deveres: fazer uma casa em Milano 2; um patrimônio pessoal; uma mansão perto do lago para os fins de semana e uma na praia para as férias". A casa, dei de presente para ele; para o resto, dei uma mão [...]. Quando minha esposa ia se encontrar com Miranda Dell'Utri na mansão de Sala Comancina, dizia-me quando voltava: "Miranda reclama porque Marcello se esquece de pagar os trabalhadores". Então eu ligava para ele: "Marcello, mas o que você me faz fazer, causando má impressão por aí?". E eu fazia uma doação: 50, 100, 200 milhões, até 2 bilhões, conforme a necessidade do momento. Precisava sempre de dinheiro, ou os pintores não trabalhavam, e eu dava o dinheiro para ele, até porque na mansão tem um quarto para Silvio Berlusconi, com quadros do pintor Tallone – que retratou minha mãe jovem – e muitos livros, inclusive *Utopia*, de Thomas Morus, o meu preferido. Por isso, sei que um dia posso ir para lá para descansar.

O juiz tenta lembrá-lo de que o processo se trata de notas falsas e que há também alguns contratos falsos assinados por Dell'Utri. Berlusconi se supera:

> Para o meu grupo, a transparência é fundamental. Notas falsas na Publitalia? Se isso tivesse rendido alguma vantagem à empresa, Dell'Utri e os outros deveriam ter uma justificativa moral: o cidadão se rebela contra o fisco, que vai contra o direito natural. Só quem tinha vantagens era Prandelli [vice-diretor geral da Publitalia, também acusado, mas réu confesso]. Excluo a hipótese de que, por montantes tão vis, colocassem em perigo o bom nome da sociedade.

Por fim, dirigindo-se ao presidente: "O senhor não tem ideia das cifras que circulam no mundo da publicidade. Basta fazer um happy hour com um cliente para mover enormes orçamentos". E o juiz: "Quer dizer que os seus 200 milhões correspondem às minhas 20.000 liras?". Berlusconi: "Até menos. De qualquer forma, nunca carrego uma lira no bolso: quer verificar? As doações abaixo de 50 milhões a Dell'Utri eu fazia em dinheiro vivo: mesmo que ele perdesse, não era nada. Mas aqui entremos na esfera privada, que atualmente é violada com práticas ilegais [alusão ao pequeno microfone encontrado no Edifício Grazioli]". Malchiodi o interrompe: "Veja bem, as perguntas dizem respeito ao processo". E Berlusconi: "Presidente, não tenho problemas com o senhor; o malvado é o promotor. O senhor entende certas coisas, dados os seus cabelos brancos. Eu, por outro lado, não os tenho, já me caíram quase todos". No fim, o ribunal transmite o depoimento de Berlusconi à Procuradoria para avaliar eventuais perfis de falso testemunho.

O processo da "Guarda de Finanças corrupta"

"Sabem o que são para mim 100 milhões? Isto..." O *Cavaliere* levanta o braço direito, esfrega o dedo médio contra o polegar e o estala sobre a palma da mão, enquanto fixa o olhar sobre o relógio no pulso esquerdo. Trinta segundos de silêncio, depois outro estalo: "... Isso. Para mim, 100 milhões são isso: trinta segundos. Esse é o tempo que a minha empresa leva para faturar 100 milhões. Imaginem se eu posso me ocupar de uma questão de trinta segundos."

O processo pelos 350 milhões de propinas pagas pela Fininvest a alguns militares da Guarda de Finanças também foi aberto, em 1996, com um show para os jornalistas. Porém, concluída a conferência de imprensa e iniciada a discussão na sala, o próprio Berlusconi compreendeu que aquilo não seria um passeio. No dia 17 de janeiro, durante a primeira audiência (a única em que estará presente), um de seus defensores, Giuseppe De Luca, surpreende a todos pedindo aos juízes da sétima seção para afastar as câmeras. O advogado do grande comunicador, que sabe muito bem quais danos políticos podem causar certas imagens, vocifera por meia hora contra a "videocracia" e o "novo Leviatã dos anos dois mil" que "desencadeia a tempestade nas testemunhas vulneráveis": isto é, a televisão. Berlusconi, fora da sala, tenta justificar-se: "Um protagonista como eu tem tudo a ganhar pelas filmagens televisivas: já estou acostumado às câmeras; quando eu faço a barba, é como se tivesse uma atrás do espelho, mas os advogados me induziram a sacrificar os meus interesses". Depois, enquanto passeia pelos corredores entre duas alas de multidões, escoltado por cinco homens da segurança e pelo secretário Niccolò Querci, explica ter decidido assistir à primeira audiência pelo "grande respeito que nutro pelo colégio judicante".

Da segunda em diante, no entanto, não aparece mais. E é declarado "contumaz". Nesse meio-tempo, seus advogados partem para o ataque aos juízes e solicitam a transferência do processo a Bréscia: na opinião deles, o Tribunal de Milão não seria sereno e imparcial. A Corte de Apelação refuta a solicitação, mas a defesa a reitera continuamente por mais dois anos, até que, no dia 24 de fevereiro de 1998, a Corte de Cassação estabelecerá definitivamente que a sede natural do processo é Milão. Nisso, os advogados utilizam uma arma dilatória: pedem repetidamente a recusa do colégio. A tentativa não obtém sucesso por alguns meses;

depois, no dia 18 de setembro de 1996, um microfone deixado ligado ao fim da audiência reproduz as vozes do presidente Carlo Crivelli e do promotor Gherardo Colombo. Falam, como frequentemente acontece antes de deixar a sala, do calendário das próximas audiências: quais testemunhas ouvir e quando. O juiz decidiu aceitar os requerimentos da defesa de Berlusconi, que pediu a antecipação da próxima audiência do dia 2 para o dia 1º de outubro devido a compromissos concomitantes em outro processo. "Então, vamos no dia 1º em vez do dia 2 de outubro?", pergunta o promotor. E o presidente: "Sim, pois é, é a técnica da vara e da cenoura, procuramos utilizá-la ao máximo". Ou seja: uma vez, acatam-se as exigências dos defensores; outra, as dos promotores. Revendo as imagens do processo (Crivelli autorizou as gravações, mas não a exibição ao vivo), um técnico da Fininvest se dá conta do ocorrido. E a máquina midiática berlusconiana logo transforma aquele diálogo normal e um escândalo nacional: para a imprensa e as emissoras do *Cavaliere*, aquela é a prova de que os juízes torcem pela acusação, de que são "partidários" da Procuradoria, de que é necessário separar as carreiras. Os defensores logo pedem a recusa do presidente, com a aprovação, dentre outros, de Cesare Salvi, do PDS, convencido de que "o caso Crivelli é a prova da distorção das relações entre acusação e defesa".

No dia 4 de novembro, a Corte de Apelação nega o pedido, embora critique a "leviandade" de Crivelli. Este, atacado por jornais e televisão, resiste por mais dois meses. Depois, no dia 20 de janeiro de 1997, decide abster-se, e o processo, exatamente após um ano, deve recomeçar do zero, perante uma nova presidente: Francesca Manca.

5. OS DOIS MARECHAIS

No dia 16 de setembro, quarenta e oito horas antes de o juiz Crivelli deixar escapar a famigerada frase, iniciou-se oficialmente entre os apoiadores de Berlusconi outra operação que visa não apenas a devastar o processo, mas também a fechar definitivamente as contas com o *pool* Mãos Limpas. Naquele dia, nos escritórios da Procuradoria de Bréscia, apresenta-se um marechal dos Carabinieri aposentado prematuramente: chama-se Giovanni Strazzeri e, durante anos, prestou serviço à Procuradoria junto ao Tribunal de Primeira Instância de Milão, chamada pelos íntimos de "a procuradoriazinha", pois se ocupa de crimes menores. No dia 11 de setembro, o oficial telefonou aos magistrados de Bréscia pedindo para ser ouvido e prometendo importantes revelações sobre as investigações da Fininvest. Explicou que queria depor devido "à profunda decepção" que sofreu nos últimos anos de trabalho. E eis que ele se encontra, cinco dias depois, sentado perante o promotor Silvio Bonfigli.

A partir de 1994, afirma o ex-carabiniere, muitos colegas confiaram-lhe em segredo que o *pool* possui apenas um objetivo: eliminar Berlusconi a todo custo. O próprio Di Pietro – adiciona – confirmou-lhe tudo: "Veja, Strazzeri, devemos nos

1996. MÃOS GRANDES   623

esforçar mais no trabalho: tiramos a DC e o PSI, agora temos que tirar Berlusconi. Dessa forma, poderei ir para o governo, porque represento a área moderada". Strazzeri prossegue:

> Após as eleições de 27 de março de 1994, eleições vencidas pelo Força Itália, e em especial com a grande afirmação pessoal do Dr. Silvio Berlusconi, dois Carabinieri colaboradores do *pool*, Cesare Traia e Michele Tortorici, falaram-me de reuniões dos magistrados nas quais se falava da necessidade de realizar investigações com a finalidade de destruir Berlusconi. Assim, primeiro procurou-se atingir tal objetivo prendendo o irmão Paolo e, sucessivamente, revelando-se vã essa tentativa, teria sido decidido investigar a fundo todas as sociedades do grupo Fininvest. Essas circunstâncias me foram informadas pelos colegas Tortorici e Triolo em presença do marechal Zingaro e do colega Felice Maria Corticchia, que na época era sargento da Arma dos Carabinieri.

Continuando a recitar os nomes das supostas testemunhas, Strazzeri acusa Di Pietro de gravíssimos atos ilícitos: autos de interrogatórios entregues pessoalmente a uma série de jornalistas; vazamentos de notícias manipuladas (como aquele sobre a primeira intimação a comparecer feita ao líder do Força Itália) para obrigar Berlusconi a demitir-se da função de premier; abordagens sexuais à cronista policial de *il Manifesto* Renata Fontanelli, que depois passou para a redação de Michele Santoro no programa *Moby Dick*:

> Sempre tive com ela uma relação de cordialidade e uma certa confidência. Um dia, Fontanelli me contou que era assediada no escritório do Dr. Di Pietro para adquirir informações jornalísticas. Com grande surpresa, Di Pietro tomou-a pelo braço, como era seu hábito, mas logo depois, apalpando-lhe os glúteos, disse-lhe que, se queria ter as notícias que a interessavam, tinha de sair e manter relações com ele.

Bonfigli entende que esse depoimento é uma bomba. Chega ao seu escritório também Fabio Salamone, o promotor "especializado" em Di Pietro. Também acaba em preto no branco a história de um suposto telefonema de Luciano Violante à Procuradoria de Milão feito para entrar em acordo sobre as datas da primeira intimação a comparecer Berlusconi. Depois, Strazzeri adiciona uma revelação bombástica: "Em novembro de 1994, Di Pietro pediu-me para lhe conseguir um passe para o Palácio Chigi, onde eu teria de escrever 'advogado Massimo Maria Berruti para o presidente Berlusconi'. Aquilo me cheirava mal, e, após dois dias, eu lhe disse que não era capaz cumprir a sua solicitação. Ele se alterou e me disse: 'Vocês não servem para porcaria nenhuma, tenho de fazer tudo sozinho'". Então, insinua o ex-marechal, a 'prova rainha' do processo Berlusconi-Guarda de Finanças também seria falsa.

Conexão Emilio Fede

O "passe" que atesta a entrada do advogado Berruti no Palácio Chigi para encontrar-se com Belusconi é – como vimos – um dos elementos de articulação da discussão em andamento contra o ex-premier. Conforme a acusação, é a prova de que Berruti encontrou o *Cavaliere* logo antes de alterar as provas, "apaziguando os ânimos" de alguns altos oficiais da Guarda de Finanças envolvidos nas verificações fiscais – com propina – do grupo Fininvest.

Até aquele 16 de setembro, no processo de Milão, ninguém nem ao menos sonhou em colocar em xeque a autenticidade do passe. Porém, dois dias após o primeiro depoimento em segredo absoluto de Strazzeri, alguma coisa muda. No dia 18 de setembro, é convocado a testemunhar Alessandro Piazza, o colaborador de Gherardo Colombo que havia participado da casual descoberta do documento dentro de uma agenda apreendida de Berruti. Embora as declarações de Strazzeri ainda sejam secretas, Piazza é atingido por uma metralhada de perguntas dos advogados defensores da Fininvest justamente sobre o passe e sobre como foi encontrado. O objetivo, evidentemente, é plantar as primeiras dúvidas sobre a autenticidade da "prova rainha".

Piazza responde, em primeiro lugar, às questões de Corso Bovio, defensor de Berruti, que quer saber, entre outras coisas, como foi descoberto o cartão: o colaborador de Colombo lembra que, na tarde de 9 de novembro de 1994, ele e o magistrado haviam decidido examinar analiticamente os documentos apreendidos de Berruti no dia 4 de outubro. "A primeira coisa que começamos a verificar", explica, "foram as agendas. O passe estava em um bolso interno da capa, junto a cartões de visita e outros cartões. Quando o Dr. Colombo encontrou o documento, encarregou-me de fazer verificações, as quais indiquei por escrito em uma anotação". Bovio conclui quase imediatamente sua averiguação. A palavra passa para Ennio Amodio, o advogado de Berlusconi, e a música muda: "O Dr. Colombo", pergunta Amodio, "não lhe disse: 'É estranho que surja só agora, depois que a busca se iniciou, em agosto, e o mesmo material foi examinado em outubro de 1994'?". Piazza: "Não, não havia nenhuma estranheza". Colombo tenta opor-se: "Não sei se essas perguntas são inadmissíveis, tratando-se de uma atividade do ofício que é documentada em ata". Amodio insiste:

Não, sinto muito, senhor promotor, esta é uma grande lacuna... A descoberta do passe acontece a um considerável tempo de distância da busca. Pergunto à testemunha se o promotor que encontrou o documento não teria por acaso dito: "Mas como? É estranho que surja agora este documento" ou, censurando o comportamento de quem havia examinado aqueles atos, não tenha dito: "Trabalharam mal, deveriam ter encontrado antes".

Piazza é inamovível: "O Dr. Colombo não fez nenhum tipo de comentário, nem de surpresa, nem de reprovação a quem quer que fosse". Amodio faz pressão: "Estamos reconstruindo um detalhe importante, e aqui, quanto à confiabilidade e à veracidade deste documento, é importante saber como foi descoberto [...]. Senhor presidente, como há a ata de tudo o que foi feito e não há a ata da descoberta do documento [mas há a anotação], o defensor se pergunta como é que isso pode acontecer". Colombo e o presidente Crivelli parecem surpresos. O defensor, no entanto, ainda não acabou. Faz perguntas uma atrás da outra. Na sua opinião, existem "fatos que não se consegue entender": "A dificuldade desta causa é que não se consegue reconstruir os fatos, essa é a verdade".

O público na sala não compreende o motivo da insistência de Amodio sobre aquele passe. Quem, por sua vez, entende tudo é um espectador não usual presente naquele dia na sala: Emilio Fede. No dia 18 de setembro, o diretor do TG4 passa a manhã e a tarde no Palácio da Justiça. "Fui até lá para ficar perto da minha amiga Marinella Brambilla [a secretária de Berlusconi], que seria interrogada", dirá em dezembro ao *l'Espresso*: "Lembro que, conversando com Colombo durante um intervalo, falou a seguinte frase: 'Esta é a audiência dos passes falsos'". Porém, naquele momento, apenas ele entende a frase. Nos jornais de 19 de setembro, de fato, não se dá espaço para as perguntas do advogado sobre o passe. Inclusive, o *Corriere della Sera* usa o título: "Processo Berlusconi, uma modelo ajuda o *pool*". Trata-se de uma referência ao depoimento de Djiana B., que lembra ter jantado com Berruti na famosa noite de 8 de junho de 1994: "Valerio Ghirardelli me explicou que Berruti estava em Roma para defender a si e ao *Cavaliere* nas investigações de que falavam os jornais".

O marechal escritor

No dia 23 de outubro, apresenta-se "espontaneamente" em Bréscia uma nova testemunha. É um amigo de Strazzeri, também ele marechal dos Carabinieri, que se demitiu há pouco da Arma. Chama-se Felice Maria Corticchia, tem 27 anos, é alto, desengonçado, demonstra um italiano incerto e uma grande vontade de mostrar-se. A sua primeira tarefa foi dada pelo destino: em agosto de 1990, chegou à estação dos Carabinieri de Segrate, onde, quase imediatamente, conheceu Fede e ficou íntimo dele quando o diretor do TG4, partindo para o congresso do PSI em Bari, sofreu o furto do seu carro e de sua bagagem.

Para Fede, filho de um Carabiniere, aquele rapaz siciliano como ele lhe é muito simpático. Dessa forma, o jornalista e o jovem suboficial mantém-se em contato inclusive quando, em 1993, Corticchia é transferido para o Palácio da Justiça de Milão. O marechal fica nos escritórios da operação Mãos Limpas até maio de 1994. Depois, é surpreendido por um dos maiores colaboradores de Di Pietro enquanto remexe as gavetas de um magistrado. Não há provas que demonstrem ter sido ele o informante que passava notícias e atas aos cronistas. De qualquer forma, é convocado ao quartel, no Núcleo Operativo da Via Moscova. Em seguida, volta para o Palácio da Justiça, até que, após uma nova publicação de atos secretos, os superiores colocam-no diante das alternativas: demitir-se ou ser transferido para outra região.

Assim, no dia 19 de novembro de 1995, Corticchi afasta-se. Aparentemente, não tem uma lira nem perspectivas concretas de trabalho. Além disso, dois bancos, o Crédito Agrário de Bréscia e o Banco Popular de Abbiategrasso, solicitaram e obtiveram dois decretos de penhora para um total de quase 14 milhões. O ex-marechal, no entanto, não se desespera. Escreveu um livro (ilegível) sobre uma série de casos judiciários famosos e pediu que o revisasse uma amiga jornalista, Renata Fontanelli, e está preparando ainda um segundo livro. De agora em diante, anuncia aos amigos, será escritor e roteirista de televisão. Fede organiza para ele até mesmo um encontro com um dirigente da Fininvest, mas se assegurará de que a conversa não se concretizou em nenhuma proposta real de trabalho. Corticchi, no entanto, conta aos ex-colegas que ficou rico e aluga um apartamento no coração de Milão, em Brera, Via Fiori Chiari: 2,2 milhões de liras por mês.

No dia 23 de outubro de 1996, pouco mais de um mês depois de Strazzeri, o marechal escritor apresenta-se em Bréscia e não apenas confirma palavra por palavra a história do ex-colega, como também adiciona outros detalhes. Na prática, coloca nas mãos dos magistrados a solução de um mistério que por meses deixou Salamone e Bonfiglio em grande ânsia: os "verdadeiros motivos" da demissão de Di Pietro.

As "notícias arrepiantes"

Estava cansado? Sendo chantageado? Decidiu ir embora para salvar a operação Mãos Limpas dos ataques que já haviam se tornado diários? Nada disso. Di Pietro – insinua Corticchia – estava se preparando para um tipo de golpe de Estado:

> Os colegas Tortorici e Triolo falaram-me da específica vontade do Dr. Di Pietro, por meio da intimação a comparecer, de tomar o lugar do Dr. Berlusconi em um futuro governo, decidindo, para tal fim, abandonar a magistratura [...]. Tortorici, em novembro de 1995, contou-me que Di Pietro tinha se demitido após a intimação a comparecer pois não achava oportuno interrogar Berlusconi, visto que queria substituí-lo no comando do governo.

Bonfigli continua seguindo com extrema cautela. Faz controlarem os telefones fixos dos dois ex-Carabinieri, consegue os registros telefônicos da Telecom com os seus telefonemas, descobre "que se falavam com frequência e que haviam feito chamadas entre si inclusive próximo à data do comparecimento à Promotoria". Depois, interroga algumas pessoas citadas nos seus interrogatórios.

1996. MÃOS GRANDES   627

É nesse ponto que entra com força em campo Silvio Berlusconi. Em janeiro, o *Cavaliere* começa a encher seus discursos públicos com alusões obscuras, meias palavras que depois se recusa a explicar. Em Gênova, no dia 23 de novembro, anuncia: "Veio a meu conhecimento notícias arrepiantes sobre o antes e o depois da decisão da Liga [isto é, a suposta troca de partido por interesses no final de 1994]. Há um mosaico com os crimes penais". Os jornais, a partir do dia seguinte, começam a se perguntar o que são essas "notícias arrepiantes". Ninguém sabe ainda sobre os depoimentos de Strazzeri e Corticchia e, assim, surgem as hipóteses mais diversas. Dois dias depois, em Legnano, Berlusconi retoma o assunto: "Será uma verdade traumática para todos os italianos e também para a democracia". Em Roma, no dia 26 de novembro, aumenta a dose:

> Já me parece arrepiante o que foi relatado por Borrelli, isto é, que Di Pietro, quando era promotor em Milão, queria me arruinar, e é igualmente arrepiante que Borrelli não tenha tomado medidas contra ele. No entanto, eu me refiro a outras situações. Não devo intervir, provavelmente outros falarão disso. Porém, se os magistrados me escutarem, estarei disposto a falar.

E em Trieste, no dia 29 de novembro, dispara: "Tenho graves notícias que lançarão luz sobre os objetivos e os comportamentos de certas procuradorias".

Meia Itália pergunta-se quais segredos inconfessáveis tinha descoberto Berlusconi. O suspense é sabiamente alimentado por contínuas indiscrições escolhidas a dedo: por exemplo, a Augusto Minzolini, do *Stampa* ("Tem uma mulher misteriosa para quem Di Pietro teria contado o plano para substituir Berlusconi na chefia da coalizão do centro-direita"). Então, finalmente, o anúncio: o *Cavaliere* se apresentará espontaneamente, no dia 12 de dezembro, aos magistrados de Bréscia para contar tudo o que sabe.

No dia 27 de novembro, acabam sendo interrogados os inocentes Triolo e Tortorici. Triolo é categórico: "Nego ter dito a quem quer que seja os fatos e as circunstâncias de que falaram Corticchia e Strazzeri e nego ainda mais ter estado com eles em presença do colega Tortorici". Tortorici também desmente a história e explica que, tendo em conta as suas tarefas na Procuradoria de Milão (onde trabalhava no arquivo), certamente não tinha como conhecer as estratégias de investigação do *pool*.

As declarações pareceriam suficientes para colocar a dupla de ex-marechais no registro dos investigados por calúnia. Bonfigli, porém, decidi esperar mais um tempo e, no dia 9 de dezembro, ouve a jornalista Renata Fontanelli. Não contesta imediatamente às declarações de Strazzeri e Corticchi. Primeiro, pede-lhe para contar que tipo de relação tinha com Di Pietro. A testemunha responde:

> Era uma relação normal de amizade, éramos informais entre nós e, em presença de outras pessoas, saíamos para tomar café da manhã e também

para jantar. Durante o processo Enimont–Cusani, tive com ele uma discussão sobre o futuro político e sobre sua eventual candidatura. No fim da discussão, pedi-lhe permissão para publicar uma entrevista, mas ele recusou, dizendo que "não era hora".

Acabado o preâmbulo, chega-se à leitura dos autos dos dois ex-Carabinieri. Fontanelli tem uma grande surpresa e nega tudo. Nem ao menos se lembra da cara de Strazzeri. Nunca recebeu propostas de Di Pietro, muito menos confidências do ex-magistrado sobre uma tentativa de golpe judiciário, porém explica:

> Também já saí com Corticchia para tomar café da manhã ou para ir à pizzaria. Com ele, eu falava das minhas relações com os outros jornalistas e com os magistrados do *pool*, além da dificuldade que eu encontrava como jornalista de um periódico menor [...]. Pelo que me consta, o marechal Corticchia é afastado do Palácio da Justiça por certo tempo pois tinha problemas com os seus colegas.

Assinada a ata, a jornalista fica preocupada. Não quis dizer a Bonfigli tudo o que sabe sobre Corticchia e sobre as relações do antigo suboficial com o grupo Fininvest. Além disso, tem a sensação de que os promotores de Bréscia tenham acreditado nas acusações dos dois ex-Carabinieri. Assim, evitou contar que, em 1995, apenas 20 dias após sua demissão da Arma dos Carabinieri, Corticchia tinha ido a sua casa com uma proposta indecente: caluniar Di Pietro em troca de um cargo bem remunerado na Fininvest.

O pool no contra-ataque

No dia seguinte, 10 de dezembro, Renata Fontanelli apresenta-se à Procuradoria de Milão decidida a contar toda a verdade. Perante o procurador adjunto Gerardo D'Ambrosio, explica a origem da sua amizade com Corticchia e admite que o Carabiniere havia lhe passado, na fase mais clamorosa da Mãos Limpas, as fotocópias de uma série de autos.

> Na primavera de 1996, Corticchia vangloriava-se de ter se tornado rico porque trabalhava para o grupo Berlusconi, que lhe havia oferecido a possibilidade de publicar dois livros, dado duas consultorias e ajudado a se tornar roteirista.

D'Ambrosio pergunta: "O que Corticchia queria dizer com isso?". A jornalista lembra o sentido da proposta indecente: "Vá a Bréscia dizer que Di Pietro molestava você prometendo, em troca, notícias". No dia 19 de dezembro, ainda em Milão, adiciona mais detalhes. Corticchia, em troca do depoimento anti-Di Pietro, havia-lhe prometido "facilidades profissionais e que seria contratada pelo grupo Fininvest". O Carabiniere não parecia se importar muito com o fato de as acusações "sexuais" a fazer contra Di Pietro serem falsas. O que lhe interessava era difamá-lo. De fato, em janeiro de 1996, perante a perplexidade da cronista, havia respondido: "Todos sabem mesmo que ele é um porco e que ninguém nunca ajudou você: você é uma moça bonita, então a história poderia ser crível".

A mando de quem agia Corticchia? Que interesse tinha em desacreditar Di Pietro? Quem são aqueles que puxavam os fios dos fantoches? Fontanelli, sempre se baseando naquilo que lhe havia dito o ex-colaborador do *pool*, revela no dia 15 de janeiro de 1997 perante Ilda Bocassinni: "Eram claras as seguintes circunstâncias: 1) que a manobra havia sido armada, em sua opinião, diretamente com Berlusconi; 2) que, em troca dessa ajuda, havia sido prometido a ele dinheiro ou cargos". Claro, Corticchia podia muito bem gabar-se: a cronista o diz claramente, mas ressalta que o padrão de vida do ex-militar havia repentinamente dado um salto e revela que, em dezembro, após seus primeiros depoimentos, Emilio Fede havia-lhe confirmado "que houve encontros de Corticchia e Berlusconi em Arcore". A testemunha também expõe a fita de uma das conversas que teve com Corticchia, gravada secretamente por ela seguindo o conselho do advogado Gaetano Pecorella.

Domingo, 19 de janeiro, é a vez de Fede ser interrogado. Antes dele, foram ouvidos jornalistas e amigos da testemunha, que confirmaram, ponto por ponto, as suas palavras. No início, o diretor do TG4 parece embaraçado. "Tenho motivos para acreditar", diz, "que esse encontro de Corticchia e Berlusconi tenha realmente ocorrido, conforme eu soube por rumores." Depois, admite "ter telefonado para a secretária de Berlusconi em Arcore e ter ouvido do próprio Corticchia o relato do encontro".

O erro arrepiante

Os magistrados de Milão, utilizando uma equipe do ROS comandada pelo major Roberto Zuliani, conseguem reconstruir boa parte dos bastidores da operação. Descobrem que o ex-suboficial se tornou realmente mais do que rico, comprando até mesmo uma mansão em Santo Domingo pelo valor de 95.000 dólares (dos quais 60% já foram pagos), também que alugou o apartamento da Via Fiori Chiari em Milão logo após afastar-se do cargo e que não é apenas isso: no dia 15 de janeiro de 1996, Corticchia depositou pela primeira vez dinheiro vivo na conta corrente do Banco Nacional do Trabalho do Palácio da Justiça: 5 milhões de liras e, nove dias depois, mais 10 milhões. Ao longo de um ano, os milhões depositados chegam a mais de 250. Às vezes, quando sua conta parece aproximar-se do vermelho, Corticchia apresenta-se ao guichê do banco e controla a situação com envelopes cheios de dinheiro vivo.

É naquele período que encontra Silvio Berlusconi? Nos atos da investigação, não se encontra resposta para essa pergunta. Renata Fontanelli, no entanto, afirma que o ex-Carabiniere lhe propôs pela primeira vez participar do seu plano de calúnias apenas vinte dias após a demissão da Arma dos Carabinieri. Ou seja, supostamente, em dezembro de 1995. Depois vem o Natal, o Ano-novo e, por fim, o dia 17 de janeiro de 1996, a primeira audiência do processo Fininvest–Guarda de Finanças. O líder do Polo, justamente no dia anterior, deixa escapar uma declaração enigmática:

> Acabou o silêncio, o muro caiu, e as pessoas não têm mais medo da Procuradoria. Há poucos dias vieram me contar fatos sobre o *pool* de Milão, coisas de arrepiar a pele. Fatos seguros, confirmados, gravíssimos, que poderiam ser denunciados à magistratura [...]. Aquilo sobre os promotores do *pool* não é uma opinião minha. Falei inclusive com advogados, com magistrados que ficaram estarrecidos com o que veio à tona, com jornalistas frequentadores assíduos da Procuradoria, dos quais ouvi opiniões impetuosas sobre alguns personagens que antes eram tidos de outra forma [...]. Quando se abrem as cortinas, muitos episódios podem surgir. Eu não posso agora virar delator, mas muitas coisas foram trazidas a meu conhecimento por pessoas que antes estavam imobilizadas pelo medo [...], inclusive coisas que eram secretas. Eu não farei nada com essas coisas em respeito àqueles que confiaram em mim, mas alguém está pensando em contar tudo.

A quem Berlusconi se refere permanece um mistério. O que é certo, no entanto, é que, sete meses depois, em outubro de 1996, quando seu cúmplice Giovanni Strazziere já depôs perante os magistrados de Bréscia, Felice Maria Corticchia pede à namorada que leve para o banco 27 milhões e meio, e quando a moça, proprietária de uma pequena perfumaria, pediu-lhe explicações sobre a proveniência do dinheiro, ele não foi capaz de responder. Aos ex-colegas, por sua vez, disse que fez fortuna com os livros, mas os seus dois trabalhos literários – *Orrore giudiziario* ("Horror judiciário") e *Benito Mussolini assolto per non aver commesso il fatto?* (Benito Mussolini absolvido por não ter cometido crime?) – foram publicados a pagamento (do autor) pela semidesconhecida Atlantide Edições, de Pogliano Milanese e, não obstante o intervento de alguns parlamentares da Aliança Nacional nos prefácios, venderam apenas poucas dezenas de cópias. Corticchia, em resumo, foi pago. Ao menos é disso que suspeitam os magistrados do *pool*.

Uma cronologia suspeita

De olho nas datas: o interrogatório de Renata Fontanelli em Bréscia é de 9 de dezembro; o de Milão, no qual explica a calúnia organizada pelos dois primeiros-sargentos, é de 10 de dezembro. No dia 11, o jornal romano *Il Tempo* publica na íntegra o dossiê Strazzeri, em vista do depoimento espontâneo que Berlusconi prometeu apresentar no dia seguinte aos promotores de Bréscia para finalmente explicar as "terríveis notícias". O líder do Polo, naquela manhã, volta à carga:

1996. MÃOS GRANDES   631

Não me preocuparia se Di Pietro praticasse extorsão [que é o novo delito pelo qual foi intimado o ex-promotor no caso de Adamo-Pacini Battaglia], mas pelos métodos utilizados nas investigações em Milão, trazendo um Di Pietro justiceiro. O que me preocuparia seria o aparecimento de um Di Pietro subversivo.

Parecia o último "lance", tendo em vista o depoimento do dia seguinte. Porém, à noite, o *Cavaliere* se detém e adia a reunião com os magistrados de Brescia. Sem mais "terríveis notícias". Certamente o projeto calunioso encontrara um imprevisto, uma dificuldade inesperada.

No entanto, em 12 de dezembro, acontece uma manobra para apanhar os magistrados de Milão, só que em Roma. Nesta cidade, os conselheiros do Força Itália no CSM Sergio Fois e Agostino Viviani solicitam, para "um grupo bem definido de magistrados de Milão", "o início de procedimento de transferência da repartição por incompatibilidade ambiental", além de uma "investigação cuidadosa por parte dos órgãos de inspeção". Alegam, como prova de suas acusações, o artigo de *Il Tempo* com o dossiê Strazzeri. Agora, as "notícias terríveis" se revelam também enganosas.

Em 13 de dezembro, em Milão, Strazzeri é entrevistado pelo *Giornale*; porém, a publicação da família Berlusconi afirma não acreditar em seu relato. Vittorio Feltri, a quem não falta perspicácia, tem a sensação de que a operação Strazzeri–Corticchia esteja naufragando, com risco de provocar situações embaraçosas. Os homens do major Roberto Zuliani, de fato, além de descobrirem nas contas correntes do ex-militar depósitos em dinheiro de mais de 250 milhões, examinaram as planilhas de ligações telefônicas de Corticchia e de Fede e encontraram 35 telefonemas entre eles nos últimos seis meses. Por último e não menos importante, às 22h de 28 de janeiro de 1997, sendo já pública a notícia da investigação por calúnia impulsionada pela declaração de Renata Fontanelli, os militares presenciam o encontro entre Corticchia e Fede; naquele dia, enquanto no Palácio da Justiça ocorre uma reunião entre as procuradorias de Milão e de Bréscia, o ex-policial se dirige, às escondidas, após um longo passeio de carro, a Segrate. Lá, no Jolly Hotel de Milano 2, tem um encontro marcado com o diretor do TG4.

"Doutora, desculpe incomodá-la, mas aqui também aconteceu uma reunião", anunciam por telefone, sorrindo, os investigadores do ROS a Ilda Boccassini. Existiria prova melhor do que uma tentativa de manipulação das provas? As coisas não vão nada bem para Corticchia. Três dias depois, em 31 de janeiro de 1997, o magistrado de Bréscia Giuseppe Ondei emite uma ordem de prisão preventiva contra ele e seu amigo Strazzeri. Todas as acusações que entre setembro e outubro os dois tinham direcionado ao presidente da Câmara Luciano Violante, ao ex-promotor e ex-ministro Di Pietro e a outros magistrados do *pool* são falsas. Por trás dos depoimentos "espontâneos", com os quais a estranha dupla de ex-militares descreveu aquela espécie de golpe branco organizado no outono de 1994 por

OPERAÇÃO MÃOS LIMPAS

Di Pietro e Violante para pressionar Berlusconi a se demitir, existe um "projeto criminoso" cheirando à propina. Em 1º de fevereiro, os dois primeiros-sargentos foram presos.

Bréscia paralisada

Enquanto isso, em 19 de dezembro de 1996, com uma semana de atraso, Silvio Berlusconi foi finalmente interrogado pela Procuradoria de Bréscia, mas nada falou sobre o dossiê Strazzeri, e ninguém lhe perguntou ao menos se tinha estabelecido algum contato com os dois primeiros-sargentos. Os procuradores brescianos não questionaram isso nem na conversa que se seguiu. A investigação sobre Strazzeri e Cortichia se arrasta por meses, fazendo com que as dúvidas, em vez de se dissolverem, aumentem também sobre a origem do valor em dinheiro depositado, a partir de janeiro de 1996, na conta corrente de Corticchia. O primeiro-sargento, imediatamente depois da sua prisão, não dá explicações sobre isso; utiliza-se do direito de não responder. Três meses depois, relata que todo aquele dinheiro lhe tinha sido emprestado em várias parcelas por Strazzeri. O cúmplice confirma, mas quando os investigadores confrontam as movimentações em sua conta, percebem que Corticchia depositou no período analisado 81 milhões a mais em relação ao que tinha sido retirado para o ex-colega. Por quê? Corticchia não falou e também não explicou como fazia Strazzeri que, na polícia recebia 2 milhões e vivia em um casebre de dois quartos sem aquecimento, para emprestar tanto dinheiro ao amigo. Strazzeri afirma ter desejado "investir" no Corticchia escritor: após a publicação dos dois primeiros livros, prognosticava sucesso, com certeza. Assim, começou a repassar ao amigo o dinheiro que antes, segundo ele, aplicava na Bolsa. Para comprovar, cita como testemunho o seu formidável "consultor financeiro": o proprietário de uma lavanderia de Abbiategrasso, o qual, obviamente, confirmou tudo.

O processo contra os dois primeiros-sargentos no Tribunal de Bréscia foi marcado para 22 de setembro de 1999. As partes civis – isto é, os magistrados do *pool* de Milão – são aguerridas; querem preencher as vastas lacunas da investigação da Procuradoria. Além do mais, Silvio Berlusconi foi citado como testemunha: interrogado, será obrigado a responder a verdade. Porém, o defensor de Corticchia, o advogado Michele Saponara, parlamentar do Força Itália, é muito eficiente: solicita e obtém um acordo judicial poucas horas antes do processo. Corticchia é condenado a 1 ano e 9 meses; Strazzeri, 1 ano e 8 meses. Os dois caluniadores, em resumo, limitam os danos ao mínimo. Principalmente, nada de audiência pública e nada de depoimento do *Cavaliere*. O nome do mandante da calúnia, se existir, permanecerá para sempre em segredo.

Corticchia voltará bem rápido a frequentar os meios políticos e os líderes de centro-direita. O presidente da Feira de Milão, Flavio Cattaneo (da AN), em 2001, o contratará como consultor com a tarefa de proteger os expositores contra o furto durante as exposições. Pagamento: 70 milhões ao ano.

6. CAÇA AO MAGISTRADO

O governo de Ulivo tem poucos meses de vida, e já se ouvem, estridentes, as advertências sobre o desencontro entre as promessas e programas eleitorais de um lado e a política cotidiana de outro. Não em todas as frentes, mas certamente no que toca à justiça e à liberdade de informação: justamente o que atormenta Berlusconi, agora líder da oposição. Prodi, em 1995, declarou:

> É necessário privatizar a Fininvest também. Devolvê-la ao mercado. A lei Mammì estabeleceu o duopólio RAI–Fininvest, que Berlusconi transformou em monopólio estando no poder. Então, não somente será abolida a péssima Mammì, mas, principalmente, corrigida a posição dominante de Berlusconi, que apaga as regras da democracia. Em nenhum país no mundo, tal situação seria tolerada. Em que lugar uma pessoa é, ao mesmo tempo, líder político e proprietário de um sistema de TV? É uma piada? (19 de abril de 1995).

D'Alema também havia expressado ter projetos semelhantes: "Remove-se a lei Mammì, se faz tábula rasa, partindo do zero. E se faz antitruste, tendo como base a sentença da Corte Constitucional que declara ilícito que um único sujeito seja proprietário de três redes de TV" (20 de maio de 1995). Um pouco antes das eleições, Prodi prometera: "A primeira coisa que faremos em nosso governo será colocar em prática a sentença da Corte Constitucional de 1994: redução da rede Fininvest via ondas de rádio de três para duas emissoras". Pode-se imaginar a preocupação do *Cavaliere* após a derrota eleitoral. No entanto, em 28 de agosto, o *status quo* televisivo foi mais uma vez prorrogado até 31 de dezembro. O ministro dos Correios e Telecomunicações é um homem que não pretende ser um estorvo para Berlusconi. O mesmo Maccanico, que poucos meses antes preparou a mesa para o "governíssimo" Polo–Ulivo, muito rapidamente dará seu nome a uma nova lei sobre as transmissões, a qual deixará três redes para Berlusconi nas barbas da opinião pública.

No campo da justiça, o governo apresenta um projeto de lei que amplia as possibilidades de negociação, com consequentes reduções de pena cada vez mais vantajosas para os réus. Começa-se a discutir – como veremos no próximo capítulo – sobre condenações, sobre despenalização do financiamento ilícito de partidos, sobre reforma de falsificação de contabilidade e sobre abuso de poder. Muitos, entre os quais o ministro do Interior Giorgio Napolitano e o novo presidente da Comissão Parlamentar Antimáfia Ottaviano Del Turco, querem tornar mais lentas as premiações para os colaboradores da justiça, enquanto Folena, do PDS, propõe cancelar o delito de cumplicidade em associação mafiosa.

Os últimos meses do ano são uma repetição de acusações e de ataques cada vez mais violentos à magistratura: da direita, da esquerda, vindas dos lugares mais imprevisíveis. Inicia-se em 16 de agosto, quando Carmine Mensorio, ex-deputado da DC e depois do CCD, acusado de envolvimento com a Camorra pela Procuradoria de Nápoles e foragido há meses, suicida-se atirando-se ao mar ao retornar à Itália. Em seguida, a Procuradoria é acusada por supostos "abusos das prisões cautelares". O procurador Agostino Cordova lembra, em vão, que, para o delito de associação mafiosa, a prisão é obrigatória. Cordova, como veremos, é também acusado de atentado ao Parlamento. O seu pecado: ter utilizado um agente infiltrado que, ao descobrir uma volumosa movimentação de propinas nas empreitadas para melhoria da rede ferroviária, acabou encontrando políticos de ambos os partidos.

Em Milão, enquanto fervilham as polêmicas sobre os processos da Fininvest, também entra na mira a promotora Giovanna Ichino, que abre uma investigação sobre diversas celebridades da TV, entre elas Pippo Baudo, Mara Venier e Rosanna Lambertucci, acusados de extorsão por terem obrigado algumas empresas a pagarem propinas com a ameaça de não serem suficientemente persuasivos e sorridentes durante as "telepromoções" nas redes públicas da RAI. O processo terminará com uma enxurrada de tratativas penais.

Em setembro, a centro-esquerda, liderada pelo PDS, aproveita a ocasião da Tangentopoli 2 em La Spezia para marcar mais uma vez distância da Mãos Limpas. Cesare Salvi acusa o *pool* de Milão de ter usado "técnicas investigativas arriscadas que favorecem o despistamento" (6 de outubro) e propõe "separar as carreiras dos juízes" (17 de outubro). Faz eco às suas falas um cáustico D'Alema: "Os juízes não estão na vanguarda da revolução" (25 de outubro). Folena acusa Borrelli e Cordova de "fazer política" e de invadir "as prerrogativas parlamentares"; fala, inclusive, de uma "nova Idade Média" à porta, com "métodos de república de bananas". Elogia, então, os promotores da região de La Spezia: "São melhores que os de Milão: não usam a prisão para fazer ninguém confessar" (12 de outubro). Violante sustenta que "existem magistrados perigosos, que construíram suas carreiras sob consenso popular" (26 de outubro).

Em 7 de setembro, no Seminário Anual de Cernobbio, o convidado de honra é o promotor Carlo Nordio, que propõe "fechar a Tangentopoli" com uma "anistia baseada em pagamento", entre aplausos dos empresários. Dois dias depois, lhe faz eco o vice-premier Walter Veltroni, com a proposta de "um encontro entre maioria e oposição por uma solução política que encerre a Tangentopoli". Em 12 de setembro, o presidente do CENSIS e do CNEL, Giuseppe De Rita, um democrata-cristão, em um artigo publicado no jornal *Tempo* e em entrevista ao *Corriere della Sera*, denuncia a existência de um "aparato de poder constituído pela trama entre promotores, polícia judiciária e talvez serviços secretos, incontrolável e descontrolado, que deve nos preocupar. Quem protege os cidadãos deste aparato de operações incontroláveis"? De Rita possui fama de ser homem equilibrado e, ainda que não apresente provas que sustentem seu raciocínio, consegue fazer-se ouvir. De fato, suas palavras geram novas polêmicas entre a magistratura. E também porque se coloca ao lado de De Rita, expressando ideias semelhantes, o presidente da Comissão de Investigação do Terrorismo, senador Giovanni Pellegrino (PDS), muito próximo de D'Alema.

Não houve nenhuma reação, porém, quando *l'Espresso* descobriu a incrível similitude entre as frases de De Rita e de um *expert-witness*, uma espécie de ponto de vista *pro veritate*, que há três meses um escritório de direito londrino, o Peters & Peters, tentava lançar no mundo acadêmico internacional. O documento teria sido produzido frente à Alta Corte londrina, onde se discutia enviar ou não para Itália 15 grandes caixas de documentos confiscados do advogado David Mills, guardião dos segredos da sociedade offshore de Berlusconi.

A questão se torna pública porque, entre os destinatários da solicitação de uma "opinião científica" sobre a suposta conspiração de juízes e investigadores está o maior especialista em política italiana em Londres: o californiano Robert Leonardi, diretor da London School of Economics do Economic and Social Cohesion Laboratory. Leonardi, no início da segunda semana de setembro, recebe um fax confidencial dos advogados do *Cavaliere*, que lhe pedem para assinar um documento que o obrigaria a guardar segredo sobre as informações recebidas após seu possível aceite da proposta. A consultoria solicitada ao prestigiado acadêmico previa a redação de um documento de uma dezena de páginas sobre supostos abusos de poder de magistrados na Itália e sobre os perigos disso para a democracia. Uma opinião que Leonardi não compartilha; então, o estudioso não assina. Assim, fica o mistério: os advogados de Berlusconi teriam pago pela consultoria a ser apresentada no Tribunal? Se sim, quanto? E por que as singulares coincidências com a inesperada denúncia de De Rita?

No entanto, sobre esse escândalo acadêmico, que inflama a London School, não se fala na Itália. É a época do "morde e assopra" do juiz Crivelli e das "notícias terríveis" sobre o *pool*. A informação voltou a ser o espelho do Palácio. Todos os grandes editores estão sob investigação ou sob processo e até nas prudentes páginas dos jornais respira-se um ar de retorno à ordem estabelecida. Na justiça e nos meios legais triunfa, o pensamento único: a Itália se torna bicameral.

1997 - 2000.
MÃOS LIVRES

O ANO DE 1997 começa entre interrogatórios. Enquanto Silvio Berlusconi e Massimo D'Alema, em 22 de janeiro, dão vida à Comissão Bicameral pelas Reformas, a opinião pública olha novamente para a Procuradoria de Bréscia, onde a investigação sobre as relações entre Pacini Battaglia, D'Adamo e Di Pietro parecem ganhar destaque. Então, o símbolo das Mãos Limpas é um corrupto? É verdade que o ex-promotor recebera de Pacini Battaglia 4 bilhões e meio em troca de um favor? É verdade que D'Adamo era o seu "laranja"?

Di Pietro, nos primeiros meses de 1997, é um fantasma. Some da cena político-midiática que dominara por cinco anos e dedica-se a buscar quem está por trás do complô contra ele. Não fala, não escreve, não aparece. Além de comparecer aos compromissos na Procuradoria de Bréscia, é visto, em 24 de abril, em uma capelinha de Desio, em Brianza, onde acontece o funeral de Ambrogio Mauri, empreendedor que se suicidou com um tiro no coração aos 66 anos para protestar contra o sistema de propinas, o qual lhe causava muita revolta. Deixa esposa, três filhos e uma empresa que há meio século fabrica ônibus e trens para exportação para todo o mundo, mas que sempre foi excluída das estações de Milão: Mauri possuía o péssimo hábito de não pagar propinas. No início da Mãos Limpas, Mauri testemunhou diante de Di Pietro, que agora lembrou-se dele e quis dar-lhe um último adeus, em uma cerimônia em que não compareceu nenhuma autoridade.

Anos depois, o ex-promotor relatará:

> Entre nós, se criou uma relação de estima e amizade. De vez em quando, vinha nos visitar na Procuradoria, nos encorajava a não desistir. Dizia-nos: ainda bem que existe a Mãos Limpas, graças ao *pool* de vocês voltei a acreditar na justiça. Iludiu-se pensando que poderíamos limpar a Itália. Em vez disso, depois da Tangentopoli, a vingança aconteceu.

Em 1996, Mauri foi excluído até da licitação mais simples da Empresa Milanesa de Transportes para o fornecimento de 100 ônibus. Em 20 de abril de 1997, escreveu poucas palavras em um bilhete: "Depois da Tangentopoli, tudo voltou a ser como era antes", e uma carta à esposa, Costanza: "Você é meu primeiro e último tesouro. Talvez, se eu tivesse sido mais flexível, as coisas seriam diferentes, e eu não teria lhe dado tantos problemas. O meu suicídio é meu último ato de amor". E atirou contra si. As "vítimas da Tangentopoli" – teria dito Di Pietro em

OPERAÇÃO MÃOS LIMPAS

seu funeral – "não são os pagadores de propina suicidas ou que assumem o papel de perseguidos, mas, sim, os italianos honestos que nunca se acostumaram com a lei da propina, pagando com suas vidas".

Voltando de Desio, Di Pietro se joga em suas investigações de defesa. A motivação da sentença por meio da qual, em 27 de dezembro, o Tribunal da Liberdade de Bréscia anulou os mandados de busca contra ele e lhe restituiu os documentos apreendidos do GICO é encorajadora, mas é cedo para declarar ganha a partida. Um fato, porém, é certo: quem sabe exatamente como aconteceram as coisas é o empreiteiro Antonio D'Adamo. Durante os anos de Mãos Limpas, Di Pietro tornou pública a amizade entre os dois, comunicando por escrito abster-se das investigações que se referiam a ele. D'Adamo, assim como outros empresários, fez um acordo a respeito da pena.

Por cerca de um mês, a investigação entra em um beco sem saída, ao menos aparentemente: por um lado, Pacini nega ter corrompido Di Pietro; por outro, D'Adamo não fala. Até que, em 22 de janeiro de 1997, o empresário de Serracapriola cruza o portão do Palácio da Justiça de Bréscia, sobe as escadas e entra na Procuradoria. Passam-se quatro horas. Entre os jornalistas que o aguardam no saguão predomina a sensação de que as investigações vivem uma reviravolta, e D'Adamo faz de tudo para confirmar isso. Terminado o encontro com os promotores, declara à ANSA: "Esclareci algumas coisas".

Mas é um blefe: aproveitou-se do direito de não responder. D'Adamo está jogando um jogo que naquele momento ninguém estava apto a entender. No dia18 de janeiro, porém, ocorre um fato novo. Previti, Paolo Berlusconi e os inspetores Dinacci e De Biase são absolvidos da acusação de tentar obrigar Di Pietro a se demitir por meio de chantagem. No mesmo dia, a Procuradoria tenta um novo encontro com D'Adamo. Bonfigli lhe pergunta como conseguira comprar de Pacini Battaglia o grupo editorial GDE por somente 4 bilhões e meio, após tê-lo vendido, somente nove meses antes, por 9 bilhões; depois insiste para que declare por escrito tudo o que sabe sobre o motivo das demissões de Di Pietro. D'Adamo novamente se cala, mas promete que, uma vez resolvidos os seus problemas judiciais e, principalmente, o processo de pedido de falência aberto em Milão contra o seu grupo, explicará tudo. Deixando o Palácio da Justiça, blefa novamente com os jornalistas. Diz novamente que está esclarecendo diversos fatos. É uma nova mensagem, mas destinada a quem?

Para entendê-lo, é necessário esperar o 13 de maio. Desta vez, é Previti que tenta um golpe. Apresenta-se em Bréscia e entrega um relatório de quatro páginas assinado por D'Adamo contra Di Pietro. Explica que o empreiteiro redigiu o documento em Arcore, no outono de 1995 e que, por não ser claro o suficiente, havia pedido a ele que reescrevesse: "Por ocasião de uma visita a Arcore, encontrei D'Adamo, que também esperava o doutor Berlusconi (...). Uma vez terminado o texto, chegou o Dr. Berlusconi, que nos disse para não levar adiante iniciativas daquele tipo, com as quais ele não estava de acordo". Porém, D'Adamo, segundo

Previti, insistira "em entregar os dois memorandos (...) pensando em várias possibilidades de desfecho".

O relatório é denso, muito denso, tanto é que parece causar estupefação, para dizer o mínimo, o fato de que Previti o tenha entregue aos magistrados somente dois anos depois de tê-lo recebido. No entanto, é claro que, se o tivesse produzido enquanto ainda era réu por ter chantageado Di Pietro, as suspeitas de extorsão com danos ao ex-promotor aumentariam. Por isso, Previti espera que sua própria absolvição passe em juízo, e por isso Berlusconi não falou do relatório D'Adamo no interrogatório de 19 de dezembro de 1996 (aquele sobre as supostas "notícias terríveis" de Strazzeri e Corticchia), mas solicitou somente que os magistrados de Bréscia ouvissem o construtor.

O que relata D'Adamo naquelas quatro pagininhas? Lembra, em primeiro lugar, como e quando conheceu Di Pietro: foi em 1988; foram apresentados pelo chefe da Guarda Municipal Eleuterio Rea, que tinha sido seu superior na Polícia. Afirma, em seguida, saber que Di Pietro salvou Radaelli, amigo de Rea, das investigações sobre as propinas da ATM e que, em troca, recebeu uma casa da Cariplo igual àquela destinada ao filho estudante. Acrescenta que, uma vez instaurada a amizade com Di Pietro, conseguiu uma consultoria jurídica para sua esposa, Susanna Mazzoleni, além de ter concedido ao magistrado, para uso gratuito, um automóvel Lancia Dedra, um celular e mais a possibilidade de utilizar um apartamento em Milão que ficava a dois passos da Catedral. O empreiteiro fala, em seguida, de supostas concessões de favores dados por Di Pietro a Prada e a Radaelli no início da Mãos Limpas. Confirma a ação, já relatada por Gorrini, para liquidar as dívidas de jogo de Rea. Lembra, por fim, ter emprestado a ele 100 milhões pela casa de Curno, que o amigo lhe tinha devolvido em 1994 em uma caixa de sapatos e sustenta ter-lhe presenteado com roupas, móveis e passagens aéreas.

O relatório é uma bomba. Muito mais do que o de Gorrini. Contudo, como aquele, será considerado pelo Tribunal de Bréscia pouco legível e, em algumas passagens, totalmente falso. Talvez por isso, D'Adamo faz de tudo para não escrevê-lo (o faz somente quando Previti e Berlusconi, ouvidas suas palavras, ordenam: "Deixe de lado!". E faz de tudo para não falar com os magistrados (o faz somente quando é arrastado pelos cabelos do depoimento de Previti). De fato, o relatório é fruto do que será definido como uma "permuta" entre ele e Berlusconi na sentença que, em 1999, absolverá Di Pietro de todas as acusações. Para perceber isso, basta voltar ao outono de 1995, quando foi escrito. Naqueles meses, os telefones de D'Adamo foram interceptados pela DIGOS de Bréscia, que questiona os possíveis ataques aos direitos políticos de Di Pietro por parte de Berlusconi, Previti e outros sujeitos, preocupados com seu ingresso na política e prontos a pará-lo por meio da chantagem e da calúnia. A investigação será depois arquivada; porém, com as transcrições das ligações telefônicas se percebe claramente que as acusações de D'Adamo dirigidas a Di Pietro foram pagas (e bem pagas) por Berlusconi.

1. DI PIETRO CORRUPTO, OU MELHOR, NÃO

"Papai, você conseguiu fazer algo por ele?" "Claro, Patrizia, existe toda uma contrapartida." Às 12h55min do dia 7 de setembro de 1995, Antonio D'Adamo, com a filha ao telefone, está radiante. Às 9h25min daquela manhã, sua Mercedes preta, placa Mi3T5299, cruzou os portões da Villa San Martino, em Arcore: ali o empreiteiro, após uma hora e quinze minutos de conversa, obteve do líder do Força Itália a promessa de uma intervenção concreta a favor de suas empresas. Rapidamente, os 40 bilhões de dívidas com os bancos, os empreendimentos imobiliários na Líbia bloqueados nas repartições dos ministérios de Trípoli, a crise crônica de liquidez que impede o grupo de realizar o aumento de capital da Finporti (em iminência de construir a megaestrutura do Interporto de Lacchiarella) não são mais um problema.

Berlusconi, ou melhor "o doutor", como o chama D'Adamo em seus telefonemas, disse que resolveria tudo ele próprio. Em troca – mas isso ele só entenderá em 1997 – pede somente uma coisa: a cabeça de Antonio Di Pietro servida em uma bandeja de prata. Para obtê-la, o líder do Polo está disposto a intervir pessoalmente junto à cúpula do Banco Popular de Novara para darem crédito à holding de D'Adamo; a escrever de próprio punho às autoridades da Líbia; a ocupar-se até da cobertura televisiva da inauguração de uma "fábrica controversa, de armas químicas e outras coisas" que Tripoli diz, por sua vez, ser um laboratório farmacêutico. Uma grande lista de favores, aos quais se acrescentará um financiamento de 12 bilhões destinado pela COMIT em 8 de novembro de 1994 (graças à intervenção do administrador da Fininvest Ubaldo Livolsi e do próprio Berlusconi); uma ordem de pagamento (não honrada depois) de 2 bilhões concedida pela Mediolanum Factoring (grupo Fininvest); um contrato preliminar de compra e venda (vendedora: a Edinum, de D'Adamo; compradora: Edilnord, de Paolo Berlusconi) de 14 bilhões, três dos quais depositados na hora pela Edilnord e 7,5 bilhões pelo Banco de Roma. Total: 24 bilhões de boas razões para desacreditar Di Pietro.

"Engenheiro, estamos em suas mãos"

Dos telefonemas interceptados em setembro de 1995 emergem todos os detalhes de bastidores de sete encontros cara a cara entre D'Adamo e Berlusconi. Um período fervilhante, marcado por uma data-chave: 2 de setembro de 1995. Naquele dia, em Cernobbio, na presença da nata da política, da economia e das finanças, Di Pietro declarou duramente que "não se passaria uma borracha" e se disse pronto para entrar na arena política. Berlusconi, em pensamento, perde a calma. No dia seguinte, 3 de setembro, procura D'Adamo: "Puxa, ontem o seu amigo perdeu a cabeça. Então, o senhor precisa (...) se preparar. Estamos em suas mãos". Quando pergunta a D'Adamo como serão as coisas, este lhe responde: "Há uns problemas. Um dia que o senhor tiver um minuto". Berlusconi aceita o convite: "Quando quiser". Passam alguns minutos e, às 8h56min, D'Adamo conta ao irmão Enio que "a chama começa a se acender", porque Berlusconi pediu para vê-lo: "Agora tenho de pensar em um plano, entendeu? (...) Estou pensando em uma estratégia". Ou seja, está organizando da melhor forma possível o que sabe sobre Di Pietro em uma série de observações intitulada "Notas sobre minha relação com o doutor Antonio Di Pietro".

Em 7 de setembro de 1995, enquanto discute com sua filha Patrizia por telefone, D'Adamo admite abertamente que o que o movia era exatamente evitar a quebra. No mesmo dia, resume desta forma o encontro com o *Cavaliere*:

> Na prática, (Berlusconi) disse: "É... a falência não pode acontecer". Eu disse: "Veja... Tenho algo grande em mãos (os negócios com a Líbia)"... E ele disse: "Não pode acontecer de jeito nenhum... Me diga: o que posso fazer? Oferecer dinheiro? Devo... ahn?" Eu digo: "Veja bem, em uma primeira fase... seria aquela de incentivar os líbios a fazer eles mesmos... a me dar trabalho... e talvez um pouco por meio de dinheiro"... "Quanto?" (me perguntou)... Eu respondi: "Ao menos 5 (bilhões)... E ele: "Não, não, precisa pedir 15... 10 ou 15, depois eles diminuem"... Entendido?

Como os telefonemas demonstram em seguida, Berlusconi faz os fatos se seguirem às promessas. Assim, o grupo D'Adamo, que ora todos consideram morto, goza de mais 12 meses de inesperada saúde, antes de retornar ao coma, dessa vez irreversível, pouco depois da prisão em La Spezia do segundo grande patrocinador do empreiteiro junto às autoridades líbias: Pier-Francesco Pacini Battaglia.

O efêmero renascimento da holding gira em torno da SII (Sociedade das Empresas Industriais), comprada em 1991 por D'Adamo da família romana Profeta. Em 21 de novembro de 1994, justo no dia do primeiro convite para Berlusconi comparecer por corrupção na Guarda de Finanças, o conselho de administração da SII deliberou sobre o saneamento de dívidas, já estimadas em mais de 20 bilhões, esperando alguma entrada entre os sócios, inclusive de capital líbio. Em seguida, em 12 de dezembro de 1994, a sociedade líbia chega na empresa com um primeiro depósito de 8 bilhões. Dinheiro que voou, porém, no passar de um ano. Para sobreviver, é preciso mais um esforço por parte dos líbios. Berlusconi pensará em convencê-los a abrir novamente a carteira.

Em 13 de setembro de 1995, seis dias depois do encontro no qual o *Cavaliere* e o empreiteiro chegam a um acordo sobre a "contrapartida", D'Adamo recebe um telefonema no celular. É um diplomata da Embaixada de Trípoli em Roma que se apresenta como "o cônsul Gadur". D'Adamo quer saber quando o "cônsul Shargan" (colega de Gadur) pretende voltar para Líbia. Está ansioso: Shargan tem de levar com ele uma carta, assinada por Berlusconi, para entregar a um misterioso "professor". Gadur: "Shargan deve partir no início da próxima semana. D'Adamo: "Sim, sim... porque o doutor [Berlusconi] gostaria de enviar uma carta para o professor... e este é o canal certo, não?". Gadur: "Sim, com certeza, sem problemas".

OPERAÇÃO MÃOS LIMPAS

Na missiva, datada "Arcore, 19 de setembro" e apreendida no escritório de D'Adamo, Berlusconi solicita a Mausa Kousa, expoente destacado do regime líbio, "uma intervenção em favor de nosso amigo em comum D'Adamo", isto é, "uma contribuição em capital... necessária e urgente" da parte da sociedade líbia Investment & Trading co. (ITI) em favor da SII de D'Adamo. Somente quatro meses depois, em 12 de janeiro de 1996, anunciará no encontro de acionistas a participação da SII na construção de 15.000 apartamentos a serem projetados e construídos junto à sócia ITI. Justamente por isso, em 4 de julho de 1996, entrarão no conselho administrativo dois representantes do sócio líbio: Azis El Ganga e Hassan Shahata.

No mundo dos negócios e da política, ninguém faz nada de graça; os líbios também desejam algo em troca. Em 20 de setembro de 1995, inauguram em Rabta – próximo a uma fábrica de armas químicas adquirida pelos Estados Unidos nos anos 80 – uma fábrica para produção de remédios. E, como demonstram as ligações telefônicas, o coronel Gheddafi ficaria muito contente se a cerimônia de abertura fosse registrada pelas câmeras da Fininvest.

> *Gadur:* "Enviei um fax para a Rete 4, o Canale 5 e a Italia 1. Nós temos a inauguração daquela fábrica de que falam, de armas químicas e outras coisas. Nós a estamos inaugurando como uma fábrica de remédios e, por isso, diremos a todo mundo que o que foi dito não é verdade... Então, convidei alguém de qualquer um dos canais, mas eu gostaria... Bem, se o senhor tiver algum contato de alguém...".
>
> *D'Adamo:* "Sim, eu devo ir... e talvez veja o doutor [Berlusconi] e... gostaria que viesse Shangan também, assim lhe entregava a carta... Se conseguir fazer... será difícil antes de sexta-feira... Então, vamos nós três nos encontrar com o doutor".
>
> *Gadur:* 'Não, não... não que seja um problema vê-lo... mas o importante é o interesse dos canais, que mandem alguém".

Cinco dias depois, em 18 de setembro de 1995, os telefones de D'Adamo estão novamente em polvorosa. O empreiteiro discute com Andrea Mascetti, colaborador muito próximo que divide com ele há muito tempo a direção da Interpafin (a SRL que administra a Sociedade das Empresas Industriais), o conteúdo da missiva destinada aos líbios. Já em 7 de setembro, Berlusconi lhe dissera para "escrevê-la imediatamente" e de fazê-lo como se fosse "escrita por mim". Assim, D'Adamo diz a Mascetti: "Estou lhe enviando agora, por fax, aquela carta em inglês... Tenho de mandá-la logo para Arcore... Diga-me se há algo a corrigir".

O porquê de tanta pressa fica claro no dia seguinte, às 7h55min, quando, por telefone, D'Adamo conta ao amigo Umberto Improta, ex-prefeito de Nápoles, que deve ir embora de Anima (casa romana de Berlusconi) "porque o embaixador deve partir". O novo encontro com o *Cavaliere* é marcado para as 13h. O chefe do Força Itália, antes de assinar a famosa carta, hesita. Serão necessários mais uns dias para reelaborá-la. D'Adamo poderá pegá-la em 23 de setembro.

Naquele dia, um sábado, o ex-amigo de Di Pietro já está certo de que as coisas vão muito bem para ele. Às 8h33min, explica a um homem não identificado que deve ir a Arcore. O interlocutor, evidentemente sabendo de tudo, diz: "Vai lá e senta o ferro... Bate, bate forte". D'Adamo, como em transe, responde: "É isso aí... Sentar o ferro, sentar o ferro". Em seguida, às 10h13min, fala com o cônsul Shargan, radiante: "Tenho a carta... que o doutor quer enviar ao professor... Isto é, tenho de ir a Arcore pegá-la... Talvez eu possa lhe enviar por fax...". Shargan o interrompe com tom peremptório: "Não, melhor não... em mãos, ou por algum amigo que venha a Roma". O documento, evidentemente, ferve para os líbios também.

O *Cavaliere*, para salvar a sua preciosa testemunha anti-Di Pietro, faz algo diferente. Intervém diretamente junto aos bancos de crédito, como demonstram, de novo, as interceptações telefônicas de 1995. Em 29 de setembro, D'Adamo contata Alberto Costantini, administrador delegado do Banco Popular de Novara (instituição de crédito da qual um outro acusador de Di Pietro, o falido Giancarlo Gorrini, também esperava receber ajuda graças à intervenção da família Berlusconi). O banco é o primeiro da fila do comitê dos credores da SII (declarada falida em 27 de junho de 1997) e por meio da salvaguardada COFILP (Compagnia Finanziaria Ligure Piemontese) entrou também no capital da financeira Edilgest (todas de D'Adamo). Costantini quer falar com Berlusconi e solicita a D'Adamo o número do telefone para encontrá-lo. D'Adamo lhe fornece gentilmente e explica: "Telefonou-me faz uns 15 minutos… eu disse a ele que talvez o encontrasse esta manhã. Ele lhe mandou um abraço". Costantini, então, comunica a D'Adamo: "Estou trabalhando para levar ao comitê amanhã uma concordância, em princípio... para caminhar um pouco com o acordo. Pude falar disso até com o presidente e, se deliberam na terça-feira, como eu gostaria, damos um grande passo para a frente...". D'Adamo: "Pois veja, eu já tenho uma reunião com o doutor [Berlusconi] na terça-feira… Então a faço em Novara".

Passa-se um mês. O empreiteiro e o *Cavaliere* se veem pelo menos outras duas vezes. Mais tarde, às 11h43min de 2 de dezembro, voltam a falar de bancos.

Berlusconi: "Tudo bem com o senhor?".

D'Adamo: "Sim, sim, estamos trabalhando".

Berlusconi: "Eu fiz... completei o giro nos bancos... Até em Roma".

D'Adamo: "Ah... ah...".

Berlusconi: "E então... para mim contaram tudo... Eu fiz tudo o que podia fazer... Eu fiz..."

D'Adamo: "Perfeito".

O resto da discussão foi agendado para a tarde do dia seguinte na Villa San Martino, onde os dois assistirão juntos na TV uma partida de Milan x Lazio. O empreiteiro anuncia contente, às 12h10min, para Andrea, o genro: "Vou e retomo o discurso, dizendo-o e colocando-o como último princípio...". D'Adamo alude ao seu relatório anti-Di Pietro, mas o marido de Patrizia parece inseguro: "Veja, eu honestamente pensei sobre isso... digo, não é mesmo [o caso?]... não vale a pena, sabe? Depois, em fevereiro, este aí inventa uma outra coisa... Não vale a pena mesmo. E, se faz algo... talvez convenha ao senhor fazê-lo por uma outra coisa... Enfim... o senhor entendeu". No entanto, D'Adamo confia em Berlusconi. É inútil tentar dissuadi-lo: "Ok. Dá um corte. De qualquer modo, como se fala de coração aberto... então não existem problemas... E... se quiserem utilizá-lo [o relatório], então, utilizem-no. Se não quiserem, não utilizem, mas... Veremos".

O grande irmão

Um ano e meio depois, em 31 de maio de 1997, Berlusconi já tinha esquecido aqueles telefonemas embaraçosos. Em 13 de maio, o seu amigo Previti produziu o relatório D'Adamo, e agora é ele a se apresentar junto à Procuradoria de Bréscia para disparar o último tiro: a prova de que Pacini foi chantageado por Di Pietro. O líder do Polo depõe perante os promotores:

> Antonio D'Adamo me disse ter recebido um financiamento de 9 bilhões de Pierfrancesco Pacini Battaglia. Sobre este financiamento, D'Adamo deveria restituir a Pacini 4 bilhões e meio, e o restante deveria ser destinado ao doutor Di Pietro. Para ser mais preciso, D'Adamo me disse que, no ato da restituição dos 9 bilhões a Pacini, 4 bilhões e meio seriam destinados a Di Pietro, totalmente consciente.

Está convencido de que, a essas alturas, D'Adamo, seu ex-dependente, não terá nada a fazer, além de vir a Bréscia e confirmar tudo. Acrescenta:

> Entendi como sendo meu dever informar os líderes dos movimentos políticos da minha coalizão sobre o que diz respeito ao engenheiro D'Adamo, para oportunas avaliações político-institucionais.

Berlusconi vai além. Diz aos promotores que existem registros com a voz de D'Adamo em que lhe confessa o pecado mortal de Di Pietro. Quem gravou, explica, foi um de seus colaboradores de mais confiança: o operador de câmera Roberto Gasparotti (conhecido por ter criado um truque de filtro sobre a objetiva que rejuvenescia o *Cavaliere* em suas aparições televisivas). Segundo Berlusconi, as gravações seriam pura casualidade porque, após descobrir, em outubro de 1996, dispositivos de espionagem em seu escritório em Roma, confrontado com a suspeita de ter sido traído por colaboradores infiéis, dispôs "no interior de alguns quartos de minha casa um aparelho rudimentar de gravação que se ativava com a manifestação de fontes sonoras". Assim, inadvertidamente, em dezembro de 1996, ficou registrada na fita até a voz de D'Adamo:

> Por meio de Gasparotti, fiquei sabendo que parte daquelas conversas era gravada [...]. Gasparotti, assim que verificava que as fitas não continham informações úteis para a descoberta de quem era o autor da "fuga" de notícias, passava à desmagnetização. Foi ele a me alertar que, entre os trechos de conversas registradas, estavam alguns significativos sobre as declarações de D'Adamo [...]. Gasparotti disse que poderia conservá-los como "memória histórica".

No fim do interrogatório, Berlusconi está visivelmente satisfeito. Nos dias que se sucederam, quando ninguém saberá ainda das gravações, declarará aos jornalistas ter apresentado "provas formidáveis, daquelas que não podem ser colocadas em discussão, nem pelo engenheiro D'Adamo, nem pelos outros". A sua versão é, obviamente, confirmada por Gasparotti, que, em 10 de junho, apresenta aos promotores uma edição das confidências de D'Adamo. O conteúdo das gravações, porém, não é assim tão claro como garantira o *Cavaliere* aos magistrados. Eis o texto da transcrição:

> *D'Adamo*: "Eu disse a Di Pietro, certo que disse. Sempre disse tudo a ele, lhe disse para ajudar Pacini Battaglia... isso eu disse, é verdade, e disse também: olha só, ele me dá 9 bilhões"... "Não um — exatamente o que estava escrito — Me dá 9 bilhões"... [interrupção da gravação].
>
> *Berlusconi*: "O senhor me disse: 'Restituirei 4 bilhões e meio; 4 bilhões e meio não serão para restituir, mas é um dinheiro que devo dar a Di Pietro.' O senhor me disse isso... tanto é verdade que o seu pensamento se baseava neste fato aqui."
>
> *D'Adamo*: "Baseavam-se no fato de que uma parte do dinheiro..."
>
> *Berlusconi*: "Não deveria ser restituída."
>
> *D'Adamo*: "Não deveria...doutor, quando vão lá, vão na minha sociedade e depois vão na outra sociedade; pois então, o discurso é que quando vão lá, pela restituição... — eu agora não posso, então nunca a terão, sim, porque... porque não existe o que restituir — mas o dinheiro foi utilizado pela sociedade, e eu disse a Di Pietro: 'Este dinheiro, quando for devolvido', porque é lógico que o dinheiro que chega deve ser devolvido; estão na sociedade de modo limpo, não é que sejam... 'Quando devolver, uma parte será sua'. Eu disse [a ele] 4 bilhões e meio, eu disse...".
>
> *Berlusconi*: "Sim".

D'Adamo: "Porque é aquilo que eu tinha pensado, digamos... Uma parte do dinheiro seria para Di Pietro depois, quando tudo terminasse. Isso eu disse a ele [acesso de tosse] e basta, então ele... [nova interrupção da gravação]".

O áudio volta com as considerações de Berlusconi sobre um suposto complô tramado pelo *pool* de Milão e por Di Pietro que pretendia

tirar do governo quem foi eleito democraticamente pelo povo. Então, eu não posso calar sobre algo que sei, e o fato é que o doutor Di Pietro esperava 4 bilhões e meio do senhor Pacini Battaglia, que, caso contrário, não teria podido dizer: "Lucibello e Di Pietro me quebraram". Então, estou convencido de que isso foi feito pelo senhor, pois o senhor não poderia dizer que não naquele momento... Eu sou desta opinião... Sinto uma forte dúvida.

D'Adamo o interrompe. Sabe que as coisas não estão assim e disse:

Doutor, o senhor sabe o quanto lhe quero bem e eu não tenho medo dessas coisas aqui, mas se o senhor diz algo do tipo se complica... essas coisas, deixa que eu falo... o senhor deve ficar fora... deixe para mim certas coisas...

Na gravação editada, D'Adamo explica, mentindo, ter ainda um crédito de "100 milhões, 150, 130, não sei" com o ex-magistrado (porém, o débito foi liquidado por Di Pietro já em 1994). E depois da última interrupção (a décima primeira) explica a Berlusconi como estão as coisas de verdade:

[Pacini] colocou um homem de sua confiança para conduzir a sociedade por oito meses. Enquanto comandava, Intiglietta pediu 3 bilhões e ganhou. Esses são os famosos 9 mais 3, que vieram diretamente da Morave [uma sociedade de Pacini] à D'Adamo Editora, 9 mais 3. Depois, Intiglietta lhe pediu mais dinheiro... e... aquele lá [Pacini] disse: "Vão tomar no cu... todos vocês." Me chamou e disse: "Caro Antonio, olha, pega de volta esta porra desta sociedade. Veja o que fazer, porque eu não quero mais gastar uma lira. Pelo contrário, quero algo de volta..." E eu lhe devolvi 200 milhões. E... e disse... disse a ele: "Se eu pego de volta [a GDE], que merda devolvo?... etc.". E ele: "Não faz mal. Pegue de volta e depois me dará o ... o dinheiro." E assim recuperei a sociedade, que naquele momento me serviu também para...

Berlusconi, porém, não gosta que lhe contradigam. Sabe bem o que quer ouvir, e se nega a crer que aquele negócio entre Pacini e D'Adamo seja somente um negócio que foi mal:

O senhor me desculpe, hein?, mas é absolutamente impensável que o senhor Pacini Battaglia tenha se comportado assim com o senhor, se não existia um pacto anterior entre Battaglia e Lucibello de ser defendido, de não scr preso em Milão. Desculpe, hein?

"Berlusconi quer Di Pietro morto"

Em 5 de junho de 1997, antes da entrega das gravações, mas depois do interrogatório em que Berlusconi disse estar certo da "existência de um pacto" entre Pacini, Lucibello e Di Pietro, D'Adamo foi de novo convocado a comparecer na Procuradoria. Os promotores brescianos colocam-no contra a parede. Dizem a ele que Berlusconi e Previti falaram. Agora falta ele. D'Adamo finge cair das nuvens; depois, aceita explicar tudo, mas pede mais tempo. Quer esperar o êxito dos pedidos de falência em curso no Tribunal de Milão. Se apresentará somente um mês depois, em 8 de julho. Tanta espera não se deve a um trabalho interno. O empresário sabe que, para tornar confiáveis as acusações contra Di Pietro no relatório, precisa de mais uma testemunha. O homem certo é Eleuterio Rea, ex-chefe do DIGOS, chefe da Guarda Urbana suspenso por ser investigado por abuso de autoridade e, sobretudo, ex-amigo de Di Pietro.

Em fim de maio, início de junho de 1997, D'Adamo encontra Rea no Restaurante Il Novecento, de Milão e lhe pede para dar suporte a suas acusações contra o ex-magistrado, não só pela questão Pacini (dele – assegura – Di Pietro não recebeu uma lira), quanto pelas supostas investigações bloqueadas no fim dos anos 80 sobre o favorecimento do socialista Radaelli. Rea, no entanto, conta tudo ao advogado, Armando Salaroli, que sente logo cheiro de complô, renuncia à defesa e denuncia o ocorrido aos magistrados:

> Em 2 ou 3 de junho deste ano, Rea me disse que iria a Brescia para fazer declarações sobre a conta de Di Pietro e de Borrelli e acrescentou que "Berlusconi queria Di Pietro morto"[...]. Rea me explicou que se encontrava em meio a uma estrada e que tinha aceitado fazer as declarações em troca de seu retorno à prefeitura de Milão. Rea acrescentou que D'Adamo, depois de seu retorno, havia feito declarações que ele tinha o dever de confirmar [...]. Eu lhe reprovei abertamente, disse-lhe que o que estava fazendo era uma bela porcaria. Ele tentou se justificar, como já fizera antes, afirmando que era necessário comportar-se daquela maneira [...], mas a impressão que tive foi que tivesse intenção de afirmar coisas que não eram verdade.

De fato, em 21 de julho, Rea é reintegrado à prefeitura de Milão pela junta de centro-direita, não mais como chefe da Guarda Municipal, mas como dirigente da Secretaria de Ecologia. Di Pietro, advertido por Salaroli, já tinha apresentado há 10

OPERAÇÃO MÃOS LIMPAS

dias uma denúncia. Em 23 de julho, Il Foglio publica mais um artigo "profético" sobre Di Pietro: "Depois de Gorrini e D'Adamo, Rea falará também?" Pergunta retórica. Em 31 de julho, Rea se apresenta em um quartel da Guarda de Finanças de Bréscia acompanhado de seu único defensor, o advogado Pasquale Balzano Prota, ex-candidato do Força Itália ao Senado, o qual os jornalistas milaneses indicam como pole position na corrida (depois falida) à presidência da Empresa Milanesa de Transportes. Rea é interrogado durante oito horas. O resultado não atinge as expectativas, mas dá um pouco de satisfação ao partido de Arcore: além de falar de Di Pietro, dispara no procurador Borrelli. Il Foglio, novamente, fica sabendo antes e escreve em 14 de agosto: "Rea coloca Di Pietro e Borrelli em maus lençóis". Vinte e quatro horas depois, *Il Giornale*, de Paolo Berlusconi, reafirma que "o chefe do *pool* foi desmascarado [...] sobre empréstimos a Tonino". Segue a explicação: Rea, no outono de 1994, pouco antes da chegada dos inspetores ministeriais a Milão, teria encontrado Di Pietro. Este o convidou a "não falar" sobre os 100 milhões e a Mercedes de Gorrini. Rea teria também acrescentado que discutira sobre isso com o procurador-adjunto Ilio Poppa, seu amigo, o qual teria contado tudo a Borrelli. Tanto que – sustenta Rea – alguns dias depois, Di Pietro lhe telefonou furioso porque o procurador o tinha convocado e "lhe dado um puxão de orelhas".

Parecem detalhes de nada; porém, são acusações gravíssimas. Borrelli, ouvido em 1995 em Bréscia como testemunha e, assim, com a obrigação de dizer a verdade, declarou que sobre a questão dos empréstimos tinha sido informado diretamente por Di Pietro, quando a investigação dos inspetores sobre o caso Gorrini já estava em curso. Se Rea tivesse razão, significaria que o procurador tinha mentido. Borrelli replica com desdém: "É a sua palavra contra a minha". Depois, em uma entrevista ao *Corriere della Sera*, toma a defesa de Di Pietro: denuncia "a ferocidade contra Tonino", não da Procuradoria de Bréscia, mas de quem (talvez mais de um) tem "interesse em fazer este teatrinho". Contudo, a magistratura bresciana não parece disposta a interrogar Previti e Berlusconi. Todo o interesse se concentra nas palavras de D'Adamo, o qual, depois de meses de espera, vem finalmente a ser interrogado.

Um testamento sem data

Novamente, os resultados são muito menores do que as expectativas. Em seu cara a cara com os promotores, D'Adamo é muito menos explícito que Berlusconi. Diz somente que, em 1993, no auge de suas adversidades econômicas, encontrou Di Pietro, e este lhe disse: "Vá até Pacini, encontrará a porta aberta". Mais nada. Assim, contatou o advogado Lucibello, que defendia tanto ele quanto Pacini e conseguiu marcar uma reunião com o banqueiro, em Genebra: "Disse a Pacini que eu tinha um financiamento para a SII; ele me respondeu que a conhecia porque tinha tratado com o engenheiro Profeta [o antigo proprietário]". Nenhuma referência a Di Pietro.

Pacini empresta a D'Adamo os primeiros 2 bilhões, restituídos quase que imediatamente, mas, naquela ocasião, os dois não falam nem do magistrado, nem da investigação. Segundo D'Adamo, contudo, em um outro encontro, Pacini lhe pede para livrá-lo das "coisas judiciárias" de modo a poder desfrutar de fato de seus contatos na Líbia e concluir ali negócios de ouro.

Por isso, D'Adamo afirma ter convidado Di Pietro, no início do outono de 1993, a não persistir contra Pacini, agora seu grande financiador. Durante o suposto colóquio na sala da casa de Di Pietro, o magistrado o teria "tranquilizado", sugerindo-lhe que "não desperdiçasse esta oportunidade e que não gastasse todo o dinheiro, mas que economizasse algum para repassar a ele no futuro".

Isso é pouco como prova de que Di Pietro é corrupto, mas D'Adamo não se desespera. Nas mãos dos magistrados de Bréscia, apareceu um documento que, segundo ele, demonstra suas boas razões: um estranho testamento que o construtor jura ter escrito em 20 de novembro de 1994, exatas 24 horas antes de comparecer à presença de Berlusconi pelas propinas Fininvest e seis dias depois do financiamento de 12 bilhões concedido a ele pelo COMIT (Banco Comercial Italiano) por meio da intervenção do *Cavaliere*. D'Adamo sustenta ter depositado seus últimos desejos junto a um notário romano (com quem serão recuperados pela Guarda de Finança) em 21 de novembro de 1994 e de tê-los escrito porque temia que algum "fanático" pudesse "eliminá-lo" depois que *il Sabato* revelara as suas relações com Di Pietro. Um detalhe incompreensível: o dossiê do *il Sabato* remonta a julho de 1993, o que significa que D'Adamo levou uns bons dezesseis meses para se preocupar.

O testamento é precedido de uma carta de acompanhamento que diz o seguinte: "Ilustríssimo Notário Iannello, confio ao senhor o meu testamento hológrafo com o pedido que informe sobre sua existência, caso eu venha a falecer, a meus familiares e, além disso, a meu amigo doutor Silvio Berlusconi, que, espero, os assistirá em um momento que para eles será particularmente difícil". Seguem a assinatura de D'Adamo, a epígrafe "Recebido em Milão, em 21/11/94" e a assinatura do notário. Dentro, não tem nada de impressionante: o empreendedor deixa tudo para mulher e filhos, mas, em seguida, convida estes últimos, "em caso de herança ativa", a "compensar adequadamente" Di Pietro "pelo financiamento recebido de Pacini Battaglia".

À primeira vista, D'Adamo está seguro. Ainda que seja estranha a decisão de informar Berlusconi de seus últimos desejos, resta o fato de que o testamento fora escrito em tempos não suspeitos. Ou, ao menos, é isso que ele sustenta, mas basta uma olhada mais atenta àquelas cartas para ver que alguma coisa está errada. O testamento não tem data, assim como o envelope que o contém. A data de 21 de novembro de 1994 aparece somente na carta de acompanhamento, abaixo do texto "Recebido" e da assinatura do notário. Mas Iannello nunca oficializou o recebimento do pacote, limitando-se a recebê-lo e a mantê-lo informalmente sob sua custódia. Então – escreverá a juíza de audiência preliminar de Bréscia Anna Di Martino, absolvendo novamente Di Pietro – "a anotação de data não é idônea para fornecer juridicamente a certeza do momento exato da entrega do envelope a Iannello, tendo em conta que o notário excluiu os registros do processo". D'Adamo poderia tê-lo escrito e entregue em qualquer momento – até, como seria mais lógico, após o convite para ir até Berlusconi (21 de novembro de 1994) – pondo uma data anterior no documento para torná-lo menos suspeito. De resto, a carta de acompanhamento para o notário é, sim, datada, mas existe somente em cópia. Nunca se encontrou a original. D'Adamo disse tê-lo perdido, mas a juíza não acreditará; o construtor escreve "entreguei para alguém", aos familiares ou, mais provavelmente, a Berlusconi, como *captatio benevolentiae*, o que, para a juíza Di Martino, "comporta o juízo sobre a natureza instrumental do testamento".

Além das fortíssimas dúvidas sobre a autenticidade de seus últimos desejos, suas palavras não convencem. D'Adamo na Procuradoria diz e não diz; não enfia a faca nunca. Por exemplo, afirma que quando readquiriu a Editora GDE de Pacini, não combinou com Di Pietro a cifra da propina a ele destinada. Disse ter combinado isso somente com Pacini Battaglia, explicando-lhe que "a soma de 4,5 bilhões era para Di Pietro", mas Pacini desmente. Neste ponto, os promotores o fazem ouvir as gravações de Gasparotti na casa de Berlusconi. O construtor se ressente: foi "interceptado" pelo *Cavaliere* à revelia. Sustenta ter ilustrado a questão Pacini Battaglia desde outubro de 1995, justo quando ia a Arcore pedir dinheiro.

As datas, novamente, são fundamentais. O GICO começará a interceptar Pacini em 14 de novembro do mesmo ano. Somente coincidência? A juíza da audiência preliminar Di Martino tem algumas dúvidas e, na ordem do dia, falará de "inquietante contexto genético das operações de interceptação cumpridas". Ordenando as datas, a investigação sobre Pacini tem todo o jeito de não ter nascido por acaso, mas com o objetivo preciso de fazer Di Pietro cair em uma armadilha.

Tudo começou no verão de 1994, quando as investigações do *pool* sobre as propinas na Guarda de Finanças trilharam o caminho que levaria ao grupo Fininvest. Em 16 de setembro, como já vimos, o brigadeiro Paolo Simonetti, comprometido em fazer um dossiê sobre o *pool*, anota em sua agenda uma confidência ouvida de um cronista do *Giornale*: "Conta corrente na Áustria no nome de Lucibello". Onze dias depois, em 27 de setembro, encontra o dirigente da Fininvest Aldo Brancher, o qual lhe explica que D'Adamo está na "mesma situação" de Gorrini: está disposto a falar sobre "extorsão de dinheiro" por Di Pietro, mas somente "depois de Gorrini, por ser ele um medroso". D'Adamo – constando nas anotações de Simonetti – é "titubeante", quer ver "como sopra o vento", mas isso "já é do conhecimento de PreCes [Cesare Previti]" e, sobretudo, "existiriam casos posteriores de conhecimento de BerPao [Paolo Berlusconi]". Nos mesmos dias de 1994, se movimenta também Berlusconi, que intercede junto ao COMIT e consegue para D'Adamo o megafinanciamento de 12 bilhões.

Passam 10 meses. Em julho de 1995, um outro cronista do *Giornale* entrevista no México Maurizio Raggio, "laranja" de Craxi e bom amigo de Silvio Berlusconi. O restaurador de Portofino se encontra na prisão, esperando ser extraditado para a Itália. Com o jornalista, que grava tudo, não usa meias palavras e ataca Di Pietro a fundo: "Pacini Battaglia entregou uma malinha com 5 bilhões ao advogado Lucibello para que a entregasse a Di Pietro [...]. Lucibello e Di Pietro depositaram o dinheiro na Áustria [...]. Em troca do óbolo bilionário, o ex-promotor [...] deveria fechar os olhos sobre a posição de Pacini". O *Giornale* não publica logo essas acusações, curiosamente similares às que seriam suscitadas pela Procuradoria de Bréscia. Feltri – como vimos – guarda na gaveta a entrevista: a oferecerá para a imprensa, com prévia autorização do editor Paolo Berlusconi, somente cinco meses depois, em 22 de dezembro de 1995.

Em 4 de agosto de 1995, poucos dias depois da entrevista, a Procuradoria de Bréscia recebe uma carta anônima intitulada *News de Milão* na qual se lê: "Di Pietro induziu Pacini Battaglia a pagar bilhões para não levar à falência... Antonio D'Adamo". O promotor Salamone encaminha uma investigação e, em 26 de setembro, a DIGOS lhe entrega uma primeira relação. Três dias depois, o cronista do *Giornale* que entrevistou Raggio telefona para a casa de D'Adamo, ignorando que está grampeado: "Gostaria de saber, falar de Di Pietro; digo só um nome: Pacini". No mesmo dia, às 10h09min, D'Adamo fala também com Berlusconi e lhe conta do telefonema do jornalista. Os dois concordam em discutir o assunto cara a cara.

Exatamente um mês depois, em 30 de outubro, o GICO de Florença solicita à Procuradoria de La Spezia que grampeie os telefones de Pacini Battaglia "relativo a um suposto tráfico de armas que acontecia na Liguria". Em 31 de outubro, Pacini está em Bréscia sendo interrogado por Fabio Salamone sobre as relações com D'Adamo e sobre o caso Di Pietro, mas nega tudo. Três semanas depois, em 22 de novembro, o GICO de Florença solicita colocar as escutas nos escritórios romanos de Pacini, onde "aconteceriam reuniões sobre o suposto tráfico de armas".

Em 21 de dezembro, a Procuradoria de La Spezia solicita e obtém do juiz de investigações preliminares o direito de utilizar as interceptações para buscar também delitos contra a administração pública. No dia seguinte, o *Giornale* tira da geladeira as acusações de Raggio, gravadas em julho, contra Di Pietro e Pacini. O artigo tem o efeito de impelir o banqueiro e seus amigos a falarem das supostas relações com Di Pietro.

O incidente probatório

Além da singular *consecutio temporum*, um fato também chama a atenção. D'Adamo, em seus interrogatórios e, sobretudo, no incidente probatório que acontecerá em Bréscia entre janeiro e fevereiro de 1998, é categórico: "Nunca falei de dinheiro com Di Pietro. Os 4 bilhões e meio não eram o valor que deveria dar a ele, até porque não tinha combinado nada com ele" e, pressionado pelas perguntas do juiz das investigações preliminares, acusação e defesa, acaba por revelar todos (ou quase) os bastidores do ataque ao *pool* por parte de Previti e Berlusconi. Chega até a desmentir as palavras de Previti: não é verdade que lhe entregou espontaneamente, no outono de 1995, os relatórios sobre Di Pietro que o ex-ministro da Defesa entregou em Bréscia em 13 de maio de 1997. Previti declarou sob juramento que D'Adamo tinha lhe passado aqueles documentos "sem um particular vínculo de utilização". D'Adamo, por sua vez, conta o oposto: Previti lhe garantiu que não seriam utilizados sem a sua autorização. Eis um trecho do memorável incidente probatório:

> *Di Martino:* "O senhor nos disse que praticamente redigiu aquelas anotações [...] porque lhe foi solicitado por Previti escrevê-las. Segundo o que Previti contou ao Ministério Público, parece compreensível que tenha sido o senhor, D'Adamo, que ofereceu a Previti o relatório já confeccionado, ou então os apontamentos em papel sem que lhe dissessem: "Escreva aí".

> *D'Adamo:* "Eu lembro diferente. Lembro que anotei também para me lembrar das coisas, mas, principalmente, porque tinham me dito [Previti e Berlusconi]: "Escreva aí". Depois fiz uma segunda versão, que não é uma segunda versão, é só um rearranjo: eu tinha escrito muito mal aquelas anotações".

> *Di Martino:* "Então, não foi uma iniciativa espontânea sua?"

> *D'Adamo:* "Certo (que não)."

> *Dinoia:* "Previti continua e diz que o senhor deixou com ele aquele relatório sem um particular vínculo de utilização. Diz a verdade o honorável Previti?"

> *D'Adamo:* "Não, não diz."

> *Di Martino:* "O senhor sempre nos disse existir um acordo oral com Berlusconi e Previti segundo o qual era necessária a sua concordância antes de utilizá-lo [...]. O que não aconteceu, porque o senhor disse: 'Encontrei-me frente a estes que entregaram ao promotor as cartas'...".

> *D'Adamo:* "Confirmo ter dito isso".

> *Di Martino:* "Então, o senhor admite que existe uma relação entre ter escrito estes relatos sobre a relação com Di Pietro e os auxílios que obteve de Berlusconi?"

> *D'Adamo:* "Sim, certamente não foi só isso... Existem vários elementos que contribuíram para que eu fizesse estas anotações...".

Massimo Dinoia, defensor de Di Pietro, está satisfeito. "Começamos a vislumbrar o quadro", declara depois de 16 horas de interrogatório. Di Pietro está realmente radiante: "O incidente probatório? Ótimo e abundante!"

Além de Di Martino, o promotor Francesco Piantoni também quer explicações. Conhecendo os autos, os dois magistrados insistem muito para esclarecer que tipo de ajuda econômica o *Cavaliere* prometeu ao grande acusador de Di Pietro. No fim, por algumas dezenas de "não me lembro" (Dinoia contará 102), a neblina começa a sumir. Ponto de partida: o famoso empréstimo de 12 bilhões concedidos pelo COMIT ao construtor.

Piantoni: "Berlusconi teve algum papel neste financiamento?"

D'Adamo: Não sei dizer se houve alguma intervenção de Berlusconi. Isso não quer dizer que eu não tivesse pedido a ele que interviesse junto a alguma instituição para que eu conseguisse financiamento. Se, depois, ele fez isso com o COMIT ou outro banco [não sei], eu não estava presente no momento desses pedidos".

Piantoni: "Mas o senhor pediu ajuda dele para este financiamento?"

D'Adamo: "Sim. Eu falei até de outros bancos, não só do COMIT".

Piantoni: "Junto a quais outros bancos o senhor tinha pedido que ele intercedesse?"

D'Adamo: "Penso que falei do Popular de Novara. E não recordo de outro".

Piantoni: "Conseguiu outras somas de outras instituições de crédito?"

D'Adamo: "Não lembro. Talvez uma pequena cifra do San Paolo, de Turim, mas eu tinha contato com dezenas de bancos".

Piantoni: "Quantos financiamentos lhe deram?"

D'Adamo: "Não lembro".

O melhor acontece em 2 de fevereiro de 1998, quarto dia de interrogatório do construtor:

Dinoia: "Logo depois da prisão de Paolo Berlusconi [pela propina para a Guarda de Finança], o senhor foi até Silvio Berlusconi, então presidente do Conselho, pediu que lhe abrisse as portas do COMIT e, por coincidência, obtém um financiamento. É isso?"

D'Adamo: "Advogado, quer saber o que aconteceu na prisão de Paolo Berlusconi? Eu falei com Di Pietro [...]. Falei mais vezes por telefone com o Dr. Di Pietro sobre este assunto. Ele me disse: 'Faça-o se apresentar'. Foi uma longa tratativa entre mim, Silvio Berlusconi, Di Pietro e os advogados de defesa: Paolo tinha medo, mas queriam acelerar as coisas para que fosse liberado mais rápido".

Em 29 de julho de 1994, às nove em ponto, Berlusconi Júnior cruzou a porta do Palácio da Justiça de Milão e se apresentou ao *pool*, mas nem tudo tinha funcionado como previsto. Lembra ainda D'Adamo: "A coisa foi diferente, porque Paolo teve logo prisão domiciliar". No entanto, não foi preso. Existiu uma tratativa: "Naquele momento, os telefones ferviam; telefonemas entre Di Pietro, Silvio Berlusconi e os advogados que tratavam com Di Pietro". Era verão, e o irmão do premier conseguiu autorização para passar a prisão domiciliar em sua propriedade na Sardenha. D'Adamo conta tê-lo telefonado para tirar um sarro:

> "Você está muito bem, pegando uma praia..." Ele responde: "Os policiais não me deixam nem ir ao banheiro". Era 15 de agosto, eu estava em Saturnia. Telefonei a Di Pietro, foi uma longa ligação, e lhe pedi que tirasse Paolo Berlusconi [da prisão domiciliar]. Depois de uma semana isso aconteceu.

Assim, D'Adamo se vangloria de ter devolvido a liberdade ao irmão do *Cavaliere*. Logo em seguida, o advogado Dinoia joga ali uma outra pergunta: "Foi antes ou depois da prisão de Paolo Berlusconi que o senhor se dirigiu a Silvio Berlusconi para pedir financiamento do COMIT?" Resposta: "Depois, em setembro". Da Piazza della Scala, sede do Banco Comercial Italiano, 12 bilhões partiram em direção ao agonizante grupo D'Adamo.

> *Dinoia:* "O doutor Berlusconi se comprometeu com o senhor a intervir junto ao COMIT?"
>
> *D'Adamo:* "Disse-me que interviria."
>
> *Dinoia:* "Quando o senhor falou com Berlusconi sobre o financiamento do COMIT, Berlusconi lhe disse: 'Vá e encontrará as portas abertas?'"
>
> *D'Adamo:* Disse que iria telefonar, mas não sei se telefonou."
>
> *Dinoia:* Este telefonema para Berlusconi foi feito antes ou depois do encontro com Saviotti [gestor do COMIT]?'"
>
> *D'Adamo:* "Antes."
>
> *Dinoia:* "Encontrou resistência por parte de Saviotti?"
>
> *D'Adamo:* "Encontrei muita compreensão... Eu sei que, quando precisamos de ajuda, procuramos os amigos."
>
> *Dinoia:* "Agradeceu a Berlusconi por esta disponibilidade que o COMIT manifestou?"
>
> *D'Adamo:* "Sim."

Mesmo generoso com os amigos de Di Pietro dispostos a traí-lo, Berlusconi não esquecia os interesses de seu grupo. De fato, quando D'Adamo, já desesperado, implorou que intercedesse junto à Mondadori, à qual esperava incorporar a GDE, o *Cavaliere* deu alguns passos, mas depois mandou tudo longe: os balanços da editora de D'Adamo estavam uma peneira. Tudo isso acontecia pouco antes do financiamento do COMIT. Contudo, se a Mondadori saiu ilesa das investidas do construtor-editor, não foi assim para outras sociedades berlusconianas. Palavras de D'Adamo: "Em 1994, a Edilnord adquiriu, ou foi assinado um compromisso para a compra de um terreno de cerca de 14 bilhões. Pelo compromisso, recebi um adiantamento de 3 bilhões". Mais tarde, certo deste acordo, D'Adamo entra no Banco de Roma e consegue descontar outros 7 bilhões referentes ao contrato preliminar de venda com a Edilnord. Uma verdadeira máquina de dinheiro.

E não terminou: "Na primavera de 1995 – continua D'Adamo no cara a cara com o advogado Dinoia – a Mediolanum factor (grupo Fininvest) fez um desconto de ordem de pagamentos no valor de, aproximadamente, 2 bilhões para a GDE". Entretanto, a verdadeira obra de arte chega pouco depois, sempre em 1995, quando Berlusconi, chefe da oposição no Parlamento, aperta o grupo do Banco Popular de Novara, primeiro da lista dos credores do grupo D'Adamo: "Com Constantini [Alberto, administrador delegado do Banco Popular de Novara], me encontrei justo com o doutor Berlusconi em Arcore, uma ou duas vezes, depois em Novara". O anguloso Dinoia insiste, de forma enigmática: "Silvio Berlusconi interveio junto a outras instituições de crédito a seu favor?". Resposta: "Eu pedi que interviesse junto aos bancos que até aquele momento não tinham respondido ao plano Gallo [para o salvamento do grupo D'Adamo]: o San Paolo, de Turim e o Instituto de Crédito Fundiário". Era maio ou junho, e a situação estava desabando. Do plano Gallo, segundo D'Adamo, "não aconteceu nada", e começaram os procedimentos para algumas sociedades do grupo: administração controlada, concordata preventiva e, na pior das hipóteses, falência.

Berlusconi, em troca da cascata de bilhões, pede revelações de fluxo contínuo contra o odiado Di Pietro. Pressiona D'Adamo, enche-o de perguntas, pede explicações até sobre a questão Pacini. Grava essas conversas. E, não contente, apresenta em Bréscia uma fita editada aqui e ali. Quem a escuta tem a impressão de que realmente D'Adamo prometera 4 bilhões e meio a Di Pietro, mas ele, quando os magistrados o fazem escutar o registro de sua voz, não aceita:

> Falta a frase seguinte. Eu nunca falei para Berlusconi que prometi 4 bilhões e meio; eu sempre falei de restituição de dinheiro, expliquei muitas vezes as operações que fiz, mas nunca quantifiquei. Tentei explicar; Berlusconi queria saber. Evidentemente, Berlusconi gostaria de ouvir que eram 4 bilhões e meio à disposição de Di Pietro, mas não era assim. O doutor Berlusconi tentava me fazer falar que eu deveria dar 4 bilhões e meio, porque não entendia qual era a provisão...

A confusão é geral. Até que a juíza de audiência preliminar Anna Di Martino pede esclarecimentos sobre uma frase, interceptada, de Berlusconi: "Não posso calar, devo divulgar isso [os 4,5 bilhões de Pacini Battaglia para Di Pietro]". Neste momento, D'Adamo perde o controle e quase acusa o *Cavaliere* de ter organizado uma armadilha para pegar tanto ele quanto Di Pietro: "Senhora juíza, expliquei como andavam as coisas [...] que Berlusconi continuava a colocar palavras em minha boca, principalmente porque ele sabia que estava gravando, e eu não sabia". Qualquer que seja a verdade, fica claro que alguém não está contando corretamente: Berlusconi, D'Adamo ou talvez os dois.

No entanto, a lógica depõe contra D'Adamo. Se em 1993 prometera dinheiro a Di Pietro, por que o magistrado, em novembro de 1994, nunca pagou a ele os 100 milhões conseguidos via empréstimo três anos antes pela casa de Curno?

> *Dinoia:* "Visto que o senhor era devedor de 4 bilhões e meio, porque não disse a ele: 'Tienili, devo dar-lhe ainda pela questão Pacini'?".
>
> *D'Adamo:* "Disse que não queria, e insistiu.".
>
> *Dinoia:* "Por que o senhor não disse: 'de qualquer forma, eu te devo 4 bilhões e meio'?".
>
> *D'Adamo:* "Eu não disse."
>
> *Dinoia:* "Isto nós sabemos, sem sombra de dúvidas. E por que não?"
>
> *D'Adamo:* "Não sei. Não pensei sobre isso".

A conspiração termina aqui.

"Di Pietro salvou a DC"

A estrada que leva à absolvição de Di Pietro é longa e cheia de obstáculos. A Procuradoria de Bréscia, após o desastroso incidente probatório, fica a ver navios. O material recolhido talvez seja suficiente para investigar a fundo sobre Berlusconi e Previti, mas não para processar Di Pietro. Entretanto, os promotores instauraram o processo penal, contra Di Pietro e Lucibello; no entanto, nunca farão uma verdadeira investigação sobre o papel de Silvio e Cesare. Também o GICO trabalha em sentido único e, particularmente, *in extremis*, joga a carta do desespero, lançando uma nova acusação contra o ex-promotor, baseada não mais nas palavras de D'Adamo, mas no exame dos documentos do processo Cusani, dos quais emergeria, absolutamente, a prova de que Di Pietro fez de tudo para salvar a Democracia Cristã.

Talvez os milhões de italianos que assistiram o debate ao vivo na TV não tenham se dado conta disto. Ao contrário, a imagem da baba de Forlani sob a perseguição impiedosa das perguntas do promotor pareceria para alguém a prova de uma certa "obstinação", especialmente se confrontada com a "moleza" do interrogatório de Craxi. Agora, em pleno clima revisionista, tudo é possível. Até sustentar, como fez o GICO de Florença, que a mãe de todos os processos era uma encenação. Di Pietro gostava muito de Forlani e da Democracia Cristã. Sua questão era só com o Partido Socialista Italiano (PSI). Tanto é que – explicam os investigadores – evitou questionar sobre as contas no exterior da DC, geridas pelo secretário administrativo Severino Citaristi, e fez de tudo para não falar de extorsão com os políticos investigados.

A singular tese emerge da monumental "Relação Conclusiva" de 529 páginas entregue pelos guardas fiscais florentinos à Procuradoria em 28 de janeiro de 1999, poucos dias antes da juíza da audiência preliminar Anna Di Martino ter começado a examinar, em 3 de fevereiro, a solicitação de instauração do processo criminal. Para melhor corroborá-la, dois oficiais da Guarda de Finanças visitaram, em 8 de janeiro, a Cooperativa Athena, a sociedade de serviços que no Palácio da Justiça de Milão cuida da transcrição das audiências para confiscar um "corpo de delito": a acusação de Di Pietro ao processo Enimont. A cena merece ser recontada. A responsável da Athena não encontra o disquete e se dirige ao procurador Borrelli para pedir orientação sobre o que fazer. Borrelli convoca os guardas de finanças. Define como "anômala" a solicitação e telefona para Giancarlo Tarquini, procurador-chefe de Bréscia, recordando-lhe que, para ter acesso a documentos públicos, como a transcrição das audiências, é suficiente requisitar à Procuradoria. O incidente parece terminado, mas o GICO não se dá por vencido. O disquete com a acusação não existe porque a transcrição nunca foi feita (mas existem imagens televisivas). Os dois oficiais interrogam a responsável da Athena até as duas da madrugada: pergunta atrás de pergunta sobre as modalidades de transcrição. E pretendem, obviamente, que sejam verbalizadas também as palavras de Borrelli.

O porquê de tanta agitação se compreende lendo o relatório. Vendo as imagens do processo Cusani, na época transmitidas na TV, o GICO convenceu-se de que Di Pietro, graças aos "artifícios" de suas reconstruções processuais, tenha levado a cabo um plano verdadeiramente diabólico. Por um lado, contrapôs "veementemente a versão da extorsão desmilinguida" fornecida em júri pelo administrador da Ferruzzi. Por outro lado, evidenciou "relevantemente as responsabilidades dos dirigentes do PSI e, em particular, do secretário político Bettino Craxi". Fez com que eles fizessem um papelão (ao contrário do que os ingênuos comentaristas de quase todos os jornais tinham relatado). Em compensação, teria reservado um tratamento bem diferente ao ex-tesoureiro da Democracia Cristã Citaristi (que tinha recebido "somente" 47 intimações assinadas pelo *pool*). Segundo os atentos investigadores florentinos, eis a "confirmação" decisiva de "dois pesos e duas medidas" usadas por Di Pietro: "a circunstância de que o próprio promotor Di Pietro [durante o processo Cusani], deixando de comentar sobre os relativos slides [os gráficos projetados sobre o quadro luminoso], não acenava, minimamente, na descrição do evento da propina sobre o fechamento da Enimont, que uma parte de tal dinheiro era para o secretário administrativo da DC, Citaristi, assim como, por sua vez, tinha declarado Pacini". Não o fez, nem mesmo, no curso "da descrição do papel de Citaristi, ainda se [isso fosse] comentado nos slides com as declarações de Pacini Battaglia". Então, aí estava a prova de que Di Pietro não pretendia atacar a DC e, principalmente, tinha deixado Citaristi de fora da investigação porque os familiares do tesoureiro possuíam contas no exterior (descobertas somente em 1998) junto ao banco de Pacini. O êxito natural do "raciocínio" é totalmente político: Craxi, ora refugiado em Hammamet, é um perseguido; a investigação Mãos Limpas não era autônoma; alguém – neste caso, Pacini, que tinha Di Pietro nas mãos por meio dos financiamentos a D'Adamo – decidiu quais políticos punir e quais salvar.

Domingo, 31 de janeiro, com singular celeridade (a relação do GICO é do dia 28), o próprio Craxi, em uma entrevista para o *Giornale*, de Paolo Berlusconi, desenha o que define como "teoria do mapa". Uma "cúpula de personagens da política e da economia" teria subdividido a classe dirigente da Primeira República em três sessões: a "N" com personagens para não tocar, a "S" com aqueles a salvar e a "M" com aqueles a massacrar. O GICO não chega a tanto, mas, de surpresa, acusa Di Pietro de ter embaralhado as cartas tão bem, durante os processos Cusani e Enimont, que fez inocentes serem condenados. Entre os primeiros estão os dirigentes da Ferruzzi, Carlo Sama e Giuseppe Garofano, os quais, mesmo se declarando extorquidos por todo o sistema dos partidos, foram processados por violação da lei sobre financiamento público e por fraudes nos balanços. O GICO esquece as sentenças de condenação emitidas pelo Tribunal, pelas Cortes de Apelação e de Cassação em relação a eles e a quase todos os políticos envolvidos no escândalo. Uma quinzena de magistrados: todos subornados pelo diabólico Di Pietro? Os guardas de finanças florentinos, uma vez relidas todas as declarações feitas pelas testemunhas à época da investigação, terminam por dar razão a Sergio Cusani, o qual desde sempre sustentou que Raul Gardini foi obrigado pelos políticos a depositar 150 bilhões da propina Enimont para se livrar daquela confusão. Segundo o GICO, então, Di Pietro teria utilizado – para cercar Cusani e demonstrar que os Ferruzzi não estavam sendo extorquidos – alguns extratos bancários falsos fornecidos por Pacini, mesmo sabendo que as datas daqueles documentos eram falsificadas.

O que chama a atenção é que, com esta reconstrução, o GICO termina não só por contradizer os juízes de Milão e da Cassação, mas também a Procuradoria e o Tribunal de Bréscia. Justamente em Bréscia foram arquivadas as denúncias de Cusani contra Di Pietro pela utilização de supostos "documentos falsos". Ainda em Bréscia, em 11 de maio de 1998, foram condenados em apelação por corrupção o ex-presidente substituto do Tribunal de Milão, Diego Curtò, e o advogado Vincenzo Palladino, defensor judiciário das ações Enimont.

Uma absolvição e um escambo

Bréscia, quarta-feira, 3 de fevereiro de 1999. "Será um passeio", disse Antonio Di Pietro aos jornalistas, antes de entrar na sala de Anna Di Martino, a juíza da audiência preliminar que deve decidir reenviá-lo ou não a juízo por corrupção, como solicita a Procuradoria. Ri, brinca, se finge tranquilo. Diz ter pronto um

1997-2000. MÃOS LIVRES 659

relatório que apresentará em 17 de fevereiro, na próxima audiência. Será a resposta às 230 páginas que os promotores Piantoni, Chiappini e Bonfigli apresentaram à juíza para convencê-la a chamá-lo ao tribunal. Para eles, D'Adamo continua sendo um acusador confiável, e não importa se foi alimentado por bilhões graças à intervenção de Berlusconi. Em 18 de fevereiro, a juíza Di Martino emprega não mais que uma hora e meia de reunião de conselho para estabelecer que cometeram mais um erro. Di Pietro é liberado, bem como Lucibello. Com a fórmula mais ampla: "O fato não se sustenta". Como escreverá nas motivações, os promotores brescianos e os homens do GICO, além de arrastar Di Pietro ao processo, "fundaram a já árdua obra de análises valorativas sobre personalíssimos critérios de completude e de indisponibilidade investigativa", critérios "afastados da sensibilidade de qualquer operador judiciário, além de escassamente conciliáveis com o princípio da tempestividade das investigações e com o bom andamento da administração da justiça".

Para Di Pietro, é a 27ª absolvição sobre 27 frente aos juízes de Bréscia, sendo a sexta em audiência preliminar. Quando sai do Tribunal, já está escuro. Nas câmeras de TV que o enquadram buscando roubar-lhe um comentário, aparece como em transe. Não fala. Não chora. Não ri. Esqueceu o casaco na sala e saiu sozinho. Vendo-o assim, uma estátua de mármore com pés de barro, os repórteres, os operadores de câmera, os jornalistas televisivos e da mídia impressa evitam se aproximar. Ele segurou os soluços. Caminha fatigado. Vacila, petrificado, o olhar fixo no vazio. Em seguida, dois jornalistas o socorrem e o ajudam a entrar no carro. Ele se atira no banco de trás. O carro parte velozmente. Não para a casa de Curno, mas para o hospital.

Um pouco antes da audiência, Di Pietro tinha desabafado com Piero Colaprico do *la Repubblica*. "Doutor Di Pietro, esta noite fala conosco ou não?", tinha perguntado o jornalista.

Se me absolvem, não: me basta a sentença. A cabeça e o coração me dizem que desta vez também não existe espaço para acusação. Acusam-me de coisas terríveis que não só não fiz, mas que não poderia fazer. Se ao contrário, apesar disso, houver o julgamento, nenhum problema: digo o que sei, então me processam e serei certamente absolvido e, espero, com uma investigação mais aprofundada, feita em júri, sob as vistas de todos, porque sobre quem poderia ter movimentado tudo isso e sobre um longo fio que liga Mach di Palmstein, Silvio Berlusconi e Cesare Previti, eu terei algo a dizer e a mostrar a quem quiser me ouvir.

"O senhor, no entanto, me parece bastante tenso...", insitiu Colaprico. E Di Pietro:

Gostaria de ver quem não estaria assim em meu lugar. O que me aconteceu foi uma grande injustiça. Desde o primeiro dia. Estava em plena Mãos Limpas, quando o general Cerciello veio aqui, em Bréscia, dizer que eu não tinha me comportado bem. Então, é verdade que sempre me absolveram, é verdade que eu continuo a respeitar a magistratura e nunca ataquei ninguém fora do processo, mas sempre em juízo, e isso deve ser reconhecido. Também é verdade que me bloquearam, que me amarraram. O senhor sabe quanto tempo perdi para me defender? Sabe quantos arquivos foram abertos? Queriam me enterrar sob documentos inúteis, mas que, de qualquer forma, eu era obrigado a responder. Cometeram erros macroscópicos, me diziam que eu não tinha feito rogatórias e, em vez disso, eram eles, do GICO Florença, que não as encontravam, por procurá-las nos processos errados. Por meio disso, estão me processando a la Mãos Limpas, mas, entre meus colegas, poucos se deram conta disso; os outros não entenderam ainda. Desde quando me aconteceu tudo isso, digo que, por sorte, sou Di Pietro, sei me defender, sei onde meter minhas mãos. Se isso acontecesse a um pobre cristão, seria nocauteado.

Di Pietro ainda está em pé. Escreverá a juíza Di Martino nas motivações de sua sentença que bastaria estudar a fundo os documentos para excluir, em sua atuação de magistrado, "falta de rigor, pouca diligência, aproximação". As teses da defesa são "assumidamente persuasivas e amplamente sustentadas por provas documentais". A sentença (depois definitivamente confirmada pela Cassação) certifica que as investigações sobre o ex-promotor tinham um mandante preciso: Silvio Berlusconi e uma motivação também definida: a vingança do partido dos investigados.

A gênese das acusações de D'Adamo retorna dos sedimentados ressentimentos nutridos por Silvio Berlusconi em relação ao ex-magistrado, resultando *per tabulas* que o próprio Berlusconi (e o colega de partido Cesare Previti) incite D'Adamo a falar com a Procuradoria de Bréscia, utilizando todos os meios e aproveitando-se da antiga relação de subordinação e do estado de dependência financeira e psicológica no qual D'Adamo se encontrava por causa das ajudas econômicas recebidas direta ou indiretamente.

Falta, porém, "espontaneidade real" nas "revelações" do empreendedor ex-amigo de Di Pietro. Basta examinar o conteúdo das gravações "editadas" pelo câmera da Mediaset Roberto Gasparotti e os outros documentos do processo

para declarar fundamentada a suspeita de que D'Adamo tenha alterado voluntariamente os conteúdos reais da questão do financiamento de Pacini Battaglia, instrumentalizando-os de modo a denegrir Di Pietro, para a satisfação das próprias necessidades econômicas urgentes e em favor do obstinado opositor do ex-magistrado, por este já acusado e, por isso, adversário político, Silvio Berlusconi.

O conteúdo das fitas de Gasparotti evidencia uma

inquietante e subjetiva interpretação dos fatos por parte de Berlusconi, mas também um abandono instrumental de D'Adamo a revelações forçadamente alteradas de suas relações com Di Pietro, na perspectiva de satisfazer a ânsia acusatória de seu interlocutor [Berlusconi] em confronto com o ex-promotor e, assim, contemporaneamente, obter ajudas urgentes...

Segundo o magistrado, em resumo, D'Adamo é um fanfarrão que se moveu para conseguir dinheiro. Ou, na melhor das hipóteses, o protagonista de um "autêntico conluio" entre as supostas revelações sobre Di Pietro e as "ajudas financeiras" do grupo Berlusconi. Um homem que se aproveitou de suas relações com Di Pietro para tirar vantagem de todos os interlocutores interessados: não somente Berlusconi, mas também, provavelmente, Pacini Battaglia, ao qual teria dado a entender que teria intercedido por ele junto ao amigo promotor.

Se então leem-se atentamente as declarações de D'Adamo, é possível dar-se conta de que, mesmo colocando em campo o advogado Lucibello como cúmplice, nega ter recebido dele e de Di Pietro "qualquer sinal de execução de atos de favoritismo processual para Pacini, terminando por delinear um cenário surreal no qual cada uma das correias se move solitariamente ou paralelamente umas às outras". No entanto, a Procuradoria de Bréscia não se ocupou de nada disso e, assim, se movimentou "em manifesto contraste com os cânones jurisprudenciais sobre a valoração da intrínseca credibilidade da delação premiada, pelos quais é necessário em primeiro lugar proceder à verificação da genuinidade, espontaneidade e desinteresse das declarações feitas pelo delator...".

Não é só isso que a juíza reprova em seus colegas promotores. O erro mais grave, segundo Anna Di Martino, é aquele contido no último relatório do GICO, que pretende reescrever a história da Mãos Limpas e do processo Enimont. A Procuradoria de Bréscia, ansiosa por deixar Di Pietro num beco sem saída, delegou "à polícia judiciária uma atividade estranhamente valorativa – especialmente a delicadíssima e árdua operação de revisão das atividades do magistrado dirigente – em contraste com as funções atribuídas pelo novo código processual aos órgãos de polícia judiciária" com métodos nada ortodoxos e resultados investigativos paradoxais, como o de acusar somente Di Pietro por não ter completado certas investigações, quando o inquérito milanês sobre Pacini era conduzido por diversos promotores do *pool*.

Em seguida, tem o capítulo do testamento de D'Adamo, que deveria ser a "prova máxima" contra Di Pietro. A juíza explica que não se pode dizer em que data foi escrito. D'Adamo forneceu "explicações improváveis", inclusive sobre as "razões que o motivaram a fazer um testamento de modo tão supérfluo e anômalo". Primeiro disse sentir-se "grato em relação a Di Pietro". Depois, durante o incidente probatório, se contradisse: "No momento da redação do 'testamento', não existiam sentimentos de reconhecimento em relação a Di Pietro. Pelo contrário, estava ressentido com o amigo magistrado, o qual pareceu tê-lo abandonado por ocasião da devolução de um empréstimo de 100 milhões". Então, também, este documento pode ser incluído no "conluio" entre D'Adamo e a dupla Berlusconi--Previti. E

> o supracitado conluio pode verossimilmente remontar já ao outono de 1994, dadas as tentativas feitas naquele período por Paolo Berlusconi de confrontar por meio de D'Adamo as revelações provenientes de Gorrini e as datas de entrega do "testamento" (21/11/94) e do financiamento do COMIT (8/11/94). A concomitância temporal entre o financiamento do COMIT – obtida tranquilamente com ajuda do grupo Fininvest – e a redação do excêntrico testamento [...] significativamente endereçado (também) a Berlusconi Silvio [...] deixam emergir como D'Adamo, desde o outono de 1994, época da primeira "ofensiva" endereçada a Di Pietro por parte de ambientes bastante próximos ao parlamentar (Previti Cesare e Berlusconi Paolo), se mostrou disponível a "revelar" em troca de ajudas financeiras. Traços de tal comportamento de D'Adamo podem ser encontrados nas anotações apreendidas pelo brigadeiro Simonetti, autor de atividade ilícita de coleta de informações sobre Di Pietro e sobre outros magistrados da Procuradoria de Milão.

Encerra-se, assim, em 18 de fevereiro de 1999, a última investigação bresciana contra Antonio Di Pietro. A primeira começara quatro anos antes, em abril de 1995. "Dois anos para realizar Mãos Limpas – diz Di Pietro – e quatro para me defender das consequências".

2. A JUSTIÇA NA COMISSÃO BICAMERAL

Em 1997-98, enquanto Di Pietro luta a sua batalha solitária contra as acusações de pagamento de D'Adamo, a Itália que conta parece permeada por uma grande vontade de "normalidade", isto é, de voltar aos tempos em que a política e a economia conseguiam submeter-se ao controle das leis. De Mãos limpas a Mãos livres.

Estas intenções encontram sua encarnação máxima, justamente neste biênio, na Comissão Bicameral pela reforma da segunda parte da Constituição; e, em consequência, em cascata em uma imponente produção de leis em matéria de justiça, que – como observa o procurador de Turim Maddalena – "sob o pretexto de um mal-entendido 'garantismo', enchem o processo penal não de garantias, mas de obstáculos que parecem feitos de propósito para tornar mais difícil o trabalho dos magistrados e mais fácil o dos acusados. Sobretudo o dos culpados".

A Comissão Bicameral nasce sob a presidência majoritária de Massimo D'Alema (votado até pelo Força Itália e pela Democracia Cristã de Centro CCD), em 22 de janeiro de 1997. Inicialmente, ao menos se nos concentrarmos nas declarações de alguns protagonistas, parece que se ocupará de tudo, menos da justiça, mas o presidente da República Scalfaro entende por antecipação onde os partidos querem chegar: quando falam de "nova República" pensam principalmente na Procuradoria da República e, desde 30 de novembro de 1996, adverte-os: "Que a Bicameral não perca tempo com a justiça e cuide das reformas que lhe competem". De fato, a justiça não é inserida na lei constitucional de 24 de janeiro de 1997, que institui a Comissão, aprovada pela grande maioria das duas Câmaras. Sobre as tarefas de novos organismos, a lei declara: "A Comissão elabora projetos de revisão da segunda parte da Constituição, em particular em matéria de forma de Estado, forma de governo e bicameralismo, sistema das garantias". Quatro temas, quatro comissões que se denominam de acordo com quatro dos cinco "títulos" da segunda parte da Constituição. Falta justamente aquilo que se denomina "magistratura", a qual não é ao menos prevista. Declara, pelo menos no começo, o próprio presidente *in pectore* D'Alema. Em 17 de julho de 1996, ilustrando "grandes questões" na ordem do dia da comissão mais próxima, cita três: "federalismo, parlamentarismo, forma de governo". Sobre a justiça, nem uma palavra. Berlusconi – naquele momento acusado em uma dezena de processos por corrupção, fraudes contábeis e fiscais, financiamento ilícito, mas também investigado em Palermo por envolvimento com a Máfia e lavagem de dinheiro, e em Florença e em Caltanisseta por suspeita de envolvimento nos atentados de 1992-93 – é de outra opinião: "Vocês se darão conta da iminente dramaticidade do tema justiça" (10 de outubro de 1996), mas D'Alema é inflexível: "Sobre a justiça, não vejo questões constitucionalmente relevantes" (18 de outubro).

Giuliano Ferrara, porém, adverte:

> A justiça é o problema político número um. O líder da oposição é sistematicamente perseguido pelos juízes. D'Alema deve [...] intervir para parar os agressores. Senão, D'Alema e seus companheiros podem esquecer tudo: as pensões, o ingresso na Europa, as reformas institucionais, tudo. Bastaria pouco para colocar os promotores na linha [...], sob controle da política. Vejam que a esquerda alguma coisa concederá (*la Repubblica*, 9 de fevereiro de 1997).

Revela-se ótimo profeta. Em 11 de fevereiro, D'Alema já mudou de ideia: "A relação entre magistratura e poder político é um dos temas que mais seriamente deverá envolver a Comissão". Berlusconi, no dia 23, está eufórico e até cita Dante: "A justiça em Bicameral? *Qui si parrà la nobilitate* dos senhores do Ulivo. Por sorte, o clima é muito positivo".

Dito e feito. Apesar da lei e dos apelos de Scalfaro e Flick, a Bicameral se ocupará também, ou melhor, principalmente, de justiça. É criado um comitê-fraude "Sistema das Garantias" que se ocupará também, abusivamente, de reformar a magistratura.

Onde está a fraude? Simples. A Constituição, sob o título "Garantias Constitucionais", não se ocupa da magistratura, mas da Corte Constitucional e de leis constitucionais. Incluir a magistratura é um abuso. Para completar o quadro do "clima muito positivo" de Berlusconi, temos a nomeação do relator de tal comitê: o verde Marco Boato, ex-dirigente de Lotta, continua; ex-radical, ex-parlamentar, primeiro pelo PSDI, pelo PSI, de Craxi, e, por fim, no Partido Verde, sempre muito crítico com a magistratura. Tanto que é um conhecido defensor da separação das carreiras e do Conselho Superior de Magistratura entre promotores e juízes, além da autonomia das ações penais. Recém fundou, com o político da Força Itália Marcelo Pera, uma autodenominada "Convenção pela Justiça" que permite ao jornal berlusconiano Il Foglio, dirigido por Giuliano Ferrara e editado por Veronica Berlusconi, atingir os financiamentos estatais para a imprensa partidária. Em resumo, é uma *Quinta Colonna* (um talk show de política) do *Cavaliere* na centro-esquerda.

"A Itália – começa o relator Boato – não é um Estado de direito." A partir deste dia, tirará do forno sete projetos de reforma da justiça em sete meses. Todos muito encorpados: se aprovados, ampliariam os capítulos "Magistratura" e "Garantias Constitucionais" da Constituição dos atuais 19 artigos para 24 e dos atuais 52 parágrafos para 101. As togas reagem logo, desde o primeiro projeto, denunciando em um documento com 250 assinaturas os graves riscos para a independência da magistratura (garantida pela primeira parte da Constituição, que a Bicameral não poderia nem tocar de leve). Um grupo de intelectuais da publicação Micromega convida o Ulivo a não trair seu programa eleitoral. "Depois daquela dos intelectuais – responde com desprezo Boato – espero o documento dos artesãos." Também o Espresso, de Claudio Rinaldi, se opõe ao projeto de Boato: Giampaolo Pansa, para ilustrar o abraço (ou *inciucio*) entre D'Alema e Berlusconi, cunha o termo "Dalemòni". No Paese, a oposição ao *inciucio* é muito mais ampla. A direita contesta a Bicameral no semanal Il Borghese, dirigido por Daniele Vimercati, que acolhe intervenções de magistrados conservadores como Cordova, Maddalena e Cicala. Cordova – como também Scarpinato, Almerighi e outros – recorda as extraordinárias semelhanças entre as propostas de Boato e o "Plano de renascimento democrático" de Licio Gelli. O ex-Mestre Venerável da Maçonaria, entrevistado em abril pelo "Borghese", reivindica a paternidade:

> O meu plano de renascimento? Vejo que vinte anos depois esta Bicameral está copiando-o parte por parte, com o projeto Boato. Antes tarde do que nunca. Deveriam me dar ao menos os direitos autorais...

Em 16 de abril, 59 senadores do Ulivo, liderados pelo ex-juiz napolitano Raffaele Bertoni, assinam um documento contra o último projeto de Boato. No dia seguinte, a presidente da Associação Nacional dos Magistrados, Elena Paciotti, é ouvida na Bicameral e rebate que as reformas necessárias à justiça italiana podem ser feitas com a lei ordinária, "a Constituição invariável". Em 19 de abril, mil magistrados se reúnem em assembleia em Roma. Está presente Borrelli, que exorta os colegas a "não obedecerem aos diktat de Berlusconi" que, acima de tudo, "é um de nossos acusados". Quem rapidamente se insurge contra o procurador não é Berlusconi, mas o PDS, enquanto Flick ameaça com uma ação disciplinar. A redação do Unità e as sedes do PDS são bombardeadas de telefonemas e fax de protesto contra a linha do partido. D'Alema, na mira da contestação, propõe manter em segredo as atas da Comissão. Moção aceita. Assim, a partir de 13 de abril de 1997, o debate sobre a reforma da Constituição republicana entra na clandestinidade. Em 30 de junho, se encerra a primeira parte dos trabalhos, com um substancial acordo sobre os pontos-chaves. O pacto fora estabelecido poucos dias antes, em 18, por oito políticos (D'Alema, Berlusconi, Fini, Marini, Tatarella, Nania, Mattarella e Salvi) reunidos no terraço da casa de um dirigente da Fininvest que nem era deputado (pelo contrário, era ainda investigado por corrupção na operação romana sobre as redes de TV): Gianni Letta. Ali, na casa da Camillucia, em frente a uma crostata preparada pela senhora Maddalena Letta, os oito magníficos entraram em acordo sobre os poderes que a nova Constituição deverá dar ao chefe de Estado. O "pacto da crostata" se estabelece. Falta somente desfazer alguns nós com a justiça.

Di Pietro em Mugello

D'Alema está em dificuldades com a "base". Uma parte dos democratas de esquerda o contesta. A magistratura está em estado caótico. Muitos observadores veem na Bicameral o instrumento para o ataque final aos juízes anticorrupção e antimáfia. O líder do PDS, para calar as resistências e dissidências no front interno e na sociedade civil, decide oferecer a Di Pietro, homem símbolo da Mãos Limpas, mas também da assim chamada "antipolítica", um assento seguro no Parlamento para proteger-se do front que muitos, mesmo à esquerda, chamam "justiça-lista" e, ao mesmo tempo, para englobar no sistema um personagem que, com sua popularidade, poderia contestá-lo duramente do lado de fora. Explicará o próprio D'Alema a Bruno Vespa: Di Pietro no Parlamento, nos bancos de centro-esquerda, naquele momento crítico, é

> uma mensagem forte e clara também nos conteúdos: quer dizer que o Ulivo defende os magistrados que combateram a corrupção no país. E no momento em que sustento uma maior atenção às garantias individuais, quero demonstrar que esta reviravolta garantista não é um acerto de contas contra o *pool* de Milão.

Além de tudo, naqueles meses, o ex-promotor não perde nenhuma ocasião de atacar o *inciucio* da Bicameral, ameaçando guiar a campanha do "Não" ao referendo confirmativo sobre as reformas constitucionais.

O casamento D'Alema-Di Pietro, no fundo, é a união de duas fraquezas. Também para Di Pietro o verão de 1997 foi difícil, entre os violentos ataques do *Giornale*, do *Foglio*, das redes Mediaset e, sobretudo, da *Panorama*, dirigida por

Giuliano Ferrara, e as ofensivas judiciárias brescianas com o relatório D'Adamo e a denúncia de Berlusconi. O ex-promotor é pintado a cada dia como um magistrado que vendia as suas investigações. Ferrara o define como "prostituta shakespeariana", "vagabunda dos olhos de ferro", "carcereiro de Montenero", "demagogo do pior tipo", "traficante de Mercedes usadas", "protetor dos jogos ilegais", "megalomaníaco golpista, ambicioso e utópico", "alguém que faz vomitar".

Em 15 de junho de 1997, de um velho fascículo judiciário, reaparece um empoeirado bilhete manuscrito, enviado em 1993 por Di Pietro ao juiz de investigações preliminares Ghitti para pedir-lhe que prendesse novamente o administrador Mario Maddaloni: "Anotação para Italo. Reservada e pessoalmente lhe antecipo por que Maddaloni deveria ser preso o quanto antes. Antonio". No bilhete, encontra-se também a resposta de Ghitti: "Para Antonio. Encontre um outro motivo para a acusação, porque o 2621 já foi contestado". Escândalo nacional, na política e nos jornais, que veem naquele papel mais uma confirmação do suposto "nivelamento" dos juízes com os promotores e da necessidade de separar as carreiras dos magistrados. Ghitti acaba sob procedimento disciplinar, por iniciativa do ministro Flick. Em seguida, se descobre que a investigação de Di Pietro, despachada pelas vias oficiais, tinha sido rechaçada por Ghitti, mesmo que as carreiras fossem unidas.

Neste clima de eterna guerra aberta ao *pool*, em 16 de julho, é anunciado: Di Pietro concorrerá ao Senado no colegiado "vermelho" de Mugello, na Toscana. Ali estão programadas para novembro as eleições supletivas para substituir o senador Pino Arlacchi, o qual, derrotado na disputa à presidência da Antimáfia (o Ulivo, afinado com o Polo, preferiu o socialista Del Turco), aceitou a nomeação de vice-secretário da ONU na luta contra o narcotráfico. A reação dos homens de Berlusconi à candidatura de Di Pietro é violentíssima. Em 18 de julho, a Panorama oferece um gadget aos leitores: um livrinho chamado *Atentato al governo Berlusconi. Articolo 289 Codice penale* ("Atentado ao governo Berlusconi. Artigo 289 dp Código Penal), a última produção literária de Giancarlo Lehner, baseada nos mesmos argumentos da denúncia apresentada em Bréscia pelo *Cavaliere* e depois demolida pelo juiz Bianchetti. Na capa, o semanal publica uma foto maliciosa de Di Pietro ao lado de uma moça que não era sua esposa (na realidade, foi tirada em um coquetel, com dezenas de convidados). Título: *"Il grande scrocone"*.

É quase natural, naquele ponto, a candidatura do Polo em Mugello contra o ex-magistrado: Giuliano Ferrara, que em setembro deixa a direção da Panorama (mas não do Foglio) para se engajar em uma campanha eleitoral tão generosa quanto desastrosa, toda projetada contra Mãos Limpas e o seu símbolo. Os Verdes, o PSDI e a Refundação Comunista também dizem não a Di Pietro: a Refundação apresenta um candidato de sua bandeira, Sandro Curzi, ex-diretor da TV TG3 e também do telejornal da Telemontecarlo (grupo Cecchi Gori). O resultado: em 9 de novembro, Di Pietro vence com grande maioria de 68% dos votos, enquanto Ferrara arrasta o Polo ao mínimo histórico (16%), e Curzi não passa dos 13%.

Na mesma noite, o ex-promotor contou com um golpe de efeito midiático: o pedido público de desculpas de Vittorio Feltri na primeira página do jornal, depois de uma campanha impressa que durou três anos. Sábado, 8 de novembro: os leitores do jornal berlusconiano leram a surpreendente reabilitação do inimigo público número um. "Caro Di Pietro – escreve Feltri no editorial – não me canso de reconhecer meus erros [...]. Estou aliviado de descobrir que um sentimento nos une: o desejo de, no futuro, abrir mais espaço para a simpatia do que para a dissidência. Uma coisa, no entanto, tenho a dizer: quando conheci você em Bérgamo, jovem magistrado, eu estava seguro que você teria uma grande estrada pela frente. Gostava de você e nunca mudei quanto a isso." Seguem duas páginas inteiras assinadas pelo jornalista Andrea Pasqualetto, que desmente o conteúdo da entrevista feita por ele mesmo a Maurizio Raggio, em 1995, e as dezenas de artigos do *Giornale* voltados a demonstrar que Di Pietro vendera as investigações sobre Pacini Battaglia em troca de uma propina de mais ou menos 5 bilhões de liras. Título em destaque: "Acabou o grande mistério: não existe nenhum tesouro de Di Pietro".

Para o candidato do Ulivo ao Mugello, é uma formidável campanha publicitária: em troca de um proporcional ressarcimento (400 milhões), aceitou retirar as queixas e fechar o contencioso multimilionário com o jornal milanês. Ferrara fica furioso. Silvio Berlusconi também, mas desta operação, que evita condenações penais por difamação e ressarcimentos assustadores ao jornal, certamente seu irmão Paolo já sabia. Poucos dias depois, Feltri deixará *Il Giornale*, substituído por um velho jornalista seguidor de Montanelli, Mario Cervi, e a publicação retomará os ataques a Di Pietro e ao *pool*, como se nada tivesse acontecido.

Boato, o último projeto

Em setembro, retoque após retoque, Marco Boato apresenta os seus últimos projetos "definitivos": o sexto e o último. Este foi votado e aprovado (junto com os que nasceram dos outros três comitês) em 30 de outubro pelos representantes de todos os partidos na Bicameral, exceto os da Refundação Comunista. Em seguida, foi transmitido à Câmara, onde Boato deverá ilustrá-lo para os colegas deputados para aprová-lo até o verão de 1998. Berlusconi se aproveita disso para uma última alfinetada contra os "promotores que dominam os juízes". Em seguida, fala D'Alema, ecumênico: "É um sucesso, ainda que em parte da Bicameral prevaleça um espírito antijuízes, o qual considero profundamente equivocado. O texto aprovado é equilibrado, exceto pelo artigo 122, que divide em duas seções o Conselho Superior da Magistratura (CSM) e amplia os componentes laicos". Resta compreender por que, se não concordava, a centro-esquerda (que era maioria) tinha aprovado aquele artigo. Na realidade, no último projeto de reforma da justiça existe um outro conteúdo, muito pior. Em resumo:

1) Pela Constituição vigente, todos "os juízes estão sujeitos somente à lei". Tanto os requerentes, quanto os judicantes. O artigo 117 do projeto Boato, por

outro lado, distingue: "os juízes estão sujeitos somente à lei", enquanto os promotores "são independentes de todos os poderes e gozam das garantias previstas para eles nas normas sobre ordenamento judiciário" (normas ordinárias que, assim, os políticos podem modificar). Significativa a expressão "de todos os poderes": agora é "de qualquer outro poder", o que faz da magistratura um dos três poderes do Estado. Os novos constituintes a degradam à simples "ordem" (artigo 120). Assim, não poderá mais apaziguar conflitos de atribuições entre poderes do Estado diante da Consulta.* Traz de volta também a velha hierarquização do trabalho de promotor, como nos tempos da verticalidade e do bloqueio das Procuradorias.

2) O CSM foi desmembrado em duas seções: uma para promotores e uma para juízes. Os novos constituintes sustentam que agora é "politizado" demais: então, para despolitizá-lo, aumentam os membros de nomeação política, os assim chamados "laicos". Boato deixa abertas duas soluções: a que ele declaradamente prefere é a chamada meio-a-meio (15 membros togados e 15 laicos), mas, para quem não recebesse bem a inovação, existe uma proposta mais maleável (os políticos passam "somente" de 10 para 12 membros, enquanto os magistrados caem de 20 para 18). As duas seções serão, contudo, presididas por membros nomeados politicamente, e o ministro da Justiça poderá participar dos trabalhos quando quiser, mesmo sem direito de votar. Além disso, o CSM é rebaixado a simples órgão "administrativo", perdendo o poder de exprimir pareceres sobre projetos de lei (poderá fazê-lo somente se o ministro Chanceler lhe pedir).

3) A ação disciplinar contra os magistrados se torna obrigatória e, além de ser dirigida ao ministro, vem "da secretaria" para um procurador-geral eleito pelo Senado com maioria de três quintos (bem aceito pelos partidos), o qual "referirá anualmente ao Parlamento em exercício da ação disciplinar". Os magistrados submetidos a um procedimento não responderão mais ao CSM, mas a um tribunal especial que será denominado "Corte de Justiça da Magistratura", formado por somente quatro magistrados ordinários (eleitos entre os membros togados dos dois CSM), dois juízes administrativos e três políticos (eleitos entre os membros laicos), os quais representarão até o presidente. Em resumo, os magistrados ordinários estarão em minoria para julgar os colegas perseguidos pelo ministro ou pelo procurador especial, e este último não deverá ser um magistrado: poderá até ser um juiz aposentado (como, por exemplo, Mancuso) ou um advogado com vinte anos de serviço (como Taormina ou Previti).

4) O artigo 124 separa rigidamente os promotores e os juízes. Para passar de uma para outra função, será necessário prestar um "concurso interno" e sobretudo mudar de distrito (ou seja, de região). Comenta o professor Stefano Rodotà: "É a substancial e real separação das carreiras". Em compensação, os advogados terão livre acesso a todas "as outras grades de jurisdição": isto é, poderão se tornar procurador-chefe, procurador-geral, presidente de Tribunal, de Corte d'assise, da Corte de Apelação e da Corte de Cassação, sem nem mesmo o incômodo do concurso e

---

* Assembleia com função consultiva. (NT)

da mudança de distrito. O advogado que defende Riina, em Palermo, por exemplo, poderá se tornar procurador de Palermo. Um juiz do Tribunal de Palermo não: deverá se mudar para Catania e fazer um "concurso interno" antes.

5) O artigo 128 assinala de fato o fim da obrigatoriedade da ação penal (prevista na primeira parte da Constituição): "O ministro da Justiça presta contas anualmente ao Parlamento sobre o exercício da ação penal e sobre o uso dos meios de investigação". Em resumo, governo e Parlamento poderão intervir e efetivamente votar sobre um processo não desejado ou sobre um procurador que usa "meios de investigação" não conformes aos "desejados" pelos partidos.

6) O artigo 129 introduz o conceito de "quantidade módica" de delito consentida. Prevê, de fato, que "não é punível quem tiver cometido um fato previsto como crime, no caso em que este não tenha determinado uma concreta ofensividade". É a linha defensiva dos grandes grupos industriais sob processo por falsificação contábil: mentiam aos acionistas, mas só um pouco; acumulavam caixas dois e pagavam propinas, mas pouco por vez; insignificante em relação aos faturamentos. Desprezada pelos tribunais e pelas universidades, esta linha entra com força na Constituição.

7) O artigo 130 é uma série de declarações sobre os princípios do assim chamado "justo processo", em grande parte já contida na Convenção Europeia dos Direitos do Homem, em parte na reforma ordinária que o Parlamento se dispõe a promulgar com o novo artigo 513 do código de procedimentos (vetando o uso no processo dos depoimentos tomados perante o promotor de acusados de crimes conexos que não sejam representados em Tribunal).

8) O artigo 132 reduz os poderes do promotor: "O Ministério Público tem a obrigação de exercitar a ação penal e com este fim encaminha as investigações quando existe notícia de um crime". Parece uma obviedade, mas, em vez disso, significa privar o promotor da faculdade de encaminhar investigações *motu proprio*, de iniciativa, sobre crimes não-denunciados. As Procuradorias deverão esperar que os cidadãos de boa-vontade e as forças de polícia (dependentes do governo) lhe alimentem de denúncias. Sozinhos, não poderão mais agir.

O juízo de Rodotà é *tranchant*:

> Na Bicameral, não soprou nenhum espírito constituinte. Os velhos constituintes viam na magistratura um corpo de garantia. Os novos constituintes consideram-na um corpo potencialmente desviante, uma categoria suspeita e perigosa. Assim, sua autonomia é globalmente despotencializada. A jurisdição é inteiramente atraída para a órbita da política, justo quando um poder político, que tende a ser sempre menos controlável nas sedes parlamentares, requereria um controle de legalidade o mais forte e independente possível. Esta não é uma séria e refletida reforma constitucional. É um acerto de contas da classe política contra a magistratura.

Para quem nutrisse dúvidas ainda, eis que existe uma cláusula inserida pelo comitê que se ocupa da reforma do Parlamento no artigo 79 da Constituição: aquela que regula as anistias e os indultos. Desde 1992, este artigo recita: "A anistia e o indulto são concedidos com lei deliberada com a maioria de dois terços dos componentes de cada Câmara". É muito, os dois terços do Parlamento, para encontrar facilmente uma maioria que vote em passar uma borracha. De fato, a norma, na Bicameral, vem assim modificada: "... a maioria absoluta dos componentes de cada uma das Câmaras". Na prática, se reestabelece o quórum em 50% mais um, como era antes de 1992, quando as anistias e os indultos foram 33 em 45 anos. Por quê? Uma possível resposta se pode encontrar em uma controvertida entrevista de Luciano Violante ao Foglio, em 22 de dezembro de 1997: "Em 1999, ao término das reformas institucionais, aparecerá a questão da anistia". O segredo de Pulcinella.

Scalfaro, na mensagem de fim de ano, ataca os promotores que "fazem ressoar as algemas" em face do interrogado. A alusão é claramente dirigida a Mãos Limpas, e Di Pietro lhe faz cara feia. Na realidade, o presidente deu somente um pequeno ressarcimento aos autodenominados "garantistas", em vista de uma duríssima externalização que o reconciliará com a magistratura. Em 29 de janeiro de 1998, o chefe de Estado participa do congresso da Associação Nacional dos Magistrados (ANM) e escuta, sentado na primeira fila, a relação da presidente Elena Paciotti. Esta, com tom persuasivo, destruiu ponto por ponto a reforma da Bicameral, referindo-se particularmente ao duplo CSM, ao aumento dos membros políticos e à danosa separação das carreiras. Ao final, surpreendentemente, Scalfaro pede a palavra e concorda: "Não acredito prejudicar minha posição ao afirmar que concordo com toda a sua relação, até nos detalhes". Até no ponto em que sra. Paciotti acusava os membros da Bicameral de não ter trabalhado "com o respiro e a elevação de nossos pais constituintes", os verdadeiros, os de 1946. É ali, no Congresso da ANM, que a Bicameral começa a morrer. D'Alema é contestado pelos magistrados (o promotor Maddalena o "processa" em um duro cara a cara). Bertinotti, por sua vez, líder do único partido que votou contra os projetos de reforma, é aplaudidíssimo, e o é ainda mais Gianfranco Fini, que veio anunciar, bem no fim do congresso da ANM, que as carreiras dos magistrados devem permanecer unidas e que o duplo CSM não é um dogma. Naquele ponto, derrubados pela direita, até os constituintes do PDS começam a andar de marcha a ré.

Colombo na Itália das chantagens

Em 14 de fevereiro, um grupo de intelectuais de diversas áreas lança um novo "Apelo aos cidadãos" contra o projeto da Bicameral. Foi promovido por Flores d'Arcais, com as assinaturas de Galante Garrone, Montanelli, Bocca, De André, De Gregori, Stajano, Baricco, Starnone, Tabucchi, Vattimo, Sylos Labini, Del Colle, Sansa. É um convite a se preparar para votar "não" ao projeto Boato no referendo confirmativo que deverá encerrar a tramitação da reforma constitucional, uma vez aprovada pelas duas Câmaras.

Em 22 de fevereiro, o *Corriere della Sera* publica, em destaque, uma entrevista com o promotor Gherardo Colombo feita pelo jornalista Giuseppe D'Avanzo. O título na primeira página: "Colombo: Bicameral filha da chantagem". Depois de uma longa excursão por meio dos mais turvos mistérios da Itália, desde o desembarque dos anglo-americanos na Sicília com a ajuda da Máfia em Portella della Ginestra, chegando à estratégia da tensão e à P2, o magistrado propõe novamente a leitura de muitos historiadores italianos e estrangeiros sobre o *"doppiofondo"* da história republicana. Em seguida, conclui: com a Tangentopoli, descobriu-se somente a ponta do iceberg da corrupção, enquanto o resto continua submerso, e neste submerso foram delineadas chantagens cruzadas tão inquietantes a ponto de induzir toda a política, sem distinção de cores, a imobilizar a magistratura antes que esta a imobilize.

> No metabolismo político-social do país, existem ainda toxinas que permitem realizar as novas regras da República não em torno do conflito transparente, mas do compromisso opaco. E uma passagem-chave é a Bicameral [...]. Quem não foi tocado pela magistratura tem esqueletos no armário e se sente desprotegido, vulnerável à chantagem. A sociedade da chantagem encontra sua força justamente naquilo que não foi descoberto.

Colombo disse e escreveu as mesmas coisas em palestras, entrevistas e livros (*Il vizio della memoria*), mas aquela entrevista, com aquele destaque, naquele momento, tornou-se um ataque explosivo à Bicameral. As reações mais duras chegam do lado de D'Alema. Cesare Salvi:

> Gherardo Colombo está desvairado: procure um psiquiatra. A sua entrevista fotografa uma ideologia do fanatismo típica de uma pequena burguesia subversiva. Ora, no modo de conduzir as investigações por um magistrado que pensa assim, só podem surgir questões inquietantes.

Pietro Folena: "As acusações de Colombo são delirantes, um ato subversivo". Marco Boato:

> A análise de Colombo é uma paranoia, no sentido técnico da palavra. Um delírio de onipotência. Pretende que toda a sociedade seja submetida ao controle do Grande Irmão, o Magistrado Investigador.

Pela direita, Tiziana Maiolo pede que "o *pool* de Milão seja dissolvido, por ser um núcleo de subversão". O mais feroz é D'Alema:

O alvo são as reformas e, para atingi-las, alguns se disfarçam de revolucionários. Colombo é um extremista de esquerda; para ele, a política é o reino do mal. Um teorema que já ouvi, típico daqueles que se consideram vanguardistas revolucionários, nada novo no extremismo de esquerda [...] a começar pelo vício de atacar quem está mais próximo.

Colombo lhe responderá no livro escrito com Corrado Stajano, *Ameni inganni*: "'Mais próximo será o senhor!', diria Totò [...]. Eu não tenho, não posso e não quero ter nem próximos nem distantes".

Os presidentes da Câmara e do Senado, Violante e Mancino, sentem necessidade de redigir um comunicado conjunto para comunicar à nação que

"não é admissível arruinar todo o trabalho da Bicameral com a deslegitimação em bloco do Parlamento, acusando-o sem apelo de conivência e de obscuros compromissos [...]. Com argumentos tão devastadores, o doutor Colombo não ajuda a pesquisa dos instrumentos mais idôneos para assegurar a independência necessária do Ministério Público".

Colombo recebe dos lugares mais improváveis os únicos atestados de solidariedade do front político: Cossiga, Buttiglione e Mastella, todos os três hostis à Bicameral por razões diferentes. Naqueles dias, o promotor Francesco Greco cruza nos corredores da Procuradoria com Cesare Previti, o qual lhe diz: "Doutor, o seu colega Colombo tem razão. Aqui as chantagens voam como moscas!".

O ministro Flick, depois de várias solicitações do PDS e do Força Itália, encaminha a ação disciplinar contra Colombo (é a terceira contra ele, depois daquelas promovidas por Mancuso), enquanto o conselheiro "forcista" do CSM Agostino Viviani (o mesmo que há um tempo se mobilizava pela abolição dos crimes de opinião) o denuncia à magistratura por delitos gravíssimos. Salvi o delata por calúnia. Todas estas denúncias não levarão à nada: ao término do processo disciplinar, o procurador-geral da Corte de Cassação pedirá o arquivamento, mas o *plenum* o rejeitará com somente um voto de maioria, aquele da democrata de esquerda Graziella Tossi Brutti e dará via ao procedimento de fato, a partir do qual Colombo será absolvido.

A Bicameral morre oficialmente na primavera de 1998, por culpa (ou por mérito) de Berlusconi. D'Alema faz de tudo para impedi-lo, mas em vão. Por que então aderira à Comissão? O verdadeiro motor do *Cavaliere* era a anistia para se salvar dos processos, mas, na última hora, a centro-esquerda, cada vez mais impopular junto à própria base, não pôde conceder-lhe isto. É o que explica, com a brutal franqueza de sempre, Giuliano Ferrara:

1997-2000. MÃOS LIVRES

673

Foi estipulado um pacto, em janeiro de 1997, que resistiu por mais um ano: a oposição colabora lealmente para fazer as reformas institucionais; a maioria aceita um programa de restauração do Estado de direito e protege o líder da oposição da emboscada do judiciário (*Il Foglio*, 4 de abril de 1998).

Até Giuliano Urbani deixou escapar, alguns meses antes, as prosaicas razões que mantinham Berlusconi amarrado a seu trono de pai constituinte:

Se fizermos as reformas certas na Bicameral, quase não existirá mais necessidade de anistia, mas se passar a autorização para a prisão de Previti [solicitada vinte dias antes pelos juízes de Milão pelo escândalo IMI-SIR, como veremos em seguida], as possibilidades de um grande acordo se reduzirão praticamente a zero (29 de dezembro de 1997).

Com a falência da Bicameral como propulsora da anistia, em 27 de maio de 1998, Berlusconi anuncia à Câmara o "não" do Força Itália ao texto aprovado em comissão em 30 de outubro de 1997: não só aquele sobre a justiça, mas também aquele sobre poderes do chefe de Estado. Fini, alinhado com D'Alema até o último instante para o sucesso da Bicameral, discorda e não aplaude. Naqueles mesmos dias, a Aliança Nacional propõe a execução das sentenças de condenação em apelação: o que, para o *Cavaliere*, condenado três vezes em primeiro grau, significa concretamente ir para o cárcere em poucos anos, sem mais esperança de prescrição. As relações entre Força Itália e AN nunca estiveram tão tensas.

Em 2 de junho, D'Alema anuncia abatido no Parlamento que está tudo acabado: "É uma derrota, uma falência para todos". Menos para a Constituição que, naquele momento, é salva.

3. PROPINA EM ALTA VELOCIDADE

Como lembra Gherardo Colombo, o não dito, as verdades escondidas e inconfessáveis empurram a política em direção ao "compromisso opaco". Quem foi envolvido nas investigações sobre corrupção e não falou é capaz de condicionar quem falou a verdade. Mais que uma análise, o que Colombo disse parece uma profecia se se pensa no que aconteceu em Perúgia em 22 de setembro de 1997, quando os promotores Fausto Cardella, Silvia Della Monica e Michele Renzo ouvem Lorenzo Necci. Um interrogatório longo, face a face, que o ex-presidente da Ferrovias abre com um preâmbulo singular: "A respeito da situação que representei na última vez, fui objeto de uma maior atenção por parte do mundo político". Necci pronuncia bem as palavras. Mede atentamente cada raciocínio. Desde a sua primeira prisão em La Spezia, já se passou um ano e sete dias e, agora, "Lorenzo, o Generoso" parece finalmente disposto a falar. Não para se justificar ou explicar, mas somente para tentar chantagear: ao menos, é esta a impressão dos magistrados umbros, que tomaram as suas palavras como "mensagens intimidadoras a políticos".

Trens e chantagens

Naquele momento, os três promotores não entendem onde Necci quer chegar: "O que significa 'Maior atenção por parte do mundo político'?". E ele, exato:

> Recebi um telefonema do doutor Letta com um convite para jantar (que não aceitei) com o *Cavaliere* Berlusconi, em Arcore. Houve um telefonema da senhora Dini a um amigo comum, durante o qual a mesma pediu esclarecimentos a respeito de minha atividade de colaboração (com a magistratura). Teve uma carta do doutor Maccanico e um telefonema de Massimo D'Alema.

E como interpretou estas perguntas? "Não tanto – responde Necci – como manifestações de solidariedade, quanto como o sintoma de um certo temor em relação àquilo que eu poderia revelar à autoridade judiciária." Neste ponto, os promotores questionam: "Por que o senhor nos conta isso? O que tem a ver com as investigações em curso?".

E Necci:

> Poderia existir interesse por parte de alguns homens políticos para entender melhor quais são as situações sobre as quais estão indagando, visto que as conversas interceptadas de Pacini Battaglia permitem uma multiplicidade de argumentos. A direita poderia ter este interesse, em particular o Força Itália e Previti, mas eu não acredito que se deva apagar estas curiosidades.

É neste ponto que na mente dos promotores se materializa a palavra "chantagem". Uma suspeita que os motiva, para evitar equívocos, a manter em segredo os depoimentos. Até porque, logo em seguida, Necci explica melhor aqueles excelentíssimos "avanços", poucos meses depois de sua saída do cárcere de La Spezia:

> Letta contatou-me para um encontro, e eu fui até ele. O telefonema da senhora Dini me foi referido pelo arquiteto Luigi Pellegrin (que teve encargos pela Metropolis, sociedade da Ferrovias, e pela senhora Dini em países estrangeiros): ele me disse que a senhora estava interessada em conhecer os conteúdos das conversas que eu tinha tido com os promotores de Perúgia [...]. D'Alema telefonou para atestar a sua estima e a sua solidariedade em minhas questões com minha advogada, Paola Balducci; Maccanico enviou-me uma carta de apoio.

Letta, D'Alema, Dini, Maccanico: justo os protagonistas das tratativas – naufragadas pelo "não" de Fini – em vista do "governíssimo" direita-esquerda que estava por nascer em fevereiro de 1996 sob a presidência do mesmo Maccanico, com um escopo declarado (encaminhar as reformas institucionais) e outros dois sussurrados (encontrar a "solução política" para a Tangentopoli e colocar em mora o bipolarismo, na pele de Prodi, Fini, Bossi e Bertinotti). Naquele grande conchavo – como sabemos –, Necci deveria assumir um papel de grande relevo: superministro da Infraestrutura, ou talvez subsecretário na presidência do Conselho. De resto, na sua casa, se encontravam D'Alema e Berlusconi para as tratativas top secret. Em resumo, era bem diferente do corrupto que agora todos, depois da explosão da Tangentopoli 2, fingem não conhecer. Assim, em 1997, toma a liberdade de enviar algum sinal aos amigos de outrora: seja no interrogatório de Perúgia, seja tornando públicas, por meio de alguns jornais, as suas cartas escritas nos últimos anos a várias autoridades institucionais para mantê-las a par do desenvolvimento do projeto sobre alta velocidade. Duas cartas a Scalfaro, duas a Prodi, uma ao então premier Giuliano Amato, uma para cada um dos ex-ministros Raffaele Costa, Publio Fiori, Lamberto Dini, Rainer Masera, Giovanni Caravale...

O que Necci sabe de tão importante para poder se permitir lançar mensagens deste tipo? Quais armas secretas podem justificar tanta segurança? Ainda no fim de 2001, Necci se lançará em uma página de entrevista no *Corriere della Sera* para pintar-se como vítima de um complô e divulgar a própria coleção de arquivamentos em mais de 40 diversas investigações (maior parte de casos abertos em Roma). Na entrevista, se esquece da condenação em primeiro e em segundo graus, em Milão, por corrupção (mais tarde confirmada na Cassação) e o pedido de terminar o processo por delinquir em Perúgia (Necci morrerá em 2006, antes do processo, o qual acabou prescrito), mas o ex-presidente da Ferrovias move-se e fala como se tivesse ainda muitas cartas na manga. Todas boas.

Para entender o poder de Necci, o homem cuja assinatura – como ele próprio disse – no início dos anos 90 "valia 25 bilhões", é necessário voltar um pouco no tempo, e voltar àquele que foi o grande negócio entre a Primeira e a Segunda República: a alta velocidade. Ainda hoje, pouco se sabe dos bastidores daquele gigantesco negócio que chegou a custar 50 trilhões de liras e ficou em grande parte incompleto. As investigações judiciárias, por causa também da absoluta reserva mostrada sobre este tema-tabu por quase todos os protagonistas da Tangentopoli (liderados por Pacini Battaglia), permitiram delinear somente os contornos do caso. No entanto, o trabalho duríssimo dos magistrados de Perúgia, que herdaram de La Spezia, por competência, a investigação Tangentopoli 2, trouxe à luz um sistema inédito, feito de propinas estranhas, frequentemente inscritas regularmente nos balanços e camufladas sob os disfarces de "consultoria".

Os segredos do supertrem

Quem tentou reconstruir aquela história antes dos juízes foi Ivan Cicconi, que dirige um centro de estudos bolonhês muito ligado ao mundo dos construtores e das cooperativas, no livro semiclandestino *La storia del futuro di Tangentopoli* (A história do futuro da Tangentopoli), editado pela Dei-Tipografia del Genio Civile, de Roma. Cicconi revela os segredos dos negócios da alta velocidade e, antes ainda das tantas investigações abertas pelas Procuradorias pela Itália, explica os bastidores de um sistema aparentemente perfeito. Por isso, termina na escrivaninha de quase todos os promotores e investigadores que investigaram sobre o escândalo ferroviário.

Segundo Cicconi, as bases da nova Tangentopoli teriam impulsionado, em 1990, Necci e Cirino Pomicino, então ministro de Finanças do governo Andreotti. Quando Pomicino foi preso, em 1995, o primeiro a visitá-lo na prisão (mesmo não sendo parente ou parlamentar) foi justamente Necci. Em 1996, quando as algemas pertencem a Necci, Pomicino retribui o favor com entrevistas amplamente absolutórias.

O business do trem de alta velocidade envolve todos os centros de poder que têm alguma importância na Itália, de modo a não descontentar ninguém e a enfraquecer logo ao nascer qualquer oposição. As empresas pré-escolhidas para realizar as duas linhas de trens supervelozes são 32, incorporadas a sete consórcios: dois guiados pela IRI, dois pela Fiat, dois pela ENI, um da Ligresti e Ferruzzi. Nasce, também, no centro da Ferrovias do Estado, a assim chamada sociedade Trem de Alta Velocidade (TAV), que somente uma lenda midiática pode vender para uma "sociedade privada". Formalmente, para que se possa entender, é isto: depois dos primeiros tempos, a Ferrovias do Estado mantém "somente" 40% de participação. Graças a esta sua aparência privada, os trabalhos podem ser confiados à iniciativa privada e não com características de licitação pública, como preveem as diretivas europeias, e, principalmente, os protagonistas permanecem protegidos pelo Código Penal, praticamente imunes à intervenção da magistratura: somente os oficiais públicos cometem crime quando colocam uma propina no bolso. Porém, explica Cicconi, o equívoco da TAV "privada" fundamenta-se sobre dois falsos pressupostos: "o financiamento privado de 60% da obra e a maioria privada dos acionistas da TAV, a sociedade constituída pela Ferrovias do Estado para a realização da alta velocidade: duas falsidades que me induzem a defini-la como uma grande farsa, com danos ao Estado".

Primeiro: na realidade, a TAV não é privada, mas pública. Principalmente porque, em 1992, quando nasce, a Ferrovias do Estado (pública) controla 50,5% dela: 45% diretamente e 5,5% por meio do Banco Nacional das Comunicações, mas também porque os 49,5% restantes são distribuídos entre 23 instituições bancárias, em sua maioria de direito público. Segundo: não é verdade que a TAV seja financiada por empresas privadas: o dinheiro é público, uma vez que "está acertado que todos os empréstimos bancários para a alta velocidade sejam ativados somente graças às garantias conseguidas junto às instituições de crédito da Ferrovia do Estado e do seu sócio de referência, o Ministério do Tesouro Nacional".

A confirmação definitiva para a grande mentira faz, em 1993, Giorgio Crisci, presidente do Conselho de Estado: "A TAV não é uma autoridade pública". Em 1994, Berlusconi escolhe Crisci como um dos três "sábios" que deverão resolver seu conflito de interesses e, em 1995, o governo Dini o promove a presidente da Ferrovias. Enquanto isso, as obras iniciam em dois canteiros, sem nenhum critério de prioridade claro, mas – suspeitarão os investigadores – com o objetivo de movimentar o dinheiro: os trechos Roma-Nápoles e Bolonha-Florença. Sobre este último, supõem os investigadores, as propinas (ou melhor: as não propinas) prometidas são de um bilhão e 530 milhões para a DC; um bilhão e 20 milhões para o PSI; 500 milhões para o PDS; e mais alguns valores inferiores para o MSI e para os chamados partidos nanicos.

Entre os beneficiados pelo rio de dinheiro do grande business do Duemila está Nomisma, o instituto de pesquisa fundado em Bolonha por Romano Prodi, que embolsa mais de 10 bilhões por várias "consultorias", enquanto Prodi se torna, por um brevíssimo período, "o garante da transparência" das licitações. Ao mesmo tempo, a TAV, administrada por Ercole Incalza, estipula contratos aparentemente muito dispendiosos, inclusive com a TPL, uma sociedade de engenharia desde sempre protegida por Necci. Assim, os bancos públicos e privados antecipam o dinheiro, com importâncias superiores ao custo das licitações, e a TPL retém o "excedente", com um tanto de juros, na espera de uma improvável restituição.

O cenário delineado por Cicconi foi confirmado por uma secreta "fonte confidencial de notável e comprovada credibilidade" que a Guarda de Finanças utiliza para redigir uma série de relatórios sobre o caso TAV. A fonte revela, entre outras coisas, que "o projeto alta velocidade, implantado e gestionado da Ferrovias, foi prontamente confiado, em dois toques, a três *general contractors*: ENI, IRI e Fiat e assinado no fim de dezembro, um pouco antes que a normativa comunitária pudesse criar problemas", talvez impondo uma competição internacional regular que aborrecesse os três colossos. Estes, por outro lado, "pediram e obtiveram escolher autonomamente as empresas que executariam os trabalhos": 23 ao todo, coordenadas pelo quinteto Astaldi, Lodigiani, Caltagirone, Di Falco e Salini.

O quinteto – sempre segundo a "fonte confidencial" – deveria também recolher as provisões de uma suposta superpropina para guardar na Suíça, no banco Karfinco, de Pacini Battaglia, o qual teria, pois, agido como "redistribuidor segundo as necessidades, fazendo afluir para a Itália, de tempos em tempos, as somas necessárias". Entende-se, então, porque em troca daquele contrato-*sprint* "foi assegurado ao atual sistema dos partidos que seria efetuada a doação de uma soma de dinheiro equivalente a 2% das importâncias globalmente consideradas".

É verdade? É mentira? As investigações nunca estabeleceram com certeza, mas um dado deveria fazer refletir: na Espanha, a linha de alta velocidade Madri-

OPERAÇÃO MÃOS LIMPAS

-Sevilha custou 9 bilhões e meio de liras por quilômetro; na Itália, em 1998, a previsão de gastos era de 26 bilhões de liras por quilômetro, com linhas elétricas e trens excluídos. Esta cifra, em 2010, baterá os 96 milhões de euros por quilômetro contra os 10 da França e da Espanha.

Perúgia, consultoria por propina

Se o sistema é este, os interesses em jogo são tão notáveis que não toleram nem mesmo o mínimo risco. Se as precauções na área penal foram acuradas, existe ainda o risco de algum "incidente de percurso". Em Roma, por exemplo, existe um promotor chamado Giorgio Castellucci que – como já vimos – por três anos, de 1993 a 1996, abre uma série de arquivos judiciais sobre a TAV. Alguém, para evitar equívocos, tem a ideia de comprá-lo com algumas dezenas de milhões.

Sábado, 7 de fevereiro de 1998: A Procuradoria de Perúgia e os Carabinieri do ROS, comandados pelo coronel Enrico Cataldi, entram em ação. Nove pessoas terminam presas: nomes e rostos já conhecidos da crônica judiciária, agora reunidos pelos investigadores desta mesma busca. São de novo Pacini Battaglia e Necci; o ex-presidente da TAV, Ercole Incalza, e o da Italferr, Emilio Maraini; o ex-chefe do Escritório das Investigações Preliminares de Roma, Renato Squillante, e Giorgio Castellucci. Os magistrados de Perúgia o acusam de corrupção em concurso com três advogados especializados em consultoria ferroviária: Marcelo Petrelli, Astolfo D'Amato (ex-magistrado e ex-colega de Castellucci em Orvieto) e Fiorenzo Grollino (considerado próximo aos círculos maçônicos).

Todos os nove, junto a um grande elenco de outros investigados, se esforçariam para barrar as investigações sobre a alta velocidade. Sem muitas dificuldades, visto que o promotor Castellucci manteve abertas as investigações até 1996, mas sem fazer grandes indagações. Pede continuamente prorrogação das investigações, insiste com pedidos de arquivamento e encontra forte apoio do Escritório das Investigações Preliminares de Roma, onde reina Squillante, definido pelas Procuradorias de Perúgia e de Milão "o coletor de propinas destinadas também a outros magistrados romanos".

Na investigação TAV de Castellucci, Necci está muito envolvido. Ele, o "investigado latente", que – escrevem os promotores de Perúgia – "confia aos outros a tarefa de sujar as mãos, interferindo na atividade judiciária e corrompendo os magistrados". Necci nunca estará no registro dos investigados de Castellucci. Estarão, por sua vez, mas somente depois de reiteradas insistências de vários juízes de investigações preliminares, Incalza e Maraini.

Quem dita a estratégia, segundo a Procuradoria umbra, é Pacini Battaglia, homem de "evidência, sempre agindo pela corrupção de quem quer que seja e sem limites, porque útil aos seus fins". E são Incalza ("pupilo e verdadeiro amigo de Pacini, destinado a suceder Necci") e Maraini que contratam por quatro anos uma série de consultorias de ouro aos três advogados amigos de Castellucci, utilizando os fundos da Ferrovias, da TAV e da Italferr. Astolfo Di Amato obtém 2 bilhões e 392 milhões entre 1993 e 1996. Fiorenzo Grollino supera os 4 bilhões, com uma última ordem de pagamento que vence em fevereiro de 1997, quando o inquérito de La Spezia já tinha explodido há cinco meses, e as interceptações estão em todos os jornais. Os investigadores da polícia chegaram às pistas das propinas mascaradas de consultoria reescutando e reanalisando as interceptações que o GICO de Florença tinha levado a La Spezia. Prenderam na rede das investigações também Marcello Petrelli (o advogado que pedia a Pacini, ao telefone, notícias sobre inexistentes contas de Di Pietro na Áustria). Petrelli, defensor de Incalza, contestou 200 milhões recebidos da TAV em agosto de 1995.

Os homens do coronel Cataldi se convencem de ter colocado as mãos em um sistema de propinas perfeito: o das propinas inscritas nos balanços. Pouco a pouco, se criam pressupostos para finalmente tentar compreender o jogo jogado no grande negócio da Transporte Público Local (TPL), a misteriosa sociedade que, nos tempos de sua prisão em Milão, Pacini Battaglia tinha, com muita esperteza, mantido de fora das investigações da Mãos Limpas.

Quem joga os primeiros raios de luz sobre a TPL, frente aos promotores de Perúgia, é o empreendedor de Bari Francesco Cavallari, contando o início e a história de sua relação de amizade com Mario Delli Collu, um administrador da TPL indicado como "homem de confiança de Necci". A Procuradoria chega assim a hipotetizar que a sociedade projetista esteja, ao menos em parte, ocultamente controlada por Necci. Também assumem um sentido completo as palavras de Raffaele Santoro, ex-presidente da SNAM (ENI), que, já em 1993, tinha contado ao *pool* de Milão uma história de estranhas coincidências:

> A TPL produziu um dirigente que, com o tempo, se tornou uma espécie de guru tutelar. Refiro-me a Lorenzo Necci, que iniciou sua carreira nesta sociedade de engenharia, depois passou à junta da ENI, depois à Enichem, tendo sempre um olho na TPL. Entre os contratos importantes da TPL, lembro especialmente de um, de 60 bilhões, conduzido por Necci, para estudos sobre alta velocidade ferroviária.

Cinco anos depois, as investigações do ROS levam a Procuradoria de Perúgia a sustentar não só que Delli Colli "lavou" 3 bilhões por conta de Necci, mas também mediou a negociação de um apartamento em Paris em nome do filho do presidente da Ferrovias. Necci desmentiu, mas uma circunstância leva a refletir: aos arquivos dos inquéritos de Perúgia e de Milão, é anexada uma relação da sociedade de revisão Deloitte & Touche, apreendida pelo ROS em 17 de dezembro de 1997, na qual se examina toda a questão alta velocidade com resultados surpreendentes: "Para as atividades de consultoria – escrevem os revisores – o consórcio TPL-AV recebe antecipações financeiras largamente superiores ao faturamento" e se evidenciam "irregularidades contratuais e procedimentais" que demonstram "tanto a vantagem econômica quanto o favor reservado à TPL por parte dos responsáveis pelas decisões da Italferr, TAV e Ferrovias".

Em 1999, a Procuradoria de Perúgia chega a uma conclusão. Terminada a análise das interceptações do GICO de Florença, examinadas centenas de páginas dos relatórios do ROS, solicita 74 abertura de processos por crimes que vão da associação para delinquir (para 41 investigados) à corrupção, da lavagem de dinheiro a uma longa série de irregularidades financeiras. É o epílogo da investigação nascida em La Spezia, com o claro objetivo de pôr Di Pietro em maus lençóis e que agora, em vez disso, traz problemas para dezenas de chefões de Estado envolvidos nos negócios de alta velocidade: na intenção deles, tudo isso deveria ser uma Tangentopoli "limpa", de risco zero.

Vinte anos de negócios mais ou menos desonestos são resumidos pela Procuradoria naquele documento de 148 páginas: com todos os nomes e papéis dos personagens citados por Pacini Battaglia em suas falações desenfreadas. Junto aos pedidos de arquivamento (pela juíza das investigações preliminares Augusta Iannini, pelo ex-promotor Vittorio Paraggio, pelo parlamentar da AN Publio Fiori e pelo jornalista-empresário Luigi Bisignani), existe uma longa lista de acusados: o major dos Carabinieri Francesco D'Agostino, que recebeu de Pacini cerca de 700 milhões; o ex-oficial da Guarda de Finanças Mauro Floriani, que mais tarde se tornou funcionário da Ferrovias e marido de Alessandra Mussolini, que teria participado de ações para atrapalhar as investigações sobre a TPL; o *pàtron* da Lazio Sergio Cragnotti; Incalza e Maraini; Stefano Spinelli, ex-secretário do conselho de administração da Ferrovias; uma série de ex-dirigentes da ENI como Pio Pigorini, Bruno Cimino, Paolo Ciaccia, Gianni Dell'Orto; e ainda Silvano Larini, ex-tesoureiro de Craxi, o homem da conta *Protezione*.

Todos eles, segundo a Procuradoria, faziam parte de "uma estrutura bem organizada composta de administradores públicos e privados" que gerenciava as empreitadas e a "sucessiva distribuição de trabalhos para as grandes obras" com o objetivo de "criar fundos extracontábeis para distribuir propinas para o poder político, patrocinados por estas organizações, e para os mesmos administradores públicos para garantir o seu enriquecimento ilícito". A audiência preliminar iniciará em janeiro de 2002, seis anos depois das prisões de La Spezia, e o processo, realmente, em 2007. No entanto, graças à lei ex-Cirielli imposta por Berlusconi em 2005 para cortar os termos de prescrição, terminará em nada. A associação para delinquir, a corrupção judiciária e a falsificação contábil são extintas já em 2005. Para 11 dos 41 acusados (entre eles, Pacini) continua em pé somente a lavagem de dinheiro, mas, por este crime, Pacini e também a mulher e o filho de Necci serão absolvidos em 2010: 14 anos depois das detenções de La Spezia.

O caso Nápoles

Em Nápoles, também se investiga sobre a alta velocidade, mas aqui, na mesa das repartições, não sentam somente políticos e empreendedores. Aqui também tem a

Camorra. Depois de meses de investigações coordenadas pelos promotores Paolo Mancuso e Federico Cafiero, o ROS – graças também ao trabalho de dois Carabinieri infiltrados – se convence de que na Região da Campânia a Camorra, as empresas e os partidos tenham feito um pacto de aço para dividir entre si os contratos e os subcontratos para a construção do trecho Roma-Nápoles. Considera como hipótese propinas de 6% sobre um total de 54 bilhões, igualmente divididos entre os homens do clã e dos partidos (todos, exceto Liga Norte e Refundação Comunista).

O recepcionista do grande banquete seria Rocco Fusco, expoente da Democracia Cristã de Centro, ex-vice-presidente do Conselho Regional da Campânia, que acabará sob processo por cumplicidade em associação mafiosa junto a políticos, empreendedores e camorristas.

A investigação, como acontece com frequência, nasceu quase por acaso. Em 1995, os canteiros da alta velocidade foram atingidos por uma saraivada de atentados explosivos. O ROS, junto com a Procuradoria de Nápoles, infiltra ali um coronel para dar uma olhada no ambiente. Ele finge ser funcionário da TAV, um certo "engenheiro Varricchio", e, em 1996, começa a perguntar, como quem não quer nada, como a companhia deveria se comportar para evitar outros "inconvenientes" nos canteiros. Encontra emissários da Camorra, os quais lhe explicam que é preciso pagar: não somente aos clãs, mas também ao sistema dos partidos. Eles designam as sociedades a quem confiar os contratos, enquanto às empresas amigas da Camorra esperam que sejam dadas os subcontratos. Assim, aos poucos, o "engenheiro Varricchio" consegue encontrar muitas vezes Rocco Fusco, o qual, após ter delegado o recolhimento do dinheiro a um ex-jornalista do Mattino de Nápoles Pietro Funaro, fala como uma matraca de uma série de outros políticos. Em um encontro no restaurante romano "Gigetto il pescatore", sustenta que "Mastella delegou a ele totalmente o acompanhamento dos negócios". Fusco apresenta ao autodenominado Varricchio uma lista de uma série de empresas próximas a CCD-CDU a serem inseridas nos subcontratos e lhe diz que os outros coletores de propinas, em nível local, são "Antonio Martusciello pelo Força Itália, Antonio Napoli e Salvatore Vozza pelo PDS".

Em 2 de outubro de 1996, se deflagra a blitz, com prisões de camorristas e intimações de alguns políticos, que depois serão liberados. Cordova, em um comunicado, anuncia que estão envolvidos "todos os partidos" maiores. Os interessados desmentem e anunciam delação. No Parlamento, explode a polêmica: fala-se de uma visita do coronel infiltrado no sagrado chão da Câmara. Uma afronta ao Parlamento, segundo Pietro Folena, que junto a Violante, Mussi e Soda, estigmatiza "a atividade dos agentes provocadores que foi impulsionada para além de qualquer limite de tolerância". Nenhum problema, por outro lado, com a presença em Montecitorio de possíveis corruptos ligados à Camorra. Em todo caso, o "engenheiro Varricchio" nunca colocou os pés no Parlamento: limitou-se a encontrar seus interlocutores no vizinho bar Giolitti. A Folena e aos outros, que falam de "agente provocador", responde o comandante geral da Arma dos Carabinieri Luigi

Federici: "Que oficial provocador, que nada! Ele é um simples infiltrado: aqui, os únicos provocados somos nós. Somos provocados por um mundo criminoso que não conseguimos vencer, constituído por negociantes, supostos políticos e camorristas...".

No fim, o processo será concluído conforme o script: condenados os camorristas; absolvidos Fusco e os outros "colarinhos brancos".

Uma propina esquecida

Se no Tribunal de Nápoles o caso do infiltrado Carabinieri não basta para provar a grande partilha da alta velocidade, têm um êxito muito diferente as investigações sobre a vertente milanesa das propinas ferroviárias. Em 21 de janeiro de 1998, depois de um ano e meio de trabalho, os promotores Fabio De Pasquale e Paolo Ielo solicitam e obtêm a prisão (a terceira) de Pacini Battaglia, que acaba atrás das grades. Tarde da noite, a Guarda de Finanças prende-o em Milão, no hall do Hotel Palace, e o leva a San Vittore escoltado por uma ambulância. A Procuradoria acusa-o de ter intermediado mais uma propina bilionária nas licitações das Ferrovias do Estado: uma propina oferecida em dezembro de 1992, quando a Mãos Limpas já tinha iniciado há 10 meses, que os banqueiros de Pisa não contaram a ninguém e que depois caiu no esquecimento. De um lado, existiam a Ferrovias de Necci, o amigo a quem Pacini oferecia, como sabemos, um trocadinho de 20 milhões ao mês. De outro lado, existiam construtores importantes: os Rendo, da Catania, os Lodigiani, de Milão, as cooperativas vermelhas da Emilia-Romagna. Três colossos reunidos no Consórcio Ferscalo, um agrupamento de empresas que, por cerca de 500 bilhões, deveria construir um gigantesco terminal ferroviário às portas de Milão, o Scalo Fiorenza. No meio disso tudo, mais uma vez ele, "Chicchi" Pacini Battaglia, o intermediário dos grandes negócios, a quem os construtores se dirigem para subornar os sistemas dos partidos: 7 bilhões e meio prometidos, 3 bilhões e 700 milhões depositados. Por esta propina, é ordenada a prisão dos dois construtores que a pagaram: Vincenzo Lodigiani e Luigi Rendo, e também de um egípcio de dupla nacionalidade, o empresário Roger Francis, fiel colaborador de Pacini. Lodigiani e Francis permanecem no exterior; Rendo, por sua vez, é preso e levado a San Vittore.

Para acusá-los, há as rogatórias solicitadas pelo *pool* na Grã-Bretanha, onde o grupo Pacini se dirigia à Edsaco para tratar dos próprios negócios. A Edsaco era uma sociedade de serviços chefiada também pelo advogado da Fininvest David Mills. Os documentos vindos de Londres demonstram transferências bilionárias de dinheiro entre Rendo e o homem de Pacini, Roger Francis. Para a acusação, estes depósitos, dos quais ninguém nunca ouvira falar, são a confirmação de uma velha suspeita: um acordo entre todos os protagonistas da Tangentopoli ferroviária já agarrados pela Mãos Limpas para revelar outras propinas, mas não aquelas em torno do business dos trilhos. Como vimos, em 1993, quando o *pool* tinha solicitado um encontro para falar da empreitada Ferscalo Fiorenza encontrado em suas agendas, Lodigiani assegurou: "Não depositamos este dinheiro porque vocês chegaram antes". Ofereceu uma explicação análoga também para outros pontos críticos: os que indicavam pagamentos ao PCI-PDS em troca de contratos na área de alta velocidade. Por outro lado, as propinas ferroviárias, ou pelo menos uma parte delas, chegavam regularmente aos seus destinos. Os processos de primeiro e segundo graus pelo negócio Ferscalo Fiorenza foram concluídos com condenação para todos, exceto para o ex-tesoureiro da DC Severino Citaristi. Condenações confirmadas pela Corte de Cassação.

As agendas do centroavante

Falávamos das agendas de Lodigiani e de suas mentiras para diminuir a importância de seu explosivo conteúdo. Essas anotações – já vimos – foram apreendidas quase por acaso em Roma, no porta-malas do carro de Stefano Paparusso, o centroavante do Lodigiani Calcio, time da empresa. Naqueles documentos, estava toda a contabilidade das propinas repassadas ao PSI, à DC e também à Confederação Italiana dos Sindicatos de Trabalhadores e à União Italiana do Trabalho para liberar o projeto da alta velocidade. A história, em cifras, de um pacto inconfessável, no qual se destacava um ponto misterioso: "500 milhões vermelhos", sobre os quais os magistrados quebraram a cabeça durante anos.

Do que se trata? Em 1993, Paolo Ielo pede dinheiro a Lodigiani, que estava preso. O construtor lhe diz que aquela soma deveria ser entregue na Via Botteghe Oscure, ao PCI–PDS, no caso de ser iniciado de fato o business sobre a alta velocidade, mas o projeto dos super-trens ficou no papel e, assim, também a propina vermelha. Além disso, acrescenta Lodigiani, desde quando iniciou a Mãos Limpas, ninguém mais se arrisca nem a pagar nem a embolsar uma lira. A mesma justificativa Lodigiani fornece para uma outra anotação encontrada em sua agenda: "Rendo-Lod Fiorenza, 2 Cit. 2 Balz." (Cit. e Balz são os contadores da DC e do PSI, Citaristi e Balzano). Esse dinheiro também nunca chegou ao destino – assegura ele. Eram propinas reservadas à DC e ao PSI pela licitação do Scalo Fiorenza, vencido pela sua empresa e a de Rendo.

Junto a Rendo e Lodigiani, naquele acordo está também, com 20% das cotas, um terceiro sócio: o Consórcio de Cooperativas de Construção (CCC) de Bolonha, a poderosa holding das cooperativas vermelhas. Poucos meses depois, Giovanni Donigaglia, presidente da Coopcostruttori de Argenta, indica justamente o CCC como ponto de repasse das "contribuições" que as várias cooperativas passam ao PDS em troca dos contratos públicos garantidos pelo partido. O *pool*, ainda em 1993, encarrega a Guarda de Finanças de investigar o CCC, sem resultados. E como Lodigiani – que está colaborando em outros casos de propinas – garante que para o terminal de Milão não foi paga uma lira, os magistrados, mesmo com algumas dúvidas, são obrigados a fechar a pista ferroviária.

Assim, os empreendedores, pelo menos momentaneamente, atingem seu objetivo. A questão TAV de forma integral – escreve o juiz Maurizio Grigo em 1998, por ocasião da nova prisão de Pacini – é impingida a 'um mero programa de pagamento não efetuado: um plano corruptor que envolve todos os partidos políticos, ministros, sindicatos e principais empresas do país, que termina por perder qualquer importância penal". No entanto, por trás dos desmentidos de Lodigiani e dos outros protagonistas existia somente um objetivo: "Garantir o curso futuro de encomendas obtidas em modo ilegal e ocultar um nível de corrupção que ainda estava plenamente operativo". Foi Vincenzo Balzamo – explicará depois Luigi Rendo – que oferecera aos construtores a liberação das "prestações integradas", os gigantescos contratos ferroviários bloqueados na época do presidente da Ferrovias Mario Schimberni como "obras inúteis para cancelar ou suspender". Balzamo morre no outono de 1992, mas os pagamentos continuam: ao menos para Ferscalo Fiorenza, a primeira prestação de propinas (3 bilhões e 700 milhões) é paga em tempo. Pagam-na todas as três empreiteiras: a Lodigiani (depois absorvida pela Impregilo), a Cogei, de Rendo, e a CCC, administrada por Carlo Sabbioni.

"Em 1991 – conta Rendo aos promotores – meu sobrinho Eugenio me disse que para liberar os trabalhos da Ferrovias era preciso pagar aos políticos, como solicitado por Balzamo. Para os pagamentos, precisava se remeter a Pacini. Falei disso com Lodigiani e informei até Sabbioni, que, em princípio, protestou, mas que depois também me autorizou a ir adiante." No fim, pagou sua cota da "prevista" propina. Sabbioni nega tudo (mas também será condenado). O próprio Lodigiani confirma que até as cooperativas vermelhas participaram de uma reunião da Associação Nacional de Construtores que, em vista das empreitadas TAV, tinha decidido liberar os financiamentos ocultos aos partidos. O grande maestro da operação é Pacini Battaglia que, depois dos silêncios de 1993, tem em mãos muitas informações para "investir". Ele conhece todos os segredos da Ferrovias (e não somente estes) e continua a fazê-los render. Mesmo depois de sua prisão em La Spezia, em setembro de 1996, goza de apoios insuspeitáveis nas divisões judiciárias e entre as forças de polícia. Demonstram isso as interceptações colocadas com muita dificuldade pela Procuradoria de Milão em seu quarto no Palace Hotel, a sua base milanesa, e no carro utilizado por ele: um Lancia K, em nome do ex-funcionário do Quirinale Antonio Funetta, ex-motorista de Gaetano Gifuni (secretário-geral da presidência da República). Um carro que – lê-se na ordem de apreensão – "exibe ainda, quando necessário, um passe do Quirinale".

Em 14 de dezembro de 1997, a Guarda de Finanças ouve Pacini enquanto este discute com Funetta sobre o melhor sistema para recolher informações:

> Precisamos encontrar um amigo de Falanga, é um inspetor da DIGOS, seria a Polícia de Roma… o ideal seria que você conseguisse essas informações, pois se você não conseguir em dez ou doze dias… sem ofensa, mas eu tento com outra pessoa do DIA… Mas incomodar um chefe por causa de uma bobagem me dá um cansaço!

1997-2000. MÃOS LIVRES   685

Em 7 de janeiro é, por sua vez, o motorista que conta a ele os acertos feitos sobre um automóvel que lhe espionava:

> Não soube me dizer se são do ROS ou da Guarda de Finanças... não são os nossos, ele disse, porque eu saberia, poderiam ser do ROS ou da Guarda de Finanças ... Eu os segui, anotei a placa, infelizmente esta placa não diz nada, tem a placa fria, quer dizer que estão a serviço... Pode ser de tudo, SISMI, CESIS...

As investigações sobre o sistema Pacini reservam ainda outras surpresas. Indagando sobre a Korac – uma sociedade irlandesa que, pelo menos no caso de Ferscalo Fiorenza serviu para produzir falsas consultorias graças às quais os bilhões da propina eram movimentados para as contas de Pacini –, Ielo e De Pasquale descobrem outras consultorias fantasmas: as desenvolvidas pela Tecnimont, a sociedade de engenharia da Montedison. Também neste caso os bilhões de supostos caixas dois foram arrecadados por meio de Pacini. A coincidência é suspeita sobretudo porque nas agendas do banqueiro existe uma anotação relativa justo ao trecho Milão-Gênova de alta velocidade e a Rosario Alessandrello, administrador da Tecnimont. A Procuradoria de Milão o processa por falsificação contábil, mas o centro das investigações permanece sendo o Consórcio Cociv, do qual fazia parte a Tecnimont junto com uma sociedade do grupo Ligresti e uma do grupo Gavio.

O Cociv nasce para vencer uma licitação de 3 trilhões e 200 bilhões para o trecho Milão-Gênova e constitui o assim denominado "quarto dealer", o novo polo que tenta abrir espaço entre os colossos ENI, IRI e Fiat, que dividiam entre si os grandes negócios da alta velocidade, e consegue vencer a competição. Carlo Sama, *top manager* da Montedison e ex-conselheiro Tecnimont, explica que a candidatura nascera quase por acaso depois de um jantar, ocorrido em 1991, no qual o presidente do Banco de Roma, Cesare Geronzi – em nome de umas quarenta de instituições de crédito – solicitara à Tecnimont para declarar-se disponível para a construção do trecho. Apareceram propinas até ali? A Procuradoria suspeita, mas não consegue provar. A investigação para na falsificação contábil, ainda que as verificações sobre trabalhos e consultorias ligados à Milão-Gênova joguem novas luzes sobre as supostas irregularidades.

Estamos em 1994. O primeiro governo Berlusconi tinha começado há pouco, e o ministro dos Transportes é um tal de Publio Fiori, muito ligado, como sabemos, a alguns homens do "círculo" de Pacini Battaglia. O governo, oficialmente para dar impulso à economia, decide refinanciar uma série de trabalhos ligados à alta velocidade. Cerca de 100 bilhões, segundo o *pool*, são empregados em uma série de estudos de natureza hidrogeológica que deveria estabelecer onde e como perfurar as montanhas que separam Gênova de Milão. Na prática, foram escavados três túneis.

Sete anos depois, em 29 de maio de 2001, o promotor De Pasquale envia a Luigi Grillo, senador genovês do Força Itália, um chamado a comparecer por crime de fraude. Segundo a acusação, em 1994, quando era subsecretário com a tarefa de conduzir os acordos de programação, Grillo pretendia que o governo Berlusconi realocasse aqueles bilhões: não só porque os trabalhos de estudo hidrológico eram inúteis (era o que sustentava a Procuradoria), mas também porque, no fim, custara "somente" 50 bilhões, ainda que as empresas envolvidas tenham embolsado o dobro. Grillo, investigado com mais sete pessoas, se defende negando categoricamente que tivesse alguma vez conduzido o modo de utilização do financiamento e o andamento dos trabalhos. A investigação acaba, por questões de competência territorial, em Gênova. Aqui, Grillo é perseguido, mas os outros investigados conseguem se livrar do processo. Em 6 de fevereiro de 2006, o juiz das investigações preliminares é obrigado a aplicar a ex-Cirielli, recém imposta pelo governo Berlusconi, que reduz à metade os termos de prescrição. Assim, a suposta fraude dos 100 bilhões de liras também cai no esquecimento.

Giancarlo Rossi e seu clã

Até mesmo Ilda Boccassini, em 1995/1996, acabou se deparando com as propinas ferroviárias. Juntamente com a investigação sobre a corrupção dos juízes romanos, realizou outra (destinada a passar para a competência de Perúgia): investigação nascida a partir do excerto que falava sobre a posição de Giancarlo Rossi, agente de câmbio romano ligado a Cesare Previti que – como vimos – "lavou" uma parte da propina da Enimont.

Em Roma, depois da prisão por causa da Enimont, no verão de 1994, Rossi caiu em um imbróglio por causa de arriscadas operações financeiras feitas para ocultar as propinas da DC. Então, Ilda Boccassini e o Serviço Central Operativo (SCO) começaram a pensar que ele também fizesse parte, junto com o lobista e consultor TAV Filippo Troja e com o jornalista da P2 Luigi Bisignani, de uma associação criminosa que teria operado, pelo menos até 1997, para corromper juízes, oficiais públicos e administradores de empresas públicas ligadas de diversas maneiras à TAV. Entre os investigados, apareciam também o ex-promotor Antonino Vinci e o ex-presidente da Ferrovias, Giorgio Crisci.

Bonito, simpático, fascinado pelo mito cinematográfico Kevin Costner, Rossi era, de certa maneira um personagem de história de espionagem, ou ao menos assim pensava Bisignani, que se inspirou justamente nele quando escreveu *Il sigillo della porpora*, seu primeiro romance de espionagem: por trás de Sergio Bruschi, o protagonista, é fácil decifrar os traços do jovem Giancarlo. Basta ler poucas linhas, aquelas nas quais Bisignani descreve o sistema que havia impulsionado cada vez mais o ambicioso e misterioso guarda de finanças Bruschi-Rossi: "Havia contribuído para o sucesso de Bruschi um amontoado de poderosos, dificilmente conciliáveis entre eles, mas que Sergio sempre havia conseguido usar, manipulando-os como peças em um imaginário tabuleiro de xadrez do poder...".

1997-2000. MÃOS LIVRES

Às vezes, porém, a realidade supera a fantasia. Em 1994, quando uma patrulha de militares da Guarda de Finanças chegou em Roma para prendê-lo, se deparou com um homem muito diferente daquele personagem meio cheio de si que, no dia 4 de dezembro de 1993, interrogado como testemunha do processo Cusani, havia se apresentado como se não soubesse nada de política. Então, Rossi admitiu ter trocado 400 milhões em créditos do tesouro (CCT), vindos da maxipropina Enimont, em nome da viúva de Franco Piga (ex-presidente da CONSOB e ex-ministro das Participações Estatais), mas quando Di Pietro lhe havia perguntado se ele sabia que Piga tinha sido ministro, ele respondeu: "Me parece que sim, sei lá... socialista... democrata-cristão... não acompanho muito".

Em 1994, tudo mudou. Enrascado pelos resultados das cartas rogatórias, que demonstravam as propinas que passaram pela sua conta suíça FF2927, aberta junto ao Trade Development Bank de Genebra, Rossi acabou na prisão, mas o *pool* decidiu não tornar pública a sua prisão. Pediam tanta cautela não as acusações movidas contra o jovem agente de câmbio, mas os resultados das primeiras buscas. De fato, pela conta FF2927 haviam passado não só os 2 milhões e 212 mil dólares que Bisignani havia obtido por meio do IOR (Instituto para Obras Religiosas), trocando os créditos do tesouro e da propina Enimont, mas também 1 bilhão de suborno dado pela Ansaldo e pela Electra para a DC de Roma, em troca de contratos ACEA (Empresa Municipal de Energia e Meio Ambiente). No entanto, da sua agenda e dos seus registros telefônicos apareceram relações com os mais altos níveis institucionais: com a cúpula da Guarda de Finanças (Costantino Berlenghi e Niccolò Pollari), com os Carabinieri (Luigi Federici e Alessando Vannucchi), com a polícia (o chefe Vincenzo Parisi). Além disso, Rossi mantinha relações (também econômicas) com agentes do SISMI, como o Coronel Antonio Ragusa, e do SISDE, como Michele Finocchi (então procurado pelos fundos irregulares do serviço civil). Além do mais, Giancarlo Rossi pôde se valer de uma sólida amizade com o então ministro da Defesa, Cesare Previti: organizou a sua campanha eleitoral e, sobretudo, conduziu com ele negócios que nunca foram esclarecidos. Em 1993, por exemplo, "emprestou" ao advogado de Berlusconi 975 milhões, enquanto uma análise das suas contas no exterior apontou bonificações de 2 bilhões e meio de Previti em seu nome. Outro amigo do jovem agente de câmbio era Alfredo Biondi, na época Ministro da Justiça, enquanto para o presidente do Conselho Berlusconi e seu irmão Paolo parecia ser mais do que um conhecido, visto que nas agendas apareciam quase todos os números telefônicos deles.

O ex-comandante dos Carabinieri Luigi Federici, quando interrogado, explicou que Rossi tinha sido apresentado a ele como um "consultor do Força Itália para os problemas da Defesa". Talvez, justamente por isso, entre os documentos confiscados em 1994 na sua maleta havia também uma lista de altos oficiais das Forças Armadas que tinha uma série de anotações sobre a transferência deles para outros cargos. Entre os objetivos indicados nas anotações (presumivelmente destinadas a Previti) estava a dissolução do ROS dos Carabinieri, autônomo demais e, portanto, incontrolável. De acordo com as anotações de Rossi, o então Comandante do ROS, general Mario Nunzella, deveria ter ido para Palermo, para Catania ou para Turim. E o seu braço direito, o então coronel Mario Mori (promovido a chefe do SISDE em 2001), teria que sumir de cena: "Mori foi substituído e não se manda ninguém para lá". Ao lado da lista dos oficiais "maus", isto é, os que desagradavam a Rossi, havia também, aquela dos "bons": entre eles, o tenente-coronel Clemente Gasparri, irmão do deputado da AN Maurizio. Ao lado do seu nome, a frase: "Vai para Livorno – tudo bem".

Interrogado na primeira vez por Ilda Boccassini no dia 28 de maio de 1996, o agente de câmbio, mesmo desmentido pela perícia caligráfica, declarou não ter escrito aquelas anotações: "Aquela lista, quem me deu foi uma pessoa, indicada por um oficial, que não quero dizer o nome". Acrescentou que conhecia, entre os nomes presentes na lista, somente o coronel Ragusa, depois passado ao SISMI. O interrogatório não se concluiu ali; a promotora lhe pediu esclarecimentos também sobre encontros com magistrados romanos que estavam indicados na agenda. Ali, por exemplo, entre o dia 27 de janeiro e o dia 18 de junho de 1994, aparecia 19 vezes o nome do ex-procurador-geral de Roma, Vittorio Mele. Rossi – admitiu ele mesmo – gerenciava, em nome do alto magistrado, investimentos próximos a 150 milhões, mas Boccassini suspeitou que por trás daqueles contínuos encontros acontecia outra coisa: "A partir da documentação nas mãos da Procuradoria – contestou – resultava que a relação profissional com o doutor Mele ocorria desde 1993. Os encontros ocorriam desde 1994". Rossi "tomou conhecimento" e disse que, com Mele, "se instaurou uma relação social; tanto é verdade, que nos tratá-vamos informalmente".

As surpresas não paravam por aí. Na página do dia 7 de janeiro de 1994 da agenda, lia-se: "Vittorio Mele x Andrea Cataluddi". Cataluddi, provavelmente, era um dos chefes dos guardas municipais da capital. Rossi, porém, quando lhe pediram um esclarecimento, abriu os braços: "Não saberia dar nenhuma explica-ção sobre essa anotação", foi tão vago quanto quando teve de explicar uma nota do dia 26 de abril ("Giovani x Mele + Coiro"): "Excluo ter escrito Coiro, porque não o conheço. Não consigo decifrar a palavra, talvez eu tivesse escrito "nós não".

Em 4 de junho de 1994, foi encontrada uma anotação sobre um jantar or-ganizado na casa de Rossi "para festejar a nomeação de Previti como ministro da Defesa". Foram convidados, entre outros, o general Federici, o ex-chefe do Estado Maior da Guarda de Finanças, Niccolò Pollari (em 2001, promovido a Diretor do SISMI), o ex-número 1 da Guarda de Finanças, Costantino Berlenghi, o então chefe do SISMI, almirante Gianfranco Battelli, e o ex chefe da Polícia, Vincenzo Parisi (que, porém, não compareceu).

Na página do dia 18 de junho, Rossi anotou: "Cesare + Vittorio Mele". E explicou: "Cesare poderia ser Previti ou outro Cesare. Excluo, de todo modo, que com essa anotação eu tenha querido relacionar Cesare com Mele".

1997-2000. MÃOS LIVRES

A Procuradoria de Milão estava cética. As palavras de Rossi contrastavam com interceptações colocadas no seu carro e na casa do consultor TAV, Filippo Troja, ex-funcionário da Cassa del Mezzogiorno, grande amigo de Necci. Uma das tantas conversas entre os dois, efetivamente, era dedicada justamente a Coiro, a Previti e a Mele (este último protagonista em Perúgia de uma investigação, depois arquivada, feita por causa das acusações do empresário de Bari, Francesco Cavallari, que afirmava ter lhe dado dinheiro).

No dia 3 de março, Troja e Rossi discutiram sobre as investigações de corrupção no Palácio da Justiça de Roma, que foram abertas pelas Procuradorias de Milão e de Perúgia. O agente de câmbio, primeiro, anunciou que estava para chegar um chip telefônico de um número estrangeiro para ser entregue ao ex-promotor Antonino Vinci, de maneira a tornar as interceptações impossíveis. Depois, falou das relações entre Vinci e Coiro (que sucedeu, em 1994, justamente Mele no cargo de procurador da capital). Rossi afirmou que Coiro obteve aquele cargo graças a uma intervenção de Previti:

> Se você pensar bem, verá que Cesare Previti fez muita cagada... (palavra incompreensível). Nós o tínhamos lá... Vittorio Mele, com o qual você sabe, tínhamos uma relação muito próxima... mas Vittorio Mele nunca foi um homem muito corajoso, porém, porca miséria, nós tínhamos ele lá. Eu fiz um jantar na minha casa. Eu, Vittorio Mele, Cesare Previti e Biondi, quando [Cesare] era ministro da Defesa; mas, porca miséria, depois de todo aquele trabalho... se apresentou nu aqui, mas que merda foi fazer indicando Coiro, que sempre ficou do outro lado. Veja como terminou Coiro [submetido a um procedimento do Conselho Superior da Magistratura em 1996 por incompatibilidade no ambiente de trabalho, abandonou a Procuradoria pouco antes do veredito], isto é, não é verdade que Coiro é esse grande oportunista, porque aquelas coisas lá foram feitas por santinhos do pau oco (palavra incompreensível) você entendeu. E a história de Cataldi [Enrico Cataldi, o coronel do ROS acusado em preocupantes investigações sobre corrupção, transferido – como vimos – depois de uma visita de Squillante e Coiro ao comandante Federici] naturalmente quem lhe pediu foi Cesare [Previti], não, isso é evidente porque aquele lá me enchia o saco, outra história que depois te conto. Sabe que pra mim Luigi [Bisignani] me vendeu como uma operação que foi feita por ele (risos)... Cataldi teríamos tirado de perto de nós (palavra incompreensível), sei que você é amigo daquele lá... e meu e que fez a operação sobre Coiro... que droga (risos)...

As investigações evidenciaram as relações entre Rossi e outros magistrados, além de Vinci e Mele: o promotor sardo Luigi Lombardini (se suicidou em agosto de 1998, depois de terminar sob investigação pelo sequestro de Silvia Melis), levado por Biondi à casa de Rossi para o jantar organizado para festejar o novo ministro Previti; o procurador-geral substituto da Corte de Cassação, Ennio Sepe, que participou da mesma ocasião; e a promotora de Roma (depois transferida a Cagliari) Giuseppa Geremia, à frente de investigações que diziam respeito a Ferrovias e que apareceu em cena por ter pedido, em vão, o julgamento de Romano Prodi no caso Cirio.

Dia 21 de fevereiro, Giancarlo Rossi anunciou a Troja que o seu defensor, o advogado Fabrizio Lemme, soube pela própria Geremia que Ilda Boccassini estava procurando informações sobre ele e que, no centro da investigação estava, mais uma vez, a TAV. Rossi explicou que Geremia não deu importância ao caso e por isso falou com Lemme. O agente de câmbio e o amigo tentaram organizar uma estratégia defensiva; Troja afirmou que o segredo era falar o máximo possível, dar nome, citar amigos e conhecidos, mas no fim, não dizer nada de importante (e foi bem assim que ele agiu nos seus interrogatórios). Rossi concordou e no fim disse: "Veja Pippo, existe um fato fundamental... é que a Peppa [Geremia] dificilmente pode vir a encher o meu saco, não é mesmo?".

A investigação conduzida por Ilda Boccassini tinha os dois na mira. Troja, homem dos mil contatos, afirmou ter sabido, por meio do general Giovanni Narici ("o atual vice-comandante... aliás, o atual vice-diretor do SISMI") que, ao contrário do que afirmaram alguns informantes de Rossi ("o meu homenzinho lá de cima"), a Procuradoria de Milão dava muita importância a uma série de documentos transmitida pelo procurador substituto de Aosta, David Monti que, partindo de um grupo de títulos falsos, se deparou, ele também, com a "lobby ferroviária" (investigação "Phoney Money"); e que, também com base naquelas cartas, o *pool* estava secretamente investigando sobre Necci e sobre os generais da Guarda de Finanças Michele Mola e Niccolò Pollari.

Por meses, as escutas do SCO trabalharam a pleno vapor. Os investigados eram muito prudentes. Eles tinham à disposição "bonificações" nos escritórios, usavam frequentemente chip franceses e, para os telefonemas mais delicados, usavam *scrambler*, aparelhos especiais que criptografam a voz dos interlocutores. Entretanto, alguns frutos os investigadores conseguiram colher. Conseguiram identificar os contatos de Troja com Marcello Dell'Utri, com o general Pollari e com um ex-subsecretário do Balanço, Giorgio Macciotta, do DS. Apareceram também as tentativas de condicionar a nomeação de uma série de dirigentes da Ferrovias; as pressões para fazer subir na carreira um dos filhos de Crisci; e novas confirmações sobre as relações entre Rossi e Previti, com quem o agente de câmbio falava seguidamente com dureza.

"É preciso fazer desaparecer o pool"

As escutas escondidas na sua BMW interceptaram Rossi enquanto ele discutia ao telefone com Previti. Rossi se recusava a dar um emprego para um amigo de Previti (não identificado), que acabou com problemas na justiça. Não por problemas éticos, mas porque

> este senhor caiu na síndrome na qual caíram tantos outros como ele, como você, foram atingidos por fatos judiciais e não se livraram [...]. Cesare, as pessoas acreditam naquilo que você diz. Se você se sente fraco, diga que está fraco e choroso; se você se sente forte e altivo, diga que está forte e altivo [...]. Aquele se destrói com as suas mãos porque as pessoas são culpadas por natureza, aquele dá a sensação de ter feito [...] mais do que Carlos na França, dá a sensação de uma pessoa que se arrepende pelos seus erros, melhor do que aqueles que se enraivecem sem motivos...

Terminada a ligação, Rossi se dirigiu ao homem que estava sentado ao seu lado, seu velho amigo Furio Fischer, e lhe explicou que ele não estava falando de Squillante com Cesare:

> *Rossi:* "Não, não, pobre Renato, não, aquele não serve, não serve mais para porra nenhuma, a essa altura, porque aquele, sabe, a sua função de magistrado acabou. Além do mais, quero dizer outra coisa, Furio. Renato, de alguma maneira, é bem feito que pague o que está pagando, porque, aqui digo e aqui nego, mas aquele dinheiro ele pegou (palavra incompreensível), lemos os jornais, encontraram não era uns... 6 bilhões na Suíça, sim... não são 6 bilhões de agora, porém é um bilhão e meio nos bons tempos, é um que efetivamente, um magistrado não pode ter juntado bilhões se é um magistrado honesto... porque se eu quero ter muito dinheiro, não vou querer ser um magistrado. Não... a menos que eu não seja uma pessoa (palavra incompreensível). Então, Renato Squillante não me dá pena, porque foi um que pegou uma grana que não deveria pegar. A grana coçou a mão dele. E se foderam com ele, está tudo regular. Orazio Savia e Castellucci [outros dois Promotores de Roma investigados] não me dão pena".
>
> *Fischer:* "... Fizeram isso a vida toda".

Também Rossi, interceptado, afirmava que os elementos recolhidos contra as "togas sujas" romanas eram muito fortes, e as esperanças para os investigados de ganhar os processos eram poucas, a menos que não se encontrasse uma maneira para "fazer desaparecer o *pool* no sentido técnico da palavra, porque cometeram uma série de abusos de poder e de sujeiras de todo o tipo". Afirmação feita conversando com o agente de câmbio dia 18 de dezembro de 1996, um misterioso personagem muito introduzido no mundo da política, ao qual os investigadores não conseguiram dar um nome certo. O informadíssimo Mister X revelou a Rossi que existia um acordo entre direita e esquerda para encerrar a operação Mãos Limpas: "Essa disponibilidade genérica que veio do PDS deveria se traduzir em fatos concretos. Então eu afirmo que o único fato genérico que vale é estarem todos de acordo em fazer desaparecer o *pool*...". E explicou que o objetivo de Berlusconi era passar os seus processos de Milão para Bréscia.

> *Desconhecido:* "Se tem um outro Ministério Público, se tem um outro grupo, é a absolvição segura, eu porque espero a absolvição... em Bréscia, porque tecnicamente a absolvição é um ato devido cem por cento, porém, em Milão, não dão a menor bola para isso."
>
> *Rossi:* "Certo."
>
> *Desconhecido:* "E então você diz: "Eu tenho razão". E se não te dão?"
>
> *Rossi:* "A velha história: é preciso ter razão, saber fazer valer a razão e ter quem te dê."
>
> *Desconhecido:* "Ter quem te dê, e então no nosso caso [isso] que te dá razão não é uma nova norma da lei; senão, seria preciso uma anistia, uma boa anistia, isto é, quero dizer, eles fazem uma anistia que compreende a corrupção e fica de fora a extorsão. Se fazem a anistia que compreende a corrupção, isto é, até cinco anos, não compreende a corrupção sobre atos judiciais ... entendeu?"
>
> *Rossi:* "O ponto é que aqui existe uma linha política que é aquela droga do *pool* que tem de morrer. É necessário que prendam um e que eles parem de encher o saco; este é o ponto."
>
> *Desconhecido:* "Eu acho que o *pool*, entre outras coisas, não rompe com o PDS, porque agora eu sei contra eles, Di Pietro deve *agredi-lo*. É tudo regular, também porque realmente é um ladrão, um canalha etc., então..."
>
> *Rossi:* "Mas deve *ferrar* também Davigo."
>
> *Desconhecido:* "Devemos *suportar* também Davigo, Greco, que é o que ele [Berlusconi] tem lá, para Boccassini, que é o que eu estou usando isso, então você precisa pular ... o ritual ... do *pool*."
>
> *Rossi:* "Certo".
>
> *Desconhecido:* "Depois disso, então, com outros magistrados, uma outra situação etc., então não digo que se chega à anistia, porque acredito que seja... francamente, é muito difícil".
>
> *Rossi:* "Se chega melhor às absolvições".
>
> *Desconhecido:* "Porém se chega às absolvições, nas condenações leves...".

O filho do "vira-casaca"

De acordo com a Procuradoria de Milão, não eram só Squilante e Castellucci os magistrados corruptos na capital. Orazio Savia também terminou por fazer

1997-2000. MÃOS LIVRES 693

um acordo, no verão de 2001 em Perúgia, 1 ano e 4 meses por corrupção e falso balanço: foi ele que, como vimos, tentou em 1993 parar a investigação sobre a maxipropina Enimont e se agilizou para que os empresários, que acabaram sob investigação pelo escândalo dos edifícios de ouro, fossem considerados extorquidos e não corruptores na investigação conduzida pelo promotor Vinci, morto no dia 2 de junho de 1998.

No centro de ambos os casos, estava Sergio Melpignano, um comercialista da Puglia, profissional de confiança de muitos grandes construtores da capital, que fez acordo, ele também, 1 ano e meio de reclusão, por ter corrompido tanto Savia quanto Vinci. Quem era Melpignano? E por que giravam em torno do seu escritório boa parte dos grandes negócios imobiliários dos últimos anos? Para entender, pode-se partir dos documentos descobertos pelos Carabinieri nos escritórios de Domenico Bonifaci, o construtor romano que foi atrás do montante para a propina Enimont (e que, para fazer o acordo naquele processo, chegou a ressarcir 54 bilhões de liras). Ali, escondido em meio a toneladas de documentos, junto da correspondência com bancos e da documentação sobre a aquisição do jornal Il Tempo por Francesco Gaetano Caltagirone, Bonifaci conservava os curriculum vitae dos irmãos Sergio e Stefano Melpignano: quatro páginas nas quais, em maio de 1996, o comercialista responsável por todos os segredos fiscais e contábeis dos maiores construtores da capital e o seu irmão Stefano (presente nos conselhos de administração do grupo IRI, da STET e da Condotte) se candidatavam, de modo absolutamente intercambiável, para a presidência dos colégios sindicais da ENI e da BNL (obtida por Sergio, dez dias antes da posse do governo Prodi).

Quando, no dia 2 de junho de 1998, os Carabinieri do ROS fizeram buscas no escritório de Bonifaci e descobriram aqueles documentos, logo se perguntaram como os irmãos teriam enviado os papéis justamente para ele. Certo, o editor de o Tempo era um amigo da família, tanto que os filhos de Sergio o chamavam confidencialmente "tio Domenico", mas que os Melpignano precisassem passar por ele para conseguir patrocínio político, parece um pouco estranho. Depois, pouco a pouco, tudo ficou mais claro.

Sergio Melpignano honrou o nome do pai, antigo contador Cataldo, que as pessoas de Fasano (Puglia) haviam rebatizado "Settegiacchette" ("vira-casaca"), quando de fascista, repentinamente, se transformou em democrata-cristão. Ele também, por tradição familiar, jogava dos dois lados. Bonifaci lhe era útil para continuar a manter os contatos com aquela parte da Democracia Cristã que passou para a centro-esquerda. Com os DC que escolheram a centro-direita, ao contrário, as relações eram diretas. Tão diretas que, no mundo dos institutos de crédito, apesar das negativas do seu amigo Augusto Fantozzi (ex-ministro de Finanças com Dini e do Comércio Exterior com Prodi), Sergio Melpignano era considerado um super consultor dos homens da Renovação Italiana, novo partido de Dini. Não por nada, no seu arquivo pessoal, apresentado no Banco Popular do Comércio e da Indústria, Melpignano era descrito como "componente da Comissão Consultiva do Ministério das Finanças por indicação de Dini-Fantozzi". Um ótimo cartão de visitas que, juntamente com um "consistente patrimônio" avaliado em 20 bilhões, lhe permitiu obter crédito de centenas de milhões.

Melpignano olhava também para os políticos do Força Itália. Sua esposa, Vita Marisa Lisi, em uma entrevista ao *Corriere della Sera*, revelou que sobre Sergio "se falou como ministro de finanças do Governo Berlusconi" (logo negado pelo *Cavaliere*, que assegurou "nunca ter tido oportunidade de conhecer ou encontrar o doutor Melpignano", cujo nome era "completamente desconhecido para ele"). No mais, tinha estreitas e assíduas relações com um dos mais influentes deputados do Força Itália na Puglia: Donato Bruno, eleito em Noci, província de Bari, ex-membro da Comissão dos Trabalhos Públicos e, depois, em 2001, presidente da Comissão para Negócios Constitucionais da Câmara. Nos relatórios do ROS sobre o comercialista, o nome de Bruno aparecia frequentemente. Melpignano se dirigiu a Bruno para ter notícias de Sergio Storelli, um advogado de negócios interessado em comercializar uma zona de Roma (que Bonifaci havia comprado da Montedison) em parte ocupada pelos escritórios da Telecom Itália. Para Bruno, acabou chegando uma compensação pela legítima intermediação imobiliária, uma centena de milhões provenientes de uma parte da maxipropina Enimont.

Esse foi um dos capítulos mais fascinantes da investigação de Perúgia: a caça aos destinatários finais de cerca de 136 bilhões da maxipropina que escaparam das investigações de Milão. Uma grossa fatia daquele dinheiro, proveniente de uma operação imobiliária conduzida por Bonifaci com a Montedison, teria passado pela conta 1079, acessada no dia 6 de dezembro de 1990, no Banco da Sicília pela senhora Pasqua Neglie, sogra de Sergio Melpignano. Dali foi, em parte, convertida em títulos (20 milhões em certificados de depósitos foram retirados, oficialmente como empréstimo, pelo general da Guarda de Finanças Giovanni Verdicchio, ex--comandante do Núcleo Central da Polícia Tributária da capital), em parte distribuída em três outras contas. Uma conta tinha estado sempre aberta no Banco da Sicília. Outras duas, no Crédito Italiano.

Boa parte do montante Bonifaci utilizado para a maxipropina Enimont era, inicialmente, constituída por créditos do tesouro. Em 1993, quando se apresentou diante de Di Pietro com os seus advogados, o construtor havia explicado como tinha criado e entregado uma lista com os títulos, mas, poucos dias depois, pensou melhor. Os seus advogados se reapresentaram ao *pool* afirmando ter fornecido uma lista que estava, em parte, errada: 14 bilhões não tinham nada a ver com a megapropina. As investigações, porém, já haviam iniciado e, entre os destinatários finais de um certificado de 50 milhões, estava o então democrata-cristão e futuro líder da Udeur, Clemente Mastella. Que havia explicado:

> Aquele dinheiro era um empréstimo que eu havia feito em 1991 junto a Enzo Meucci [ex-deputado do DC, que pode se gabar pelo seu passado como comissário da ENPAS, uma das entidades de previdência envol-

1997-2000. MÃOS LIVRES

vidas no escândalo dos edifícios de ouro]: 50 milhões que eu restituí, à vista, um ano depois.

Em Perúgia, em 1998, a caça aos créditos do tesouro recomeçou. Os investigadores do ROS, reconstruindo o percurso dos títulos e das cédulas, fizeram outras descobertas surpreendentes: mais de 500 milhões foram para Nevol Querci, ex-deputado e ex-presidente da Assembleia Nacional do PSI, que usou o dinheiro para manter os "herdeiros" de Bettino Craxi. Como? Pagando, em 1993 e em 1994, as campanhas eleitorais de alguns candidatos da "Aliança Laica Reformista" e mantendo aberta a sede da Via da Empoli, 6, em Roma, perto da Pirâmide Cestia, onde se localizava a associação "Filhos do Abruzzo" de Querci e Paris Dell'Unto. No apartamento, durante algum tempo, se reuniu também a Secretaria Regional do SI, Socialistas Italianos, de Enrico Boselli.

Caltagirone, um editor como amigo

Os resultados mais clamorosos da pista "Enimont 2" foram aqueles que, em 1998, envolviam outros três clientes importantes do escritório de Melpignano: os irmãos Leonardo e Francesco Gaetano Caltagirone (este último editor do jornal Il Messaggero) e o construtor Angelo Brizziarelli. Os primeiros dois, no verão de 2001, foram julgados por corrupção em atos judiciários com a acusação de terem pago, junto com Melpignano, a dupla Savia-Vinci, mas foram absolvidos em 2009. Brizziarelli, que também foi acusado por ter comprado favores de Savia, fez acordo de 1 ano de reclusão.

No centro do caso que envolvia os poderosos irmãos Caltagirone, estava o fantasma de um financiamento ilícito de um bilhão e 600 milhões depositado em 1992 para Citaristi. Por aquela propina, ligada a uma variante do plano regulatório na área milanesa de Portello, os dois foram presos em 1994 a pedido do *pool* da operação Mãos Limpas, mas depois se livraram dos problemas graças à cumplicidade do promotor romano Vinci. Ao menos foi assim que pensaram os magistrados de Perúgia, de acordo com os quais, para ter o angustiante arquivamento dos Caltagirone, Vinci não hesitou em levantar um conflito de competência com os colegas de Milão e havia suspendido qualquer investigação que pudesse incomodar os irmãos.

Em Milão, uma vez presos, os Caltagirone haviam afirmado diante de Gherardo Colombo que o bilhão e 600 milhões tinha sido regularmente inscrito nos balanços da sociedade, a Au 23. Em Roma, no entanto, Vinci agia com astúcia: tinha inscrito no registro dos investigados os irmãos Caltagirone, mas por um crime mais grave, balanço falso, e o mesmo havia feito com Melpignano (o qual, segundo declarações dos dois irmãos, havia materialmente entregue a Citaristi 80 cadernetas de depósitos nas quais havia depositado a propina). Depois, Vinci havia incitado o seu novo chefe, Michele Coiro, a pedir os atos de Milão e, com a recusa do *pool*, a abrir conflito de competência. No fim, Roma havia vencido, e a investigação – segundo a acusação – foi cuidadosamente ancorada, juntamente com outras, na sala do renovado porto das neblinas.

Vinci, na prática, confiou cegamente na versão dos Caltagirone (teria sido suficiente uma simples investigação para descobrir que as 80 cadernetas haviam retornado para Francesco Caltagirone, o qual, por sua vez, havia repassado a Citaristi) e, no dia 7 de março de 1995, pediu o arquivamento pelo falso balanço: isto é, justamente pelo crime que ele havia levado a investigação para Roma. Quanto ao financiamento ilícito, transmitiu os atos à Procuradoria junto à Pretura* que, em 17 de fevereiro de 1996, arquivou e encerrou o caso.

Até os oficiais da Guarda de Finanças que haviam investigado sobre o caso em nome de Vinci, quando descobriram a verdade, ficaram bastante maravilhados. Um deles, interrogado em Perúgia, lembrou que o magistrado, ao invés de pedir mais investigações sobre a versão dos dois irmãos empresários, lançou uma série de inúteis verificações sobre as 112 sociedades ligadas a Leonardo Caltagirone. "Só hoje – acrescentou o oficial – posso afirmar que eu e os meus colaboradores fomos instrumentos, não cientes, nas mãos de sujeitos que tinham outros objetivos." Escreveram os Promotores de Perúgia:

> As anomalias na condução das investigações por parte do doutor Vinci não podem ser interpretadas de outra forma, senão como grandes e injustificadas movimentações de dinheiro aos cuidados, por meio da conta Anatra [um depósito aberto junto a SBS de Lugano], do advogado Attilio Pacifico [amigo e cúmplice de Previti] e, em particular, de específicos e significativos créditos em concomitância com determinações assumidas por Vinci e Savia no processo, assim como de fatos dos quais foram protagonistas Vinci e Savia, este último justamente por meio de Melpignano.

Neste quadro, a Procuradoria de Perúgia inseriu também um dos casos mais inquietantes da Tangentopoli romana: o escândalo dos edifícios de ouro, ou seja, a aquisição por parte do INAEDIL (Instituto de Assistência para Dependentes das Entidades Locais) de uma série de imóveis de propriedade de Caltagirone, Bonifaci, D'Adamo, Pietro Mezzaroma, Renato Bocchi e de tantos outros em Roma e Milão. Quando explodiu o caso, veio logo à tona que, para vender, os construtores haviam pago propinas (mais de 6 bilhões a Bonifaci, mais de 4 a Caltagirone). Vinci, entretanto, em vez de corrupção, havia acusado os funcionários do INAEDIL de extorsão. Assim, os empresários foram considerados a parte lesada, isto é, vítimas, e saíram da investigação. Uma escolha precisa para um êxito pilotado, segundo os Promotores de Perúgia, que notaram que o comercialista de muitos empresários envolvidos era justamente o onipresente Melpignano. Uma escolha errada, de acordo com o novo Procurador de Roma, Salvatore Vecchione que, em

---

* Sede da justiça. (NT)

1998, reabriu a investigação para proceder por corrupção, mas não sem dificuldade, vistos os obstáculos colocados pela Procuradoria-Geral, ainda dirigida por Vittorio Mele.

Iniciou a discussão uma sentença do Tribunal da capital que, no dia 27 de setembro de 1997, deu uma reviravolta no "teorema Vinci" e transformou a extorsão em corrupção. A Procuradoria aceitou e não apresentou apelação. Porém, o procurador-geral Mele apresentou, pois, de acordo com ele, os juízes estavam errados: os empresários foram, realmente, extorquidos. No fim, Vecchione venceu, mas o resultado que se esperava foi alcançado. Os pedidos de julgamento pelas propinas feitas entre 1989 e 1992 chegaram só em abril de 2000 e, no dia 17 de novembro do mesmo ano, o juiz de investigações preliminares Andrea Vardaro declarou "não procedência" para todos os construtores por prescrição: os crimes existiam, mas tinha passado tempo demais para poder prosseguir. Únicos condenados (em primeiro grau): o democrata-cristão Citaristi e o socialista Querci.

A Procuradoria de Perúgia teve de se contentar com os acordos de Savia e Melpignano, mas, depois, os processos tomaram outros rumos. Em 2001, a Corte de Apelação cancelou a condenação de 1 ano e 4 meses dada em 1997 a Vinci por causa de uma mini propina "doméstica": de acordo com a acusação, os trabalhos de reforma na sua casa (no valor de 30 milhões) foram realizados gratuitamente pelo construtor Mezzaroma como forma de agradecimento, mas para os juízes de segundo grau, aquele "presente" não era crime. Na investigação principal sobre Vinci, pelos depósitos feitos na sua conta Suíça Anatra, o crime, ao contrário, foi declarado extinto "pela morte do réu", sem entrar no mérito. Melhor ainda para os irmãos Caltagirone, assistidos pela futura ministra da Justiça do governo Monti, Paola Severino: em 2005, o Tribunal de Perúgia absolveu ambos da acusação de corrupção, bem como Giancarlo Rossi, acusado pela suposta receptação dos títulos do Estado.

4. TOLERÂNCIA MIL

Era claro e flagrante que a corrupção na Itália não terminou com a Tangentopoli. De fato, as investigações sobre as propinas antigas e novas continuaram a se multiplicar em todo o país, mas a política estava ocupada em combater outro inimigo: os juízes. Tudo em um clima de apaziguamento entre Ulivo e Polo, ou melhor, de "intriga" entre D'Alema e Berlusconi, que não produziu somente o falimentar experimento da Bicameral. Mandou também para o esquecimento algumas leis que o Ulivo havia prometido aplicar (como a lei número 361, de 1957, que tornava inelegível no Parlamento os titulares de concessões públicas, como Berlusconi com suas redes de TV, e como a sentença da Corte Constitucional que, a partir de dezembro de 1994, dispunha sobre a passagem de uma rede Mediaset em satélite) e, sobretudo, aprovar (aquelas sobre o conflito de interesses, sobre o antitruste, sobre a ratificação da convenção ítalo-suíça, de 10 de setembro de

1998, em matéria de cartas rogatórias). Em compensação, entraram na agenda do Ulivo uma infinidade de "reformas" previstas pelo programa do Polo, isto é, da minoria, que miravam impedir não a repetição da Tangentopoli, mas a repetição da operação Mãos Limpas.

Um papel importante, nesta curiosa "conversão em U", tiveram os advogados, a categoria profissional mais representada no Parlamento. No quinquênio 1996-2001, a classe forense gozava de 46 representantes no Senado (15% dos senadores) e 73 na Câmara (12% dos deputados) e ocupava quase todas as vagas-chave da política judiciária: eram advogados o ministro da Justiça, Flick (que, porém, fechou seu escritório de advocacia), os presidentes das Comissões de Justiça da Câmara (Giuliano Pisapia, Refundação) e do Senado (antes Ortensio Zecchino e depois Michele Pinto, ambos do PPI) e os responsáveis pela justiça (oficiais ou oficiosos) dos principais partidos. Estes, frequentemente, coincidiam com os advogados dos líderes: Gaetano Pecorella, defensor de Berlusconi, mas também Flick, defensor de Prodi, e Guido Calvi, defensor de D'Alema.

Previti e Flick: programas em conflito

Os programas sobre a justiça com a qual os dois polos se apresentaram aos eleitores no dia 21 de abril de 1996 não poderiam ser mais alternativos. O do Ulivo trazia a assinatura de Flick. O do Polo foi escrito e divulgado por Cesare Previti em março de 1996, justamente enquanto os amigos Squillante e Pacifico acabavam presos e ele e Berlusconi no registro dos investigados por corrupção judicial. A obra, um livro verde de 135 páginas, se chamava *Um programa para a justiça. A realizável utopia de uma Itália mais civil*. Venceu o Ulivo, mas foi o programa de Previti a ditar a regra do dia parlamentar: desde a reforma dos artigos 513 e 192 ao chamado "processo justo", desde a revisão do abuso de poder dos rascunhos de Boato, quase não tinha proposta feita por Previti que não tivesse sido aprovada ou, pelo menos, apresentada e debatida no curso da legislatura. Quase sempre com maioria transversal, aliás, maioria referendada: em torno de 90 a 95% do Parlamento. Decisiva, pela mudança do centro-esquerda para uma forma de berlusconismo light, foi a rápida saída de Antonio Di Pietro do governo, em dezembro de 1996 pelo caso Pacini Battaglia. Sem o freio da sua figura-símbolo, o sofrimento pela legalidade dos setores mais comprometidos e desenvolvidos do Ulivo transbordou rapidamente e acabou em uma notável produção de leis de impunidade. Não ainda *ad personam*, mas *ad personas*: porque eram muitos os personagens a serem salvos dos processos.

Adeus, abuso de poder

"É urgente que se reescreva as disposições sobre o crime de abuso de poder", recomendava o profético Previti. O Parlamento, prontamente, realizou. Em 1º de julho de 1997, desapareceu o abuso "não patrimonial", isto é, aquele do oficial público que cometia um ato contrário às suas obrigações profissionais, mas não conseguia demonstrar que tivesse tido uma vantagem quantificável. O abuso patrimonial permaneceu como crime, mas só se cometido "intencionalmente", ou seja, para favorecer uma pessoa e prejudicar seus concorrentes. A pena máxima foi sensivelmente reduzida: caiu de 5 para 3 anos, com três consequências: nada mais de prisão cautelar; nada mais de interceptações; termos de prescrição encurtados (passaram de 15 para 7 anos e meio sem atenuantes genéricas e de 7 e meio a 5 anos com as genéricas). Em cinco anos, concluir uma investigação e celebrar a audiência pública preliminar mais as três instâncias de juízo era praticamente impossível. Realmente, o abuso não era penalizado, nem mesmo na versão patrimonial. Foi reduzida, sobretudo, a sua função de crime-chave, muito útil para descobrir outros mais graves: o abuso, de fato, não é um delito com fim em si mesmo, é sempre cometido em troca de alguma coisa, geralmente um suborno. Portanto, até que fosse considerado crime por si só, a magistratura poderia prosseguir as investigações e, frequentemente, a partir do ato abusivo do oficial público, conseguia ver as corrupções que estavam por trás. Então, não podendo mais investigar sobre um "simples" abuso, as Procuradorias tinham uma arma a menos para entrar no sistema das propinas.

Assim, em toda a Itália, evaporaram centenas de processos com a fórmula "o fato não é mais previsto pela lei como crime". Em Roma, morreu, antes mesmo de começar, o processo pelos abusos de *Affittopoli* (milhares de casas de entidades da previdência alugadas abaixo do custo a pessoas importantes); aconteceu o mesmo para o debate sobre os abusos patrimoniais (já prescritos graças às reduções da pena máxima) dos dirigentes do SISDE. Absolvida pela lei toda a junta regional da região do Abruzzo, presa em bloco em 1992 e condenada em primeiro e segundo graus pela suposta divisão da clientela de 250 bilhões de fundos comunitários, a Corte de Cassação anulou as condenações (de acordo com a Procuradoria-Geral de Aquila, justamente como efeito da reforma), e, depois, a Corte de Apelação de Roma absolveu quase todos os acusados. Em Turim, festejaram os 64 guardas municipais acusados de terem restituído indevidamente carteiras de motorista recolhidas de milhares de "costas-quentes" (entre os quais o jogador Roberto Baggio). Salvi e também os ex-presidentes do CONI, Mario Pescanti e Bruno Gattai, pelo processo por 959 admissões sem concurso. Até o premier Prodi, como vimos, estava sendo investigado em Roma por abuso de poder e conflito de interesses no caso Cirio. Em 22 de dezembro de 1997, o juiz da audiência preliminar Eduardo Landi recusou o pedido de julgamento da Procuradoria de Roma e o encerrou com fórmula ampla: grande parte das acusações caiu porque era infundada, mas, na sentença, por uma acusação de abuso não patrimonial, o juiz fez, incidentalmente, referência às reformas recém aprovadas.

As lâminas da nova lei cortaram, sobretudo, os clamorosos processos que acusavam duas juntas regionais inteiras, a do Piemonte e a da Lombardia, por causa da distribuição dos cargos de diretores-gerais das Agências Sanitárias Locais

(ASL) para clientes e partidos: assessores e conselheiros foram absolvidos pela lei e puderam assim voltar a dividir, sem incômodo algum, os cargos.

Artigo 513: as provas abolidas por lei

Com o fim iminente dos grandes processos da Tangentopoli, muitos acusados importantes corriam o risco de ser presos. Criou-se, então, uma providencial reforma processual para impedir o trágico evento: ela serviu para jogar fora as provas, para mudar as regras dos processos aos 45 minutos do segundo tempo, fazer recomeçarem do zero e então esperar que fossem prescritos. Bastava modificar o artigo 513 do Código Penal, aquele que regulamentava o uso em juízo das declarações recolhidas pelo promotor durante as investigações preliminares. Daquela reforma, não existia nenhum indício no programa do partido Ulivo, enquanto estava bem evidente no livro de Previti. Dito e feito: no dia 31 de julho de 1997, foi aprovada com larga maioria (se abstiveram só a Refundação, e mais algum deputado isolado). A norma foi feita na medida para os acusados da Tangentopoli.

A investigação Mãos Limpas havia se desenrolado graças às confissões dos empresários, ansiosos em confessar as propinas que foram obrigados (ao menos assim eles afirmavam) a pagar para uma classe política famélica e voraz. Eles, na maioria, confessavam e faziam acordo sobre a pena, se beneficiavam com a suspensão condicional (para as condenações inferiores a 2 anos) ou com serviços para a comunidade (para as inferiores a 3 anos) e voltavam às suas próprias atividades. Os políticos, ao contrário, normalmente escolhiam o debate, com a esperança de arrancar uma prescrição ou outras formas de impunidade, talvez propiciadas por leis sob medida. Com a velha norma, validada por duas sentenças da Corte Constitucional, os juízes podiam utilizar as delações premiadas dos empresários corruptos colhidas pelos promotores durante as investigações, mesmo que aquelas acusações não fossem repetidas no tribunal pelos corréus julgados separadamente com rituais alternativos (acordos ou juízo abreviado).

Com a reforma do artigo 513, ao contrário, se o acusado de crime relacionado ou ligado não repetisse as suas acusações no debate a cargo da pessoa acusada e se não se submetesse ao exame dos defensores dessa última, o que antes declarou oficialmente no seu processo ou perante ao promotor não seria mais utilizável. Todos os seus depoimentos anteriores acabariam no lixo. Àquela altura, o promotor teria de chamá-lo novamente e esperar que se apresentasse para submeter-se a novo interrogatório: se não se apresentasse ou se apresentasse, mas se utilizasse do direito de não responder, todas as acusações anteriores se tornariam inutilizáveis. Assim, o acusado seria absolvido, não porque fosse inocente, mas porque as acusações eram canceladas por lei. Os defensores da reforma se protegeram com o "garantismo" e sustentaram que ninguém poderia ser condenado baseado em palavras de um acusador que não tivesse dado direito de resposta aos defensores. Ótimo propósito, previsto pela Carta Europeia dos Direitos Humanos. No entanto, se o objetivo da reforma fosse realmente garantir o direito ao contraditório, isso seria acompanhado por normas que pudessem disciplinar o direito ao silêncio dos acusados de crime conexo ou coligado. Em outras palavras: seria liberado quem não se apresenta para repetir as suas acusações perante o acusado ou faz a cena muda, equiparando-o ao testemunho mentiroso ou reticente. Ao invés disso, a reforma se direcionava, simplesmente, a jogar fora as provas e salvar os culpados. Como demonstrava a norma transitória que aplicava as novas regras não somente aos novos processos, mas também, retroativamente, aos iniciados com as velhas regras. O resultado foi muito bem explicado por Gherardo Colombo:

> Para os processos da operação Mãos Limpas, estudamos a nossa estratégia com base no artigo 513 em vigor naquele momento, consentindo que muitos acusados fizessem acordos e saíssem dos processos, justamente porque sabíamos que tudo o que nos tinham dito valia, mesmo que não aparecessem nunca mais. Se não tivesse sido assim, teríamos, provavelmente, negado a concessão de acordos, de modo a manter juntos todos os acusados em sala e garantir mais facilmente o contraditório. Agora é a nossa vez de chamá-los, todos, esperando convencê-los a falar e vamos precisar de bem mais do que seis meses de congelamento da prescrição previstos na reforma. No fim, a prescrição acabará com tudo o que resta da operação Mãos Limpas: a parte grossa dos crimes com os quais nos ocupávamos até 1992. Mais tarde, em 1999, tudo será prescrito.

Para garantir, de verdade, o contraditório entre acusação e defesa, a Associação Nacional dos Magistrados e muitos advogados e juristas propuseram equiparar o acusado de um crime conexo, quando acusava outros, à figura de simples testemunha: com a obrigação de depor no tribunal e dizer a verdade. O senador do PDS Elvio Fassone e outros apresentaram uma proposta orgânica que limitava o "direito de ficar em silêncio", a qual, porém, permaneceu como uma letra morta, assim como a proposta de excluir da aplicação do novo artigo 513 os processos em curso (sendo uma norma processual, não seria retroativa). Foi a melhor prova do fato de que a reforma foi feita propositadamente para jogar tudo no lixo. De fato, seriam prorrogados centenas de debates desde a Corte de Cassação até a Corte de Apelação ou os Tribunais, para recomeçar tudo do zero com as novas regras, chamando novamente a depor os acusados de crime conexo que já tinham sido excluídos dos processos. Uma grande perda de tempo que faria com que prescrevessem aqueles afortunados processos cujos acusados de um crime conexo aceitassem se reapresentar no tribunal e repetir as acusações na cara dos acusados. No entanto, a maioria dos acusados de crime conexo se recusaria: portanto, os acusados seriam absolvidos por insuficiência de provas. Ou, melhor, porque as provas seriam suficientes antes que aquela lei as cancelasse.

O absurdo pingue-pongue eliminou, por exemplo, os processos milaneses de apelação pelas propinas da metropolitana para alguns acusados famosos da Enimont, da Cariplo e da conta *Protezione.* Da Cariplo, depois da clamorosa absolvição de Craxi em primeira instância e de uma enxurrada de condenações e de acordos, na apelação, se salvou o ex-presidente Roberto Mazzotta. Motivo: as novas regras do artigo 513 impediam que fossem utilizadas as acusações de Citaristi, que não as repetiu no tribunal. Assim, o banqueiro foi absolvido e voltou à presidência do instituto que havia abandonado em 1994, depois da prisão.

Por conta *Protezione,* em 1994, foram condenados Craxi e Martelli (8 anos e 6 meses), Di Donna (7 anos), Gelli (6 anos e meio) e Larini (5 e meio). Em 1997, a Corte de Apelação de Milão confirmou as condenações, mas reduziu as penas: 5 anos e 9 meses para Craxi e Gelli, 4 anos e meio para Di Donna, 4 anos para Martelli e Larini. O risco (para os acusados) que a Cassação confirmasse o veredito era muito alto, mas eis que surgiu, providencialmente, o novo artigo 513: as declarações de Larini e de Gelli ao *pool,* recolhidas para o processo depois que os dois se aproveitaram do direito de não responder, não valiam mais. Em 15 de junho de 1999, a Suprema Corte confirmou somente a condenação de Larini; anulou sem julgamento a de Gelli e com julgamento a de Craxi, a de Di Donna e a de Martelli. E pensar que Martelli, só em 9 de junho declarou ao *Corriere della Sera*: "Qual seria a minha culpa? Ter escrito o número de uma conta em um papelzinho? Me orgulho disso. O máximo que podem reconhecer em mim é uma ingenuidade de criança". O novo processo de apelação, do qual Craxi foi excluído por morte (morte em 2000), recomeçou em 2001 e levou a novas condenações Martelli (3 anos e 8 meses, inteiramente perdoados) e Di Donna (4 anos e 6 meses). Sentença, porém, novamente anulada, ao menos para Martelli, pela Suprema Corte. Na terceira apelação, Martelli foi novamente condenado; depois disso, antes da terceira Cassação, ele fez ressarcimento de 800 milhões de liras para as partes civis. Assim, recebeu os atenuantes e foi declarada a prescrição. Di Donna, em vez disso, recebeu uma condenação definitiva de 4 anos.

Por pouco, o novo artigo 513 não salvou Martelli também pelo processo Enimont: a Corte de Cassação foi obrigada a anular a sua condenação e também a de Craxi, mas não conseguiu não externar o seu "compreensível desconforto" pelo fato de os outros acusados do mesmo processo, julgados antes, já terem as condenações definitivas. Desconforto acrescido do fato de que as acusações a Craxi eram "incomumente pontuais e detalhadas" e não deixavam dúvidas sobre o fato de que o ex-premier tivesse "recebido, enquanto era parlamentar e secretário do PSI, somas de dinheiro dadas pela sociedade Montedison a título de financiamento ilícito". Infelizmente, porém, os acusados no processo de apelação haviam "apresentado declarações espontâneas", mas sem se submeterem ao contraditório. Portanto, com o novo artigo 513, era necessário recomeçar pela Corte de Apelação. Martelli foi condenado em definitivo a 8 meses, justamente às vésperas da prescrição, dia 21 de março de 2000, dois meses exatos depois da morte do corréu

Craxi. No mesmo período, tornou-se consultor da ministra para Assuntos Sociais, Livia Turco (DS), e euro-parlamentar do SDI (Ulivo).

No processo ENEL, na primeira instância, o promotor Ielo congelou as posições dos acusados Forte, Finetti, Frigerio e Nobili, na expectativa de que a Consulta se pronunciasse sobre a inconstitucionalidade do novo artigo 513. O mesmo foi feito em relação a Chiesa e seus corréus no processo sobre o patrimônio de imóveis do Pio Albergo Trivulzio e no processo sobre o aterro sanitário (150 milhões em propina a Prada e a Frigerio), que viram, também, Paolo Berlusconi condenado: depois da condenação de 7 meses recebida na primeira instância, fez acordo na apelação, 1 mês juntamente com outra condenação. No entanto, quando a pena estava para se tornar definitiva, o processo retroagiu da Cassação à Apelação (Frigerio não repetiu as acusações no tribunal) e ali morreu, em 2000, por prescrição.

Em Roma, no processo Intermetro, o novo artigo 513 "absolveu" todos os políticos, de Craxi a Citaristi e boa parte dos empresários que não fez acordo: curiosamente, neste caso, a Procuradoria não levantou nenhuma objeção à inconstitucionalidade do artigo 513 para tentar salvar o que ainda poderia ser salvo. Foi o que fez a promotora romana Diana Di Martino para preservar as acusações no processo ACEA (um dos poucos debates da Tangentopoli romana a ser celebrado).

Em Nápoles, também desapareceram ou foram redimensionados muitos processos, como aqueles sobre os escândalos dos remédios e sobre as propinas do "pós-terremoto", agravando o caos que já caía sobre aqueles gabinetes judiciais.

Ainda mais inquietante foram as repercussões da nova lei sobre a luta contra o crime organizado, da Sicília à Calábria, da Campânia à Puglia. "O Parlamento revogou a Máfia por lei", escreveu no jornal *la Repubblica* Gian Carlo Caselli. Em Veneza, corria-se o risco de ver ressurgir o processo da "Máfia de Brenta", baseado em confissões do caprichoso delator Felice Maniero, que ameaçou "fechar a torneira" justo às portas do debate: o Viminale, de fato, o excluiu do programa de proteção.

Só no primeiro ano de aplicação, por causa de centenas de depoimentos que se tornaram inutilizáveis, o balanço do novo artigo 513 foi devastador: segundo as estatísticas – escreveu Paolo Biondani (Micromega, 1/2002) – as absolvições aumentaram 7% e as prescrições 11%.

"E se o novo 513 fosse inconstitucional? ", provocou Borrelli no dia 14 de agosto de 1997. Para salvar anos de trabalho, que corriam o risco de virar fumaça, como vimos, muitas Procuradorias apelaram aos juízes para que recorressem à Consulta. Uma enxurrada de questões de legitimidade constitucional caiu sobre a reforma. A primeira veio com a assinatura do Procurador de Turim Marcello Maddalena. No dia 2 de novembro de 1998, quase um ano e meio depois que a lei entrou em vigor, a Corte se pronunciou: o novo artigo 513 é inconstitucional. É "irracional e incoerente – escreveu o relator Guido Neppi Modona – o mecanismo que consente, pelo único motivo de fazer calar", de transformar em lixo "os elementos legitimamente obtidos durante as investigações preliminares". Assim,

OPERAÇÃO MÃOS LIMPAS

transformou-se o corréu no verdadeiro árbitro do processo e se fez o jogo "por meio da parte processualmente interessada a impedir a obtenção e utilização das declarações". Portanto, retornou-se às origens, ou quase: se o corréu se recusasse a responder no tribunal, o promotor poderia lhe "contestar", sob forma de perguntas, as declarações dadas durante a fase de investigação que, daquela maneira, "entrariam" no processo, à disposição do juiz.

Artigo 111: o injusto processo

"A maioria entre Polo-Ulivo, que queria fortemente o novo artigo 513 (e que recém viu naufragar a Bicameral), não se rendeu nem perante à Consulta. Os maiores partidos de direita e de esquerda – Força Itália, PDS e PPI encabeçaram – levantaram duros ataques contra a Corte, acusada de "interferir" no trabalho do Parlamento. As Câmaras Penais proclamaram um mês de greve – o que nunca aconteceu – contra a sentença da Consulta. Uma greve que o presidente Scalfaro julgou subversiva: "pior do que ir para a praça armado". Assim, desde o início de 1999, as forças políticas se colocaram em movimento para incluir diretamente na Constituição a norma recém declarada inconstitucional: assim, a Corte não poderia declará-la ilegítima. Foi uma das primeiras ações do governo D'Alema, sucessor de Prodi em outubro de 1998. Os políticos espertamente a rebatizaram como "processo justo", e o novo ministro da Justiça, Oliviero Diliberto, dos Comunistas Italianos, considerou-a uma "prioridade". O novo artigo 111 da Constituição foi aprovado na primeira leitura no Senado, em 24 de fevereiro de 1999, em tempo recorde, mas, para modificar a constituição, ocorrem duas "leituras" (isto é, votação), a da Câmara e duas do Senado. Um procedimento que, normalmente, requereria alguns anos de trabalho parlamentar. No entanto, daquela vez, para livrar das condenações e das prisões os acusados VIP's, direita e esquerda fizeram horas extras, demonstraram rapidez e eficiência prodigiosas. O "processo justo" foi a primeira (e última) lei constitucional aprovada em menos de nove meses: no dia 10 de novembro de 1999, os aplausos ensurdecedores da direita, do centro e da esquerda saudaram a última e decisiva votação na Câmara, com maioria absoluta, aliás, maioria búlgara.* Votaram contra a Liga, o "dipietrista" Veltri e cinco deputados "prodianos". E eis que surgiu o novo artigo 111 da Constituição:

> A jurisdição atua mediante o processo justo regulado pela lei. Cada processo se desenrola no contraditório entre as partes, em condições de paridade, perante um terceiro juiz imparcial. A lei assegura uma duração razoável [...]. No processo penal, a lei assegura que a pessoa acusada de um crime seja, no mais breve tempo possível, informada reservadamente dos motivos da acusação que recai sobre ela [...]. Há a faculdade, diante do juiz, de interrogar ou de fazer interrogar as pessoas que fizeram

---

* Percentuale búlgara: o resultado plebiscitário de uma votação, com referência à política fechada e dogmática dos países do leste europeu no tempo do bloco soviético. (NRT)

declarações que recaem sobre ela [...]. A culpabilidade do réu não pode ser provada com base em declarações dadas por quem, por livre escolha, se retirou voluntariamente do interrogatório por sugestão do réu ou do seu defensor.

"Um simples acúmulo de garantias – explicou o jurista Vittorio Grevi, da Universidade de Pavia – acabará por prolongar ainda mais os tempos dos processos. E a previsão da 'duração razoável' parecerá quase uma piada". No entanto, o problema principal estava ligado à figura do "delator" ou, de toda a forma, do corréu que era ameaçado por fazer cena muda e tornar inutilizáveis as declarações dadas durante as investigações. A reforma previa que, quando o seu silêncio derivasse de "conduta comprovadamente ilícita" (ameaças, violências e assim por diante), os depoimentos anteriores seriam válidos. Como "provar" as ameaças? O único que poderia falar delas era quem as sofreu, mas, se tivesse coragem de denunciá-las, teria também coragem de repetir as suas acusações no tribunal. Se, ao contrário, não tivesse coragem, não denunciaria as ameaças e nem ao menos repetiria as suas acusações. Assim, as ameaças não seriam provadas, e as acusações terminariam por desaparecer.

Na maioria das vezes, de toda forma, o acusador não se reapresentava no tribunal para repetir as suas acusações para poder manter a vida calma: normalmente, o político que ele havia acusado antes permaneceu ou voltou ao poder. Portanto, salvá-lo com o próprio silencio a custo zero poderia se revelar um investimento profícuo para o futuro, visando eventuais recompensas ou favores que viriam. Assim, acontecia que, frequentemente, o empresário Fulano fazia acordo por ter corrompido o político Sicrano, e o político Sicrano era absolvido da acusação de ter sido corrompido pelo empresário Fulano só porque, no tribunal, Fulano fez cena muda.

Um exemplo foi o caso do processo celebrado em Palermo contra Luigi Cocilovo, expoente da CISL (Confederação Italiana dos Sindicatos dos Trabalhadores), depois do PPI, depois da Margherita e, enfim, do PD. Julgado por corrupção, Cocilovo foi absolvido no tribunal em 2002, mesmo tendo sido considerado responsável por corrupção em um suborno de 350 milhões depositado por um empresário da construção civil de Ragusano, Domenico Mollica, para reprimir as greves da CISL nos seus canteiros de obras (Mollica contou que Cocilovo, além do dinheiro, ficava também com a pasta Cartier onde estava o dinheiro). Culpado, mas absolvido: como era possível? Simples. O Tribunal, e depois a Corte de Apelação de Palermo, com base no chamado "processo justo", foram obrigados a jogar fora as confissões do empresário Mollica, que o havia corrompido: a que foi utilizada para condenar Mollica por ter corrompido Cocilovo não poderia ser usada para condenar Cocilovo por ter sido corrompido por Mollica. Motivo: tinha sido obtida diante do promotor, mas não foi repetida no tribunal; portanto, não era utilizável por terceiras pessoas. Porém, de que Cocilovo tenha se feito corromper, os juízes do Tribunal e depois da Apelação tinham muita certeza, tanto é que o definiram como "coletor de propinas disposto a conceder favores sindicais". Em 2003, Cocilovo foi candidato da centro-esquerda para a presidência da província de Palermo e foi derrotado. Em 2004, se candidatou novamente pelo Ulivo e foi reeleito ao Parlamento europeu. Em 2011, o PD siciliano o nomeou presidente da "Comissão de Garantia".

Ainda não bastava: as regras do "processo justo", diferentemente do novo artigo 513 reprovado pela Corte Constitucional, valiam não só para o acusado, mas também para a testemunha que, por qualquer motivo, não se apresentasse no Tribunal, se recusasse a responder ou se retirasse. Com a reforma do artigo 371-bis (lei "algemas dificultadas", de 1995), pela reticência e pelo falso testemunho, não era mais prevista a prisão, mas somente uma pena branda a ser estabelecida separadamente em um processo ao término do processo principal. "Em certos processos – observou o juiz Mario Cicala –, quem vai testemunhar arrisca a pele. Entre o risco de vida e o de uma pena acordada em poucos meses de reclusão com a condicional, é natural que a testemunha escolha o segundo e, graças ao 'processo justo', aquilo que foi dito antes não valerá mais nada."

Foi o que aconteceu, por exemplo, em um processo celebrado em Turim em 2000 contra uma organização criminal albanesa que se dedicava ao tráfico e à exploração de crianças obrigadas a se prostituírem. Os investigadores convenceram, com muita dificuldade, uma menor de idade de Tirana a denunciar seus algozes, os quais foram identificados, presos e processados. Contudo, no Tribunal, no momento de repetir as acusações, a menina desapareceu: foi expulsa pelas autoridades policiais porque, obviamente, não tinha o visto de permanência. Resultado: as suas acusações, não confirmadas no tribunal, tornaram-se lixo, e os exploradores foram absolvidos com desculpas. E chamavam aquilo de "processo justo".

Naturalmente, a contrarreforma constitucional teve efeitos devastadores também nos processos da Máfia, como contou o procurador-adjunto da DDA de Palermo, Antonio Ingroia, no livro *C'era una volta l'intercettazione* (Era uma vez a interceptação, Stampa Alternativa, Viterbo, 2009):

> A lei sobre o "processo justo" substancialmente anulava todo valor probatório das declarações dadas pelos colaboradores durante as investigações preliminares, abrindo, assim, uma lacuna para retratações e tratativas (me refiro às tratativas das retratações entre colaborador e Máfia), lacuna na qual se inseriu mais de um colaborador que preferiu voltar atrás. Em alguns casos, fui testemunha direta, até o ponto que, em um processo (aquele contra o político Giuseppe Giammarinaro), me senti obrigado a pedir, durante a fase requisitória do Ministério Público, a absolvição do acusado, para o qual eu havia, antes, pedido e obtido a prisão, justamente porque um colaborador, que havia sido um dos seus principais acusadores, havia decidido voltar atrás, revogar a sua escolha de colaborar com

a justiça e, por isso, se valeu da faculdade de não responder no debate, determinando, assim, a inutilização das suas primeiras declarações dadas ao Ministério Público. A despeito dos outros elementos adquiridos a cargo do acusado, a absolvição foi o empurrão para a enésima beatificação do absolvido, apagando com uma borracha todos aqueles elementos que, tendo sido suficientes para a aplicação de uma medida de prevenção, deveriam ser mais do que suficientes para a aplicação de sanções no âmbito da responsabilidade política, que na Itália é desconhecida. Uma das razões do atraso do "clima ético" do país.

Depois, houve os efeitos colaterais. Para dar plena atuação às novas normas constitucionais, foi aprovada a lei Pinto (nome do deputado do PPI que a assinou) sobre os ressarcimentos devidos aos acusados que entraram com recurso na Corte de Justiça Europeia pela duração não razoável dos seus processos e venceram. O resultado foi que o Estado gastou, todo ano, cifras astronômicas com aqueles ressarcimentos, iniciados por meio de uma reforma que, antes de fazer algo de concreto para diminuir os tempos dos processos, prolongava-os desmedidamente enquanto proclamava no papel que deveriam ter "uma duração razoável". Além do dano, a mentira.

Simeone-Saraceni: a incerteza da pena

No dia 9 de junho de 1998, foi aprovada com larga maioria a lei "Simeone-Saraceni", que levou o nome de dois advogados-deputados que a promoveram: Alberto Simeone, da AN e Luigi Saraceni, do PDS (que depois passou aos Verdes). Era uma lei que alargava a velha lei Gozzini de 1986 a propósito da execução das penas definitivas inferiores a 3 anos, ou seja, 95% das penas expedidas todos os dias nos tribunais italianos. Até para crimes gravíssimos – como tentativa de homicídio, roubo e extorsão não agravados, crimes de droga e de armas, sexuais, usura, exploração sexual, sequestro, escravidão, furto, assalto e violências, além, naturalmente, dos crimes da Tangentopoli – as condenações entraram quase sempre na pena máxima de 3 anos. Assim, com base na lei Gozzini, o condenado entrava na prisão e dali pedia para descontar a pena com o acompanhamento do serviço social (isto é, em liberdade, com a obrigação de visitar vez por outra um assistente social que deveria verificar a "reinserção do condenado na sociedade"). Com a lei Simeone-Saraceni, o condenado definitivo não ia mais preso: ficava solto, com a pena suspensa, até que polícia não conseguisse mais notificá-lo pessoalmente, *brevi manu*. Se fosse encontrado, teria 30 dias de tempo para fazer o pedido de acompanhamento (ou de outra pena alternativa) ao juiz de plantão que, visto o tempo médio, levaria de 2 a 4 anos para responder. Naquele meio-tempo, o interessado ficava solto. Quando, posteriormente, o juiz conseguisse finalmente responder ao seu pedido, a polícia precisava encontrá-lo uma segunda vez e notificá-lo *brevi manu* sobre a medida. Se fosse aceito, o condenado poderia ser encontrado em casa: ficaria, de qualquer forma, solto (com acompanhamento), mas, se fosse recusado, lhe conviria desaparecer de circulação. Assim, a pena ficaria suspensa *sine die* e depois de alguns anos, cairia em prescrição, presenteando o condenado com a impunidade absoluta.

"Assim, as penas serão ainda mais virtuais do que antes", comentou Gerardo D'Ambrosio, que após um ano da lei comunicou o balanço: "Em Milão, temos, pelo menos, cinco mil condenados definitivos que, não sendo encontrados para a entrega da ordem de prisão, não podem ser presos." O procurador-adjunto de Turim, Mario Griffey, falou em "licença para fugir" e ironizou: "A melhor defesa é a fuga". E dizer que o programa do Ulivo exaltava a "efetividade das penas".

A pergunta, a essa altura, surgiu espontaneamente: o Parlamento enlouqueceu completamente? Nada disso: existia uma lógica para tanta loucura. No dia 3 de junho de 1998, quatro dias depois do lançamento, feito por etapas, da lei Simeone-Saraceni, a Corte de Cassação foi chamada para examinar o processo de apelação sobre a maxipropina Enimont. Se fossem confirmadas as condenações, Forlani, Citaristi, Cirino Pomicino, Sama, Bisignani e Garofano acabariam presos. Com a nova lei, os grandões da Primeira República foram regularmente condenados em definitivo, mas nenhum deles ficou um dia na prisão. Permaneceram todos soltos, com a pena suspensa, à espera de serem encaminhados aos serviços sociais. Poucos meses depois, Dell'Utri também se aproveitou daquela lei.

A lei Simeone-Saraceni, nos anos posteriores, foi criticada e não foi reconhecida pelo mundo político (mesmo a tendo aprovada quase com unanimidade) com o crescimento no país do alarme feito pela chamada "emergência criminal". Em 2000, foi modificada no âmbito do "pacote de segurança" do governo Amato contra os crimes "de rua": cancelada, pelo menos, a obrigação de entrega *brevi manu* da ordem de prisão, para evitar que se aproveitassem daquilo os delinquentes "comuns". No entanto, os políticos já tinham escapado.

Carotti, o arrasta-processos

A tese 20 do programa do Ulivo promete processos mais rápidos. E inseriu, como "prioridade", a "limitação das possibilidades de apelação" que

> deveria ser limitada à prospecção da violação de regras de medidas e de avaliação; no caso do julgamento simplificado, a apelação poderia ser limitada às condenações sem suspensão condicional da pena. Até o recurso na Corte de Cassação deveria ser limitado e levado à sua verdadeira função: o controle da legitimidade sobre a violação das normas penais e processuais e não de terceira instância de juízo de mérito como, de fato, acontece hoje.

Em suma, de fato, anunciava a passagem de três para duas instâncias de julgamento, como em outros países de "rito acusatório". E isso – explicou Flick – "para

1997-2000. MÃOS LIVRES   709

evitar a prescrição dos crimes, que é a pior maneira de esquecimento". Di Pietro e Veltri apresentaram um projeto de lei para reduzir, com filtros severos, as possibilidades de apelação: foi um documento morto. Alguns expoentes do PDS, guiados por Fassone, anunciaram outro projeto para frear o galopar das prescrições: foi instantaneamente travado. Em compensação, a combinação disposta depois de tantas reformas aprovadas entre 1996 e 2001 surtiu exatamente o efeito contrário: os tempos médios dos processos se prolongaram posteriormente. Somente em 2000, quando a ameaça da prescrição já tinha salvado tantos acusados importantes, o ministro Fassino tentou inverter a direção fazendo algumas intervenções sobre a organização, sobre o orçamento e sobre as estruturas dos escritórios judiciários, mas nada pôde contra a miríade de leis e pequenas leis arrasta-processos (já vimos duas: artigo 513 e o "processo justo"). Assim, em janeiro de 2002, inaugurando o ano judiciário, o novo procurador-geral junto à Corte de Cassação, Francesco Favara, constatou que, em 2001, foi registrada "uma diminuição crescente das medidas definidas, passando de 7.347.795, em 30 de junho de 2000, para 6.223.066, em 30 de junho de 2001", com leve aumento do atrasado: "5.499.468 pendências totais com relação às 5.454.037 do ano anterior (+0,83%) ". E denunciou:

> Em geral, a duração média dos processos penais no período considerado sofreu um aumento posterior, superior a quanto podia se esperar pelo fato de que os tribunais operam agora em composição monocrática [...]. No conjunto, se pode hipotetizar um procedimento que se desenrole nas fases das investigações preliminares, de audiência preliminar, de julgamento de primeira instância e de apelação, a sua duração média é de 1.490 dias, com relação aos 1.451 dias do período de 1º de julho de 1999 – 30 de junho de 2000. Os tempos efetivos são ainda mais longos, levando em consideração também o tempo necessário para que o arquivo chegue ao juiz da fase sucessiva.

A reforma do "juiz único", que queria o ministro Flick para racionalizar o trabalho dos magistrados incorporando *Preturas* e tribunais e instituindo colégios monocráticos (no lugar daqueles com três juízes) para crimes menores, foi feita com a melhor das intenções: liberar juízes para realizar os processos mais importantes. Contudo, quando entrou em vigor, no dia 2 de junho de 1999 (mesmo que depois tenha sido obrigado a prorrogar o *swich off* para o dia 1º de janeiro de 2000), foi aprovada "a custo zero", ou seja, sem as estruturas para fazer frente à revolução copernicana que a lei provocava. Com o resultado de paralisar o trabalho de muitas Procuradorias, sobre as quais recaíam o enorme atraso das "menores" (aquelas junto às Preturas lotadas de centenas de milhares de arquivos por crimes insignificantes). Assim, as frágeis pernas da justiça, sobretudo em algumas sedes problemáticas e sob a estrutura do Sul, quebraram. E chegou-se à paralisia dos processos.

710 OPERAÇÃO MÃOS LIMPAS

Depois, teve o "pacote" legislativo que acompanhava o juiz único: levava o nome do deputado popular Pietro Carotti e continha várias modificações no código, algumas das quais realmente prejudiciais para a justiça e seus tempos. Além daquela que – como vimos – abolia, de fato, a prisão perpétua, existia uma que fixava em seis meses os prazos máximos para as investigações contra desconhecidos (ninguém era investigado por determinado fato; mesmo assim, depois de seis meses, o promotor tinha de parar e pedir a prorrogação: uma loucura). Uma outra dispunha o segredo para todos os atos da investigação (incluindo as intimações e também as prisões) até o pedido de julgamento: com essa norma, as investigações de 1992 sobre Craxi seriam conhecidas somente em 1994, com Craxi já, talvez, presidente da República ou do Conselho (mas, ao menos neste ponto, a maioria virou o seu olhar sobre ele, depois dos protestos da Federação da Imprensa). Outra modificação foi aquela, apoiada por Previti, que consentia ao investigado fazer objeção sobre a competência territorial do seu tribunal desde a fase das investigações preliminares: uma norma rapidamente utilizada pelo próprio Previti nos processos das togas sujas.

Outra norma – veremos em breve em detalhe – levava a assinatura do senador e advogado "dalemiano" Guido Calvi, o qual, no verão de 1999, fez inserir no decreto de atuação Diliberto, sobre o juiz único, uma emenda que estabelecia a incompatibilidade entre a função do juiz das investigações preliminares e do juiz da audiência preliminar: em suma, o juiz das investigações preliminares não podia acompanhar a audiência preliminar do mesmo procedimento. O trabalho, que antes era feito por um só juiz, agora seria desenvolvido por dois, com a consequência de tirar energias e recursos dos lotados Tribunais, de colocar de joelhos as sedes periféricas com poucos juízes e de arrastar ainda mais os tempos dos processos (dentro de uma lei que se propunha a agilizá-los). A norma, coincidentemente, valia também para as audiências preliminares em curso e caiu justamente durante aquelas sobre os casos IMI-SIR e SME-Ariosto, gerenciadas pelo ex-juiz das investigações preliminares e agora juiz da audiência preliminar Alessandro Rossato, pesadelo de Previti e Berlusconi, os quais fizeram de tudo para se livrarem dele. Só uma campanha jornalística obrigou o governo a conceder uma prorrogação por alguns meses, para dar tempo a Rossato para concluir as audiências deles. Como veremos, a emenda Calvi foi cheia de consequências favoráveis para os acusados dos processos "togas sujas".

Enfim, e principalmente, o pacote Carotti acrescentou uma nova fase de juízo, a quinta, às quatro já existentes. Depois das investigações preliminares e antes da audiência preliminar e dos três graus de juízo, foi colocado o "depósito dos atos" (artigo 415-bis do Código de Processo Penal). Ao expirar das investigações, ao invés de pedir logo o julgamento para os investigados, o promotor tinha de notificá-los, e também os seus defensores, sobre um "aviso de conclusão das investigações" com um resumo das acusações, deixando à disposição deles os documentos das investigações junto à sua secretaria. A partir daquele momento, o investigado tinha vinte dias de tempo para pedir para ser interrogado ou para dar declarações espontâneas, ou para apresentar documentação e memorial de defesa, ou para requisitar ao promotor novas investigações. Assim, não só se perdiam vinte dias, além do tempo morto, mas, depois do depósito dos atos, o promotor tinha de ouvir outras pessoas, examinar documentos, fazer outras considerações. Somente depois dessas ações (que podiam levar meses, senão anos) poderia, finalmente, exercer a ação penal, que antes acontecia logo em seguida à finalização das investigações. Segue, depois, o julgamento e audiência preliminar. Depois do eventual julgamento, finalmente o debate, com o resultado de dilatar cada vez mais os tempos já bíblicos da justiça. E de neutralizar o efeito benéfico produzido pela reforma do juiz único sobre os tempos do processo.

Investigar sobre a operação Mãos Limpas

Uma outra constante do debate político foi a periódica e recorrente invocação de uma Comissão Parlamentar de Inquérito sobre a Tangentopoli. Proposta pela primeira vez por Craxi no início de 1993, o projeto visava, na realidade, investigar sobre a operação Mãos Limpas, para reescrever politicamente as sentenças: uma espécie de academia para a revanche dos partidos sobre os magistrados. Enquanto o Ulivo estava dividido, o PDS foi, inicialmente, contrário, mas, ao final de 1999, cedendo às pressões dos aliados do SDI (cujos votos eram indispensáveis para o governo), o presidente do Conselho, Massimo D'Alema, acolheu o pedido de uma Comissão sobre a Tangentopoli. Assim, no dia 24 de janeiro, cinco dias depois da morte de Craxi, a Câmara aprovou a lei que instituiu a nova Comissão, que deveria investigar também "as razões da incompletude ou lacunas na ação da magistratura". O texto do Senado era ainda mais explícito: a comissão deveria investigar "sobre os motivos que impediram a magistratura de reprimir atos ilícitos antes de 1992". O propósito declarado, em suma, era o de colocar sob investigação não os corruptos, mas os magistrados que os descobriram. Por sorte, mesmo prevista por lei, a Comissão contra a operação Mãos Limpas nunca viu a luz.

Anticorrupção? Não, obrigado

O programa da coalizão Ulivo (tese 20) dizia:

> É necessário intervir com urgência e prioridade na disciplina dos crimes contra a administração pública: aqui, a propósito do abuso de poder, é necessário distinguir entre o ilícito administrativo e o abuso de poder penalmente relevante; além disso, é necessário distinguir entre corrupção e extorsão, introduzindo a concussão "ambiental", reconduzindo a concussão para a tipologia de extorsão e promovendo incentivos para quebrar o pacto criminoso entre o privado e o oficial público no caso da corrupção.

Com alguns retoques, foi a mesma proposta lançada pelo *pool* em Cernobbio, em setembro de 1994: penas mais severas para corruptos, corruptores e quem cometia concussão no futuro, associados a um único tipo penal; incentivos ao arrependimento para quebrar o pacto de silêncio que unia quem pagou a quem recebeu propinas. Logo em seguida às eleições, Prodi e Veltroni apresentaram, junto ao "dipietrista" Elio Veltri, um acréscimo ao programa, acordado com os parlamentares que apoiavam Di Pietro, com o título "Legalidade no Estado, na administração, nas empresas". Previa, entre outras, normas para "romper as relações com as sociedades *offshore*"; "abolição efetiva do segredo bancário"; estreita colaboração com os governos estrangeiros para acelerar as cartas rogatórias e as trocas de informações "para combater a ilegalidade cada vez mais organizada em nível mundial"; uma "autoridade para a prevenção da corrupção"; um "corpo de inspeção dos funcionários públicos" para controlar o comportamento e os patrimônios e "pedir esclarecimento quando estes são incompatíveis com o status jurídico-econômico"; um "código de comportamento dos funcionários públicos"; e, finalmente, o "regulamento da nova lei sobre os contratos".

No dia 30 de setembro de 1996, duas semanas depois de explodir a Tangentopoli 2 em La Spezia, o presidente Violante fez com que fosse aprovada pela Câmara a instituição de um Comitê de Estudo, formado pelos professores Sabino Cassese, Luigi Arcidiacono e Alessandro Pizzorno para estudar o fenômeno da corrupção na Itália e propor soluções legislativas para preveni-la e combatê-la. Nasceu, assim, a Comissão Anticorrupção, inaugurada pomposamente em uma sessão da Câmara e formada por deputados de todos os grupos parlamentares (todos peões, nenhum grandão). O presidente era Giovanni Meloni, da Refundação Comunista.

Elio Veltri, que na Comissão representava a Itália dos Valores (o novo movimento de Di Pietro), contou:

> Em poucos meses, elaboramos as primeiras propostas de lei: a regulamentação do lobby, o boletim dos contratos e dos cargos públicos e a autoridade sobre os rendimentos e patrimônio dos políticos, magistrados e dirigentes públicos. Esses controles foram copiados daqueles previstos pelo decreto-lei Tremonti (governo Berlusconi) sobre o SIS, o Serviço de Inspeção das Finanças que, em 1994, o Polo queria confiar a Di Pietro. A nova proposta foi aprovada por todos na Comissão. Os relatores eram Achille Serra, do Força Itália, e eu. No tribunal, nos reduziram a pedaços: principalmente a Força Itália, o PPI e uma parte dos Verdes (os "garantistas" Boato e Cento). "Excrementos de stalinismo! Coisa de Stasi, de socialismo real! " gritou Mancuso. Era o sinal combinado: o grupo do Força Itália foi todo atrás dele, gritando "justicialistas", "comunistas", "jacobinos", "reacionários", "escravos do *pool* e de Di Pietro", "Estado de Polícia", "mentes doentes"... Àquela altura, Serra foi obrigado a desmentir a si próprio. Só com a ideia de serem controlados por alguém, muitos deputados surtavam.

No final, as propostas de anticorrupção foram dez:

1. "Comissão de garantia" para controlar patrimônios e rendimentos de parlamentares, administradores públicos, dirigentes públicos, magistrados, membros do CSM e da Consulta. Investigações confiadas à Guarda de Finanças. Quem fizesse declarações inverídicas desceria de cargo.

2. Os funcionários públicos mandados a julgamento por crimes da Tangentopoli (corrupção, concussão, abuso, peculato...) seriam automaticamente transferidos de setor; se condenados em primeira instância, seriam suspensos; e se condenados definitivamente, demitidos.

3. Regulamentação da atividade de "relação", isto é, de *lobbing*, com registros públicos para tornar transparente (à moda americana) as relações entre parlamentares e grupos de interesse. Sanções administrativas para quem se desviasse.

4. Sequestro preventivo e confisco dos bens para quem cometesse crimes contra a administração pública (como para os mafiosos).

5. Se aqueles crimes fossem cometidos por um dirigente político, o seu partido responderia na esfera cível, e também seria punido com forte diminuição do financiamento público.

6. Se o político recebesse dinheiro não declarado de sociedades privadas (ou pior ainda, públicas), seria interditado pelos órgãos públicos e sofreria penas mais severas do que aquelas previstas pelo financiamento ilícito.

7. Premiações (até a isenção da prisão) para quem colaborasse antes de ser investigado, denunciando quem lhe ofereceu, lhe deu ou lhe pediu dinheiro. Uma "lei sobre delatores" também pela Tangentopoli.

8. Controles mais severos sobre desperdícios da administração pública: junto ao Tribunal de Contas, nasceu um novo órgão técnico para verificar se os gastos eram adequados aos preços de mercado.

9. Modificações no Código Civil para fazer passar pelas agências de revisão os balanços das sociedades, para evitar que fechassem os olhos sobre fundos irregulares e balanços falsos. E, para as sociedades não cotadas em bolsa de valores (as cotadas ficariam com a "Comissão Draghi"), mais poderes de controle aos pequenos acionistas e aos colégios sindicais.

10. Publicação semanal, no "Diário Oficial", de um *Boletim do mercado público italiano* (contratos de obras públicas, aquisição de bens e serviços, consultorias, encargos profissionais) sobre o modelo do *Bulletin* nascido quarenta anos antes na França.

A Câmara aprovou com muita dificuldade, depois de esvaziar e enxugar, só as propostas números 1, 2, 3 e 4. Reprovou a reforma do lobby e ignorou todas as outras. No entanto, nem ao menos as quatro sobreviventes se tornaram lei, exceto a segunda: suspensão de funcionários públicos (incluindo os conselheiros e assessores das prefeituras, das províncias e das regiões) em caso de julgamento e a expulsão em caso de condenação definitiva a penas superiores a 2 anos para crimes contra a administração pública. Contudo, a norma não valia para parlamentares, ministros e presidentes do Conselho, quem sabe por quê.

Convenção anticorrupção, letra morta

Deixada de lado pela produção industrial de leis-vergonha, a centro-esquerda não encontrou tempo para ratificar a "Convenção Penal sobre a Corrupção" (*Criminal Law Convention on Corruption*) firmada em Estrasburgo no dia 27 de janeiro de 1999 por todos os países-membros do Conselho Europeu. A Convenção se desenrolava em 42 artigos, se propunha a coordenar em um quadro orgânico comum as várias tipologias de crimes de corrupção e a uniformizar as legislações nacionais para melhorar a cooperação internacional para reprimi-los. O monitoramento da aplicação foi confiado ao Grupo de Estados contra a Corrupção (GRECO).

As tipologias de comportamento corruptivo elencadas pela Convenção eram:

- corrupção ativa e passiva de funcionários públicos (nacionais e estrangeiros);

- corrupção ativa e passiva de parlamentares (nacionais, estrangeiros e internacionais);

- corrupção ativa e passiva no setor privado (que, por exemplo, na Itália, não constitui crime);

- corrupção ativa e passiva de funcionários internacionais;

- corrupção ativa e passiva de juízes (nacionais, estrangeiros e internacionais);

- perturbação ativa e passiva do comércio;

- lavagem de dinheiro proveniente de condutas corruptas;

- crimes contábeis (faturamento, documentos contábeis etc.) ligados a crimes de corrupção.

Os Estados foram convidados a adotarem sanções eficazes e medidas para dissuadir, como a prisão e a extradição. Até as pessoas jurídicas, isto é, as sociedades, deveriam ser consideradas responsáveis pelos crimes dos quais levavam vantagens e submetidas a sanções penais, incluídas as pecuniárias. A Convenção previa também normas que diziam respeito à colaboração, à imunidade e aos critérios para determinar a jurisdição dos Estados, a responsabilidades das pessoas jurídicas, à criação de órgãos especializados anticorrupção, à proteção de quem colaborava com a justiça, ao recolhimento de provas e aos procedimentos de sequestro.

1997-2000. MÃOS LIVRES 715

No texto, aprovado em 1999, se lia que "existem alguns Estados nos quais certos comportamentos são estigmatizados; o fenômeno é encoberto e a corrupção é endêmica. Nestes casos, é colocada em risco a sobrevivência do próprio Estado".

Evidentemente, os governos D'Alema e Amato não se sentiram minimamente tocados por aquelas palavras, nem vinculados ao convite de ratificar o quanto antes e deixaram passar dois anos sem ratificá-la. Depois, voltou Berlusconi.

Financiamento (camuflado) aos partidos

O financiamento público aos partidos, como vimos, foi abolido oficialmente pelos cidadãos no dia 18 de abril de 1993, em plena Tangentopoli, quando 90,3% dos eleitores votaram sim no referendo radical. Um voto prontamente invertido pelos partidos políticos meses depois, em dezembro do mesmo ano, sob o governo Ciampi: mandado embora pela porta principal, o financiamento público entrou novamente pela janela, camuflado como "reembolso para despesas eleitorais", com uma lei aprovada rapidamente antes da dissolução das Câmaras.

A norma previa que cada cidadão residente na Itália contribuísse nas despesas eleitorais dos partidos (desde que esses superassem 3% dos votos) com 800 liras para cada uma das duas Câmaras. Total: 1600 liras per capita. Foi o quanto bastou (e sobrou) para cobrir o dobro das despesas eleitorais da consulta de 27 e 28 de março de 1994, que custou, no total, 72 bilhões de liras.

Os partidos não se contentaram e voltaram a assaltar a diligência. Dia 2 de janeiro de 1997, o Parlamento – a maioria da coalizão Ulivo, mas com votos do Polo – aprovou uma lei que previa uma contribuição voluntária dos cidadãos, os quais podiam repassar aos partidos uma parte ("quatro por mil") do seu imposto de renda (o dinheiro recolhido ia para um fundo e era dividido com base no peso eleitoral de cada partido). Massimo D'Alema observou que os partidos se expunham assim "para serem julgados pelos cidadãos" a despeito da "indiferença grosseira e antidemocrática contra o sistema dos partidos". Prometeu que, para recuperar a confiança dos cidadãos, "os partidos têm de se renovar, ser transparentes, se submeter a um controle por parte dos cidadãos". Palavras imprudentes, visto que nada foi feito para tirar os partidos da esfera privada com uma codificação da responsabilidade jurídica deles e com a consequente e indispensável certificação dos balanços. Resultado: poucos italianos destinaram "o quatro por mil" (o número exato nunca foi comunicado).

Para evitar a bancarrota dos partidos, o ministro Visco foi obrigado a antecipar para eles, às custas dos contribuintes, 160 bilhões de liras para 1997 e 110 para 1998. Pela primeira vez, a oposição de centro-direita – geralmente aguerrida – não fez nenhum choramingo de protesto. Todos calados, todos de acordo.

Àquela altura, se decidiu voltar, de maneira velada, ao financiamento direto do Estado. Em 1999, foi apresentada uma nova lei que arquivava o experimento do "quatro por mil" sem o mínimo debate sobre as razões de ter falhado, e voltou à moda antiga: ou seja, aos reembolsos eleitorais (concedidos, obviamente, antecipadamente) para as eleições de renovação da Câmara, do Senado, dos conselhos regionais e do Parlamento Europeu: 1 euro para cada cidadão inscrito nas listas eleitorais. O quórum também foi diminuído para se obter o reembolso: se a lei de 1993 impunha ao menos 3% dos votos, com a nova lei bastava 1%. Assim, as listas e os partidos tiveram todo o interesse em multiplicar-se desmedidamente. Os chamados "reembolsos", de fato, foram usados só em mínima parte para as campanhas eleitorais: grande parte serviu para manter as estruturas das várias formações políticas até nos anos em que não se votava. Com um excesso de hipocrisia, os partidos prometeram que, se os adiantamentos superassem as despesas efetivamente feitas para as eleições, as somas "eventualmente recebidas em excesso" seriam restituídas dentro de cinco anos, parceladas na medida de 20% ao ano. Depois, o dito decreto para cobrir o saldo nunca foi concluído, tornando impossível a eventual restituição do excedente. Em poucos meses, os tesoureiros dos partidos, quase todos de acordo, decidiram fazer uma modificação legislativa que aumentava o valor do "reembolso", que passaria para 2 euros para cada eleitor e para cada Câmara, para as eleições europeias e para as regionais. Mais uma propina, de vez em quando, para as eleições municipais e estaduais. Resultado: em 2001, as forças políticas embolsaram a maravilhosa soma de 92.814.915 euros.

Não contentes, na legislatura do Ulivo, os partidos tentaram, repetidamente, descriminalizar o crime de financiamento ilícito com diversas reedições do decreto Conso de 1993, sem as sanções substitutivas que o então ministro da Justiça havia previsto: um golpe que apagaria com uma simples borracha o processo Enimont e todos os outros instruídos pelo crime de violação da lei de 1974 sobre o financiamento ilícito dos partidos. As primeiras tentativas (falidas) foram de 20 de dezembro de 1996, quando o Polo, a Liga, o PDS e o PPI assinaram uma ordem do dia que – nas entrelinhas – comprometia o governo a descriminalizar as futuras violações no âmbito da nova lei que deveria tributar aos partidos o "quatro por mil" dos impostos dos contribuintes. Alguns jornais, no entanto, se deram conta e publicaram comentários críticos contra aquele golpe. Foi o caso do jornal *la Repubblica*, com um duro artigo de Massimo Riva. D'Alema, que defendia com determinação a reforma (mesmo sendo investigado justamente por financiamento ilícito em Veneza e em Roma), se enfureceu: "Aquele artigo é um resíduo de cultura antidemocrática... vejo por aí justicialistas que se excitam com o cheiro da imundície. Ratos!".

As tentativas de descriminalização voltaram na Bicameral, graças ao artigo 129 do rascunho Boato ("Não é punível quem cometeu um fato previsto como crime, no caso em que esse não tenha determinado uma concreta ofensividade") e, ainda, em fevereiro de 1997, no pedido de delegação apresentado às Câmaras pelo ministro Flick para descriminalizar os crimes com pena máxima de até quatro anos (incluindo o financiamento ilícito). Alguns meses depois, o verde Paolo Cento apresentou, justamente na Comissão Anticorrupção, uma proposta para abolir as leis de 1974 e de 1981 sobre o financiamento dos partidos e substituí-las por novas normas que, na prática, descriminalizavam as contribuições irregulares. Por sorte, aquela proposta também foi uma letra morta, ao menos até 2006, quando, veladamente, os partidos aumentaram de 5.000 a 50.000 euros o valor mínimo das contribuições privadas que era obrigatório declarar. Assim, cada político se presenteou com uma franquia de 50.000 euros por ano de fundos irregulares legalizados, sem o conhecimento dos juízes e dos eleitores.

Impunidade parlamentar

Dia 29 de outubro de 1993, com uma lei constitucional, o Parlamento dos investigados modificou o artigo 68 da Constituição que regulava as garantias dos eleitos pelo povo. A partir daquele dia, não era mais necessária a autorização para proceder das Câmaras para investigar e processar deputados e senadores, exceto se as investigações dissessem respeito às "opiniões expressas e aos votos dados no exercício das funções parlamentares". Nesse caso, as Câmaras poderiam bloquear a investigação e proteger o membro que estava sendo investigado. Para o resto, os juízes deviam pedir autorização para proceder somente quando fosse para prender um parlamentar antes do processo, para interceptá-lo, investigá-lo ou sequestrar a correspondência, o que não significava que o Parlamento tivesse de negar regularmente aquela autorização. Aliás, pelo contrário, podia negá-la só em casos excepcionais: quando era evidente o *fumus persecutionis*, isto é, clara e demonstrada a intenção de perseguição política por parte de um juiz desprovido de provas concretas. Então, a impunidade parlamentar, mandada embora pela porta da frente, entrava novamente pela janela sorrateiramente, com uma série infinita de absolvições "políticas" de deputados e senadores acusados de comportamentos bem graves. Na prática, as Câmaras se valiam, cada vez mais, do direito de controlar o mérito das decisões dos juízes, substituindo ilegalmente o Poder Judiciário para proteção da "casta".

O conceito de "exercício das funções parlamentares" se dilatou desmedidamente, e a imunidade os transformou – como dizia Borrelli – em um "escudo espacial" para cobrir os eleitos de qualquer acusação, não só as opiniões e os votos, mas também os crimes de injúria, ameaças, insulto, difamação, calúnia, briga, bloqueio nas estradas, escritos em muros, lesões pessoais e até corrupção. Foi este último o caso de Paolo Cirino Pomicino, acusado em Nápoles por ter "vendido" uma lei que levava substanciais financiamentos para o Metrô de Nápoles em troca de propinas: na prática, teria recebido 4 bilhões de liras para patrocinar a medida. A Câmara autorizou o processo somente para financiamento ilícito (destinado à prescrição), mas não para corrupção, afirmando assim que também as leis "pagas" entravam entre as funções parlamentares não controladas.

Idem para o leguista Francesco Speroni, salvo pelo voto dos colegas no processo de Verona pela instituição do exército paralelo denominado "Camisas

Verdes" ou "Guarda Nacional Padana". Os crimes contestados eram gravíssimos: atentado à Constituição, atentado à unidade do Estado e alistamento de uma formação paramilitar fora da lei. Esses também, para o Parlamento italiano, entravam nas "funções parlamentares", ou seja, no grupo das opiniões expressadas e dos votos dados.

Os casos mais recorrentes eram, de qualquer forma, aqueles de difamação e calúnia: somente entre maio de 1996 e dezembro de 1998, a junta responsável pelas autorizações para proceder em Montecitório declarou processáveis somente 33 casos de 104. Dos 61 que chegaram ao Tribunal, o juiz obteve caminho livre somente para 11. Idem no Senado: 9 de 32 que chegaram na junta, 3 de 28 no Tribunal. Resultado: Câmara e Senado negaram a autorização para proceder em 75 de um total de 89. O recorde absoluto de salvamento nos processos dizia respeito a Vittorio Sgarbi: 78 votações na Câmara de 1996 a 2001, das quais 70 para declará-lo imune (com saudações para as 70 vítimas que permaneceram sem justiça). Os honoráveis colegas parlamentares salvaram Sgarbi também quando ele chamou de "assassino" Gian Carlo Caselli ou quando pediu a prisão dele e de Agostino Cordova ("uma crítica política, mesmo que com linguagem não apropriada" justificou assim à junta de Monecitório), ou quando convidou os habitantes de Palmi a gritarem: "vai tomar no cu, Cordova, vai tomar no cu! ".

Não contente com a escandalosa cumplicidade dos colegas, Sgarbi foi o primeiro a assinar uma proposta de lei constitucional *pro domo sua* apresentada pela centro-direita (assinaram também Filippo Mancuso e outros) e assim concebida: senadores e deputados não seriam mais controlados só por "votos dados e opiniões expressas" no exercício das funções parlamentares, como até então estava previsto na Constituição, mas poderiam, também, insultar quem eles quisessem, "independentemente do sentido literal da palavra usada e dos conteúdos expressos, mesmo fora do Parlamento". Por exemplo, no Canal 5 de televisão, no programa *Sgarbi quotidiani* (Ofensas Cotidianas). A centro-esquerda se opôs, mesmo se depois, na Câmara e no Senado, tenha colaborado com o Polo declarando que não eram passíveis de julgamento quase todos os eleitos, impedindo os tribunais de processá-los.

O *trend* de impunidade prosseguiu mesmo depois de repetidas intervenções da Corte Constitucional, que desde 1998 acolheu grande parte dos conflitos de atribuição levantados pelos tribunais de metade da Itália contra o Parlamento e declarou ilegítimas as decisões absolutistas, lembrando aos representantes do povo que a imunidade não devia "se estender a todos os comportamentos". Caso contrário, se transformaria em um odioso "privilégio pessoal".

Outra questão. A imunidade prevista pelo artigo 68 "cobria" o parlamentar das interceptações quando ele fazia uma chamada de um número seu (interceptação "direta"), mas não quando recebia a chamada de um número de outro (interceptação "indireta"). Se, portanto, um parlamentar recebesse uma ligação de um investigado que tinha o telefone sob investigação, a interceptação era regular, as-

1997-2000. MÃOS LIVRES   719

sim também quando era ouvido por uma escuta (interceptação ambiental) em um lugar que não fosse de sua propriedade ou pertinência. Mesmo assim, em 1999, o Parlamento, praticamente com unanimidade "pressionou" também essa regra, retomando o conteúdo de um velho decreto do governo Dini, nunca convertido em lei e já passado: também nas interceptações indiretas, mesmo que aparecesse a voz de um parlamentar, eram inutilizáveis nos processos: tanto em relação ao parlamentar escutado quanto ao terceiro desconhecido diretamente interceptado. O resultado não tinha nada de teoria; de fato, se realizou pelo menos três vezes nos meses anteriores à reforma.

Havia também o caso do judiciário que dizia respeito às relações entre Tiziana Parenti e seu amigo marechal investigado: a Câmara recusou o pedido dos juízes de Gênova que queriam utilizar as interceptações das chamadas do marechal. A mesma resposta negativa recebeu o procurador de Verona Guido Papalia que, interceptando os telefones de alguns militantes (não parlamentares) dos "Camisas Verdes" leguistas, surpreendeu um que falava de armamento com o parlamentar Bossi: conversa inutilizada também contra os "Camisas Verdes". Um terceiro caso se referia a Marcello Dell'Utri, interceptado pela DIA (Direção Investigativa Antimáfia) enquanto se encontrava com um falso delator da Máfia para induzi-lo – segundo a acusação – a caluniar os verdadeiros delatores que o acusavam em Palermo, mas veremos isso melhor mais adiante.

Em outubro de 1996, o governo Prodi lançou um decreto que vetava também o registro das interceptações, não fundamentais para as investigações, na qual aparecia não a voz, mas o nome de um parlamentar (mesmo se citato por outros): era melhor que a opinião pública não soubesse se os personagens investigados falavam de deputados ou senadores. Outra fortaleza da reforma bipartidária foi aquela que excluiu dos crimes pelos quais era consentido interceptar a calúnia (coincidentemente, justo aquela contestada por Dell'Utri), a associação para o crime simples e todos os crimes da Tangentopoli. Depois, quando a coisa acabou nos jornais, a centro-esquerda repensou, ao menos, sobre os crimes a serem excluídos. Em vez disso, com maioria transversal, a Câmara aprovou a parte da lei que previa a inutilização de todas as conversas interceptadas feitas em ligações de cidadãos comuns (regularmente interceptados) que falavam com parlamentares. A centro-esquerda propôs algo pior para o decreto original: seriam não só retiradas, mas destruídas *tout court* as gravações nas quais aparecesse o nome de um parlamentar (assim, para combinar telefonicamente um homicídio longe dos ouvidos indiscretos, os criminosos não teriam de fazer nada a não ser colocar ali o nome de um deputado ao acaso). A grande sacada foi demais até para o Ulivo, que, porém, estava de acordo em queimar as fitas de interceptações indiretas "quando fossem irrelevantes", enquanto que, para as "relevantes", os magistrados deveriam pedir permissão ao Parlamento para utilizá-las. Restava explicar como se poderia considerar irrelevante o fato que dois delinquentes, falando entre eles, dissessem o nome de um parlamentar. Por sorte, antes que o projeto de lei passasse para o Senado e se tornasse

OPERAÇÃO MÃOS LIMPAS

lei do Estado, terminou a legislatura, mas, como veremos, providenciou isso, em 2003, o governo Berlusconi, com a colaboração de Marco Boato.

Nada de prisões para a casta

Nos cinco anos da 13ª legislatura, foram seis os parlamentares que os juízes mandaram prender com base em graves acusações, sustentadas pela montanha de provas. Um senador (Giuseppe Firrarello dell'Udeur, que depois passou para o Força Itália) e cinco deputados: Giancarlo Cito (Liga Meridional, aliada ao Polo), Cesare Previti, Marcello Dell'Utri, Amedeo Matacena e Gaspare Giudice (todos do Força Itália). Cinco dos seis – a exceção foi Previti – tiveram de responder sobre as relações com a Máfia. A resposta das Câmaras foi sempre a mesma: autorização negada, sempre com a contribuição decisiva da coalizão Ulivo e nunca, como pediu a Constituição, para que fosse demonstrado o *fumus persecutionnis*. Seis votações inconstitucionais e ilegítimas, portanto, que livraram dos problemas tantos outros eleitos pelo povo.

O primeiro pedido de prisão é para Previti. Os juízes de Milão assinam o pedido ao final de 1997 com a conclusão das investigações sobre o caso IMI-SIR, mas, como vimos, no dia 12 de janeiro de 1998, a junta da Câmara para dar as autorizações para proceder expressa parecer contrário à prisão de Previti com 10 votos contra 8 e 2 abstenções. No dia 20 de janeiro, o tribunal confirma: não se prende Previti, não porque exista o *fumus persecutionis*, que, aliás, é excluído por quase todos, mas porque as provas contra ele seriam muitas para poder serem alteradas. Acaba com 341 Não à prisão (Força Itália, AN, Liga Norte, Dinianos, Mastellianos, muitos socialistas, metade do PPI e Boato), 248 Sim à prisão (PDS, Verdes, Refundação e a outra metade do PPI), 21 abstenções.

Depois de Previti, é a vez do siciliano do Força Itália Gaspare Giudice, acusado de Máfia pelo juiz das investigações preliminares de Palermo. A Câmara nega a autorização à prisão com ampla maioria: 330 Não, 210 Sim e 13 abstenções.

Depois, em março de 1999, eis que surge o pedido de autorização para prisão de Marcello Dell'Utri. O juiz das investigações preliminares de Palermo Gioacchino Scaduto o quer na prisão, com pedido feito pela Procuradoria antimáfia, por dois crimes distintos: extorsão agravada com danos a um ex-senador republicano, Vincenzo Garraffa, a quem Dell'Utri teria mandado o chefão mafioso Vincenzo Virga para recuperar um suposto crédito, além de tudo irregular, depois de tê-lo ameaçado fortemente; e calúnia agravada por ter subornado alguns delatores, convencendo-os a desmentir outros, aqueles que o acusam no processo de Palermo. Grande parte da medida cautelar se baseia em interceptações telefônicas de delatores incriminados, que, frequentemente, ligam para Dell'Utri. Existe, também, um vídeo realizado pelas câmeras da DIA (Direção Investigativa Antimáfia), em 31 de dezembro de 1998, que mostra o parlamentar investigado enquanto se encontra com um delator na sua casa em Rimini, acompanhado pelo motorista que

1997-2000. MÃOS LIVRES 721

entra com uma pasta e sai de mãos vazias (no processo por calúnia, Dell'Utri será absolvido; no processo por tentativa de extorsão, depois de várias condenações e anulações na Corte de Cassação, se chegará a uma estranha absolvição que declara provados os fatos, mas não o crime).

Em Montecitório, com o pedido do juiz, se repete a ladainha já usada por Previti: muitos afirmam que as provas são tão esmagadoras que não podem ser alteradas. É emblemático o comentário do DS Emanuale Macaluso:

> Se eu sentasse ainda no Parlamento, votaria contra à prisão de Dell'Utri. Os fatos aconteceram muitos anos atrás: Dell'Utri teria tido todo o tempo para alterar as provas. Se não o fez até agora, qual o motivo para jogá-lo na prisão? O *fumus persecutionis* não tem de ser visto só pela parte da pessoa física, mas pela instituição Parlamento (*Il Giornale*, 20 de março de 1999).

Dessa vez, as operações de salvamento ficam complicadas com o voto, favorável à prisão, por parte da Liga Norte, ainda sensível aos assuntos da luta contra a Máfia. Roberto Maroni, membro da junta para as autorizações, declara:

> Excluo a tese de complô político porque conheço bem e pessoalmente o chefe da Procuradoria de Palermo, Gian Carlo Caselli: quando eu era ministro do Interior, foi meu assessor (gratuitamente) e me ajudou a organizar o complexo caso de delação. É uma pessoa honesta que faz as coisas somente porque acredita nelas e não por segundas ou terceiras intenções (Ansa, 9 de março de 1999).

> O pedido de medida cautelar para Dell'Utri é legítimo, fundado e não persecutório. Avaliei com atenção e também com sofrimento todo o caso e acredito que sobre ele se pode decidir com plena consciência. As acusações a Dell'Utri são graves, porque se entrevê o espectro da Cosa Nostra, o espectro da Máfia. O não ao pedido de prisão seria legítimo somente perante uma dúvida razoável de que a ação da magistratura fosse direcionada para atingir um parlamentar, o seu partido ou o Plenário da Assembleia (ANSA, 13 de abril de 1999).

Bossi se aproveita disso para atacar Berlusconi também:

> Aquele processo de Dell'Utri é novo, não é como o de Previti, no qual o pedido chegou atrasado e, portanto, votamos contra. Estou convencido de que uma pessoa não se torna bilionária de dezenas de milhares de milhões se não for por ligações ambíguas com a política e com quem tem tanto dinheiro para distribuir. Eu li todas as quatrocentas páginas nas quais se fala tudo, a droga etc. Eu nunca encontrei uma sociedade

de Palermo com poucas dezenas de milhões de capital para a qual se emprestam centenas de bilhões (ANSA, 16 de março de 1999).

Todos os deputados leguistas votarão pela prisão. Portanto, a centro-esquerda precisa fazer hora-extra para salvar Dell'Utri. Além disso, vota-se separadamente para cada um dos dois crimes. Por tentativa de extorsão, doze votam contra a prisão: o presidente Ignazio La Russa, Berselli e Cola, da AN; Deodato Pecorella, Saponara e Mancuso, do Força Itália; Carrara do CCD; Abbate e Borrometi, do PPI; Ceremigna e Schietroma, do SDI. A favor da prisão, são nove: os DS Parrelli, Dameri, Raffaldini, Bielli e Bonito; o verde Dalla Chiesa; Meloni, dos comunistas italianos; e os leguistas Maroni e Fontan.

Por calúnia, o mesmo dito acima, exceto pelos dois populares que se abstiveram, fazendo cair os Não de 12 para 10: de qualquer forma, os SIM são somente 9. No tribunal, dia 13 de abril de 1999, se repete: Dell'Utri se salva com 22 votos a mais. Votaram contra a sua prisão 301 deputados (Força Itália, AN, CCD, SDI, UDR e Renovação Italiana). A favor, 279 (DS, PDCI, Refundação, Liga Norte e Verdes, exceto Boato, que foi contrário). Se abstiveram 9 (os do PPI, exceto 3, que foram favoráveis). Bossi comenta:

> Foi um acordo entre Polo e Ulivo, graças, também, ao voto secreto. Nós jogamos cartas limpas. É necessário perguntar à coalizão Ulivo como votaram, verdadeiramente, seus deputados. O acordo existe e se viu aqui, hoje, no Senado, com as declarações de Massimo D'Alema. Existe esse Ulivo-Polo que nos faz compreender o que seria um sistema baseado em dois polos: não existiria nenhuma oposição parlamentar. Enfim, cão não come cão (ANSA, 13 de abril de 1999).

Realmente, o Parlamento refutará também, durante a segunda parte da legislatura da coalizão Ulivo, os pedidos de autorização para prender, por casos da Máfia, Giancarlo Cito (da Liga Meridional, aliada do Polo: será condenado definitivamente a 4 anos por concurso externo por associação mafiosa e a 5 anos e 6 meses por concussão) e para os do Força Itália, Amedeu Matacena (depois absolvido) e Giuseppe Firrarello (depois condenado em primeira instância por interferência em leilão judicial e arquivado por supostas relações com a Cosa Nostra).

Crimes financeiros? Opcional

Dia 9 de abril, é condenado em Turim, obtendo o rito abreviado em primeira instância, o presidente da Fiat, Cesare Romiti, por falsificação contábil, financiamento ilícito aos partidos e fraude fiscal. Logo em seguida, no Parlamento, florescem propostas, da maioria e da oposição, para descriminalizar a falsificação contábil e os crimes fiscais ou, ao menos, para introduzir um princípio de não punibilidade com o objetivo – se diz – de "devolver a serenidade às empresas". Faz um ano que

Gerardo Bianco (PPI) lançou a ideia de um "perdão societário pago". Lafranco Turci, do PDS, já presidente da Liga das Cooperativas, explica que "querem a anistia dos balanços falsificados para Confindustria, Berlusconi e nossas cooperativas; portanto, merece ser aprofundada, mas não é para parecer que se está passando uma borracha". Para Folena, investigado naquela época em Palermo justamente por balanço falsificado (depois absolvido) pelas contas da "Tele L'Ora", é uma possibilidade. Também para D'Alema "o problema existe", enquanto Giovanni Pellegrino fala explicitamente de "descriminalizar o balanço falsificado". Muito em voga, a proposta – lançada primeiramente pela ex-magistrada Marianna Li Calzi, deputada da Renovação Italiana – de consentir por lei uma "módica quantidade" de fundos irregulares, de acordo com a linha defensiva da Fiat e dos outros grandes grupos industriais que medem a "relevância" do balanço falsificado em percentual com os resultados da empresa. Esta linha, reprovada no processo Fiat pelos juízes de primeira e segunda instâncias e, enfim, pela Corte de Cassação, mas sustentada fortemente pelo Polo e por amplos setores da Confindustria, atinge em cheio muitos setores do Ulivo. Além disso, confluem com o projeto de governo de reforma do direito societário, elaborado pelo subsecretário do governo Prodi, Antonio Mirone (PPI): é ele que introduz pela primeira vez o conceito de "falsificação significativa" que – como veremos – será posteriormente alargado em 2001 pelo governo Berlusconi. Nem rastro dessa reforma no programa da coalizão Ulivo, que, aliás, na tese número 20, prometia até mesmo "uma forma de responsabilidade penal da pessoa jurídica, a exemplo de crimes ligados à política da empresa". Dia 10 de maio de 2000, o ministro da Justiça Piero Fassino propõe "descriminalizar os crimes financeiros, incluindo a bancarrota" para concentrar o recurso à prisão para crimes que apresentam perigos reais sociais, reservando aos outros formas alternativas de sanções. O projeto – que se aprovado 20 anos antes, teria salvado da prisão até mesmo Michele Sindona e Roberto Calvi – não terá tempo de ver a luz (Berlusconi o providenciará um ano mais tarde).

Em compensação, dia 24 de novembro de 2000, o governo Amato insere uma emenda na lei 340 sobre "a simplificação das medidas administrativas" e revoga as "homologações societárias". Até o momento, competia aos tribunais controlar as sociedades de capital, autorizando a abertura e as principais operações (aumento de capital, ajuste das perdas, modificação do objeto social e assim por diante). Se os juízes descobriam algo de ilegal nas deliberações, negavam a "homologação", a tutela dos sócios e dos poupadores. Com a reforma de 2000, ao contrário, a homologação é tirada dos juízes e passada para os tabeliões, mais um passo em direção à desregulamentação das finanças má administradas.

Evasão em módica quantidade

Dia 5 de janeiro de 2001, depois de uma longa fase projetando-o, o governo Amato lança o decreto legislativo que reformula a lei penal tributária e aposenta a número 516, de 1982, chamada otimistamente de "algemas ao evasores". A nova normativa não tem nada a ver com o rigoroso projeto originário lançado pela comissão ministerial estabelecida pelo governo Prodi e dirigida pelo procurador-adjunto de Turim, Bruno Tinti. Aliás, no final do texto, modificado profundamente nos tribunais depois das contínuas emendas transversais do Polo e do Ulivo (somente no Senado, mais de 900), poderia ser rebatizada "carícias aos evasores". Eis os pontos principais:

1. Desaparecem do crime de fraude fiscal as "violações das obrigações contábeis", isto é, todas as operações de subfaturamento ou de omissão do faturamento típicas dos comerciantes, artesãos e profissionais, algo como 90% da evasão fiscal. Se o advogado e o médico embolsam metade ou toda a parcela irregular, se o dono do restaurante "esquece" o cupom fiscal, cometem um crime menor: o de "declaração infiel", punido com 6 meses a 3 anos de reclusão. Três anos de pena máxima significam prescrição depois de 7 anos e meio: o necessário para fazer sumir como fumaça todos os processos nascidos a partir das notícias de crime fornecidas pela administração financeira, que nunca faz controle antes de 3 ou 4 anos a partir da declaração examinada (sobram 4 e meio para as investigações e mais três instâncias: prescrição assegurada).

2. Uma outra ótima novidade para os evasores fiscais é que a nova lei, graças às emendas das Câmaras, "exclui a intervenção penal para determinado valor de evasão". Na prática, estabelece margens não puníveis: afirma-se na evasão fiscal o conceito de "módica quantidade" penalmente irrelevante (o mesmo que servirá de base para a "reforma" berlusconiana de balanço falsificado de 2001). E as margens são altíssimas: as declarações infiéis, para acabarem no tribunal, devem comportar uma evasão com valor superior a 200 milhões de liras (100.000 euros); a declaração fraudulenta tem de ser superior a 150 (75.000 euros). Isso corresponde a uma licença de evasão gigantesca: as margens correspondem a fundos irregulares, valores aproximados de 400-500 milhões de liras [200-250.000 euros] por ano", explica Tinti.

3. Os 3 anos de pena máxima para os profissionais, comerciantes e artesãos garantem também a suspensão condicional da pena (graças ao desconto das atenuantes genéricas, que não se pode negar a ninguém). Em concreto, porém, a pena pode descer ainda mais. Prossegue Tinti:

> De fato, raramente, a pena imposta será superior a 3 meses. Portanto, poderá ser, quase sempre, convertida em pena pecuniária: mesmo quem evade centenas de milhões sabe que pode pegar condenação de 7 ou 8, sem nem mesmo ter o incômodo de devolver o dinheiro para obter um desconto de um terço ou mais. Assim, o processo penal não servirá para nada: nem para induzir o contribuinte a ressarcir o dano e a pagar os impostos devidos, nem para dissuadir os evasores aspirantes.

4. É punido com penas mais altas (até 6 anos) somente o crime mais grave de fraude: a "declaração fraudulenta" baseada em faturas falsas e balancetes artificiais, muito mais difíceis de serem descobertos e de serem provados. "No fim, mais uma vez, no Parlamento, vence o partido dos evasores", conclui Tinti:

> O Estado continuará a controlar a evasão fiscal, mas, concretamente, vai seguir garantindo a máxima impunidade, com o grande paradoxo de prever uma pena pecuniária para quem cometer crimes econômicos. Entretato, por que um empresário ou um profissional que busca ganhos econômicos confiando na impunidade deveria ser dissuadido pelo risco de pagar uma multa um pouco mais alta do que a de excesso de velocidade? Evadir, nessas condições, convém. Nos Estados Unidos, sobre 250 milhões de habitantes, se realizam, por ano, 3.000 processos fiscais: porque lá as penas chegam a 15 anos de prisão, e o evasor perde seu status social, os vizinhos, os colegas não lhe cumprimentam mais, os clientes o abandonam. Aqui, inspira a solidariedade, às vezes, a admiração. E o Estado quase o premia por isso.

Graças à nova lei serão absolvidos alguns acusados VIP's, como o tenor Luciano Pavarotti: acusado de ter sonegado ao fisco 48 bilhões somente em 1995, no dia 19 de outubro de 2001, Pavarotti (que ressarciu 24 bilhões) evita a condenação porque "o fato não é mais previsto em lei como crime". Marcello Dell'Utri também encontrará uma bela conveniência nos processos de faturas falsas da Publitalia, graças à substancial descriminalização permitida, nessa mesma reforma, que prevê a utilização de faturas falsas, caso o contribuinte não seja pego, demonstrando ou contestando, a inclusão dos documentos fiscais em operações inexistentes.

Duas leis ad personam: pró-Sofri e pró-Dell'Utri

Outras leis, pela extraordinária coincidência de tempo com os processos dos VIP's, parecem feitas sob medida para certos acusados. É o caso da chamada "lei Sofri", que, passa a competência das instâncias de revisão dos processos para a Corte de Apelação do distrito mais próximo de onde ocorre o debate contestado. No caso de nova reprovação, se passa a outro distrito próximo e assim infinitamente. A reforma, aprovada pelo Polo e pela coalizão Ulivo no dia 4 de novembro de 1998 em tempo recorde (menos de dois meses entre Câmara e Senado) chega justamente depois do "NÃO" da Corte de Apelação de Milão para a revisão do processo do ex-líder da Luta Continua (LC), Adriano Sofri, condenado pelo homicídio do comissário Luigi Calabresi. Assim, a defesa de Sofri pôde recorrer na Corte de Apelação de Bréscia. Esta, porém, dará ainda mais errado. Haverá um terceiro recurso na Corte de Apelação de Veneza que finalmente aceitará refazer o processo, mas, no momento da sentença, a Corte de Cassação confirmará todas as condenações em última instância. Um dos acusados, Giorgio Pietrostefano, aproveitará da momentânea liberdade para fugir.

O relator da lei Sofri no Senado é um advogado da AN, Giuseppe Valentino, que, logo em seguida, apresenta uma lei pró-Dell'Utri. O braço direito do *Cavaliere* recém foi condenado pela Corte de Apelação de Turim a 3 anos, 2 meses e 25 dias de prisão por faturamento falso e fraude fiscal no processo da Publitalia. Se a Corte de Cassação confirmasse, Dell'Utri passaria do Senado para a prisão, visto que as penas superiores aos 3 anos não consentem a prestação de serviços sociais. Eis, então, uma outra lei *ad hoc*, feita sob medida para ele: aquela que consente fazer acordo para as penas ainda na Corte de Cassação. Juridicamente falando, é um absurdo: os ritos alternativos têm sentido quando acontecem antes que inicie o processo. Quem faz logo acordo sobre as penas, sem ir ao debate, economiza tempo e recursos da justiça que, em troca, o premia com um desconto de um terço da pena. Entretanto, deve decidir rapidamente, porque, uma vez iniciado ou até concluído o debate, o Estado não tem mais nada a ganhar: quem ganha é só o acusado. Por isso, a Corte Constitucional, em 1990, declarou inconstitucional a instituição, de acordo na Corte de Cassação, mas, quando no meio existe um acusado de peso, nada é impossível no Parlamento italiano (a maioria de centro-esquerda, dá para entender). De olho nas datas, porque a história é realmente envolvente.

Em dezembro de 1998, em pleno processo de apelação Dell'Utri, o advogado-senador Giuseppe Valentino, sobrevivente da lei pró-Sofri, apresenta uma pró-Dell'Utri. Obviamente, a centro-esquerda não tem nada a referir e aprova sem acrescentar nada: uma mão lava a outra. A norma restaura o acordo na apelação, cancelado em 1990 pela Consulta, mas Dell'Utri não faz acordo e é novamente condenado. Logo depois, dia 19 de janeiro de 1999, passa transversalmente uma norma transitória na lei Valentino que consente fazer acordo mesmo na Corte de Cassação para quem não fez em tempo na Apelação, ao menos para aqueles "procedimentos nos quais foi pronunciada sentença de apelação antes da entrada em vigor da lei". É o caso do processo Dell'Utri, que recomeça justamente três semanas depois na Corte de Cassação. Que combinação.

A defesa de Dell'Utri não faz logo um acordo: antes, pede à Suprema Corte o direito de reservar ao cliente uma espécie de imunidade parlamentar retroativa e toda especial. Os juízes de Turim, na opinião dos fantasiosos advogados do senador acusado, teriam violado nada menos que o artigo 68 da Constituição, aquele que fala sobre as garantias dos parlamentares, pois condenaram Dell'Utri com base em "atos reduzidos a termo de perquisição domiciliar e pessoal e sequestro de correspondência e de documentação ilegalmente adquiridas e utilizadas contra um deputado do Parlamento italiano". A Procuradoria teria de ter previsto, em 1993-1994, quando conduziu as investigações, que, em 1996, Dell'Utri seria eleito deputado do Parlamento Italiano. Portanto, jogar fora todos os documentos sequestrados e encerrar ali. A Corte de Cassação marca audiência para o dia 9 de março de 1999, mas, no dia 16 de fevereiro, assim que passa a lei Valentino, os defensores de Dell'Utri apresentam a petição para o acordo, com o desconto relativo de um terço da pena. Cairia, assim, para 2 anos e 3 meses de reclusão: bem abaixo do risco de prisão. Dia 20 de fevereiro, o procurador geral dá parecer favorável. Só resta ser consagrado o acordo na audiência do dia 9 de março, mas uma providencial greve dos advogados faz com que ela seja remarcada. Tudo adiado para o dia 28 de outubro; em sete meses, podem acontecer tantas coisas.

Na metade de março o juiz de investigações preliminares de Palermo ordena a captura de Dell'Utri por extorsão e calúnia pluriagravadas com finalidade mafiosa. A Câmara (como veremos) nega a autorização à prisão e salva Dell'Uri que, em 8 de julho, é eleito para nada menos que o Parlamento europeu, onde tenta, rapidamente, se fazer nomear vice-presidente da Comissão de Justiça de Estrasburgo. Não consegue por muito pouco (Di Pietro e Elena Piciotti explicam aos colegas europeus quem é Dell'Utri). Dia 12 de outubro, a enésima reviravolta. O acusado-deputado deposita, pessoalmente, uma declaração em que faz aos juízes cinco pedidos realmente irresistíveis: 1) revogar o seu acordo, como se ele próprio não o tivesse pedido; 2) adiar o processo por alguns meses, para que lhe seja consentido fazer acordo em um dos tantos processos em curso em Milão e para que obtenha a "continuação" (com seus relativos descontos) entre os crimes de Milão e os de Turim; 3) adiar o processo na esperança de que o governo proceda a anunciada reforma dos crimes tributários, com a qual poderiam passar a ser descriminalizados alguns dos seus (é como se um ladrão pedisse o aliviamento *sine die* do seu processo porque, talvez, nunca se sabe, cedo ou tarde, poderia passar uma lei que descriminalizasse o furto); 4) adiar o processo, ao menos até que se decida sobre a sua nova imunidade como europarlamentar; 5) anular, logo, a condenação por força da sua dupla e suposta imunidade parlamentar, italiana e europeia, retroativamente. Os pedidos são tão extravagantes e viciados, capazes de fazer até os imperturbáveis juízes da Suprema Corte perderem a paciência. De fato, em 28 de outubro, na segunda sessão, o presidente Renato Acquarone recusa todas, em bloco e confirma o acordo já feito entre defesa e Procuradoria-Geral (acordo a custo zero: Dell'Utri fez com que a justiça perdesse todo o tempo possível, e mesmo assim, ainda fará perder mais. Além disso, para fazer o acordo, o seu co-acusado, Giampaolo Prandelli, vice-diretor geral da Publitalia, teve de restituir 900 milhões com muita dificuldade; Dell'Utri, nem uma lira. Para ele tudo é grátis). Adiar o processo esperando fazer acordo em Milão? Não se pode, vetam três ou quatro normas. Adiar esperando a reforma que poderia abolir as faturas falsas?

> Ao Estado não é possível prever como o futuro decreto irá disciplinar os casos de fraude fiscal aos acusados [...], e o sistema de pluralismo institucional não consente que os tempos da jurisdição sejam condicionados pelos tempos da *lege ferenda*, além do mais por serem notoriamente pouco breves.

Anular tudo por causa da dupla imunidade? Imagina! A europeia não acrescenta nada à prevista pelo Parlamento italiano, que – explica a Corte de Cassação – não é retroativa:

> Nenhuma preventiva autorização poderia ou deveria ser requerida [ao Parlamento] pelo promotor que procedia em busca de provas [...]. As medidas de busca e sequestro emitidas e executadas antes da eleição parlamentar [...] se mantêm eficazes e utilizáveis, mesmo sem autorização prévia (juridicamente impossível) da Câmara pertencente (então, propriamente inexistente).

Revogar o acordo já oficialmente aceito pelo promotor? Nem em sonho: "A revogação de Dell'Utri ocorreu depois do aperfeiçoamento do acordo processual e, como tal, é inválida e ineficaz". Além do mais, Dell'Utri mudou de ideia "quando já haviam passado os termos para impugnar a sentença de Turim". Revogando o acordo, portanto, se tornaria definitiva a condenação da Corte de Apelação, e Dell'Utri acabaria preso. No fim, a Corte, "obrigando Dell'Utri a fazer o acordo, dá a ele um belo de um presente. A pena de 2 anos e 3 meses de reclusão e 6 milhões de multa é "côngrua", visto que

> A clara gravidade do crime contínuo de fraude fiscal debitado a Dell'Utri, é presumível pela intensidade do dolo [...] e pelo relevante valor do dano criminal.

Último ponto: as penas acessórias (obrigatórias para quem viola a lei fiscal 516/82), não sendo objeto de acordo, permanecem inalteradas. Isso inclui a "decadência temporária do parlamentar Dell'Utri do escritório Parlamentar e do Parlamento europeu" por dois anos.

A Procuradoria-Geral de Turim é convidada a tomar medidas junto ao Parlamento de Roma e de Estrasburgo para que eles providenciem a sua expulsão e privem-no da imunidade que até agora impediu os juízes de Palermo de executar o mandado de prisão pendente desde 1999. Dell'Utri, novo prejudicado, desencadeia um tumulto. Antes de tudo, manda embora grosseiramente os seus advogados: se ele foi condenado, a culpa não é sua e dos seus crimes, mas dos seus defensores, que o obrigaram *obtorto collo* a fazer acordo ("Nunca farei acordo na minha vida"). Em seguida, obtém dos jornalistas uma campanha enfurecida contra os seus juízes, pintados, todos, como "togas vermelhas". No entanto, os espertalhões do Força Itália se mexem para preparar o terreno na junta das eleições, que deverá decretar – com a sentença na mão – a sua expulsão do Parlamento por dois anos. Ademais, será declarado inelegível até o final de 2001, fazendo com que ele pule as eleições da primavera de 2001 e mantendo-o fora da Câmara até as eleições seguintes, sem imunidade. Uma perspectiva simplesmente aterrorizante.

Em 29 de novembro, um agente da polícia entrega a Dell'Utri a sua sentença definitiva. O condenado, graças à lei Simeone-Saraceni, tem trinta dias para pedir a diminuição da pena prestando serviço social e assim, evitar a prisão. É isso que acontece dia 20 de dezembro: a pena alternativa é pedida ao Tribunal de Vigilância de Turim.

No dia 28 de dezembro, a Corte de Apelação se reúne para decidir sobre a pena acessória. Os novos advogados Paolo Siniscalchi e Alberto Mittone afirmam que está coberta pelo indulto de 1990, mas o procurador-geral Livio Pepino cita o relativo decreto do presidente da República nº 394, de 22/12/1990: "O indulto tem eficácia para os crimes cometidos até o dia 24 de outubro de 1989". As falsas faturas de Dell'Utri vão de 1988 a 1994. Portanto, pode-se, no máximo, cancelar a pena de detenção para os crimes pré-1989, mas não só a pena acessória, que é indivisível e que não varia de acordo com o valor da pena detentiva.

Diz a Constituição, no artigo 78: "Anistia e indulto não podem ser aplicados aos crimes cometidos sucessivamente à apresentação do projeto de lei". Caso contrário, seria um incentivo ainda mais formidável para cometer um crime. Contudo, no dia 30 de dezembro, a Corte de Apelação cai no erro e abona trinta e oito dias de reclusão (os referentes às faturas do biênio 1988-1989). Resta, de qualquer forma, intacta a decadência dos escritórios públicos. Resultado: Dell'Utri é privado do direito de voto no referendo da primavera de 2000. E, quando perde o passaporte, a prefeitura de Milão lhe nega a renovação, cancelando até mesmo a autorização de expatriado na carteira de identidade.

Dia 24 de novembro de 1999 a junta para as eleições da Câmara começa a se ocupar do caso. Por lei, deveria se limitar a cuidar da sentença e acompanhar Dell'Utri até a saída, mas o presidente é Elio Vito (do Força Itália), e, entre os membros, está também o parlamentar Enzo Trantino, advogado de Dell'Utri no processo de Palermo.

Nem a esquerda tem pressa. Entre um adiamento e um pouco de cera, se prolonga até 15 de fevereiro de 2000, quando o relator Luigi Massa (DS) tem uma ideia genial: por que não adiar *sine die* até que a Corte de Cassação tenha examinado o enésimo recurso? Aplausos, claro, porque Dell'Utri – sempre a propósito da sua sentença definitiva – apresentou o enésimo recurso na Corte de Cassação. Denunciou para a Procuradoria de Roma e para o Conselho Superior de Magistratura o juiz principal Pierluigi Onorato, reponsável pela sua sentença, "réu" por não ter lhe concedido o indulto, e esbraveja contra o procurador-geral Livio Pepino e contra o secretário da Magistratura Democrática, Vittorio Borraccetti, réus por se oporem aos seus projetos de lei.

Todos os "comunistas querem eliminar um adversário político". A investigação sobre Onorato, em Roma, é uma obra-prima: por duas vezes, o promotor pedirá o arquivamento, não reconhecendo nenhum crime, e, por duas vezes, o juiz das investigações preliminares recusará, ordenando novas investigações. O juiz das investigações preliminares é Giuseppe Renato Croce, um dos três juízes sancionados em 1983 pelo CSM porque estavam inscritos na loja P2. No fim, trocando o juiz das investigações preliminares, Onorato será finalmente absolvido em 2002. O recurso de Dell'Utri é confiado à terceira seção da Corte de Cassação (presidente Umberto Papadia). Aqui, o procurador-geral Bruno Ranieri, dia 5 de abril, não aceita o erro da Corte de Apelação. Aliás, agrava-o: declara a pena assessória inteiramente extinta pelo indulto de 1990 (mesmo para os crimes cometidos nos quatro anos seguintes) e repreende até os juízes de Turim, a seu ver, precipitados demais: teriam que ter congelado o processo no aguardo da tão sofrida e esperada reforma fiscal, anunciada pelo governo Amato para o dia 13 de março. É verdade que, um mês depois, "o decreto ainda não chegou", mas "deverá chegar recentemente [sic]", talvez até o verão. Basta esperar.

A Corte espera ainda mais, mas essa bendita reforma salva-evasores demora a chegar. Assim, dia 7 de julho, os juízes bloqueiam e anulam o ordenamento dos colegas de Turim, "declarando perdoadas por inteiro as penas acessórias" e salvando o duplo assento, com relativa imunidade, de Dell'Utri. Passam-se 9 meses da sentença definitiva, mas a corrida com obstáculos ainda não terminou. Resta um pequeno problema: a pena detentiva que, apesar dos contínuos descontos, supera ainda os 2 anos (2 anos, 1 mês e 12 dias). Para não acabar na prisão, precisa insistir no pedido de pena alternativa. Contudo, certos tribunais, como os de Turim, são bastante exigentes: para concedê-la, querem pelo menos um sinal de arrependimento e, talvez, a restituição dos valores devidos (como fez Prandelli). Dell'Utri insulta e denuncia os seus juízes, nega ter feito algo de mal e não desembolsa uma lira. Como se não bastasse, quando o Tribunal lhe pede para apresentar um "programa" crível de pena alternativa, ele propõe se dedicar à sua biblioteca de livros antigos na Via Senato em Milão. Praticamente, ficar em casa fazendo o que bem entender. Uma provocação.

Na primeira audiência diante do Tribunal de Turim, dia 25 de outubro, o procurador-geral Bruno Rapetti se sente zombado, como os outros colegas da Corte de Cassação e dá parecer negativo para o serviço social, seja pela proposta indecente, seja pela falta de arrependimento e falta de restituição de valores devidos. Rapetti lembra que Dell'Utri atacou e denunciou para a Procuradoria de Roma o juiz Onorato. Sobretudo, observa que os processos em curso em Palermo para crimes graves da Máfia, extorsão e calúnia tornam-no incompatível com qualquer ato de benevolência. Portanto, nada de garantia: o condenado que desconte a pena na prisão.

No Tribunal, se desencadeia a briga, com uma dura troca de acusações, com os defensores sendo definidos pelo procurador-geral como "provocadores". Esses, no fim, denunciarão também Rapetti ao procurador-geral, ao CSM e ao ministro da Justiça. O Tribunal, de qualquer forma, precisa decidir. Ou melhor, deveria, por que Dell'Utri pediu para estar presente na audiência e, em vez disso, não aparece. Problema seu, se dirá: sabiam disso os defensores, ele também sabia. Não senhor: a defesa pede para verificar se o cartão com o "recibo de retorno" da notificação da audiência enviada para o acusado voltou ao Tribunal. O presidente pede uma luz ao escritório competente, mas a cédula de notificação não é encontrada; ainda não voltou. Por quê? Porque Dell'Utri, poucos dias antes, precipitadamente, mudou de endereço. Não mora mais na sua casa e nem ao menos junto ao escritório do seu advogado de Milão, mas reside na sua biblioteca de Via Senato em Milão, endereço na Via Marina. Tendo comunicado na última hora, o oficial não conseguiu entregar-lhe a convocação a tempo. Portanto, a audiência é anulada e se deve recomeçar do zero. Foi o próprio Dell'Utri quem escolheu Turim como Tribunal competente de sua responsabilidade. Entretanto, muda de ideia: prefere Milão, onde fez acordo de quatro penas mínimas para crimes análogos e onde os escritórios, lotados, têm tempo de resposta bem maiores. Se falará sobre isso daqui a 3 ou 4 anos. Turim, porém, diz não: o presidente do Tribunal, Mario Vaudano, reconvoca Dell'Utri para o dia 28 de fevereiro de 2001, esperando, nesse meio-tempo, que ele não mude de endereço novamente. Entretanto, aquela convocação também permanece como documento morto. Na espera, a defesa propõe um novo "incidente de execução diante da terceira seção do Tribunal de Milão. No entanto, que coincidência, Polo e Ulivo, amavelmente fraternos, aprovam a reforma penal tributária com o parecer favorável do governo Amato (o relator, na Comissão das Finanças, é Massimo Maria Berrutti, do Força Itália, julgado por favorecimento no caso Berlusconi-Guarda de Finanças). Uma lei que, além do mais, descriminaliza parcialmente a utilização de faturas falsas: ou seja, justamente um dos crimes de acusação contra Dell'Utri. Assim, a pena desce mais 5 meses e chega a 1 ano, 6 meses e 7 dias, além de 5.134.000 liras de multas. Somando com os acordos feitos em Milão, a "soma" chega a 2 anos e 10 dias: novamente acima (mesmo que por pouco) do fatídico limite que consente a suspensão condicional.

Portanto, Dell'Utri corre ainda o risco de ser preso, na espera por apresentar outra instância para as penas de serviços sociais. De todo modo, a lei vetaria a suspensão condicional naquela fase do processo, mas o Tribunal tem como hipótese que essa lei seja inconstitucional e levanta uma questão de legitimidade perante à Consulta. Aqui os tempos de reação vão de um ano e meio a dois anos. Nesse ínterim, o processo fica congelado, e muitas coisas podem acontecer. De fato, Dell'Utri, com carta inelegível, se candidata às eleições e, no dia 15 de maio de 2001, é reeleito, dessa vez para o Senado. Berlusconi vence novamente as eleições, volta ao Palácio Chigi e, já no fim do ano, lança, apressadamente, a contrarreforma sobre o balanço falso. Esta – como veremos – entra em vigor imediatamente, sem nem ao menos ter o intervalo de tempo da *vacatio legis* e cancela uma outra fatia da pena acordada por Dell'Utri em Milão por aquele crime.

No Tribunal de Milão, o juiz Italo Ghitti (ex-juiz das investigações preliminares da operação Mãos Limpas) toma conhecimento e aplica ao condenado o enésimo desconto da pena sobre as condenações colecionadas em Turim e Milão. A pena desce para 1 ano e 10 meses, e Ghitti concede, generosamente, a Dell'Utri a suspensão condicional, que torna inútil o novo pedido de prestação de serviços sociais (previsto para as penas de 2 e 3 anos). A motivação está no limite da realidade. Dell'Utri não é mais administrador da Publitalia e se insere completamente em todas as áreas sociais do país. Desaparece o risco de reiteração do crime. Em resumo, o parlamentar acusado "é uma pessoa plenamente inserida no plano social e econômico e desenvolve atividade de natureza política". Portanto, apresenta "um quadro subjetivo de falta de periculosidade, atual e projetada no futuro". Visto que é um político, não é mais perigoso. Assim, o senador infrator pode retomar serenamente a atividade parlamentar. Foram necessárias 5 leis *ad personam* aprovadas para ele pela direita e/ou pela esquerda em somente três anos: Simeone-Saraceni, acordo na Corte de Apelação, acordo na Corte de Cassação, descriminalização do uso de faturas falsas, reforma de balanço falso.

Pouca coisa.

Lei para a Máfia

É na legislatura do Ulivo que a "primavera de Palermo", seguida do massacre e com a chegada de Gian Carlo Caselli como guia da Procuradoria antimáfia, sofre uma brusca e irremediável parada. O Estado renuncia à possibilidade não só de combater a Cosa Nostra, mas de derrotá-la de uma vez por todas. Lembrará isso, amargamente, o próprio Caselli, no livro escrito com Antonio Ingroia:

> Voltei várias vezes na memória para aquilo que dentro de mim eu sempre defini como o período da grande esperança (não consigo realmente falar de grandes ilusões) em contraste com a Cosa Nostra. Foi assim até 1996, acredito, mais ou menos, quando vimos, cada vez com mais clareza, como importantes estruturas da Cosa Nostra estavam, realmente, cedendo. Um erro, me convenci, cometemos nós também. Pensamos que aquele processo de desagregação da organização criminosa diante da nossa perseguição, diante do contínuo aumento dos nossos conhecimentos sobre os negócios deles fosse, àquela altura, irreversível [...]. Pensamos que, se tivéssemos continuado como fizemos até aquele momento, teria encontrado confirmação a contestação de Falcone: a Máfia também é um fenômeno humano; por isso, a Máfia também pode ter um início, um meio e um fim. Pensamos que o isolamento da Cosa Nostra que estava acontecendo fosse irreversível, mas não foi assim que aconteceu. Isolada, como constatamos, não era a Cosa Nostra. Alguém procurava nos isolar [...]. Aconteceram diversas reações convergentes, frequentemente mascaradas que, cada vez eram mais bem orquestradas, haviam como objetivo mostrar as suas garras, senão nos parar. Nós representávamos a Itália das regras, ou melhor, uma Itália que queria, finalmente, aplicar as regras e não só falar. Contra, nos deparamos com a Itália dos malandros que veem as regras como um incômodo, a Itália dos especuladores que

consideram as regras um impedimento aos seus negócios. Contra, nos deparamos com a Itália da impunidade, de quem conhece as regras, viola e pretende que ninguém venha fazer as contas. Diversamente a essa, mas inextricavelmente entrelaçada com essa, a Itália da normalização, dos compromissos, de uma improvável pacificação entre quem roubou e quem não o fez. Também por causa desse emaranhado, os relatórios sobre o nosso trabalho não encontraram, senão esporadicamente, respostas adequadas. E, justamente por não serem contrastadas, se propagaram sem defesa. Se tornaram quase uma moda, uma tendência [...]. Se os magistrados, os promotores se transformam nas pessoas que têm de ser colocadas sob acusação, são eles os adversários institucionais, a criminalidade. Então, a Cosa Nostra tem menos trabalho em ressurgir. Contra as nossas esperanças. Contra a nossa vontade. [...] A Cosa Nostra teve mais tempo e mais espaço para reconstruir as fortificações violadas, e nós nos encontramos sem escadas apropriadas para subir as muralhas daqueles fortes. Tendo a proteção de grupos importantes e tendo objetivos evidentes, mesmo que mascarados. Com a sensação de acabarmos esmagados contra o muro desses fortes que estávamos agarrando com força. [...] Quantas oportunidades, apesar do nosso constante empenho e das forças de ordem, desapareceram (L'eredità scomoda, Feltrinelli, Milão 2001).

Os primeiros sinais sobre a direção do vento na luta contra os clãs, chegam, também, das discussões sobre o presidente da nova Comissão Parlamentar Antimáfia. A candidatura forte do sociólogo Pino Arlacchi, malvisto por Berlusconi e Riina, é rapidamente recusada pelos partidos do Ulivo e da CDL, que preferem, de longe, um velho socialista hostil à magistratura, como Ottaviano Del Truco, ladeado por um vice-presidente do calibre de Filippo Mancuso. Del Turco passará o seu tempo a atacar a Procuradoria de Palermo, e os colaboradores da justiça, de vez em quando, se preocuparão em se ocupar das relações Máfia-política.

A lei sobre a privacidade de 1996 dá um outro golpe nas investigações antimáfia com a norma que impõe aos gestores da Telecom, Omnitel, e assim por diante, a destruição dos registros telefônicos depois de somente 5 anos. Se as investigações sobre os massacres de 1992-93, depois de 1997-98, necessitassem de informações sobre os personagens nunca antes investigados, todos os registros telefônicos teriam sido, irremediavelmente, perdidos. No entanto, parte o ataque concêntrico a duas armas fundamentais para combater os clãs: o crime de concurso externo em associação mafiosa (que pune as relações sistemáticas dos "colarinhos brancos" com a Cosa Nostra) e o princípio jurídico da "convergência de múltiplos", com base no qual, se não forem demonstrados acordos desonestos, a palavra de um colaborador da justiça pode confrontar a de outro (artigo 192 do Código Penal sobre confrontos cruzados de declarações de delatores). O responsável jurídico do PDS, Pietro Folena, organiza até uma convenção para propor "uma profunda revisitação do concurso externo em associação mafiosa": o crime pelos quais são acusados, naquele momento, Dell'Utri, Contrada, Mannino e outros políticos e funcionários suspeitos de conluio mafioso. No entanto, uma sondagem da revista *Panorama* entre os parlamentares da coalizão Ulivo revela que boa parte, entre Caselli e Andreotti, prefere Andreotti (acusado de associação mafiosa).

Não só: somente Dell'Utri é julgado por concurso externo, e eis o que declara o senador "dalemiano" Giovanni Pellegrino: "Aquele crime, com a reforma que temos em mente, deixaria de existir" (20 de maio de 1997).

Depois, a guerra se desloca e cai sobre os colaboradores da justiça, que estão, com grande dificuldade, começando a falar dos mandantes externos dos massacres de 1992-93 e das tratativas entre Estado e Máfia entre 1992 e 1994. "Basta de delator a conta-gotas – esbraveja Del Turco –; que digam tudo logo, e depois se calem para sempre." Giorgio Napolitano, ministro do Interior, pega a calculadora e sentencia: "são 1200 delatores, são muitos; mais do que isso, não podemos tolerar". Assim a Comissão governativa junto ao Viminale começa a cortar muitos gastos do programa de proteção: dezenas de delatores – quase todos com risco de vida e, de qualquer forma, muito importantes para a conclusão de vários processos – se encontram de agora em diante sem subsídio nem escolta. O mesmo acontece para diversas "testemunhas da justiça": cidadão honestos que tiveram a ideia de confiar no Estado e arruinaram a própria vida para dizer o que sabiam sobre a Cosa Nostra. O resto é feito pelas contrarreformas do artigo 513 e do "processo justo". E dizer que o programa do Ulivo, na tese 23, dizia:

> Deve ser aprofundada a possibilidade de unir à lei dos colaboradores da justiça alguma outra norma com o objetivo de facilitar a deserção das filas da Máfia, oferecendo, por exemplo, redução de pena para quem, abandonando a organização criminosa, se limitar a denunciar os próprios crimes [...]. Em matéria de colaboradores da justiça, a disciplina tem de ser revista sob a luz das experiências no Estados Unidos, verificando a possibilidade de distinguir as organizações que gerenciam e dão assistência aos colaboradores da justiça dos órgãos de investigação.

Assumindo o cargo de Ministro da Justiça, Flick havia prometido:

> Os últimos acontecimentos [a delação de Brusca e dos outros chefões] demonstraram que a lei dos delatores deu ótimos resultados [...]. É necessário verificar por meio da ótica do peso das colaborações, e isso só pode ser confiado aos magistrados: os únicos que podem decidir o tipo de desconto e de "prêmio" aos delatores são eles (1º de setembro de 1996).

Até o ministro do Interior, Napolitano, declarava:

Nunca havíamos pensado que a luta esteja chegando ao fim. Nada está mais longe de nós do que abaixar a guarda. Daremos todo o suporte possível na estratégia antimáfia para aqueles que a levam adiante (23 de dezembro de 1996).

Ainda, também sobre a antimáfia, o programa do Ulivo foi deixado de lado e substituído pelo de Previti e pelo papelete de Totò Riina. Em 1992, o chefão dos chefões pedia, entre outras coisas, a abolição da prisão perpétua, o fechamento das prisões de Pianosa e de Asinara com o abrandamento do 41-bis (o artigo da lei penitenciária que estabelece a prisão dura e isolada para os chefões mafiosos) e a eliminação dos delatores. Todos os três pedidos se tornam lei do Estado durante a legislatura do Ulivo.

Tchau às superprisões das ilhas

Assim que se torna ministro da Justiça, em 20 de agosto de 1996, Flick promete "o fechamento das prisões de Pianosa e de Asinara até o dia 31 de outubro de 1997". Depois, na véspera de Natal, vai desejar boas festas aos chefões presos na penitenciária de Ucciardone. Apertos de mão e um belo presente de boas festas: a promessa de aliviar o cárcere. O 41-bis – fala o ministro da Justiça – é "uma medida a ser revista a cada dois ou três anos: depois de dois, três anos se poderia reavaliar a punição" (23 de dezembro de 1996). No mesmo dia, por ironia, se descobre que a Cosa Nostra está planejando um ataque à penitenciária de Ucciardone com bombas e bazuca para libertar os chefões detidos pelo 41-bis. Nos meses seguintes, as estruturas do 41-bis são aliviadas com medidas administrativas, também como consequência das dúvidas expressas pela Consulta sobre a constitucionalidade da disparidade de tratamento penitenciário de acordo com o tipo de preso. Além do mais, as possibilidades para os chefões se falarem em isolamento se multiplicaram graças às contínuas *tournée* pela Itália para presenciar os vários processos (a lei sobre as conversas por teleconferência permanece na fogueira). Com indicação de Michele Coiro, diretor do DAP (Departamento da Administração Penitenciária do Ministério da Justiça), o decreto Flick dispõe "um abrandamento das normas desde a entrada na prisão, prevendo posteriores abrandamentos progressivos para aqueles que estão no regime especial...". E consente, entre outras coisas, que os chefões reclusos sob o 41-bis telefonassem da prisão.

Depois, em 1997, Flick mantém a outra promessa e fecha as penitenciárias de Pianosa e de Asinara, que faziam enlouquecer os chefões porque, reclusos em ilhas a centenas de quilômetros de casa, não conseguiam repassar as ordens por meio de parentes e advogados. Tarefa fácil agora, pois todos são transferidos para as prisões do continente. Pianosa e Asinara são "devolvidas ao turismo".

Um ano sem prisão perpétua

A lei Carotti, que acompanha a reforma do juiz único, lançada em 1999 no governo D'Alema, contém outro grande presente para a Cosa Nostra: a abolição definitiva da prisão perpétua, por meio do aumento do rito abreviado para todos os delitos, até para aqueles mais graves (incluindo massacres mafiosos). Quem acessa o abreviado tem direito de descontar um terço da pena e, no lugar da perpétua, corre o risco de pegar, no máximo, 30 anos. Depois, estes se tornam 20 com os benefícios da lei Gozzini, como a "liberdade antecipada" que abona a cada ano um terço da punição de quem tem "boa conduta" na prisão. Visto que grande parte dos chefões foi presa depois dos massacres de 1992-93, isso significa que eles teriam para descontar pouco mais de uma dezena e poderiam esperar, em pouco tempo, os primeiros prêmios permitidos. Para os autores materiais e mandantes direto dos massacres, é uma revolução copernicana: ao invés de se conformarem em passar o resto dos dias atrás das grades, veem abrir diante de si a perspectiva de voltar à liberdade em poucos anos. Tudo isso enquanto em Florença e em Caltanissetta se celebram os processos de primeira instância e de apelação pelos massacres de Capaci, Via d'Amelio, Roma, Milão e Florença.

Dia 23 de outubro de 2000. Na sala *bunker* da Corte de Apelação de Florença, Totò Riina, Giuseppe Graviano e outros 15 chefões condenados em primeira instância à prisão perpétua pelos massacres de 1993 se levantam, nas respectivas gaiolas, para pedir aos juízes e aos jurados o rito abreviado, que consentiria a eles descer para 30 anos com todos os descontos do caso. Só então, e somente graças aos fortes protestos dos magistrados antimáfia e dos familiares das vítimas (na primeira fila, a Associação dos Parentes dos Mortos em Florença na Via dei Georgofili), o novo governo de Giuliano Amato, com o ministro da Justiça Piero Fassino, engrena a marcha a ré e, dia 23 de novembro de 2000, lança um decreto para retomar a prisão perpétua, ao menos para crimes mais horrendos. Trata-se de estratagema que exclui do rito abreviado os mafiosos processados por homicídio ou massacre: quem, além do crime de sangue, responde também por outro crime (tipo a associação mafiosa), é condenado à prisão perpétua, além do isolamento diurno. Assim, o desconto previsto com o rito abreviado elimina o isolamento diurno, mas deixa intacta a prisão perpétua.

Os delatores eliminados por lei

O governo Amato também tem um presente para a Máfia: a chamada "reforma dos delatores" de 2001, que mexe com uma das conquistas que Falcone e Borsellio pagaram com a vida. A lei que tem a assinatura do ministro Fassino reduz sensivelmente os benefícios reservados pelo Estado aos mafiosos que colaboram com a justiça, isto é, os incentivos que, principalmente depois dos massacres, haviam induzido centenas de homens dos clãs a se separarem das organizações e a ficarem do lado do Estado, contando tudo aquilo que sabiam e assegurando

1997-2000. MÃOS LIVRES

à justiça os grandes chefões irredutíveis. Além disso, a nova lei prevê uma série de obstruções para o acesso aos programas de proteção e, principalmente, impõe para quem colabora contar aos juízes tudo o sabe já nos primeiros 180 dias de colaboração: 6 meses, nem um dia a mais. Depois disso, mesmo que se lembrem de detalhes decisivos para abrir caminhos sobre crimes e massacres, ou se forem interrogados sobre questões que surgiram na sequência das investigações dos magistrados, aquilo que eles disserem não terá mais valor probatório: tempo passado (o que coloca sérios problemas de incompatibilidade com o princípio constitucional da obrigatoriedade da ação penal).

Seis meses é um período muito reduzido para quem vive trinta ou quarenta anos dentro da Cosa Nostra e tem toda uma vida para lembrar e contar. No mais, o ministro do Interior do governo D'Alema, Giorgio Napolitano, autêntico inspirador da lei, havia incrivelmente afirmado que "os delatores são muitos". Não os mafiosos, os camorristas os 'ndranghistas irredutíveis: os delatores. "Com essa lei – comenta o novo procurador de Palermo Piero Grasso – no lugar de um mafioso, não me arrependeria mais." Realmente, a "reforma" obtém o resultado de trancar novas colaborações e até de começar a inspirar arrependimentos: mafiosos que haviam se arrependido, se arrependem de serem delatores e se retratam. Assim, o número de colaboradores da justiça, que entre 1993 e 1997 havia chegado a 1.500, não será modificado, e os novos casos de delação se contarão nos dedos da mão.

Uma lei desse tipo seria simplesmente impensável nos Estados Unidos, ou seja, no país que "inventou" a delação mafiosa desde os anos 80. Basta ler um trecho do depoimento dado no processo de Palermo contra Andreotti por Richard Martin (já estreito colaborador de Falcone nas investigações sobre lavagem de "Pizza Connection" como magistrado da Procuradoria Federal do Distrito Meridional de Manhattan, depois representante especial dos EUA, general Attorney e, enfim, Special Assistant U. S. Attorney junto à Procuradoria Federal do Distrito Meridional de Nova Iorque):

> Aqui não existe nenhuma obrigação de dizer tudo logo, mas somente a obrigação de dizer a verdade. Como me ensinou Falcone, desenvolver o depoimento de uma pessoa que esteve dentro de uma organização criminosa como Cosa Nostra não é simples, não é uma coisa que se faça em uma semana ou em um mês. Quando uma pessoa viu, como Buscetta, trinta anos de Cosa Nostra, existirá um longo período durante o qual devem ser feitos interrogatórios e verificações. Na Itália, também, Falcone não insistia nunca que alguém dissesse tudo de uma vez, porque acontece frequentemente que existam questões, perguntas ou informações que não parecem relevantes no momento e porque a testemunha não pode saber tudo o que é útil ao procurador, mas com o tempo podem aparecer outras coisas, outras perguntas. Este é o método utilizado por Falcone. Buscetta também. Se depois de anos o colaborador disse coisas

novas, talvez abrindo o discurso político, para nós, americanos, não faz diferença [...]. Se se fala de Cosa Nostra ou política, é sempre a mesma coisa, é sempre necessário verificar, mas não é proibido um depoimento de um sujeito isolado [...], mesmo que tenha sido dado depois de um longo período.

Explica Antonio Manganelli, chefe do Serviço Central de Proteção Italiano e hoje chefe da polícia:

Nos Estado Unidos, cada procurador tem o "seu" delator. Ou seja, aquele funcional da investigação. Tanto é que o magistrado é definido como patrocinador do colaborador. Com ele firma um contrato. Nenhum outro juiz pode utilizar nesse meio tempo aquele delator. Terminado o processo, se esse ainda for requisitado, fará um novo contrato. Senão, sai de cena.

Nada de declarações "parceladas". Sam Gravano, subchefe da família Gambino, chefiada por John Gotti, foi capturado pelo FBI: perante a certeza da prisão perpétua por oito homicídios cometidos, decide se "arrepender" e obtém o programa de proteção. Transforma-se no principal (quase único) acusador de Gotti, levando-o à prisão perpétua. Havia prometido dizer tudo de uma vez, mas depois continuou a fazer revelações inéditas, testemunhando em outros 5 processos. E ninguém sonhou em jogar fora seus depoimentos ou de tirar a sua proteção. Hoje, Gravano está solto e intocável.

Antonio Ingroia, procurador-adjunto da DDA de Palermo, comentará em 2009, no livro citado:

A lei sobre os colaboradores, claramente inspirada por fortes preconceitos com relação aos colaboradores, determinou um duplo efeito negativo, quantitativo e qualitativo. Sob o primeiro perfil, se conseguiu uma drástica redução do número de novos colaboradores da justiça. Aquela lei foi como um torniquete que consentiu às organizações mafiosas estancarem a hemorragia de homens e de notícias que saíam das suas organizações como efeito do fenômeno de dissociação de massa que estava acontecendo. A Máfia conseguiu, assim, limitar os danos e superar uma crise que, antes da aprovação da lei, parecia definitiva. Com um perfil qualitativo, se verificou uma medida inferior da qualidade das declarações dos colaboradores que pareceram perceber logo o sinal lançado pelo Estado. Havia terminado o recreio, era necessário voltar ao trabalho. Certos assuntos voltavam a ser tabu. E, de fato, repentinamente, os colaboradores, exceto poucas exceções, pararam de fornecer novas notícias sobre assuntos delicados, como as relações entre Máfia e política, Máfia e instituições. De todo modo, o resultado foi a inesperada neutralização das potencialidades de um instrumento investigativo e de um meio de prova extraordinário e indispensável como tinha sido até aquele momento e é, todavia, a delação premiada do colaborador. Nas polêmicas que anteciparam e seguiram essas escolhas do legislador (por outro lado, com maioria oceânica e transversal que abraçava quase todo o arco constitucional, de direita e de esquerda) foi dito, várias vezes, que a magistratura deveria parar de dar tanta atenção às palavras dos colaboradores, que deveria sair da preguiça investigativa da dependência das palavras dos delatores, que, portanto, deveriam voltar à "cultura investigativa" das investigações tradicionais. E a quem perguntasse quais eram os meios de provas mais úteis para as investigações tradicionais, frequentemente se respondia tratar justamente das interceptações (veja a clamorosa entrevista ao *Corriere della Sera* do dia 20 de junho de 1999, o debate que se seguiu e as declarações precedentes [...] de Ottaviano Del Turco, na época presidente da Comissão Parlamentar Antimáfia. Del Turco, criticando o uso dos delatores por parte da magistratura, esperava a "volta de uma cultura e profissionalismo de investigação que se foi ofuscando sobretudo nas investigações antimáfia". Paradoxalmente, o mesmo Del Turco, dez anos depois, na qualidade de presidente da Regione Abruzzo, foi incriminado e preso por um caso de suposta corrupção, baseado em interceptações tidas como principal instrumento de investigação tradicional). Eis, então, o grotesco paradoxo. Antes nos dizem para renunciar ao uso preferencial de fontes de provas de testemunho para nos dedicarmos às investigações tradicionais, se valendo, principalmente, do instrumento de interceptação. Assim que fizemos isso, nos dizem que também não está certo! Não será, por acaso, nossa culpa se no momento em que fizermos uso de um novo meio de prova, esta volte e evidencie condutas ilícitas de políticos e poderosos de vários gêneros e tipos! Como explicar de outra maneira o tipo de reação não consequencial com respeito às premissas? Como se defender quando não são mais as palavras de terceiros, de delatores e de testemunhas de acusação, mas são as palavras dos mesmos poderosos submetidos à investigação, gravadas nas interceptações, a constituir elemento principal de acusação?

Provas técnicas de anistia

Para todo o quinquênio 1996-2001 aparece, ao fundo do debate político, a ideia de anistia. Nenhuma ocasião ou pretexto são negligenciados para fazer digerir o golpe do esquecimento para uma opinião pública compreensivelmente hostil: a Bicameral e o juiz único ("refeitas as regras, é necessário virar a página"), as revoltas nas penitenciárias contra a superlotação ("as prisões estão estourando"), a

OPERAÇÃO MÃOS LIMPAS

morte de Craxi em 19 de janeiro de 2000 ("o fim de uma era"). Não por acaso, a Bicameral – como vimos – prevê a diminuição do quórum parlamentar requerido para aprová-la de dois terços para 50% mais 1. A grande ocasião para o partido transversal da impunidade parece se materializar justamente em 2000, ano doi Jubileu Cristão, quando o Vaticano lança apelos por um gesto de clemência com relação aos detentos. Naqueles dias, Bernardo Provenzano escreve um bilhetinho para o ex-prefeito mafioso de Palermo, Vito Ciancimino (chamando em código "engenheiro"):

> Prezado engenheiro, com a sua sugestão, falamos com o nosso amigo em comum senador e o informei sobre o seu pensamento que é melhor que façam os outros e não eles. Soubemos também que se reuniram para dar o apoio deles... Que o bom Deus esteja presente.

O significado da mensagem será "decifrado" por Massimo Ciancimino, filho de Dom Vito, que era o pombo-correio entre o pai e o chefão diante da Procuradoria de Caltanissetta. Ciancimino Júnior, falando sobre aquilo que lhe disse o pai, explica que o "amigo senador" seria Dell'Utri e que Dom Vito havia aconselhado Provenzano a contatá-lo para encontrar um caminho que levasse à anistia. Sempre de acordo com Ciancimino filho, Provenzano teria sabido pelo "senador" que a centro-direita estava se "mexendo" para propor anistia "aos outros", isto é, aos de centro-esquerda, depois que, naturalmente "eles" (os centro-direita) votassem a favor. Assim a medida não teria provocado polêmicas: todos de acordo. Depois da visita jubilar do Papa João Paulo II à Rebibbia em 2000, diversos exponentes da centro-esquerda propõem uma anistia ou um indulto. O próprio ministro da Justiça Piero Fassino pede aos centro-direita que se sentem em volta de uma mesa como gesto de clemência compartilhada, mas, com a iminência das eleições políticas de 2001, não obtém dos centro-esquerda consenso suficiente. Que tenham existidos aqueles contatos para a anistia, não existe dúvida. Revelam as memórias entregues por Filippo Mancuso (eleito pelo Força Itália, mas já abertamente em dissenso com o seu partido) ao presidente da Câmara Casini dia 20 de setembro de 2003, para demonstrar como Berlusconi está sob chantagem de Previti:

> Na tarde de 28 de junho de 2000, um dia antes do feriado em Roma, sou inesperadamente chamado no escritório do parlamentar S. Berlusconi, na Via do Plebiscito em Roma, onde encontro presente também o parlamentar G. Pisanu, o gr. G. Letta e, me parece, também o parlamentar P. Bonauiti. A exigência dessa reunião nascia depois das duas ligações que chegaram a Berlusconi: a primeira (que aconteceu antes da minha chegada) por parte do prof. G. Amato, então presidente do Conselho, e a outra (em minha presença) por parte do parlamentar P. Fassino, então ministro de Graça e da Justiça, ambas tendo como assunto a anistia e/

ou o perdão, por múltiplas razões (recorrência jubilar, solicitação vaticana, situações de penitência, ausência prolongada por tais benefícios). A segunda conversa telefônica chega à conclusão que, no dia seguinte, teria um encontro oficial sobre o tema entre Berlusconi e Fassino no gabinete do chefe do Força Itália, o parlamentar Pisanu "nos escritórios do vigário". Depois são decididas, rapidamente, duas coisas: que seria ele a acompanhar o presidente no encontro, e que nós dois nos colocássemos imediatamente ao trabalho para a preparação da plataforma necessária para a proposição da questão [...].

Portanto, no verão de 2000, Berlusconi e Mancuso encontram Fassino para discutir sobre a anistia, justo enquanto, em Palermo, falam sobre isso Provenzano e Ciannimino, preferindo deixar acontecer, como – de acordo com o filho de Dom Vito – havia sugerido a Marcello Dell'Utri, garantindo, de todo modo, o voto favorável da centro-direita. A coisa, mais ou menos, não se concretiza porque faltam poucos meses para a campanha eleitoral de 2001, e nenhum grande partido encontra a coragem de se desgastar por uma batalha tão impopular, sobretudo, em tempos de "intolerância zero" e "emergência criminal". De fato, em vez da anistia, depois de dois anos e meio de anúncios e brigas entre as várias "almas" da centro-esquerda, em 2001, o governo Amato faz aprovar o "pacote segurança" que endurece as penas para alguns "crimes de rua" como o roubo e torna mais difícil a soltura e as penas alternativas. O golpe voltará com o indulto extra-grande de 2006, logo depois das eleições e, justamente – como haviam previsto Dell'Utri e Provenzano –, por iniciativa da centro-esquerda, naturalmente com os votos do Força Itália.

Menos escoltas para todos

Em setembro de 2000, o governo Amato emite uma circular do ministro do Interior, Enzo Bianco, sobre a segurança das pessoas que correm risco pela luta contra a Cosa Nostra: magistrados, testemunhas, homens símbolos da antimáfia. E retira a segurança armada da casa dos magistrados de primeira linha, substituindo por "rondas" de pouca ou nenhuma eficácia, para "liberar" agentes a serem destinados para a luta contra a microcriminalidade de rua. A circular convida todos os prefeitos a transformarem a "vigilância fixa dos sujeitos em risco" em serviços de tipo mais "dinâmico dedicado". Nada mais de plantões de 24h, mas patrulhas que dão voltas, de casa em casa e, talvez, algumas câmeras. Tudo para satisfazer "a crescente demanda de segurança da coletividade", que poderia impor "o emprego de forças da polícia no território". Os promotores de Palermo estão preocupados. Um deles, Franca Imbergamo, lança o alarme dia 25 de setembro de 2000 em uma entrevista para o *la Repubblica*:

É mais um sinal de que o Estado está nos deixando só, expostos às mais fáceis vinganças mafiosas. Assim lançam para a Máfia sinais de desmantelamento dos chefes do Estado, justamente enquanto na Cosa Nostra mudam os equilíbrios. Temos avisos de que alguém poderia aproveitar o bom momento para uma ação de força. Substituir a vigilância fixa por câmeras já havia se discutido alguns anos atrás, mas a solução foi logo descartada porque as delegacias e as prefeituras julgaram totalmente ineficaz: qualquer um pode identificar, jogar fora a câmera e realizar todos os atentados que quiser.

Quanto as patrulhas "dinâmicas", acrescenta, sarcástica:

Eu tenho a casa vigiada porque cinco anos atrás encontrei duas cruzes desenhadas na porta: acredita que quem as fez teria se assustado com uma patrulha que faz a ronda de vez em quando? Muitos colaboradores nos dizem que o reforço das escoltas, tutelas e vigilância foi o que serviu para deter novos atentados. Estamos fazendo um salto de qualidade para atacar, finalmente, a Máfia em nível econômico e nos deparamos com interesses absurdos: é demais pedir ao menos um pouco de atenção à nossa integridade, antes que o medo se torne paralisia? Talvez tenha se tornado inconveniente dizê-lo, mas sou uma mulher e digo: tenho medo. Aliás, estou lucidamente preocupada, porque sei o que acontece na Cosa Nostra. Giovanni Brusca disse em depoimento: o novo lema dos chefões é: "se tocarem nos nossos patrimônios, nós vamos tocar nos deles. Faremos uma lei Rognoni-La Torre à nossa maneira". E alguém pensa enfrentar esses perigos com algumas patrulha e câmeras? Assim, se nos matarem, fica o videozinho. De "Gran Fratello" a "Gran Padrino".

Os promotores da DDA de Palermo assinam uma carta ao ministro Bianco para avisá-lo de que a sua circular "resultará numa sensível redução do coeficiente de segurança, seja em termos de operação, seja de detenção". Em vão. Em 2001, com o segundo governo Berlusconi, o ministro do Interior Claudio Scajola prosseguirá na estrada inaugurada pelo antecessor e piorará ainda mais as coisas. Diminuirá pela metade as escoltas a todos os magistrados em risco (nem pensar o segundo carro); para muitos, abolirá *tout court*, salvo depois por retomar um certo número em 2002, depois do assassinato o professor Marco Biagi por mãos das Brigadas Vermelhas.

As investigações são feitas pelo advogado

A última reforma da legislatura em matéria de justiça – aprovada na primavera de 2001, mais uma vez, por Ulivo e Polo juntos – é aquela sobre as investigações defensivas, chamadas impropriamente "leis de Perry Mason". O procurador Maddalena é sarcástico:

> Na realidade, Perry Mason era um advogado *sui generis*, que defendia só acusados inocentes e, sobretudo, contrariamente aos seus colegas italianos, havia por hábito descobrir os culpados. Essa lei parece, ao contrário, ter sido feita para ele não descobrir mais. Nem mesmo sobre os magistrados.

O que diz a lei, fortemente desejada pelos advogados organizados? Em resumo: os atos colhidos pelos advogados de defesa assumem o mesmo valor dos realizados pelos promotores, os quais, porém, têm a obrigação de apresentar todos os documentos, mesmo os favoráveis ao investigado, enquanto o advogado tem a obrigação deontológica de apresentar só os elementos favoráveis ao cliente que lhe paga. Além do mais, a lei consente ao defensor realizar "investigações preventivas" antes mesmo de ser investigado. Qualquer um que tenha cometido um crime poderá pedir ao seu advogado para convocar as testemunhas para que elas sejam interrogadas sobre os acontecimentos dos fatos. Por exemplo, o advogado de um assassino mafioso poderá "espremer" a testemunha de um crime cometido pelo seu cliente antes mesmo que o promotor suspeite dele. Quando for a hora de ouvirem o investigado, encontrarão um homem aterrorizado ou, de toda forma, pouco inclinado a colaborar com a justiça. Ainda Maddalena:

> O advogado de Riina poderá interrogar a testemunha de um massacre de Máfia, mesmo com a presença do chefão mandante. Se a testemunha se recusa a falar, pode mandar a Polícia prendê-lo e levá-lo diante de um magistrado, com a obrigação de falar e de dizer a verdade. A lei incentiva a alteração das provas e a intimidação das testemunhas.

O mesmo irá valer para todos os outros tipos de crime: para crianças vítimas de abuso sexual, para esposas espancadas pelos maridos, para as menores estupradas pelos pais ou escravizadas por seus exploradores. É a justiça sendo privatizada para uso do culpado. Conta o procurador chefe de Milão:

> Quando contei sobre essa reforma a um colega americano, aquele riu na minha cara: "Mas, italianos, vocês estão loucos ao deixarem os advogados intervirem durante as investigações? Como vocês farão para evitar os riscos de alteração das provas? ". De fato – lhe respondi – não poderemos evitar.

Em 2010, o advogado parlamentar Ghedini fará grande uso das investigações defensivas, interrogando as jovens acompanhantes que alegravam as festas e os "bun-

OPERAÇÃO MÃOS LIMPAS

ga bunga" na villa de Berlusconi em Arcore, antes mesmo que as interrogassem os magistrados e antes que o ilustre cliente seja indagado pela Procuradoria de Milão sobre o "escândalo Ruby", isto é, a garota menor de idade induzida – de acordo com a acusação – a prostituir-se com o presidente do Conselho.

Fogo cruzado no pool

As mudanças legislativas do quinquênio 1997-2001 não bastam, sozinhas, para resolver na raiz os problemas de tantos investigados e condenados importantes, sendo o primeiro deles Silvio Berlusconi. O *Cavaliere* precisa fazer as contas, como vimos, com meia dúzia de processos e com as investigações sobre as "togas sujas". Assim, se move em duas frentes. De um lado, decide fazer de tudo para diminuir o ritmo dos debates e das investigações sobre ele, na esperança de chegar livre de condenações definitivas nas eleições de 2001 e, depois, fazer o jogo no plano político, mudando as leis para seu uso e consumo. Por outro lado, ataca frontalmente, mesmo em âmbito judiciário, seus acusadores do *pool* de Milão. Dia 14 de maio de 1998, apresenta, na Procuradoria de Bréscia, uma denúncia detalhada contra Borrelli, Di Pietro, Colombo, Greco e Boccassini (falta, curiosamente, D'Ambrosio), culpados, segundo ele, de "atentado a órgão constitucional" (que depois seria contra ele mesmo, enquanto presidente do Conselho em 1994), "atentado aos direitos políticos dos cidadãos" (sempre ele), abuso de poder e revelação de segredos profissionais, por ter "implementado um detalhado desenho político, pré-ordenado e dirigido para criar obstáculos, de toda forma, desde o princípio" à sua carreira política. Dia 18 de julho, volta para Bréscia para ilustrar em um longo relatório os "chefes de acusação": o convite a comparecer de 1994 com o vazamento de notícias e a "cumplicidade" do então presidente Scalfaro; a "interceptação fantasma" no bar Mandara; as "coberturas" oferecidas pelo *pool* para a "caluniadora" Stefania Ariosto; o pedido de substituição dos dirigentes da Publitalia e outros supostos "vazamentos de notícias"; os comentários de alguns promotores; e até a colaboração com os juízes espanhóis pela investigação Telecinco. Nesse meio tempo, Berlusconi entrou judicialmente na Europa, levando uma investigação também em Madri por fraude fiscal e por violação da lei local antitruste (após várias modificações, o processo acabará 10 anos depois com uma grande absolvição). A pedido dos colegas ibéricos, o *pool* transmitiu alguns atos adquiridos que foram passados de Milão para a Suíça, mas ele acha isso estranhamente escandaloso:

> Certos juízes espanhóis foram infectados com o vírus dos promotores de Milão, mas essa investigação é um pacote pronto feito pelos magistrados milaneses. Quem inventa teoremas na Itália, às vezes, ama fazer uns *cadeaux* para alguns colegas estrangeiros, colocando aos seus pés as regras da solidariedade entre cidadãos (ANSA, 24 de julho de 1998).

A denúncia em Bréscia será arquivada dia 15 de maio de 2001 pelo juiz de audiência preliminar Carlo Bianchetti (a pedido do próprio promotor) por total inexistência dos fatos. Na ordem, se lê:

> Resulta, a partir do exame dos atos que, contrariamente ao que se conclui a partir da prospecção do denunciante, as iniciativas judiciárias que o *pool* da operação Mãos Limpas, em um dos numerosos âmbitos da Tangentopoli, havia dirigido ao Dr. Berlusconi e às suas empresas haviam precedido e não seguido a sua decisão de "descer a campo". De fato, analisando o prospecto resumido das iniciativas judiciárias em curso que dizem respeito a ele e a outros expoentes da Fininvest, produzido pelo parlamentar Berlusconi para os promotores de Bréscia [...] esclarece-se que – no momento em que ele havia anunciado a vontade de participar da corrida eleitoral da primavera de 1994, como chefe de um movimento político fundado por ele (26 de janeiro de 1996) – a Procuradoria de Milão já havia começado a tomar tantas medidas por fatos concernentes a ele e/ou às suas empresas [...]. Cumpriram-se, entre 27 de fevereiro de 1992 e 20 de julho de 1993, 25 acessos nas sedes da Fininvest, além da Publitalia, com a finalidade de realizar buscas, pesquisas ou para arrecadar documentos.

Além disso, "Berlusconi sabia" da existência dessas "iniciativas legítimas em curso há muito tempo, mesmo não tendo referido isso na denúncia do dia 14 de maio de 1998". Conclusão do juiz de audiência preliminar:

> Pode-se afirmar, conclusivamente, que o empenho político do denunciante e as investigações a seus danos não têm entre eles relação de causa e efeito; em outras palavras, a continuação das investigações já iniciadas e o início de investigações posteriores relacionadas, em nenhum modo, podem conotar atividade judiciária originada a partir da vontade de sancionar o surpreendente empenho político do investigado, dirigido a tal finalidade.

O juiz Bianchetti diz não poder "avalizar com razoável certeza a hipótese mais maliciosa", isto é, que Berlusconi tenha "descido a campo" para se salvar das investigações. Certamente, porém, com o seu ataque político obsessivo, quase maníaco, contra os magistrados que estão se ocupando do seu caso, ele autoriza mais de uma suspeita.

5. ALL IBERIAN NÃO SE PROCESSA

Mais do que um processo, aquele dos 23 bilhões passados de Berlusconi para Craxi por meio da All Iberian é uma corrida de obstáculos que parece não ter fim.

As acusações, para o *Cavaliere*, são pesadas: violação da lei sobre financiamento público dos partidos (maxiproprina para Craxi, transferência internacional) e sobretudo, balancete falso. Com uma técnica consumada, os defensores do líder do Força Itália tentam se livrar do presidente do Conselho do Colégio julgador, Marco Ghezzi. Os jornais descobrem que o juiz apresentou ao Conselho Superior da Magistratura pedido regular para se transferir para a Procuradoria da República. É um fato normal, de rotina, plenamente consentido pela lei, mas, em fevereiro de 1998, quando a notícia se torna pública, é lançado o pedido de abstenção de Ghezzi do processo. Giuliano Ferrara o acusa, na revista Panorama, de querer ir trabalhar "com Borrelli e Greco, isto é, com a acusação que apoia o processo do qual, hoje, ele é o protagonista". Marco Taradash, do Força Itália, declara: "Depois desse caso, cada palavra contra a separação das carreiras é uma ofensa à verdade". É preciso um ex-magistrado, como Alfredo Mantovano, deputado da AN, para fazer notar que "bastaria uma lei ordinária [ou seja, o projeto Flick, ignorado pelo Parlamento] que pudesse vetar a passagem de funções no mesmo distrito". Aquela lei não existe e, de toda maneira, se o CSM acolhesse o seu pedido, Ghezzi não entraria no *pool* da operação Mãos Limpas, mas se tornaria um dos 50 e poucos promotores da Procuradoria. Berlusconi, porém, não é tão sutil: "Como se pode ter confiança na justiça? ".

Por fim, Ghezzi revoga o pedido de transferência, mas o pedido de abstenção permanece, e o clima no Tribunal esquenta, até porque os advogados de defesa do *Cavaliere*, Ennio Amodio e Giuseppe De Luca, se lembram de um bate-boca que aconteceu uns meses antes, dia 7 de novembro de 1997, com o mesmo juiz. Naquele dia, no Tribunal, estavam em curso, contemporaneamente, dois processos contra o líder do Força Itália: All Iberian e Guarda de Finanças. Os advogados haviam decidido não dividir as tarefas e acompanhar ambos o segundo debate, deixando o primeiro. Ghezzi, obrigado a nomear defensores públicos, havia referido o acontecido à Ordem dos Advogados para que avaliasse o comportamento dilatório. Céus! Justamente enquanto Ghezzi está no olho do furacão por causa do pedido para passar para a Procuradoria, a Câmara Penal de Roma se posiciona "na tutela da dignidade profissional de De Luca", apresentando um manifesto contra o juiz. De Luca chega a anunciar que renunciará à defesa de Berlusconi em uma carta para Ghezzi:

> Vossa Excelência, depois de ter qualificado como "desagradável e cansativo" o meu comportamento, denunciou o episódio ao Conselho da Ordem, que abriu processo disciplinar contra mim. Criou-se, assim, uma situação de incompatibilidade entre este que escreve e Vossa Excelência, sendo Vossa Excelência a contraparte em um processo disciplinar.

Na realidade, como descobre o *la Repubblica*, a Ordem dos Advogados de Milão não abriu nenhum processo disciplinar:

1997-2000. MÃOS LIVRES 747

A carta do magistrado, mais do que uma denúncia real contra os dois advogados, seria, na realidade, algo muito pacato, em que Ghezzi levanta um problema sobre os processos concomitantes contra um mesmo acusado. A carta permanece sem qualquer consequência.

O movimento de De Luca, de toda forma, tem efeito de colocar mais lenha na fogueira e de colocar mais confusão na confusão. É só o aperitivo do que acontecerá em junho, quando, depois de dois anos do início do processo All Iberian, parece finalmente próxima a sentença. O calendário das audiências, predisposto uma semana antes, prevê para terça-feira, dia 2, a requisitória de Francesco Greco. O compromisso acontece em um período incandescente. Justamente um dia antes, Berlusconi mandou para o espaço a Bicameral, às portas das eleições administrativas. Os defensores não fizeram nenhuma objeção quando foi fixada a data da requisitória: quem conhece o processo dá como certo um pedido de condenação. O que, de fato, chega pontualmente: às 17h50min, Greco pede para Berlusconi 5 anos e meio de reclusão por financiamento ilícito e por balanço falso, depois de ter reconstruído por 5 longas horas as ligações escondidas entre o *Cavaliere* e Craxi. De um lado, segundo Greco, existe o ex-líder socialista, com as suas contas pessoais, "uma espécie de montante que deve desaparecer": dinheiro que "não saberemos nunca onde foi parar, se ninguém vier nos contar". De outro lado, existe Berlusconi, com as suas sociedades *offshore*: a primeira de todas é a All Iberian, "um escritório para negócios reservados" gerenciado "com técnica refinada de lavagem", "alimentado também por fundos de proveniência criminosa" utilizado "para operações ilícitas e ocultas". Daquelas sociedades, entre janeiro e outubro de 1991, saem ao menos 20 bilhões (serão 23, no fim) destinados às contas suíças de Craxi.

O promotor pede a condenação também para os coadjuvantes de ambos os casos: os laranjas de Craxi, Mauro Giallombardo e Miguel Vallado, o guru Antonio Craxi, irmão de Bettino, e a amiga Anja Pieroni, todos acusados de ter separado ou embolsado parte do montante; depois, os dirigentes da Fininvest acusados de terem colaborado na gestão dos fundos ocultos. No front berlusconiano, tratando-se de balanço falso, os pedidos são mais pesados: 5 anos para Giancarlo Foscale, 5 para Ubaldo Livolsi, 2 anos e 2 meses para Giorgio Vanoni e Alfredo Zuccotti. All Iberian – explica Greco – está no centro da teia das sociedades estrangeiras, a gigantesca tesouraria oculta do grupo Fininvest. Berlusconi é chamado para responder sobre isso, não pela responsabilidade objetiva, mas pelo seu papel direto: não porque "não teria como saber" – diz o promotor – mas porque "assinava e sabia".

No fim, Greco não tem nem tempo de secar o suor e tirar a toga, e chega a duríssima reação da Fininvest: "Com a habitual pontualidade – se lê no comunicado – a represália do *pool* começou". O pedido do promotor seria – segundo o porta-voz do grupo – a vingança da operação Mãos Limpas pelo não do *Cavaliere* a Bicameral: uma verdade já conhecida, mantida guardada pelo *pool* para servir

OPERAÇÃO MÃOS LIMPAS

"no momento oportuno". Até Berlusconi, comentando sobre o fato que o calendário do processo era estabelecido há tempos, acusa o promotor de "intervir com pontualidade absoluta" na campanha eleitoral administrativa, mas depois alivia: "poderia ser um bumerangue para essa esquerda". Em todo caso, denuncia a "ferida aberta na democracia" e convoca a intervenção imediata do ministro da Justiça.

O Força Itália apoia o seu líder. Os grupos da Câmara e do Senado, reunidos por horas em sessão de emergência, emitem um documento com tom apocalíptico. É Marcello Pera, futuro presidente do Senado, que o lê para a imprensa: "No mesmo dia em que o Força Itália obriga a maioria governista a abandonar falsas reformas constitucionais, a Procuradoria de Milão – com a habitual e estudada tempestividade – realiza um ato exclusivamente político". O Força Itália define "intimidação" as investigações de Milão e acrescenta: "É já evidente que o *pool*, animado por intenções eversivas, persegue o objetivo de incriminar Berlusconi e de diminuir a oposição parlamentar".

No dia seguinte Mario Cervi escreve no Gionale:

> Ontem, enquanto em Roma se arrancava o couro pelo projeto da Bicameral, em Milão o promotor Greco pedia a condenação de Berlusconi [...]. A construção na qual D'Alema havia empenhado o seu prestígio se tornava um monte de ruínas, mas, por vingança, por ser o chefe da oposição, era lançado contra ele o dardo de fogo da lei.

Assim, o *pool* é acusado concomitantemente de ter boicotado a Bicameral e de ter punido Berlusconi por tê-la afundado. Uma obra-prima de coerência.

O processo não existe mais

Após as polêmicas, a argumentação da defesa é sucinta. A sentença será apresentada em 23 de junho, e não é difícil prever o teor, com base nos debates e na grande quantidade de provas documentais apresentadas pela acusação. No dia 13, sábado, porém, algo acontece. Às 10h, um jovem advogado, Massimo Montesano, ergue-se e se apresenta. Explica ao Tribunal que representa a Fininvest, constituído pelo seu presidente Aldo Bonomo e solicita a anulação do processo para recomeçar partindo da estaca zero. Motivo: foi cometido um crime de falsificação contábil; assim, a Finisvest deveria ser citada como parte lesada, isto é, como vítima. No entanto, ninguém se preocupou: nem a Procuradoria, nem o juiz das investigações preliminares, nem o Tribunal. A Fininvest pertencia a Berlusconi e jamais o *Cavaliere* exigiria reparações a si mesmo, mas o artigo 178 do Código de Processo Penal é claro: o processo está anulado.

A ação atinge o alvo. Marco Ghezzi comunica que decidirá após examinar a participação acionária da Fininvest entre os anos de 1989 a 1996. A defesa comemora. Vittorio Virga, advogado de Giancarlo Foscale, comenta: "Existe um velho ditado que diz: o Código Penal é feito para os delinquentes, e o código de processo, para as pessoas de bem". Não importa que à Fininvest, neste caso, fosse dada a possibilidade pela Procuradoria, pois dificilmente teria escolhido constituir-se como parte civil nos confrontos do seu fundador e único acionista. Não importa nem mesmo que Massimo Montesano tenha presenciado muitas audiências do processo sem nunca ter informado que a Fininvest era vítima do seu proprietário. O que conta é o descuido dos juízes, que atribuíram a Berlusconi o agravante de "haver causado à Fininvest SPA um dano de relevante importância".

Na quarta-feira, 17 de junho, Ghezzi dá ganho à Fininvest: o processo contra Berlusconi e os outros empresários acusados pela falsificação contábil recomeçará do início. Começará do zero – estabelece o Tribunal – em 27 de outubro. Porém, prossegue a parte que diz respeito apenas ao delito de financiamento ilícito à Craxi, no qual nem mesmo a Fininvest pode reivindicar ser parte lesada.

Os homens de Berlusconi, em vez de ir para casa após a inesperada vitória, protestam. Novamente, os grupos parlamentares azuis fazem sentir forte a sua voz. Chega o aviso de "mobilização no Parlamento e no país em defesa da liberdade de existir a oposição" contra a medida "manifestamente política e persecutória nos confrontos com o presidente Berlusconi". Também Borrelli, mas por outros motivos e com outro tom, considera "errada" a decisão do Tribunal e critica o desdobramento do processo: não mais vinculado à falsificação contábil, o financiamento ilícito prescreve de fato em 1999, e é difícil acreditar que até aquela data se consiga a Cassação.

Uma semana depois, Greco determina para Berlusconi 2 anos e meio apenas pelo financiamento ilícito. "Determinação persecutória e vingativa", rebate a Fininvest. O *Giornale* publica um antigo dossiê confidencial da polícia sobre Greco (porém, sem a assinatura dos redatores), datado de 1987. Nesse dossiê, o promotor, que entre outras coisas é filho de um almirante, aparece com a barba por fazer, como se fosse uma foto de relatório sumário da polícia, e acusado de manter contatos com misteriosos meios de esquerda extraparlamentar e de escrever para revista na qual colaboram também expoentes da luta armada. Borrelli se indignou:

> Só posso me indignar com o fato de que oficiais da polícia tenham indagado sobre um magistrado com finalidades e com métodos que não foram bem esclarecidos. Me surpreendo, ainda mais, que um dossiê, feito abusivamente sobre um magistrado, tenha sido colocado à disposição de um jornalista para uma campanha difamatória. Manifesto a minha mais sincera solidariedade a Francesco Grecco.

No dia 13 de julho, é dada a sentença. Seis dias depois da condenação a 2 anos e 9 meses pela propina concedida à Guarda de Finanças, Berlusconi é condenado a mais 2 anos e 4 meses e a pagar 10 bilhões de multa pela maxipropina paga à Craxi. Contudo, para uma parte do fim da acusação, precisa ser diminuída a prescrição: passou muito tempo desde o depósito dos primeiros 10 bilhões ao amigo

Bettino; por isso, o desconto de 2 meses da pena pedido pela Promotoria. Virga, defensor de Foscale, logo prevê o final: "É mais uma excomunhão que uma condenação, porque, antes da apelação, também esses crimes estarão prescritos" (e, de fato, seja para Craxi, seja para *Cavaliere*, os delitos serão julgados, e os réus, condenados, mas estarão prescritos em 1999 pela Corte de Apelação). Absolvidos imediatamente, porém, os empresários Ubaldo Livolsi e Alfredo Zuccotti, enquanto Foscale foi condenado, como proprietário (beneficiário das contas secretas), a 1 ano e 9 meses. Ainda mais alta a pena de Craxi: 4 anos de reclusão e 20 bilhões de multa. Um veredito pesado perto da absolvição do seu irmão Antonio e de Anja Pieroni. O grupo Fininvest acusa o Tribunal de "lógica de aniquilamento levada adiante com assustadora cientificidade". Para o ex-líder socialista, porém, a soma das condenações até aqui acumuladas chega agora a trinta anos de cadeia. "Poderia ser pior?", pergunta um cronista ao advogado Guiso. Resposta: "Sim, sempre tem a pena de morte".

Agora e sempre a prescrição

O esquecimento dos juízes de Milão com relação à All Iberian terá consequências em cadeia sobre todos os processos de Berlusconi, marcando, irremediavelmente, o êxito de todos os seus processos seguintes. Se a notificação à Fininvest como parte lesada tivesse acontecido de modo regular, o processo não teria sido desdobrado, e Berlusconi teria sido condenado, em 1998, também pela falsificação contábil, portanto, a uma pena bem mais severa que a de 2 anos e 4 meses. Sobretudo, o fim da prescrição teria sido prolongado, permitindo a execução dos três graus de jurisdição. Com uma condenação definitiva pela All Iberian, o *Cavaliere* ficaria comprometido e não poderia obter as atenuantes genéricas que depois o salvaram, fazendo disparar a prescrição da apelação, dos processos sobre a Guarda de Finanças, sobre a sentença de Mondadori e sobre os terrenos de Macherio. Em suma, as quatro prescrições teriam sido racionalmente transformadas em condenações e, talvez, alguma resultasse em Cassação antes do corte pelo fator tempo. Aquele erro banal causará não só a primeira prescrição, mas também as seguintes.

O julgamento All Iberian-*bis*, pela falsificação contábil, foi marcado para 27 de outubro de 1998, mas derrapa em seguida por um erro e um atraso na notificação aos advogados. A presidente Gabriela Manfrin adia tudo para 12 de janeiro de 1999. E, uma vez que o colegiado estava sobrecarregado de trabalho, a terceira audiência acontecerá somente em 9 de fevereiro. As defesas têm já pronto um grande volume de exceções preliminares, uma das quais está destinada a atingir o alvo. Em 12 de março, Giorgio Perroni, o jovem advogado romano que defende Livolsi, se levanta e sustenta que a acusação contra Berlusconi e dos seus coacusados pela falsificação contábil seria anulada devido à "total imprecisão dos fatos". O ponto de acusação, em suma, não permitia a compreensão com clareza de quais os valores desaparecidos dos orçamentos, por meio de que contas e de quais das tantas so-

ciedades do Biscione. Então, pergunta Perroni, "como poderemos defendê-los?".
Antes de ser apresentada, a exceção foi discutida entre os advogados da Fininvest,
que a julgaram fraca, mas Perroni vai adiante mesmo assim. E a surpresa: vence.

O julgamento é anulado – estabelece o Tribunal – por um "substancial equívoco nas imputações". Não está claro se as acusações se referem à Fininvest no seu
conjunto, nem quais são as somas desaparecidas das contas, visto que se fala de
falsificações que remontam a 1989, enquanto as que dizem respeito a Craxi são de
1991. Os esclarecimentos fornecidos em juízo pelo promotor Greco – segundo os
juízes – não servem para nada. "Jamais poderia ser atribuído ao promotor o poder
conferido a um juiz de autenticar um documento como a sentença de pronúncia".
Se retorna ao juiz de investigações preliminares. "É o restabelecimento do bom
senso e dos fundamentos do direito que estavam ofuscados pela ventania da Mãos
Limpas", exulta o advogado Amodio. E o seu colega Contestabile, vice-presidente
do Senado: "Veem como neste extravagante país até Berlusconi consegue ter justiça? É uma coisa maravilhosa: a maior perseguição judiciária de todos os tempos se
quebra de encontro à dificuldade de um expediente do direito".

O único que não sorri é Giorgio Vanoni, que algumas semanas antes cometeu
a imprudência de negociar um ano de reclusão com a condicional: fora da sala,
afronta Greco e o interpela animadamente. Depois explica: "Estou de frente com
quem devo agradecer pelo que me aconteceu. Me sinto lesado". A Procuradoria
silencia. A derrota é prevista, mas, de repente, no quarto andar do Palácio da Justiça, se recomeça a trabalhar por um novo pedido para instaurar o processo penal,
que será discutido diante do juiz das audiências preliminares em 16 de julho de
1999. A nova acusação chegará somente em novembro de 1999 diante do juiz das
audiências preliminares Luca Labianca. E o novo processo, apenas pela falsificação
contábil, iniciará em 7 de abril de 2000.

Porém, em 17 de outubro de 1999, começa a apelação pelos 23 bilhões dados à Craxi. O delito de financiamento ilícito já prescreveu. Em vão, a procuradora-geral substituta, Laura Bertolè Viale, solicita ao juiz declará-lo vinculado
"por continuidade" com a acusação mais grave do outro processo, a de falsificação
contábil (delito que prosseguiria até 1992, quando foram publicados os balanços
da Fininvest, sem qualquer menção a All Iberian e aos bilhões à Craxi). A tese é
interessante, mas não possui precedentes em jurisprudência. De fato, em 24 de
outubro de 1999, a Corte de Apelação declara o crime prescrito, confirmando,
assim, que foi cometido.

Para Berlusconi, isso não basta: "Pensei – declara na tribuna do Tribunal de
San Siro – merecer uma absolvição plena. Mais uma vez, estou desapontado". As
motivações da apelação confirmaram, com certeza, que a propina foi paga à Craxi.
Juízo da cassação confirmado em 22 de novembro de 2000:

> As operações societárias e financeiras anteriores aos financiamentos es-
> trangeiros sobre estrangeiros da conta nomeada All Iberian para a conta

Northern Holding foram realizadas na Itália pela cúpula do grupo Fininvest SPA, com a importante participação de Silvio Berlusconi, na qualidade de proprietário e presidente, de Foscale, como administrador conselheiro, de Vanoni, como responsável pelos assuntos externos.

Também para a Suprema Corte, All Iberian está completamente ligada à Fininvest e à sua cúpula. Por isso, absolver Berlusconi no mérito é impossível: "não aparece nos autos processuais o desconhecimento do réu", o qual é condenado a pagar as custas do processo. Isso não o impedirá de continuar a dizer que não tem nada a ver com a sociedade das Ilhas do Canal. "All Iberian?" sorri em 7 de dezembro de 2000: "Jamais conheci. Acreditam que, com o meu senso estético, poderia aceitar uma sociedade com esse nome?".

E o Cavaliere disse: "Negociemos"

Resolvida, pelo menos para a Cassação, a questão da maxipropina dada à Craxi, resta o problema da falsificação contábil, um obstáculo impossível de remover com a prescrição. As falsas comunicações sociais também são consideradas um delito grave, que o código cancela somente depois de 15 anos (salvo atenuantes genéricas). A condenação, além de tudo, é muito provável, uma vez que as provas são documentais. Melhor, portanto, seria reduzir ao mínimo os riscos e evitar uma sentença que, como penalidade acessória, preveja a interdição dos cargos públicos, isto é, a interdição de candidatar-se e de tomar assento no Parlamento e, mais ainda, de se tornar presidente do Conselho. Nesse ponto, na Fininvest, é considerada uma solução indigesta, porém quase obrigatória: limitar os danos e requerer a negociação sem pena acessória.

O primeiro a falar é o advogado Salvatore Catalano, ex-colega de escola de Marcello Dell'Utri, defensor de muitos acusados e exelente advogado da velha DC. Graças ao seu canal de comunicação com a Procuradoria, personagens do calibre de Cirino Pomicino evitaram o cárcere e condenações muito mais pesadas, pelo menos em Milão. As primeiras sondagens Catalás realizadas por conta de Dell'Utri, naquele momento, reduzem a condenação em apelação em Turim a 3 anos e 2 meses pela falsificação contábil da Publitalia (uma pena que, uma vez definitiva, o colocaria direto na prisão) e acusam em Milão por fatos idênticos. O advogado, encontrando Greco e Ielo, lança a ideia: "E se Marcello negociasse?". As Promotorias não dizem não. A negociação, no fundo, seria o reconhecimento da boa vontade do seu inquérito. Assim, na primavera de 1999, Dell'Utri encontra face a face o procurador-adjunto Gerardo D'Ambrosio. Os dois conversam por uma hora. Depois, em 19 de abril, a Procuradoria se diz disposta ao acordo de condenação a 1 ano e 2 meses de reclusão e um bilhão de ressarcimento.

Poucos dias depois, D'Ambrosio recebe a visita de um outro Marcello: o senador Pera, responsável do Força Itália pela justiça. O encontro causa um rebuliço no partido e mais que isso. D'Ambrosio explica:

Não temos preconceito nem questões prévias nos confrontos com ninguém. Se um empresário nos pede para negociar, não vemos problema. Tratamos todos do mesmo modo. Se não nos comportássemos assim com Dell'Utri só porque é um deputado, ou por qualquer outro motivo, estaríamos sendo incorretos.

O *Cavaliere* também fica impressionado. As eleições políticas de 2001 são uma incógnita. À baila vêm sempre os futuros processos sobre "togas sujas", sobre o caso Lentini e sobre os balanços da Fininvest, e, também, os de apelação relacionados à Guarda de Finanças e à aquisição da Medusa cinematográfica. O risco está em que qualquer condenação se torne logo definitiva, e acima de 3 anos de pena existe a prisão. Talvez lhe convenha mediar. Com relação a isso, aconselham também o prestigiadíssimo Pomicino e a última aquisição do Força Itália, o ex-popular Giuseppe Gargani, ambos convictos de que o caminho certo seja o inaugurado pelos dois Marcellos. Em abril, os advogados de Berlusconi entram em contato com a Procuradoria para acertar uma declaração espontânea. E em 27 de junho de 1999 – depois de dois meses de adiamentos, primeiro pelas eleições para presidente da República, depois pelas eleições europeias – o *Cavaliere* em pessoa sobe as escadas do Palácio da Justiça. Recebem-no Ielo, Greco e dois oficiais da Guarda de Finanças, o coronel Federico D'Andrea e o capitão Antonio Martino, que seis dias antes haviam recebido um solene elogio exatamente pelas suas investigações sobre "um conhecido grupo financeiro milanês": a Fininvest.

Como de regra, nas apresentações espontâneas, não são feitas "contestações". O interpelado diz o que quiser em sua defesa. E, de fato, o *Cavaliere* entrega um relatório de seis páginas, no qual afirma jamais ter-se ocupado "de questões referentes à gestão administrativa, fiscal e financeira", mas também faz uma tímida admissão: as suas sociedades apresentam "carência administrativa e visível falta de transparência". Não é muito, mas é uma revolução copernicana para quem, até o dia anterior, queixava-se de complô, pintando seu grupo como um modelo de legalidade e zombando de cada acusação ("Fundos negros? Os únicos que conheço são os da xícara de café").

Depois, verbalmente, Berlusconi dá mais um passo adiante: deixa transparecer que também está disposto a negociar. Falta só estabelecer o valor. Desta parte das negociações ficaram encarregados os advogados de defesa, e é aqui que a corda arrebenta. Pelos 1.500 bilhões de fundos extrabalanço da sociedade *offshore* do setor econômico estrangeiro da Fininvest notificados pela acusação, os advogados propõem uma condenação mínima: menos de três meses de reclusão, podendo ser convertidos em uma conveniente pena pecuniária de poucas dezenas de milhões. A discussão com D'Ambrosio e os seus substitutos se prolonga por semanas: a perspectiva de arrancar de Berlusconi nem que seja uma implícita admissão de responsabilidade é, para a Procuradoria, muito desejada para deixar de ser tentada, mas, no final, entra areia na negociação. Não só pela impossibilidade técnica de contentar o acusado: se parte de uma pena base mínima de 1 ano, que com os atenuantes gerais diminuiria para 8 meses; com posteriores atenuantes que, com o ressarcimento do dano passariam para pouco menos de 6 meses e, com o desconto da negociação, ficariam em cerca de 4 meses, mas porque para transformar a prisão (virtual) em multa, é preciso chegar abaixo de 3. De qualquer maneira, essa pena, considerando a gravidade das acusações, seria irrisória, incompatível com os mais elementares princípios de equidade, sem contar que dificilmente se encontraria um juiz disposto a avaliá-la. Com efeito, em julho, o Tribunal de Milão recusa a proposta de negociação (1 ano e 2 meses) aceita por Dell'Utri com Gherardo Colombo, pelas falsificações e pelos balanços da Publitalia, sentenciando-a "em poucas palavras, inadequada por falta" haja vista "a singular gravidade" das acusações e a "capacidade e obstinação do acusado à delinquência". Assim, tanto para a Publitalia, como para a All Iberian não resta outra alternativa que ir a julgamento. A guerra dos berlusconianos aos juízes recomeça.

Jogo de cartas marcadas

O julgamento-*bis* All Iberian sobre a falsificação contábil retirado em 1998 por Ghezzi do processo principal recomeça, em maio de 2000, diante da segunda seção do Tribunal de Milão. Os advogados de Berlusconi tentam livrar-se imediatamente do presidente do Tribunal: Gabriela Manfrin, que lhes havia dado razão anulando o primeiro julgamento pela indeterminação do mérito da acusação. Pedem-lhe que se abstenha e, à sua recusa, solicitam à Corte de Apelação a sua exclusão: em fevereiro de 1999, havia aceitado a negociação de Vanoni e, portanto – dizem eles – poderia ser acautelada. A Corte de Apelação rejeita a instância como inadmissível: ninguém jamais sonhou considerar advertir um juiz apenas porque aceitou a negociação de um acusado. A negociação, na verdade, não equivale tecnicamente a um parecer de culpa. Se passasse um princípio daqueles, 90% dos processos correriam risco, sobretudo nos tribunais, onde os juízes já são raros. De qualquer modo, as defesas recorrem à Cassação, onde idênticas instâncias foram sempre rejeitadas. Desta vez, a surpresa: a quinta seção da Suprema Corte anula a ordem da Corte de Apelação sem julgamento. Justificativa: "Não se pode excluir *tout court* que da sentença de negociação possa surgir um prejuízo para terceiros, como também não se pode prospectar a geração automática de uma forma de prevenção". Nove meses de processo foram, assim, zerados com um traço de pena. O julgamento pela falsificação contábil All Iberian recomeça do início pela terceira vez. Processar Berlusconi é, agora, uma tarefa quase impossível, até porque o acusado antevê ao seu alcance uma nova estratégia vencedora: defender-se no processo até as eleições de 2001, vencê-las e depois mudar as regras do jogo.

O processo All Iberian recomeça em 27 de março de 2001, na véspera da votação, quando o *Cavaliere* já havia dito que, uma vez no governo, reformaria as leis sobre falsificação contábil. O processo continua a ser uma corrida de obstáculos. Em 6 de junho, a defesa de Berlusconi, recém-empossado na presidência do Conselho, apresenta a enésima instância de recusa: desta vez, contra os dois juízes de apoio que, tendo participado da redação de algumas disposições do processo, deveriam se abster. O processo prossegue, mas por pouco tempo: em setembro, Berlusconi consegue que o Parlamento aprove a nova lei-delegada sobre falsificação contábil. Para as empresas sem cotação na Bolsa (como a Fininvest), o delito é passível de punição somente com a denúncia de um dos sócios. Berlusconi e seus familiares são os únicos proprietários da Fininvest e não demonstram a intenção de denunciar sozinhos (mesmo que, no tribunal, o promotor Greco os instigue a fazê-lo). De qualquer modo, ficam também diminuídas as penas (com os respectivos términos das prescrições): mesmo se o processo prosseguisse, não seria em tempo, tampouco para a sentença de primeiro grau. Contudo, para evitar equívocos, em outubro, Berlusconi consegue aprovar uma outra norma *ad personam* que determina inutilizáveis os papéis reunidos por precatória no exterior. E, pontualmente, em 13 de novembro, os seus advogados solicitam a inutilidade, não só, de todos os documentos bancários e contábeis, mas também dos interrogatórios verbais feitos no exterior e transmitidos da Grã-Bretanha e da Suíça: sem os carimbos – dizem – portanto, tudo papel rasgado. Porém, o Tribunal, pelo menos nisso, tem um parecer diferente. E o processo, avançando numa estrada sem saída, prosegue por alguns meses ainda.

A lei sobre falsificação contábil é de fato uma lei-delegada e somente na primavera de 2002 o governo aprovará o decreto autuativo. Assim, em 2005, Berlusconi será absolvido porque "o ato não está previsto pela lei como delito".

O mesmo discurso serve para "o inquérito matriz", sobre o balanço consolidado da Fininvest, que o *pool* acredita ser falso desde 1995 por uma quantia de mais de 1,5 trilhão (presumível fundo irregular nascido em 64 sociedades *offshore*) Por essas acusações, em junho de 2001, o promotor Greco solicitou o julgamento de Berlusconi e de outros 25 acusados, mas o processo não acontecerá: anulado também esse pela lei do acusado. Em 2003, o juiz das audiências preliminares Fabio Paparella declara prescritos os delitos considerando os termos sumários da nova lei. As defesas da Fininvest recorrerão da Cassação para obter a absolvição do mérito, mas a Corte negará: os delitos ficam extintos "com base na nova lei sobre falsificação contábil".

6. TOGAS SUJAS: A MELHOR DEFESA É O ADIAMENTO

Chega da "insuportável dilatação do tempo processual". É "exorbitante o tempo que decorre para chegar ao processo e à sentença" e possibilita a "não pronúncia por intervenção prescrita", um resultado que "se assemelha à imunidade garantida: a que os constituintes querem eliminar". O autor dessa vibrante exortação é Cesare Previti, no já citado "Um programa pela justiça", de março de 1996. Poucos dias depois da publicação da obra, Previti descobre que está sob sindicância junto com Berlusconi por corrupção em atos judiciais, enquanto outros dois amigos, Squilante e Pacifico, estão presos pela mesma acusação. Naquele momento, tanto Previti como Berlusconi apostam tudo na "insuportável dilatação do tempo processual", confiando na "imunidade garantida" pela prescrição e depois pela lei sob medida.

Os dois distintos acusados se inspiram, conscientemente ou não, na estratégia cavouriana: assim como Camillo Benso, conde de Cavour, unificou a Itália anexando-a ao reino da Sardenha com a "política da alcachofra" (folha por folha), também Silvio e Cesare tentam esvaziar os seus processos eliminando, um depois do outro, todos os protagonistas e os componentes: as testemunhas, os promotores, os juízes das audiências preliminares, os juízes, as provas, os delitos, as penalidades e, enfim, todo o Tribunal.

Invalidar os promotores

As campanhas difamatórias contra a testemunha Stefania Ariosto são uma constante nos processos "togas sujas", assim como aquelas contra as promotorias que coordenam o inquérito e depois sustentam a acusação, com Ilda Boccassini à frente. Naturalmente, contra os juízes: primeiro os do inquérito preliminar e depois, após o julgamento, os do Tribunal.

No verão de 1997 chegam as rogatórias da Suíça com as provas decisivas do escândalo IMI-SIR. Em seguida, começa o ataque sincronizado à Boccassini. O Polo utiliza as críticas feitas pelo vice-presidente do CSM Carlo Federico Grosso a ela e a Colombo por uma frase dele sobre as contas do ex-procurador de Roma Vittorio Mele, candidato à Procuradoria-Geral da capital. Ouvidos no Palácio dei Marescialli sobre a posição dos juízes acusados por Ariosto de relações com Previti e, em particular, sobre eventuais investigações relacionadas com Mele, os dois promotores milaneses responderam: "Estamos com dificuldade, não podemos dizer nada". Assim, segundo Grosso, legitimaram a suspeita para que Mele fosse investigado. Com efeito, como vimos, em Milão, se investiga há tempo a agenda de Giancarlo Rossi na qual aparece o nome de Mele, que a Rossi tinha confiado as suas economias para investi-las melhor. Já que a investigação é secreta e ainda não está concluída, os dois promotores não podem antecipar o conteúdo à CSM, e Grosso os critica por aquela resposta sibilina. Dois dias depois, os senadores forcistas La Loggia e Pera solicitam uma ação disciplinar contra Colombo e Boccassini e, além disso, também contra Borrelli. O pedido não terá prosseguimento.

Em 1º de julho de 1997, Tiziana Parenti, ex-promotora da Operação Mãos Limpas, agora deputada do Força Itália e membro da Bicameral, convoca uma coletiva de imprensa e anuncia: "Denunciei Ilda Boccassini por calúnia. Ofereceu dinheiro a um informante para encurralar-me". O fato se origina com a detenção, em Gênova, em 1995, de alguns policiais acusados de tráfico de drogas. A Procuradoria lígure suspeita que faziam parte de uma estrutura desviada de que era chefe o coronel do ROS Michele Riccio, chefe da mítica esquadra que, no final dos anos 80, sob as ordens da agora promotora de Savona Tiziana Parenti, era muito elogiada graças às mirabolantes operações antidrogas. De acordo com os inquiridores genoveses, que obtiveram informações de dois marginais ex-informantes de Riccio, as blitz eram, em parte, cortina de fumaça para esconder um tráfico de drogas comandado pelos mesmos oficiais, os quais haviam implantado uma refinaria dentro do quartel da Arma, em Savona, para refinar os lotes sequestrados nos covis dos traficantes. A droga, ao invés de ser destruída, era revendida e usada também para pagar os informantes. Entre esses, um químico "criminoso", Angelo Veronese, que depois se tornou colaborador da justiça. Quando foi interrogado, Veronese contou que Parenti cheirava cocaína no gabinete junto com "seu belo", o primeiro-sargento Angelo Piccolo, braço direito de Riccio. O informante acrescenta que, um dia, em um corredor da Procuradoria de Milão, cruzou com Boccassini, que lhe ofereceu 500 milhões para "enquadrar" Parenti, que "estava se salientando um pouco demais", e acusá-la por aqueles antigos fatos de Savona. Naquele dia, acrescenta ainda Veronese, Boccassini vestia um conjunto amarelo com gola de pele.

Ao tomarem conhecimento do inquérito, Riccio e Piccolo se antecipam e se apresentam à Procuradoria de Gênova para denunciar o fantástico complô contra eles e contra Parenti, mas, em 6 de junho, terminam algemados. Parenti, que havia trabalhado com eles sem se dar conta de nada, se apresenta para o procurador de Gênova para dar declarações espontâneas a favor dos policiais detidos. Em 13 de junho, Veronese confessa que foi Riccio quem sugeriu as "revelações" feitas contra Boccassini. No mesmo dia, Parenti anuncia a sua demissão da magistratura (estava, de fato, apenas na expectativa do mandato parlamentar. Em 1º de julho, a segunda coletiva de imprensa de Parenti, na qual anuncia ter denunciado por calúnia a ex-colega: "Levei Veronese a me caluniar para me tirar da política". Boccassini termina sob inquérito em Gênova e em Brescia. Na realidade, como concordaram os inquiridores, foram alguns dos oficiais de Arma que planejaram a armação contra ela, inventando um inexistente complô contra a parlamentar Parenti para criar uma nuvem em torno do caso e levar tudo para a política. A promotoria milanesa, porém, garantiu jamais ter se aproximado do informante Veronese. Este, por fim, se retrata: "Os 500 milhões? Não foi Boccassini que me ofereceu: fui eu que lhe pedi, mas ela não me deu". No entanto, o suposto "caso Boccassini" é assunto por meses, e os jornais berlusconianos estampam fotos e fotos de Boccassini com diversos conjuntos mais ou menos parecidos com o descrito pelo informante. Em 8 de julho, 40 deputados forcistas solicitam que Bocassini seja julgada por uma ação disciplinar e imediatamente suspensa da magistratura. Como verdadeiros "garantistas", já proferiram a sentença de condenação. Ottaviano Del Turco, presidente da Antimáfia, declara que "ou se demonstra que Parenti é louca de atar, e não sei se é assim, ou manter Boccassini no seu cargo na Procuradoria é como colocar a raposa a cuidar das galinhas". Em 8 de julho, Previti solicita a expulsão de Boccassini do inquérito.

Em 6 de julho, a Procuradoria de Bréscia solicita o arquivamento da denúncia de Parenti. Esta, em compensação, é investigada (e depois reenviada a juízo) em Gênova com a acusação de ter hospedado em sua casa, em Roma, o amigo primeiro-sargento Piccolo enquanto era investigado: o suboficial, porém, cometeu o erro de chamar a esposa a Gênova do telefone da casa de Parenti, sem imaginar que o mesmo estava sendo grampeado. Um outro falso escândalo: os protestos da ex-promotora pelas supostas "interceptações abusivas". Na realidade, não era o seu telefone que estava sendo grampeado, mas o da casa de Piccolo em Gênova. Interceptações indiretas, porém, plenamente lícitas: contudo, a Câmara negará, de qualquer modo, à Procuradoria de Gênova a autorização para utilizar. E Tiziana Parenti será solta em 2007.

Anular a prisão

O *pool* de Milão já tem em mãos todos os elementos do caso IMI-SIR e, em 3 de setembro de 1997, solicita à Câmara permissão para prender Previti. A Câmara rejeita a solicitação do remetente: quer que seja assinada por um juiz. A Procuradoria despacha a solicitação ao juiz das investigações preliminares Alessandro Rossato que, em 11 de dezembro, assina 153 páginas de disposições de custódia cautelar, nas quais determina "aos oficiais a aos agentes da polícia judiciária a prisão de Previti Cesare [...] e sua transferência para uma instituição de custódia cautelar, para ficar à disposição deste gabinete", com prévia autorização da Câmara. Previti – explica – deve ficar na prisão até o início do processo, uma vez que é suspeito de corromper as provas referentes à maxipropina de 67 bilhões do caso IMI-SIR, que o juiz, citando a Promotoria, define como "um episódio de corrupção de extraordinária gravidade", jamais visto "na história italiana e tampouco na de outros países". Em 17 de dezembro, afinal, expiram os prazos do inquérito SME-Ariosto, e o *pool* deposita o pedido de julgamento de Berlusconi, Previti, Pacífico e Squillante.

A rapidez da Procuradoria dissemina o pânico na maioria transversal que está reescrevendo a Constituição. O verde Marco Boato acusa os promotores milaneses de "interferirem nos trabalhos da Bicameral". "Querem condicionar o voto da Câmara – enfatiza Berlusconi – e estragar o meu Natal". Violante, porém, nas colunas do Foglio, diverte-se: "É preciso usar as autorizações para a prisão de um parlamentar com extrema prudência" (23 de dezembro de 1997). A Câmara adia o voto por um mês.

De acordo com Rossato, Previti foi preso com base em três exigências "concretas e atuais": cortar a sua ligação com a "fonte até hoje ignorada que ilegalmente informou a Previti a existência das investigações" em 1995; impedir ajustes de versões de conveniência com coinqueridos e testemunhas; e evitar que possa chantagear qualquer um, desfrutando de seus conhecimentos sobre episódios ilícitos do passado. Tudo – escreve o juiz das investigações preliminares – para impedir não só a corrupção, mas também as reiterações do delito: riscos, ambos, fundamentados em "concretos elementos confirmados". Por exemplo, os estranhos encontros entre Previti e outros indiciados como Pacini Battaglia (do qual recebeu, inclusive, dois chips GSM impossíveis de interceptar) e Giancarlo Rossi. Além disso, falta identificar os destinatários finais da maxipropina IMI-SIR e analisar os papéis reunidos para a rogatória referente a centenas de bonificações e depósitos anônimos feitos na Suiça. "Não há dúvidas de que nessa área a possibilidade de corrupção é elevadíssima, uma vez que é suficiente comparar versões de favores, seja entre os investigados, seja entre pessoas que com estes tenham se realacionado". E Previti – de acordo com o juiz – não é novo nestas operações: em 1996, prelevou e fez desaparecer toda a documentação confiada a sua fiduciária de Genebra, a Surveillance et Gestion Financière San.

Um novo elemento inquietante aparece em pleno debate parlamentar em 11 de janeiro de 1998, quando o órgão neossocialista Avanti! publica um dossiê que acusa Stefania Ariosto de ser uma agente do serviço secreto há dez anos. As provas estariam em alguns pressupostos relatórios da Criminalpol e da Procuradoria de Roma: pena que sejam falsos. Por tê-los forjado, foi interrogado e julgado um ex--agente do serviço secreto da Marinha, Angelo Demarcus, reincidente no mesmo delito. Na sua casa, os investigadores encontram o dossiê original, com o endereço de Previti. Demarcus revela que o ex-ministro lhe havia fornecido uma parte dos documentos falsos. Previti confirma, mas sustenta que os havia recebido pelo correio de remetente anônimo e nega que tenha encarregado Demarcus de fazer um dossiê. Em 2001, a Procuradoria de Roma solicita e obtém o arquivamento do processo de Previti: indícios do seu envolvimento existem, mas são insuficientes para sustentar um processo. O único dado certo é que Ariosto foi caluniada. Bastaria aquele despiste para aumentar as suspeitas de corrupção das provas.

Ao invés disso, no dia seguinte, 12 de janeiro, a junta para as autorizações para prosseguir da Câmara exprime parecer contrário à detenção com 10 votos, 8 contra e 2 abstenções. Em 20 de janeiro, depois de quatro meses de discussões, finalmente a sala da Câmara vota e nega o decreto de Rossato com os votos determinantes da Liga Norte, dos diniani, dos mastelliani, de muitos populares e socialistas. O PPI se quebra: 25 deputados votam pela prisão, 29 contra. Entre os Verdes, o único voto favorável a Previti é o de Marco Boato. Quase ninguém fala de *fumus persecutionis*; quase todos o excluem, mas bloqueiam igualmente o juiz com a inédita motivação que as provas recolhidas são muitas para poderem ser falsificadas. "Complô contra Previti existe – argumenta Michele Abbate, do PPI, relator do caso em acréscimo – nenhum sinal de má vontade da parte dos magistrados. O inquérito está fechado, todos os papéis já fazem parte do processo, o acusado não tem mais como manipular. Então, por que colocá-lo na prisão?". Gargani, outro popular prestes a entrar para o Força Itália, acrescenta: "Não querendo entrar no mérito, julgamos que para Previti não seria necessária a custódia cautelar. O pedido de prisão é de 3 de setembro. Estamos em 12 de janeiro: se quisesse, Previti teria tido todo o tempo para inquirir". Boato se supera: "Se tem um perigo de corrupção para Previti, não é contraditório não conjecturá-lo também para Berlusconi?". O relator do "não" à prisão, o ex-magistrado Carmelo Carrara (CDU), lê a Montecitorio um discurso copiado, palavra por palavra, por dois terços da autodefesa de Previti. Depois fala Previti: ao pedir aos colegas que o salvem da prisão, admite publicamente, na sala de Montecitorio, não ter pago as taxas sobre os 21 bilhões de Rovelli ("Portanto, me redimi", dirá). Os colegas, em sua maioria transversais, o salvam: 341, não à prisão, 248 sim, 21 se abstêm.

O advogado Taormina, indignado pelas permutas entre Polo e Ulivo no processo "togas sujas", revolta-se:

> A presença de Berlusconi na política compromete a evolução do país e arrisca afugentar o patrimônio eleitoral do Força Itália. O seu comportamento é concussivo: instrumentaliza milhões de votos, condicionando o desbloqueio dos trabalhos da Bicameral ao indulto de um interminável número de processos ou pretendendo despachos punitivos contra os magistrados que se arriscam a empreender ações penais por gravíssimas corrupções em atos judiciários. Berlusconi deve dar não um, mas dez passos para trás. Passou do limite (*ANSA, 6 de junho de 1998*).

Cláudio Scajola, coordenador do Força Itália, responde, dando-lhe "garantia de defesa". Taormina o querela por difamação. O processo, felizmente, será concluído três anos depois, com a remissão da querela e a nomeação de Scajola para ministro do Interior do segundo governo de Berlusconi e do neodeputado forcista Taormina a subsecretário do mesmo ministério do Interior.

Eliminar (de novo) a promotoria

"Agora tenho direito à um processo rápido", intima Previti no dia seguinte ao voto da Câmara. Uma exigência tão sentida que induziu o Polo a lutar com veemência pela reforma do "processo justo" que recomenda "duração razoável". Contudo, quando o parlamentar deixa as vestes de deputado e veste as de acusado, parece mais interessado em uma morosidade irracional.

Em 29 de junho de 1998, começa a audiência preliminar de IMI-SIR. A defesa de Previti pede tempo até 2005 para ler os autos. A defesa aponta, então, um vício de forma na notificação da instauração do processo penal e recomeça do início, perdendo, assim, quatro meses. Berlusconi se deixa denunciar sem comparecer à audiência: se procederá igualmente, apesar da sua ausência. Previti, ao contrário, solicita estar presente em cada audiência, começando, porém, a frequentar com insólita assiduidade a cadeira parlamentar e alegando, assim, o "legítimo impedimento" para as audiências no Tribunal que, sem a sua presença, não podem acontecer.

Em fevereiro de 1999, enquanto entram no cerne as audiências preliminares sobre as "togas sujas", o *Giornale* recomeça a discussão de Bocassini com uma campanha de seis meses em favor de uma senhora somali de nome Sharifa, que seria vítima de um grave erro judiciário, presa injustamente e separada do marido e dos dois filhos. Por que, depois de anos de polêmicas contra o extracomunitário, o periódico da família Berlusconi escolhe uma mulher africana para apadrinhar? A resposta está no nome do magistrado que indaga sobre ela: Ilda Boccassini, justamente, as reportagens dedicadas ao "caso" pelo *Giornale* (logo seguido de perto pela Panorama) são da antologia: "O DNA salva uma somali de Boccassini", "A guerra santa da promotoria contra uma mãe somali e seu filho", "A Procuradoria que rapta crianças". Ao *Cavaliere* não parece certo atacar "os métodos bárbaros de certos magistrados inquiridores" e emprestar o seu avião particular para a viagem da senhora a Londres. Entretanto, 40 deputados do Força Itália reclamam da abstenção de Boccassini no processo "togas sujas", e D'Alema, o presidente do Conselho, numa coluna do *Giornale,* pede, publicamente, desculpas à Sharifa pelo tratamento brutal recebido.

Porém, as coisas aconteceram muito diferente de como foram relatadas. A mulher, que chegou na Itália, do seu país, acompanhada por um homem e duas crianças, era suspeita pela polícia de estar envolvida com tráfico de menores, e foi ela mesma que se meteu nessa confusão: inventou um filho que não era seu e um marido que não tinha; contou outras mentiras; e apresentou, para corroborar as suas declarações, diversas provas falsas. Se, no final, conseguiu sair incólume do processo por tráfico de crianças, foi graças às investigações de Boccassini, que continuou a procurar provas em seu favor, apesar de tudo depor contra ela. Entretanto, nem mesmo no final, quando o equívoco se esclareceu no Tribunal, o *Giornale* reconheceu a boa fé e o mérito da magistrada: Boccassini é e continua sendo uma perseguidora, uma torturadora de mães e uma "ladra de crianças". Todo o Polo pede a intervenção urgente do CSM (que apurará a absoluta exatidão dos atos da promotoria).

Entretanto, o Polo propõe no Parlamento que os condenados com mais de 60 anos não sejam presos. Em 1998, Berlusconi completa 62 anos, Previti 64, Squillante, 71. A ideia não tem êxito, mas o neodeputado Gaetano Pecorella e seu colega Donato Bruno, ambos advogados próximos ao *Cavaliere*, reapresentam uma emenda à lei Carotti: "Diminuir sempre a pena quando o acusado não tiver antecedentes criminais ou tiver mais de 65 anos". Trata-se de uma "atenuante especial" que, somado a outras, asseguraria a imediata prescrição do processo contra Berlusconi (incensurável), mais agora que no início, e garantiria para os outros (os acima dos sessenta e cinco anos), penas inferiores a 3 anos (para pagar em liberdade). Também esta ideia será recusada, mesmo uma parte do PPI (parlamento italiano) sendo favorável. Voltará novamente em 2001, no segundo governo de Berlusconi. E a regra das prisões domiciliares para os detentos acima dos 70 anos (não mais 60, passou do tempo...) será inserida na lei ex-Cirielli de 2005.

Anular o juiz da audiência preliminar

Também o juiz da audiência preliminar Rossato está na mira: os advogados de Previti o recusam por seis vezes. As requisições são todas recusadas pela Corte de apelação, mas logo se transformam em lei do Estado e por iniciativa de Ulivo, no âmbito do renovado espírito *bipartisan* que há pouco levou à eleição do novo presidente da República, Carlo Azeglio Ciampi, também com os votos do Polo.

Como vimos, em 2 de junho de 1999, Guido Calvi, senador DS e advogado de D'Alema, propõe no decreto do juiz único uma emenda que faz disparar, em seguida, a incompatibilidade entre os juízes das investigações preliminares e os juízes da audiência preliminar. Maioria e oposição o aprovam por unanimidade em um ramo do Parlamento. Resultado: o juiz que tomou uma decisão investido de juiz das investigações preliminares durante as investigações não pode seguir o caso em audiência preliminar como juiz das audiências preliminares: deve retirar--se e passar o caso a um colega que não conheça o inquérito. A emenda Calvi é o que os advogados de Previti solicitam há meses no processo IMI-SIR: Rossato, o qual, tendo firmado as disposições de custódia para Previti, Squillante, Pacifico, Acampora, Rovelli e outros não poderá mais realizar as audiências preliminares dos três processos "togas sujas": deverá ceder a vez para um juiz que desconheça aquele caso. Assim, tudo ficará suspenso pelo menos por um ano. Do resto, se encarregará a prescrição.

Muitos parlamentares – noticiam os jornais naqueles dias – asseguram que existe um pacto de ferro entre D'Alema e Berlusconi. O ministro da Justiça Oliviero Diliberto, inicialmente perplexo, muda de ideia e assegura o parecer favorável do governo por meio do subsecretário Giuseppe Ayala, mas o expediente foi revelado por *la Repubblica* e *l'Espresso*, enquanto a ANM protesta e fala de "milhares de processos com risco em toda a Itália". Assim, a centro-esquerda, pega com a mão na massa, é obrigada a retroceder, mas apenas a metade. Bastaria, como sugeriram alguns, aplicar as novas regras apenas aos processos ainda em fase de investigação. Contudo, a incompatibilidade entre juízes das investigações preliminares e os juízes da audiência preliminar permanece em todos os processos e explode em 2 de janeiro de 2000. Os juízes da audiência preliminar empenhados em audiências têm cinco meses para concluir antes de se tornarem incompatíveis, ou apenas três meses e meio, deduzido o período das férias de verão. Rossato deverá proceder etapas forçadas para encerrar em São Silvestre as audiências IMI-SIR (iniciada em 29 de junho de 1998) e SME-Ariosto (iniciada em 23 de março de 1999), e a pressa, como veremos, será péssima conselheira. Porém, a terceira audiência, aquela sobre Mondadori, deve também começar e, pela lei, passa para outra juíza: Rosario Lupo, que não leu uma só das 182.117 páginas dos autos e, de fato, absolverá todos os imputados, salvo depois ser contestada pela Corte de Apelação.

No entanto, no recomeço das audiências preliminares, no outono de 1999, Previti inicia uma luta contra o tempo para impedir que Rossato consiga conduzi--los ao porto em tempo útil e, de recordista do absentismo parlamentar, se transforma em um autêntico stakanovista de Montecitorio. Do início da legislatura (18 de junho de 1996) a 29 de julho de 1999, participou de apenas 5.126 das 21.495 votações eletrônicas, com um percentual de 76,16% de absenteísmo e tomou a palavra apenas duas vezes (em 1998, para pedir aos colegas que o salvassem da prisão e para explicar seu envolvimento no Governo D'Alema). No verão de 1999, porém, se solta. O seu arrebatamento oratório se manifesta, principalmente, na segunda e na sexta-feira: exatamente os dias em que não há votação na Câmara e é mais difícil justificar diante do Tribunal o impedimento parlamentar. As intervenções bissemanais de Previti discorrem sobre todos os temas do saber humano: da fecundação assistida ao reordenamento das carreiras dos prefeitos, da crise em Kosovo ao decreto sobre as cotas de leite, do serviço militar feminino às "intervenções urgentes em matéria de proteção civil", do voto dos italianos no exterior à reforma dos períodos escolares, sem esquecer da minoria eslovena e da língua ladina em Alto Adige. O juiz Rossato, da audiência preliminar, pergunta ao presidente da Câmara, Luciano Violante, se todos os presumíveis compromissos parlamentares são realmente justificáveis. Violante responde que sim. Previti, no entanto, descobre uma nova vocação para a política internacional e entra na OSCE (Organização para a segurança e a cooperação na Europa), na Conferência Parlamentar de Ince (Iniciativa centro-europeia) e na Comissão Estrangeira: três novos empenhos que contemplam frequentes e longos deslocamentos ao exterior (o primeira a Praga, de 6 a 9 de outubro). Contemplam, também, apaixonados debates parlamentares, como o de 17 de setembro sobre o seguinte tema: "Convenção institutiva da união latina, alterações ao ato constitutivo da Unesco, acordadas com a Estônia, a Mongólia, a Guiana, a Georgia, a Rússia, o Kazakistão, a Nova Zelândia e o Paraguai".

Depois de um ano e meio de audiências preliminares IMI-SIR, o *pool* e a parte civil IMI se rebelam e solicitam prosseguir também sem Previti, ausente não muito justificado. O tímido Rossato decide no seguinte sentido: uma coisa — explica — são os dias de votação na Câmara (de terça à quinta-feira), que se constituem em impedimentos absolutos; uma outra são os dias de simples discussões (segunda e sexta-feira), que têm impedimentos, mas não absolutos. De outro modo, nenhum parlamentar seria jamais processado se não fosse no domingo (e talvez nem naquele: em 6 de outubro, o *pool* convoca Previti e Berlusconi no domingo para interrogá-los sobre lodo Mondadori, mas o *Cavaliere* manda dizer que não pode porque "eu, aos domingos, vou à missa"). No dia seguinte, 18 de setembro, Previti anuncia uma questão de legitimidade constitucional contra a providência de Rossato. Este, então, suspende o adiamento e rejeita as suas outras instâncias de reenvio: inclusive quando caírem em dias de votação. No final, as audiências realizadas sem a presença do deputado-acusado serão cinco: quatro por IMI-SIR (17 e 22 de setembro, 5 e 6 de outubro) e uma por SME-Ariosto (20 de setembro). Três das quais marcadas em dias de votação.

Em 15 de novembro, Rossato pede o julgamento dos acusados de IMI-SIR e, em 26 de novembro, inclusive o de SME-Ariosto. Para as cinco audiências contestadas, Previti solicita ao presidente da Câmara, Violante, considerar conflito de atribuição entre os poderes do Estado contra o juiz de audiência preliminar de Milão. Prevendo aborrecimentos, o *pool* pede que ele repita pelo menos as três audiências (todas de IMI-SIR) ocorridas enquanto a Câmara votava. Agora, o prazo de 2 de janeiro de 2000 fixado pelo decreto Calvi ficou para trás. Tempo esgotado.

Anular as acusações

Em 10 de maio de 2000, Violante acolhe o pedido de Previti e recorre à Consulta contra o Tribunal de Milão, mas apenas para as audiências ocorridas nos dias de votação, que se referem a IMI-SIR. De acordo com a interpretação da Câmara, nos dias de simples discussões, o impedimento não tem validade: pelo menos o processo SME-Ariosto está fora de perigo. Pelo menos, assim parece, mas, em seguida, também se constitui diante da Corte o presidente do Senado Nicola Mancino, sem estar envolvido na *querela*. E aceita completamente a tese de Previti: o parlamentar pode ausentar-se do processo também quando não há votação: praticamente sempre, de segunda à sexta-feira. Agora está em risco também a discussão do mérito SME-Ariosto.

Na expectativa que o Conselho decida, os processos das "togas sujas" aportam no Tribunal entre mil obstáculos, adiamentos, argúcias, dentro e fora da sala. Os defensores apresentam, representam e reiteram uma infinidade de vezes as mesmas questões: 64, em menos de dois anos, da primeira audiência, em 9 de março de 2000, até 1º de janeiro de 2002. Recusas dos juízes, requerimentos de abstenção dos promotores, vícios de forma, exceções de nulidade, incompetência territorial, inutilizabilidades, falhas na tradução e depósito incompleto de autos, mais uma questão de legitimidade constitucional e uma solicitação de incidente probatório. Requerem ouvir as 4.776 testemunhas (contra as 136 indicadas pela Procuradoria). Pela precisão: 361 sócios do *Circolo Canottieri Lazio*; 2.346 entre escrivães e funcionários variados do Tribunal de Roma: 1.777 magistrados romanos, todos em serviço na Capital de 1986 em diante, mais meia Confindustria (Confederação das indústrias italianas) e dezenas de jornalistas.

Em seguida, sustentam que pagar os juízes, entre 1990 e 1992, não era crime: a corrupção em atos judiciários (mais grave que a simples) foi introduzida só em 1990, e somente em 1992 foi especificado que valia também para a pessoa física corruptora e não apenas para os juízes corruptos. Portanto, o professor Pecorella e os seus colegas deduzem que por dois anos na Itália era lícito subornar os juízes (mas não, para os juízes, deixarem-se corromper). Em suma: Squillante, Verde, Meta e os outros podem ser punidos também por terem aceitado dinheiro de Previti e Berlusconi, mas Previti e Berlusconi não podem por tê-los subornado. Uma tese original, que, porém, não alcançará muito sucesso. Como aquela segundo a qual os documentos bancários que provam a passagem do dinheiro entre os acusados não seriam utilizáveis porque toda a "correspondência dos parlamentares" é sagrada e inviolável: os juízes respondem que a contabilidade dos depósitos suíços vem diretamente dos bancos, não das intangíveis caixas postais dos dois parlamentares.

Anular as rogatórias

Em 12 de maio de 2000, Fillippo Dinacci, um dos defensores de Berlusconi junto com Pecorella e Niccolò Ghedini, solicita à juíza Luisa Ponti, que preside o colégio no processo SME-Ariosto, que descarte todos os documentos (e as testemunhas vinculadas) reunidos para rogatória da Suíça porque "falta a numeração" de página, porque se trata de "fotocópias simples" sem "a específica autenticação de conformidade" nas folhas "não numeradas", ou "sem carimbo", ou ainda, "despachados diretamente da autoridade judiciária suíça à italiana", ou, também, entregues sumariamente ao oficial do SCO "evitando o Ministério da Justiça italiano e o Ofício Federal na Suíça". O Tribunal avalia a normativa vigente e conclui que está tudo de acordo: se faz assim, em toda parte, há anos. Portanto, recusa o pedido: tudo aconteceu de acordo com a lei. Aquelas instâncias recusadas pelos juízes se tornarão, em um ano, leis aprovadas pelo Estado, de acordo com proposta do partido do réu Berlusconi, com a válida e honrosa contribuição dos seus advogados Pecorella e Ghedini.

Em 2001, além de tudo, se movimentam também os juízes de Liechtenstein. Bloqueiam as contas nos bancos do principado referentes a Squillante e Pacifico e investigam por lavagem de dinheiro os seus advogados de referência, mas também Clara Pacifico, filha de Attilio, residente em Montecarlo, ativíssima nos depósitos da família depois da prisão e dos problemas do pai. Depois, entregam aos colegas milaneses um volume de 1.560 páginas que reconstituía as suas últimas descobertas sobre os negócios de Pacifico, que resulta no controle das contas de várias casas financeiras e fiduciárias em nada menos que 43,5 bilhões de liras, 9 dos quais apanágio de Squillante (os mesmos, provavelmente, transferidos rapidamente por Olga Savtchenko e pelo marido Fabio Squillante em 8 de fevereiro de 1996, um mês antes da prisão de "Rena'"). Fabio, de acordo com o apurado pelos magistrados do principado, também tentou, de fato, retirar o dinheiro, em espécie, depois da prisão do pai, mas em 2001, o Tribunal de Vaduz bloqueou a fortuna no âmbito da investigação sobre a lavagem de dinheiro.

Sempre do grão-ducado chega uma nova revelação: em 1994, quando Previti era ministro da Defesa, o senhor Darier, proprietário do banco ginebrino Darier Hentsch (no qual o parlamentar advogado tem as contas Mercier) chamou um advogado empresarial de Vaduz, Mario Zindel, para dar-lhe uma ordem: "Estes fundos de Cesare Previti, transfira-os para Darier Hentsch de Nassau". Ao todo, eram mais de 13 bilhões de liras, em várias moedas (florim holandês, franco suíço, iene japonês, dólar americano), levados para as Bahamas aos cuidados da *Osuna Trading*, uma sociedade panamenha utilizada pelo escritório de Zindel (também ele investigado em 2001 por lavagem). Em agosto de 1997, o *pool* de Milão aguarda um parecer à rogatória para Bahamas sobre sua segunda conta no exterior, último domicílio conhecido da fortuna de Previti. A resposta não chega: por um lado, pela oposição – legítima – dos advogados de Previti (que a desbloqueará somente em 2002 e só com a condição de que os documentos não sejam utilizados em outros processos); por outro lado, porque – como revelará em sala a promotora Boccassini em 2002 – "o Ministério do Exterior italiano não paga honorário aos advogados que deveriam seguir a prática pelo governo italiano": 20.000 dólares, nada mais. Há poucos dias, o ministro do Exterior é, provisoriamente, o mesmo Silvio Berlusconi, que é presidente do Conselho.

Os outros processos do Cavaliere

Depois da prescrição do caso All Iberian-1, resta ver como terminou o processo pela propina da Fininvest à Guarda de Finanças: o que começou com a primeira intimação para comparecer (diante do juiz) recebida por Berlusconi quando ainda era primeiro-ministro. Para a Procuradoria, as falcatruas foram autorizadas por Silvio e Paolo Berlusconi. Para o Tribunal de Milão, foi somente Silvio: de fato, em 1998 os primeiros juízes o condenaram a 2 anos e 9 meses por corrupção junto com o empresário Salvatore Sciascia e Alfredo Zuccotti; e condenaram os guardas fiscais corruptos por todas as quatro propinas contestadas (e também o advogado Berruti, acusado de favorecimento). No entanto, absolveram Paolo, que teria se entregado apenas para proteger o irmão:

> Não é raro que o suspeito mais fraco assuma toda a responsabilidade, mesmo a custo de consequência judiciária negativa, sabendo poder contar, assim, com o reconhecimento do suspeito mais forte. Ocorre, cotidianamente, que o mais fraco, forte pela indulgência estabelecida na sua acareação, assuma até a responsabilidade do acusado mais forte.

A Corte de Apelação, em 9 de maio de 2000, confirma o estabelecimento da primeira sentença, mas concede ao *Cavaliere* e a Zuccotti as atenuantes genéricas. A prescrição, assim dividida, desfalca os três subornos mais "antigos": Videotime, Mondadori e Mediolanum. Sobra a Telepiù, mas os juízes não a consideram suficientemente provada e absolvem todos com base no parágrafo 2 do artigo 530 (também o sócio de *Cavaliere* na Telepiù, Renato Della Valle – argumentam – tinha interesse no controle da Guarda de Finanças; portanto, ele teria pago a comissão ilegal.) Silvio Berlusconi, portanto, é considerado responsável por três entre quatro propinas, mesmo que consiga evitar a pena por questões puramente técnicas, que prescindem dos fatos:

> Os resultados alcançados permitem considerar provada a responsabilidade de Silvio Berlusconi, a título de participação moral, no pagamento das

propinas Videotime, Mondadori e Mediolanum [...]. O juízo de culpa do acusado se apoia sobre múltiplos elementos apontados, certos, unívocos, precisos e concordantes; por isso, dotados de relevante força persuasiva, tal que assume validade probatória.

E não só pela "sua posição de chefe da cúpula da Fininvest", como também porque "os elementos adquiridos, no seu nexo lógico, dão segura certeza de uma autorização sua aos pagamentos ilícitos feitos aos fiscais". Analisando bem, a motivação da convocação possui muitas falhas: uma série de buracos negros que leva a Cassação a absolver o *Cavaliere*. De fato, se volta a conjecturar a responsabilidade também de Paolo, o qual, porém, depois da absolvição, não pode ser processado uma segunda vez na falta de elementos novos. Além disso, os juízes de segundo grau ignoram, inexplicavelmente, a visita de Berruti ao Palácio Chigi (onde ficava Silvio, não Paolo) poucos minutos antes do telefonema-despiste ao primeiro-sargento Corrado, e, também, as embaraçantes contradições entre Berruti e o *Cavaliere* sobre aquele episódio (evidentemente, de maneira alguma, descuido). Ao contrário do Tribunal, depois, a Corte de Apelação sustenta que não só a Fininvest de Silvio, mas também a Edilnord de Paolo dispunha de caixa dois necessário para pagar as propinas, deixando, assim, aberta a hipótese que Paolo fizesse tudo sozinho, sem o conhecimento do irmão. Enfim, a Corte não explica se os dois irmãos autorizavam as propinas de quando em quando, ou se limitavam a dar a Sciascia uma "carta branca" geral, de uma vez por todas. As motivações, em suma, são fracas, contraditórias e cheias de gols contra.

De fato, em 19 de outubro de 2001, a sexta seção de Cassação confirma todas as condenações de apelação pelas propinas da Fininvest à Guarda de Finanças, exceto a de Silvio Berlusconi, que é absolvido "por não ter cometido o fato". Berlusconi pede – com uma carta aberta ao *Corriere della Sera* – que lhe seja restituída "a honra", por ter sido investigado, processado e condenado "sem um mínimo de prova". Massimo D'Alema se apressa a desculpar-se com ele (sem explicar o motivo): "Peço desculpas ao cidadão Silvio Berlusconi, que foi acusado sem provas, mas não ao presidente do Conselho". Só depois do depósito da motivação, em 7 de novembro, se descobre que o presidente do Conselho tem pouco do que se orgulhar. A Cassação não pôde entrar declaradamente no mérito, nem mesmo anular a sentença de apelação com fórmula duvidosa: é obrigada a emitir um veredito seco ("confirma" ou "anula"). Aqui anula, mas, na motivação, os juízes fazem duas referências ao parágrafo 2 do artigo 530, sub-rogado pela velha insuficiência de provas. Primeiro apelam explicitamente ao "artigo 530 cpv (onde "cpv" significa "parágrafo", isto é, parágrafo 2). Depois, a doze linhas do final, para evitar equívocos, querem ser ainda mais explícitos: "Levando em conta o que já foi observado sobre a insuficiência probatória nos confrontos de Berlusconi, do material indiciário utilizado pela Corte de Apelação a propósito dos casos Mondadori, Videotime e Mediolanum..." .

Todos os outros acusados, sejam os guardas fiscais corruptos, seja o corruptor da Fininvest, Salvatore Sciascia (mas também Berruti, por favorecimento), foram condenados definitivamente. Assim, os supremos juízes confirmam o que *Biscione* e Berlusconi haviam sempre negado, isto é, que se tratava de corrupção, não de concussão. Ficou clara – escreveram – uma "predisposição da Fininvest" para corromper a Guarda de Finanças, isto é, "de gerir de modo programado a situação objeto de causa, também com a formação de fundos para pagamentos extraorçamento e a designação de uma específica pessoa para efetuar os oportunos contatos" com os guardas de finanças:

> Sciascia – que certamente operava pelo grupo e não a título pessoal – [...] não age sob a pressão condicionante dos funcionários públicos, mas utilizando, consciente e deliberadamente, a presumível disponibilidade correlata a uma regular prática de corrupção (sobre a qual tem particularmente insistido a defesa de Berlusconi) dialogou paritariamente com eles, para a ilícita vantagem do grupo.

Uma vantagem que consistia na "deliberada sumariedade e complacência dos controles fiscais" em permuta de "consistente pagamento" e outros "favores". Se Sciascia não agia em proveito próprio, quem o autorizava a corromper os guardas de finanças? A Corte de Apelação diz que era Silvio, mas, talvez, também Paolo. A Cassação acredita que as motivações são carentes da necessária "consequencialidade lógica" e, portanto, julga insuficientes as provas atribuídas à Silvio. Assim, no final, por aquele suborno, pagam somente os executores materiais: o corruptor Sciascia, os guardas de finanças corruptos Nanocchio e Capone. Depois, Berruti, condenado definitivamente a 8 meses por favorecimento: tentou cobrir Berlusconi, tentando calar os guardas de finanças sobre a comissão ilegal da Mediolanum, salvo depois descobrir que Berlusconi talvez fosse inocente.

Sobre a absolvição do *Cavaliere* na Cassação, se descobrirá, em 2004, bastidores verdadeiramente emblemáticos: o falso testemunho no processo da Guarda de Finanças por parte do advogado David Mills, recompensado pela Fininvest – como estabelecerá definitivamente a Cassação em 2010 – com 600.000 dólares em 1999 por ter mantido Berlusconi "fora de um mar de aborrecimentos". Em particular, testemunhando sob juramento no processo de 1997, evitou revelar ao juiz que uma série de sociedades *offshore* (por ele constituídas por conta da Fininvest) que nos primeiros anos de 90 controlava a Telepiù eram propriedade de Silvio Berlusconi. Se tivesse falado, o *Cavaliere* teria corrido o sério risco de ser condenado, também na apelação, pela propina da Telepiù: só ele, de fato, e não o seu sócio Della Valle, tinha interesse em mitigar a investigação da Guarda de Finanças disposta por Garante da Editoria sobre a real propriedade da TV paga em violação da lei Mammì. Portanto, no caso de condenação na apelação, também por aquele episódio, talvez a Cassação tivesse retido suficientemente as provas. Ao contrário, reteve insuficientemente, também porque quem as deveria ter forneci-do, isto é, Mills, mentiu por pagamento, mas isso os juízes milaneses começaram a compreender somente em 2004.

Em definitivo, em maio de 2001, quando se apresentava novamente à cena eleitoral para tentar o grande golpe de retorno ao Palácio Chigi, Berlusconi foi poupado de uma condenação definitiva.

Para as irregularidades na aquisição dos terrenos de Macherio, foi absolvido em parte (fraude fiscal) e em parte salvo pela anistia (falsificação contábil).

Pelo caixa dois da Medusa cinematográfica (10,2 bilhões nas suas cadernetas ao portador), depois da condenação em primeiro grau a 1 ano e 4 meses, foi absol-vido na apelação com uma estupenda motivação: o fato foi plenamente provado, tanto é que o diretor Carlo Bernasconi foi condenado; quanto ao *Cavaliere*,

> a multiplicidade das cadernetas reconduzíveis à família Berlusconi, a pulverização da soma em cinco cadernetas e as notórias relevantes di-mensões do patrimônio de Silvio Berlusconi [...] postulam a impossi-bilidade de conhecimento seja do incremento, seja – e sobretudo – da origem do mesmo.

Em suma, muito rico para poder se dar conta da origem de 10 bilhões nos seus cofres.

Em todo caso, o aspirante à primeiro-ministro continua, em 2001, um pluriacusado: seis vezes em Milão (SME-Ariosto, lodo Mondadori, caso Lentini, All Iberian-2, balanços Fininvest) e uma em Madri (Telecinco), sem contar que é ainda investigado em Caltanissetta por participação nos massacres de 1992 de Ca-paci e Via de Ameli (a Procuradoria solicitou o arquivamento em janeiro de 2001, mas o juiz das investigações preliminares decidirá somente em maio de 2002). No entanto, em 2001 os promotores Robledo e De Pasquale abrem uma nova investi-gação sobre Berlusconi e vários empresários da Fininvest-Mediaset pela compra e venda de direitos cinematográficos e televisivos ao exterior a preços inflacionados: um mecanismo arquitetado – segundo a acusação – para ter acesso com mais van-tagens aos incentivos fiscais ocorridos em 1994 no primeiro governo Berlusconi com a lei Tremonti ("supervalorização dos utilitários") e alterar a situação patrimo-nial da sociedade "para aumentar a cotação na Bolsa". As operações aconteceram no setor econômico do exterior da sociedade da Fininvest e, em particular, por meio das contas suíças de duas *offshore*, a "Universal One" e a "Century One" anexas da SBI de Lugano, das quais resultam arrecadados em dinheiro 103 bilhões de liras entre 1992 e 1994. Delitos supostos: apropriação indébita, fraude fiscal e falsificação contábil em cerca de 180 milhões de euros (350 bilhões de liras).

7. OS RESTOS DA TANGENTOPOLI

No quadriênio 1997-2001, concluem-se, em toda a Itália, muitos processos iniciados nos anos turbulentos da Mãos Limpas.

Turim

A Tangentopoli subalpina consegue evitar, em grande parte dos casos, a prescrição. São muitas as condenações e as negociações. O líder político mais envolvido, o socialista Giusy La Ganga e o democrata-cristão Vito Bonsignore saem, respectivamente, com um acordo de 1 ano e 11 meses por corrupção e financiamento ilícito e com uma condenação definitiva a 2 anos por tentativa de corrupção na obra do novo hospital de Asti. La Ganga aderirá, depois, ao PD, mas em uma posição secundária, enquanto Bonsignore será eleito para o Parlamento europeu com a UDC e, no final, passará para o PDL.

No entanto, o processo dos processos é o dos fundos irregulares e das propinas Fiat. Em 9 de abril de 1997, o administrador delegato do grupo, Cesare Romiti, é condenado, em rito abreviado, a 1 ano e meio de reclusão pelo juiz da audiência preliminar Francesco Sluzzo por falsidade contábil, financiamento ilícito aos partidos e fraude fiscal. Na Apelação, em 28 de maio de 1999, a pena foi reduzida para 1 ano; e na Cassação, em 19 de outubro de 2000, é reduzida para 9 meses e 10 dias (por efeito da reforma dos crimes tributários provada pelo governo Amato, a mesma que salvou Dell'Utri da prisão). A sentença definitiva chega poucas semanas antes da prescrição, que seria seguramente aumentada se os homens da Fiat tivessem optado pelo julgamento. Sem contar que, com o novo artigo 513 e depois com o "processo justo", as declarações acusatórias feitas a Di Pietro por Antonio Mosconi (que, em seguida, sempre se valeu do direito de não responder) seriam inutilizáveis, e Romiti poderia contar com uma absolvição. A pena, enfim, é mínima, graças também aos descontos da redução; contudo, suficiente para impedir o ancião dirigente de realizar o sonho de sua vida: suceder a Enrico Cuccia na presidência do Mediobanco. A lei bancária italiana veda, de fato, aos condenados por delitos financeiros, ocupar cargos nas cúpulas das instituições de crédito. Cai, ao contrário, em prescrição, a condenação do diretor financeiro Francesco Paolo Mattioli, que, em primeiro grau, foi condenado a 1 ano e 4 meses. Mattioli, porém, negociou em Milão e em Roma uma pena total de 1 ano e 8 meses por financiamento ilícito nos processos sobre as propinas do metropolitano das duas cidades.

O presidente de honra da Fiat, senador vitalício Giovanni Agnelli, poderia não saber nada sobre o caixa dois e as propinas pagas por sua empresa? A Procuradoria de Turim fez muitas vezes esta pergunta, mas não recebeu informação de crime, nem resposta útil das centenas de testemunhas e acusados interrogados. Pomicino queria falar em sigilo, mas quando o promotor turinense lhe explicou que não poderia, se valeu da prerrogativa de não responder. Craxi jurou que do vil

1997-2000. MÃOS LIVRES 771

dinheiro se ocupava Romiti, enquanto o advogado se limitava às outras estratégias. Assim, o juiz da audiência preliminar Saluzzo, na sentença que condena Romiti e Mattiolo, convida explicitamente a Promotoria a abrir uma investigação sobre todos do Comitê Executivo dos anos das propinas, isto é, sobre Giovanni e Umberto Agnelli, Gianluigi Gabetti, Franzo Grande Stevens e Mario Monti. Os cinco são então investigados por falsificação contábil em maio de 1998, mas qualquer tentativa de aprofundar o seu possível envolvimento no sistema ilícito se bate contra os "não sei" e as negações de quem teoricamente poderia arruiná-los. Assim, à Procuradoria só resta pedir o arquivamento, porque "não existem elementos suficientes de prova a cargo dos membros do Comitê Executivo", e "o banal eufemismo do "não poderia não saber", parece inadequado para demonstrar no foro penal o conhecimento das falsificações". Portanto, em 1º de setembro de 1998, a juíza de investigações preliminares Paola De Maria arquiva o processo sobre o advogado e os outros quatro, documentando que está "historicamente provado que Giovanni Agnelli mentiu aos acionistas ao negar" as propinas da Fiat, mas que não está provado que as conhecesse. Também permanece, pelo menos, uma "razoável dúvida" sobre o conhecimento das propinas, de sua parte e dos outros quatro. Entre eles, o futuro primeiro-ministro Monti.

Em Turim, também se conclui definitivamente a longa e complexa investigação sobre os financiamentos "vermelhos" do caso EUMIT: cerca de 16 bilhões de liras de lucros (fictícios, de acordo com a acusação) passados, entre 1983 e 1989, das contas da sociedade ítalo-alemã-oriental para as dos acionistas PCI por meio de Brenno Ramazzotti (um ex-operário metalmecânico que era testa-de-ferro de lucros obscuros). Os depósitos ao PCI foram, pelo menos em parte, caixa dois, isto é, extraorçamento, e isentos de taxas. Os crimes presumidos pela Procuradoria vão da bancarrota fraudulenta imprópria à falsificação contábil, da fraude fiscal ao financiamento ilícito dos partidos. Investigados Achille Occhetto e os dois últimos secretários administrativos do PCI-PDS: Renato Pollini e Marcello Stefanini (falecido em 1994). Em 2 de maio de 2000, os promotores Giangiacomo Sandrelli e Giuseppe Riccaboni requerem o arquivamento do processo, mas não porque não existam delitos; pelo contrário. Escrevem os promotores:

> Realmente existiram distribuições ilícitas da Eumit ao PCI, cujo secretário político/assessor era então o parlamentar Occhetto, e os secretários [administrativos] responsáveis eram, na época, ou Stefanini ou Pollini. Isso é atestado pela lógica, pelo confronto documental das resultantes inequívocas da rogatória referentes aos, na época, responsáveis pela gestão da sociedade, em âmbito da DDR [que demonstram] distribuição de riqueza aos sócios de EUMIT fora da gestão oficial.

A bancarrota não subsiste porque os lucros da EUMIT eram reais, não fictícios. A falsificação contábil, ao contrário, subsistiria: não registrar as moedas passadas às

OPERAÇÃO MÃOS LIMPAS

escondidas ao partido é crime, mas "o último balanço corrompido das alterações é o de 1989" e, portanto, o delito "prescreveu" em 1995. Provado, segundo os juízes, também o ilícito financiamento ao ex-PCI:

> os encargos encobertos das aquisições e a particularíssima natureza fiduciária da presença de Ramazzotti no importante organismo da EUMIT (desde a queda do muro de Berlim), impedem a alegação de ignorância da parte dos prepostos administradores e políticos sobre a razão daquela riqueza entregue em dinheiro, na Itália, pelo fiel sócio fiduciário da EUMIT.

Em suma, também Occhetto sabia e avalizava o caixa dois da DDR, mas também esse crime "cessou antes que findasse 1989, data em que a função do ilícito instrumento de distribuição de riqueza da EUMIT diminuiu". Aquele ano, pois, está resguardado pela anistia de 1990 que, com o pretexto da entrada em vigor do novo Código de Processo Penal, passou a esponja sobre todos os financiamentos sonegados de todos os partidos italianos. O mesmo discurso pela fraude fiscal ("declarações inverídicas por omissões de indicação de recebimentos e saídas"): "A combinada prática distributiva implica, também, no conhecimento do ilícito pelos perceptores que operaram como intermediários do legatário Ramazzotti. Assim, a plausibilidade da acusação também aos 'estrangeiros' com relação à equipe gestora", isto é, o secretário Occhetto e os tesoureiros Pollini e Stefanini, mas, também neste caso "enfim, o término da prescrição expirou". Em 3 de agosto de 2000, o juiz da audiência preliminar Luca Del Colle recebe o pedido da Procuradoria e arquiva, declarando inconsistentes ou não provados os crimes de falência e de corrupção, e prescritos os financiamentos ilícitos e as fraudes fiscais, graças às atenuantes genéricas.

Roma

A Tangentopoli da capital, como vimos, termina praticamente em nada. O método seguido, em grande parte dos casos, é o de manter as investigações abertas por longo tempo e de encomendar laboriosas perícias contábeis que se concluem depois de anos, quando os delitos já caíram em prescrições ou quando a memória das testemunhas evaporou. Ao juiz, na maioria das vezes, só resta tomar nota do óbito do processo antes mesmo do julgamento. Um dos poucos julgamentos a conseguir a sentença de condenação é o sobre as propinas da ACEA, a empresa municipal de energia.

No final das contas, além dos inquéritos já citados a propósito das "togas sujas", há o caso emblemático da Intermetro: o processo transferido de Milão para Roma em 1993 e depois praticamente morto. Todos os acusados foram soltos ou beneficiados pela prescrição. As primeiras absolvições acontecem em 1994 diante do juiz das investigações preliminares, para os quatro homens da Fiat implicados

1997-2000. MÃOS LIVRES

no caso: as investigações dos promotores Misiani e Vinci fazem água, "o quadro probatório, de probatório tem bem pouco", o chefe da imputação é o mais "genérico" que se possa imaginar.

Ninguém, por exemplo, nem a promotoria, nem o juiz, se deu conta de que Romiti tinha sido, por anos, administrador da Fiat Impresit, destinatária de ricas obras do metro em Roma. Assim, a Corte de Apelação também pôde escrever que "Romiti, não tendo jamais desempenhado o papel de administrador da Fiat Impresit", não tem nada a ver com as propinas *Intermetro* (segundo a acusação, só a Fiat havia pago aos partidos 3,2 bilhões). Sobre estas bases falsas, em 1995, a Cassação confirma a absolvição, que, considerando também a falsidade contábil da Fiat SPA, imprevidentemente contestada pelos dois promotores, despreocupados com o fato de que a competência por aquele delito espera em Turim. Será preciso uma visita a Roma dos procuradores turinenses Maddalena e Sandrelli para levar as provas negligenciadas pelos distraídos colegas romanos e fazer reabrir o processo pela juíza das investigações preliminares Adele Rando, em 1996, depois da prisão de Squillante. O segundo processo romano pelas propinas da Intermetro também terminará praticamente em nada, mas pelo menos em Turim as falsificações contábeis poderão ser processadas e com êxito total. Assim, os outros construtores do consórcio Intermetro serão absolvidos em pequenos grupos. Motivo: faltará a figura do público oficial, indispensável para confirmar o delito de corrupção. O único condenado é o presidente do consórcio, Luciano Scipione. Mattioli e Mosconi, veteranos dos acordos milaneses, concordam com uma pena mínima "em continuação" com aquelas ambrosianas: não podem prever que, escolhendo o julgamento, o Tribunal os teria julgado inocentes sem que eles soubessem.

Também o processo sobre a cooperação com o terceiro mundo é um escândalo no escândalo. Encerrada em 1995, a investigação romana sobre as propinas para ajuda aos países pobres acusa 44 protagonistas da Primeira República: entre eles Craxi, De Michelis, Mach di Palmstein, Pacini Battaglia, numerosos empreendedores e os embaixadores Claudio Moreno (preso em 1993 em Roma, quando era representante italiano na Argentina) e Giuseppe Santoro (na época, diretor-geral da Cooperazione). Foram acusados de terem tratado propinas de dezenas de bilhões, terminando quase todas nos cofres do PSI em troca de obras em grande parte virtuais (estradas, aquedutos, diques, indústrias e outras infraestruturas) a serem construídas na África e na América do Sul. Só a Metropolitana de Lima, deixada incompleta, custou ao contribuinte italiano 10.919 bilhões de liras, destinados para doar infraestruturas a um país pobre e retornar 97% para a Itália, nos cofres de poucas grandes empresas italianas que quiseram construí-la. Craxi, segundo a acusação, exercitou "um rigoroso controle sobre a cooperação, com a precisa intenção de obter fundos importantes de financiamento para o seu partido".

O julgamento inicia em outubro de 1996, mas depois se arrasta devagar por seis anos, entre altos e baixos e contínuos retrocessos entre o Tribunal e o gabinete do juiz das investigações preliminares. Em 18 de janeiro de 2002, o ministro da

OPERAÇÃO MÃOS LIMPAS

Justiça Roberto Castelli chama o presidente do colégio julgador Angelo Gargani para que renuncie à efetividade e assuma imediatamente as funções de vice-chefe de departamento no ministério. Faz isso precisamente na véspera da sentença, quando falta ouvir somente a requisitória da promotoria e o discurso da defesa. Assim, faltando poucas audiências para o final, o processo deverá recomeçar do zero e será devorado pela prescrição. O juiz em questão, pelo relato, é Angelo Garganti, irmão de Giuseppe (já deputado da DC e do PPI, desde 2001 responsável pela justiça do Força Itália). A sentença de primeiro grau chega em 10 de março de 2004. De todos os delitos contestados, só a concussão escapa da prescrição, mas Moreno e Mach são soltos, enquanto Craxi está morto, e De Michelis e outros réus acusados de propina se livram graças ao habitual golpe de borracha do fator tempo.

Nápoles

Os processos também avançam a passos de lesma, mas, desta vez, isso tem pouco a ver com a Procuradoria. Desde quando (em 1993) Agostinho Cordova assumiu como procurador da República e colocou um fim à prática ilícita de permitir aos advogados consultar livremente o registro dos investigados, a Câmara Penal local está sempre em greve e bloqueou os processos. Na verdade, já anteriormente, as abstenções obstrucionistas de muitos advogados eram quase uma regra: no quinquênio 1990-94, os dias efetivos de audiência foram apenas 2 anos e 4 meses; no quadriênio 1995-98, apenas 200 dias. Resultado: paralisações do gabinete do juiz das investigações preliminares e do Tribunal, liberações em massa em decorrência dos termos de custódia, prescrições dos crimes. "A justiça de Nápoles empunha uma espada de lata", repete Cordova, que pede muitas vezes aos governos o aumento ou, pelo menos, o domínio dos órgãos. "Aqui – acrescenta – as únicas penas certas, efetivas e imediatamente executadas são as aplicadas pela Camorra".

Às infaustas condições "ambientais" se juntam as ótimas manobras dos acusados para adiar o dia do julgamento. Destaca-se, entre tantos, o caso de Paolo Cirino Pomicino: por cerca de dois anos, entre 1998 e 2000, o ex-ministro permanece "totalmente incompatível" com o status de acusado, esperado em vão nos tribunais da Itália (de Milão a Roma, de Nápoles a Foggia), graças a uma série de perícias médicas que atestam as suas gravíssimas condições de saúde. Sérios problemas no coração que, porém, não o impedem de escrever artigos cotidianamente para o *Giornale*, para a *Panorama* e para o *Tempo*, assinando "Geronimo" ou "Yanez". Nem de escrever o seu livro de memórias para Mondadori. Nem de organizar partidos e correntes com os respectivos congressistas (Força Itália, UDR, Democracia Europeia de D'Antoni e também UDEUR e DC pela Autonomia de Gianfranco Rotondi...). Nem de participar do *Scherzi a parte* no Canal 5. Nem de ir aos salões de Daniela Santanché e outros lugares da mundanidade, entre os quais a sua casa com varanda e vista para o mar de Posillipo, milagrosamente salva

1997-2000. MÃOS LIVRES

do sequestro pedido pelo ENI e trocada pelo Tribunal de Milão por 7 casas no valor total de 8 bilhões (que nega jamais ter possuído). O "impedimento absoluto a comparecer" vale somente para as salas da justiça. Até que, em 2000, a quinta seção do Tribunal de Nápoles ordena uma nova perícia médica que atesta a plena compatibilidade das condições de Pomicino com a condição de acusado e põe fim à pantomima dos contínuos adiamentos. Um dos três peritos, Giuseppe Sciaudone, conta incrédulo as cenas que assistiu no hospital Cardarelli, quando Pomicino se submetia aos exames:

> Pode-se notar um clima de cordialidade entre os peritos e o parlamentar: tratam-se intimamente [até porque] Pomicino é, em primeiro lugar, um médico [...]. O periciado atende muitas vezes ao celular. De vez em quando, no gabinete do prof. Boccalatte, entra alguém que cumprimenta Pomicino cordialmente [...]. Boccalatte pergunta ao parlamentar esclarecimentos sobre aguardo de transplante, e o parlamentar explica um pouco, mas quando Boccalatte insiste, Pomicino se enfurece: diz que quer ir embora, não quer mais se sujeitar ao exame, fica muito irritado, levanta a voz, fica com o rosto vermelho, mostra toda a sua veemência. Eu não sei o que fazer; por um momento, me parece estar assistindo a um "drama" no qual os atores trocam os papéis entre si [...]. Pomicino cumprimenta cordialmente os médicos, que o acolhem do mesmo modo, são feitos comentários brincalhões sobre algum quilo a mais que o parlamentar tenha adquirido. Em seguida, são feitos o eletrocardiograma e a ecografia.

Depois, a procissão de fãs, recomeça incessante: "No corredor tem uma confusão, todos cumprimentam o parlamentar". Sciaudone encontra o "paciente" duas vezes (a segunda o enfermo o recebe "no bar do Hotel Excelsior" de Roma, entre um compromisso político e outro). E conclui:

> O parlamentar apresenta um leve estado ansioso, mas a sua capacidade física parece deveras surpreendente [...]. Para dar uma ideia, mesmo que mínima da situação psicológica, comportamental, da personalidade do parlamentar Pomicino, e também pela graça da narrativa, me consinta reportar algumas passagens do seu recentíssimo livro, que dizem respeito à sua prisão [...]. Pomicino tem uma capacidade realmente excepcional de adaptação, coragem, força de ânimo, resistência, entusiasmo e otimismo; [portanto] pode participar das audiências "judiciárias", ainda que continue sendo uma "pessoa de risco".

Mesmo com estes sistemas, em dez anos de processos em Nápoles, Pomicino consegue limitar as suas condenações a duas, e só em primeiro grau. A primeira, pela presumível receptação de 1,1 bilhão provenientes das propinas na gestão do

776 OPERAÇÃO MÃOS LIMPAS

patrimônio municipal: 3 anos de reclusão no Tribunal, absolvição na Apelação. A segunda, pelos 4 bilhões de financiamentos ilícitos em troca da lei sobre contributos estatais pelo metrô montanhoso (uma obra faraônica, que deveria custar 50 bilhões e custou 1,3 trilhão): 2 anos em primeiro grau, prescrição na Apelação. "Cirino Pomicino – escreveram os primeiros juízes desse processo – aceita as contribuições, mas só em 1990, vale dizer, no limite de tempo coberto pela anistia ou pela prescrição [...]. Confirma o comum dito que "a política é a arte de mentir", e nisso Pomicino é, com certeza, político de primeira categoria..." Outros processos a seu encargo, uns vinte, terminaram em absolvição ou em prescrição. Condenações definitivas, só por "Geronimo", restando as milanesas: 1 ano e 8 meses pelo financiamento ilícito de Enimont e 2 meses negociados "em continuação" por corrupção, nos processos sobre caixa dois do ENI.

No seu conjunto, entre as greves e obstruções defensivas, da Tangentopoli napolitana se salvam poucos julgamentos: os pelas propinas da gestão do patrimônio imobiliário do município, sobre o metrô montanhoso, sobre a limpeza urbana, sobre os estacionamentos, sobre o mau funcionamento do sistema sanitário, sobre as obras para o Mundial de 1990 e algum outro. O resto termina em prescrição. O caso mais clamoroso é pelas propinas – pelo menos 32 bilhões de liras – sobre as reconstruções em seguida ao terremoto de 1980. Uma investigação monumental: 120.000 páginas de atos fechados em 124 dossiês de 135 acusados. Para 43, a prescrição acontece já na fase de investigação; 91 são reenviados a juízo em 1997, dezessete anos depois do terremoto. Entre os acusados, estão todos os "vice-reis" da política como um todo. Em 2 de maio de 2002, o julgamento se encerra em uma nuvem de fumaça: nenhum condenado, todos os 87 acusados sobrevivem absolvidos ou prescritos. O tempo vencido salva, entre outros, Pomicino, De Lorenzo, Di Donato e Scotti. Absolvidos alguns outros líderes, entre os quais os ex-ministros Carmelo Conte e Antonio Gava. Outros inquéritos, porém, produziram muitas acusações e condenações que, pelo menos em primeiro grau, atingiram todos os vice-reis, incluindo o ex-chefe do grupo comunista Berardo Impegno (2 anos em apelação pelo metrô). Contudo, as únicas condenações definitivas serão a de Francesco De Lorenzo, preso em 2001 por 5 anos, 4 meses e 20 dias, que a Cassação confirmou, por associação para instigação ao crime); e a do ex-vice-secretário do PSI Giulio Di Donato (3 anos e 4 meses por corrupção) que voltará para a política no Força Itália.

Calabria

Os prazos médios da justiça são similares em Reggio Calabria, onde a Procuradoria antimáfia, coordenada pelo procurador-adjunto Salvatore Boemi, conseguiu resultados importantes. Obteve, nos anos 90, a cifra recorde de 358 condenações contra outros tantos chefes da Ndrangheta, mas, nas relações entre delinquência e política, circulam favores a dar e receber, dinheiro, etc. O processo, iniciado em

1995, por participação externa em associação mafiosa, contra Amadeo Matacena, ex-liberal e depois forcista, prosseguirá até 2011, quando a Cassação anulará a sua absolvição em apelação, ordenando um novo julgamento de segundo grau. Mais instável é o outro processo calabrês "excelente": sem êxito pelo mesmo crime, a cargo do socialista Giacomo Mancini. Condenado em primeiro grau em Palmi (3 anos e 6 meses), Mancini é absolvido na apelação, mas só pela incompetência territorial dos juízes, e definitivamente absolvido na Corte de Apelação de Catanzaro.

Sicília

Muito melhor estão as coisas em Palermo, onde a "emergência Máfia" e um grupo de magistrados guiados por Gian Carlo Caselli produz ótimos resultados investigativos e também processuais. O balanço da era Caselli, que durou seis anos e meio entre 1993 a 1999, está todo nestas cifras: 10 trilhões de liras sequestrados do clã, 89.000 investigados (dos quais 8.800 por questões com a Máfia), 23.000 julgamentos (dos quais 3.200 por máfia), 647 condenações à prisão perpétua e dezenas de perigosos foragidos capturados. No entanto, as dificuldades aumentam até ficarem intransponíveis quando o mesmo "grupo" tenta processar por "participação externa em associação mafiosa" políticos, administradores, empreendedores, magistrados, funcionários do Estado e das forças da ordem fortemente suspeitos de cumplicidade com o clã. Muitos magistrados falam de uma "mudança de clima" que envolve também a magistratura judicante, mas, sobretudo, de um progressivo aumento do "limite de provas" necessário para obter uma condenação. De qualquer modo, cada processo tem as suas particularidades. Andreotti é julgado culpado por associação criminosa com a Máfia desde 1980, crime "cometido", mas prescrito (sentença da Apelação confirmada na Cassação). Mannino sofre um alternar de condenações e absolvições duvidosas, até que a Cassação o absolve definitivamente. Musotto e Carnevale são absolvidos com a velha insuficiência de provas (agora parágrafo 2 do artigo 530). Contrada e Dell'Utri são condenados: o primeiro a 10 anos em Cassação, o segundo a 9 em primeiro grau e a 7 na Apelação.

Mais desapontadores são os resultados processuais obtidos para a Tangentopoli siciliana. O processo principal, baseado na acusação de Filippo Salomone e na famosa conexão do ROS "Máfia e adjucações", acusa Citaristi, Mannino, o ex-presidente da Região Mario D'Aquisto, o ex-deputado socialista Nicola Capria e o ministro Sergio Mattarella. À parte Salomone e outros poucos (que negociaram), termina tudo em arquivamento, absolvição ou prescrição. Poucos resultados demasiadamente lentos nos processos pelos pressupostos abusos da junta de Leoluca Orlando, ele mesmo, acusado, mas, no final, sempre absolvido.

Em 2001, a Procuradoria Antimáfia, dirigida há um ano por Pietro Grasso, pede e obtém o arquivamento de grande parte da investigação denominada "Sistemas criminais", sobre as ligações entre a Máfia, maçonaria desviada e política

778 OPERAÇÃO MÃOS LIMPAS

nos meses cruciais dos eventos de 1992-93. Mesma sorte em Caltanisseta, pelo dossiê sobre "mandantes disfarçados" do massacre, que investigava Silvio Berlusconi e Marcello Dell'Utri: o procurador de Caltanisseta, Giovanni Tinebra, em 2 de março de 2001, deposita o pedido de arquivamento depois de um duro encontro com o promotor titular do arquivo, Luca Tescaroli, forçado a emigrar para Roma. Depois, Tinebra deixa a Procuradoria, promovido pelo novo governo Berlusconi a diretor do Departamento de Administração Penitenciária. Quatorze meses depois, em 3 de maio de 2002, o juiz das investigações preliminares Giovanbattista Tona arquiva o processo, mas com motivações muito pesadas para os ex-investigados: Silvio Berlusconi e Marcello Dell'Utri – escreve – mantinham relações de trabalho com "pessoas ligadas à organização Cosa Nostra". Relações de tal modo consolidadas que "legitimavam, aos olhos dos 'homens de honra' a ideia que Berlusconi e Dell'Utri poderiam ser interlocutores privilegiados de Cosa Nostra". Relações mantidas também pelos "diretores das sociedades participantes do grupo Fininvest com pessoas em várias posições ligadas à organização Cosa Nostra". Relações que, agora, "constituem dados objetivos" e que – junto a outros elementos relativos aos contatos e à convivência de Dell'Utri com expoentes da mesma "cosca"* – confirmam, pelo menos, não serem de todo implausíveis nem estranhas as reconstituições feitas pelo diversos colaboradores da justiça" segundo as quais Berlusconi e Dell'Utri "eram considerados facilmente contatáveis pelo grupo criminoso". Por outro lado, "outras pessoas ligadas de qualquer maneira ao grupo Fininvest tinham mantido relações de trabalho com pessoas da Cosa Nostra: por exemplo, Massimo Maria Berruti, a pessoa que, segundo Siino, teria feito a intermediação com Berlusconi para uma das tratativas destinadas a defender uma legislação mais favorável à Cosa Nostra". O magistrado julga, portanto, críveis as revelações dos numerosos delatores da Cosa Nostra, avalizando grande parte do trabalho dos promotores de Caltanissetta Anna Palma, Nino Di Mateo e Luca Tescaroli.

Além disso, o juiz das investigações preliminares cita trechos do análogo arquivamento disposto em 1998 pelo colega de Florença Giuseppe Soresina para a investigação paralela, aberta em 1996, sobre as bombas mafiosas de 1993 em Milão, Florença e Roma. Também os magistrados toscanos investigaram, por dois anos, Dell'Utri e Berlusconi pelo massacre, mas terminaram arquivando, não porque os informantes tivessem mentido, mas "por insuficiência de elementos que sustentassem a acusação em juízo". Soresina, no decreto de 14 de novembro de 1998, escreve que Berlusconi e Dell'Utri (inscritos no registro dos investigados com o nome de código "Autor 1" e "Autor 2") tinham "mantido relações não meramente ocasionais com os criminosos aos quais se refere o programa criminoso realizado" e que "tais relações eram compatíveis com a finalidade pretendida pelo projeto", isto é, os atentados de 1993. No curso das investigações – acrescenta

---

* Termo utilizado normalmente para se referir a um grupo de mafiosos ligado a uma pessoa ou a uma família. (NT)

o juiz – "a hipótese inicial [de um envolvimento de Berlusconi e Dell'Utri nos massacres] manteve e incrementou a sua plausibilidade". Infelizmente, venceu "o prazo máximo das invvestigações".

Milão

No epicentro de Tangentopoli, os episódios de corrupção político-administrativa não se interromperam mais. Nos anos da passagem de século – além do vasto capítulo Berlusconi-Fininvest-Mediaset-Publitalia –, foram iniciadas novas investigações sobre os números conselheiros, assessores e funcionários públicos, municipais e regionais, até trocar muitas vezes o presidente do conselho municipal, o forcista e ex-maçom Massimo De Carolis (negociará a bancarrota e será condenado em Cassação por corrupção) e o presidente da Região Lombarda Roberto Formigoni, também ele de Força Itália, reenviado à juízo em 2001, junto com Paolo Berlusconi pelo lixo da descarga de Cerro Maggiore: as hipóteses de crime vão desde corrupção até falsificação contábil, de peculato ao abuso. O irmão do *Cavaliere* teve de despender 13 bilhões para beneficiar aquela bomba ecológica, mas foi acusado de tê-la concedido ao grupo Auchan (em troca da autorização regional para abrir um supermercado perto da lixeira) e, também, de ter feito desaparecer dos orçamentos pouco mais de 150 bilhões. Em 2002, na véspera do julgamento, Berlusconi Júnior negociará a pena para evitar a prisão, pagando 55 bilhões de euros (110 bilhões das velhas liras) de ressarcimento, em acréscimo aos 38 (76 bilhões de liras) já desembolsados para resolver o paralelo contencioso fiscal. Formigoni, ao contrário, será absolvido, seja naquele processo, seja em outros abertos, em seguida, a seu encargo.

Depois, no *hinterland* milanês, foram milhares de administradores, políticos e empreendedores sob investigação por casos de corrupção urbanística. Outros 500 serão condenados em definitivo e, entre esses, muitos conselheiros municipais e quase todos os presidentes da Câmara (sobretudo do PCI-PDS) seguintes em centros como Segrate e Pieve Emanuele dos anos 70 a 1992.

Em setembro de 2000, se suicida um famoso médico milanês, o professor Giuseppe Poggi Longostrevi, titular do centro de Medicina nuclear: tinha uma pesada condenação por um esquema trapaceiro praticado por anos. Havia convencido centenas de médicos milaneses a mandarem os seus pacientes na sua clínica e nos seus laboratórios, acompanhados de receitas que prescreviam exames inúteis e não reembolsáveis, ou mais complicados e caros do que deveriam ser ou, ainda, "inventados". Assim, um rio de dinheiro saía dos cofres da Região e entrava nos bolsos de Longostrevi. Enquanto os pacientes faziam exames às lufadas, os médicos recebiam 70.000 liras por receita, mais algum presente (de uma gravata até um serviço de porcelana de Capodimonte); trabalhavam em regime integral nos consultórios do professor e sugavam do serviço sanitário nacional 700 milhões por mês (por muitos anos). A única a perder era a Região Lombarda, isto é, o contribuinte. Ninguém, na Região, jamais se deu conta, ou melhor, se deu conta Giuseppe Santagati, empresário da USL 39, que denunciou o caso e foi em seguida licenciado.

Sempre em 2000 e sempre a propósito da Região, foi preso o assessor-construtor Massimo Guarischi, jovem e rampante ex-socialista passado ao Força Itália e fidelíssimo ao governador Formigoni, envolvido com alguns colegas em um giro de propinas para as obras de conserto do território depois da inundação de 1997, entregues, na maioria dos casos, às empresas do pai. As interceptações telefônicas revelam um despudorado sistema de distribuição. "O Ticino é meu, tu ficas com Bevera, assim, ele fica com Oltrepò". "Por alto, surrupiamos 30%". "Aquele é amigo de Formigoni, dê-lhe uma alguma coisa: o contentamos, e assim eu e tu ficamos bem com Formigoni... " "Calma, calma, se começarmos a nos agitar, que dirão os cidadãos, que os entulhamos com um milhão de quilos de merda?!" Em 2009, Guarischi é condenado definitivamente a 5 anos por corrupção.

8. ERA UMA VEZ A JUSTIÇA

Em 20 de janeiro de 2000, às 16h30min, Bettino Craxi morre na sua cama na mansão de Hammamet. "Ataque cardíaco", informam os médicos. "Mataram-no", sentencia a filha Stefania, levada em seguida ao TG2, na noite que dedica ao acontecimento 18 minutos de 25. O TG1, mais contido, reserva 14. O TG5, 17. O homem que muitos chamavam o "exilado" e, na realidade, era um foragido, um ex-presidente do Conselho que havia fugido da justiça do seu país, morre por complicações de uma intervenção cirúrgica e por uma série de problemas causados pela diabete que o devorava há anos.

Quando morre, Craxi já havia colecionado duas condenações definitivas de 10 anos de reclusão (5 anos e 6 meses pela corrupção no ENI-SAI e 4 anos e seis meses pelos financiamentos ilícitos da MM) e também várias condenações provisórias, de primeiro e de segundo graus, por uma outra quinzena de anos (3 anos na Apelação por Enimont, 5 anos e 5 meses no Tribunal pela ENEL, 5 anos e 9 meses anulados com julgamento da Cassação pela bancarrota da conta *Protezione*); depois, duas absolvições (Cariplo e, em Roma, Intermetro) e uma prescrição (na Apelação por All Iberian). Sobre a sua cabeça, estavam pendentes, há anos, três ordens de custódia cautelar relativas a processos ainda não definidos: propinas ENEL, caixa dois do ENI e caixa dois da Montedison, mas nenhum governo tinha jamais mexido um dedo para obter a extradição junto ao governo tunisiano "amigo". Na prática, se tivesse retornado à Itália, não teria outra alternativa: a prisão, pelo menos pelo período necessário para avaliar a sua condição de saúde em vista de um eventual deferimento da pena, perspectiva que o interessado sempre recusou: "Voltarei um homem livre ou não voltarei nem mesmo morto". De fato, entre as suas duas últimas vontades, está a de ser sepultado no pequeno cemitério de Hammamet.

1997-2000. MÃOS LIVRES

Nos últimos meses, desde que a sua condição de saúde foi agravada, até o intervalo cirúrgico (do coração e de um rim) de novembro de 1999, se restaura, na Itália, o debate político-judiciário sobre a eventual "volta à pátria" do ex-líder socialista. O novo procurador-geral de Milão, Francesco Saverio Borrelli, responde com a linguagem jurídica:

Exilado? Se Craxi prefere definir-se assim, não tenho nada a objetar, mas, para nós, é somente um criminoso. Pedimos a execução das medidas restritivas e pedimos ao governo que se acelere a extradição. Todo o resto, os discursos políticos, não nos competem.

Depois, reforça que, pelas condenações definitivas, não se oporia à concessão do deferimento da pena (para que "o imputado, como todos os outros, primeiro se constitua"), e o novo chefe da Procuradoria, Gerardo D'Ambrosio, dá o parecer favorável à revogação dos três mandados de captura. O Tribunal, porém, toma decisão diversa à segunda das sessões: as presididas por Antonio Lombardi e Maurizio Grigo anulam dois pedidos (por Montedison e ENEL), mas uma terceira, presidida por Francesco Castellano, se limita a transformar a custódia em prisão hospitalar (por ENI). Em suma, Craxi deveria ficar internado em um hospital italiano, como aconteceria a qualquer outro acusado que tivesse fugido para o exterior para escapar das condenações. Condição que o condenado considera inaceitável: "Volto sem condições, senão, nada feito".

Reabilitar Craxi

O primeiro-ministro D'Alema se diz favorável à tranferência de Craxi para a Itália "para que seja operado em um hospital do seu país". Nem mesmo isso está bom para Craxi: sabe muito bem que – como observa Armando Spataro, membro do CSM – "uma vez operado e curado, não poderia ser acompanhado ao aeroporto para prosseguir o seu exílio no exterior". No Parlamento, só Di Pietro, Veltri e Liga Norte protestam vivamente contra as tratativas subterrâneas para fornecer um salvo-conduto ao foragido de Hammamet. "A lógica que passa da direita para a esquerda nesta sala – troveja o leguista Paolo Colombo, em 27 de outubro de 1999 – é a da impunidade: ficam impunes os ladrões, os mafiosos, os Craxi, os Berlusconi e os Andreotti. Nenhum é responsável por nada. Ladrões, vergonha, vão embora, as pessoas estão cansadas". Tafferugli no hemiciclo e expulsão de um outro leguista, Davide Caparini. O mesmo Fini, embaraçado pela atitude filocraxiana dos aliados forcistas, repete que Craxi é e continua sendo "um foragido". Da centro-esquerda, ao contrário, se levantam muitas vozes solidárias ao ex-líder prejudicado. Boselli, do SDI, torce por uma solução favorável ao seu velho chefe e, por isso, promove uma reescritura da história da Tangentopoli: "Craxi – argumenta – era amigo de Brandt, Mitterrand e Palme, foi o líder do socialismo italiano por mais de quinze anos; agora não pode, pelo envolvimento no esquema irregular

OPERAÇÃO MÃOS LIMPAS

do financiamento da política, ser considerado um criminoso". Conceitos análogos se leem até no Unità, em um editorial de Pietro Sansonetti:

> A Mãos Limpas foi uma revolução com os seus vencedores e os seus vencidos, com as suas vítimas [...]. Craxi, herói negativo da Tangentopoli, deve ficar em exílio em Hammemet, e até quando? Craxi foi um dos cinco ou seis personagens que fizeram a história da Itália do pós-guerra aos anos 90 (De Gasperi, Togliatti, Moro, Berlinguer e poucos outros). Foi um estadista. A sua biografia não pode exaurir-se com a história das propinas. É justo que uma grande potência ocidental não queira aceitá--lo na pátria?

Marco Boato invoca o mais rápido possível "uma solução política para a Tangentopoli que se encarregue de todas as emergências, também das de Craxi". Muitos líderes de centro-esquerda insistem sobre o termo "exílio", até pouco tempo atrás usado exclusivamente pelo mesmo Craxi e por seus familiares. Segundo Mastella, "Craxi está no exílio como os Savoia". Occhetto declara: "Lembremos que Craxi está no exílio. Voluntário, mas sempre exílio". Macaluso fala de "bode expiatório", enquanto outros – como Carra – jogam a anistia e a "solução política" para Tangentopoli. Outros, ainda – como o SDI – desenterram pela enésima vez a ideia de uma Comissão Parlamentar de Inquérito sobre a Tangentopoli ou, antes, sobre Mãos Limpas. Tem também quem espere que o novo chefe de Estado, Carlo Azeglio Ciampi, conceda a graça: do Quirinale, porém, os sinais são logo negativos. Dom Luigi Verzé, o sacerdote milanês, amigo de Berlusconi, que fundou o hospital San Raffaele, coloca à disposição de Craxi um staff cirúrgico transportado de avião para Tunísia e justifica: "Em Craxi, vejo Jesus Cristo". Publica-se, em seguida, uma vinheta de Vincino no *Corriere*: "Não é que, de longe, dom Verzé se confunde com as outras duas cruzes?" (Em 2011, dom Verzé será investigado pela bancarrota de 1,5 bilhão de euros do San Raffaele. Morrerá de infarto no último dia daquele ano).

Nos últimos três anos de vida, Craxi se dedicou a uma frenética atividade publicitária, cada vez mais carregada de alusões ameaçadoras dirigidas, sobretudo, aos ex-amigos e companheiros que agora fingem não o conhecer. "Não acredito mais – disse em 28 de junho 1998 no Sunday Times" – que irei para a prisão pela Tangentopoli. Não quero ameaçar ninguém, mas não há nenhuma dúvida de que, se publico tudo o que sei, muita gente ficará muito embaraçada..." Alude a um dossiê "explosivo" escrito enquanto estava foragido, do qual, aliás, ninguém nunca encontrará rastro. Os seus alvos fixos, além dos ex-comunistas, são Claudio Martelli e Giuliano Amato. De Martelli disse, em uma entrevista em 20 de janeiro de 1998 à RAI 2: "Pior do que se comportou, não poderia ter se comportado. O que Martelli fez é inqualificável, péssimo. Não posso dar coragem e lealdade a quem não a tem". E, ainda, ao Espresso: "Há tempo [em 1992], Martelli vinha organizando, cuidando para não dar na vista, um grupo político e um grupo de negócios" (3 de julho de 1997). Quanto a Amato, mais vezes indicado para se tornar um dos líderes da nova esquerda sonhada por D'Alema (denominada provisoriamente de a "Cosa 2"), Craxi o define "um grande profissional a contrato [...]. Faz parte dos oportunistas que roçaram e roçam a barriga na terra e mentem para salvar a pele". Em 7 de fevereiro de 1977, o ex-líder socialista acrescenta via fax:

> Giuliano Amato pode fazer tudo, menos pôr-se a juiz dos pressupostos crimes do PSI, dos quais ele tem, junto com outros dirigentes, senão inteiramente, a sua parte de responsabilidade [...]. No etanto, guarda-caso forte das suas amizades e influentes proteções, a ele não coube nada de nada. Bom para ele [...]. Com os maus hábitos negociados pelo PSI, financiamento ilegal principalmente, Amato esteve em contato diário, como era evidente, de modo incontestável [...]. As suas relações com Balzamo eram diretas e excelentes [...]. Ele estava perfeitamente a par da natureza complexa do financiamento ao partido. Não tinha como não saber [...]. Desses financiamentos, sempre se aproveitou natural e pessoalmente pelas suas despesas de trabalho e pelas suas campanhas eleitorais [...]. Não acredito que tudo isso acontecesse por meio de cheque e transferências bancárias documentadas.

A cada fax da Hammamet, Amato retrocede na cena política. Em abril de 2000, Amato substituirá D'Alema como presidente do Conselho, quando Craxi se foi há três meses.

Morte de um foragido

A morte de Craxi desencadeia uma polêmica política e midiática de violência extraordinária, sobretudo contra os magistrados, acusados de presumíveis responsabilidades no fúnebre evento. O primeiro-ministro D'Alema oferece, inclusive, um funeral de Estado, recusado pela família. Tiziana Maiolo fala de "homicídio". O padre craxiano Gianni Baget Bozzo compara o falecido a Abel, a Giacomo Matteotti e a Aldo Moro "também assassinado pelos comunistas". Bruno Vespa organiza porta a porta três noitadas consecutivas de vigília fúnebre e assemelha Craxi "ao Cavaradossi de *Tosca*, morto desesperado". Outras polêmicas suscitam a decisão de Borrelli de negar a permissão de expatriação a Paolo Pillitteri para participar dos funerais do cunhado. Pillitteri – explica o procurador-geral – é um julgado com a pena suspensa por motivos de saúde. Por isso, nada de passaporte. Uma chuva de críticas por todos os partidos, inclusive de centro-esquerda. O ministro da Justiça Diliberto se diz "humanamente contrariado", enquanto o chefe do grupo dos senadores da DS, Gavino Angius, ataca Borrelli: "Deve saber que o silêncio é de ouro; sentimos necessidade do seu silêncio. Diliberto deveria prender Pillitteri em Milão e levá-lo à Tunísia". Contudo, Borrelli, código na mão, é obrigado a recordar-lhe que "a lei não consente nenhuma margem de elasticidade": os condenados que não tiverem ainda pago a pena não podem ser expatriados, "e as leis devem ser respeitadas".

Os funerais "privados", na Tunísia, se tornam uma passarela de VIPs: Berlusconi, Sgarbi, Cossiga, Carra, Intini, Martelli, De Michelis, Tognoli, Boselli, Giallombardo, Formica, Signorile, Andò, Dell'Unto, Del Turco, Villetti, La Ganga, Di Donato, Cicchitto, Manca, Buttiglone, Gerardo Bianco, Gustavo Selva, Bruno Vespa. Depois, as estrelas do espetáculo: Sandra Milo, Caterina Caselli, Davide Mengacci, Melania Rizzoli, Anna La Rosa, Alda D'Eusanio, Paolo Liguori. Não faltam Renato Squillante, Francesco Cardella (o ex-guru de Saman, perseguido por uma condenação por trapaça e investigado pela morte de Mauro Rostagno, acusação esta que foi, depois, arquivada) e Ferdinando Mach di Palmstein, pluriacusado pela Tangentopoli. Representando o governo estavam o ministro do Exterior Lamberto Dini e o subsecretário da presidência do Conselho Marco Minniti (DS). Emilio Fede, submetido a um lifting, permanece em Milão, mas manda uma mensagem.

Um ano depois, na noite entre os dias 8 e 9 de janeiro de 2001, desaparece outra peça do mundo craxiano: a condessa Francesca Vacca Agusta, "escorregada" em circunstâncias misteriosas do precipício em frente a sua casa em Portofino, onde vivia com o ex-noivo Maurizio Raggio, a amiga Stefania Torretta e o atual companheiro, o mexicano Tirso Chazaro. A investigação da Procuradoria de Chiavari sobre a sua morte, inicialmente com a hipótese de homicídio, não chegará a nenhum resultado concreto. O procurador Luigi Carli e a promotora Margherita Ravera, enfim, com a Procuradoria de Milão, iniciam uma investigação paralela sobre o tesouro de Craxi, escondido em várias contas bancárias espalhadas pelo mundo, das quais, agora, só Raggio possui a chave. Como vimos, o *pool* sempre contestou Craxi sobre a caixa dois pessoal de cerca de 250 bilhões de liras, administrados por meio de vários testas-de-ferro: Gallombardo, Tradati, Vallado, Troielli, Larini e, afinal, Raggio e Vacca Agusta. Em 1998, a Cassação confirmou a medida da Corte de Apelação de Milão que, ao término do processo MM, dispôs o sequestro conservativo de 5 bilhões de liras. Contudo, os bens sobre os quais executar a medida não serão jamais determinados. Assim, nos cofres do Palácio da Justiça ficarão apenas os 3 bilhões restituídos por Raggio, que, porém, em 1994, tinha sob sua "gestão" quase 50.

Parentes e amigos de Craxi se empenham em uma obra de revisão, não só histórica, mas também judiciária, para "reabilitar" *post mortem* o líder falecido. Também adquirem páginas dos jornais para demonstrar que as condenações definitivas, em particular pela Metropolitana de Milão, eram devidas ao teorema do "não poderia não saber", mas nenhuma condenação definitiva faz jamais referência àquela expressão. Pelo contrário, a Corte de Apelação de Milão, que em 26 de outubro de 1999 declara prescritos os crimes de All Iberian (sentença confirmada pela Cassação no ano seguinte), escreve textualmente:

Não existe fundamento algum na linha defensiva concentrada na presumível imputação à Craxi de responsabilidade de "oposição" por fatos cometidos por outros, resultado das declarações de Tradati, de que ele se informava sempre detalhadamente do estado das contas no exterior e dos movimentos que sobre as mesmas eram computados. Ademais, que autorizou retiradas seja com fins de investimento imobiliário (a aquisição de um apartamento em Nova York), seja para pagar os honorários dos redatores de Avanti!, seja, ainda, para entregar à estação televisiva Roma Cine Tivù (da qual era diretora geral Anja Pieroni, ligada a Craxi por relações sentimentais), uma contribuição de 100 milhões. O mesmo Craxi autorizou depois a aquisição de uma casa e de um albergue em Roma, em nome de Pieroni.

De fato, quando os defensores de Craxi recorreram diante da Corte Europeia dos Direitos do Homem na esperança de inverter a condenação MM, foram rejeitados com perdas. "Não é possível – escreve a Alta Corte em 31 de outubro de 2001, na sentença que rejeita por unanimidade o recurso – pensar que os representantes da Procuradoria tenham abusado do seu poder". Quanto às queixas contra a presumida "perseguição" da Corte de Apelação, que acelerou o tempo do processo para evitar a prescrição, aquela foi, antes, "uma ação de acordo com a boa administração da justiça e com a exigência do respeito da "razoável duração" dos processos penais". Portanto, o percurso "segue os cânones do processo justo", e os protestos do acusado sobre a parcialidade dos juízes "não se baseiam em nenhum elemento concreto". Foi uma sentença obrigada por uma campanha de imprensa com cunho incriminatório? Os oito juízes europeus negam também isso:

> É inevitável, em uma sociedade democrática, que a imprensa faça comentários muitas vezes severos sobre um caso sensível que colocava em discussão a moralidade dos administradores públicos e os relacionamentos entre o mundo da política e o dos negócios [...]. Nada no arquivo permite pensar que, na avaliação desse argumento e dos elementos anexados, os juízes foram influenciados por afirmações contidas na imprensa.

Conclusão:

> Os elementos trazidos pelo recorrente não estavam, de qualquer maneira, de acordo para demonstrar que os representantes da Procuradoria [de Milão] tenham exorbitado do seu poder para prejudicar a imagem pública do recorrente e do PSI. A esse propósito, recorda-se que o recorrente foi condenado por corrupção e não pelas suas ideias políticas.

A orquestra da desinformação

Na segunda metade dos anos 90, não tem mais caso judiciário, do mais impressionante ao mais marginal, que não se torne uma ocasião ou um pretexto para simplesmente atacar a magistratura. Não existe investigação, nem delito, nem sentença provisória ou definitiva, de absolvição ou de condenação, nem ato judiciário, nem mesmo o mais normal e fisiológico, que não desencadeie uma agressão contra a Promotoria e/ou os juízes. E não somente em Milão. Em Roma, o processo pelo assassinato da estudante Marta Russo, fuzilada no pátio da universidade La Sapienza, provoca polêmicas infinitas pelo rude interrogatório de uma supertestemunha reticente. Em Palermo, no auge do processo Andreotti e na véspera do processo Dell'Utri, a cúpula da Procuradoria termina na mira pelo caso "Siino-De Donno", originado das revelações do mafioso Angelo Siino ao coronel do ROS Giuseppe De Donno a propósito da "estupidez" da Procuradoria de Palermo que, em 1991, passou o famoso relatório "Máfia e adjudicações" a Salvo Lima. Os magistrados suspeitos são cinco, mas o ataque se concentra sobretudo em Guido Lo Forte, braço direito de Caselli (que ficará, depois, totalmente livre de qualquer acusação). No mesmo período, se descobre que o informante Baldassare Di Maggio, um dos principais acusadores de Andreotti, voltou para Sicília para acertar as contas com os inimigos da sua família e cometeu, pelo menos, um homicídio: quem descobriu foi a mesma Procuradoria que o prende e o fará ser condenado. Desta vez, é a Procuradoria que também termina sob acusação. Nenhuma polêmica sobre as forças da ordem que o tinham sob custódia e que deveriam tê-lo vigiado, mas não se deram conta de nada. Em Palermo, no outono de 1999, Andreotti é solto por insuficiência de provas da acusação de Máfia. Poucas semanas antes, foi solto em forma plena junto com todos os outros coacusados no processo de Perúgia sobre o assassinato de Pecorelli. Duas sentenças que dão livre curso a novas polêmicas violentíssimas contra a mesma Procuradoria de Palermo. Quando, depois, a Corte de Apelação e a Cassação contestarão o primeiro veredito por máfia, declarando Andreotti culpado, mas prescrito, ninguém pedirá desculpas à Promotoria; antes, se chegará a propagar a prescrição por absolvição.

Qualquer pretexto é válido para linchar o *pool* de Caselli, que ousou dar o pontapé inicial da luta contra os "grandes" da Máfia. Um outro caso é o ocorrido em seguida ao suicídio de Luigi Lombardini, procurador do Tribunal Distrital de Cagliari envolvido nas investigações sobre o sequestro de Silvia Melis (o magistrado se ocupava delas secretamente, pois não era de sua competência). Em 12 de agosto de 1998, logo depois de um longo interrogatório diante de Caselli e dos seus substitutos (os crimes dos magistrados de Cagliari são da competência da Procuradoria de Palermo), Lombardini se dá um tiro. Imediatamente, políticos e comendadores de todas as cores acusam a promotoria siciliana de ter "suicidado" o colega. O diretor de *Studio aperto*, Paolo Liguori, um dos mais obstinados acusadores do *pool* de Milão e de Palermo, se compraz pelo providencial acontecimento fúnebre e imediatamente entra em contato com Nicola Grauso, dito Nicky, o

1997-2000. MÃOS LIVRES

empreendedor e editor sardo amigo de Berlusconi e interrogado pelo sequestro de Melis (será, depois, absolvido). São 19h29min de 12 de agosto: Lombardini morreu há apenas 23 horas. O telefonema, interceptado, está nos autos do processo.

Liguori: "Estou no barco, porém acompanhei as coisas hoje, porque nós fomos muito bem, hoje, no telejornal... Me dizias para polemizar... as críticas e não parar apenas no âmbito do Força Itália, certo?"

Grauso: "Exato. Como estavam chegando polêmicas também da esquerda..."

Liguori: "E como não, nós, por exemplo, entrevistamos Boato."

Grauso: "Trata-se aqui de decidir se queremos ser eficazes ou vaidosos."

Liguori: "Eu creio que neste momento é melhor apostar no isolamento de Caselli."

Grauso: "Exato...E agora a melhor coisa é deixar os do Polo quietos."

Liguori: "Isso, fazer o Boato falar, fazer o Pintus falar [procurador-geral de Cagliari Francesco Pintus, cofundador da Magistratura Democrática, senador da Esquerda Independente, hoje crítico implacável dos colegas milaneses e palermitanos e futuro editor do Giornale de Berlusconi]."

Grauso: "Olha que não é muito, por isso esta [o suicídio de Lombardini] é uma ocasião única para fodê-los, isto é, acho que não aparecerá outra assim."

Liguori: "Eu acredito nisso, porque Caselli, principalmente, está fortemente isolado no caso Berlusconi."

Grauso: "Sim!"

Liguori: "Está apavorado, correu para Roma para pedir ajuda, depois acabou fazendo com que Berlusconi fosse investigado."

Grauso: "Sim."

Liguori: "Quando menos esperavam e quando estavam esperando a contraofensiva de Berlusconi... pisaram nessa casca de banana [o suicídio de Lombardini]."

Grauso: "E eu, aquela casca de banana, já a tenho nos pés há três, quatro dias..."

Liguori: "Vejamos... Eu penso que do Força Itália o único que abre e não fecha quando no centro do debate é o Pera, que tem boas relações com todos; talvez seja o caso de fazer só o Pera falar e ampliar nos telejornais as declarações de Boato, do Pintus... que, de qualquer maneira, representam outras frentes, certo?"

Grauso: "Com certeza... Eu, entre outras coisas, dei em cima da ANSA e lhe disse que o denuncio por instigação ao suicídio ou homicídio voluntário."

Liguori: "Sim, sim, estou de acordo contigo, por sinal, eu enviei alguém que ficará contigo todos os três dias..."

Grauso: "Então, o que deves fazer é contatar... não sei, também por meio de Previti ou pelos teus canais, todos eles... do Força Itália e dizer: fiquem quietos por três dias."

Liguori: "Tudo bem, mas o farei dizer diretamente a Cesare [talvez Previti]."

Grauso: "Incluindo Berlusconi, fiquemos quietos por três dias, eu acho. Olha que isso é muito importante Paolo, certo?"

Liguori: "Sim, tudo bem, compreendi."

Grauso: "De qualquer maneira, para dizer a verdade, são espertos."

Liguori: "Sim, sim, mas também afortunados, porque isso aqui..."

Grauso: "Também afortunados."

Liguori: "Essa coisa [o suicídio de Lombardini] foi um golpe inesperado, muito duro..."

Ataques a Caselli, pelo caso Lombardini, chovem também da esquerda, inclusive do *Unità*, o órgão oficial do PDS, agora dirigido por Paolo Gambescia, o qual escreve: "Muitas sindicâncias são, agora, marcadas por acontecimentos fúnebres [...]. A procura pela verdade deve levar em conta o drama no qual vive o investigado". Conceitos análogos, mesmo que com tons mais inflamados, vêm do Polo, cujos muitos expoentes chamam explicitamente de "assassinos" Caselli e os seus promotores, os quais são defendidos, na primeira página do *Corriere della Sera* em um memorável artigo de Indro Montanelli.

Em Milão, no entanto, prosseguem as campanhas contra o *pool* Mãos Limpas, sem negligenciar nada. Nem mesmo quando as investigações da Procuradoria são confirmadas pelas sentenças.

Inclusive a recrudescência da "microcriminalidade", isto é, dos assaltos e dos roubos que com frequência produzem efeitos trágicos, é usada para acusar – mais que as leis laxistas dos últimos anos – a magistratura inquirente de deixar-se "distrair" com os delitos "da primeira página", os da Tangentopoli, e de negligenciar os prosaicos delitos mais "comuns", que provocam maiores "alarmes sociais". Em vão, Borrelli recorda que a sua Procuradoria junto ao Tribunal, sobre 60 promotores, emprega menos de 10 para os crimes financeiros e contra a administração pública; e que grande parte da "microcriminalidade" encabeça outra Procuradoria, junto à Pretura.

A crise na Associação Nacional dos Magistrados

Nos seus momentos mais difíceis, entre ataques e contrarreformas punitivas, as togas perdem por diversos meses a sua voz mais influente: a da Associação

Nacional dos Magistrados, "decapitada" por um estranhíssimo incidente ocorrido com seu novo presidente, Mario Almerighi. Já pretor em Gênova, onde descobriu, com os colegas Adriano Sansa e Carlo Bruco, o primeiro escândalo do petróleo em 1973-74, depois fundador, juntamente com Falcone, da corrente dos Movimentos Reunidos (os conhecidos "verdes") e agora juiz de Roma, Almerighi é um intransigente, duramente crítico sobre a Bicameral, sobre "processo justo" e sobre outras "reformas" programadas. Os colegas o elegeram presidente da ANM em 17 de outubro de 1998. Um presidente que se prenuncia muito aguerrido contra a classe política e, também, contra o governo: a centro-esquerda que, naqueles dias, substituiu Prodi por D'Alema. Entretanto, Almerighi foi forçado a se demitir depois de apenas dois dias. Culpa de uma conversa confidencial com uma jornalista que acreditava amiga, Maria Antonieta Calabrò, publicada no *Corriere della Sera* sob a forma de entrevista. A jornalista atribui ao magistrado uma série de pesadas advertências ao governo D'Alema – que começa a se constituir – sobre o próximo ministro da Justiça. Ainda Flick? "Para mim, ainda está bem. " Salvi? "Não sei o quanto sabe de justiça. " Zecchino? "Se nos póem algum infiltrado do Polo no PPI... " Almerighi desmente ter pronunciado aquelas palavras destinadas a uma entrevista, mas, depois, no auge da tempestade política, apresenta a demissão, também porque o único membro da junta da ANM a defendê-lo explicitamente é Piercamillo Davigo. O que acontece naquele ponto não fica bem claro. É fato que Almerighi, depois de várias consultas com os colegas, e sobretudo com a presidente cessante Elena Paciotti, se convence de que a sua demissão será recusada. No entanto, é "queimado" pela sua corrente (os Movimentos Reunidos) e pela Magistratura Democrática. Naquele momento, os jogos entre as correntes internas se confundem, e os verdes cruzados bloqueiam qualquer solução. Prepara-se a eleição de uma nova junta que, em março de 1999, escolherá como presidente Antonio Martone da corrente centrista de Unicost: um procurador-geral da Cassação dos pluriformes encargos extrajudiciários (membro do CNEL, presidente da comissão judicante da Federbasket e assim por diante). Um personagem ligado à velha escola de magistratura, próxima dos centros do poder e desconfiado de quem investiga também naquela direção. Por dois anos, Martone se distinguirá mais por seu silêncio que por suas intervenções: silêncios enervantes, nos momentos de maior ataque às togas mais expostas. Nem uma palavra em defesa de Ilda Boccassini, agredida por causa do caso "Sharifa", nem do *pool* de Palermo, sob assédio depois da absolvição de Andreotti. Poucas palavras de circunstância sobre "processo justo" e sobre outras contrarreformas da centro-esquerda (com o habitual aval da centro-direita), que procuram enfraquecer as Procuradorias e a anular os processos no limiar das sentenças: reformas que passarão com o substancial *placet* da ANM, hostilizadas publicamente somente pelos magistrados mais proeminentes (logo, marcados como uma mínima patrulha de provocadores, obstinados a um sadio "retorno à normalidade").

790 **OPERAÇÃO MÃOS LIMPAS**

Elena Paciotti será eleita poucos meses depois europarlamentar nas filas do PDS. A jornalista Calabrò se tornará, em 2001, porta-voz do presidente da Câmara, o forcista Marcello Pera. Martone, em 2010, terminará enredado nas interceptações da "loja P3", criada por Verdini, Dell'Utri e Flavio Carboni para acondicionar – segundo a acusação – vários magistrados. A ANM, da pálida presidência Martone, se reerguerá somente em 2001, com o retorno ao governo de Silvio Berlusconi.

O **pensamento único**

Juntamente com os ataques aos magistrados e com as leis salva-acusados, nos anos da conciliação Polo-Ulivo se difunde um clima cada vez mais hostil para quem colabora com os juízes e também para quem ao lado do partido deles. Um tipo de desconforto generalizado para quem defende a legalidade, em seguida taxada de "jacobinismo" e "justicialismo". Dois segmentos singulares em tudo. Os jacobinos da Revolução Francesa, diversamente dos girondinos, pregavam o controle do governo sobre o Ministério Público e lutavam contra a independência da magistratura. Eram, em suma, antessessores do berlusconismo e da Bicameral. Quanto ao "justicialismo", é um termo usado sempre para definir o movimento dos descamisados, isto é, dos seguidores do ditador Juan Domingo Perón na Argentina dos anos 40 e 50, sem qualquer relação com os problemas da justiça. Contudo, na Itália, a partir de 1993-94, se começa a usar essas duas palavras para indicar o contrário de "garantismo".

A campanha publicitária contra os prováveis "justicialistas jacobinos" é guiada sobretudo por dois jornais, cuja ressonância político-midiático-cultural é inversamente proporcional ao número de exemplares vendidos: o diário il Foglio, de Giuliano Ferrara (financiado pelo Estado, como vimos, graças à união Pera--Boato) e o periódico Liberal, mensal e depois semanal sob a direção de Ferdinando Adornato (ex-jornalista comunista e deputado cessante nas listas do PDS), e a vice-direção de nove jornalistas, entre os quais o ex-diretor do Unità Renzo Foa e do Indipendente Pialuisa Bianco. O Liberal, que se gaba de ter entre os seus promotores o presidente dos bispos italianos Camilo Ruini e o da RCS Cesare Romiti, constitui um ponto de referência para os assim ditos "poderes fortes" e se faz notar por uma série de martelantes campanhas em defesa dos acusados como o próprio Romiti, Giovanni Scattone e Salvatore Ferraro (acusados e depois condenados pelo homicídio de Marta Russo), Giulio Andreotti e Cesare Previti (autor, este último, de um amplo artigo de apaixonada autodefesa com o título "O acusado maroto"). Poucos recordam as campanhas de sinal oposto promovidas no passado pelo mesmo Adornato. Como quando, em 17 de outubro de 1992, lançou um manifesto com tons ultra "justicialistas":

> Como o antifascismo foi a base da Primeira República, assim a questão moral pode e deve ser a base da Segunda República [...]. As velhas faces

devem colocar-se à parte pelo bem do país [...]. A *nomenklatura* italiana é agora um obstáculo ao desenvolvimento [...]. Há a necessidade de uma verdadeira e própria liberação...

Poucos anos depois, nas colunas do Liberal, se exercita em enfurecidos ataques contra "o jacobinismo de meia-tigela".

Scalfari responde no *la Repubblica* atacando quem define como os "liberais ao molusco": Adornato e alguns editorialistas do *Corriere della Sera*, como Ernesto Galli della Loggia, Piero Ostellino, Sergio Romano e Angelo Panebianco, que também no Liberal se exercitam em duríssimas campanhas contra os magistrados, sobretudo milaneses e palermitanos e contra quem os sustenta. Indro Montanelli, que escreve no *Corriere*, em uma entrevista para *la Repubblica*, em 25 de julho de 1998, fica distante de certos "sedimentos liberalescos", expressão de uma "burguesia que é a mais vil do Ocidente", alérgica a qualquer sentido de Estado: "Falar de regras e de legalidade para essa gente é pior do que um insulto, uma blasfêmia na igreja". Em 2000, o Liberal fechará as portas por falta de leitores, depois de ter queimado algumas dezenas de bilhões. Adornato será comentarista do *Avvenire* e do *Giornale*; depois, em 2001, deputado do Força Itália. Em 2008, terminará na UDC com Pierferdinando Cassini.

A obra de revisionismo e de negacionismo sobre a Tangentopoli feita nos anos da Bicameral não se deterá mais: uma inexaurível galeria de lugares comuns, slogan, frases feitas, jogos de palavras e subversão da lógica para revirar a história do mágico biênio 1992-93, transformando os guardas em ladrões e vice-versa. Essa subversão, com um breve ensaio, o jornalista Massimo Fini que, no prefácio do *Manuale del perfetto impunito* de Marco Travaglio, coloca na berlinda "as infinitas trapaças linguísticas, os sofismas, os paralogismos, as invenções, a falsidade, as autênticas mentiras com as quais, a partir da prisão de Mario Chiesa, uma matizada companhia de homens políticos, de intelectuais, de jornalistas, de juristas, algumas vezes de esquerda, muito mais vezes de direita, tentou deslegitimar, nesses anos, as investigações da magistratura italiana". A seguir, alguns exemplos, entre os mais iluminantes.

> Naturalmente, por caridade, a 'fada madrinha' não existe em toda a magistratura, mas só em certas Procuradorias, pena que sejam regularmente aquelas que indagam sobre poderosos, sobre colarinhos brancos, sobre ladrões em luvas amarelas, sobre propineiros, sobre corruptos, enfim, sobre expoentes da classe política e dirigente. São só elogios às Procuradorias que trabalham firme e em silêncio, mas basta que uma destas desperte da letargia e coloque sob investigação um cardeal, que logo é precipitada ao círculo das togas vermelhas, um dos 'leit motiv' preferidos da 'bandidagem'. Se constrói a lenda de uma revolução judiciária que não existia – não podemos ter alguma revolução quando os juízes

aplicam a lei; se trata de um ato de conservação – para poder dizer que os magistrados exercitam uma indevida suplência da política. Foram inventadas categorias inteiramente jurídicas nunca levadas em consideração por qualquer código penal, como o afinco judiciário e a módica quantidade pelas falsificações contábeis. Resumindo, apregoava-se que as investigações da Mãos Limpas prejudicavam a economia italiana e a imagem do nosso país no mundo. Foi dito, também, pelo parlamentar Berlusconi, que os magistrados italianos mostram uma deplorável falta de espírito 'patriótico' quando colaboram com colegas estrangeiros em investigações que envolvem nossos concidadãos (isto é, ele). Chegaram até a conjecturar que 'os comportamentos previstos pela lei como crime cessam de ser se a consciência moral dominante não os considera como tais' (Tremonti). É a lógica com que há tempo, na Sicília, se legitimava o 'delito de honra'. Seguindo-a, hoje, se deveria abolir todos os crimes fiscais, mas, por este caminho, somos impelidos a outro: a punição ou não de um cidadão dependeria do consenso ou não da opinião pública (Angelo Panebianco, entre outros). Os delitos não são mais de acordo com a tipologia dos fatos, mas dos seus autores. Resta esclarecer como deve ser quantificado este consenso: é preciso os oito milhões de votos de Berlusconi ou bastam quatro, ou dois, ou um? O bom é que essas teses inauditas estão sustentadas exatamente por aqueles que mais reclamam contra a justiça de praça e o jacobismo, precisamente como o muito louvável professor Panebianco.

Paradoxalmente – observa Fini – se todos os investigados, os acusados e os condenados são sempre inocentes, vítimas de perseguição e de complôs, a única categoria que não tem direito à inocência presumida é a dos magistrados:

> Os magistrados estão sempre errados. Se condenam (os colarinhos brancos) é porque condenam, se condenam (os pobres cristãos) é porque aprisionam. Se o juiz de investigações preliminares manda prosseguir a investigação, quer *esmagar a promotoria*; se não o faz, o promotor é um pulha. Se uma Corte de Apelação corrobora a sentença de um Tribunal, não significa que está funcionando o sistema das garantias, mas que os juízes de primeiro grau são autores de um *complô* (outra palavra mágica e taumatúrgica da '*bandidagem*'). Se a magistratura atinge um homem político quando está em declínio, é marmelada; se o interroga quando está na crista da onda, faz *justiça política*. Quando era presidente do Conselho, Berlusconi afirmou que se fosse culpado de uma sentença de condenação se trataria de um *ato subversivo*, sem se dar conta de que, desse modo, deslegitimava todo o mecanismo democrático e, portanto, também a si mesmo. Se sustentou, sobretudo por Gianni Baget Bozzo,

mas não só por ele, que na Itália havia uma *guerra civil* e que se precisava, portanto, chegar à *pacificação nacional*. Isto é, os italianos que respeitaram as leis deveriam pacificar-se com os que as violaram, com os ladrões, com os subornadores, os que praticam extorsão, os peculatários, os corruptos, os corruptores, com aqueles que lucraram sobre cemitérios, sobre doentes, sobre ajudas ao terceiro mundo, com os que pagaram os juízes para ajustar sentenças, com quem trapaceou órfãos. Afirmou-se que Mãos Limpas atingiu *só uns e não outros*, sem considerar que qualquer rato de apartamento, pego com a mão na massa pela polícia, pode dizer exatamente a mesma coisa: "Porque te importas justo comigo, quando neste momento outros cem estão fazendo o mesmo que eu?". A trapaça linguística e lógica que é feita, por assim dizer, valida todos os outros e os completa, é a famosa fórmula *precisa sair da* Tangentopoli (com uma anistia, com um indulto, com um ato de clemência). Porque não significa nada ou o exato contrário do que quer fazer entender. Talvez, anistiando os estupradores, saímos da *Stupropoli*? Os mafiosos da *Mafiopoli*? Os ladrões da *Ladropoli*?

Destas e de outras palavras de ordem se nutre o pensamento único da (ou melhor, contra a) justiça. Um pensamento único que não teria podido afirmar-se se tivesse encontrado a mínima resistência no Parlamento e em grande parte dos meios de comunicação de massa "formadores de opinião".

"Por uma velhice tranquila"

"Sou magistrado há um quarto de século – observa, amargo, Gherardo Colombo em 1998 – e nos primeiros vinte anos não sofri procedimentos penais nem disciplinares, mas devo destacar uma denúncia para tutelar a minha honradez. De 1994 em diante, tive de dar seguimento a cerca de 50 queixas e sofri 3 procedimentos disciplinares". Concorda, em 1999, a procuradora suíça Carla Del Ponte:

> Me dói dizer, mas a única pressão nesses vinte anos veio de Silvio Berlusconi: recentemente, o seu advogado suíço apresentou contra mim uma denúncia por presumível abuso dos meus poderes. Uma coisa grave, que na Suíça pode custar o cargo a um magistrado.

"Politicamente – diz hoje Davigo – nós do *pool* estamos equidistantes de tudo. Em dez anos, sofremos 14 procedimentos disciplinares: 7 de um ministro de centro-direita, Mancuso [que, porém, quando os promoveu, fazia parte do governo Dini, sustentado pela centro-esquerda e pela Liga Norte], 6 de Flick, da centro-esquerda, e um do procurador-geral próximo da Cassação". Flick expediu diante do CSM Davigo, Colombo, Ielo, Greco e Ramondini. Davigo, pela frase (jamais pronunciada) em uma entrevista ao *America Oggi* sobre o famoso convite de Berlusconi para comparecer. Colombo, pela entrevista sobre a Bicameral e as chantagens. Ielo por ter levado, ao processo MM, um relatório de Polícia inexato sobre uma mulher ligada a Gelli e a Craxi. Greco por ter exposto em um congresso de Micromega sobre o novo artigo 513: "O governo de esquerda está fazendo o que nem mesmo Craxi ousou fazer". D'Ambrosio, ao contrário, foi atingido pela Procuradoria-Geral da Cassação por uma batida sob o comando do ministro Mancuso ("Sempre melhor que um tiro de espingarda nas costas").

Depois aconteceram os procedimentos penais em Brescia. E não só aqueles (nada menos que 54) contra Di Pietro, mas também os 36 sofridos por Davigo. Este, sozinho ou em conjunto com os colegas do *pool*, foi acusado de tudo: de ter salvado os "comunistas", de ter firmado um pacto de paz com a Fiat para favorecer Romiti, de ter perpetrado um golpe para derrubar o governo Berlusconi, de ter assassinado uns vinte acusados suicidas, de ter capturado e até "sequestrado" e "torturado" investigados que já sabia inocentes, de ter escondido Pacini Battaglia, de ter falsificado o passe de Beirute ao Palácio Chigi, de ter subornado Larini contra Craxi, de ter favorecido Mario Chiesa, de ter protegido uma parte da cúpula ENI, de ter ajudado a Máfia do estacionamento, de possuir contas bancárias no exterior, de ter falsificado interceptações e fabricado provas falsas, de ter perpetrado um golpe de Estado, de ter encaminhado uma guerra civil...

Hoje, observa, entre amargo e sarcástico:

> Certo, no final, demonstramos que era tudo falso e, em muitos casos, obtivemos condenações por difamação e calúnia e ressarcimento dos danos, mas a que preço. Não ligo muito para isso, mas Ilda Boccassini e o abaixo assinado somos os únicos do nosso quadro, por alguns anos, a não sermos promovidos pela CSM ao grau de magistrado da Corte de Apelação exatamente por este montão de inquéritos. No CSM, se raciocina um pouco como os juízes nas medidas de prevenção: se um tem vinte investigações em curso por máfia, se presume que não seja um santo. E, na espera das sentenças, lhe sequestram tudo. Eu, de procedimentos penais, não tenho mais que 30, Ilda não sei quantos, e a consequência é que, com aquela promoção não recebida, somos os piores do nosso quadro.

O Doutor Sutil folheia nervosamente uma cadernetinha azul. Se intitula: "Para uma tranquila velhice". Contém todas as acusações por difamação e as causas civis por danos causados por ele e por seus colegas do *pool* nos dez anos de Mão Limpas:

> Só eu tive de apresentar queixa contra alguém, umas sessenta no total: parece normal? Em outros países, é proibido atacar pessoalmente os magistrados como se faz na Itália. É um ultraje à Corte qualquer turbativa ao tranquilo desenvolvimento do processo; se vai para a cadeia. Para nós, é quase uma norma. Me acusaram até de ser sócio do general Cerciello,

1997-2000. MÃOS LIVRES 795

de querer fazer uma revolta na Itália como um calça-curta (coisa que não disse jamais), de ser um "toga vermelha" e até de ter chantageado um juiz. Recordo que o programa *Sgargbi quotidiani* dedicado a esta última mentira era precedido de uma marca representando dois porcos de togas, sujas de sangue e armados de faca, que dançavam ao som de *Queremos um amigo*. Em qual país seria consentida uma coisa do gênero?

POST SCRIPTUM
OS ÚLTIMOS 10 ANOS

2001

Depois de uma campanha eleitoral em que, graças a algumas transmissões da RAI, depois suspensas, se falou muito das suas relações com a Máfia e dos seus processos por corrupção, em 13 de maio, Silvio Berlusconi vence as eleições e retorna ao Palácio Chigi depois de sete anos. Uma vitória esmagadora para a Casa das Liberdades graças à paz entre o Cavaliere e Rossi. Força Itália, AN e Liga conquistam 368 deputados (Ulivo, 247; Refundação, 11; outros 4) e 176 senadores (Ulivo, 128; Refundação, 4; Democracia Europeia, 4; Itália dos Valores [IDV], 1). Antonio Di Pietro, na sua primeira tentativa em uma eleição geral, fica fora do Parlamento; ao IDV, falta quórum por um monte de votos. Fica com 3,98% e consegue eleger, com o restante, só um parlamentar, Valerio Carrara (que passa em seguida para o Força Itália).

O novo Parlamento está cheio de personagens com dificuldades (provisórias ou definitivas) com a justiça. Além das confirmações de Berlusconi, Previti, Dell'Utri, Bossi, La Malfa, Berruti, Giudice, Firrarelo e Sgarbi, avoluma-se le *new entry* de conhecidos protagonistas da Tangentopoli como Aldo Brancher, Giampiero Cantoni, Romano Comincioli e o retorno de reincidentes como Antonio Del Pennino, Egidio Sterpa, Alfredo Vito e Gianstefano Frigerio. Este último, derrotado em Puglia e rebatizado "Carlo" para deixá-lo menos reconhecível, foi eleito, nas proporcionais com o Força Itália, mas não consegue nem mesmo assumir na Câmara: é preso no primeiro dia da nova legislatura, devendo cumprir três condenações definitivas em um total de 6 anos e 8 meses por peculato, corrupção, receptação e financiamento ilícito (depois, conseguirá acesso aos serviços sociais, graças ao recálculo da pena, e decidirà descontá-la em Montecitorio, indicando a política como "atividade socialmente útil"). Também a centro-esquerda tem no Parlamento dois reincidentes da Tangentopoli: Enzo Carra (UDEUR) e Auguste Rollandin (Union Valdotaîne – DS -Democratas). Mais uma série de investigados e acusados.

Para o ministério da Justiça, o presidente Ciampi recusa a candidatura do leguista Roberto Maroni (condenado em definitivo por resistência a oficial público), que foi derrotado em Welfare. Assim, passa Roberto Castelli, engenheiro mecânico especializado em redução sonora. Nenhuma objeção do Quirinale pelos outros ministros ou subsecretários com pendências judiciárias: Berlusconi (pluriacusado e pluriprescrito), Bossi (condenado em definitivo por Enimont), Brancher (condenado na Apelação por financiamento ilícito e falsificação contábil), Sgarbi (reincidente por trapaça aos bens culturais, o ministério do qual se torna subsecretário). À lista dos inquiridos se somarão, no curso da legislatura, os ministros Girolamo Sirchia (FI), Francesco Storace (AN), Roberto Calderoli (Liga, depois absolvido), Altero Matteoli (AN), Enrico La Loggia (FI, depois absolvido), Gianni Alemanno (AN, depois absolvido) e o vice-ministro Ugo Martinat (AN).

Em campanha eleitoral, o Cavaliere assinou na TV um "contrato com os italianos" prometendo "menos taxas para tudo", a redução pela metade dos crimes e dos desempregados, o aumento das pensões e grandes obras em toda parte. Contudo, a agenda da legislatura será adaptada aos seus interesses financeiros, televisivos e, sobretudo, penais, com uma série impressionante de leis *ad personam* e *ad aziendam*, mas também *ad castam* e *ad mafiam*, nenhuma das quais era prevista no "contrato", nem mesmo no programa eleitoral da CDL.

Caso único na história da humanidade, Berlusconi volta ao governo com uma série impressionante de pendências: prescrito na Cassação pela propina da All Iberian a Craxi; prescrito na Apelação pela propina a Guarda de Finanças; investigado em Caltanissetta pelo massacre de Capaci e Via d'Amelio (o caso será arquivado em seguida); investigado em Madri pelo escândalo Telecinco; acusado em seis processos na Itália: quatro por falsificação contábil (Lentini, All Iberian-2, SME-Ariosto-2, consolidado Fininvest) e dois por corrupção judiciária (SME-Ariosto-1 e lodo Mondadori). Nesses últimos, é absolutamente parte civil (como representante *pro tempore* da presidência do Conselho) contra ele mesmo.

Assim que toma posse no Ministério da Infraestrutura, Pietro Lunardi aprova uma série de normas que resguardava os responsáveis pela poluição ambiental e comunica que "com a Máfia, é preciso conviver". Em 18 de setembro, sempre para esclarecer a situação, o neoministro do Interior Claudio Scajola revoga a escolta e a proteção a vários magistrados em alto risco, compreendidos os antimáfia, mas, também, os promotores milaneses Boccassini, Colombo e Greco que, sustentam a acusação contra o primeiro-ministro nos processos de Milão.

O primeiro ato do governo é um gigantesco presente aos evasores fiscais e aos criminosos que possuem grandes recursos ilícitos e são obrigados a escondê-los sem poder investir. Em 25 de setembro, o Conselho dos Ministros aprova o decreto Tremonti nº 350, chamado "escudo fiscal", que premia a entrada dos capitais ganhos ilegalmente e/ou guardados no exterior. Atrás da animadora etiqueta de "escudo", se esconde uma realidade preocupante. Quem quiser repratriar os próprios tesouros guardados além da fronteira poderà fazê-lo depositando-os em um banco italiano que faz as funções de "mediador": isto é, retém, em nome do Estado, a uma módica taxa de 2,5 % (ao invés das normais alíquotas de imposto que chegam aos 50%) e entrega ao cliente uma "declaração reservada" de recebimento, para apresentar em caso de controle da Guarda de Finanças. Contudo, a novidade mais tentadora é o absoluto anonimato garantido a quem utilizar a operação: um presente que não tem precedentes na história das 22 medidas de condenação e anistia do pós-guerra. Na prática, uma operação de Estado de lavagem de dinheiro sujo. Quem tiver acumulado dinheiro por meio não só de evasão fiscal, mas também com tráfico de drogas, de armas, de pessoas, sequestro de pessoas e assim por diante, poderá trazê-lo à luz com custo quase zero e investi-lo como decidir. A nova lei é também uma formidável quitação fiscal mascarada com preços esfarrapados: qualquer evasor poderá simular que está trazendo do exterior tesouros e espólios que não saíram jamais da Itália, pagando uma módica soma e 'esquentando-os' *ipso facto*. Governo e maioria justificam o "escudo fiscal" com a necessidade de "fazer reemergir o submerso" e, ao mesmo tempo, "trazer dinheiro fresco para a Itália" com notáveis benefícios também para o erário. Alguns observadores chamam a atenção para a singular coincidência entre a medida e um dos processos pelo qual é imputado o presidente do Conselho, acusado de ter feito transitar mais de 1,500 trilhão de liras em fundos irregulares de contas referentes a 64 sociedades do "setor econômico estrangeiro" da Fininvest. Teoricamente, depositando ao erário apenas 50 bilhões de liras, Berlusconi pode fazer retornar todo aquele dinheiro sem que se deem conta. Se fez isso ou não, será para sempre um mistério: a sua lei impede que alguém faça o controle. O resultado do escudo, porém, ficará muito abaixo das expectativas: apenas um bilhão e 600 milhões de euros para os cofres do Estado. Uma miséria.

A segunda ação é despenalizar, de fato, a falsificação contábil que, de crime "de perigo", passa a ser crime "de dano", mas em ambos os casos será impossível condenar os culpados. A lei-delegada (relatores Giorgio La Malfa, reincidente por Enimont, e Gaetano Pecorella, advogado do primeiro-ministro e presidente da Comissão de Justiça) é aprovada em tempo recorde em 28 de setembro. O governo exercitará esta lei com decretos autuativos em abril de 2002. As penas máximas pelas informações falsas divulgadas pela *mass media*, já leves, ficam levíssimas: para as sociedades de cotas, diminuem de 5 para 4 anos; para as sociedades sem cotas, até 3 (assim, a prescrição diminui para as primeiras em 7 anos e meio e para as segundas em 4 e meio; nada de escutas nem de detenção em cárcere). Das sociedades sem cotas, as falsificações contábeis serão punidas somente com a queixa das partes, enquanto as das com cotas serão punidas em gabinete. Completamente impunes são as falsificações contábeis apresentadas pelos bancos. Para tornar matematicamente impossíveis os processos, foram estabelecidos altíssimos "limites quantitativos" sob os quais os falsos não são mais crime (a fixá-las – calculadora na mão, para calcular todos os delitos do premier – está Michele Vietti da UDC, subsecretário da Justiça e futuro vice-presidente do CSM). Uma gigantesca isenção que atinge 5% do resultado do exercício da sociedade, 10% das apreciações e 1% do patrimônio líquido.

Segundo o Economist, a reforma é "uma lei da qual se envergonhariam até os eleitores de uma república das bananas". Nos Estados Unidos, assolados pelo crack

OPERAÇÃO MÃOS LIMPAS

Enron e Worldcom, a administração Bush eleva a pena pelas falsificações contábeis para 25 anos de prisão. Na Itália, no entanto, graças à nova lei, evaporam-se todos os processos por falsificações contábeis a cargo de Berlusconi, ou pela prescrição abreviada, pelo não vencimento dos limites ou pela impunidade do crime pela falta de queixa das partes (Berlusconi queria denunciar-se sozinho). O premier sai incólume do caso Lentini, de metade das acusações pelos direitos Mediaset, da falsificação contábil consolidada Fininvest (aquele por 1,5 trilhão de liras), do caso All Iberian-2 e da SME-Ariosto-2. Os dois últimos processos se encerraram com a sentença: "o fato não é mais previsto pela lei como crime" (porque o acusado a despenalizou). Salvam-se também os diretores do grupo Paolo Berlusconi, Adriano Galliani, Giancarlo Foscale, Fedele Confalonieri e também os acusados do escândalo Gemina-RCS (de Giampiero Pesenti a Giovanni Cobolli Gigli), o cardeal de Nápoles Michele Giordano, o guarda fiscal Giancarlo Parretti e o rei da carne Luigi Cremonini. A Cassação é obrigada a anular a condenação definitiva de Cesare Romiti pelo caixa dois da Fiat. O mesmo fazem os juízes de Ivrea pelo acordo de Carlo De Benedetti e de Corrado Passera pela falsificação contábil da Olivetti.

Eliminado o delito mais insidioso para o primeiro-ministro, a maioria providencia o cancelamento das provas do outro: a corrupção. Há um ano, os seus advogados no processo SME-Ariosto solicitam ao Tribunal que sejam refutados todos os documentos (e as respectivas testemunhas) anexados por rogatória da Suíça porque são "fotocópias simples", sem a "específica certificação de autenticidade", em folhas "não numeradas", ou "faltando os carimbos", "enviadas diretamente pela autoridade judiciária suíça para a italiana" ou então entregues *brevi manu* a funcionários da polícia "ignorando o Ministério da Justiça italiano e o Escritório Federal na Suíça". O Tribunal verifica as normativas e as práticas vigentes e conclui que está tudo em ordem: há anos se faz assim em toda parte. Portanto, recusa o pedido. Mas a CDL, com a desculpa de confirmar a convenção de recíproca assistência judiciária ítalo-suíça de 1998 (esquecida numa gaveta pelo Ulivo), muda as normas sobre as rogatórias precisamente no sentido invocado pelos defensores do primeiro-ministro e recusado pelos juízes. Resultado das emendas apresentadas pelos senadores Paolo Guzzanti e Lino Jannuzzi: todas as rogatórias com os documentos requeridos ou já recebidos pela magistratura italiana da parte dos juízes estrangeiros são inutilizáveis processualmente e serão refeitos do princípio (cerca de 7.000 ao todo, dos quais 252 remetidos da Suíça para o *pool* Mãos Limpas e ainda pendentes; 810 por delitos da Máfia; 1.045 por tráfico de drogas; 746 por corrupção; 66 por atos de terrorismo e assim por diante). Em 3 de outubro, a Câmara aprova definitivamente a lei, dia 4 Berlusconi assina, dia 5 é promulgada por Ciampi, dia 6 é publicada no Diário Oficial, dia 7 é domingo, dia 8 sai do Diário Oficial, dia 9 os advogados de Previti a invocam para que vários juízes romanos refutem as provas dos depósitos na Suíça. Depois, os tribunais conseguem salvar os processos "desaplicando" a lei, porquanto contrasta com vários tratados internacionais e com as práticas até aqui seguidas em toda a Europa: práticas e tratados que, normativamente, prevalecem sobre as leis nacionais. Assim, a contrarreforma das rogatórias será letra morta.

Em outubro, Alfonso Sabella, magistrado em serviço no DAP, descobre e desarticula uma manobra para favorecer a "dissociação" dos chefes mafiosos (um dos pontos-chave do papelete de Riina). Pela resposta, o novo chefe do DAP Giovanni Tinebra o demite.

No entanto, em Milão, a última esperança para os acusados dos processos "togas sujas" é a sentença da Consulta que, em 4 de julho, anulou as cinco sessões das audiências preliminares de IMI-SIR e SME-Ariosto (aquelas em que, como vimos, o juiz de audiência preliminar Rossato procedeu na ausência de Previti, que sustentava ser empregado da Câmara). De qualquer modo, a Corte deixa ao Tribunal de Milão a decisão sobre o que fazer. Com dois decretos, o de 17 e o de 21 de novembro, os presidentes dos dois tribunais julgadores, Luisa Ponti e Paolo Carfì, estabeleceram que a nulidade das cinco sessões (no entanto, provisórias e isentas de qualquer decisão) não invalida o êxito das audiências preliminares, isto é, os julgamentos; portanto, os processos não devem recomeçar do início e podem prosseguir. O subsecretário do Interior, advogado Carlo Taormina, solicita "a prisão em flagrante dos juízes de Milão". Em 5 de dezembro, a CDL aprova no Senado uma moção que censura os dois decretos como atos de "luta política" e "interferência na vida política do país", acusando o Tribunal de Milão de ter "desconsiderado uma sentença da Corte Constitucional" e de ter, assim, "subvertido a hierarquia das fontes estabelecidas pela Constituição e pela lei, substituindo-se de fato e de direito o legislador" (referência à interpretação da lei sobre as rogatórias). Pela primeira vez na história da Itália, o Parlamento coloca em votação a decisão de um juiz. A junta da ANM se demite em bloco como protesto, como tinha feito apenas uma vez na sua história: em 1924, depois do delito Matteotti e da virada autoritária de Benito Mussolini.

Em 6 de dezembro, em Bruxelas, Berlusconi anuncia aos parceiros comunitários que o governo italiano, único na UE, não votará o "mandato de captura europeu" (que, a despeito do nome pomposo, é só uma simplificação dos procedimentos de extradição para os acusados de crimes cometidos no exterior, decidida por vários tratados internacionais, subscritos há dois anos também na Itália). Motivo: a medida "coloca em risco a liberdade individual" assim, tranca a aprovação da norma comunitária, mas não para todos os 32 delitos a se sujeitarem às novas regras. Somente para alguns: corrupção, fraude, lavagem e outros crimes financeiros (compreendidos todos que Berlusconi deve responder na Itália e na Espanha). Duros protestos dos quatorze parceiros europeus. O ministro Bossi define a justiça europeia "Forcolândia ex-comunista". A Newsweek escreve que Berlusconi "teme ser detido pelos juízes espanhóis" pela Telecinco. Em 11 de dezembro, encerra-se o impasse com um compromisso: o mandado de captura europeu entra imediatamente em vigor em toda a Europa, exceto na Itália, que se empenha em ratificá-lo em 2004. Entretanto, a CDL o aprovará somente em 12 de abril de 2005.

Para o Tribunal de Milão, a corrida de obstáculos prossegue. De março a novembro – quando os seus processos estavam parados por causa das eleições, das férias e de uma presumível doença sua – Previti estabeleceu um novo recorde de absentismo na Câmara (80,44% de ausência nas sessões). Contudo, no recomeço outonal das audiências, redescobre uma irrefreável vocação para a oratória em Montecitorio, intervindo até sobre temas apaixonantes como a "adequação ambiental da central termoelétrica de Polesine Camerini", o "emprego dos estoques de bioetanol nas destilarias", a "execução do hino nacional antes das partidas do campeonato de futebol", sem esquecer "a previsão de um voo direto Roma-Washington". Assim, tem uma ótima desculpa para valer-se do legítimo impedimento e adiar as audiências. Os advogados-deputados do premier, Pecorella e Ghedini, se empenham ao máximo, chegando ao ponto de aderir à greve das Câmaras penais para protestar, entre outras, contra "as intervenções setoriais e o decreto de urgência, sintoma da falta de projeto" da maioria no assunto justiça. Na prática, estando a maioria dos atuantes da política judiciária na Comissão de Justiça, fizeram greve contra eles mesmos.

A enrolação serve para ganhar tempo para que também o ministro Castelli possa ser útil. E "o astucioso ministro", como o chama Borrelli, não se faz de rogado: em 31 de dezembro, enquanto os italianos preparam a ceia de Final de Ano, com pedido "urgente" dos defensores de Previti, nega contra qualquer praxe e lógica a prorrogação no Tribunal a um dos três juízes do colégio SME-Ariosto: Guido Brambilla (destinado ao Tribunal de Vigilância). E dispõe a sua "imediata tomada de posse" na nova destinação em 2 de janeiro. Assim, o processo de Berlusconi, Previti, Pacifico e Squillante deverá recomeçar do zero. Afortunadamente, a salvá-lo *in extremis* intervém o presidente da Corte de Apelação com uma nova medida de "aplicação" para Brambilla até o término do julgamento.

2002

O ano começa com a passagem da lira para o euro, com a missão militar no Afeganistão e com uma nova piada do astucioso ministro. Derrotado por Brambilla, Castelli tenta a desforra com uma inspeção administrativa na Procuradoria de Milão, acusada de ter gasto muito (5 bilhões de liras) pela consultoria técnica (800 páginas e dois anos e meio de trabalho) da KPMG a propósito dos 1,5 trilhão de suposto caixa dois do "setor econômico externo" da Fininvest. Contrariamente aos desejos do ministro, a inspeção apurará que está tudo regular na conduta do *pool*.

Em janeiro, cansado de representar um governo já desacreditado na Europa, se demite o ministro técnico do Exterior Renato Ruggiero, substituído por Berlusconi, que assume interinamente o Ministério. Depois de dez meses, nomeará Franco Frattini.

Em 12 de janeiro, o procurador-geral de Milão, Borrelli, que, em 1999, cedeu a direção da Procuradoria a D'Ambrosio, inaugura o ano judiciário convidando os cidadãos a "resistir, resistir, resistir como sobre uma irrenunciável linha do *Piave*" contra o "esmagamento da vontade geral", o "naufrágio da consciência cívica" e "a perda do senso de direito". Grupos de cidadãos indignados atendem ao seu apelo e realizam manifestações em defesa da independência da magistratura em volta de vários tribunais da Itália, Milão *in primis*, que foram rebatizados "Girotondi". Artistas como Nanni Moretti, professores como Paul Ginsborg, Paolo Flores d'Arcais e Pancho Pardi, revistas como Micromega aderiram à iniciativa e a animam. Em 23 de fevereiro, enquanto o governo ocupa militarmente a RAI, mais de 40.000 pessoas se aglomeram dentro e fora do Palavobis de Milão para o décimo aniversário da Mãos Limpas.

Em 1º de março Berlusconi e Previti solicitam à Cassação para transferir os processos SME-Ariosto, IMI-SIR, Iodo Mondadori e All Iberian de Milão para Bréscia por "graves motivos de ordem pública". Sustentam temer pela própria "segurança" e citam uma série de supostas provas da "parcialidade" de todo o Tribunal de Milão: as manifestações do *pool*, a presumível "perseguição judiciária" de 1994 contra o Cavaliere, os decretos do Tribunal sobre as rogatórias, Consulta e Brambilla, os Girotondi e o Palavobis comparados a movimentos insurrecionais, a tríplice "resistência" de Borrelli, alguns escritos contra Previti nos muros de Milão, as presumíveis "provas falsas" e "urnas manipuladas", até os improvisos zombeteiros do cantor popular Franco Trincale que — escreve o presidente do Conselho de Cassação — "ficava perto da Piazza do Duomo todos os fins de semana para discursar para os numerosos presentes com difamatórias prospecções nos confrontos com o parlamentar Berlusconi". Por essas razões — acrescenta o premier — "é evidente que a situação da ordem pública e da serenidade do processo estão irremediavelmente comprometidas", vistos também os "elevados riscos para a incolumidade das partes". Enfim, todos os 250 magistrados em ação em Milão estão acautelados. É preciso ir para Bréscia.

Em 11 de março a ONU envia para a Itália um observador da justiça, o jurista malaio Dato Param Cumaraswamy, alarmado pelos contínuos ataques do governo à magistratura: em 3 de abril, o observador entrega o seu relatório, criticando duramente os ataques políticos aos juízes e o "conflito de interesses" dos advogados-parlamentares que podem "avantajar os seus clientes".

Em 18 de abril, Berlusconi, de Sofia, envia o "edital búlgaro" contra Biagi, Santoro e Luttazzi, intimando a nova cúpula da RAI, por ele há pouco intimada a não mais trabalhar em causa própria, por "uso criminoso da televisão pública".

Em 24 de abril, a maioria, eliminada a candidatura de Filippo Mancuso, elege juiz constitucional, também com os votos de Ulivo, o professor Romano Vaccarella: o advogado civilista de Previti e de Berlusconi que, entre outras, acompanha para a Fininvest a questão Mondadori.

Em 30 de maio as sessões unidas da Cassação estabelecem que os processos contra Berlusconi e Previti fiquem em Milão, mas acolhem uma exceção de legitimidade constitucional avançada de Pecorella sobre o artigo 45 do Código de Processo Penal, em vigor há 22 anos: o código que desde 1989 regula a remissão dos processos de outra sede e não prevê mais a antiga e genérica "legítima suspeita" (a "legítima suspeita" sobre as condições ambientais da sede processual). Ao invés disso, limita-a só aos raríssimos casos de "graves situações locais" capazes de prejudicar verdadeiramente "a liberdade de determinação" dos juízes e de perturbar a tranquilidade do juízo. Para induzir a Consulta a declarar inconstitucional a norma e a restabelecer a precedente, isto é, a transferir os processos de Milão para Bréscia, a CDL muda a lei. Cuidado com as datas.

Em 9 de julho, o senador da UDC Melchiorre Cirami, ex-pretor de Agrigento, apresenta a DDL nº 1.578, que reintroduz a vaguíssima fórmula do "legítimo suspeito" entre as causas de remissão dos processos de outra sede. Em 18 de julho, forçando os regulamentos e ultrapassando leis bem mais datadas e urgentes, o presidente do Senado Marcello Pera coloca imediatamente a Cirami em discussão. Em 25 de julho, seis senadores do Ulivo, liderados por Nando Dalla Chiesa, ocupam dia e noite a sala da Comissão de Trabalhos Constitucionais para obstruir os trabalhos. Em 31 de julho, Flores de Arcais, Moretti e Pardi lideram uma manifestação espontânea de 4.000 pessoas que gritam "vergonha!" diante do Senado. Em 1º de agosto, a Cirami é aprovada na sala do Palácio Madama. Em 2 de setembro, a Comissão de Justiça da Câmara presidida por Pecorella inicia o exame da norma, duas semanas antes da reabertura canônica do Parlamento. Em 14 de setembro, os Girotondi levam à Piazza San Giovanni, em Roma, mais de um milhão de pessoas para uma "festa de protesto". O líder da DS Massimo D'Alema, ostensivamente ausente, critica o movimento: "Deslegitima os partidos". Em 15 de setembro, Pecorella ameaça "a dissolução das Câmaras e as eleições antecipadas se não passasse a Cirami". Em16 de setembro, reabre o Parlamento. Em 19, recomeçam os processos em Milão.

Previti e os seus coacusados, depois de terem sempre recusado serem interrogados no tribunal, anunciam que se submeterão ao exame. Por quê? Cirami está cheia de despropósitos e deve ser retificada pela Câmara, depois do que deverá voltar ao Senado para evitar que as sentenças cheguem antes que a lei entre em vigor. Em 24 de setembro, para impedir que o CSM apresente parecer negativo sobre a Cirami, os cinco membros laicos de centro-direita abandonam o plenário para forçar a falta de número legal: um ato sem precedentes. Em 28, Previti, interrogado por sete horas sobre o processo IMI-SIR/Mondadori, recorda ter nomeado como advogados de Berlusconi na causa Mondadori, os professores Romano Vaccarella e Carlo Mezzanotte (os dois são agora juízes constitucionais e, dentro em breve, decidirão sobre legítimo suspeito). Em 16 de outubro, salta outra audiência porque Previti está empenhado na Câmara discutindo o decreto congela-tarifas, uma moção sobre a cúpula de Joanesburgo e a crise no Oriente Médio. Em 19 de outubro, completado o exame dos acusados, o presidente Carfi dá a palavra à Ilda Boccassini para a acusação: a Promotoria anuncia que pedirá 13 anos e meio para Metta, 13 para Previti e Pacifico, 10 para Squillante e Verde, 7 anos para Acampora. O ministro Carlo Giovanardi (UDC) apresenta um projeto de lei constitucional para restabelecer a imunidade parlamentar. No entanto, a Cirami continua a balançar de um ramo ao outro do Parlamento. Em 10 de outubro, passa pela Câmara, mas contém outro erro que provocaria solturas em cadeia; portanto, foi modificada e voltou ao Senado, onde, em 24 de outubro, foi aprovada graças a vinte senadores "pianistas", que votam pelos outros colegas ausentes. Contudo, possui uma emenda restritiva imposta pelo Quirinale (a transferência dos processos deve ser motivada por "graves situações locais"). Portanto, retorna para a Câmara, onde é licenciada definitivamente em 5 de novembro.

A justiça italiana retrocede aos tempos obscuros dos excepcionais processos transferidos pela "legítima suspeita" e depois abafados (delito Matteotti, Portella da Ginestra, Piazza Fontana, golpe Borghese, catástrofe de Vajont, registros da Fiat). Entretanto, a nova norma se presta também para uso instrumental para bloquear os processos a pedido dos acusados: cada instância de remissão formalmente corrigida deverá ir para exame da Suprema Corte e, enquanto isso, o processo ficará suspenso por meses até a decisão. Não há limite para reiteração da instância, cada uma com efeito suspensivo: basta alterar a motivação e se apresentam infinitas instâncias "em cadeia". Além disso, a Cirami é retroativa: se aplica aos processos em curso.

Os Girotondi convidam o Quirinale a não promulgar a enésima "lei-vergonha", mas, depois de vinte e quatro horas, na tarde de 7 de novembro, Ciampi a assina. À noite, é publicada no Diário Oficial. Na manhã seguinte, 8 de novembro, os advogados de Previti solicitam ao presidente Carfi a suspensão do processo na espera pela Cassação. Em 18 de novembro, a Corte Constitucional rejeita, como "inadmissível", a questão de legitimidade sublevada da Cassação com petição de Pecorella, com base na qual Cirami apresentou sua lei. Os autos voltam para a Suprema Corte para que esta se pronuncie – à luz da nova lei – sobre o pedido de transferência dos processos para Bréscia. Em espera, os processos param. Previti recomeça a desertar da Câmara, onde, nos últimos meses, estava sempre presente.

No final do ano, o governo prolonga a idade para a aposentadoria dos magistrados de 72 para 75 anos: o primeiro presidente da Cassação Nicola Marvulli e o procurador-geral Francesco Favara, no limite da idade para a aposentadoria, poderão ficar no serviço por mais três anos. É uma desastrada tentativa de granjear simpatia na véspera da decisão sobre a transferência dos processos. A medida está pronta há tempo, mas é aprovada somente no dia seguinte ao da aposentadoria do procurador de Milão Gerardo D'Ambrosio. Obviamente, com 72 anos.

O ano de 2002 é também de outras leis-vergonha. A primeira, assinada por Castelli, mortifica o CSM reduzindo os componentes e as competências com a desculpa de atingir o sistema em vigor. Os membros de 30 caem para 24 (8 laicos e 16 togados, dos quais 10 juízes, 2 magistrados de Cassação e só 4 promotores) e muda o sistema eleitoral (a União de Prodi, em 2007, restabelecerá o órgão de autogoverno das togas à composição original). Depois, tem uma rajada de doze remissões fiscais (o "tumular" para os evasores do IR-PEF, e também os do ICI, do IVA, da taxa RAI e assim por diante) contempladas pela lei do orçamento geral do Estado para 2003. Sendo acusado em vários processos exatamente por evasão fiscal, Berlusconi tenta minimizar esse gigantesco conflito de interesses jurando em 30 de dezembro de 2002: "Não acredito que as empresas da minha família recorreram a alguma quitação". Mentira: em seguida, para acertar-se com o fisco, que reclama 197 bilhões de liras de taxas não pagas, Mediaset aproveita exatamente da remissão a Berlusconi e paga somente 35, poupando 162. Da remissão se aproveitam outras sociedades particulares do premier, como a Immobiliare Idra, que controla as suas várias casas de campo espalhadas pela Itália. Não satisfeito, o Cavaliere utiliza a remissão também para cancelar as suas posteriores pendências pessoais com o fisco, que a Procuradoria de Milão quantificou no processo Mediaset em 301 bilhões de liras de impostos evadidos entre 1997 e 2002. Para sanar a megaevasão, o premier restitui apenas 1.800 euros em duas cômodas prestações (1.500 euros pelos anos de 1997-2001 e 300 por 2002). Ao juiz das investigações preliminares Fabio Paparella, em 2006, só restará tomar nota e declarar sem condições de avançar por aqueles delitos.

Uma outra lei-vergonha, desta vez bipartidária, é a que multiplica cada vez mais, os financiamentos públicos aos partidos, sempre camuflados em reembolsos eleitorais. Enquanto se encontram no Parlamento e em público, direita e esquerda apresentam juntas uma moção que eleva os assim ditos "reembolsos" para 5 euros para cada direito ao voto, e sempre para cada uma das duas Câmaras. Não basta: os reembolsos para o Senado são calculados com base nos eleitores da Câmara, que são mais de 4 milhões a mais (e rendem aos partidos 20.491.120 euros a mais). De aumento em aumento, de retoque em retoque, em 2006, o total dos reembolsos eleitorais atingirá a cifra recorde de 200.819.044 euros, mais que o dobro dos 93 milhões recolhidos em 2001. Se em 1993 cada italiano rendia aos partidos 1,1 euros, em 2006, devolve 10. Cada período eleitoral (político, regional, europeu e administrativo) custa aos italianos um bilhão de euros. E, se este se interrompe antecipadamente, os partidos continuam a acumular os "reembolsos" como se durasse cinco anos, por acréscimo aos previstos pela nova legislatura.

Não faltam novos sinais convergentes em direção à Cosa Nostra. Em abril, Gianfranco Anedda, da AN, o forcista Giancarlo Pittelli e outros oito deputados CDL apresentam uma ampla reforma da justiça penal que consente aos chefes obterem a revisão das sentenças definitivas, acusando de "parcialidade" os juízes que as emitiram, mas a norma não passa. No entanto, outras leis são propostas a gesto contínuo (pelos forcistas Taormina, Saponara e Mario Pepe), para consentir a revisão dos julgamentos já encerrados com condenações definitivas aplicando retroativamente a lei costitucional do "processo justo", em vigor desde 1999. Em 12 de julho de 2002, ligado por videoconferência da prisão com um processo a Trapani, o chefe Leoluca Bagarella lê uma declaração espontânea em nome de outros detentos, em que se manifesta contra os políticos que "não mantêm as promessas" e usam os mafiosos "como mercadoria de troca", anunciando uma greve de fome contra o 41-bis ("segundo a lei, as medidas limitativas das condições penitenciárias só podem ser temporárias [...]. Ao contrário, somos cobertos de prorrogações trimestrais de medidas muito vexatórias que estão em evidente contraste com o artigo 3 da Constituição". Portanto, uma mensagem ao governo e/ou ao Parlamento. Quem são os destinatários das novas mensagens dos chefes na prisão, revela um clamoroso relatório do Sisde datado de 17 de julho:

> Tendo em vista a ineficácia das propostas de "pacificação" [por exemplo, a tentativa do chefe Pietro Aglieri de pôr-se de acordo com o Estado por meio de um pacto de "dissociacão", já solicitado no papelete de Riina], os chefes da Cosa Nostra na prisão poderiam ter decidido reagir com os instrumentos criminais tradicionais, atingindo alvos considerados importantes [...]. O alvo poderia ser uma personalidade da política que, independentemente do seu efetivo envolvimento em negócios da Máfia, seja, de qualquer modo, percebido como "disfarçado", como comprometido com a Máfia e, portanto, não defensável pela opinião pública. Esta linha de raciocínio induz a pensar que o parlamentar Marcello Dell'Utri possa ser percebido pela Cosa Nostra como objetivo ideal (junto com os outros expoentes sicilianos da Casa das Liberdades) [...]. Igualmente desestabilizante, nessa ótica, poderia se considerar um atentado com danos ao parlamentar Previti, cujo perfil público é muito similar ao do parlamentar Dell'Utri, também em relação ao presidente do Conselho.

Assim, fica assegurada a escolta para Dell'Utri, para Previti e para uma dezena de advogados-parlamentares eleitos na Sicília, nas fileiras de centro-direita, acusados pelos chefes de traição aos compromissos legislativos, preocupados em aliviar as condições dos chefes detidos. Entretanto, "rádio cárcere" bate um tam-tam que diz: "*Iddu* pensa só em *iddu*", onde *iddu* poderia ser o presidente do Conselho, muito ativo com leis *ad personam* para si e para os amigos mais íntimos, mas muito distraído com as exigências da Cosa Nostra.

Em 19 de dezembro, o Parlamento aprova definitivamente a lei 279, que transforma o 41-bis em disposição extraordinária, renovada de semestre em semestre por via administrativa pelo ministro da Justiça, em uma medida estável do sistema penitenciário. Dois dias depois, em 21 de dezembro, Berlusconi parece se desculpar: declara que o 41-bis, mesmo que "necessário", responde a "uma filosofia iliberal". No dia seguinte, em 22 de dezembro, no estádio de Palermo, durante a partida entre o time de casa e o Ascoli (o clube da cidade onde está detido

Riina), aparece no telão com letras garrafais chamando a atenção diretamente para o presidente do Conselho: "Unidos contra o 41-bis. Berlusconi esquece a Sicília". Se descobrirá depois que, escrevendo no telão, estava o filho de um chefe da Máfia condenado à prisão perpétua. A enésima pró-memória de possíveis promessas traídas?

Na realidade, a nova lei, alardeada pelo governo Berlusconi como uma prova de empenho antimáfia, surtiu o efeito diametralmente oposto ao declarado. Um ano depois da entrada em vigor, a Comissão Antimáfia descobrirá que, sobre os 637 detidos supostamente pelo 41-bis, 72 já obtiveram a revogação pelo Tribunal de Vigilância, seguidos por muitos outros nos anos seguintes. Motivo: a nova lei torna mais difícil para os juízes demonstrarem tangivelmente a "atualidade" das ligações entre o detento e o crime organizado externo ao cárcere, condição indispensável para prorrogar o 41-bis. Depois, se antes era extremamente difícil para os chefes revocarem o 41-bis – visto que o tempo dos recursos era mais longo que o das prorrogações semestrais, e cada vez era preciso recomeçar do princípio –, quando o regime carcerário está "estabilizado", de uma vez só, todos tinham todo o tempo para pedir e obter a anulação da prisão rigorosa.

2003

Em 28 de janeiro, as sessões unidas da Cassação rejeitam por unanimidade (nove juízes de nove) o pedido de transferência dos processos de Milão para Bréscia e condenam os recorrentes Berlusconi e Previti a pagar 1.500 euros de despesas processuais: o Tribunal de Milão está sereno e imparcial, alheio do "legítimo suspeito". No dia seguinte, em um videomonólogo em rede nacional, o primeiro-ministro ataca a Corte e toda a magistratura, pedindo para ser "julgado apenas pelos seus pares, isto é, pelos eleitos pelo povo". Pecorella idealiza uma lei para abreviar a prescrição. A CDL encontra um projeto para o retorno da autorização para proceder, assinado por Francesco Nitto Palma. No entanto, os processos recomeçam, e o do caso IMI-SIR/Mondadori está acabando. O senador de Margherita Antonio Maccanico, em 1º de fevereiro, tem uma ideia para bloqueá-lo uma outra vez: uma norma ordinária que suspende os processos dos cinco cargos mais altos do Estado, isto é, do presidente da República, do Conselho de Estado, da Câmara, do Senado e do Conselho Municipal. Dos cinco, o único que tem processos em curso é naturalmente o premier. A centro-direita abraça a ideia, e o chefe do grupo no Senado, Renato Schifani, movimenta-se para torná-la lei. No entanto, Previti solicita a tranferência dos processos para Perúgia, e apresenta uma rajada de recusas (ao todo serão sete) e outras exceções fraudulentas para impedir que os juízes de IMI-SIR/ Mondadori entrem na Câmara do Conselho para a sentença. Para abrandar o processo SME-Ariosto aparece Berlusconi que, enquanto manda as tropas italianas para a guerra no Iraque, anuncia a surpresa de querer dar "declarações espontâneas".

Em 29 de abril o juiz Carfì lê, finalmente, a sentença IMI-SIR/Mondadori: Previti, Pacifico, Metta, Squillante e Acampora condenados a penas severas. O premier fala de juízes "golpistas". Em 5 de maio, comparece no Tribunal para o seu solilóquio diante dos juízes, mas é apenas a primeira espetada. Depois inventa os impedimentos governamentais mais obscuros para prolongar o tempo de SME-Ariosto e permitir ao Parlamento a aprovação do chamado "lodo" Maccanico-Schifani, possivelmente antes de 1º de julho, quando se tornará por seis meses presidente de turno da União Europeia. O Tribunal suprime a sua posição para chegar à sentença, pelo menos, dos outros acusados.

Em 20 de maio, sobre o ingresso do ministro da Economia Giulio Tremonti, o ministro da Justiça Castelli lança outra inspeção na Procuradoria de Milão para fazer uma avaliação de todas as despesas da Promotoria (honorários para consultas técnicas e perícias, custos das interceptações, chancelarias, carimbos e assim por diante): esta também se encerrará certificando a plena retidão dos magistrados milaneses.

Em 29 de maio, enquanto Boccassini encerra a requisitória do processo-matriz SME-Ariosto solicitando a condenação de todos os acusados restantes, Ferruccio De Bortoli deixa a direção do *Corriere della Sera* depois de longa queda de braço com os advogados do premier e com Previti. Nos mesmos dias da Comissão Parlamentar de Inquérito sobre a Telekom Serbia (a companhia telefônica de Belgrado adquirida pela STET em 1999 sob o governo Prodi) tira da manga uma nota fraudulenta, de um tal de Igor Marini, sagrando-o como "supertestemunha" das presumíveis propinas embolsadas por Prodi, Fassino, Dini e outros políticos de centro-esquerda. Em 3 de junho, sobre o pedido dos acusados Berlusconi e Previti, começa a terceira inspeção ministerial extraordinária de Castelli contra o *pool* de Milão: desta vez, visa ao arquivo número 9520/95 (que contém os autos dos inquéritos sobre as "togas sujas" ainda não anexados ao processo): um dossiê que, coberto de segredos investigativos, os investigados não podem conhecer. Portanto, os promotores milaneses recusam entregá-lo a Previti e a Berlusconi, mas o astuto ministro, indignado contra uma Procuradoria que mantém escondidos os autos secretos, quer saber o porquê. Terminará em um outro buraco na água.

Em 5 de junho, o Senado aprova o "lodo" Maccanico-Schifani sob a forma de emenda à lei Boato, que multiplica a imunidade parlamentar a propósito das interceptações "indiretas" a cargo de parlamentares (isto é, captadas em telefones de não parlamentares): para poder utilizá-las, não só nos confrontos dos próprios parlamentares, mas também de terceiros, os juízes deverão pedir autorização para a Câmara e, em caso de recusa, descartá-las. A norma – que livrará de embaraçantes interceptações Dell'Utri, Cuffaro, Berlusconi, Martinat, Luigi Grillo, Miccichè, mas também os DS Vincenzo De Luca, Massimo D'Alema e Nicola Latorre – foi

OPERAÇÃO MÃOS LIMPAS

aprovada pela centro-direita, enquanto os *mastelliani* de UDEUR e os socialistas do SDI de Enrico Boselli (favorável), saem da sala; Maccanico e Boato se abstêm.

Em 11 de junho, o Palácio Madama aprova definitivamente também outra lei *ad personam*, sobre negociação alargada, que permitirá aos acusados suspenderem os seus processos por 45 dias para avaliar se negociam a pena em fase de julgamento. Previti negociará logo.

Em 17 de junho, segunda etapa dos depoimentos espontâneos do premier ao processo desmembrado SME-Ariosto. Berlusconi se declara "um cidadão um pouco mais igual aos outros porque tive os votos". No total, nos dois retornos, falou duas horas e contou umas oitenta mentiras sobre o caso SME. No dia seguinte, 18 de maio, a Câmara aprova definitivamente o "lodo" que suspende os processos contra Berlusconi até que saia do Palácio Chigi. Também desta vez, Ciampi assina em menos de 24 horas: justo em tempo de impedir Boccassini de iniciar a requisitória e pedir a condenação do premier. Gherardo Colombo solicita ao Tribunal que permita uma exceção de inconstitucionalidade do "lodo" na frente do Conselho. Os juízes acatam, antes de suspender *sine die* o processo desmembrado. No principal, Previti aproveita os 45 dias concedidos pela nova lei sobre negociação alargada: não para negociar, mas para fazer a sentença ir para depois do verão e comunicar, no final, que não negocia.

Em 1º de julho, em Estrasburgo, no início do seu mandato como presidente da UE, Berlusconi dá o "*kapò nazista*"* ao socialista alemão Martin Schulz e os "turistas da democracia" a todos os parlamentares europeus, atraindo críticas ferozes de toda a imprensa internacional, excluindo boa parte da italiana.

Por todo o verão, para neutralizar o impacto midiático das motivações da sentença IMI-SIR/Mondadori, na qual os juízes falam do "mais grave caso de corrupção da história da Itália, e não só", a Comissão Telekom Serbia interroga o trapaceiro Igor Marini, neste ínterim, preso em Turim, e difunde as suas calúnias contra Prodi, Fassino e Dini. Em setembro, outra má figura internacional de Berlusconi: uma entrevista ao britânico *The Spectator* no qual o premier define os magistrados "três vezes loucos e antropologicamente diferentes do resto da raça humana".

Depois chega uma lei (votada por todos os partidos, excluindo a DS, e assinada por Santanché, da AN, Maccanico, da Margherita, Mastella, da UDEUR, Villetti, do SDI e do habitual Boato dos Verdes), que consente ao juiz Corrado Carnevale, demitido da magistratura depois da condenação na Apelação por máfia, de reentrar na Cassação agora que os seus colegas da Suprema Corte lhe anularam a sentença: o antigo "mata-sentenças" poderá ficar em serviço além da idade para aposentadoria da toga (75 anos), recuperando os anos perdidos. Assim, em 2006, reentrará no Palácio da Piazza Cavour para ficar até 2013, quando terá 83 anos.

---

* Referência a prisioneiros de campo de concentração que tinham sob sua responsabilidade um grupo de trabalho. (NRT)

Ainda no final do ano chovem outras duas remissões (o da construção e da prorrogação do escudo fiscal de 2001), mais uma lei Tremonti que suprime as mais-valias da participação acionária. Sobretudo, a lei Gasparri, que deve salvar Rete 4: em consequência da sentença do Conselho que, em 2002, declarou inconstitucional também as prorrogações concedidas pela lei Maccanico, a emitente berlusconiana será "extinta" do analógico terrestre e eventualmente trasferida para satélite, com grave dano para Mediaset e o seu proprietário. Em 5 de dezembro, a Gasparri é definitivamente aprovada pelo Parlamento: contornando a sentença da Corte, consente que todas as três redes Mediaset continuem a transmitir pelo analógico terrestre e até aumentem desmedidamente o recolhimento publicitário. Contudo, em 16 de dezembro, Ciampi a devolve ao remetente por vários perfis de inconstitucionalidade. Faltam duas semanas para a extinção da Rete 4. Assim, Gasparri que, por isso, prepara em seguida um decreto salva-Rete 4 para prorrogar o vencimento em alguns meses, justo o tempo necessário para publicar a Gasparri-2: o decreto 352/2003, assinado pelo premier Berlusconi, isto é, pelo único beneficiário, salva uma TV de Berlusconi, que sai da sala do Conselho dos ministros enquanto eles aprovam a medida por unanimidade. Ciampi, apesar da evidente falta dos requisitos de necessidade e urgência, do despudorado conflito de interesses e da manifesta inconstitucionalidade de um decreto que visa neutralizar duas sentenças do Conselho, desta vez o assina. Assim, a maioria tem quatro meses para aprovar a segunda lei Gasparri, assinada também essa, em abril, pelo chefe de Estado. Rete 4 é definitivamente salva: apesar de não ter concessão do Estado para transmitir, continua a fazê-lo sobre frequências concedidas à Europa 7, que, mesmo com a concessão, em 1999, jamais recebeu do Estado os pontos rádio para iniciar os seus programas.

2004

Em 13 de janeiro, a Corte Constitucional declara ilegítima a lei Maccanico-Schifani porque viola o princípio de igualdade (art. 3 da Constituição) e o direito à defesa (art. 24). Portanto, os processos contra Berlusconi recomeçam. O "lodo", pelo pouco que durou, serviu para alguma coisa: permite que o premier se livre do colégio presidido por Luisa Ponti – que condena os acusados do processo principal SME-Ariosto e, portanto, é incompatível para julgar o Cavaliere no processo fragmentado. O novo colégio é presidido por Francesco Castellano, conhecido por ter manifestado em várias entrevistas a sua simpatia pelo premier e a sua antipatia pela Procuradoria de Milão (elogiou a contrarreforma da falsificação contábil), além de ter concedido generosamente as atenuantes genéricas tanto para ele como para seu irmão Paolo, prescrevendo dois processos. O processo fragmentado SME--Ariosto se arrasta por todo o ano de 2004, entre um obstáculo e outro inventado pela defesa do chefe de governo. Assim, Berlusconi pôde aproveitar para organizar definitivamente os seus compromissos financeiros e televisivos com outras leis *ad personam* e *ad aziendam*.

A primeira é a Gasparri-2, quase uma fotocópia da primeira versão bolada por Ciampi, que perpetua a permanência "terrestre" de Rete 4 para 10 anos além da sentença da Consulta, que recomendava a extinção ou a transferência do satélite. A segunda é a brandíssima lei Frattini sobre o conflito de interesses, sem sanções e obrigações coercivas: de fato, o único sacrifício que exigirá do Cavaliere será a renúncia à presidência do Milan. A terceira era a lei que, no final do ano, baixava as alíquotas fiscais das rendas dos mais ricos. O *l'Espresso* calculou que o contribuinte Berlusconi economizou 764.154 euros por ano. A quarta era aquela aprovada em novembro com o voto de confiança, que estendeu o perdão da construção civil e do meio ambiente de 2003 às zonas protegidas como as da Costa Esmeralda, na qual estava a Villa La Certosa, a casa de verão do primeiro-ministro, o qual a Procuradoria de Tempio Pausania contestava por uma série impressionante de abusos. Imediatamente, a empresa imobiliária Idra, proprietária das mansões do primeiro-ministro, apresentou dez diferentes solicitações de anistia e conseguiu regularizar *ex post* os abusos pela módica quantia de 300.000 euros.

No dia 10 de dezembro, o juiz Castellano pronunciou finalmente a sentença SME-Ariosto: Berlusconi foi absolvido no caso SME, no caso dos dois depósitos de Previti para Squillante, mencionados pela Ariosto, e se salvou por prescrição (graças às rotineiras atenuantes genéricas) no caso da bonificação All Iberian-Previti-Squillante de 434.000 dólares em 1991. No dia seguinte, o Tribunal de Palermo condenou Marcello Dell'Utri a 9 anos de prisão por envolvimento externo em associação mafiosa.

No dia 16 de dezembro, Ciampi rejeitou a promulgação da reforma da ordem judiciária aprovada no dia 1º de dezembro pela Câmara do Trabalho (CDL), assinada pelo Ministro Castelli e a mandou novamente para as Câmaras com uma mensagem de acompanhamento que explicava porque era "evidentemente incostitucional" em pelo menos quatro pontos. Era a terceira vez, em poucos meses, que o governo rejeitava uma lei do engenheiro ministro (já tinha acontecido com a lei do *Eurojust*, que instituía controle do governo sobre a nomeação dos magistrados italianos para a Superprocuradoria Europeia, rejeitada por Ciampi; e com a lei sobre os Tribunais Juvenis, rejeitada até mesmo pelo Parlamento, pelas deserções de numerosos franco atiradores da União de Centro – UDC).

O ano de 2004 foi também o das prisões por falência fraudulenta de Sergio Cragnotti e de Calisto Tanzi, junto aos seus cúmplices, pelas duas quebras mais assustadoras desde os tempos do Banco Ambrosiano, que seguiram estritamente a catástrofe dos títulos de renda fixa argentinos: as dos grupos alimentares Cirio (um furo de 5 bilhões de euros, 35.000 clientes que ficaram com um punhado de moscas na mão) e Parmalat (um buraco de 15 bilhões, 80.000 clientes enganados), agravadas pela ausência de controle da Comissão Nacional das Empresas e da Bolsa – CONSOB – e do Bankitalia e pelo papel perverso de alguns bancos, principalmente de um: Capitalia, reino indiscutível de Cesare Geronzi. Tanzi, na prisão, confessou que pagou para dezenas de políticos da direita, do centro e da esquerda da Primeira e da Segunda República em troca de proteção.

2005

Na onda do desdém popular pela quebra da Cirio e da Parmalat, o governo anunciou uma nova "lei sobre a poupança" que deveria aumentar os controles sobre o sistema financeiro, tornar temporário o cargo vitalício do presidente do Bankitalia e reeditar o crime por falso balanço, que tinha sido abolido de fato em 2001. No entanto, a lei acabou esvaziando-se de conteúdos graças ao tratado de paz da Liga Norte que, de inimiga do presidente Antonio Fazio, tornou-se repentinamente sua amiga. A mudança deveu-se ao papel desenvolvido por Fazio no salvamento do *Credieuronord*, o pequeno banco da Liga, à beira da falência, pelo *Banca Popolare di Lodi* (BPL), do seu amigo Gianpiero Fiorani. Nos primeiros meses de 2005, Fazio foi o articulador de três aquisições paralelas, mas coordenadas, que visavam a reordenar a fisionomia do mundo financeiro e editorial: a de Fiorani (apoiado pela Liga Norte e pelo Força Itália) sobre o banco Antonveneta di Padova, que estava na mira também dos holandeses do ABN AMRO; a da UNI-POL, de Giovanni Consorte (cooperativas comunistas, apoiadas pela cúpula da DS) sobre o BNL (Banca Nazionale del Lavoro), ambicionado também pelo espanhol BBVA; e a do rampante agente imobiliário Stefano Ricucci (apoiado por Força Itália, Liga e membros da DS, além do grupo Caltagirone) sobre a RCS, que controlava o *Corriere della Sera*. As três operações, conduzidas à revelia das regras de mercado e do Código Penal, foram bloqueadas, na metade de julho, pela investigação da Procuradoria de Milão e da juíza das investigações preliminares Clementina Forleo, que interceptaram os compradores (chamados pela imprensa de "os malandrinhos do bairro", por causa uma expressão pronunciada por Ricucci em um telefonema) e sequestraram as suas ações e os seus ganhos. Fazio e os "malandrinhos" foram investigados por agiotagem, *insider trading* e outros crimes financeiros. O presidente, após uma vigorosa resistência, teve de demitir-se no final do ano. O transversal front político, favorável às aquisições, vibrou pelas interceptações (não pelo seu conteúdo) e começou a elaborar uma lei que limitava o poder dos juízes de dispô-las e a possibilidade dos jornais de publicá-las.

O governo, entretanto, reapresentou, com alguns retoques, a contrarreforma Castelli da ordenação judiciária, que recém tinha sido reprovada por Ciampi. Era um decreto-lei, aprovado pelo Parlamento no dia 25 de julho, que pulverizava as velhas receitas dos anos mais nebulosos da justiça italiana: uma carreira seletiva que envolvia os juízes em uma complicada rede de envolvimentos formalísticos; um aviltamento das competências do CSM; uma reestruturação vertical e hierárquica das Procuradorias, com o chefe *dominus* absoluto da ação penal, e o "poder difuso" dos substitutos reduzidos a nada; uma separação prejudicial das carreiras de promotores e juízes, acompanhada por "exames psicológicos" para os juízes recém-formados (duas iniciativas já previstas no "Plano de Renascimento Democrático" da P2, lançado por Licio Gelli na metade dos anos 70); a proibição imposta aos promotores de explicarem as suas investigações para a imprensa; e, enfim, a obrigatoriedade da ação disciplinar sobre qualquer denúncia que seja apresentada contra um magistrado, mesmo a mais infundada e inverossímil. De fato, a maioria denunciou uma série de fatos ilícitos muito vagos, que aumentavam o poder discricional de interferência do governo. Por exemplo, o magistrado seria punível pela "persecução de fins diversos daqueles da justiça" ou por ter "dado declarações ou entrevistas em violação aos critérios de equilíbrio e de medida". Preocupava também outra novidade: enquanto o ministro da Justiça continuava a deter a "faculdade" de promover a ação disciplinar, o procurador-geral da Cassação era obrigado a promovê-la frente a qualquer denúncia, sem poder avaliar caso a caso o fundamento ou não de uma imputação. Portanto, o procurador-geral era obrigado por lei a manter todas as denúncias contra os juízes, mesmo as mais presumivelmente instrumentais. O mecanismo do decreto-lei atrasou, felizmente, a entrada em vigor da "reforma", que começou quando o governo exercitou e aprovou os decretos operativos. Contudo, antes que tivesse tempo de fazê-lo, em fevereiro de 2006, terminou a legislatura.

E Berlusconi? Regularizado o processo SME-Ariosto, teve de neutralizar duas novas investigações abertas pela Procuradoria de Milão contra ele: a dos "direitos Mediaset", por apropriação indébita, balanço falso e fraude fiscal, em relação à compra supervalorizada de direitos televisivos e cinematográficos das produtoras de cinema por meio de várias empresas *offshore* do setor oculto da *All Iberian*; e a por corrupção em atos judiciários pela suposta propina de 600.000 dólares, depositada em 1999 para o advogado Mills em troca de dois falsos testemunhos em outros processos contra o primeiro-ministro (Guarda de Finanças e *All Iberian*). Em tudo isso, atuou a lei ex-Cirielli ("ex" porque o signatário, Edmondo Cirielli, da AN, desconhecia a sua paternidade depois das emendas impostas pelo governo). Além de aumentar muito as penas dos recidivos, enchendo cada vez mais as prisões já lotadas, a lei reduzia quase à metade os termos de prescrição para os réus primários por crimes financeiros e da Tangentopoli. Até então, os crimes punidos com pena máxima de até cinco anos, prescreviam em 15 anos (que diminuíam para 7 e meio com as atenuantes genéricas). Com a ex-Cirielli, se extinguiam sempre em 7 anos e meio (com ou sem atenuantes), o que valia para corrupção simples, evasão fiscal, fraude, falência fraudulenta e assim por diante. Para os delitos punidos com penas máximas de até 10 anos, como a extorsão e a corrupção judiciária, a prescrição diminuía de 15 para 10 anos. A lei foi definitivamente aprovada no dia 29 de novembro e, somente no primeiro ano de vigência (2006), acabou com 35.000 processos a mais em relação aos 100.000 cancelados pelo fator tempo em 2005. Havia também uma norma salva-Previti: os condenados definitivos com idade superior a 70 anos (exceto os crimes de máfia) podiam evitar a prisão e cumprir a pena em prisão domiciliar. Então, no processo Mediaset, evaporaram por lei todos os crimes contestados de 1988 a 1999 (antes, esses crimes poderiam ser agrupados até a data do último, e dali fazer correr a prescrição; depois, cada processo era um caso separado). Além disso, em cada um dos anos seguintes, os juízes foram obrigados a cancelar os fatos relativos a sete anos e meio antes; visto que a acusação chegava até o final de 2003, em 2012, seria tudo prescrito, sem contar que grande parte das fraudes fiscais tinha sido já cancelada pela anistia fiscal requerida pelo próprio réu no final de 2002. Uma autoanistia.

O ano de 2005 foi também o de outras três normas *contra personam,* proclamadas exatamente para impedir que Gian Carlo Caselli concorresse ao comando da Procuradoria Nacional Antimáfia (DNA), ao término do mandato de Piero Luigi Vigna. A CDL estabeleceu que não poderia ocupar aquele cargo quem tivesse mais de 66 anos e, coincidentemente, Caselli completava 66 anos exatamente em 2005. Então, passou o outro concorrente, Piero Grasso, mais simpático ao governo, que ficou no seu cargo mesmo depois que a CDL declarou inconstitucionais as normas que eliminaram o outro pretendente.

No final do ano, a CDL modificou, com os votos da maioria e a poucos meses das eleições, a lei eleitoral, impondo a assinada por Roberto Calderoli, que consentia aos partidos "nomear" os parlamentares com o sistema proporcional para as "listas bloqueadas" sem preferência (o próprio Calderoli a definiu como "uma porcaria"). Depois, fechou o ano com chave de ouro, acrescentando na lei financiária a isenção do Imposto Municipal Sobre os Imóveis – ICI – para os imóveis comerciais das entidades religiosas que assinaram o acordo com o Estado italiano e para as entidades sem fins lucrativos: um presente principalmente para a Igreja, que abriu um rombo no caixa dos municípios estimado em 500-700 milhões de euros por ano.

2006

O ano começou com uma frenética atividade legislativa do governo e da maioria para organizar os últimos acontecimentos em relação ao primeiro-ministro antes do dissolvimento das Câmaras, previsto para o dia 29 de janeiro, em vista das eleições de abril. No dia 11 de janeiro, o Força Itália bloqueou o projeto de lei da AN, apoiada por todos os outros partidos da maioria e da oposição, para a venda coletiva dos direitos televisivos das partidas de futebol: assim, a parte maior da torta continuava a comer os grandes de sempre (Juventus, Milan e Inter) em detrimento dos outros. No dia seguinte, 12 de janeiro, o Parlamento aprovou definitivamente a lei Pecorella, que proibia ao promotor e às partes civis impugnarem em apelação as absolvições de primeiro grau; para as condenações, o réu poderia continuar a recorrer em apelação. Contra as absolvições, se poderia no máximo recorrer, e somente por motivos de ilegitimidade, à Cassação. Tudo isso com o beneplácito da paridade entre defesa e acusação, sancionada pela Constituição. Coincidentemente, Berlusconi estava na expectativa do veredito de apelação do processo SME-Ariosto, no qual a Procuradoria de Milão recorreu contra a sua absolvição e a prescrição em primeiro grau. Processo que foi, então, abolido pela lei. No dia 20 de janeiro, Ciampi rejeitou a lei, alegando que era evidentemente inconstitucional e, em nove dias, não seria possível modificá-la e reprová-la. O primeiro-ministro desafiou o governo, ameaçando reapresentar a lei Pecorella tal e qual era e de adiar as eleições para maio-junho. Ciampi, então, cedeu às ordens do primeiro-ministro: adiou a dissolução das Câmaras por duas semanas e assinou a lei Pecorella-2, que era ainda pior do que a versão original (uma emenda da UDC a estendeu aos processos de apelação que voltavam da Cassação após a anulação pelo Tribunal: exatamente o caso do processo contra Mannino, parlamentar da UDC). Em janeiro de 2007, a Corte Constitucional cancelou a lei Pecorella e todos os processos de apelação abolidos por ela foram reabertos, incluído o de Berlusconi pelo negócio SME-Ariosto.

No dia 10 de abril, após uma noite de grande incerteza, a UDC, guiada por Romano Prodi, venceu as eleições políticas, às vésperas da prisão de Bernardo Provenzano, em uma fazenda, perto de Corleone. Contudo, no Senado, a margem da nova maioria era tão exígua (3 cadeiras, pelo menos no início) que tornou Prodi refém dos partidos que o sustentavam e o expôs às chantagens da oposição. Resultado: um governo inchado por 103 elementos, entre primeiro-ministro, ministros, vice-ministros e subsecretários. O novo Parlamento, graças ao poder de nomear os "eleitos" conferido pela lei Calderoli às cúpulas dos partidos, gozava de uma grande representatividade de condenados definitivamente (25) ou em primeiro grau (8), réus (17), investigados (19), prescritos (10), mais um punhado de agraciados com a imunidade e com as leis vergonhosas. Cerca de oitenta personagens encrencados com a justiça que, em dois anos, superaram a cota dos cem. Somente IDV, os Verdes e os Comunistas Italianos estavam fora da triste conta. No dia 10 de maio, depois da falida tentativa de Massimo D'Alema, foi eleito presidente da República Giorgio Napolitano (DS), com os votos de toda a União (mais os dissidentes da UDC que eram aliados a Tabacci).

Assim como em 1996-1998, o governo Prodi fez coisas boas em alguns setores (saneamento das finanças públicas, graças ao ministro Tommaso Padoa Schioppa; normas contra evasões fiscais, graças ao vice-ministro Vincenzo Visco; retiro das tropas italianas do Iraque). Também fez coisas péssimas em relação à justiça e à televisão. Em plena campanha eleitoral, a União empenhou-se solenemente a cancelar todas as leis vergonhosas do quinquênio berlusconiano: porém, em dois anos de legislatura, não abrogou nenhuma; ao contrário, acrescentou tantas outras mais vergonhosas ainda. E não fez nada contra o conflito de interesses, o oligopólio ilegal da Mediaset e a ocupação partidária da RAI, nem mesmo aprovou uma lei antitruste em relação à televisão, nem entregou as frequências para a Europa 7 (ocupadas abusivamente há sete anos pela Rete 4), nem declarou Berlusconi inelegível, por ser titular de concessões de TV, nem ratificou a convenção anticorrupção de Estrasburgo, esquecida desde 1999.

O ministro da Justiça era Clemente Mastella, da centro-direita, o qual, assim que foi empossado, batalhou rapidamente pelo indulto para salvar Previti, preso na prisão de Rebibbia no dia 5 de maio para cumprir a pena definitiva de 6 anos pelo processo IMI-SIR. Graças à ex-Cirielli, o deputado-condenado ficou na prisão somente quatro dias e meio; depois obteve a prisão domiciliar, na qual deveria permanecer ao menos 3 anos de detenção antes de poder entrar nos serviços sociais. Coincidentemente, foi exatamente de três anos o indulto aprovado, no dia 27 de julho, pela Câmara e, no dia 29 de julho, pelo Senado, com os votos da União (exceto IDV de Di Pietro, que votou contra, e os Comunistas Italianos, que se abstiveram), do Força Itália e da UDC (a Liga e a AN votaram contra, exceto alguns dissidentes). A conclamada exigência de esvaziar as prisões lotadas com 62.000 detentos tinha pouco a ver com aquele golpe baixo (o mais vasto e indiscriminado da história republicana), que excluiu somente os crimes de máfia, terrorismo, pedofilia, droga, sequestro de pessoas e usura e comprendia crimes que não incidiam minimamente na superlotação das prisões: extorsão, corrupção judiciária, corrupção, peculato, fraude, balanço falso, fraudes fiscais, falência e outros crimes financeiros, societários e contra a administração pública, e até mesmo a extorsão e o voto de troca político-mafioso. Das prisões (e das penas alternativas) saíram livres quase 30.000 detentos, contra os 12.700 previstos pelo Ministério. Pelo menos um terço voltou a delinquir nos dois anos seguintes, fazendo ressurgir a "emergência criminalidade" e precipitar os consensos da centro-esquerda.

Previti, após três anos, saiu da prisão domiciliar para a liberdade, salvo algumas visitas periódicas a uma comunidade antidroga. A Câmara levou 14 meses para declará-lo prescrito como parlamentar, em virtude da interdição perpétua aos serviços públicos, sancionada pela Cassação. O indulto libertou também outros protagonistas da Tangentopoli, como Poggiolini, Pacini Battaglia, Metta, Acampora e Pacifico, sem contar todos aqueles que, graças ao indulto (que cobria os crimes cometidos até o dia 6 de maio de 2006), nunca foram presos, e os seus processos foram transformados em atos burlescos. Um ano depois, as prisões italianas voltaram a encher até superar a capacidade máxima, como antes do indulto.

Enquanto isso, o Parlamento, com a maioria da centro-esquerda, negou aos juízes a autorização para prender os deputados Vittorio Adolfo (UDC, acusado de leilões fraudulentos, fraude agravada e corrupção), Raffaele Fitto (Força Itália, acusado de corrupção, falso testemunho e leilões fraudulentos) e Giorgio Simeoni (Força Itália, acusado de formação de quadrilha e corrupção).

O ano 2006 foi o dos grandes escândalos. *Vallettopoli* em Potenza, com as chantagens no mundo dos VIPs e das estrelas do espetáculo; *Calciopoli*, com as fraudes descobertas pelas Procuradorias de Turim e Nápoles, que levou à justiça esportiva e criminal Luciano Moggi e a cúpula da Juventus (rebaixada para a série B, com dois títulos de campeão revogados), do Milan, da Lazio e da Fiorentina (fortemente penalizados). As manobras ilícitas do SISMI (Sistema de Informações e Segurança Militar), do general Niccolò Pollari, envolvido no sequestro do imame de Milão, Abu Omar, ordenado pela CIA, mas também dos dossiês do fiel Pio Pompa contra os jornalistas, políticos e juízes, considerados adversários de Berlusconi. A espionagem da *Security Telecom*, comandada por Giuliano Tavaroli e coligada ao SISMI sob a égide de Marco Tronchetti Provera.

Ao invés de ajudar os magistrados a esclarecer os fatos, a centro-esquerda, apoiada pela centro-direita, elaborou uma série impressionante de leis feitas sob medida para salvar das implicações judiciais os espiões do SISMI e da Telecom. Aumentou consideravelmente os limites do segredo de Estado e elaborou até mesmo um decreto que impunha a imediata destruição de todos os dossiês da Telecom (ou seja, das provas dos crimes), ainda antes que os juízes pudessem examiná-los.

Enquanto isso, o Ministro Pierluigi Bersani piorava a lei berlusconiana que isentava os prédios religiosos com fins comerciais do pagamento do ICI: visto que em 2005 a Cassação a tinha neutralizado, autorizando os municípios a receberem os impostos quando o imóvel em questão tinha fins comerciais, o futuro secretário do PD elaborou um decreto "interpretativo" que isentava as entidades religiosas do ICI, mesmo que em seus prédios se realizassem "atividades que não tivessem exclusivamente natureza comercial".

Depois, voltou à cena Mastella. Ao invés de cancelar com um canetaço a lei Castelli (que ainda não tinha entrado em vigor porque não tinham ainda sido desencadeados os decretos operativos do governo Berlusconi), o ministro da Justiça começou a tratar com a centro-direita para aprová-la definitivamente, com alguns retoques para melhor e algumas emendas para pior. Assim, entre o final de 2006 e o verão de 2007, passou definitivamente a lei Mastella-Castelli. As Procuradorias voltaram a ser órgãos verticais, como nos anos 50 e 60, nas mãos dos procuradores-chefes e gerais, com poder de revogação e avocação das investigações incômodas. Aumentaram os poderes disciplinares do ministro da Justiça sobre os juízes. Foi, de fato, separada a carreira dos inquirentes da dos julgadores. Os chefes e os "adjuntos" dos gabinetes judiciários não poderiam ficar mais do que 8 anos no mesmo cargo, enquanto os promotores dos *pools* especializados (contra a Máfia, as propinas, os crimes financeiros, os crimes sexuais, os crimes ambientais, etc.) "venceriam" depois de 10 anos: isto é, quando se tornariam verdadeiramente úteis, teriam de mudar de setor. Outra norma destinada a provocar confusões era aquela que proibia os juízes de primeira nomeação de serem promotores e juízes monocráticos: como as sedes mais necessitadas, normalmente, eram destinadas aos "juízes jovens" distribuídos pelo CSM nos cargos vagos, enquanto os magistrados escolhiam livremente onde trabalhar, nos dois anos seguintes, aquela proibição esvaziou dezenas de Procuradorias, levando-as à paralisação por falta de promotores.

O ano de 2006 concluiu-se com uma mão furtiva, que acrescentou na lei financiária uma cláusula adicional que reduzia à metade a prescrição para os crimes contábeis, isto é, para as ações de ressarcimento do dano do erário público frente ao Tribunal de Contas: uma perda de vários bilhões de euros para o Estado. A emenda foi assinada pelo deputado calabrês Pietro Fuda (do Partido Democrático Meridional, fundado pelo governador calabrês Agazio Loiero) e por outros seis senadores da União (área ex-Democracia e Liberdade), os quais, porém, entre muitos embaraços, não assumiram tê-lo feito. E o governo, com uma escamotagem, conseguiu neutralizá-la a tempo.

2007

Foi o ano da revolta da sociedade civil contra a "casta" dos políticos e os seus privilégios. *A Casta* era também o título do best-seller de dois enviados do *Corriere della Sera*, Gian Antonio Stella e Sergio Rizzo, publicado em maio pela editora Rizzoli, que em poucos meses superou os dois milhões de cópias. No dia 25 de abril, o cômico Beppe Grillo, animador de um visitadíssimo blog, reuniu centenas de milhares de simpatizantes em Bolonha e em dezenas de praças para o primeiro "V-Day" (Vai tomar no cu *day*) e 350.000 assinaturas para três propostas de lei de iniciativa popular ("Parlamento limpo"): impossibilidade de candidatura para os condenados em definitivo por crimes de uma certa gravidade; teto máximo de duas legislaturas para os parlamentares; restauração da preferência na lei eleitoral (as três leis permaneceram por anos nas gavetas do Senado, sem que se conseguisse discutir pelo menos uma delas). Um segundo *V-Day*, com epicentro em Turim, aconteceu no dia 8 de setembro, para recolher assinaturas para três referendos dedicados à livre informação: abolição da lei Gasparri, da Ordem dos Jornalistas e dos financiamentos públicos aos jornais (quesitos bloqueados pela Cassação porque as assinaturas foram insuficientes).

A classe política, ao invés de ouvir os gritos que vinham da sociedade, fechou-se cada vez mais na sua torre de marfim, berrando contra a "antipolítica" e o "populismo" e ampliando ainda mais os próprios privilégios contra os direitos dos cidadãos e os poderes de controle. No dia 17 de abril, a Câmara aprovou por unanimidade o desenho de lei "mordaça", assinado por Mastella, para proibir a crônica judiciária sobre as investigações da magistratura. Todos os partidos votaram a favor: 447 Sim, nenhum Não e somente 9 entre abstidos e não participantes ao voto (dissidentes de centro esquerda).

Os jornalistas não podiam mais publicar atos de investigações nem interceptações até o início do processo, nem mesmo quando não eram mais cobertos por segredo, e nem os publicar de forma "parcial" ou acenar seu "conteúdo" ou parafraseá-los "por resumo". As multas para os jornalistas que violassem o veto de publicação, até então muito brandas (de 51 a 258 euros, com possibilidade de doação de 130 euros, o que extinguiria o processo), tornaram-se pesadíssimas: de um mínimo de 10.000 a 100.000 euros (e doação de 50.000); como alternativa, prisão de até 30 dias. As notícias eram verdadeiras, eram públicas, mas não publicáveis: como se não existissem. Podia-se ainda informar que fulano tinha sido preso e por que, mas sem nenhuma referência às eventuais interceptações que o envolvessem. A lei Mastella impunha também remover dos atos notificados aos investigados todos os elementos e os nomes relativos às pessoas envolvidas no caso, mas não investigadas: como se um fato não criminalmente relevante fosse política, moral, deontológica e jornalisticamente descartável. Apesar das melhorias introduzidas pelo ministro Di Pietro no Conselho dos Ministros, o desenho de lei Mastella continha também pesados limites às investigações da magistratura: a prorrogação das interceptações telefônicas ou ambientais além dos três meses poderia ser concedida somente se, ao mesmo tempo, surgissem elementos novos, pelas mesmas interceptações ou por outras resultantes das investigações: se dois presumíveis assassinos interceptados não falassem nada por três meses, se deixaria de interceptá-los e, então, paciência se começassem a falar no 91º dia.

A norma, que por sorte não chegou a tempo no Senado, pelo fim antecipado da legislatura, parecia um ato preventivo da "casta" contra o esperado procedimento com o qual a juíza das investigações preliminares Clementina Forleo começaria a pedir ao Parlamento (com base na lei Boato) a autorização para usar as interceptações indiretas sobre alguns políticos envolvidos nas aquisições dos "malandrinhos do bairro". Isso aconteceu no dia 20 de julho: a juíza Forleo pediu livre acesso a dezenas de conversações interceptadas entre os "malandrinhos" e seis parlamentares: D'Alema, Latorre e Fassino, da DS; e os forcistas Luigi Grillo, Romano Comincioli e Salvatore Cicu. Fassino, Comincioli e Cicu não foram suspeitos de nenhum crime: o OK do Parlamento serviu para usar os seus telefonemas contra terceiros personagens. Grillo, ao contrário, foi investigado por agiotagem com Fiorani baseado em outros elementos. E D'Alema e Latorre foram "investigáveis" por agiotagem junto com Consorte, mas somente baseado naquelas fitas; então, poderiam ser investigados somente se as Câmaras autorizassem. O Parlamento, depois de uma guerra declarada à juíza Forleo (no final, descartada também pelo CSM, que a transferiu para Cremona, com um procedimento considerado ilegítimo pela Cassação), negou a autorização para cinco dos seis membros interessados, enquanto D'Alema foi salvo pelo "não" do Parlamento Europeu. Em novembro, enquanto isso, a Corte Constitucional declarou inconstitucional a lei Boato, no trecho em que impunha a autorização das Câmaras para usar também contra terceiros as interceptações que envolviam indiretamente os parlamentares.

Outro juiz que foi alvo da casta e depois do CSM (e até mesmo do ANM) foi o promotor de Catanzaro, Luigi De Magistris, que foi retirado, pelos seus superiores, de duas das suas três maiores investigações: "Poseidone" e "Why Not" (nas quais eram investigados políticos, lobistas, maçons, altos funcionários públicos, mas também Prodi – como "ato devido" – e Mastella). A terceira, "togas lucanas", não teve tempo de conclur porque foi transferido pelo CSM ao Tribunal de Nápoles, bem quando estava escrevendo os pedidos de julgamento.

Em 2007, no Parlamento, voltou-se a falar sobre a revisão dos processos já definitivamente concluídos (um tema que interessava muito à Cosa Nostra, desde o tempo do papelete): Pecorella apresentou um desenho de lei para rediscutir as sentenças definitivas, até mesmo da Máfia, emitidas antes da reforma constitucional do "justo processo", de 1999. Contudo, um artigo do *Espresso* que denunciava os efeitos da norma sobre os processos da Máfia induziu o proponente a retirá-la.

Falava-se novamente sobre a prisão perpétua (outro pedido do papelete): poucos meses depois das eleições de 2006, o advogado e ex-deputado da Refundação, Giuliano Pisapia, encarregado pelo ministro Mastella de reescrever o Código Penal, anunciou a abolição da prisão perpétua, para substituí-la por "uma pena máxima de 32 anos". Isso, com os benefícios da lei Gozzini, consentiria aos chefões, mandantes de assassinatos que já tinham cumprido 13-14 anos, saírem por volta de 2010 e solicitar logo a liberdade condicional, mas os trabalhos da Comissão Pisapia, por sorte, procederam lentamente. Em maio de 2007, porém, a prisão perpétua voltou à atualidade, quando 310 condenados, de 1294, incluídos os assassinos do juiz Rosario Livatino e do jornalista Giancarlo Siani, escreveram para Napolitano para requerer, provocativamente, a pena de morte que, segundo eles, seria melhor do que a prisão perpétua. Luisa Boccia, do PRC, apresentou o enésimo desenho de lei para abolir a "pena que não tem fim". Os subsecretários Manconi, da DS, e Cento, dos Verdes, concordavam, assim como Calvi e Marcenaro, da DS, mas a centro-direita levantou as barricadas. O procurador nacional, Grasso, alarmou como "um presente aos chefões e o início de uma nova guerra entre as gangues mafiosas". E Mastella se afastou de Pisapia. Discussão adiada e, por sorte, arquivada pelo fim antecipado da legislatura.

O ano se concluiu com o nascimento do Partido Democrático, que reunia a DS e a margherita (DL) e elegeu secretário Walter Veltroni. Este começou logo a obra para ativar um "diálogo sobre as reformas institucionais" com Berlusconi: se não reabriu a Bicameral, faltou pouco. PD e PDL trabalhavam em uma lei eleitoral bipartidária, à moda americana, que acabava com as coligações. Assim, os pequenos e médios partidos que sustentavam o já vacilante governo Prodi entraram em crise, a começar pela UDEUR de Mastella, enquanto Berlusconi começava uma acirrada campanha para angariar os senadores descontentes da União. O professor Prodi estava com os dias contados.

2008

No dia 14 de janeiro, a Procuradoria de Santa Maria Capua Vetere investigou, por corrupção, diversos dirigentes da UDEUR na Campânia, a começar pelo secretário Mastella e pela sua mulher Sandra Lonardo (presidente do Conselho Regional), que acabou em prisão domiciliar. A investigação, transferida para Nápoles, referia-se ao loteamento de cargos públicos entre Nápoles e Benevento,

OPERAÇÃO MÃOS LIMPAS

principalmente nas Associações Sanitárias Locais - ASL. O ministro da Justiça atacou a magistratura em pleno Parlamento, recebendo aplausos de quase todos os partidos. Depois, acordou-se secretamente com Berlusconi e renunciou ao cargo de ministro e de aliado de Prodi. O governo – sem o apoio do UDEUR e dos seguidores de Lamberto Dini, passados para a centro-direita – foi derrotado no Senado, no dia 24 de janeiro. Um ano depois, Mastella foi recompensado pelo PDL com uma cadeira segura no Parlamento Europeu.

O idílio Veltroni-Berlusconi prosseguiu na campanha eleitoral. O líder do PD se vangloriou por "não atacar nunca o Cavaliere", aliás, de não ter nunca citado ("o principal expoente da coligação adversária"). Berlusconi, porém, atacou "os comunistas" e, no dia 13 de abril, venceu as eleições pela terceira vez em 15 anos no comando do Povo das Liberdades (Força Itália mais AN), aliado à Liga Norte. Entre as oposições, as únicas que superaram o quórum foram o PD, o IDV e a UDC. O Cavaliere voltou ao governo com uma maioria esmagadora: no Senado, 172 cadeiras entre 315; na Câmara, 345 entre 630, e formou rapidamente o seu terceiro governo: 21 ministros e 38 subsecretários. O ministro da Justiça era Angelino Alfano, jovem advogado do Agrigento, ex-secretário particular de Berlusconi. Os parlamentares investigados, réus ou prescritos eram já uma cota fixa: cerca de oitenta. Os condenados, 19. No governo, estavam dois condenados definitivos (Bossi e Maroni) e cinco investigados: Matteoli (favorecimento), Fitto (corrupção, financiamento ilícito, fraudes em leilões, falso testemunho), Calderoli (receptação, depois absolvido), Letta (abuso de poder e fraudes em leilões) e Cosentino (envolvimento externo em associação mafiosa). Depois, tinha Berlusconi que, quando jurou como primeiro-ministro, tinha seis processos em andamento: Mills, direitos Mediaset, caso Sanjust (no qual o Cavaliere teria perseguido o ex--marido de uma apresentadora da RAI, sua ex-amante, agente do SISDE: abuso de poder e maus tratos), tentativa de corrupção de Agostino Saccà (ex-chefe da *Raifiction*) e instigação de corrupção de alguns senadores da União. Os últimos três processos foram logo arquivados em Roma.

No dia 19 de maio, apenas onze dias após a posse, o governo lançou o "decreto segurança". Logo acrescentou, na etapa de conversão ao Senado, uma emenda Vizzini-Berselli, que suspendia por um ano todos os processos por crimes cometidos antes de 2002: foi o que bastou para bloquear a sentença, já iminente, sobre o caso Mills (e, naturalmente, outros 100.000 processos). No dia 24 de junho, o Senado aprovou, mas era só uma chantagem: de fato, a norma mata-processos foi deixada para expirar na Câmara, em troca da liberação, por parte do governo e da oposição macia do PD, de uma nova "resolução": aquela assinada por Alfano, que suspendia os processos contra os primeiros quatro cargos do Estado (excluído, aquela vez, o presidente da Corte Constitucional), até o término do mandato. Com lei ordinária, desorganizou-se o princípio constitucional da igualdade, como já fazia a "resolução" Maccanico-Schifani, por isso mesmo rejeitada pela Corte Constitucional. Os tempos corriam rapidamente. A "resolução" foi licenciada pelo

POST SCRIPTUM 823

Conselho dos Ministros no dia 27 de julho, aprovada pela Câmara no dia 10 de julho e pelo Senado no dia 22 de julho: tudo isso em menos de 25 dias. De nada valeram os protestos populares, conhecidos como Girotondi, ressuscitados na Piazza Navona. No dia 24, Napolitano assinou a resolução Alfano, sustentando que satisfazia as observações feitas pela Corte Constitucional, mas não era absolutamente verdade. De fato, a Corte voltou a rejeitá-la, pois violava o artigo 3 da Constituição. Enquanto isso, porém, o primeiro-ministro se liberava dos processos Mills e Mediaset (não das outras investigações, que foram bloqueadas instantes antes do julgamento). Como no caso SME, também no processo Mills o Tribunal liquidou a posição de Berlusconi e procedeu somente contra o advogado inglês.

Veltroni exultou: "É uma vitória nossa, o primeiro-ministro não atacará mais a magistratura". Berlusconi, ao contrário, providenciou logo uma lei-mordaça contra a publicação de interceptações, aterrorizado pelo risco de que fossem publicadas as captadas pela Procuradoria de Nápoles entre as garotas que ele recomendou a Saccà para a *Raifiction* e as suas amigas. No entanto, após, as conversações picantes foram destruídas pelos juízes de Nápoles, pois eram criminalmente irrelevantes.

Então, por alguns meses, o Cavaliere pôde dedicar-se aos seus outros fatos privados: salvar mais uma vez as frequências da Rete 4, cedendo para a Europa 7 (que finalmente venceu a sua batalha frente à Justiça Europeia) uma frequência da RAI 1 e atingir a concorrência com o aumento do IVA para a Sky.

Fraco com os fortes e forte com os fracos, o governo implantou uma série de "pacotes segurança" assinada pelo ministro do Interior, Maroni, que continha leis raciais ou discriminatórias contra os estrangeiros: uma consentia à polícia fichar as crianças romenas; uma punia mais severamente os crimes cometidos por imigrantes sem documentos; uma autorizava a interceptação dos clandestinos em alto- mar, sem poder distinguir eventuais refugiados de guerra e refugiados políticos com direito a asilo; uma até mesmo punia como crime o simples status de clandestinidade (essa última norma foi redimensionada na sede europeia com o cancelamento da prisão por aquele crime inexistente). Outras normas "securitárias", de pura propaganda, empregaram 3.000 soldados para atividades de ordem pública urbana e autorizaram a criação de "rondas" privadas para ajudar as forças de ordem no controle do território (carentes de meios e de fundos até mesmo para encher o tanque das viaturas e para consertá-las quando estragavam).

Para a "emergência rejeitos", na Campânia, havia o decreto expedido em maio que, somente naquela região, militarizava os aterros sanitários, derrogava as normas europeias e nacionais, permitindo depositar nos aterros sanitários substâncias tóxicas e perigosas, punia com a prisão quem abandonava rejeitos perigosos ou em grandes volumes na rua e concentrava todas as investigações sobre o tema dos rejeitos nas mãos dos procuradores de Nápoles.

O Parlamento retomou as práticas de "justiça doméstica", para proteger os seus membros dos pedidos de prisão expedidos pelos juízes. No dia 24 de setembro,

OPERAÇÃO MÃOS LIMPAS

o Senado rejeitou a prisão domiciliar, expedida pelo juiz das investigações preliminares de Roma, para Nicola Di Girolamo (PDL), senador abusivo por ter sido eleito entre os italianos no exterior no colégio da Europa, mas não poderia nem mesmo ter se candidatado, porque havia inventado uma residência na Bélgica enquanto residia na Itália. Foi acusado de nove crimes (atentado aos direitos políticos do cidadão, falsa declaração de identidade, falsidade ideológica, abuso de poder), mas os colegas o salvaram com um plebiscito: 204 Não (PDL, Liga, PD, UDC) e 43 Sim (IDV e algum PD desgarrado). Em 2010, descobriu-se que Di Girolamo foi também o representante no Parlamento de uma gangue da "'ndrangheta" (organização criminal calabresa) e participou de uma megaoperação de lavagem de 2 bilhões de euros com alguns executivos da Telecom-Sparkle: frente ao novo pedido de prisão dos juízes calabreses, preferiu renunciar ao cargo de senador pouco tempo antes que o Tribunal votasse o seu caso. Devolveu 4 milhões e cumpriu 5 anos por formação de quadrilha, evasão fiscal, lavagem e venda de voto para a *'ndrangheta*.

No dia 18 de dezembro, houve novamente o não da Câmara à prisão domiciliar do deputado do PD Salvatore Margiotta, acusado de corrupção pelos juízes de Potenza por uma presumível propina da Total em troca de licitações para a exploração de petróleo na região da Basilicata (crimes pelos quais foi absolvido, ao contrário de outros corréus). Outro plebiscito para o honorável investigado: 430 Não e 21 Sim (do IDV, como sempre).

As Câmaras não puderam fazer nada contra a prisão de um "ex" deputado, o governador da região do Abruzzo, Ottaviano Del Turco (PD), preso no dia 14 de julho pelos juízes de Pescara, com uma dezena de pessoas entre assessores, ex-assessores, conselheiros e outros funcionários regionais, por presumíveis propinas no setor da saúde pública e conveniada. Del Turco foi acusado de ter embolsado pessoalmente mais de 5 milhões, mas os partidos de direita, de centro e de esquerda se solidarizaram com ele e atacaram os Juízes. Del Turco, após, foi enviado a juízo.

2009

No dia 17 de fevereiro, Mills foi condenado a 4 anos e meio em primeiro grau como testemunha corrupta (sentença confirmada em apelação, no dia 27 de outubro). O corruptor, ao contrário, safou-se do processo com a lei Alfano. O seu governo subia nas pesquisas, e a oposição ainda vacilava, atordoada pela derrota eleitoral em um país já vacinado pelos escândalos de corrupção, pelos conflitos de interesses e pelas leis *ad personam*. Virou uma ocasião de vanglorização governamental e uma máquina de consenso político até mesmo o terremoto do dia 6 de abril, na região do Abruzzo, desastradamente gerenciado pela Defesa Civil de Guido Bertolaso (após seis meses de tremores e "abalos sísmicos", não foi nem mesmo organizado um plano de evacuação; aliás, a população foi tranquilizada pelo cessar do alarme, cujo resultado foi 300 mortos e milhares de feridos). Pouco importava se, exatamente às vésperas do terremoto, o Cavaliere havia anunciado um "plano casa" para permitir aos proprietários de apartamentos ou galpões aumentá-los em até 20% com procedimentos simplificados e leis ignoradas (inclusive as antissísmicas, apressadamente aprovadas depois do terremoto). No dia 25 de abril, o primeiro-ministro se apresentou no município mais devastado da região do Abruzzo, Onna, com o lenço de partigiano* no pescoço, para celebrar a Festa da Liberação frente às câmeras de TV e apressou-se em se autocelebrar frente aos grandes do mundo, no G8, transferido no último momento da Maddalena para Aquila. Tudo isso às vésperas das eleições europeias e administrativas de maio e junho.

No final de abril, a agenda política foi perturbada por uma série de escândalos sexuais, que pôs à dura prova a imagem de Berlusconi, até mesmo aos olhos de seu eleitorado. Sua mulher, Veronica Lario, denunciou publicamente o escândalo de uma dezena de "show girls", candidatas nas listas do PDL para o Parlamento Europeu ("lixo sem pudor") e retiradas das listas após as suas declarações. Depois, *la Repubblica* revelou que o primeiro-ministro festejou os 18 anos de uma jovem amiga, Noemi Letizia, que o chamava de "*Papi*", em um restaurante de Casoria (Nápoles). Naquela ocasião, a esposa do primeiro-ministro pediu o divórcio e explicou: "Meu marido é um homem doente, sai com menores de idade, virgens que se oferecem ao dragão". Em maio, graças às fotos do repórter Antonello Zappadu, descobriram-se festinhas, na mansão da Villa Certosa, com Berlusconi e dezenas de garotas, algumas transportadas pelo avião presidencial (a Procuradoria de Roma abriu imediatamente uma investigação por peculato e rapidamente a arquivou). Houve, então, outro escândalo, revelado em junho pelo *Corriere della Sera*: Gianpaolo Tarantini, pequeno empresário de Bari envolvido em propinas no setor da saúde e em tráfico de cocaína, estava sendo investigado por uma rede de prostituição e por ter oferecido a Berlusconi "garotas de programa", não somente no Palácio Grazioli, onde Berlusconi possuía um apartamento, além de tê-las pagado pessoalmente para agradar o primeiro-ministro e entrar no grande giro das licitações da Defesa Civil. Os jornais estavam repletos de histórias de uma das "garotas" de Berlusconi, Patrizia D'Addario, que tinha gravado os seus encontros íntimos e alguns telefonemas com ele e foi candidata nas eleições municipais de Bari, em uma lista aliada ao PDL e patrocinada pelo ministro Fitto.

Berlusconi voltou a atacar a magistratura, até mesmo porque, no dia 5 de outubro, o juiz civil de Milão, Raimondo Mesiano, condenou Fininvest e Berlusconi a devolverem 750 milhões de euros para a CIR (Companhias Industriais Reunidas), de Carlo De Benedetti, pelo furto da Mondadori (quantia depois reduzida, em apelação, a 560 milhões), definindo o primeiro-ministro "corresponsável na corrupção" do juiz Metta, pelo que foi prontamente linchado pelas TVs e pelos jornais de Berlusconi. Faltava um dia para a sentença da Corte Constitucional sobre a disposição Alfano. O Cavaliere, para ganhar pelo menos aquela partida,

---

* Membro da resistência italiana. (NT)

tentou de tudo, até mesmo participou de um jantar com dois juízes constitucionais, Luigi Mazzella e Paolo Maria Napolitano. Ao mesmo tempo – como se descobriu em 2010 – a loja maçônica P3, dos amigos Dell'Utri, Verdini e do fiel lobista do PD, Flavio Carboni, tentava a todo custo condicionar os supremos juízes, mas tudo isso em vão: no dia 6 de outubro, a Corte Constitucional rejeitou a "disposição" Alfano por ser inconstitucional, desmentindo também Napolitano. Os processos contra o Cavaliere, que ficou sem um escudo, foram reabertos.

A maioria procurou, incansavelmente, uma solução para bloqueá-los novamente e apresentou uma ampla gama de soluções. Transformou a "disposição" recém reprovada em uma lei constitucional (mas era longa demais para ser aprovada, e a ideia e foi prontamente deixada de lado). Inventou-se o "processo breve", que extinguia as discussões se durassem mais de três anos a partir do pedido de julgamento para a sentença de primeiro grau, mais de dois anos a partir do primeiro grau até o segundo, e mais de 1 ano e meio, da Apelação para a Cassação, exatamente o caso dos processos Mills e Mediaset (mas a norma, assustadora pelos seus efeitos criminógenos, alarmou também o governo e foi aprovada somente no Senado). Arquitetou-se, então, a "prescrição breve", que encurtava ainda mais os termos de extinção dos crimes para os condenados, como se não bastassem os efeitos devastantes da lei ex-Cirielli (mas esta também encalhou, devido às perplexidades de Fini e Bossi). Então, optou-se pelo "legítimo impedimento": uma norma ordinária que consentia aos membros do governo de produzir legítimos impedimentos govenativos para comparecer à audiência por 6 meses seguidos, prorrogáveis até o máximo de 18, sem que o juiz pudesse verificá-los ou contestá-los: bastava a declaração escrita de um secretário do governo para suspender os processos contra o primeiro-ministro por um ano e meio. A lei começou o seu processo no Parlamento.

Enquanto isso, as Câmaras prosseguiam com a defesa da casta das "perseguições" dos Juízes. A maioria decretou duas leis, que perdoavam todas as publicações eleitorais abusivas dos partidos, de 2005 a 2010, economizando a eles o pagamento de multas de 500 milhões. No dia 5 de fevereiro de 2009, a Procuradoria de Velletri solicitou à Câmara a permissão para prender Antonio Angelucci, Deputado do PDL, acusado de uma fraude milionária de 170 milhões na Região do Lázio, por parte de uma das tantas clínicas privadas-conveniadas da família Angelucci. No dia 22 de abril, a Câmara dos Deputados o salvou com 316 Não (PDL, Liga, UDC e quase todo o PD) e somente 30 Sim (IDV e os radicais do PD). No dia 10 de novembro, tudo se repetia: os juízes de Nápoles pediram a prisão de Nicola Cosentino, subsecretário da Economia e presidente da CIPE (Comitê Interministerial para a Programação Econômica), acusado de envolvimento externo em associação mafiosa, pelas suas relações com o clã dos Casalesi. No dia 10 de dezembro, a Câmara salvou-o também: 360 Não (PDL e Liga, meia UDC, radicais do PD, MPA de Lombardo e API de Rutelli) e 226 Sim (PD, IDV e a outra metade da UDC). No dia 28 de janeiro de 2010, a Cassação confirmou em cheio a ordem de prisão há pouco rejeitada pela Câmara.

Então, além de bloquear a prisão dos parlamentares, o Parlamento conseguiu também abolir os seus processos, declarando "ministeriais" os crimes, mesmo que não tivessem nenhuma ligação com as funções do governo. Foi o caso do vice--ministro Roberto Castelli, réu acusado de ter difamado Diliberto na TV, e do ministro Altero Matteoli, réu por favorecimento em uma história de abusos da construção civil na ilha de Elba.

"Perdões nunca mais", juraram Berlusconi e Tremonti na campanha eleitoral de 2008. De fato, em julho de 2009, decretaram o terceiro "escudo fiscal", imediatamente assinado por Napolitano e convertido em lei no dia 2 de outubro, graças às decisivas ausências das oposições (que, se estivesse unida, teria superado a maioria de ausentes e teria neutralizado o decreto). Assim, quem tinha depositado capital no exterior sem pagar as taxas, tinha acumulado com o tráfico de armas, de drogas, de seres humanos ou de órgãos, com sequestros de pessoas ou então com propinas, poderia depositá-lo em um banco italiano, que faria a parte de "intermediário" e reteria em nome do Estado uma módica taxa de 5% (50% somente dos juros; o capital ficava de fora). Além de economizar entre 40 e 50% de impostos, o evasor permanecia anônimo e podia gastar o seu dinheiro sujo como bem entendesse, sem correr o risco de prestação de contas, inspeções, sanções administrativas, tributárias e previdenciais. Isso não valia somente para dinheiro, mas também para mansões, iates e bens de luxo em geral, que obviamente permaneciam onde estavam, ou seja, no exterior. Uma gigantesca anistia, que cancelava também todos os crimes financeiros, contábeis e tributários, como falso balanço, fraude fiscal mediante declaração fraudulenta ou infiel, faturas falsas ou superfaturadas e até mesmo ocultamento e destruição dos livros contábeis, e os bancos intermediários não precisavam mais indicar as operações suspeitas de lavagem. Última delícia: os milhões repatriados poderiam ser reinvestidos em títulos, ações e instrumentos financeiros, isto é, poderiam voltar para o exterior. No final, entraram pouco mais de 100 bilhões, mas o Estado arrecadou apenas 5: uma miséria, se pensarmos que em 2008, abrogando o ICI acima de 100.000 euros, o governo renunciou a arrecadação de 4 bilhões por ano, e outros 4 desperdiçou para ceder, a preços reduzidos, a parte sadia da Alitalia a um grupo de financistas reunidos na CAI (Central de Alarme Interbancário) e comandados por Roberto Colaninno, transferindo as perdas à coletividade. Tudo isso no primeiro biênio da maior crise financeira internacional pós-guerra, que somente o governo italiano se obstinava a negar e a não afrontar.

E a Máfia? Pensava-se também nela. Não bastasse o escudo fiscal, houve também o não da maioria à dissoloção do município de Fondi, da região do Lázio (gravemente infiltrado pelas gangues). Houve também a retomada da ponte sobre o estreito de Messina (abandonado por Prodi) e a norma, contida na lei financiária de dezembro de 2009, que consentia a venda em leilão de 3.000 imóveis confiscados da Máfia. Tratava-se de imóveis que não podiam ser destinados "a finalidades de interesse público". Resultado: visto que nos territórios controlados militarmente pelos clãs nunca algum cidadão teve a coragem de adquirir bens pertencentes a um mafioso, os únicos sujeitos que participavam do leilão público eram testas de ferro dos próprios chefões, que podiam mostrar assim a sua onipotência, apropriando-se novamente dos bens confiscados.

2010

O ano começou com a sentença da Cassação para o caso Mills e com dois novos escândalos. O advogado inglês salvou-se por prescrição (decretada no final de 2009, apenas dois meses antes da sentença definitiva), mas foi considerado culpado por ter se corrompido "no interesse" de Silvio Berlusconi e condenado a devolver ao Estado italiano 250.000 euros. Em relação aos escândalos, a primeira notícia chegou de Trani: lá – como revelou "*il Fatto Quotidiano*" – o primeiro-ministro foi investigado por ter ameaçado com telefonemas o seu fiel parceiro na AGCOM, Giancarlo Innocenzi, para que induzisse a "autoritade avalista das comunicações" a fornecer ao fiel diretor-geral da RAI, Mauro Masi, as armas jurídicas para interromper *Annozero* (programa televisivo de conteúdo político), de Michele Santoro. Os crimes pelos quais era acusado eram extorsão e ameaça a corpo político do Estado (mas o processo foi, depois, transferido para Roma, e lá, após um bate e volta entre a Procuradoria e o Tribunal dos Ministros, foi rebaixado para simples abuso de poder e concluído com o contumaz pedido de arquivamento). O outro escândalo foi o da "panelinha" da Defesa Civil: um super lobby de construtores e altos funcionários do Estado, protegidos por políticos como Bertolaso, Verdini e Letta (esse último não investigado), que controlavam, a preços superfaturados, os contratos para a reconstrução pós-terremoto na região do Abruzzo e para os "grandes eventos" (como o campeonato mundial de natação e o G8 da Maddalena, transferido depois para Aquila). Segundo a Procuradoria de Florença (e depois também a de Perugia), um dos presumíveis corruptores, Diego Anemone, garantia favores, propinas e "massagens particulares" no seu SPA em Bertolaso e pagou também 900.000 euros, em 2004, para ajudar o ministro Scajola a comprar um apartamento de 250 metros quadrados com vista para o Coliseu. "Sem o meu conhecimento", assegurou Scajola, com um grave ar de desprezo, antes de renunciar ao seu cargo no governo. Frente ao desdém da opinião pública pelos desperdícios e pelas propinas para os "grandes eventos" (amplificado por uma interceptação, na qual o construtor Francesco De Vito Piscicelli ria com um amigo na noite do terremoto, já degustando as licitações para a reconstrução), Berlusconi anunciou uma lei anticorrupção, que foi licenciada em março pelo Conselho de Ministros, mas nunca foi aprovada. Ademais, seria suficiente ratificar a convenção anticorrupção de Estrasburgo de 1999 que, ao contrário, foi também engavetada.

POST SCRIPTUM

Outras urgências também ocupavam o Parlamento. Por exemplo, o "legítimo impedimento", aprovado no dia 2 de fevereiro pela Câmara e no dia 10 de março pelo Senado e assinado por Napolitano no dia 7 de abril. O primeiro que tirou proveito disso foi Aldo Brancher, recém nomeado ministro do Federalismo (como Bossi, portanto) para poder adiar a sentença de primeiro grau que havia recebido pelo dinheiro embolsado por Fiorani no tempo das aquisições. O escândalo assumiu tais dimensões, que até mesmo Napolitano protestou e Brancher foi obrigado a deixar o governo e processado (foi condenado também na Cassação a 2 anos, por apropriação indébita e receptação). Porém, ninguém reclamou quando Berlusconi usou a nova lei para bloquear os seus processos (naquele meio-tempo tinha sido acrescentado um novo: o por fraudes fiscais e apropriação indébita, em um negócio de direitos televisivos adquiridos a preços superfaturados, não mais pela Mediaset, mas pela associada Mediatrade). Di Pietro recolheu imediatamente as assinaturas para um referendo abrogativo, enquanto o Tribunal de Milão recorreu à Corte Constitucional contra a inconstitucionalidade da norma.

O Cavaliere tentou vencer na surdina. No Senado, reapresentou a lei "mordaça" (aquela que retomava a lei Mastella contra o direito de crônica judiciária, mas que também praticamente impossibilitava as interceptações por parte dos juízes) de Alfano, bloqueada no verão anterior, para a perplexidade do governo. Na Câmara, deu seguimento ao "processo breve", já aprovado pelo Senado. Os protestos dos juízes, dos jornalistas e de muitos cidadãos (nascia o movimento do "povo roxo") induziram as oposições a confrontar, nas praças e nos tribunais, com mais determinação do que de costume. O mal-estar por um governo que ignorava a crise financeira e a corrupção corrente para ocupar-se exclusivamente com os processos do primeiro-ministro começou a se fazer sentir também no eleitorado da centro-direita, especialmente entre os ex da AN e os da Liga.

Fini, o presidente da Câmara, criou coragem e ameaçou retirar o voto de seus partidários para as duas novas leis-vergonha, impondo uma dupla derrota ao primeiro-ministro. Berlusconi e Fini chegaram logo a um acerto de contas: no dia 22 de abril, em uma dramática assembleia pública do Conselho Nacional do PDL, os dois tiveram uma acirrada discussão sobre os temas quentes da justiça e da legalidade. Três partidários de Fini – Bocchino, Brigulio e Granata – criticaram a decisão do governo de negar a proteção ao arrependido Gaspare Spatuzza, que estava ajudando os juízes sicilianos a reescrever a história do massacre da Via d'Amelio e das tratativas Estado-Máfia, e acusou também Berlusconi e Dell'Utri (novamente investigados em Florença, por envolvimento nos massacres de 93). Os três foram submetidos aos conselheiros do PDL. Fini os defendeu, e o partido que contribuiu para fundar se apressou em descartá-lo. Então, antecipou-se e desfiliou-se antes. Fundou um novo partido, Futuro e Liberdade, que passou à oposição, levando consigo 44 partidários, entre deputados e senadores. E o governo, na Câmara, não tinha mais a maioria.

O verão foi um assalto com arma branca das TVs e dos jornais de Berlusconi contra Fini, acusado de todo tipo de crimes, pela história de um apartamento em Montecarlo, de 50 metros quadrados, herdado da AN, cedido para duas empresas de fachada e alugado ao cunhado do presidente da Câmara (a Procuradoria de Roma abriu uma investigação, que foi depois arquivada). Enquanto isso, no desinteresse geral, no dia 29 de junho, Dell'Utri foi condenado, também na Apelação, por envolvimento externo em associação mafiosa a 7 anos (2 a menos do que no primeiro grau porque os juízes retrocederam a acusação a 1993, excluindo a estação "política"). E, sempre no silêncio da mídia e da política, foi investigado em Palermo, por associação mafiosa, também o presidente do Senado, Renato Schifani.

De Máfia e política voltou-se a falar graças às revelações de Massimo Ciancimino sobre o papel desenvolvido por seu pai, "*don*" Vito, nas tratativas entre o Estado e a Máfia, no biênio 1992–94. Ciancimino foi preso, em 2011, pelos mesmos juízes de Palermo que colheram as suas declarações por ter encenado um falso atentado explosivo contra si e por ter caluniado, com um documento falso, o chefe dos Serviços Secretos, Gianni De Gennaro. Para evitar equívocos, com o aval de Alfano, o senador do PDL Valentino, apresentou uma lei para tirar o valor de prova das delações premiadas dos arrependidos da Máfia, mas não houve tempo de aprová-la.

Na metade de novembro, todas as oposições apresentaram uma moção de desconfiança que, votada imediatamente, derrubaria o governo Berlusconi, já em minoria na Câmara. Napolitano aconselhou a adiar a votação em um mês, para depois da aprovação da lei financiária: naquele mês, o Cavaliere, com métodos inescrupulosos, que às vezes transgrediam o Código Penal, "adquiriu", entre os filiados da UDC, do IDV, do PD e do grupo misto, os deputados que lhe serviam para conservar a maioria. No dia 16 de dezembro, obteve a confiança, com 316 votos.

2011

As comemorações pela vitória duraram pouco. O novo ano não poderia ter começado de pior modo para Berlusconi. No dia 13 de janeiro, a Corte Constitucional declarou inconstitucional grande parte da lei Alfano, sobre o legítimo impedimento, na qual previa a suspensão automática e incontestável dos processos de seis em seis meses: cabia ao juiz avaliar os impedimentos caso a caso. Em relação à mínima parte julgada legítima pela Corte, em junho, houve o referendo abrogativo, graças às assinaturas recolhidas por Di Pietro, e os processos contra o primeiro-ministro foram imediatamente reabertos.

No dia 22 de janeiro, o honorável Totò Cuffaro, ex-governador da Sicília, há pouco tempo passado da UDC para o PDL, condenado na Cassação a 7 anos, por favorecimento à Máfia, foi preso na prisão de Rebibbia para cumprir sua pena.

POST SCRIPTUM 831

Contudo, a verdadeira novidade do início do ano era que Berlusconi foi novamente investigado em Milão, por indução à prostituição de menores de uma garota marroquina, Karima el Marough, codinome "Ruby Rubacuori", e por extorsão contra a Sede da Polícia de Milão (para a qual o primeiro-ministro telefonou em maio de 2010 para que libertassem a garota, na época com 17 anos, detida pela polícia por furto e por ele declarada como sobrinha de Mubarak). Infinitas polêmicas também vinham do PDL: contra a Procuradoria de Milão (o caso foi seguido pela procuradora-adjunta Ilda Boccassini); contra o juiz das investigações preliminares que dispôs o juízo imediato contra o primeiro-ministro (os seus presumíveis cúmplices, Emilio Fede, Lele Mora e Nicole Minetti foram processados com rito ordinário, por exploração da prostituição e favorecimento); contra os jornais, que publicaram interceptações e atas sobre os "*bunga bunga*" (festinhas eróticas) do anciãop Cavaliere na mansão de Arcore. Câmara e Senado, com 315 e 170 votos de maioria, levantaram um conflito de atribuições entre os poderes do Estado na Corte Constitucional contra o Tribunal de Milão, sustentando que o chefe de governo telefonou para a Sede da Polícia por altos motivos institucionais: ou seja, para evitar um incidente diplomático com o Egito do presumível "tio da Ruby", e, então, os juízes competentes foram os do Tribunal dos Ministros. Sempre na região da Lombardia, terminou encrencada também a esquerda. Filippo Penati, coordenador da secretaria de Bersani, ex-presidente da Província de Milão, foi investigado por extorsão e corrupção: teria embolsado, durante vinte anos, propinas milionárias de empresários em troca de licitações para a requalificação das áreas industriais degradadas em Sesto San Giovanni.

Envolvido no enésimo escândalo, Berlusconi perdeu clamorosamente as eleições administrativas de maio. Um colapso para o PDL, simbolizado pela vitória de dois novos prefeitos de centro-esquerda em duas cidades-símbolo: o advogado "comunista" Giuliano Pisapia, em Milão, e o ex-juiz, seguidor de Di Pietro, Luigi de Magistris, em Nápoles, eleitos graças às suas distâncias das nomenclaturas dos partidos (também daqueles que os candidataram: respectivamente Esquerda e Liberdade, de Nichi Vendola, e IDV, de Antonio Di Pietro). Um mês depois, contra qualquer previsão de véspera, os referendos promovidos por Di Pietro e por vários comitês espontâneos contra o legítimo impedimento, a privatização dos serviços hídricos e a energia nuclear atingiram o quórum e viram triunfar o "sim".

Enquanto isso, a crise financeira aumentava, as Bolsas caíam, a diferença entre os rendimentos dos títulos de estado italianos e os dos alemães atingiu a cota 500, a Itália estava em risco de dar um calote. Berlusconi, "com o coração mortificado", foi obrigado a "meter a mão no bolso dos italianos" com duas manobras financeiras de dezenas de bilhões. No entanto, a Europa não levou fé, e os mercados financeiros menos ainda: havia pouco de estrutural naquelas manobras. Enquanto isso, os escândalos se sucediam a ritmo vertiginoso: após a P3, descoberta em 2010, em Roma, veio a P4, desmascarada pelos promotores de Nápoles, tendo ao centro o lobista do PDL, Bisignani, aliadíssimo de Letta, mas com amizades e relações transversais, e Alfonso Papa, ex-juiz napolitano que se tornou dirigente do Ministério da Justiça com Castelli e Mastella e, enfim, deputado do PDL. Também Tremonti teve sua imagem arranhada pela história de um apartamento de 7.500 euros por mês, colocado à sua disposição praticamente grátis pelo seu braço direito, Marco Milanese, deputado do PDL. E, visto que um lobista chama outro, emergiu também a figura de Valter Lavitola, editor e diretor do *l'Avanti*, fidelíssimo de Berlusconi, encarregado pelo primeiro-ministro de pagar meio milhão de euros para Gianpi Tarantini para que ficasse de boca fechada em relação aos particulares mais picantes das festinhas com as garotas de programa no Palácio Grazioli. Quando recebeu o mandado de prisão, Lavitola fugiu para o Panamá. Depois, houve o caso do recém-empossado ministro das Reservas Agrícolas, Francesco Saverio Romano, fidelíssimo de Cuffaro, passado também da UDC ao PDL e recompensado com um cargo no governo: foi mandado a juízo em Palermo por envolvimento externo em associação mafiosa e foi também investigado, junto a Vizzini e Cuffaro, por corrupção mafiosa (teria recebido dinheiro do tesoureiro de Vito Ciancimino, o contador Giovanni Lapis). Envolvido em acusações de propinas e caixa dois também o colosso público *Finmeccanica* e a ENAV (Empresa Nacional de Assistência ao Voo), com as investigações do promotor de Roma, Paolo Ielo ("ex" da operação Mãos Limpas), contra Pierfrancesco Guarguaglini e sua mulher, Marina Grossi, que pediram demissão. Terminou na prisão também outro fidelíssimo de Berlusconi: Lele Mora, pela falência fraudulenta das suas empresas. O Hospital San Raffaele, do padre craxiano-berlusconiano, Don Luigi Verzé, afundou em um rombo de 1,5 bilhão de euros (o sacerdote morreu de enfarte, no dia 31 de dezembro). Enquanto isso, se sucediam as prisões e as investigações por corrupção na Região Lombardia, feudo de Formigoni, e entrou em crise profunda também o grupo da família Ligresti. Foi o fim de uma era.

Em julho, os juízes de Nápoles pediram à Câmara permissão para prender tanto Papa (por extorsão, favorecimento, utilização e revelação de segredos) quanto Milanese (por corrupção e revelação de segredos). Os juízes de Bari dispuseram a captura de Alberto Tedesco, senador do PD e ex-assessor da Junta Regional de Nicola Vendola, acusado de corrupção na saúde da Região da Puglia. No dia 22 de julho, a Câmara concedeu (pela primeira vez na história republicana, por um crime não de sangue), a autorização para prender Papa, que foi para a prisão de *Poggioreale*: votaram Sim, além do IDV, a UDC e o PD, além da Liga. Contudo, no mesmo dia, o Senado salvou Tedesco, com os votos determinantes da centro-direita e de alguns dissidentes do PD. No dia 22 de setembro, por somente três votos, a Câmara salvou também Milanese da prisão: naquela ocasião, a Liga, muito próxima a Tremonti (naquele dia ausente do Tribunal), votou contra a prisão.

Aqueles três votos de maioria foram um sinal de alarme para o Cavaliere, que já estava em risco pelas investigações em andamento e pela crise financeira. Inclusive, os outros chefes de Estado e de governo europeus não fizeram mistério em considerá-lo uma das causas da instabilidade italiana: Angela Merkel e Nicholas Sarkozy riram dele na imprensa de meio mundo. Também na Itália, os poderes que sempre o apoiaram, da *Confindustria* ao Vaticano, esperavam uma mudança no comando do governo. Quando, no dia 8 de novembro, Berlusconi apresentou o relatório financeiro à Câmara, obteve apenas 308 votos, 6 a menos do que a cota mínima de maioria. Bossi convidou-o para dar "um passo para o lado". Ele anunciou que resistiria, mas devido à queda das ações de suas empresas na Bolsa e à pressão dos filhos, de Confalonieri e dos sócios, como Ennio Doris, da *Mediolanum*, foi induzido a abandonar o navio para salvar, pelo menos, os negócios da família.

Na noite de 12 de novembro, Silvio Berlusconi foi ao *Palazzo* Quirinale para renunciar. Depois, saiu por uma saída secundária, para fugir da multidão que festejava o seu (momentâneo?) fim político. O Cavaliere, já destituído, foi também perseguido por novos problemas judiciais: no dia 2 de dezembro, a Procuradoria de Milão pediu a instauração do processo por revelação de segredo de Estado (o fato foi aquele da interceptação Fassino-Consorte, de 2005, sobre a aquisição da Unipol-BNL, secreta e nem mesmo transcrita pelos juízes, que um responsável pela gravação roubou e presenteou com ela o primeiro-ministro, o qual, imediatamente, a publicou no seu *Giornale*, em janeiro de 2006).

O novo presidente do Conselho foi o professor Mario Monti, ex-reitor da Universidade *Bocconi* e comissário europeu na Política de Concorrência, que Napolitano havia recém nomeado senador vitalício. Monti apresentou um governo unicamente de "técnicos", que obteve a confiança de todos os grupos parlamentares, exceto da Liga Norte. Também Di Pietro, com o IDV, logo passou para a oposição, quando o novo governo decretou uma manobra financeira de 30 bilhões, que aumentava os impostos e atingia as classes mais desfavorecidas ao invés de reduzir os privilégios da casta e dos grandes lobbys. Não faltaram, no novo governo, os conflitos de interesse: o maior foi aquele de Corrado Passera que, de administrador delegado do *Banco Intesa San Paolo,* tornou-se o super ministro do Desenvolvimento Econômico, Infraestruturas, Comunicações, Atividades Produtivas e Transportes. E teve também um condenado: o subsecretário da Defesa, Filippo Milone, ex-braço direito de Ligresti e, naquele tempo de La Russa, preso, em 1992, em Turim, por propinas do novo hospital de Asti, réu confesso e, portanto, condenado na Cassação a dois anos por abuso de poder. Para o Ministério da Justiça, foi a advogada Paola Severino, advogada de Caltagirone e dos maiores grupos bancários, empresariais e financeiros do país, que prometeu imediatamente uma nova lei anticorrupção. Depois, no entanto, se disse favorável à anistia. Em 2011, *Transparency International* colocou a Itália no 69° lugar na classificação dos países menos corruptos, superada até mesmo por Gana. O Tribunal de Contas calculou que a corrupção tirava todo ano do caixa do Estado, ou seja, do bolso dos contribuintes, 70 bilhões de euros: dez vezes mais do que em 1992.

2012

No dia 11 de janeiro, houve o primeiro escândalo do novo governo Monti: renunciou ao cargo o subsecretário da presidência do Conselho, Carlo Malinconico, ex-secretário-geral do governo, por uma história – revelada pelo *Fatto Quotidiano* – de férias em Monte Argentario de 20.000 euros, pagas pelo construtor Piscicelli por conta da "panelinha". Alguma coisa tinha mudado, no estilo do governo. No Parlamento, ao contrário, tudo ficou como antes: no dia 12 de janeiro, a Câmara salvou pela segunda vez Nicola Cosentino, para quem os juízes de Nápoles haviam pedido outra vez autorização para prendê-lo, sob a acusação de lavagem mafiosa. Foram determinantes os votos a favor de Cosentino dos radicais eleitos no PD e da Liga Norte (que havia votado em acordo pela prisão, sob indicação de Maroni, mas que depois mudou de ideia, por ordem de Bossi). De nada valeram as interceptações telefônicas e nem mesmo as provas fotográficas produzidas pelos juízes para justificar as exigências cautelares. E, naquela ocasião, a base da Liga se revoltou contra o *Senatùr*. Parecia que se tinha voltado ao dia 29 de abril de 1993, quando a Câmara negou a autorização para proceder contra Craxi, e choveram moedinhas na frente do Hotel Raphael. No entanto, os italianos, onze dias antes, tinham votado o referendo para mudar a lei eleitoral. Aquele direito, então, estava sendo negado a eles: enquanto a Câmara dos Deputados fazia escudo ao amigo dos Casalesi, a Corte Constitucional – depois de incrivelmente ter antecipado o seu veredito para alguns jornais nos dias anteriores – rejeitou os referendos propostos por Arturo Parisi, Segni e Di Pietro para abolir a lei eleitoral "Porcellum" e restaurar a precedente "Mattarellum". As assinaturas de 1.210.466 cidadãos italianos, que esperavam voltar a escolher os próprios representantes no Parlamento, terminaram no lixo. A casta, no entanto, respirou aliviada. A democracia, um pouco menos.

Apêndice
COMO TERMINARAM

1. OS PROCESSOS

A operação Mãos Limpas, conduzida em Milão por um *pool* de cinco juízes, entre 1992 e 1994, produziu cerca de 1.300 declarações de culpa, entre condenações e acordos definitivos (os últimos dados oficiais publicados abaixo são de 2002). Mesmo que a *vulgata* político-jornalística diga que foram quase todos absolvidos, o percentual de absolvições no mérito (isto é, de réus que eram estranhos aos fatos), foi em torno de 5 a 6%. O resto, cerca de 40% dos investigados, salvaram-se graças à prescrição, às sutilezas processuais ou às modificações legislativas, feitas sob medida. Em todo caso, à parte os desaparecidos, quase todos os investigados, de 1992 a 1994 e dos anos seguintes, como quer que tenham sido concluídos os seus processos, permaneceram ou voltaram rapidamente à vida pública.

Processos considerados: 4.520

Processos transferidos para outras procuradorias: 1.320

Pessoas que tiveram pedido de julgamento: 3.200

Das pessoas que tiveram pedido de julgamento:

Processos transferidos pelo juiz da audiência preliminar (GUP) a outras jurisdições: 427

Processos pendentes frente ao GUP: 274

Pessoas levadas a julgamento pelo GUP: 306

Pessoas "condenadas" pelo GUP: 609
– com acordo: 506
– com rito abreviado: 103

Pessoas "absolvidas" pelo GUP: 480
– no mérito: 269 (9,19%)
– por extinção do crime: 211 (7,12%)
dos quais por prescrição:* 179 (6,12%)

Entre as pessoas levadas a julgamento pelo GUP:

Processos transferidos pelo Tribunal para outra autoridade judiciária: 38
Processos ainda pendentes frente ao Tribunal: 193

OPERAÇÃO MÃOS LIMPAS

Pessoas "condenadas" pelo Tribunal:	645
– com acordo:	341
– no julgamento:	304
Pessoas "absolvidas" pelo Tribunal:	430
– no mérito:	161(14,46%)
– por extinção do crime:	269(24,17%)
dos quais por prescrição:*	243 (21,83%)
Outros processos (reuniões, disposições, restituições, anulações, etc.)	104
Total de processos julgados com sentença definitiva:	1.121

(Reelaboração dos dados da Procuradoria da República de Milão: período de 17 de fevereiro de 1992 a 6 de março de 2002).

2. OS RÉUS EXCELENTES

Acampora Giovanni: condenado definitivamente a 3 anos e 8 meses (corrupção judiciária) pelo caso IMI–SIR e a 1 ano e 6 meses pelo caso Mondadori (corrupção), ficou preso por poucos dias; depois, foi beneficiado com o indulto.

Altissimo Renato: condenado a 8 meses definitivos no caso Enimont (financiamento ilícito), retirou-se da vida pública até 2004, quando votou à política com o "novo PLI", de Stefano De Luca, coligado com Força Itália, e candidatou-se (não elegeu-se) às eleições de 2006.

Andreotti Giulio: senador vitalício, absolvido em Perugia da acusação do homicídio Pecorelli, salvou-se por prescrição no processo por máfia, de Palermo. A Cassação o reconheceu culpado pelo crime de formação de quadrilha com a Cosa Nostra "até a primavera de 1980", declarando, porém, o crime prescrito.

Armani Giorgio: negociou 9 meses e 20 dias por corrupção da Guarda de Finanças e continua trabalhando (e bem) como estilista.

Berlusconi Paolo: negociou 1 ano e 11 meses por corrupção no caso do aterro sanitário de Cerro, ressarciu a região da Lombardia com 101 milhões de Euros, foi réu por receptação, suborno para obtenção de crédito e revelação de segredos no telefonema roubado do caso Fassino–Consorte, e continuou a ser empresário e editor do *Giornale*.

Berlusconi Silvio: duas anistias (falso testemunho no caso P2 e caixa dois na compra dos terrenos de Macherio); cinco prescrições (corrupção judiciária no caso Mondadori; financiamento ilícito no caso All Iberian; falsos balanços para caixa dois no caso Lentini; pela contabilidade da Fininvest 1988-92 e pelo consolidado Fininvest); duas absolvições por ter descriminalizado o seu próprio crime

---

* As outras causas de extinção do crime, além da prescrição, são a "morte do réu", a anistia, a doação de dinheiro e o "ne bis in idem" (para quem já foi condenado uma vez pelo mesmo fato).

(falsos balanços para a All Iberian e para a Sme-Ariosto); três absolvições duvidosas (corrupção da Guarda de Finanças, caixa dois para a Medusa Cinema, corrupção no caso Sme-Ariosto); um arquivamento em Milão por tráfico de drogas; duas arquivações por envolvimento nas matanças de 1992. em Palermo e de 1993, em Milão, Roma e Florença; cinco arquivamentos em Roma pelos vôos em aviões do Estado, a compra e venda de Senadores, o caso Saccà, o caso Sanjust e o caso Agcom-Annozero; seis arquivamentos em Palermo por envolvimento externo em associação mafiosa e reciclagem de dinheiro sujo; cinco processos em andamento (corrupção judiciária da testemunha Mills; caixa dois sobre os direitos da Mediaset e da Mediatrade, com acusações de fraude fiscal, apropriação indébita e falso balanço; interceptação Fassino–Consorte; caso Ruby). Tudo isso não o impediu de ser, por três vezes, o Presidente do Conselho e de ser ainda hoje o chefe da maioria parlamentar.

Berruti Massimo Maria: condenado a 8 meses definitivos, por favorecimento nas propinas da Fininvest para a Guarda de Finanças, recondenado em 2002 em apelação a 2 anos e 10 meses por lavagem, é deputado do Força Itália desde 1996.

Bonsignore Vito: condenado a dois anos definitivos por corrupção nas licitações do novo Hospital de Asti, foi novamente enviado a juízo por agiotagem, nos dois processos pelas aquisições da Fiorani e Consorte; é europarlamentar do PDL.

Bossi Umberto: condenado definitivamente a 8 meses pelo financiamento ilícito da Enimont e a 1 ano por instigação para delinquir, é líder da Liga Norte e atua no Parlamento desde 1987.

Brancher Aldo: condenado em apelação a dois anos e oito meses pelas propinas da Fininvest ao PSI (financiamento ilícito e falso balanço), salvou-se na Cassação da primeira acusação pela prescrição, e da segunda pela descriminalização do crime, decretada pelo governo Berlusconi, do qual ele mesmo fazia parte; condenado definitivamente em 2011 a 2 anos, por receptação e apropriação indébita de 830.000 euros, embolsados pelo amigo Fiorani. É Deputado do PDL.

Carra Enzo: condenado definitivamente a 1 ano e 4 meses por falsas declarações ao promotor no caso Enimont, é deputado da UDC.

Cesa Lorenzo: preso em 1993, em Roma, depois de uma breve fuga, réu confesso por várias propinas no caso ANAS, condenado em primeiro grau a 3 anos e 3 meses pelas propinas da ANAS, confessadas por ele mesmo (corrupção), foi absolvido em Apelação por um vício de forma. Em 2005, tornou-se secretário da UDC e, em 2006, entrou no Parlamento.

Chiesa Mario: condenado definitivamente a 5 anos e 4 meses pelas propinas ao Pio Albergo Trivulzio, cumpriu a pena e devolveu 7,2 bilhões de liras. É consultor para a Campanha das Obras, ligada à Comunhão e Liberação. Em 2009, foi novamente preso por propinas, pagas em um tráfico ilícito de aterro sanitário na Lombardia.

Ciarrapico Giuseppe: muitas vezes preso, condenado a 3 anos definitivos pelo rombo de 70 bilhões da Casina Valadier (receptação falimentar) e a outros 4 anos e meio pelo rombo do Banco Ambrosiano (falência fraudulenta), assim como por fraude e receptação pluriagravada, o empresário fascista-andreottiano é editor de uma rede de jornais locais e desde 2008 é parlamentar do PDL.

Cirino Pomicino Paolo: condenado a 1 ano e 8 meses por financiamento ilícito (maxipropina Enimont) e a uma pena acordada de outros 2 meses por corrupção (caixa dois ENI), salvo pela prescrição e absolvido em vários outros processos, passou várias vezes da direita para a esquerda e vice-versa. Em 2004, foi eleito eurodeputado pela UDEUR e, em 2006, deputado pela Nova DC. Hoje, é presidente do Consórcio Rodoviário Perimetral de Nápoles e se reaproximou da UDC.

Cragnotti Sergio: negociou 1 ano e 5 meses por caixa dois no caso Montedison (falso balanço, apropriação indébita e financiamento ilícito), 10 meses por caixa dois no caso Ferruzzi (falso balanço), 1 mês pelo escândalo do Centro Lazio Formello (falso balanço). Foi condenado pelo Tribunal de Roma a 9 anos pela falência do grupo Cirio e mandado a juízo por extorsão no caso Parmalat.

Craxi Bettino: condenado em via definitiva a 5 anos e 6 meses pelas propinas no caso ENI–SAI (corrupção) e a 4 anos e 6 meses pelas propinas da Metropolitana de Milão (financiamento ilícito); condenado em segundo grau a 3 anos pelo caso Enimont (financiamento ilícito), a 5 anos e 6 meses pelas propinas no caso ENEL (corrupção) e a 5 anos e 9 meses pela conta Protezione (falência fraudulenta do Banco Ambrosiano); salvo pela prescrição em Apelação, depois de uma condenação a 4 anos no Tribunal pelas propinas de Berlusconi por meio da All Iberian; réu em primeiro grau pelas propinas da autoestrada Milano–Serravalle (corrupção) e por aquelas da cooperação com o terceiro mundo, assim como por fraude fiscal sobre a renda das suas várias propinas. Morreu como fugitivo em Hammamet (Tunísia), no dia 19 de janeiro de 2000, antes que os seus numerosos processos ainda em andamento fossem concluídos. Desde 2006, no Parlamento, estão os seus dois filhos: Stefania, deputada do Força Itália, e Vittorio, conhecido como Bobo, subsecretário no Exterior do governo Prodi. Em 2007, a Câmara de Vereadores de Roma deliberou para nomear uma rua com o nome de Craxi.

Cusani Sergio: condenado definitivamente a 5 anos e 6 meses pela maxipropina Enimont (financiamento ilícito, falso balanço e apropriação indébita) e a 4 anos no caso ENI–SAI (corrupção), cumpriu 4 anos na prisão. Hoje, está participando de atividades a favor dos detentos e se ocupa de finança ética com o Banco da Solidariedade e de análise de balanços para a FIOM–CGIL.

De Benedetti Carlo: livre em parte por absolvição e em parte por prescrição do processo romano sobre as propinas aos Correios (corrupção), concordou com uma doação de 50 milhões de liras no processo pelas manobras na Bolsa sobre os títulos da Olivetti (insider trading), e acordou por 52 milhões de liras no processo

APÊNDICE 841

por um falso balanço do mesmo grupo IVREA (falsas comunicações sociais). Esta última sentença foi revogada, depois da reforma do falso balanço de 2002.

De Lorenzo Francesco: condenado definitivamente a 5 anos, 4 meses e 10 dias pelas propinas da saúde (formação de quadrilha para corrupção e para financiamento ilícito), salvo pela prescrição em meia dúzia de processos em Nápoles e em Roma e absolvido em diversos outros, descontou parte da pena na prisão e parte na comunidade de Don Gelmini, após voltou a ensinar na Faculdade de Medicina da Universidade "Federico II" de Nápoles. É presidente da Federação das Associações de Voluntários de Oncologia.

Del Pennino Antonio: negociou 1 ano, 8 meses e 20 dias pelas propinas da Metropolitana de Milão (financiamento ilícito), 2 meses e 20 dias pelo caso Enimont (financiamento ilícito), 3 meses pelo caso Assolombarda (financiamento ilícito) e salvou-se por prescrição no processo do caso do fornecimento de ônibus para a ATM (corrupção). Para obter o acordo, tinha prometido que deixaria para sempre a política. Após, em 2001, elegeu-se senador pelo Força Itália, confirmado em 2006, graças à renúncia de Formigoni.

De Michelis Gianni: negociou 1 ano e 6 meses pelas propinas nas licitações das autoestradas vênetas (corrupção) e 6 meses pelo caso Enimont (financiamento ilícito); depois fundou o Novo PSI e voltou à política. Desde 2004, é parlamentar europeu. Em 2007, se aproximou ao SDI, ou seja, da centro-esquerda.

De Mita Ciriaco: salvo pela prescrição no processo romano sobre as licitações para a central ENEL de Gioia Tauro (corrupção), obteve diversas prescrições, absolvições e arquivamentos na região da Campânia. Em 2006, aos 79 anos, foi reeleito pela enésima vez deputado e, em 2007, tornou-se dirigente do Partido Democrático. Em 2008, passou para a UDC, mas não foi reeleito deputado.

De Piccoli Cesare: investigado por um financiamento ilícito de 200 milhões pago pela *Fiat Impresit* na Suíça em três contas – segundo os juízes – com o seu nome, pediu a absolvição no mérito, mas em 2000, o juiz da audiência preliminar de Veneza estabeleceu que havia crime, mas estava coberto pela prescrição. Logo depois, De Piccoli foi promovido a subsecretário da Indústria no goveno Amato e, após, nos anos do governo de Berlusconi, tornou-se chefe da secretaria de Fassino e responsável pela Empresa e Infraestrutura da DS; em 2006, foi nomeado vice--ministro dos Transportes no governo Prodi.

Di Donato Giulio: condenado definitivamente a 3 anos e 4 meses pelas propinas na limpeza urbana de Nápoles (corrupção), libertado por prescrição ou por absolvição em cerca de quarenta outros processos, o ex-vice-secretário do PSI voltou à politica ativa e, em 2007, aderiu à "Jovem Itália", de Stefania Craxi e, portanto, ao Força Itália.

Ferlini Massimo: salvo por prescrição na apelação e depois absolvido na Cassação, no processo sobre as propinas do Piccolo Teatro di Milano (corrupção), o ex-assessor milanês do PCI é vice-presidente da Compagnia delle Opere, ligada à Comunhão e Liberação.

Forlani Arnaldo: condenado definitivamente a 2 anos e 4 meses pelo processo Enimont (financiamento ilícito), salvo por prescrição nos processos sobre caixa dois do ENI (corrupção) e sobre as licitações da ENEL (corrupção e financiamento ilícito), descontou a pena com serviços sociais junto a Caritas e hoje está aposentado, mas frequenta ativamente a UDC, que elegeu ao Parlamento seu filho, Alessandro.

Frigerio Gianstefano: condenado definitivamente a 3 anos e 9 meses pelas propinas nos aterros sanitários da Lombardia (corrupção) e a 2 anos e 11 meses em outros processos da Tangentopoli milanesa (extorsão, corrupção, receptação e financiamento ilícito), salvo por prescrição no processo da ENEL (corrupção), tornou-se deputado do Força Itália em 2001, mas não conseguiu entrar na Câmara, porque foi imediatamente preso. Depois, obteve um recálculo da pena, com um considerável desconto, e ingressou nos serviços sociais, os quais conseguiu cumprir no Parlamento. Em 2006, privado do direito de voto por causa da interdição ao serviço público, não se candidatou mais, mas permaneceu responsável pelo Escritório dos Departamentos do Força Itália e colaborador do *il Giornale,* de Paolo Berlusconi, que, nos anos 90, lhe pagava propinas.

Gava Antonio: condenado a 2 anos na Apelação pelas propinas em Torre Annunziata e salvo pela prescrição na Cassação (receptação), absolvido no processo em Nápoles por envolvimento em associação camorrista (diversamente do seu fidelíssimo Antonio Patriarca, condenado definitivamente a 9 anos por camorra), morreu em 2008.

Greganti Primo: negociou 3 anos pelas propinas da ENEL (corrupção) e pelo caixa dois na venda de um edifício romano para a Itinera (financiamento ilícito) e foi condenado a outros 6 meses pelas propinas da Fiat para o depurador de Turim Po-Sangone (financiamento ilícito). Descontou a pena, parte na prisão, parte nos serviços sociais. Em 2007, escreveu um livro de memórias, participou do último congresso da DS e anunciou a sua inscrição ao PD; em 2011, ajudou Fassino na campanha eleitoral para a Prefeitura de Turim.

Impegno Berardo: condenado a 2 anos na apelação pelas propinas para a Metropolitana de Nápoles (corrupção, condenação anulada pela Cassação) e salvo por prescrição no processo sobre as propinas para a Copa do Mundo de Futebol de 1990 (corrupção), voltou à política na DS, que o candidatou à Câmara em 2006, mas não se elegeu. Seu filho Leonardo, em 2006, tornou-se presidente da Câmara de Vereadores de Nápoles.

La Ganga Giuseppe: negociou 1 ano e 11 meses por corrupção e financiamento ilícito por uma dúzia de propinas, devolveu 400 milhões de liras e, após alguns anos de vida retirada, voltou a fazer política na Margherita de Turim e depois no PD.

La Malfa Giorgio: condenado definitivamente a 6 meses e 20 dias pelo processo da Enimont (financiamento ilícito), entrou outra vez no Parlamento em 2001, com o Força Itália e, em 2005, tornou-se ministro das Políticas Comunitárias do governo Berlusconi 2-bis. Em 2008, foi reeleito deputado pelo PDL, do qual se afastou depois para aderir ao grupo misto.

Ligresti Salvatore: condenado a 2 anos e 4 meses pelas propinas ENI-SAI (corrupção), negociou outros 45 dias de pena pelas propinas da Metropolitana de Milão (corrupção); hoje, é presidente da Fondiaria Sai Seguradora e participa nos acordos de sindicato da Rizzoli–Corriere della Sera e da Mediobanca. Faz negócios de ouro com as juntas municipais de direita e de esquerda. Em 2008, foi investigado em Florença por corrupção e, em 2011, também em Milão, por obstrução à CONSOB.

Martelli Claudio: condenado a 8 meses definitivos no processo Enimont (financiamento ilícito), salvo pela prescrição no processo pela conta Protezione (falência fraudulenta) depois de ter ressarcido 800 milhões de liras, foi europarlamentar de centro-esquerda de 1999 a 2004.

Metta Vittorio: condenado definitivamente a 6 anos pelo caso IMI-SIR e a 2 anos e 9 meses pelo caso Mondadori (corrupção judiciária), ficou preso por alguns dias, depois, graças ao indulto, obteve os "serviços sociais".

Mongini Roberto: totalizou três condenações definitivas por 2 anos e 10 meses pelas propinas para as licitações dos aeroportos de Linate e Malpensa e do caso Cariplo. Voltou à política ativa como secretário municipal da UDC em Milão.

Pacifico Attilio: condenado a 6 anos no caso IMI-SIR e a 1 ano e 6 meses no caso Mondadori (corrupção judiciária), ficou preso por alguns dias e depois, graças ao indulto, obteve a prisão domiciliar e os serviços sociais.

Pacini Battaglia Pierfrancesco: condenado a 6 anos definitivos no processo pelo caixa dois do ENI (apropriação indébita), salvo pela prescrição em Perugia (lavagem, formação de quadrilha e corrupção judiciária na Tangentopoli 2), foi preso em 2005, mas por pouco tempo: foi salvo pelo indulto e presenteado com os serviços sociais, a serem cumpridos na biblioteca municipal de sua cidade natal, Bientina.

Parini Andrea: condenado a 1 ano em primeiro e segundo graus pelas propinas nos aterros sanitários da Lombardia (receptação e financiamento ilícito), o ex-secretário regional do PSI, em seguida, obteve a anulação da condenação na Cassação, em função de um novo apelo, sendo absolvido do crime de receptação e condenado por financiamento ilícito, crime prescrito na Cassação. Logo depois, em 2001, tornou-se secretário provincial da DS de Como e, em seguida, secretário regional do SDI.

Pillitteri Paolo: condenado definitivamente a 4 anos pelas propinas AEM (corrupção), absolvido na Apelação depois de uma condenação em primeiro grau no processo da Enimont (financiamento ilícito), solto por absolvição e prescrição de outros dois processos em Milão, cumpriu a pena em prisão hospitalar e depois nos serviços sociais. Em 2007, obteve a "reabilitação", que limpou sua ficha criminal. Hoje, é Codiretor do jornal *l'Opinione*, enquanto seu filho, Stefano, é vereador do Força Itália em Milão.

Poggiolini Duilio: condenado a 4 anos e 4 meses definitivos, com cerca de setenta bilhões de liras sequestradas e 29 confiscadas, voltou à prisão para cumprir a pena e, em 2006, saiu graças ao indulto.

Prandini Gianni: condenado em primeiro grau em Roma a 6 anos e 4 meses pelas propinas da ANAS e salvo na apelação por uma questão processual, enquanto em Verona a sua condenação a 5 anos e 6 meses no processo das autoestradas do Vêneto (corrupção) caiu em prescrição na Apelação. Ele obteve até mesmo 14.000 euros de ressarcimento pela duração excessiva dos seus processos, mas, em 2010, o Tribunal de Contas o condenou a ressarcir 5 milhões de euros de prejuízos ao erário. Por anos, girou na órbita da UDC e depois, em 2006, tornou-se secretário do recém-criado "Partido Democrático Cristão".

Raggio Maurizio: condenado a 3 anos e 4 meses por lavagem dos bilhões de Craxi, depois da morte da condessa Francesca Vacca Agusta (sua ex-companheira), vive na Villa Altachiara, em Portofino, com a nova mulher mexicana, com a qual teve um filho. Evitou a prisão graças ao indulto.

Reviglio Franco: salvo metade por prescrição e metade pela anistia no processo do caixa dois do ENI (corrupção), o ex-ministro socialista foi promovido presidente da AEM (Empresa Energética Municipal) da prefeitura de Turim, a cargo do prefeito Sergio Chiamparino.

Romiti Cesare: condenado definitivamente a 11 meses e 10 dias por balanços falsos e pelas propinas da Fiat aos partidos, teve a condenação revogada graças à descriminalização do falso balanço, decretada pelo governo Berlusconi, em 2002. Saído da Gemina e da RCS, preside a Academia de Belas Artes de Roma e a Fundação Itália-China.

Sama Carlo: condenado a três anos definitivos no processo Enimont (falso balanço, financiamento ilícito e apropriação indébita), negociou 2 meses pelo caixa dois ENI-Montedison (corrupção) e 42 dias pelo caixa dois Ferruzzi (fraude fiscal). Depois, voltou aos negócios como presidente da Fersam Italia (agroindústria) e vice-presidente do jornal "Il Tempo", de Domenico Bonifaci. Hoje, gerencia uma fazenda de luxo na ilha de Formentera.

Scaroni Paolo: depois de ter negociado 1 ano e 4 meses pelas priopinas depositadas ao PSI em troca das licitações da ENEL, quando ainda era Techint (corrupção), foi promovido a presidente da ENEL pelo governo Berlusconi e, em seguida, administrador delegado do ENI.

Soave Sergio: negociou 1 ano e 6 meses pelo financiamento ilícito ao ex-PCI, hoje escreve no *Foglio* e no *Avvenire*.

Sterpa Egidio: ex-liberal, condenado definitivamente a 6 meses no processo Enimont (financiamento ilícito), desde 2001 voltou ao Parlamento pelo Força Itália.

Tognoli Carlo: condenado a 3 anos e 3 meses no processo AEM (receptação), foi presidente do Museu da Ciência e da Tecnologia de Milão. De 2005 a 2009, gerenciou a Fondazione Ospedale Maggiore.

Viezzoli Franco: condenado definitivamente a 4 anos e 3 meses pelas propinas da ENEL (corrupção), foi agraciado pelo presidente Ciampi em 2004 e morreu em 2011.

Vito Alfredo: depois de ter negociado em Nápoles 2 anos por corrupção (22 propinas confessadas) e devolvido mais de 5 bilhões de liras com a promessa de abandonar para sempre a política, foi reeleito deputado em 2001 e em 2006. Em 2010, aliou-se ao Futuro e Liberdade.

Zorzoli Giovanni Battista: condenado definitivamente a 4 anos e 6 meses por corrupção pelas propinas da ENEL (corrupção), foi agraciado pelo Presidente Ciampi em 2004 e imediatamente se reciclou como membro da Associação Italiana de Economistas de Energia (AIEE). No verão de 2007, foi convidado a ser relator na Festa Nacional da Unidade.

3. O POOL

Do *pool* "histórico" da operação Mãos Limpas, na Procuradoria de Milão, sobrou somente um sobrevivente: o procurador-adjunto Francesco Greco, coordenador do grupo de crimes financeiros. Também Ilda Boccassini foi promovida à procuradora-adjunta e permaneceu na Procuradoria, mas, terminadas as investigações sobre as togas sujas, passou a ocupar-se de crimes da criminalidade organizada, mafiosa e terrorista.

Piercamillo Davigo, depois de uma experiência na corte de Apelação de Milão, desde o verão de 2005 foi transferido para a Cassação, junto com Gherardo Colombo, que até aquele momento coordenava o *pool* da administração, e com Giuliano Turone, célebre por ter descoberto – com Colombo – as listas da P2. Depois, em 2006, Colombo deixou a magistratura para dedicar-se às conferências nas escolas e à vice-presidência do Gruppo Garzanti.

Paolo Ielo, depois de alguns anos passados no Tribunal de Vigilância e depois no gabinete dos juízes das investigações Preliminares, pediu para voltar à Procuradoria, para estar ao lado do amigo e colega Greco no *pool* dos crimes financeiros. No entanto, a "reforma" Mastella na ordem judiciária o obrigou a emigrar para longe de Milão. Então, escolheu a Procuradoria de Roma.

Di Pietro estava já na política desde 1996 e no Parlamento desde 97, com o seu partido Itália dos Valores. Em 2006-2008, foi ministro da Infraestrutura: a mesma delegação que Prodi lhe tinha dado em 1996 (quando o Ministério se chamava Obras Públicas). Em 2011, promoveu e venceu os referendos sobre a água pública e contra a energia nuclear e o legítimo impedimento.

Gerardo D'Ambrosio, quatro anos depois da aposentadoria, em 2006, aceitou a proposta da DS de candidatar-se como independente nas listas do Ulivo e foi eleito senador, confirmado depois em 2008.

Francesco Saverio Borrelli se aposentou em 2002 e passou quatro anos "sendo avô" (único encargo constitucional: a Comissão Tributária de Milão). Depois, em 2006, foi chamado novamente ao trabalho, no auge do escândalo Calciopoli, como chefe do Escritório de Investigações da Federação Italiana de Futebol, recém comissariada pelo CONI e confiada a Guido Rossi. Posteriormente, foi nomeado presidente do Conservatório de Milão.

FRANCESCO SAVERIO BORRELLI
Memórias de um Procurador

Doutor Borrelli, onde o senhor estava em 17 de fevereiro de 1992, dia da prisão de Mario Chiesa?

Estava nas montanhas, em Champoluc, na região do Vale d'Aosta, esquiando. Lembro que Di Pietro me telefonou no final da tarde, todo animado: "Procurador, conseguimos, pegamos ele com a mão na massa!".

O senhor intuiu logo as consequências que aquela prisão provocaria, ou pensou que a coisa toda teria terminado ali mesmo?

Estava bem cético sobre o êxito da investigação, que tinha nascido de um motivo completamente diverso: de uma denúncia por difamação que remontava há muitos meses. Quando Antonio Di Pietro relatou que estava se desenhando a hipótese de que o presidente do Pio Albergo Trivulzio recebesse dinheiro em troca de licitações e que ele pretendia prendê-lo, não lhe escondi o meu ceticismo. Do alto de uma certa experiência, não acreditava que Chiesa fosse preso. Até aquele momento, de fato, salvo alguns casos clamorosos, tinha se revelado muito difícil encontrar elementos sólidos a cargo dos administradores públicos. Depois, por sorte, os fatos desmentiram o meu pessimismo.

O que o senhor se lembra das semanas seguintes?

Houve, se bem me lembro, as apreensões e a abertura dos cofres de Chiesa, que revelou valores de muitos bilhões. Disseram-nos que eram as economias de seu pai, que, porém, tinha sido somente um modesto funcionário público: era ao menos estranho que tivesse conseguido economizar uma soma daquelas. Então, tentou-se aprofundar e, naturalmente, foi espontaneamente formulada a hipótese de que, se Chiesa tinha tentado embolsar 14 milhões de uma modestíssima empresa de limpeza, a outros fornecedores de serviços ou de obras de maiores dimensões, teria pedido e obtido muito mais. Assim, começamos a contatar aqueles empresários. A conjuntura política era aquela que todos nós lembramos, o sistema dos partidos que tinha dirigido a Itália por quarenta anos tinha sido abalado pelos primeiros grandes golpes. Houve já, por exemplo,

OPERAÇÃO MÃOS LIMPAS

alguns sucessos da Liga Norte, havia o movimento referendário de Mario Segni, ou seja, se abriam no mundo político os primeiros rachas mais ou menos vistosos. Havia também um sentido de insegurança em relação às iminentes eleições políticas, que ninguém poderia prever o êxito, o que contribuiu para enfraquecer os empresários e induzi-los a ceder em algumas questões. Foi assim que a investigação cresceu consideravelmente. E, partindo de Chiesa, expandiu-se nas várias conivências entre empresários e políticos.

O senhor não tinha ficado muito satisfeito com as precedentes investigações conduzidas por Di Pietro sobre corrupção; por exemplo, aquela sobre a empresa regional Lombardia Informatica.

Sim, efetivamente não tinha dado muito resultado. Permaneceu uma investigação bem confusa. Lembro que naquele período o meu procurador adjunto, Gerardo D'Ambrosio, estava doente, tinha há pouco feito um transplante de coração. Di Pietro e eu fomos encontrá-lo em sua casa, para falar com ele sobre as investigações, e ele também não estava contente. A investigação não tinha conseguido provar nada concretamente; havia somente incertezas na contestação dos crimes e nas acusações, e isto também por uma certa inexperiência de Di Pietro, que tinha entrado para a magistratura há poucos anos.

Que relação havia entre o senhor e Di Pietro antes da Mãos Limpas?

Veja bem, para alguém que, como eu, provém de uma educação humanística, um personagem como Di Pietro transmitia um sentido de improvisação e de rusticidade. Não tinha uma base cultural de tipo humanístico, como demonstravam o seu modo de expressar-se e principalmente de escrever, mas isso não impedia que nutríssemos uma grande admiração por ele. Antes de tudo, por como tinha construído uma personalidade e um profissionalismo quase do nada, provindo de uma condição familiar bem modesta, sem tradições culturais. Era estimável o seu percurso de estudante trabalhador, que tinha conseguido se formar na universidade e entrar para a magistratura. O admirávamos pela desenvoltura, pela força de vontade. Além disso, apreciávamos a sua extraordinária intuição, que o levava, junto com uma sensibilidade que estava além da razão, a entender o que havia por trás das palavras e dos comportamenteos das pessoas, a reconhecer imediatamente as tramas de interesses.

Alguém insinuou que Di Pietro sabia de muitas coisas, devido às suas ligações com a polícia e com os protagonistas da Primeira República, até mesmo com setores dos serviços secretos.

Sim, alguém insinuou isso, mas eu nunca tive essa impressão, mesmo que deva dizer que, não obstante tenha trabalhado por alguns anos no Ministério

Público, nestas questões sou fundamentalmente um ingênuo, ou pelo menos sou assim considerado. Di Pietro, no entanto, desenvolveu um papel de grande importância naqueles anos, pela informatização da Procuradoria, e foi ele quem conduziu a primeira investigação valendo-se de instrumentos prevalentemente informáticos: a investigação sobre as "licenças facilitadas". Lembro ainda quando, no final dos anos 1980, levei ao procurador-geral de Milão, Adolfo Beria di Argentine, os resultados daquela investigação e lhe comentei o modo como Di Pietro os tinha obtido. Beria ficou impressionado, tomado por uma espécie de amor à primeira vista por Di Pietro, mesmo sendo tão diferente dele, diria até antípoda. Beria era um diplomático, um "político" no melhor sentido da palavra, enquanto Di Pietro era uma espécie de carneiro, que caminhava com a cabeça baixa. No entanto, aquele amor à primeira vista durou pouco. Logo Beria e o presidente da Corte de Apelação, Piero Pajardi, começaram a ver com maus olhos aquele simples procurador substituto que se candidatava como referência na informatização dos gabinetes judiciários de Milão. Eu não via nada de estranho naquilo, visto que ele era o único que tinha competência na matéria e era capaz de suportar a enorme carga de trabalho que lhe era destinado. Eu disse isso até mesmo para os dois chefes de gabinete, manifestando o meu estupor pelas suas resistências em relação a ele, mas aquela minha interferência não adiantou nada.

Não existe, na sua opinião, também um Di Pietro político desde 1992? Não houve uma gestão "política" da investigação, no sentido de proceder por etapas, escolhendo os objetivos segundo as possibilidades do momento?

Depende do significado do termo "político". Eu compararia a atividade de Di Pietro a certas formas de Blitzkrieg, de "guerra relâmpago", a tática típica dos exércitos alemães, que foi usada também na invasão de Caporetto: penetração impetuosa em uma faixa muito restrita de território, deixando às margens as sangas laterais, as mais difíceis de penetrar. Di Pietro agia do mesmo modo: procurava chegar muito rapidamente e conseguir os resultados certos, deixando às margens uma quantidade de outros fatos para explorar em um segundo momento. Deste ponto de vista, podemos falar de "gestão política". No sentido de uma estratégia processual que, se formos rigorosos, constituía uma inovação em relação aos tradicionais modos de investigar. Contudo, também é preciso recordar qual era o panorama da Tangentopoli: um panorama tão perturbador que assustava até mesmo os mais pessimistas, convictos de que a política "é um total comprometimento" e que "todos os políticos têm as mãos sujas". Então, uma vez descoberta aquela cidade fiscal subterrânea e oculta, feita de contribuições e pagamentos ilícitos, e uma vez entendido que boa parte da política se mantinha com formas de alimentação completamente fora da lei, impôs-se a necessidade de agir com pressa, de apontar rapidamente para um objetivo.

E não era, como se disse, para criar polêmica, com o objetivo de abater o regime ou a atitude política de então; o objetivo era alcançar o mais rapidamente possível os resultados investigativos para serem apresentados também à opinião pública, com um bom grau de certeza. Daí, então, a necessidade de manter em sigilo todas aquelas situações de corrupção que podiam ser agilmente demonstradas e acertadas, deixando de lado outras áreas mais difíceis de investigar, que seriam exploradas sucessivamente. E, de fato, a representação daquele panorama aconteceu principalmente nos grandes processos Cusani–Enimont. Depois, Di Pietro largou a presa, e os outros colegas foram em frente, mas inevitavelmente muito material permaneceu esquecido. Quando Di Pietro pediu demissão, todos nós nos encontramos em dificuldades: era ele quem conservava no seu gabinete toda a documentação original, mesmo que distribuísse para todos nós as suas anotações e as fotocópias dos atos que realizava. Quando foi embora, nos encontramos frente a muitos processos a definir, que foram depois confrontados e resolvidos com o tempo, mediante acordos, arquivamentos ou pedidos de julgamento.

Como reagiu às investigações, naqueles primeiros meses, a classe política?

Que houvesse sinais de intolerância por parte do mundo político era já evidente naquela época, mas eram sinais muito modestos. Com exceção de Craxi, que tinha aquela personalidade que todos conhecemos, os outros políticos eram muito intimidados. No geral, a reação do mundo político não foi assim tão violenta como esperávamos e como se desenvolveria nos anos seguintes. Não sei o porquê, teríamos de perguntar aos políticos, mas, por mais de um ano, tivemos a impressão de que podíamos seguir em frente, se não com facilidade, ao menos sem grandes obstáculos.

É verdade que, em junho de 1992, quando foi confiado o cargo de governo a Giuliano Amato ao invés de Craxi, houve um contato entre o senhor e o Palácio do Governo?

Sim, um contato telefônico direto. Fui chamado pelo então presidente da República, Oscar Luigi Scalfaro, que me pediu uma atualização dos fatos que eram objeto da investigação. Naquele momento, a pessoa de Craxi não tinha ainda aparecido nas investigações. Certo, podíamos tecer hipóteses, havia ilações jornalísticas a respeito, mas ainda não havia nada contra ele; quando muito tinha sido ventilado o nome de seu filho Bobo nas investigações sobre o Pio Albergo Trivulzio, por algumas conexões com os financiamentos ilícitos de Mario Chiesa, que tinha financiado a sua campanha eleitoral. No entanto, Bobo Craxi não foi nem inscrito no registro dos investigados. Permaneceu ali, no freezer, na expectativa de eventuais fatos novos.

APÊNDICE 851

O que exatamente Scalfaro queria saber?

O presidente queria saber notícias sobre Bettino Craxi, então favorito para a presidência do Conselho, exatamente porque os jornais tinham já citado o nome de seu filho, Bobo. Lembro que Scalfaro estava bem preocupado, a sua voz demonstrava uma certa ansiedade. De um lado, temia encontrar-se em uma situação difícil. De outro, ele mesmo tinha depositado uma certa confiança no líder do Partido Socialista, e o mundo político esperava que, após as eleições, Craxi recebesse um cargo no governo. Então, o presidente me fez entender que a sua pergunta visava dissolver aquele dilema.

E o que o senhor respondeu?

Obviamente, não respondi. Não me aventurei a dar nenhum conselho, nenhuma avaliação. Limitei-me a expor a situação, ou seja, a comunicar que não havia nenhuma investigação aberta contra Craxi.

É verdade que o senhor tinha uma relação muito estreita com o presidente Scalfaro?

Isso não é absolutamente verdade. Eu o conhecia há mais de dez anos (era juiz no tempo em que meu pai também era), mas, durante a investigação Mãos Limpas, não tivemos mais do que quatro ou cinco contatos, entre telefonemas e encontros pessoais, salvo, obviamente, as numerosas cerimônias públicas onde fomos vistos frente a dezenas de pessoas.

É verdade que vocês tinham investigações que, de algum modo, diziam respeito também a ele?

Não, é falso. Nunca tivemos elementos ou imputações contra ele.

Quando vocês se deram conta de que o comportamento da opinião pública em relação a vocês estava mudando?

Diria que mais ou menos durante a investigação contra a Guarda de Finanças. Eu não sou político, nem analista ou sociólogo, mas a sensação foi essa: até o momento em que tratamos de atingir a alta política e os seus representantes, os grandes personagens dos partidos que começavam a enojar a todos, não houve grandes reações contrárias, muito antes pelo contrário. No entanto, com a investigação contra a Guarda de Finanças, fomos além, apareceu claramente que o problema da corrupção na Itália não dizia respeito somente à política, mas a uma grande faixa da sociedade, ou seja, atingia já altos níveis exatamente enquanto partia de baixo. Naquele momento, o cidadão teve a sensação de que aqueles "moralistas" da Procuradoria de Milão queriam realmente passar um pano limpo sobre todo o país, sobre a consciência civil de todos os italianos.

Falo do cidadão que vivia de pequenos expedientes, amizades, recomendações, propinas para poder sobreviver e remediar a ineficiência da administração pública. Tenho a impressão de que, naquele momento, as pessoas começaram a dizer: "Agora chega, fizeram já o trabalho de vocês, nos liberaram das garras da velha classe política que sugava nosso sangue, mas agora nos deixem viver em paz". Quando chegamos à Guarda de Finanças, fora as reações óbvias do mundo político, também uma parte dos empresários se sentiu atingida perto demais por aquela ânsia de limpeza que vinha da Procuradoria de Milão, e não somente dela (seria injusto dizer que somente em Milão se tenha trabalhado). Ao redor da Guarda de Finanças havia um vasto sistema de convivências e conveniências. Além disso, aquela reviravolta coincidia com o passar do tempo e com uma campanha publicitária jornalística longa demais sobre o *pool* de Milão e sobre a corrupção, que durante meses ocupou as primeiras páginas dos jornais. As pessoas estavam cansadas. Se nos cansamos das guerras, imaginem da Tangentopoli.

O senhor ficou desiludido com o comportamento da opinião pública?

Não, gostaria que ficasse bem claro que não digo isto para evidenciar uma desilusão nosssa em relação aos cidadãos, mas somente para evidenciar que tinha se criado um clima não mais favorável à colaboração com a magistratura. Infelizmente, nesta matéria, a colaboração é essencial: se ninguém fala, não se chega a lugar nenhum, porque raramente as operações de corrupção deixam rastros evidentes. Portanto, com a diminuição da vontade de colaborar dos cidadãos, a investigação murchou e começaram a dizer que a operação Mãos Limpas tinha terminado. Enquanto isso, houve também a demissão de Di Pietro, no final do processo da Enimont, e era opinião comum que o *pool* estivesse cansado, tivesse recolhido o time de campo. Eu insisto em afirmar que não foi assim, porque houve outras inúmeras investigações que prosseguiram, e não somente nas mãos de Piercamillo Davigo, Gherardo Colombo e Francesco Greco, ao lado sempre de Ielo, Ramondini, Robledo, De Pasquale e outros, mas também de outros colegas que tiveram menos notoriedade, mesmo merecendo também a nossa gratidão, como Fabio Napoleone, Giovanni Battista Rollero, Claudio Gittardi, que fizeram um ótimo trabalho, principalmente sobre as administrações da grande Milão.

Já em 1994, Di Pietro repetia: "A água não chega mais ao moinho, é hora de mudar de trabalho". Berlusconi lhe ofereceu um Ministério, a AN ofereceu a Davigo. O senhor também deu algumas declarações sobre a possibilidade de os magistrados do pool aceitarem cargos políticos e de governo como "serviço complementar".

Que eu, às vezes, tenha dito coisas imprudentes que teria sido melhor não dizer, é verdade. Seguidamente, porém, eu dava declarações não imprudentes, mas que eram mal interpretadas: foi assim com a frase sobre o "serviço complementar". Era a resposta a uma pergunta de um jornalista do *Corriere della Sera*, Goffredo Buccini. Acontece seguido, e não culpo os jornalistas, que as perguntas e as respostas sejam misturadas para melhorar a leitura, a compreensão. Aquela vez, Buccini me perguntou: "O senhor não pensa em atuar na política, em prosseguir em outro lugar a sua batalha?". Eu respondi que não, mas Buccini insistiu repetidamente: "Nem mesmo em circunstâncias excepcionais"? Naquele momento, eu disse alguma coisa do tipo: "Tudo bem, se realmente o mundo estivesse terminando, até poderia ser". Uma frase que eu jamais teria pronunciado, se não me tivesse sido quase extorquida. Queria encerrar ali a conversa com o jornalista, e isso é tudo; queria simplesmente dizer que somente em caso de absoluta necessidade, se tivesse sido considerada útil a nossa experiência ou a nossa formação jurídica, como acontece em certos momentos institucionais em que não se consegue ser governo e se recorre aos assim chamados técnicos, teríamos assumido uma responsabilidade daquelas, mas isso não significava nem invocar nem desejar uma situação semelhante. Muito antes pelo contrário.

Antes que as investigações envolvessem maciçamente a Fininvest, houve um comportamento positivo em relação a vocês por parte dos meios de comunicação do grupo. Houve também contatos com Silvio Berlusconi?

É verdade que os jornais e as redes da Fininvest estavam favoráveis a nós. Mas encontrei Berlusconi pela primeira vez somente nos primeiros meses de 1994, no dia 17 de março, dez dias antes das eleições. Lembro que eu estava saindo do gabinete do procurador-geral Giulio Catelani, com o qual eu ainda tinha boas relações. Eu vi chegar aquele sorridente senhor, que se apresentou e me estendeu a mão: "Doutor Borrelli, eu sou Silvio Berlusconi. Bom dia!". Na época, havia já algumas investigações contra o grupo Fininvest como, por exemplo, aquela sobre os aterros sanitários, na qual estava envolvido seu irmão Paolo, e aquela sobre a Publitalia, que tinha entre os investigados Marcello Dell'Utri. Alguém já falava de "guerra" entre a Procuradoria de Milão e o grupo Fininvest. Por isso, cruzando com Berlusconi no corredor, lhe perguntei: "Não há guerra entre nós, não é verdade, Dr. Berlusconi?". E ele respondeu: "Não, não, absolutamente, por favor!".

O que fazia Berlusconni com Catelani?

Acredito que estava levando para ele um material com o programa do Força Itália, que ele distribuía naquele período para a campanha eleitoral. Depois de ter estado com Catelani, lembro que Berlusconi foi, com outra pastinha embaixo do braço, ao encontro do advogado-geral do Estado, que então era Giuseppe De Luca. Deixou também para ele o seu programa eleitoral.

OPERAÇÃO MÃOS LIMPAS

E para o senhor não?

Não, não me deixou nada. Não sei se tinha marcado encontro com Catelani [na verdade, Berlusconi tinha marcado um encontro para entregar ao procurador-geral uma cópia do documento enviado a Scalfaro e aos inspetores do Ministério contra a investigação sobre a Publitalia e o pedido de prisão para Dell'Utri]; com De Luca, certamente não: estava de passagem e lhe fez uma visita. Eu tive a sensação de que, depois daquele contato entre Berlusconi e Catelani, a Procuradoria Geral mudou um pouco o relacionamento conosco. Como se Berlusconi tivesse conseguido, com o seu carisma, encantar Catelani. O homem causava esse efeito em muitas pessoas: mesmo Di Pietro, quando teve seu primeiro contato com Berlusconi, que lhe ofereceu um ministério, voltou para Milão e nos contou que ficou encantado com simpatia do *Cavaliere*. Portanto, posso entender que Catelani, pessoa além do mais ingênua, tivesse ficado encantado pelo personagem.

O mesmo Di Pietro, quando saiu do pool, voltou a encontrar Berlusconi.

Sim, fato revelado pelo próprio Berlusconi em um programa conduzido por Michele Santoro. Disse que Di Pietro tinha se desvinculado do famoso convite para depor, notificado em 1994. Naquele tempo, eu ainda tinha o celular de Di Pietro e liguei na mesma noite, por volta da meia-noite. Ele estava no carro e eu lhe disse brutalmente: "Você tem que desmentir imediatamente as falsidades que Berluscini disse esta noite no programa. Caso contrário, nunca mais se apresente no Palácio da Justiça, pois farei com que joguem para fora com um pé na bunda".

E, de fato, no dia seguinte, Di Pietro declarou: "Eu sempre assumi as responsabilidades por todos os atos que assinei junto com os meus colegas". Um desmentido que, para vocês, pareceu um pouco inseguro.

Sim, mas de todo modo foi um desmentido. Já era alguma coisa.

Mais tarde, frente ao Tribunal de Bréscia, lhe perguntaram novamente se era verdade que Di Pietro não concordava com o convite para depor feito a Berlusconi, e o senhor revelou a sua famosa frase: "Eu arrebento aquele cara".

Sim, naquela ocasião fui também criticado pelos admiradores de Di Pietro, que se lamentavam porque, com aquela afirmação, eu lhe teria dado uma facada às costas. Não tinha nada de mal: nos gabinetes, entre colegas, acontece de usarmos expressões como aquela. No entanto, eu nunca teria pronunciado aquela frase se estivesse em outra situação. Não era indispensável que a tivesse pronunciado. Porém, um dos defensores dos réus [Cesare Previti, Paolo Berlusconi e os inspetores ministeriais Dinacci e De Biase] continuava a insistir sobre o presumível desacordo entre nós e Di Pietro em relação a Berlusconi, como se tivesse sido eu que o obrigou a assinar o convite para depor. Então, tive de pronunciar aquela famigerada frase de Di Pietro: "Eu arrebento aquele cara". É claro que tudo virou um escândalo porque eu, em um tribunal, me deixei levar por uma linguagem pouco conveniente, mas era necessário, em face das perguntas que me faziam. E eu estava sob juramento.

Depois, houve o jantar entre vocês, sobreviventes do pool e Di Pietro, na casa de Colombo, que não produziu os resultados esperados. Di Pietro foi mais uma vez ambíguo sobre suas relações com Berlusconi?

Não, não diria ambíguo. Naquela noite, não falamos tanto sobre aquilo, mas principalmente sobre por que Di Pietro tinha abandonado a magistratura. Queríamos entender alguma coisa a mais sobre a sua renúncia, mas não chegamos a lugar nenhum. Houve um aceno muito superficial sobre a história do empréstimo e da Mercedes, que nos interessava relativamente. Esperávamos que, pela lealdade que o distinguia e, porque não, pelo afeto que acreditávamos que ele tivesse em relação a nós, nos explicasse com precisão o que tinha acontecido que o levou a abandonar a toga.

Depois, desde então, vocês nunca mais se viram. Até o abraço na inauguração do ano judiciário, em janeiro de 2002?

Os outros colegas o encontraram algumas vezes. Eu, ao contrário, o encontrei somente uma vez, em Roma, numa sala da justiça, para um testemunho, em 1997 ou 1998: ele tinha processado alguém, não lembro quem, e eu tinha sido citado como testemunha; lembro que era em pleno verão. Naquele tempo, ele era senador. Apertamos-nos as mãos calorosamente. Depois disso, não houve outros contatos, até a última inauguração do ano judiciário. O encontro ali foi muito afetuoso. Talvez não devesse, mas, após tantos anos de aproximação e de coleguismo, quando o vi, me comovi.

O senhor teve a impressão de que Di Pietro se retirou porque era chantageado?

De alguma maneira, supomos isso quando soubemos sobre o outro processo investigativo, paralelo ao aberto oficialmente contra muitos de nós. Aquela investigação era muito reservada e dirigida sobre alguns comportamentos de Di Pietro. De tudo aquilo, no entanto, eu fiquei sabendo somente dois meses depois; Di Pietro tinha falado daquilo somente com Davigo. De todo modo, aquela dúvida persiste ainda hoje: já que a investigação foi concluída no dia seguinte à sua demissão, podemos supor, em um certo sentido, que aquela demissão foi "induzida". "Chantagem" é uma palavra um pouco forte e drástica; pode-se dizer que Di Pietro foi convencido a deixar, por meios muito pesados.

Relembrando os fatos passaados, do ponto de vista da Procuradoria, o senhor acredita que tenha sido melhor que Di Pietro tenha se afastado? Ou teria feito melhor em permanecer? Não acha que, se tivesse permanecido, em vista dos ataques e dos processos que sofreu depois, teria sobremaneira exposto o pool, atrapalhando a investigação e a imagem da Mãos Limpas?

Talvez sim. No momento, não foi essa a minha avaliação, exatamente porque ignorava o que tinha por trás, aquela inspeção secreta. O fato que ele tivesse alguns amigos não muito corretos, de pouca qualidade, era uma ideia que, mais ou menos, todos nós tínhamos, mas era só isso. Em todo o caso, no início, julguei negativamente a sua saída da magistratura, tanto pelo vazio que deixava, quanto pelo momento escolhido e pelas possíveis interpretações distorcidas da opinião pública. Na época, pensei que ele tivesse se retirado pela ambição: um homem como ele, que durante três anos ocupou a primeira página dos jornais, dificilmente teria se resignado a permanecer na normalidade, na rotina cotidiana de um simples procurador substituto. Passada a fase da Mãos Limpas, teria sido extremamente complexo reconduzi-lo às fileiras e praticamente impossível garantir-lhe uma posição privilegiada em relação aos outros colegas. Então, em um certo sentido, lamentei pelo fato de que fosse embora no dia seguinte ao convite para depor de Berlusconi, deixando-nos com as calças na mão e alimentando a impressão, usada também por outros, de que não era a favor da acusação contra Berlusconi. Em outro sentido, atribuía a escolha à sua ambição e acreditava que teria logo entrado para a política, mesmo que fosse difícil para mim entender em qual partido, com qual orientação.

Como o senhor o via, politicamente?

Bem, interpretar a alma política de Di Pietro era árduo. Percebia-se a sua proveniência de uma classe social rural, católica e conservadora, mas, além disso, não se decifrava facilmente a sua orientação política, até porque ele permaneceu por longo tempo, até mesmo tempo demais, incerto sobre o caminho a percorrer. Quando começou a ensinar na Universidade de Castellanza, teve contato com todo o mundo político daquela época, e me pareceu uma coisa muito ridícula, porque parecia que estivesse se oferecendo ao melhor proponente ou que até mesmo se sentisse investido de uma missão superior e consultasse todo o mundo político porque considerava o seu apoio decisivo aos destinos políticos do país. Aquele comportamento, a longo prazo, o prejudicou. Com o passar do tempo, e depois de tantos duvidosos patrulhamentos, pouco a pouco a lembrança da Mãos Limpas e de Di Pietro foi diminuindo e se misturou com uma realidade diversa. Digamos que se as eleições tivessem ocorrido um mês depois da sua renúncia e ele tivesse se candidatado, teria obtido a maioria absoluta dos votos. Porém, na minha opinião, Di Pietro desperdiçou, pelas próprias mãos, todo o patrimônio de simpatias e consensos que tinha adquirido.

O senhor teria votado nele?

Certamente não.

Imaginemos este cenário: de um lado Berlusconi líder, do outro lado Di Pietro líder. Quem o senhor escolheria?

Não me faça perguntas que revelariam a minha alma política, considerando que eu tenha uma.

Bem, muitos o acusam de ser um comunista.

Nada pode ser mais fora da realidade do que isso. Nunca tive amizades ou parentescos ideológicos com o Partido Comunista, nem com o PDS e nem mesmo com a DS. E muito menos com os socialistas. Eu tenho uma formação cultural de cunho liberal, diria até que sigo a linha de Croce, certamente mais próxima do liberalismo clássico do que do materialismo dialético.

Voltemos a 1994. No dia 4 de julho, um dia após o decreto Biondi, o senhor deu uma sarcástica declaração sobre a coincidência entre o aniversário da queda da Bastilha e a abertura das portas da prisão de San Vittore. Depois, porém, não assinou o comunicado lido na TV pelos seus procuradores substitutos. Por quê?

Não concordei com aquela tomada de posição que houve na metade de julho. De fato, à parte aquela frase sobre a Bastilha, pronunciada de manhã cedo, à margem de um encontro público, naquele dia eu não quis aparecer na TV. Aliás, desaconselhei meus substitutos a tomarem qualquer posição, mas não teve jeito: estavam determinados demais.

Porém, no ano anterior, por ocasião do decreto Conso, o senhor tinha lido na TV um pungente comunicado. Como, então, teve uma reação tão diversa em 1994?

Antes de tudo, a repetição de um análogo comportamento me parecia censurável. Já a tomada de posição de março de 1993, sobre o decreto Conso, tinha sido – é inútil negar – uma forma de pressão sobre o Parlamento. Para dizer a verdade, eu tinha decidido intervir para desmentir o que dizia o governo, ou seja, que aquele decreto tinha sido solicitado por nós. Acho que, em circunstâncias completamente excepcionais e *una tantum*, certas pressões podem ser justificadas, entendidas e toleradas, mas repetir a mesma cena teria sido como confirmar as críticas de quem nos acusava de querermos ser os protagonistas da cena política do país. Por isso, não considerei oportuna tal intervenção. Também não tinha sido avisado com antecedência; portanto, não tive nem tempo para refletir sobre o texto que seria lido na TV com os outros. Por isso, não o assinei.

OPERAÇÃO MÃOS LIMPAS

E por que o senhor diz que falar sobre o decreto Conso foi uma coisa forçada?

Porque aquela externação tinha aberto caminho para uma interpretação equivocada sobre a nossa posição. Não quero dizer que éramos os únicos interlocutores da política (seria presumir demais de nós mesmos) mas, em relação aos fatos, éramos a única voz escutada. Naquele período, os nossos gabinetes eram meta incessante de peregrinações de uma grande quantidade de personagens políticos, que vinham até nós para clarear as ideias, pedir conselhos, tentar entender as dimensões e a qualidade do fenômeno Tangentopoli. Não digo que faziam tudo o que nós dizíamos, mas quase. Portanto, hoje, é uma hipocrisia afirmar que os promotores desenvolveram um papel de suplência ou até mesmo tenham usurpado as funções da política, porque, naquela época, a sensação era exatamente o contrário: era o mundo político que vinha até nós para ter notícias, ideias, sugestões. Por isso, se nós éramos, de qualquer modo, interlocutores politicamente confiáveis, também a tomada de posição contra o decreto Conso entrava no clima, na aura daquele momento histórico.

O senhor lembra de alguns políticos que vinham em peregrinação até vocês?

Que não estivessem sendo investigados?! [Risos.] Não gostaria de esquecer de nenhum. [Foi pegar as agendas de 1992, de 1993 e de 1994 e começou a olhar os nomes.] Aqui estão todos que me pediram um encontro. Não marquei aqueles que iam diretamente ao encontro de Di Pietro e dos outros. Então, vejamos... No dia 8 de abril de 1992, veio Tognoli [investigado somente um mês depois]. No dia 11 de maio, um senador ligado a Andreotti, Carlo Lavezzari. No dia 22 de junho, dois socialistas, o senador Cutrera e a deputada Alma Agata Cappiello. No dia 4 de julho, o verde Adriano Ciccioni. Passemos a 1993: no dia 22 de janeiro, o membro da Liga Piergianni Prosperini; no dia 5 de março, Francesco Rutelli [um dia depois do abortado decreto Conso]; no dia 8 de março, Giovanni Spadolini me convidou para o café da manhã nos Carabinieri; no dia 15 de março, Alfredo Galasso, da Rede; no dia 26 de março, fiz um passeio a Roma para encontrar Scalfaro, não me lembro mais por quê... Depois, no dia 7 de junho, marquei na agenda Marco Formentini, então prefeito da Liga em Milão; no dia 7 de setembro, Raffaele Morese, da CISL, no dia 9 de setembro, Luciano Violante; no dia 29 de setembro, o primeiro encontro com Irene Pivetti, presidente da Câmara, no Palácio Montecitorio. Reencontrei-a depois mais três vezes em Milão: uma em sua casa (lembro que fui lá com o Fiat Panda vermelho de minha mulher, mas os jornalistam me descobriram do mesmo jeito). Para 1994, tenho só uma agenda e incompleta: em outubro, fui ao Langhe (localidade na região do Piemonte), convidado para almoçar pelo honorável Raffaele Costa, do Força Itália, que é de lá, e que me convidou também no ano seguinte. Depois, no dia 28 de outubro de 1994, o professor Gianfranco Miglio e, no dia 2 de dezembro, Sergio Cofferati. Lembro também de um encontro com Carlo Ripa di Meana, mas não acho aqui marcado... Como pode ver, políticos de todos os tipos. Queriam saber coisas, mas principalmente pedir conselhos, sugestões. Salvo depois acusar-nos de invasão de campo.

Nenhum encontro com presidentes do Conselho?

Só um, eu acho: Giuliano Amato, que me pediu uma opinião sobre uma lei durante uma inauguração na Universidade Bocconi. Foi no outono de 1992, depois que o ministro Martelli tinha apresentado um projeto de lei sobre falso balanço ou sobre as inspeções nas empresas, e eu troquei algumas palavras com ele no *Maurizio Costanzo Show*: temíamos que aquela reforma interrompesse as colaborações dos empresários. Encontrei Amato na Bocconi. Lembro que me chamou em uma salinha, atrás do palco da Sala Magna; perguntou-me porque éramos contrários ao projeto de lei proposto, e eu lhe expliquei. Os políticos nos assediavam, faziam-nos perguntas, queriam notícias, ou talvez quisessem simplesmente saber a que ponto estávamos chegando com as investigações.

Quando lhe dizem que vocês salvaram os comunistas, o que o senhor responde?

O que eu deveria responder? Que não é verdade, que pensar nisso já é por si só ofensivo.

O que o senhor teria feito para chegar à cúpula nacional do PCI-PDS exatamente para desfazer essa polêmica?

Não teria feito nada. Nunca me perguntei uma coisa dessas. Posso dizer que, na fase culminante da Mãos Limpas, muitas pessoas da área comunista ou filiadas ao partido PCI–PDS foram atingidas, investigadas ou até mesmo presas sem que após, em muitos casos, as tenhamos condenado em juízo. Fizemos também uma busca, com Davigo, na sede do PCI, na Via Botteghe Oscure, mas por qual motivo poderíamos ir à casa dos secretários? Nordio tentou fazer isso e terminou se queimando. Nós nos movíamos quando recebíamos uma notícia de crime: sem a colaboração dos cidadãos, não se derrota a corrupção. Bem, se estes senhores, que há anos nos criticam de não ter investigado naquele sentido, de não ter atingido os "comunistas", tivessem nos trazido qualquer notícia de crime que fosse, uma denúncia ou um processo, até mesmo sobre os cargos mais altos daquele partido, teríamos agido sem hesitações, mas nada disso aconteceu. De útil, quero dizer. Nós somos como aquelas máquinas juke-box: as pessoas colocam a ficha da denúncia, nós agimos. Precisa sempre de um motivo. É uma fantasia popular aquela em que o procurador decide no gabinete onde investigar e depois sai a campo, arando um terreno virgem.

860 OPERAÇÃO MÃOS LIMPAS

Falou-se muito sobre o assim chamado "golpe institucional" de novembro de 1994. O senhor teve a sensação de que o presidente Scalfaro estivesse feliz quando foi expedido o primeiro convite para depor para Berlusconi?

Não, muito antes pelo contrário: estava irritado, principalmente pelo momento em que o convite para depor foi expedido. Ou melhor: mais do que irritação, diria que foi desconcerto; estava estupefato pela escolha da ocasião. Quando lhe avisei, naquela noite, me respondeu: "Como, bem agora?". Tinha razão em ficar espantado; eu, hoje, em retrospectiva, não faria novamente uma escolha daquelas, naquelas condições. Esperaria mais alguns dias, quando tivesse terminado a Conferência da ONU. O fato é que o coronel Bozzo, dos Carabinieri, tinha nos assegurado que naquela segunda-feira Berlusconi estaria voltando para Roma no final da tarde.

Naquela época, vocês não tinham avaliado as consequências daquele ato?

E como as tínhamos avaliado, mas com base nas informações do momento. Também tínhamos pré-fixado uma regra, durante todo o processo da Mãos Limpas: a regra de não considerar os eventos circunstantes. Quando havia uma notícia de crime consistente, que requeresse a inscrição no "modelo 21", agíamos, não importando em que momento fosse. De outro modo, não conseguiríamos ir em frente com as investigações contra quem tinha um certo peso político. Então, quando descobrimos o passe de Berruti para o Palácio Chigi, que acreditávamos que levasse à responsabilidade direta de Berlusconi, agimos segundo os ditames da lei, sem levar em consideração o momento político, como tínhamos feito também em outras ocasiões. Para dizer a verdade, tínhamos já esperado que passassem as eleições administrativas do dia 20 de novembro; mais do que aquilo, naquele momento, não podíamos fazer. No mais, lembro que, desde sábado, 19 de novembro, havia uma certa agitação de curiosidade em relação às nossas varas, e era voz corrente que os jornalistas estivessem à espreita de alguma novidade. Então, dissemos: "Comuniquemos imediatamente Berlusconi da sua inscrição no registro dos investigados, antes que venha a saber por vias não oficiais".

Davigo tem certeza de que o Corriere della Sera *recebeu a confirmação do convite para depor por meio da comitiva de Berlusconi. E o senhor?*

Sim, esta é a convicção que todos nós temos. Achamos que a confirmação decisiva ao *Corriere della Sera* tenha sido dada ou pelo investigado ou pelo ambiente em torno ao investigado.

Qual foi o momento mais difícil, mais dramático da Mãos Limpas?

Quando Di Pietro pediu demissão, sem dúvida. Até porque, naquele mesmo período, estávamos sofrendo a inspeção ministerial extraordinária. Aquele foi seguramente o período de maior estresse daqueles dez anos.

Se um seu neto lhe pergunta o que é Tangentopoli, o que o senhor responde? Qual é o caso mais emblemático que contaria, entre todos aqueles que descobriu?

Bem, decididamente, o caso Chiesa. Foi o caso de partida e o mais evidente. Aprofundar-se no caso Enimont seria difícil, complexo demais para explicar para um neto... Talvez eu contassse também o caso da Metropolitana de Milão: sempre me espantou o fato de que houvesse um só encarregado pelo recebimento das propinas, que depois dividia os ganhos entre os vários partidos políticos, aliados ou adversários, não importava, representados no Conselho de Administração.

E o caso "togas sujas"? Que impressão o senhor teve quando descobriu que havia tantos colegas vendidos, magistrados com contas na Suíça?

Que haja magistrados pouco corretos, principalmente nas pequenas sedes das províncias, onde é fácil que façam ligações ou tenham interesses pouco transparentes, é uma realidade inegável e conhecida, mas que houvesse colegas que recebiam bilhões, com contas na Suíça, bem, isso não, não imaginávamos. Porém, nos acostumanos a tudo, nestes anos. E depois, em Roma, tudo é possível.

Qual foi a sua primeira reação quando Francesco Greco comunicou-o de que havia uma senhora loira que contava certas histórias sobre advogados e juízes de Roma?

Sim, a senhora Ariosto... No final do seu depoimento, senti uma sensação de nojo, de náusea, mas não de incredulidade, porque, em Roma, repito, tudo é possível. Não gostaria que se pensasse a normal rivalidade "milanesa" contra a capital: porém, é verdade que em Roma tudo pode acontecer. Sem lembrar das tristes histórias do "porto das neblinas", quero dizer que lá, o fino do tecido político-administrativo é um terreno por si só mais suscetível às fraquezas e às conivências. É uma realidade conhecida por todos, mas pensar que houvesse colegas que tivessem achado um modo de embolsar bilhões, isso não, isso ainda nos espanta.

OPERAÇÃO MÃOS LIMPAS

A reação do mundo político mudou várias vezes nestes últimos dez anos de Mãos Limpas. Inicialmente, era frágil e contraditória: ninguém ousava negar os fatos de corrupção, no máximo se tentava desculpá-los, interpretá-los, diminuí-los. Hoje, ao contrário, se afirma que a Tangentopoli nunca existiu: foram vocês que fizeram a guerra civil. Que ideia vocês têm do modo como a política entende a justiça? E quais diferenças vocês notaram entre o comportamento da centro-direita e da centro-esquerda?

Percebemos, por parte de todos que exercitam o poder, sem distinções de cor, uma comum incomodação pelo controle da legalidade. Percebemos isso em todos os momentos. Nestes anos, formou-se uma concepção de que a magistratura teria usurpado o lugar da política e agora essa suplência deveria terminar. Essa ideia foi condividida por todos: o CAF, a centro-direita, a centro-esquerda. Eu me esforcei em vão para explicar que a magistratura opera sempre "na suplência". Talvez seja um jogo de palavras e de conceitos, mas é assim até mesmo no campo da Justiça Civil: no sentido em que supre o não se conformar espontâneo dos cidadãos à norma jurídica, à regra escrita. Até mesmo entre os privados, a magistratura civil intervém quando alguém não cumpriu o próprio dever, e é assim também na criminal: a justiça intervém sempre que alguém se afasta dos preceitos que são criminalmente sancionados. Eu sei que o ideal seria uma república de sábios, na qual não houvesse mais a necessidade da Justiça Criminal, porque não haveria formas de desvio, mas ainda estamos muito longe disso.

Então, o senhor admite que vocês desenvolveram um papel de suplência da política?

Se interpretarmos a suplência assim como eu disse, é uma coisa. Se, ao invés, dissermos que o magistrado suplementou ao poder político no sentido de que invadiu o campo alheio, exercitando uma atividade que estaria a cargo do poder executivo ou legistativo, aí não. Talvez tenha havido alguma esporádica invasão, como na ocasião do decreto Conso ou do decreto Biondi, mas é impróprio falar de suplência da magistratura na esfera legislativa ou executiva. Quem deveria fazer as investigações sobre a corrupção, se não a magistratura? Certo, se contra a corrupção não forem tomadas medidas de prevenção ou de contenção dentro da estrutura organizativa do Estado, inevitavelmente vai-se ao encontro da repressão. Esta, porém, não é uma suplência: é a consequência da falta de prevenção. Então, estas expressões, estes conceitos deveriam ser manejados com maior rigor lógico.

Vocês esperavam que a centro-esquerda os tratasse tão mal?

Sim, porque o problema não é de direita ou de esquerda. O verdadeiro problema se refere à relação entre o poder e a legalidade.

APÊNDICE   863

As suas declarações e as suas intervenções desencadearam, há dez anos, polêmicas políticas furiosas.

Nem sei por quê. Alguém até me deu uma explicação, mas eu não quero repeti-la.

Talvez porque o senhor seja um modelo para um certo tipo de magistratura, um baluarte de "resistência".

Não, absolutamente, se há alguém que tenha um baixo nível de autoestima, esse alguém sou eu. No máximo, me disseram: "O motivo é que você não é rotulável. Não conseguem encaixá-lo em nenhuma parte: têm poucas coisas para criticar, poucos argumentos. Você não é um vagabundo, nem um comunista".

Bem, disseram que o senhor era o chefe das togas vermelhas.

Veja bem: eu sou sim uma toga vermelha, mas somente porque, na inauguração do ano judiciário, tive de vestir uma toga vermelha (com arminho). Sob o ponto de vista das correntes, no início dos anos 1960, aderi à Magistratura Democrática, mas depois, quase imediatamente, me destaquei dela. Tinha sido do núcleo fundador muitos anos antes, com Adolfo Beria di Argentine, Dino Greco e tantos outros. Depois saí, na metade dos anos 1970, quando percebi algumas tomadas de posição extremistas de que não compartilhava (certos colegas xiitas, certos processos "populares" tentados contra colegas que emitiam sentenças que não agradavam a alguns, a "jurisprudência alternativa" etc). Entendi que não era a minha praia. No entanto, o período extremista da Magistratura Democrática durou pouco: até o terrorismo começar a ganhar força.

Já que o senhor se dispôs a fazer algumas confissões, vamos tentar outra. Um mês e meio antes do convite para depor para Berlusconi, o senhor deu uma entrevista ao Corriere della Sera *na qual revelou: "Estamos tocando níveis institucionalmente muito elevados". O senhor nunca se arrependeu disso?*

Atenção, naquele momento, não tínhamos nem mesmo decidido mandar o convite para depor a Berlusconi. Não tínhamos nem mesmo encontrado o passe de Berruti, ou seja, a prova que consideramos depois como determinante do envolvimento de Berlusconi nas propinas à Guarda de Finanças e que veio à tona um mês depois. Estávamos atentos a outras questões naquele momento: por exemplo, a presença de Berlusconi no grupo acionário de Telepiù em proporções proibidas pela lei Mammì. Era exatamente a esse fato que eu me referia com aquela expressão. Entretanto, é verdade: era sabido que eu estava falando de Berlusconi, e admito que foi uma frase inoportuna. Posso somente invocar a atenuante da provocação: o ministro Biondi, um dia antes, tinha insultado a nossa categoria, e eu estava furioso, tanto que, pela primeira e última vez na minha vida, fui eu quem chamou o jornalista para me entrevistar.

Entre os ministros da Justiça que assumiram nestes últimos dez anos, qual foi o mais adequado à sua função? Martelli, Conso, Biondi, Mancuso, Caianiello, Flick, Diliberto, Fassino, Castelli...

Não gostaria de fazer avaliações. Posso dizer que Martelli foi um bom ministro, um homem muito inteligente e determinado que assumiu muito rapidamente os problemas da justiça, mesmo não tendo uma formação jurídica, graças também ao ótimo conselheiro que era Giovanni Falcone. Conso é uma ótima pessoa e um grande estudioso, mas não se pode dizer que tenha deixado uma marca na justiça italiana. Era hesitante, temeroso, como acontece com os "técnicos" chamados para um ministério sem possuir base política. Caianiello durou muito pouco tempo para que se possa avaliar. Sobre Biondi e Mancuso, valho-me da faculdade de não responder. Flick, ao contrário, teve vida longa: tinha todas as condições para ser um bom ministro e, de fato, introduziu muitas reformas significativas, a partir do juiz único, mas ele também sofria pela falta de uma base política, o que o deixava enfraquecido na equipe de governo. Ninguém lhe cobria as costas. Fassino foi um bom ministro, muito sério. Castelli não começou bem, mas veremos no final.

Sobre o esboço Boato para a reforma da justiça na bicameral, o senhor disse: "Nos pedem para intervir como parte contrária de uma tratativa, mas não temos de aceitar nenhum compromisso". Por quê?

Era radicalmente contrário àquelas propostas, que considerava perigosíssimas, então expressei um conceito paradoxal: quanto piores são as reformas, menos durarão. Problemas, portanto, para quem colaborar para melhorá-las.

Que juízo o senhor faz, hoje, da Bicameral D'Alema?

O mesmo de antes: era um acerto de contas com a magistratura. A bicameral tinha nascido quase exclusivamente contra nós. Quando vi aquelas consequências, aqueles humanismos, me assustei.

Falou disso com D'Alema?

Encontrei-o por acaso em uma manifestação pública. Pediu-me para ficar em silêncio, disse exatamente assim: "Fiquem quietos e calados, não façam alarde, deixem que fale somente a Associação dos Magistrados". Acrescentou ainda que Berlusconi era um caso perdido, politicamente, entenda-se. Talvez achasse que poderia apoderar-se sozinho da situação, de encurralar o Força Itália. Iludia-se, como pudemos ver...

O senhor encontrou também o atual ministro da Justiça, Castelli, "o engenheiro minis-tro" como o senhor o chama. Que impressões teve dele?

Com Castelli, tive um encontro bem cordial, e o primeiro sinal de afabilidade foi ele quem deu. Estávamos no pátio da prisão de Bollate. Ele desceu do carro oficial do Ministério e veio ao meu encontro, apertando minha mão e dizendo: "Ah, muito prazer em encontrá-lo!". Pensei comigo mesmo que não era tão suscetível como parecia pela sua fisionomia. Então, durante a cerimônia, tro-camos algumas palavras, e ele, como sempre fazem os técnicos, os engenheiros, aqueles que têm uma formação matemática, me perguntou, à queima-roupa, se eu estava de acordo com o fechamento da prisão de San Vittore. Disse-lhe que era difícil dar uma resposta direta, "sim ou não", tipo código binário zero-um. Disse que naquela época não teríamos podido evitar, até que San Vittore fosse substituída por outras prisões. Depois daquela pergunta à queima-roupa, pas-samos ao buffet. Aproximei-me dele e lhe disse: "Senhor ministro, espero que não haja nenhum mal-entendido entre nós; não gostaria de ser considerado um juiz que se opõe a cada inovação". Veja bem, eu sou o primeiro a ter certeza de que seja necessária uma reorganização da justiça, até mesmo na direção da eficiência e da "produtividade". Há muito caminho a percorrer nessa direção, mas é preciso ter entendimento sobre o conceito de "produtividade", que deve ser interpretado e adaptado às características do mundo judiciário, porque, se "produtividade" significa realizar quinhentas sentenças por ano, mesmo que sejam remendadas para serem rápidas e concisas, então não! Temos sempre de priorizar a qualidade, e também não se pode medir a produtividade dos sim-ples juízes em relação aos números, porque quem faz somente arquivamentos terá números altíssimos. Quem, ao invés, conduz uma maxi-investigação ou um maxiprocesso terá somente um fascículo ou uma sentença em ativo, mes-mo que tenha trabalhado muito e estudado milhares de páginas.

Nos dias das polêmicas sobre as cartas rogatórias, o senhor foi a Roma para encontrar o presidente Carlo Azeglio Ciampi. Sobre o que vocês falaram?

Sobre vários assuntos, mas não posso negar que o motivo principal da audi-ência era a lei sobre as cartas rogatórias, que nos preocupava muito, pelas con-sequências devastadoras que poderia ter sobre uma série infinita de processos, não somente sobre aqueles sempre à vista da imprensa, mas também sobre outros, principalmente sobre fatos de terrorismo, criminalidade organizada, pedofilia, lavagem, tráfico de drogas e assim por diante. A Procuradoria e o Tribunal de Milão, naqueles dias, estavam em ebulição. Os colegas queriam ir a público com um documento muito duro contra aquela medida, como também estava acontecendo em quase todas as sedes judiciárias da Itália. Eu evitei aquela saída, pois a considerava arriscada, mas depois eu quis saber se, no governo, existiam margens para uma solução racional. Então, prospectei ao presidente Ciampi as argumentações críticas já expressadas pelos juízes em serviço no Ministério e imediatamente expostas pelo ministro. O chefe de Estado, porém, assim que terminei a minha explanação, imediatamente desviou a converssa para outro lado, para o problema da duração dos processos e sobre as questões mais gerais da justiça. Digamos então que o encontro não deu em grande coisa. Não sei se o presidente poderia ter feito alguma coisa, mas, quem sabe, talvez atrasar por alguns dias a assinatura...

Qual é o seu balanço destes dez anos da Mãos Limpas?

Prescindo das consequências políticas, porque não me interessa saber se estávamos melhor com o velho sistema ou se estamos melhor agora. Digo, porém, que o resultado global da investigação, para a sociedade italiana, foi bem modesto para fins de "purificação" da vida pública; de fato, ouço dizer que a corrupção persiste. Processos e investigações continuam, e é difícil ter uma exata percepção das dimensões do fenômeno, porque a visibilidade da corrupção – ao contrário de outros crimes – é muito baixa. Paradoxalmente, para conhecer o nível de corrupção hoje, seria necessário perguntar aos operadores econômicos, aos empresários. Um resultado que posso definir como positivo é esse: demonstramos que, se nos empenharmos e se houver a colaboração dos cidadãos, é possível conseguir desmascarar as intrigas, pelo menos as mais escandalosas, entre política e negociatas. Além disso, plantamos uma semente no terreno e, pelo menos em uma certa faixa da população, a Mãos Limpas deixou uma grande vontade de limpeza e transparência. Uma sede de justiça, acrescida pelo desejo de apresentar-nos com a cara limpa aos nossos parceiros europeus. Tudo isso, certo, deixa um grande lamento pela transparência que não foi alcançada, porque a obra de limpeza não foi até o fundo, mas, mesmo que tênue, esse rastro permanece; essa semente está viva: digo isso pelas cartas que continuamos a receber, pelas manifestações de solidariedade das pessoas que nos interpelam pelas ruas. Para mim, ficou quase impossível caminhar pelas ruas de Milão devido a tantas pessoas que me interrompem para agradecer-me.

Até mesmo porque, ultimamente, lhe tiraram a escolta...

Eu nunca usei a escolta. Tinha somente um homem para me acompanhar no trajeto de casa ao gabinete e do gabinete para casa, mas para ir ao cinema, em uma pizzaria ou para beber um café, não tinha nenhuma escolta, nem nunca utilizei o carro oficial. Depois da abolição da escolta, decidida pelo atual governo [o segundo governo Berlusconi, em 2001] para muitos colegas, eu renunciei também àquele homem que me acompanhava no trajeto de casa ao gabinete. Pareceu-me uma escolha coerente, visto que nos dizem sempre que é necessário empregar os homens da polícia para tarefas bem mais importantes.

Definitivamente, com que sentimento deixa esse gabinete, após dez anos de Mãos Limpas? Orgulho? Satisfação? Amargura? Lamento?

Antes de tudo, com a consciência de ter deixado um rastro positivo, ao menos para quem quis segui-lo. Um rastro que teve um certo eco também no exterior. Internacionalmente, a Itália é seguidamente citada como modelo nos congressos sobre corrupção e sobre a luta contra a criminalidade organizada como, por exemplo, aqueles promovidos para ajudar os países do leste europeu a aproximarem-se dos padrões da Comunidade Europeia. Estive pessoalmente na Romênia e na Hungria várias vezes. Com uma pequena comissão do Conselho da Europa, passei dez dias na Albânia, e me convidaram também na República Tcheca e na Polônia, sempre para ilustrar a experiência da Mãos Limpas. Alguns acharão estranho, mas no exterior a Mãos Limpas é considerada uma coisa ótima.

O que o senhor teme para o futuro? O senhor também acredita que este seja, para a magistratura italiana, o momento mais perigoso da história da república?

Sim, é um momento muito perigoso, sob muitos pontos de vista, por três motivos. Primeiro: nos últimos anos, houve reformas que considero perniciosas, como o novo artigo 513, depois transformado no novo 111 da Constituição e rebatizado "justo processo" (com o resultado de tentar convencer as pessoas de que antes os processos fossem injustos: recebo cartas de detentos que me escrevem "fomos condenados à época do processo injusto, queremos a revisão!"). Segundo: hoje, são projetadas radicais distorções da ordem, que levarão inevitavelmente à separação das carreiras. Um projeto que visa à submissão do Ministério Público ao executivo: finalmente, o ministro Castelli admitiu explicitamente ao Senado, e por isso lhe daria um beijo no rosto! Terceiro: o cada vez mais preocupante clima geral. As ameaças de procedimentos disciplinares, as objeções, as denúncias contra os juízes que não agradam, a sistemática sabotagem de processos específicos, o uso de certas garantias formais para paralisá-los infinitamente são perspectivas que, para mim, com 46 anos de vida, não fedem nem cheiram, mas para os juízes mais jovens, ou com outro caráter, criam preocupações para o futuro. Há quem, legitimamente, teme não fazer carreira e se induz, talvez inconscientemente, a uma maior flexibilidade e "convivência" em relação aos poderes fortes. Tudo isso faz mal à magistratura. Se acrescentarmos a ideia de Castelli de controlar a "produtividade" dos gabinetes judiciários com lógicas empresariais, quem sabe por meio de empresas de consultoria... bem, o quadro é bem negro. Nem todos fomos talhados para sermos heróis e, hoje, deveríamos todos nós usar uma armadura na espinha dorsal, para resistir.

O senhor disse, inaugurando seu último ano judiciário: "Resistir, resistir, resistir como em uma última, irrenunciável Batalha do Rio Piave". Por que isso?

Lembranças de família. Meu pai, Manlio, quando era juiz em Florença, tinha conhecido Vittorio Emanuele Orlando, o presidente do Conselho da Resistência do Rio Piave. Morava em uma mansão em Florença, perto da nossa; um dia, Orlando mandou a meu pai um cartão postal, que ainda tenho: tem a foto do rosto de Orlando e, embaixo, impressa em letras antigas, meio góticas, uma frase referente à Batalha do Rio Piave: "Resistir, resistir, resistir". Aquele cartão postal, amarelado e fascinante, voltou às minhas mãos enquanto preparava o discurso inaugural do ano judiciário e dali tirei a inspiração psicológica para aquele meu apelo que, como acontece seguido, foi mal-entendido.

Não queria incitar os juízes a rebelarem-se contra o governo?

Certamente não era um convite aos colegas, mas à cidadania, à coletividade, para que acordasse e reagisse àquela crescente desintegração moral, à perda do sentimento de Estado, do sentimento cívico e ético, que infelizmente envolvia também muitos que deveriam dar o bom exemplo do alto.

Diz-se que o seu apelo, tão duro, influenciará quem quer demonstrar que a sede judiciária de Milão não é serena e tenta ser julgado em outro lugar.

Bem, eu disse o que achei que deveria dizer, com a mesma franqueza de sempre, sem segundas intenções e sem pensar nas consequências, um dever em relação aos meus compatriotas, em relação à coletividade. No mais, veja bem: se alguém quiser transferir um processo, sempre encontrará um pretexto. Se não for o meu discurso, acharão outro. Eu sabia, isto sim, que provocaria polêmicas, mas fiz tudo conscientemente, com a razão clara. Quando se avista um perigo, é necessário denunciá-lo imediatamente, em voz alta e com palavras claras, e eu, hoje, vislumbro um grande perigo, não somente para a independência da magistratura. Estamos caminhando a passos forçados em direção a uma forma moderna de regime. E, pessoalmente, não gostaria de terminar como aqueles que, na vigília do fascismo, por prudência exagerada, não disseram nenhuma palavra, ou falaram baixinho, para ninguém ouvir. Salvo depois arrepender-se amargamente, quando não havia mais nada a fazer. Por sorte, vejo que muita gente recomeçou a reagir, a mobilizar-se, até mesmo a protestar nas praças. São manifestações que, pela minha índole "individualista", não frequento, mas me comovem e são, para mim, o maior motivo de esperança, porque me dizem que, talvez, nem tudo tenha sido em vão.

APÊNDICE

O que o senhor deseja para a Itália?

Deixe-me citar uma frase de Altan: "Sonho com uma democracia sem fins lucrativos".*

---

* Entrevista com Francesco Saverio Borrelli, feita pelos autores, no dia 5 de dezembro de 2001 e anexada, com sucessivas perguntas, até abril de 2002.

ENSAIO CRÍTICO

La umanità è come l'ecologia che non è fatta soltanto di fiumi incontaminati e di aria pulita ma anche del loro contrario: l'umanità, si diceva, si può minacciare soltanto da se stessa[*].

A sociedade atual realmente não é mais constituída por rios e ares limpos. Assistimos um constante e crescente processo de contaminação no interior dos sistemas sociais. Esta contaminação tem nome de "corrupção". Certamente, essa é uma das principais doenças sociais que temos. Essa "epidemia" contaminou muitos, sem respeitar limites geográficos, políticos e sobretudo éticos. O processo sistêmico de corrupção que temos ameaça a humanidade da Humanidade de modo paradoxal, pois quando reconhecemos este novo/velho mal social é porque podemos buscar remédios, os quais só podem ser encontrados na própria Humanidade, pois a humanidade que desrespeita, que corrompe, é a mesma que pode combater esse e outros males.

Na reflexão de Resta contida acima podemos encontrar o sentido desta tradução e publicação no Brasil de *Mãos Limpas*: denso, histórico, político, econômico e, talvez a característica fundamental "assustador!" Porém é somente na sociedade que podemos modificar a própria sociedade. Se essa sociedade tem se caracterizado pela corrupção sistêmica é porque, ao mesmo tempo, pode produzir seu inverso. A corrupção nada mais é do que a corrupção internas dos códigos dos sistemas sociais. A sociedade atual é diferenciada funcionalmente, é caracterizada por sistemas sociais que tem uma autonomia. Um sistema social precisa diferenciar-se de seu ambiente e ter uma estrutura própria, ser fechado operativamente e aberto cognitivamente. Aliás, somente este fato pode justificar a ideia de irritação entre sistema do direito e sistema da política, ambos sistemas fechados, mas em constante irritação, especialmente em países da periferia da modernidade onde o direito é constantemente "chamado" a decidir sobre questões "não decididas" por outros subsistemas. O que faz o sistema do direito é processualizar as informações que vêm de outros sistemas por meio da sua linguagem interna, do seu código e da sua estrutura, ou seja, quando algum sistema irrita outro, temos um processo normal e necessário para a própria evolução. O que não pode acontecer é que os sistemas irritados decidam com códigos diferentes dos seus. Em outros termos: os sistemas sociais que não decidem com seus códigos estão provocando uma corrupção, o que não é adequado, pois quando um sistema decide com o código do outro, perdemos a possibilidade da diferenciação funcional. Os reflexos desta eventual "corrupção" são percebidos, por exemplo, através do déficit democrático que temos atualmente.

Entretanto, o que é e como se pode refletir sobre o conceito de democracia? Democracia não é o domínio do povo sobre o povo. Não é autorreferência consubstanciada no conceito de domínio. Não é a superação do domínio, tampouco a anulação do poder pelo poder. Em uma linguagem teórica vinculada ao domínio, a democracia é a única possibilidade de expressar a autorreferência; e isso poderia ser também o motivo pelo qual a palavra "democracia" tem sobrevivido. A suposição de que o povo possa governar-se assim mesmo é, não obstante, teoricamente improvável.

Um dos problemas que se mostra evidente é o acesso ao direito a ter direitos, em função das democracias frágeis que ainda temos, fundadas em sistemas corruptos em todos os níveis e sistemas sociais. Nas periferias da modernidade (como observa Niklas Luhmann) ainda não temos uma diferenciação social; com isso, as formas de exclusão se acentuam, pois fica difícil para as instituições proverem a todos acesso igual e universal. As oportunidades institucionais apresentam-se do mesmo modo que o processo paradoxal de exclusão. São ainda mais preocupantes as vias de inclusão social

---

[*] RESTA, Eligio. Il diritto fraterno. Laterza, 2002, p. 29.

que se dão através não da inclusão propriamente dita, mas sim da exclusão social. O processo de acesso aos direitos não se dá de modo automático; muitas vezes, o sistema do direito é chamado a dar resposta que, não raras vezes, não está preparado para dar, mas tem que decidir. As decisões tomadas – mesmo as não tomadas – implicam vínculos com o futuro, na medida em que obrigam os outros sistemas a implementarem tais medidas que, para o agravamento da situação, nem sempre são coletivamente vinculantes, reforçando, assim, a velha prática de decidir individualmente questões coletivas. Diante desse contexto, também se torna paradoxal a possibilidade de acessar os canais jurídicos para tutelar o interesse de todos. Por isso, muitas vezes os grupos de corrupção "aproveitam-se" destes espaços e criam suas regras, sua organização, "seu direito" e "sua política".

Luhmann apresenta diferentes abordagens sobre democracia. À vista da pertinência das ponderações, destacamos o que caracteriza a democracia para Niklas Luhmann, afirmações que são confirmadas pelos estudiosos ingleses: (i) a democracia é o produto da diferenciação funcional e da contingência do sistema político; (ii) é a soma das comunicações, das decisões e da autorreferência do sistema político; e (iii) é a consequência indissociável de sociedades diferenciadas funcionalmente. Para isso, Luhmann estabelece condições para democracia: (i) diferenciação interna; (ii) limitação do poder do Estado pelo Direito; (iii) existência de mecanismo de *self-testing* do poder e da qualidade da democracia; (iv) a implementação de significados para as estruturas que compõem o sistema político, como Estado de Direito, Constituição e a previsão de mecanismos de proteção dessas estruturas.

Assim, partimos do pressuposto de que a democracia em sociedades que não são/estão diferenciadas funcionalmente é pouco provável. É nesse ambiente da diferenciação funcional – e talvez somente nele – que a fraternidade é possível. Esse novo espaço poderá ser perpassado pela fraternidade, pelo exercício da alteridade e da composição. Existe a necessidade de identificar os pontos de convergência para que seja viável a fraternidade como ponte de aproximação entre os opostos.

Na atualidade, temos presente a ideia de democracia, não como um sistema perfeito, pois é criado pelos seres humanos e, portanto, sujeito a imperfeições do humano/des-humano. Contudo, através da democracia podemos, de algum modo, controlar egoísmos individuais ou coletivos. A democracia é complexa, pois exige diálogo, mediação, conformação, confronto. Para operar de modo democrático, é fundamental também cultura e conhecimento: não basta termos informações, ou melhor, termos esta inflação de informações que serve muito mais para confundir do que para de fato promover conhecimento. Por isso, a democracia necessita ser constantemente reinventada, vigiada; ela se apresenta como uma modalidade de convivência através de regras.

A democracia representativa, um sistema político tido como o melhor modelo político por ter eleições livres, sufrágio universal, liberdade de pensamento, etc., é quase um "valor absoluto". Entretanto, é necessário que se repensem as formas de articulação e de decisão políticas inseridas nesse "valor democracia". É emergente a repolitização da política para retomar a construção de um campo democrático e popular capaz de polarizar a disputa político-ideológica no interior da sociedade civil e dos movimentos sociais. É essencial reintroduzir na agenda pública o debate que trate e enfrente as questões substantivas da democracia que estão associadas à defesa do interesse público, à participação cidadã e à redução das desigualdades sociais.[*]

Como transformar a realidade? Como viver melhor? Como resgatar velhos/novos pressupostos? Estes questionamentos orientaram nossas reflexões. Cada questão nos faz ver a necessidade de produção de um novo espetáculo: da cultura da fraternidade, solidariedade e hospitalidade!

O espetáculo que temos hoje revela uma cultura *light*. Porém, podemos pensar em um novo modo de viver, no qual a cultura nos indica o caminho da reflexão no sentido de uma inclusão universal, a qual pode garantir uma democracia que só se viabiliza se os bens comuns e os direitos fundamentais forem para todos!

O que sabemos sobre a sociedade ou sobre o mundo que vivemos só sabemos através dos meios de comunicação, que muitas vezes espetacularizam o não-espetacular, o que nos faz desconfiar constantemente das "fontes" utilizadas. Aquilo que os meios de comunicação consideram como "sucesso", segundo seu próprio padrão, poderá ser, como dizia Kant, uma ilusão transcendental. De qualquer modo, são os meios de comunicação que mantêm a sociedade "alerta"; eles produzem

---

[*] BAVA, Silvio Caccia. Democratizar a democracia. Le Monde Diplomatique, maio de 2016. Disponível em: http://www.diplomatique.org.br/editorial.php?edicao=8 . Acesso em 04/05/2016.

uma disposição continuamente renovada tanto para surpresas quanto para frustrações. Os meios de comunicação ajustam a dinâmica própria acelerada dos sistemas funcionalmente diferenciados, como a economia, política, ciência, os quais se confrontam continuamente com novos problemas sociais espetaculares.

Na sociedade atual temos espaços ainda não suficientemente preenchidos pela fraternidade, solidariedade e hospitalidade. Por isso, temos que apostar em outra forma de vida em comunidade: este será o espetáculo do qual não apenas assistimos, mas que também faremos! Afinal, a negação desses princípios é também a sua possibilidade. O paradoxo da fraternidade deve ser desvelado para assim entendermos o que é de fato a vida em comunidade, em que o compartilhar e o pactuar são elementos fundamentais para que o verdadeiro espetáculo do viver em comum se efetive, e para que revelemos nossa humanidade. A fraternidade nos obriga a ver o outro e ver que a intolerância se combate com a tolerância; a violência com a não-violência; tudo isso, através da comunicação, a qual pode "escavar/ou não" profundamente o oposto do que estamos acostumados. A comunicação é o que pode nos fazer ver que o paradoxo de uma violência que deixa todos silenciados, pode transformar este silêncio em experiência de vida comunitária. A comunicação precisa deixar de ser "imediata", pois nesse processo de "imediatização" temos a banalização ou o espetáculo não-espetacular. O verdadeiro exercício de *ser humano* está no agir tolerante com o intolerante. Assim, a comunicação se torna o centro da comunidade política, pois, através da comunicação estamos "entre" os outros.

As razões para esta publicação no Brasil, cada leitor encontrou em cada página deste volume. *E que volume!!!* Oportuno relatar, brevemente, como se deu o processo de tradução (sim, foi um processo). Vários tradutores e colaboradores, fizeram a primeira versão; depois uma revisão foi feita por nós; depois dessa revisão, novas dúvidas. Então recorremos ao professor italiano Francesco Bilancia[*], o qual nos deu indicativos das melhores expressões. Mas o trabalho não terminou: a Samanta, revisora do português, nos indicou novas dúvidas. Lá vamos nós relermos o texto, ver significados e significantes. E chegamos neste texto, o qual certamente apresentará dúvidas se "esta foi a melhor tradução para tal palavra"; porém trata-se da possibilidade para quem não pode ler o original (o que é sempre mais adequado, em qualquer circunstância).

A linguagem do texto é jornalística, o que faz o leitor transitar entre os termos técnicos até expressões mais vulgares. Some-se a isso o fato de que muitas expressões dialetais ou adágios italianos são praticamente intraduzíveis e, por isso, tentamos adequar da melhor maneira possível.

O momento político brasileiro precisa ser refletido com maior seriedade. A experiência da Operação Mãos Limpas, pode ser muito útil para isso. Este é o sentido do esforço de traduzir e publicar este texto, já que vamos encontrar nele muitos aspectos semelhantes, ou seja, o povo italiano a partir daquela operação questionava: *onde estava a justiça até agora? Foi um golpe? Todos Sabiam?*

Também para o *pool*, *todos sabiam*, mas não imaginavam a dimensão que a corrupção atingiu a sociedade italiana, mesmo assim, até os dias atuais as leis dificultam as investigações sobre a corrupção. Porém, as investigações revelaram: (i) a relação entre o público e o privado já não existia. Mais do que isso os próprios empresários se sentiam vitimas de extorsão, começaram a se liberar fornecendo informações; (ii) a crise das falsas ideologias.

Finalizo cumprimentando todos aqueles que me auxiliarem nesse processo de revisão: Carlos Eduardo de Oliveira Alban, Gabrielle Jacobi Kölling, Gabriela Zahia Jaber, Mártin Marks Szinvelski, todos meus bolsistas. A Samanta Sá Canfield, a revisora que deu o sangue para rever ponto a ponto o texto.

Sandra Regina Martini
Professora do Programa de Pós-Graduação em Direito
Universidade do Vale do Rio dos Sinos
Escola de Direito/Mestrado e Doutorado

"Para acessar esse artigo na íntegra acesse o site: **www.citadeleditora.com.br**

---

[*] Professor da *Università degli Studi di Chieti e Pescara*. Já esteve diversas vezes no Brasil participando de eventos sobre os novos rumos do Direito Público e Constitucional.

ARTIGO:
CONSIDERAÇÕES SOBRE A OPERAÇÃO MANI PULITE

por Sergio Fernando Moro

RESUMO

Traça breves considerações sobre a operação mani pulite, na Itália, uma das mais impressionantes cruzadas judiciárias contra a corrupção política e administrativa.

Discute as causas que precipitaram a queda do sistema de corrupção italiano e possibilitaram a referida operação — entre elas os crescentes custos, aliados a uma conjuntura econômica difícil —, bem como a estratégia adotada para o seu desenvolvimento.

Destaca a relevância da democracia para a eficácia da ação judicial no combate à corrupção e suas causas estruturais e observa que se encontram presentes várias condições institucionais necessárias para a realização de ação semelhante no Brasil, onde a eficácia do sistema judicial contra os crimes de "colarinho branco", principalmente o de corrupção, é no mínimo duvidosa. Tal fato não escapa à percepção popular, constituindo um dos motivadores das propostas de reforma do Judiciário.

PALAVRAS-CHAVE

Operação mãos limpas; mani pulite; Itália; corrupção; prisão pré-julgamento; prisão pós-julgamento; Lei n. 10.628/2002; Lei n. 7.492/86; ação judicial; propina

INTRODUÇÃO

A denominada "operação mani pulite" (mãos limpas) constitui um momento extraordinário na história contemporânea do Judiciário. Iniciou-se em meados de fevereiro de 1992, com a prisão de Mario Chiesa, que ocupava o cargo de diretor de instituição filantrópica de Milão (Pio Alberto Trivulzio).

Dois anos após, 2.993 mandados de prisão haviam sido expedidos; 6.059 pessoas estavam sob investigação, incluindo 872 empresários, 1.978 administradores locais e 438 parlamentares, dos quais quatro haviam sido primeiros-ministros.

A ação judiciária revelou que a vida política e administrativa de Milão, e da própria Itália, estava mergulhada na corrupção, com o pagamento de propina para concessão de todo contrato público, o que levou à utilização da expressão "Tangentopoli" ou "Bribesville" (o equivalente à "cidade da propina") para designar a situação.

A operação mani pulite ainda redesenhou o quadro político na Itália. Partidos que haviam dominado a vida política italiana no pós-guerra, como o Socialista

(PSI) e o da Democracia Cristã (DC), foram levados ao colapso, obtendo, na eleição de 1994, somente 2,2% e 11,1% dos votos, respectivamente.

Talvez não se encontre paralelo de ação judiciária com efeitos tão incisivos na vida institucional de um país. Por certo, tem ela os seus críticos, especialmente após dez anos. Dez suspeitos cometeram suicídio. Silvio Berlusconi, magnata da mídia e um dos investigados, hoje ocupa o cargo de primeiro-ministro da Itália.

Não obstante, por seus sucessos e fracassos, e especialmente pela magnitude de seus efeitos, constitui objeto de estudo obrigatório para se compreender a corrupção nas democracias contemporâneas e as possibilidades e limites da ação judiciária em relação a ela.

2. CAUSAS DA QUEDA DE UM SISTEMA CORRUPTO

Segundo Porta e Vannucci[*], três foram as causas que precipitaram a queda do sistema de corrupção italiano e possibilitaram a operação "mãos limpas": a) uma conjuntura econômica difícil, aliada aos custos crescentes da corrupção; b) a integração européia, que abriu os mercados italianos a empresas de outros países europeus, elevando os receios de que os italianos não poderiam, com os custos da corrupção, competir em igualdade de condições com seus novos concorrentes; e c) a queda do "socialismo real", que levou à deslegitimação de um sistema político corrupto, fundado na oposição entre regimes democráticos e comunistas.

A política do pós-guerra italiano estava apoiada na separação da Europa em dois blocos, o democrático-liberal e o comunista. Tal oposição também se fazia presente na Itália, com a oposição entre os partidos de direita, como a Democracia-Cristã (DC), e os de esquerda, como o Partido Comunista (PC). Com a queda do "socialismo real" e o arrefecimento do debate ideológico, as fragilidades do sistema partidário e a corrupção tornaram-se mais evidentes.

A deslegitimação do sistema foi ainda agravada com o início das prisões e a divulgação de casos de corrupção. A deslegitimação, ao mesmo tempo em que tornava possível a ação judicial, era por ela alimentada:

> A deslegitimação da classe política propiciou um ímpeto às investigações de corrupção e os resultados desta fortaleceram o processo de deslegitimação. Conseqüentemente, as investigações judiciais dos crimes contra a Administração Pública espalharam-se como fogo selvagem, desnudando inclusive a compra e venda de votos e as relações orgânicas entre certos políticos e o crime organizado. As investigações mani pulite minaram a autoridade dos chefes políticos – como Arnaldo Forlani e Bettino Craxi, líderes do DC e do PCI – e os mais influentes centros de poder, cortando sua capacidade de punir aqueles que quebravam o pacto do silêncio[**].

---

[*] PORTA, Donatella della; VANNUCCI, Alberto. Corrupt exchanges : actors, resources, and mechanisms of political corruption. New York: Aldine de Gruyter, 1999. p. 266-269.

[**] PORTA , op. cit., p. 149-151.

O processo de deslegitimação foi essencial para a própria continuidade da operação mani pulite. Não faltaram tentativas do poder político interrompê-la. Por exemplo, o governo do primeiro-ministro Giuliano Amato tentou, em março de 1993 e por decreto legislativo, descriminalizar a realização de doações ilegais para partidos políticos. A reação negativa da opinião pública, com greves escolares e passeatas estudantis, foi essencial para a rejeição da medida legislativa[*]. Da mesma forma, quando o Parlamento italiano, em abril de 1993, recusou parcialmente autorização para que Bettino Craxi fosse processado criminalmente, houve intensa reação da opinião pública. Um dos protestos populares assumiu ares violentos. Uma multidão reunida em frente à residência de Craxi arremessou moedas e pedras quando ele deixou sua casa para atender uma entrevista na televisão[**]. Em julho de 1994, novo decreto legislativo, exarado pelo governo do primeiro-ministro Silvio Berlusconi, aboliu a prisão pré-julgamento para categorias específicas de crimes, inclusive para corrupção ativa e passiva. A equipe de procuradores da operação mani pulite ameaçou renunciar coletivamente a seus cargos. Novamente, a reação popular, com vigílias perante as Cortes judiciais milanesas, foi essencial para a rejeição da medida[***].

Na verdade, é ingenuidade pensar que processos criminais eficazes contra figuras poderosas, como autoridades governamentais ou empresários, possam ser conduzidos normalmente, sem reações. Um Judiciário independente, tanto de pressões externas como internas, é condição necessária para suportar ações judiciais da espécie. Entretanto, a opinião pública, como ilustra o exemplo italiano, é também essencial para o êxito da ação judicial.

Para Porta e Vannucci, a criação do Conselho Superior da Magistratura (CSM) foi fundamental para reforçar a independência interna da magistratura italiana[****], tornando possível a operação mani pulite. Também foi importante a renovação da magistratura e a própria imagem positiva dos juízes diante da opinião pública, conquistada com duras perdas, principalmente na luta contra a máfia e o terrorismo:

> Um tipo diferente de juiz ingressou na magistratura (nas décadas de setenta e oitenta). Assim como a educação de massa abriu o caminho às universidades para as classes baixas, o ciclo de protesto do final da década de sessenta influenciou as atitudes políticas de uma geração. No sistema judicial, os assim chamados "pretori d'assalto" ("juízes de ataque", i.e., juízes que tomam uma postura ativa, usando a lei para reduzir a injustiça social) tomam frequentemente posturas antigovernamentais em matéria

---

[*] GILBERT, Mark. The italian revolution: the end of politics, Italian style? Colorado: Westview Press, 1995. p. 138-140.

[**] GILBERT, op.cit., p. 149-151.

[***] JAMIESON, Alison. The antimafia: Italy's fight against organized crime. New York: St. Martin's Press, 2000. p. 66; GILBERT, op.cit., p. 183.

[****] PORTA, op. cit., p. 140-141. Faça-se o necessário esclarecimento de que, na Itália, os juízes e os procuradores públicos (os membros do MP) compõem uma mesma carreira, constituindo a magistratura italiana.

de trabalho e de Direito Ambiental. Ao mesmo tempo, especialmente na luta contra o terrorismo e a Máfia, a magistratura exercita um poder pró-ativo, em substituição a um poder político impotente. A coragem de muitos juízes, que ocasionalmente pagaram com suas vidas para a defesa da democracia italiana, era contrastado com as conspirações de uma classe política dividida e a magistratura ganhou uma espécie de legitimidade direta da opinião pública. No final dos anos oitenta e na década de noventa, havia ainda um enfraquecimento na atitude de cumplicidade de alguns juízes com as forças políticas e que havia retardado a ação judicial. Uma nova geração dos assim chamados "giudici ragazzini" (jovens juízes), sem qualquer senso de deferência em relação ao poder político (e, ao invés, consciente do nível de aliança entre os políticos e o crime organizado), iniciou uma série de investigações sobre a má-conduta administrativa e política[*].

A independência judiciária, interna e externa, a progressiva deslegitimação de um sistema político corrupto e a maior legitimação da magistratura em relação aos políticos profissionais foram, portanto, as condições que tornaram possível o círculo virtuoso gerado pela operação mani pulite.

3. A OPERAÇÃO MANI PULITE

Iniciou-se com a prisão de Mário Chiesa, que devia seu cargo administrativo ao Partido Socialista Italiano e foi preso com propina no bolso, cerca de sete mil liras (US$ 4.000,00), que teria recebido de uma companhia de limpeza. Posteriormente, mais de quinze bilhões de liras teriam sido arrestadas em contas bancárias, imóveis e títulos públicos de sua propriedade. Por volta do final de março de 1992, Chiesa, recolhido na prisão de São Vittore de Milão, começou a confessar.

Chiesa exigiria o pagamento de propina em cada contrato celebrado pela instituição filantrópica e a utilizaria para o financiamento de suas ambições políticas e de seu Partido, a fim de manter o cargo junto à instituição filantrópica:

> Em substância, para entender as razões pelas quais eu tive de me expor diretamente no esquema de propina, é necessário entender que eu não me mantinha como presidente de uma organização como Trivulzio simplesmente porque eu era um bom técnico ou um bom administrador da área da saúde, mas também porque de certo modo eu era uma força a ser considerada em Milão, tendo um certo número de votos a minha disposição. Para adquirir o que atingiria no final sete mil votos, eu tive, durante minha carreira política, que sustentar o custo de criar e manter uma organização política que pudesse angariar votos por toda Milão[**].

[*]   Idem, op. cit., p. 141-142. É oportuno dentre todos destacar os magistrados antimafia, Giovanni Falcone e Paolo Borselino, que foram assassinados em maio e em julho de 1992, respectivamente, o que provocou verdadeira comoção nacional.

[**]   Idem, p. 70-71.

Chiesa, que mantinha relações importantes com o líder do Partido Socialista, Betino Craxi, revelou toda uma trama de relações corruptas na cidade de Milão. Sua colaboração inicial gerou um círculo virtuoso, que levou a novas investigações, com outras prisões e confissões.

A estratégia de ação adotada pelos magistrados incentivava os investigados a colaborar com a Justiça:

> A estratégia de investigação adotada desde o início do inquérito submetia os suspeitos à pressão de tomar decisão quanto a confessar, espalhando a suspeita de que outros já teriam confessado e levantando a perspectiva de permanência na prisão pelo menos pelo período da custódia preventiva no caso da manutenção do silêncio ou, vice-versa, de soltura imediata no caso de uma confissão (uma situação análoga do arquétipo do famoso "dilema do prisioneiro"). Além do mais, havia a disseminação de informações sobre uma corrente de confissões ocorrendo atrás das portas fechadas dos gabinetes dos magistrados. Para um prisioneiro, a confissão pode aparentar ser a decisão mais conveniente quando outros acusados em potencial já confessaram ou quando ele desconhece o que os outros fizeram e for do seu interesse precedê-los. Isolamento na prisão era necessário para prevenir que suspeitos soubessem da confissão de outros: dessa forma, acordos da espécie "eu não vou falar se você também não" não eram mais uma possibilidade[*].

Há quem possa ver com maus olhos tal estratégia de ação e a própria delação premiada. Cabem aqui alguns comentários.

Não se prende com o objetivo de alcançar confissões. Prende-se quando estão presentes os pressupostos de decretação de uma prisão antes do julgamento. Caso isso ocorra, não há qualquer óbice moral em tentar-se obter do investigado ou do acusado uma confissão ou delação premiada, evidentemente sem a utilização de qualquer método interrogatório repudiado pelo Direito. O próprio isolamento do investigado faz-se apenas na medida em que permitido pela lei. O interrogatório em separado, por sua vez, é técnica de investigação que encontra amparo inclusive na legislação pátria (art. 189, Código de Processo Penal).

Sobre a delação premiada, não se está traindo a pátria ou alguma espécie de "resistência francesa". Um criminoso que confessa um crime e revela a participação de outros, embora movido por interesses próprios, colabora com a Justiça e com a aplicação das leis de um país. Se as leis forem justas e democráticas, não há como condenar moralmente a delação; é condenável nesse caso o silêncio.

Registre-se que crimes contra a Administração Pública são cometidos às ocultas e, no maioria das vezes, com artifícios complexos, sendo difícil desvelá-los sem a colaboração de um dos participantes. Conforme Piercamillo Davigo, um dos membros da equipe milanesa da operação mani pulite:

---

[*] Idem, p. 267-268.

CONSIDERAÇÕES SOBRE A OPERAÇÃO MANI PULITE

A corrupção envolve quem paga e quem recebe. Se eles se calarem, não vamos descobrir, jamais[*].

Usualmente é ainda levantado outro óbice à delação premiada, qual seja, a sua reduzida confiabilidade. Um investigado ou acusado submetido a uma situação de pressão poderia, para livrar-se dela, mentir a respeito do envolvimento de terceiros em crime. Entretanto, cabível aqui não é a condenação do uso da delação premiada, mas sim tomar-se o devido cuidado para se obter a confirmação dos fatos por ela revelados por meio de fontes independentes de prova.

Por certo, a confissão ou delação premiada torna-se uma boa alternativa para o investigado apenas quando este se encontrar em uma situação difícil. De nada adianta esperar ato da espécie se não existem boas provas contra o acusado ou se este não tem motivos para acreditar na eficácia da persecução penal. A prisão pré-julgamento é uma forma de se destacar a seriedade do crime e evidenciar a eficácia da ação judicial, especialmente em sistemas judiciais morosos. Desde que presentes os seus pressupostos, não há óbice moral em submeter o investigado a ela. Roberto Mongini, um dos primeiros a serem presos pela mani pulite, assim se pronunciou a respeito do que teria provocado a sua confissão:

> Um Mongini em São Vittore (a prisão milanesa) é algo bastante diferente de um Mongini livre. Por exemplo, comigo na prisão, se os jornais divulgassem que eu estava confessando (como de fato alguns jornais divulgaram, após o primeiro interrogatório quando eu realmente não forneci qualquer informação), talvez alguns empresários que tivessem trabalhado com a SEA (órgão do qual Mongini era vicepresidente) ficassem com medo e corressem aos procuradores públicos antes que os '"carabineri"'corressem atrás deles[**].

Aliás, a reduzida incidência de delações premiadas na prática judicial brasileira talvez tenha como uma de suas causas a relativa ineficiência da Justiça criminal. Não há motivo para o investigado confessar e tentar obter algum prêmio em decorrência disso se há poucas perspectivas de que será submetido no presente ou no futuro próximo, caso não confesse, a uma ação judicial eficaz.

Os responsáveis pela operação mani pulite[***] ainda fizeram largo uso da imprensa. Com efeito:

> Para o desgosto dos líderes do PSI, que, por certo, nunca pararam de manipular a imprensa, a investigação da "mani pulite" vazava como

---

[*] SIMON, Pedro (coord.). Operação "mãos limpas": audiência pública com magistrados italianos. Brasília: Senado Federal, 1998. p. 27.

[**] PORTA, op. cit,. p. 268.

[***] A equipe milanesa era formada por Antonio Di Pietro, Gherardo Colombo e Piercamillo Davigo (GILBERT, op. cit.,1995. p. 123.)

uma peneira. Tão logo alguém era preso, detalhes de sua confissão eram veiculados no "L'Expresso", no "La Republica" e outros jornais e revistas simpatizantes. Apesar de não existir nenhuma sugestão de que algum dos procuradores mais envolvidos com a investigação teria deliberadamente alimentado a imprensa com informações, os vazamentos serviram a um propósito útil. O constante fluxo de revelações manteve o interesse do público elevado e os líderes partidários na defensiva. Craxi, especialmente, não estava acostumado a ficar na posição humilhante de ter constantemente de responder a acusações e de ter a sua agenda política definida por outros[*].

A publicidade conferida às investigações teve o efeito salutar de alertar os investigados em potencial sobre o aumento da massa de informações nas mãos dos magistrados, favorecendo novas confissões e colaborações. Mais importante: garantiu o apoio da opinião pública às ações judiciais, impedindo que as figuras públicas investigadas obstruíssem o trabalho dos magistrados, o que, como visto, foi de fato tentado.

Há sempre o risco de lesão indevida à honra do investigado ou acusado. Cabe aqui, porém, o cuidado na desvelação de fatos relativos à investigação, e não a proibição abstrata de divulgação, pois a publicidade tem objetivos legítimos e que não podem ser alcançados por outros meios.

As prisões, confissões e a publicidade conferida às informações obtidas geraram um círculo virtuoso, consistindo na única explicação possível para a magnitude dos resultados obtidos pela operação mani pulite.

A título exemplificativo e sem adentrar o mérito das acusações, é oportuno destacar o ocorrido com um dos principais investigados ou talvez o principal: Bettino Craxi. Líder do PSI e ex-primeiro-ministro, foi um dos principais alvos da operação mãos limpas. Craxi, já ameaçado pelas investigações, reconheceu cinicamente a prática disseminada das doações partidárias ilegais em famoso discurso no Parlamento italiano, em 3/7/ 1992:

> Os partidos políticos têm sido o corpo e a alma das estruturas democráticas... Infelizmente, é usualmente difícil identificar, prevenir e remover áreas de infecção na vida dos partidos... Mais, abaixo da cobertura do financiamento irregular dos partidos casos de corrupção e extorsão floresceram e tornaram-se interligados... O que é necessário dizer e que, de todo modo, todo mundo sabe, é que a maior parte do financiamento da política é irregular ou ilegal. Os partidos e aqueles que dependem da máquina partidária (grande, média ou pequena), de jornais, de propaganda, atividades associativas ou promocionais... têm recorrido a recursos adicionais irregulares. Se a maior parte disso deve ser considerada pura e simplesmente criminosa, então a maior parte do sistema político

---

[*] GILBERT, op. cit., p. 134-135.

é um sistema criminoso. Eu não acredito que exista alguém nessa Casa e que seja responsável por uma grande organização que possa ficar em pé e negar o que eu digo. Cedo ou tarde os fatos farão dele um mentiroso[*].

Em dezembro de 1992, Craxi recebeu seu primeiro avviso di garanzia, um documento de dezoito páginas, no qual era acusado de corrupção, extorsão e violação da lei reguladora do financiamento de campanhas. A acusação tinha por base, entre outras provas, a confissão de Salvatore Ligresti, suposto amigo pessoal de Craxi preso em julho de 1992, de que o grupo empresarial de sua propriedade teria pago aproximadamente US$ 500.000,00 desde 1985 ao PSI para ingressar e manter-se em grupo de empresários amigos do PSI.

Na segunda semana de janeiro de 1993, Craxi recebeu o segundo avviso di garanzia, com acusações de que a propina teria também como beneficiário o próprio Craxi, e não só o PSI. Os pagamentos seriam feitos a Silvano Larini, que seria amigo próximo de Craxi. Larini e Filippo Panseca seriam os proprietários da empresa da qual Craxi alugaria suas mansões opulentas em Como e Hammamet. Larini entregou-se à polícia em fevereiro de 1993 e admitiu que agiu como intermediário entre Craxi e a comunidade empresarial de Milão para pagamento de propina. Craxi ainda recebeu novos avviso de garanzia antes de renunciar ao posto de líder do PSI em fevereiro de 1993.

Também viu seu nome envolvido no escândalo da Enimont. A Enimont era empresa química formada por joint venture da ENI (Ente Nazionale Idrocarburi), a empresa petrolífera estatal italiana, e a Montedision, empresa química subsidiária do grupo Ferruzi (considerado o segundo maior da Itália após a FIAT). Pelos termos do acordo, o grupo privado não poderia possuir mais do que 40% das ações. No entanto, Raul Gardini, líder do grupo Ferruzi, quebrou o pacto e tentou obter agressivamente o controle da Enimont, encontrando resistência política. Em novembro de 1990, atendendo a pedido da Enimont, foram suspensas judicialmente todas as negociações de ações da empresa e nomeado como interventor pessoa ligada a Craxi. Bloqueada em suas aspirações, a Montedision concordou em vender ao Governo sua parte no negócio por aproximadamente dois bilhões de dólares. O preço, superestimado (cada ação, com o valor de 1,374 lira, foi adquirida pela ENI por 1,540 lira), tinha uma razão de ser, o pagamento de cerca de cem milhões de dólares a vários líderes políticos, dentre eles Craxi. A propina foi paga por Gardini com o auxílio de Sergio Cusani, consultor financeiro próximo a Craxi e outros políticos. Em julho de 1993, Gardini, ciente de que a fraude estava para ser revelada pela operação mani pulite, suicidou-se. Cusani foi preso também em julho e, em seu julgamento, foram ouvidos como testemunhas vários políticos que teriam recebido propina. Alguns deles, como Carlos Vizzini, Giorgio Malfa e Cláudio Martelli, este último ex-ministro da Justiça, admitiram o fato, ou seja, o recebimento da propina.

A operação mani pulite também revelou que a ENI funcionaria como uma

---

[*] PORTA, op. cit., p. 1-2.

fonte de financiamento ilegal para os partidos. Florio Fiorini e Gabriele Cagliari, diretor financeiro e presidente da empresa, respectivamente, confessaram, após suas prisões em 1993, que a gigante estatal teria efetuado pagamentos mensais aos principais partidos políticos durante anos. Cagliari foi outro dos presos que, após admitir o pagamento da propina (cerca de dezoito milhões de dólares), cometeu suicídio na prisão.

Bettino Craxi, diante das acusações e posteriores condenações, auto-exilou--se, em 1994, na Tunísia, onde veio a falecer no ano 2000.

Outras figuras políticas italianas igualmente importantes sofreram as ações da mani pulite. De particular relevo é a figura de Giulio Andreotti, líder da Democracia Cristã (DC) e exprimeiro-ministro, processado pela Procuradoria de Palermo em 1993, por associação à máfia. Salvo Lima, que era representante da DC na Sicília e pessoa de confiança de Andreotti, possuía ligações comprovadas com a máfia, sendo improvável que Andreotti desconhecesse tais fatos. Salvo Lima inclusive foi assassinado pela organização criminosa, no que foi interpretado como uma punição pelo seu fracasso na proteção jurídica e política da entidade após a condenação de vários chefes da máfia no maxi-processo conduzido pelo magistrado Giovanni Falcone. Outrossim, mafiosos "arrependidos" e colaboradores da Justiça, como Tommaso Buscetta, revelaram encontros entre o ex-primeiro ministro e mafiosos, inclusive com o chefe Toto Riina. Andreotti, porém, sempre negou as acusações e afirmava que estaria sendo vítima de retaliação pela máfia em virtude de suas ações políticas contra ela. O fato é que Andreotti, seja ou não culpado, foi, mais recentemente e após várias decisões e apelos, absolvido das acusações por falta de provas.

4. CONSIDERAÇÕES FINAIS

Um acontecimento da magnitude da operação mani pulite tem por evidente seus admiradores, mas também seus críticos.

É inegável, porém, que constituiu uma das mais exitosas cruzadas judiciárias contra a corrupção política e administrativa. Esta havia transformado a Itália em, para servirmo-nos de expressão utilizada por Antonio Di Pietro, uma democrazia venduta ("democracia vendida")[*].

A operação mani pulite ainda serviu para interromper a curva ascendente da corrupção e de seus custos. Giuseppe Turani, jornalista financeiro italiano, estimou que, na década de 1980-1990, a corrupção teria custado à Itália um trilhão de dólares[**]. Superestimados ou não esses números, há registro de que os custos de obras na Itália seriam mais elevados em comparação com os de outros países:

> No que se refere a contratos públicos em Milão, em relação aos quais as investigações judiciais teriam determinado a quantia paga em propina,

---

[*] GILBERT, op. cit., p.188.
[**] Idem, p. 130.

foi notado que a linha de metrô milanesa custaria 1000 bilhões (de liras) por quilômetro e levaria 12 anos para estar completa; em Zurique, 50 bilhões e sete anos. O Teatro Piccolo já custou 75 bilhões e deve estar pronto em nove anos; na GrãBretanha, o novo teatro de Leeds custou 28 bilhões e foi construído em dois anos e três meses. A reestruturação do estádio de San Siro custou 140 bilhões, o estádio olímpico de Barcelona, 45 bilhões. A linha número três da ferrovia metropolitana de Milão custou 129 bilhões por quilômetro; a linha subterrânea de Hamburgo custou 45 bilhões[*].

Há ainda registro de que, após a operação mani pulite, vários contratos públicos teriam sido concedidos com preços 50% menores do que nos anos anteriores[**].

A ação judicial isolada tem como efeito apenas incrementar os riscos da corrupção, evidenciando as conseqüências caso ela seja descoberta. Uma ação judicial bastante eficaz, como foi o caso, pode no máximo interromper o ciclo ascendente da corrupção.

Não obstante, não é crível que, por si só, possa eliminá-la, especialmente se não forem atacadas as suas causas estruturais. No caso italiano:

A influência do crime organizado, o clientelismo, a lentidão exasperada, atrasos injustificados, a complexidade normativa e o processo pantanoso – em outras palavras, os componentes da ineficiência estrutural da atividade pública, continuam a estar presentes. Reformas mais profundas são necessárias para prevenir, assim que a tempestade passar, que o mercado da corrupção se expanda novamente[***].

Não deixa ainda de ser um símbolo das limitações da operação mani pulite o cenário atual da política italiana, com o cargo de primeiro-ministro sendo ocupado por Silvio Berlusconi. Este, grande empresário da mídia local, ingressou na política em decorrência do vácuo de lideranças provocado pela ação judicial e mediante a constituição de um novo partido político, a Forza Itália. Não obstante, o próprio Berlusconi figura desde 1994 entre os investigados pelos procuradores milaneses por suspeita de corrupção de agentes fiscais. Além disso, era amigo próximo de Craxi (este foi padrinho do segundo casamento de Berlusconi). Tendo ou não Berlusconi alguma responsabilidade criminal, não deixa de ser um paradoxo que ele tenha atingido tal posição na Itália mesmo após a operação mani pulitE.

Talvez a lição mais importante de todo o episódio seja a de que a ação judicial contra a corrupção só se mostra eficaz com o apoio da democracia. É esta quem define os limites e as possibilidades da ação judicial. Enquanto ela contar com o apoio da opinião pública, tem condições de avançar e apresentar bons resultados.

---

* PORTA, op. cit., p. 204.

** Idem.

*** Idem, p. 269.

Se isso não ocorrer, dificilmente encontrará êxito. Por certo, a opinião pública favorável também demanda que a ação judicial alcance bons resultados. Somente investigações e ações exitosas podem angariá-la. Daí também o risco de divulgação prematura de informações acerca de investigações criminais. Caso as suspeitas não se confirmem, a credibilidade do órgão judicial pode ser abalada.

Além disso, a ação judicial não pode substituir a democracia no combate à corrupção. É a opinião pública esclarecida que pode, pelos meios institucionais próprios, atacar as causas estruturais da corrupção. Ademais, a punição judicial de agentes públicos corruptos é sempre difícil, se não por outros motivos, então pela carga de prova exigida para alcançar a condenação em processo criminal. Nessa perspectiva, a opinião pública pode constituir um salutar substitutivo, tendo condições melhores de impor alguma espécie de punição a agentes públicos corruptos, condenando-os ao ostracismo.

De todo modo, é impossível não reconhecer o brilho, com suas limitações, da operação mani pulite, não havendo registro de algo similar em outros países, mesmo no Brasil.

No Brasil, encontram-se presentes várias das condições institucionais necessárias para a realização de ação judicial semelhante. Assim como na Itália, a classe política não goza de grande prestígio junto à população, sendo grande a frustração pelas promessas não-cumpridas após a restauração democrática. Por outro lado, a magistratura e o Ministério Público brasileiros gozam de significativa independência formal frente ao poder político. Os juízes e os procuradores da República ingressam na carreira mediante concurso público, são vitalícios e não podem ser removidos do cargo contra a sua vontade. O destaque negativo é o acesso aos órgãos superiores, mais dependentes de fatores políticos. Destaque também negativo merece a concessão, por lei, de foro especial a determinadas autoridades públicas, como deputados e ministros, a pretexto de protegê-los durante o exercício do cargo. O pretexto não parece coerente com as modificações decorrentes da controvertida Lei n. 10.628/2002, que estenderam o privilégio para período posterior ao exercício do cargo.

De todo modo, o principal problema parece ser ainda uma questão de mentalidade consubstanciada em uma prática judicial pouco rigorosa contra a corrupção, prática que permite tratar com maior rigor processual um pequeno traficante de entorpecente (por exemplo, as denominadas "mulas") do que qualquer acusado por crime de "colarinho branco", mesmo aquele responsável por danos milionários à sociedade. A presunção de inocência, no mais das vezes invocada como óbice a prisões pré-julgamento, não é absoluta, constituindo apenas instrumento pragmático destinado a prevenir a prisão de inocentes. Vencida a carga probatória necessária para a demonstração da culpa, aqui, sim, cabendo rigor na avaliação, não deveria existir maior óbice moral para a decretação da prisão, especialmente em casos de grande magnitude e nos quais não tenha havido a devolução do dinheiro público, máxime em país de recursos escassos.

Mais grave ainda, no Brasil, a prisão pós-julgamento foi também tornada exceção, para ela exigindose, por construção jurisprudencial, os mesmos pressupostos da prisão préjulgamento. Com efeito, a regra tornou-se o apelo em liberdade. Tal construção representa um excesso liberal com uma pitada de ingenuidade. É previsível que aquele já condenado a sentenças longas seja tentado a furtar-se ao cumprimento da lei penal, especialmente quando, como no Brasil, não é exigida a sua presença no julgamento (salvo nos processos submetidos ao júri). Jogos semânticos à parte, não há como equiparar a situação processual do acusado antes do julgamento com aquela após a condenação, ainda que esta não seja definitiva.

A legislação federal norte-americana, que ainda é um paradigma liberal democrático apesar dos recentes abusos da guerra contra o terrorismo, traça, por exemplo, de maneira bastante clara, a diferença entre a situação processual do acusado antes e depois da sentença condenatória, ainda que esta não seja definitiva. Com efeito, a prisão antes do julgamento demanda a demonstração de que nenhuma combinação de condições irá razoavelmente assegurar a presença do acusado no julgamento ou a segurança de outra pessoa ou da comunidade (Título 18, Parte II, Capítulo 207, Seção 3142, do US Code Collection). Aqui a carga de demonstração se impõe em favor do acusado. Já após o julgamento e ainda que pendente apelo, a prisão deve ser ordenada, salvo se houver clara e convincente evidência de que a pessoa não irá fugir ou colocar em perigo a segurança de outra pessoa ou da comunidade. Aqui a carga de demonstração se impõe contra o acusado. Além disso, segundo avaliação da autoridade judicial, o apelo não deve ter objetivo meramente protelatório e deve levantar uma questão substancial de direito ou de fato que possa resultar em absolvição, novo julgamento ou em sentença que não inclua prisão (Título 18, Parte II, Capítulo 207, Seção 3143, do US Code Collection).

Registre-se que a construção excessivamente liberal brasileira não é um resultado necessário do princípio da presunção de inocência previsto no inc. LVII do art. 5º da Constituição Federal, pois este comporta várias alternativas interpretativas.

No Brasil (assim como de certa forma na maioria dos outros países) e com raras, mas — admita-se — crescentes exceções, a eficácia do sistema judicial contra os crimes de "colarinho branco", dentre os quais o de corrupção, deixa bastante a desejar[*]. O fato não escapa à percepção popular, sendo um dos motivadores das propostas de Reforma do Judiciário (cuja eficácia, porém, para reverter o quadro é, no mínimo, duvidosa).

A gravidade da constatação é que a corrupção tende a espalhar-se enquanto não encontrar barreiras eficazes. O político corrupto, por exemplo, tem vantagens competitivas no mercado político em relação ao honesto, por poder contar com

---

[*] Por todos, o instigante trabalho de CASTILHO, 2001, que, mediante pesquisa sociológica, traça quadro desalentador da eficácia da chamada Lei do "Colarinho Branco" (Lei n. 7.492/86).

recursos que este não tem. Da mesma forma, um ambiente viciado tende a reduzir os custos morais da corrupção, uma vez que o corrupto costuma enxergar o seu comportamento como um padrão e não a exceção.

O mais grave ainda é que a corrupção disseminada não coloca em xeque apenas a legitimidade do regime democrático (o que, por si só, já é bastante grave), mas também a do sistema judicial. Repetindo uma última vez as palavras de Porta e Vannucci:

> De fato, escândalos políticos não colocam em questão apenas a legitimidade da classe política; eles também têm um impacto na legitimidade daqueles encarregados de investigá-los: a magistratura. Em alguns casos, de fato, a descoberta de ilegalidade disseminada provoca críticas ao sistema judicial no sentido de que este estaria sendo inadequado para combater a corrupção[*].

Daí, por evidente, o valor, com seus erros e acertos, do exemplo representado pela operação mani pulite.

BIBLIOGRAFIA COMPLEMENTAR

CACIAGLI, Mario. Clientelismo, corrupción y criminalidad organizada: evidencias empíricas y propuestas teóricas a partir de los casos italianos. Madrid: Centro de Estudios Constitucionales, 1996.

CASTILHO, Ela Wiecko V. de. O controle penal nos crimes contra o sistema financeiro nacional: Lei n. 7.492, de 16/6/86. Belo Horizonte: Del Rey, 2001.

FALCONE, Gionvanni. Cosa Nostra: o juiz e os "homens de honra". Trad. de Maria Alexandre. Rio de Janeiro: Bertrand, 1993.

ABSTRACT

The author outlines brief comments on the "clean hands" operation, in Italy, one of the most impressive judicial crusades against political and administrative corruption.

He discusses the causes that sped up the fall of the Italian corruption system and made the referred operation possible — among them the increasing costs, added to economically difficult circumstances — and the adopted strategy for its development.

He highlights the relevance of democracy for the success of legal actions against corruption and its structural causes. He observes that there are various of the institutional conditions for the taking of a similar action in Brazil, where the effectiveness of the judicial system against white collar crimes, especially corruption, is fairly uncertain. This fact does not go unnoticed by the popular eye, being one of the motivators for the Judiciary reform proposals.

KEYWORDS – "Clean Hands" Operation; Italy; corruption; pre-trial detention; post-trial detention; Law n. 10,628/2002; Law n. 7,492/86; legal action; bribe.

Fonte: Revista CEJ (Conselho da Justiça Federal).

---

[*]   PORTA, op. cit., p.139.

Livros para mudar o mundo. O seu mundo.

Para conhecer os nossos próximos lançamentos
e títulos disponíveis, acesse:

🌐 www.**citadeleditora**.com.br

f /**citadeleditora**

📷 @**citadeleditora**

🐦 @**citadeleditora**

▶ Citadel - Grupo Editorial

Para mais informações ou dúvidas sobre a obra,
entre em contato conosco através do *e-mail*:

✉ contato@**citadeleditora**.com.br